TRILOGIE VAN DE ZEVEN WATEREN

BOEK III

Kind van de Profetie

JULIET MARILLIER

POEMA POCKET

POEMA-POCKET is een onderdeel van Luitingh ~ Sijthoff

Vijfde druk

Oorspronkelijke titel: *Child of the Prophecy*
Vertaling: Pauline Moody
Omslagontwerp: Wouter van der Struys
Omslagillustratie: Neal Armstrong

ISBN 978 90 245 5343 3

www.boekenwereld.com & www.poemapocket.com

Voor oude vrienden

IERLAND

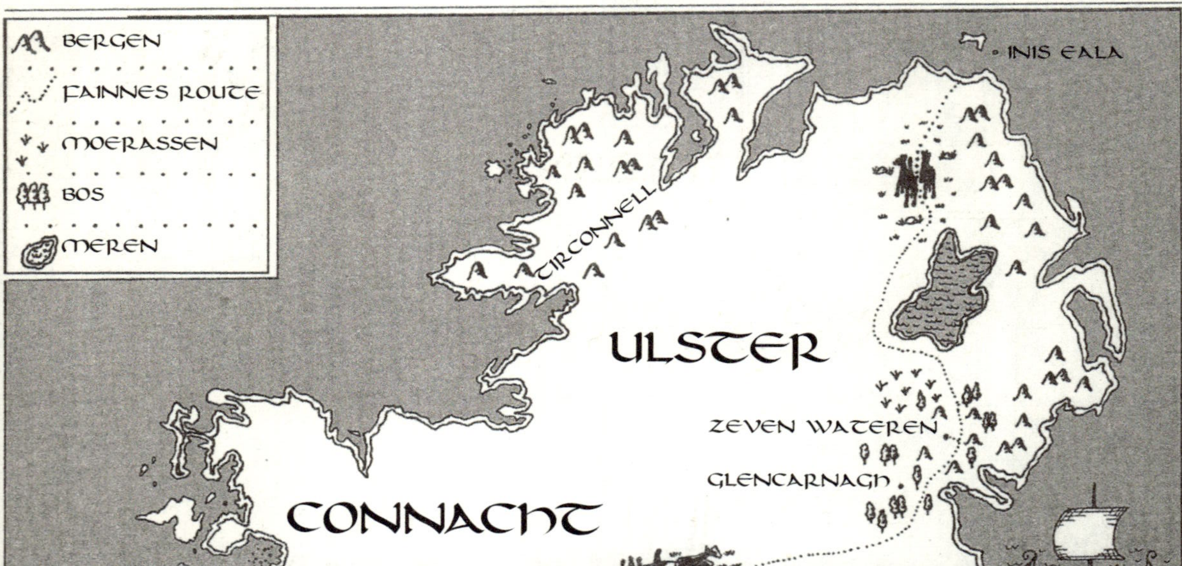
BERGEN
FAINNES ROUTE
MOERASSEN
BOS
MEREN
INIS EALA
TIRCONNELL
ULSTER
ZEVEN WATEREN
GLENCARNAGH
CONNACHT

NA MARA
LEINSTER
N
MUNSTER
KERRY
B. MARILLIER & K. KNAPPETT
ULSTER
ZEVEN WATEREN
GLEN-GARNAGH
DE EILANDEN
EILAND MAN
IERSE ZEE
NORTH-UMBRIE
NORTH-WOODS
HARROW-FIELD
IERLAND EN BRITTANNIE

HOOFDSTUK EEN

Elke zomer kwamen ze weer. Aan aarde en hemel, aan zon en steen telde ik de dagen af. Dan klom ik naar de cirkel en ging daar stil zitten met mijn rug tegen de warmte van de steen die ik de Schildwacht noemde, en zag de konijnen in het verflauwende licht naar buiten komen om te knabbelen aan het weinige dat op de kale helling te vinden was. De zon zakte weg in het westen, een bol van oranje vuur die achter de heuvels wegdook in de ongeziene diepten van de oceaan. Het stervende licht viel op de vormen van de dolmens zodat hun schaduwen zich ver uitrekten op de stenige grond voor me. Ik was hier elke zomer geweest sinds ik de reizigers voor het eerst had zien komen, en ik had geleerd de tekenen te interpreteren. Elke dag wierp de ondergaande zon de donkere, puntige vormen een stukje verder op de noordelijke helling. Wanneer de grootste schaduw precies tot mijn tenen kwam, op de plek waar ik zat, precies in het midden van de cirkel, dan was het tijd. Morgen kon ik bij het pad gaan staan om te kijken, want dan zouden ze hier zijn.

Het gebeurde volgens een patroon. Alles gebeurde volgens een patroon, als je wist hoe je moest kijken. Dat had mijn vader me geleerd. De kunst bestond er juist in daarbuiten te blijven, je er niet in te laten vangen. Het was een vergissing te denken dat je ergens bij hoorde. Mensen zoals wij konden nooit ergens bij horen. Dat had ik ook van hem geleerd.

Ik wachtte altijd bij het pad, achter een jeneverbesstruik, roerloos als een kind van steen. Dan hoorde ik hoefgetrappel, en het kraken van draaiende wielen. Vervolgens kreeg ik een of twee van de jongemannen op pony's te zien, die voor de anderen uit reden om uit te kijken naar onraad. Tegen de tijd dat ze de helling opreden en de plek passeerden waar ik me verschool, waren ze niet meer zo op hun hoede en maakten ze lachend grappen, want ze waren dicht bij hun kamp en er wachtte een zomer met rijke visvangst en een betrekkelijk gemakkelijk leven, een tijd waarin dingen konden worden hersteld en dingen konden worden gemaakt. In de tijd die ze hier aan de baai doorbrachten, leek het bijna of ze zich definitief hadden gevestigd.

Hierna kwamen er een paar wagens, met de oude mannen en vrouwen erbovenop, terwijl de kleinere kinderen op de lading zaten of naast de wagen meeholden. Danny Walker mende het ene koppel paarden, zijn vrouw Peg het andere. De overige mensen kwamen er lopend achteraan. Hun dassen en sjaals en halsdoeken vormden felle kleuraccenten in het vale grijs van het landschap, want het was hier boven behoorlijk kaal, zelfs in de warmte van de vroege zomer. Ik sloeg hen ongezien gade en wachtte ongezien, zonder me te verroeren. Ten slotte kwam dan de rij paardjes, en de jongere mannen leidden ze of reden ernaast mee. Dat was het mooiste ogenblik van de zomer: de eerste keer dat ik Darragh weer in het oog kreeg, klein en trots op zijn grijze paard gezeten. Hij was altijd bleek na de winter daar in het noorden, en lette met gefronst voorhoofd op zijn beesten, altijd op zijn hoede voor het geval dat er een los zou breken om de vrijheid te zoeken. Deze rij dieren zou in de loop van het warmere seizoen worden afgericht, en verkocht wanneer de reizende mensen weer naar het noorden gingen.

Ik zou nog niet door een vingerbeweging of het knipperen van een ooglid laten merken dat ik er was. Maar Darragh zou het toch weten. Zijn bruine ogen zouden opzij kijken, met een tinteling erin, en hij zou zijn tanden laten blinken in een lach die niemand zag, niemand behalve ik op mijn schuilplaats naast het pad. Dan zouden de reizigers voorbijtrekken en naar beneden verdwijnen, naar de baai en hun zomerkamp, en ik zou weer naar huis gaan, over de heuveltop en langs de landengte afdalen naar de Honingraat, want daar woonden we, mijn vader en ik.

Vader vond het niet prettig als ik eropuit ging. Maar hij stelde me geen beperkingen. Het werkte beter, zei hij, als ik mijn eigen regels vaststelde. De kunst was een harde leermeester. Ik zou gauw genoeg ontdekken dat hij je geen tijd liet voor vriendinnen, geen tijd voor spelen, geen tijd voor zwemmen of vissen of van de rotsen af springen zoals de andere kinderen deden. Er was veel te leren. En wanneer vader het te druk had om mij les te geven, moest ik mijn tijd gebruiken om mijn vaardigheden te oefenen. De enige regels waren de onuitgesproken regels. Bovendien kon ik niet ver weg komen, met mijn voet.

Ik begreep dat de kunst voor ons soort mensen het enige was dat werkelijk van belang was. Maar Darragh kwam ongevraagd in mijn leven, en toen hij er eenmaal was, werd hij mijn makker in de zomer, en mijn beste vriend; of om eerlijk te zijn, mijn enige vriend. Ik was bang voor de andere kinderen en kon me nauwelijks voorstellen dat ik mee zou doen aan hun ruwe spelletjes. En zij van hun kant gingen mij uit de weg. Misschien uit angst, misschien ergens anders om. Ik wist dat ik slimmer was dan zij. Ik wist dat ik, als ik wilde, met hen kon doen wat ik wilde. En toch, wanneer ik naar mijn spiegelbeeld in het water keek en dacht aan wat ik gezien had: hoe de jongens en meisjes naar elkaar roepend langs het zandstrand renden, en vanaf de rotsen visten, en naast hun vaders en moeders netten zaten te boeten, dan wenste ik uit het diepst van mijn hart dat ik een van hen was, en niet mijzelf. Ik wilde dat ik een van de reizigersmeisjes was, met een rode hoofddoek en een sjaal met lange franje, zodat ik hoog boven op de wagen kon gaan zitten en in de herfsttijd weg kon rijden naar de verre streken in het noorden.

Wij hadden een woning, een geheime woning, halverwege de helling achter grote rotsblokken, uitkijkend naar het zuidwesten. Onder ons stak de steile, rotsige kaap die Honingraat heette uit in de zee. Binnen was een ingewikkeld netwerk van grotten, kamers en verborgen gangen, een passende behuizing voor een man als mijn vader. Achter ons ging de helling ver omhoog naar de vlakke bovenkant van de heuvel, waar de cirkel van stenen stond, en dan weer omlaag naar het karrenspoor. Daarachter lag het land Kerry, en nog verder waren streken waarvan ik de namen niet wist. Maar Darragh wist ze, en Darragh vertelde ze aan mij terwijl hij van drijfhout een keurige stapel bouwde voor een vuur, en op zoek ging naar vuursteen en tondel terwijl ik een potje met gedroogde kruiden te voorschijn haalde voor thee. Hij vertelde me over meren en wouden, over woeste bergkammen en zachte, nevelige valleien. Hij beschreef hoe de Noormannen, wier overvallen op onze kust zo gevreesd werden, zich hier en daar hadden gevestigd, en met Ierse vrouwen waren getrouwd en kinderen hadden gekregen die noch het een, noch het ander waren. Met een glans van opwinding in zijn bruine ogen sprak hij over de grote paardenmarkt in het noorden.

Hij gebaarde met zijn smalle handen en zijn stem klonk helder van enthousiasme en hij ging er zo in op dat hij helemaal vergat dat hij eigenlijk het vuurtje moest aanmaken. Daarom deed ik het zelf maar door met mijn wijsvinger naar de houtjes te wijzen en de vlam op te roepen. Het drijfhout vlamde ogenblikkelijk op en ons pannetje met water begon warm te worden. Maar Darragh zweeg opeens.

'Ga door,' zei ik. 'Kocht die oude man dat paard, of niet?'

Maar Darragh keek me met gefronst voorhoofd aan, en zijn donkere wenkbrauwen waren afkeurend samengetrokken. 'Dat moet je niet doen,' zei hij.

'Wat?'

'Het vuur op die manier aansteken. Met toverkunsten. Als het niet echt nodig is. Er is toch niets mis met vuursteen en tondel? Ik zou het dadelijk hebben gedaan.'

'Overbodige moeite. Op mijn manier gaat het sneller.' Ik gooide een handvol van de gedroogde blaadjes in de pot om ze te laten trekken. De frisse geur van de kruiden steeg op in de koele lucht van de heuvel.

'Je kunt het beter niet doen. Als het niet nodig is.' Hij kon het niet verder uitleggen, maar zijn woordenvloed was plotseling opgedroogd en we lieten de thee trekken en zaten hem samen zwijgend op te drinken, terwijl de zeevogels boven ons hoofd zwenkten en krijsten.

De zomers waren vol van zulke dagen. Wanneer ze hem niet nodig hadden om met de paarden te werken of in het kamp mee te helpen, kwam Darragh mij opzoeken, en zwierven we samen over de rotsige hellingen, de paden boven langs de kliffen, en langs de verscholen baaien en geheime grotten. Hij leerde me vissen met een enkele lijn en een vaste hand. Ik leerde hem te zien welke dag het was aan de manier waarop de schaduwen omhoog schoven over de heuvel. Als het regende, wat ook in de zomer nog weleens wilde gebeuren, zaten we samen in de beschutting van een kleine grot, onder aan de landengte die de Honingraat met de kust verbond, die bijna onder de grond lag, maar net niet helemaal, want het daglicht viel er van boven binnen en gaf het kleine plekje met fijn zand een tere tint grijsblauw. Hier voelde ik me altijd veilig. Hier kwamen de hemel, de aarde en de zee bij elkaar, ze raakten elkaar aan en gingen weer uiteen, en het geluid van de golfjes die op het onderaardse strand kabbelden was als een zucht, tegelijk een groet en een afscheid. Darragh zei nooit tegen me wat hij van mijn geheime grot

vond. Hij kwam gewoon met me mee naar beneden en zat naast me, en wanneer de regen was opgehouden, sloop hij weg zonder iets te zeggen.
Er was een wild gras dat daar op de helling groeide, een sterke, buigzame plant met een zijdeachtige glans op zijn lichtgroene stengels. We noemden het rattenstaarten, hoewel het vermoedelijk een andere naam had. Peg en haar dochters waren uitstekende mandenvlechtsters en gebruikten dit gras voor mooiere werkstukken dan ze anders maakten, voor manden die aan een dame verkocht konden worden, misschien om bloemen in te verzamelen, in plaats van gebruikt te worden om groenten of een zware lading brandhout in te dragen. Ook Darragh kon vlechten met zijn snelle, handige, lange vingers. In een bepaalde zomer waren we boven bij de staande stenen, laat in de middag. We zaten met onze rug naar de Schildwacht en keken uit over de baai en de kaap in de verte, en naar de westelijke zee daarachter. Wolken pakten zich samen en de lucht had al een zweem van koude. Deze dag kon ik de schaduwen niet zien, maar ik wist dat de zomer op zijn einde liep en dat er weer een uiteengaan aankwam. Ik voelde me bedroefd en was boos op mezelf omdat ik bedroefd was, en ik probeerde niet te denken aan een volgende winter van hard werken en koude, eenzame dagen. Ik staarde naar de stenige grond en dacht na over het jaar, hoe dat ronddraaide als een slang die in zijn eigen staart beet; hoe het voortrolde als een meedogenloos wiel. De goede tijd zou weer komen, en daarna de slechte tijd.
Darragh had een handvol rattenstaarten en draaide ze handig in elkaar, terwijl hij binnensmonds floot. Darragh was nooit treurig. Hij had er geen tijd voor; voor hem was het leven een avontuur, met altijd een nieuwe deur om te openen. Bovendien kon hij weggaan als hij wilde. Hij hoefde geen lessen te leren, hij hoefde zich niet te bekwamen in bepaalde vaardigheden, zoals ik.
Ik keek kwaad naar de kiezels op de grond. Steeds in het rond, dat was mijn bestaan, het herhaalde zich eindeloos, in een cyclus waaruit geen ontsnapping mogelijk was. Steeds rond. Vast en onveranderlijk. Ik keek naar de kiezels die trilden en rolden, die gehoorzaam bewogen op de grond voor me.
'Fainne?' Darragh keek me met gefronst voorhoofd aan, en naar de bewegende steentjes op de aarde voor me.
'Wat?' Mijn concentratie was verstoord. De steentjes bewogen niet meer. Nu lagen ze in een volmaakte cirkel.

‘Hier,’ zei hij. ‘Geef me je hand.’
Ik deed wat hij zei, verbaasd, en hij schoof een ringetje van gevlochten rattenstaarten aan mijn vinger; het was zo knap gemaakt dat het nergens een verbinding of sluiting leek te hebben.
‘Waar is dit voor?’ vroeg ik, terwijl ik het zijdeachtige, veerkrachtige ringetje van gras rond en rond draaide. Hij had zijn ogen weer gericht op de baai en keek naar de kleine curraghs die binnenkwamen na het vissen.
‘Dat je me niet vergeet,’ zei hij op luchtige toon.
‘Doe niet zo mal,’ zei ik. ‘Waarom zou ik jou vergeten?’
‘Dat zou kunnen gebeuren,’ zei Darragh, en hij wendde zich weer naar me toe. Hij maakte een gebaar naar de keurige cirkel van steentjes. ‘Je zou iets te maken kunnen krijgen met andere dingen.’
Ik voelde me gekwetst. ‘Dat zou ik niet doen. Dat zou ik nooit doen.’
Darragh slaakte een zucht en haalde zijn schouders op. ‘Je bent nog maar een klein meisje. Je weet het niet. De winter duurt lang, Fainne. En... er zou iemand op je moeten letten.’
‘Helemaal niet!’ zei ik onmiddellijk terug, en ik sprong op van de plaats waar ik zat. Wie dacht hij wel dat hij was, door tegen me te praten alsof hij mijn grote broer was? ‘Ik kan heel goed op mezelf passen, dank je zeer. En nu ga ik naar huis.’
‘Ik loop met je mee.’
‘Dat hoeft niet.’
‘Ik loop met je mee. Of nog beter, we doen een wedstrijd. Niet zo ver, tot de jeneverbessen daar beneden. Kom op.’
Ik bleef koppig staan en trok een lelijk gezicht naar hem.
‘Ik geef je een voorsprong,’ vleide Darragh. ‘Ik zal tot tien tellen.’
Ik bewoog me niet.
‘Tot twintig dan. Vooruit, ga nu maar.’ Hij lachte, een brede, onweerstaanbare lach.
Ik begon te rennen, als je mijn onhandige, hinkende manier van lopen rennen kon noemen. Met mijn rok opgenomen in mijn ene hand bereikte ik een redelijke snelheid, hoewel het steile, met steentjes bezaaide oppervlak het nodig maakte voorzichtig te zijn. Ik was nog maar halverwege de jeneverbessen toen ik vlak achter me zijn zachte, snelle voetstappen hoorde. Het was een ongelijke strijd, dat wisten we allebei. Hij had de afstand kunnen afleggen in een kwart van de tijd die ik ervoor nodig had. Maar op de een of andere manier kwam het zo uit dat we de struiken precies op hetzelfde moment bereikten.

'Zo, tovenaarsdochter,' zei Darragh grijnzend. 'Nu gaan we gewoon lopen om weer op adem te komen. Morgen zal het een betere dag zijn.'

Hoe oud was ik toen? Zes, misschien, en hij een jaar of twee ouder? Ik had het ringetje aan mijn vinger op de dag dat de reizende mensen weer inpakten en wegreden; de dag dat ik hem uit moest wuiven en weer moest beginnen met wachten. Voor hem was het niet zo erg. Hij ging ergens naartoe en had dingen te doen, en hij wilde maar al te graag weer op zijn paardje klimmen en wegrijden. Toch maakte hij tijd vrij om afscheid van me te nemen, op de helling boven het kamp, want hij wist dat ik niet dicht bij de plek wilde komen waar de mensen zich verzamelden om hun wagens te laden en zich gereed te maken voor de reis. Ik was zo verlegen dat ik niets kon zeggen. Ik kon er helemaal niet tegen door de jongens en de meisjes te worden aangegaapt, en was niet in staat antwoord te geven op Pegs schrandere, vriendelijke vragen. Mijn vader was daar beneden, een lange gestalte in een mantel die met Danny Walker praatte, hem boodschappen meegaf om af te leveren, opdrachten om uit te voeren. Om hen heen lieten de anderen een grote, lege cirkel vrij.
'Nou, het is zover,' zei Darragh.
'Nou, het is zover,' herhaalde ik, en probeerde dezelfde luchtige toon te treffen, wat jammerlijk mislukte.
'Dag, Krullenbol,' zei hij en stak zijn hand uit om zacht aan een lok van mijn lange haar te trekken, dat dezelfde donkerrode kleur had als dat van mijn vader. 'Tot de volgende zomer. Doe geen domme dingen, hè, tot ik terugkom.' Dat zei hij elke keer dat hij wegging, altijd precies hetzelfde. Wat mij betreft, ik had helemaal niets te zeggen.

De dagen werden korter en de donkere tijd van het jaar begon. Nu Darragh weg was, had ik geen goede reden om me buitenshuis op te houden, en daarom wijdde ik me aan mijn werk en probeerde niet te merken hoe koud het was in de Honingraat, haast nog kouder dan de kou van een herfstwind boven op de heuvel. Het was een pijnachtig gevoel dat diep in je botten ging zitten en daar bleef als een last die je moest dragen. Ik klaagde nooit. Vader had me laten zien hoe je ermee om moest gaan en verwachtte van mij dat ik dat deed. Het was niet zo dat een tovenaar de hitte van het vuur of

de bijtende kou van de noordenwind niet voelde. Een tovenaar was tenslotte een mens en geen wezen uit de Andere Wereld. Wat je moest doen, was je lichaam leren ermee om te gaan, zodat het ongemak je niet traag of onhandig maakte. Het was voornamelijk een kwestie van ademhalen. Meer kan ik er niet over zeggen. Mijn vader was ooit een druïde geweest. Hij zei dat hij dat allemaal achter zich had gelaten toen hij uit de broederschap was getreden. Maar een man kan al die jaren van training en discipline niet zomaar ongedaan maken. Ik begreep dat veel van wat ik leerde geheim was, en dat daarover alleen met anderen van ons soort mensen gesproken mocht worden. Zelfs nu zijn er een aantal dingen waarover ik niets kan en wil zeggen.
Er waren veel kamers in de Honingraat. We lieten het hele jaar lampen branden, en in de grote werkruimte van mijn vader brandden vele kaarsen, want daar bewaarde hij zijn rollen en boeken, griezelige en wonderlijke objecten in potten, en zakjes met scherp ruikende poeders. Er was een gedroogde basilisk, en een beker die gemaakt was van een gedraaide, gekromde hoorn, waarvan de onderkant ingelegd was met rode stenen. Er was een kleine schedel als van een kabouter, met lege oogkassen. Er was een dik grimoire, een tovenaarsboek, waarvan de lederen band donker was geworden van ouderdom en van het veelvuldig hanteren. In deze ruimte bracht mijn vader dagen en nachten in afzondering door; hij vervolmaakte zijn kunst en was altijd bezig met leren, leren.
Ik kon in meer dan één taal lezen en in meer dan één schrift schrijven. Ik kon vele, vele verhalen navertellen en nog meer toverspreuken zeggen. Maar ik leerde gauw genoeg dat de grootste betovering niet in een boek is vastgelegd, en ook niet op een ontcijferbare manier op een boekrol is uitgetekend. De krachtigste betoveringen worden niet teweeggebracht met kunstige handgebaren, of door dranken en brouwsels te mengen, of door oude woorden uit te spreken. Ik kwam te weten waarom het zo was dat wanneer mijn vader het hardste werkte, hij niets anders leek te doen dan doodstil in het midden van een lege ruimte staan, met zijn moerbeikleurige ogen gericht op niets. Want de toverij die het diepst gaat is die van de geest, en daarvan zul je geen overgeleverde teksten vinden op perkament of velijn, of in bast of steen gekrast. Die staat nergens beschreven. Vader dankte zijn eerste kennis aan de wijzen: de druïden van het woud. Hij had haar ontwikkeld door toewijding en studie. Maar ons talent voor de toverkunst zat in ons bloed. Vader was de zoon

van een grote tovenares, en van haar had hij bepaalde vaardigheden geleerd die hij maar zelden gebruikte, want ze waren zeer krachtig en ook gevaarlijk. Je moest oppassen, zei hij, je niet te ver te wagen, je niet in duistere zaken te mengen die beter konden blijven rusten. Ik kon me mijn grootmoeder niet meer duidelijk voor de geest halen. Ik dacht dat ik me een elegante figuur in een blauw gewaad herinnerde, die me zo strak in de ogen had gekeken dat ik hoofdpijn had gekregen. Ik dacht dat ze me misschien vragen had gesteld waarop ik boos had geantwoord, omdat ik het niet prettig vond dat ze in ons geordende domein was binnengedrongen. Maar dat was lang geleden gebeurd, toen ik nog heel klein was. Vader sprak zelden over haar, behalve om te zeggen dat ons bloed besmet was door het geslacht waaruit zij stamde, een geslacht van tovenaars die niet begrepen dat bepaalde grenzen nooit overschreden mochten worden. En toch, zei vader, was zij sterk, geraffineerd en slim, en ze was mijn grootmoeder; een deel van haar leefde in ons beiden, en dat mochten we niet vergeten. Het was er de oorzaak van dat ons leven nooit hetzelfde zou zijn als dat van gewone mensen, met vrienden, familie en eerzame arbeid. Het gaf ons uitzonderlijke talenten, en het richtte onze schreden naar een bestemming van duisternis.

Ik was acht jaar. Het was Meán Geimhridh, en de noordenwind drukte de kromgegroeide bomen neer. Hij liet de golven met geweld uiteenspatten tegen de klifwand zodat de ijzige druppels diep in de tunnelgangen van de Honingraat werden gedreven. Het kiezelstrand lag bezaaid met kluwens zeewier en gebroken schelpen. De vissers trokken hun curraghs veilig op het strand, en de mensen leden honger.

'Concentreer je, Fainne,' zei mijn vader, want mijn bevroren vingers wilden me niet gehoorzamen en gleden weg. 'Gebruik je geest, niet je handen.'

Ik zette mijn kiezen op elkaar, kneep mijn ogen halfdicht en begon opnieuw. Een kunstje was dit, meer niet. Het moest gemakkelijk zijn. Strek je armen uit, kijk naar de glanzende glazen bol die aan de andere kant van de kamer op zijn plank tegen de muur stond, met het licht van de kaarsen weerspiegeld in zijn bedrieglijke oppervlak. Overbrug de afstand met je geest; denk de afstand, denk de sprong. Beweeg niet. Laat de bol het werk doen. Leg de bol je wil op zodat hij in je handen komt. Leg hem je wil op zodat hij naar

je toe komt. *Kom. Kom hier. Kom bij me, broos en breekbaar ding, rond en mooi ding, kom in mijn handen.* Het was koud, mijn vingers deden pijn, zo koud was het. Ik kon de golven buiten horen beuken. Ik kon de glazen bol op de stenen vloer horen kletteren. Mijn armen vielen langs mijn zijden omlaag.
'Heel goed,' zei vader kalm. 'Haal een bezem en veeg het op. Vertel me dan waarom het je niet lukte.' Er klonk geen veroordeling in zijn stem. Zoals altijd wilde hij dat ik zelf een oordeel velde. Op die manier zou ik sneller leren.
'Ik... ik stond mezelf toe aan iets anders te denken,' zei ik, terwijl ik me bukte om de messcherpe scherven op te vegen. 'Daardoor werd de schakeling verbroken. Het spijt me, vader. Ik kan het wel. De volgende keer zal het me lukken.'
'Dat weet ik,' zei hij, terwijl hij zich omdraaide om door te gaan met zijn eigen werk. 'Oefen dit tweemaal vijftig keer met iets onbreekbaars. Kom dan terug om het me te laten zien.'
'Ja, vader.' Het was toch te koud om te slapen. Ik kon de nacht net zo goed gebruiken om iets nuttigs te doen.

Ik was tien jaar. Ik stond doodstil, precies in het midden van de werkruimte van mijn vader, met mijn ogen gericht op niets. Boven mijn hoofd zweefde de breekbare bol, op zijn plaats gehouden door onzichtbare krachten. Ik ademde. Langzaam, heel langzaam. Bij elke uitademing een minieme correctie. Omhoog, omlaag, naar links, naar rechts. *Draai om je as*, zei ik tegen de bol, en hij draaide rond, gloeiend in het kaarslicht. *Stop. Beschrijf nu een cirkel om mijn hoofd.* Mijn ogen volgden de beweging niet. Ik hoefde de bol niet te zien om te weten dat hij aan mijn wil gehoorzaamde. *Stop. Val nu naar beneden.* De uiterst korte aarzeling; dan de duik omlaag, een langs me schietende streep glinsterend licht, een afdaling naar de vernietiging. *Stop.* De duikende bol bleef een handbreedte boven de stenen vloer stilstaan. Ik knipperde met mijn ogen en bukte om hem in mijn hand op te pakken.
Vader knikte ernstig. 'Je beheersing gaat vooruit. Deze kunsten zijn natuurlijk betrekkelijk gemakkelijk; maar er is discipline voor nodig om ze goed uit te voeren. Ik ben tevreden over je vorderingen, Fainne.'
'Dank u.' Zo geprezen te worden was echt een zeldzame gebeurtenis. Meestal stelde hij alleen vast dat ik iets onder de knie had gekregen, en ging hij meteen door met de volgende opdracht.

'Nu niet zelfingenomen worden, hoor.'
'Nee, vader.'
'Het is tijd om je in een andere tak van de kunst te begeven, een die een grotere uitdaging vormt. Daarvoor zul je nieuwe krachten in jezelf moeten vinden. Het kan erg uitputtend zijn. Neem een paar dagen om te rusten. We zullen met Imbolc beginnen. Dat lijkt ook wel bij uitstek het geschikte tijdstip.' Zijn stem had een verbitterde klank.
'Ja, vader.' Ik vroeg niet wat hij bedoelde. Ik wist dat hij mijn moeder op Brighids feest voor het eerst had ontmoet; maar hij sprak nooit over haar, tenminste niet als het aan hem lag. Dat verhaal zat goed verstopt binnen in hem, en hij was een meester in het bewaren van geheimen. Het weinige wat ik wist, had ik hier en daar bijeen gesprokkeld, met kleine stukjes tegelijk in de loop van jaren. Bijvoorbeeld een opmerking van Peg, die ik toevallig had gehoord terwijl ik onder de bomen achter het kamp op Darragh wachtte, ongezien door zijn moeder.
'Ze was heel mooi,' had Peg tegen haar vriendin Molly gezegd. Het tweetal zat in de ochtendzon en hun vingers bewogen bliksemsnel terwijl ze hun ingewikkelde manden maakten. 'Lang, slank, met dat glanzende koperkleurige haar afhangend langs haar rug. Als een fee. Maar ze was altijd... ze was altijd een beetje geschift, weet je wat ik bedoel? Hij waakte over haar als een wolvin die haar jongen bewaakt, maar hij kon toch niet tegenhouden wat er gebeurde. Je kon het in haar ogen zien, van meet af aan.'
'Mm,' had Molly geantwoord. 'Dan lijkt dat meisje op haar vader. Een vreemd kind.'
'Ze kan niet helpen wat ze is,' zei Peg.
En ik herinnerde me een andere keer, in een zomer toen het bijzonder warm was, en Darragh eindelijk zijn geduld verloor over mijn hardnekkige weigering om ook maar in de buurt van het water te komen.
'Waarom wil je niet dat ik je leer zwemmen?' had hij gevraagd. 'Is dat om haar? Om wat er met haar gebeurd is?'
'Wat?' zei ik. 'Wat bedoel je?'
'Je weet wel. Je moeder. Omdat zij... nou ja, om wat ze gedaan heeft. Dat zeggen ze. Dat jij bang bent voor het water, omdat zij van de Honingraat is afgesprongen en zich heeft verdronken.'
'Natuurlijk niet,' antwoordde ik, heftig slikkend. 'Ik wil het gewoon niet, dat is alles.' Hoe had hij kunnen weten dat niemand me tot

dat moment had verteld hoe ze gestorven was?
Ik probeerde een of andere herinnering aan mijn moeder uit mijn geheugen op te halen, probeerde me een beeld te vormen van de mooie vrouw die Peg had beschreven, maar er was niets. Het enige dat ik me kon herinneren waren vader en de Honingraat. Er was lang geleden en ver weg iets gebeurd, iets dat mijn moeder had beschadigd en mijn vader had gewond, en de weg naar de toekomst voor ons allen had bepaald op een manier waartegen niet kon worden ingegaan. Vader had me het verhaal nooit verteld. Maar het was wel de onuitgesproken les die in alles wat hij me leerde was ingebouwd.

'Het is tijd om te beginnen,' zei vader, terwijl hij me tamelijk streng aankeek. 'Dit zal serieus werk zijn, Fainne. Het zal misschien nodig zijn om je vrijheid deze zomer in te perken.'
'Ik... ja, vader.'
'Goed.' Hij knikte. 'Kom hier naast me staan. Kijk in de spiegel. Let op mijn gezicht.'
Het oppervlak was van brons, gepolijst tot een spiegelende glans. Onze spiegelbeelden waren naast elkaar te zien; hetzelfde gezicht met subtiele verschillen. De donkerrode krullen; de felle ogen, donker als rijpe bessen; de bleke huid zonder sproeten. Het gezicht van mijn vader was best knap, vond ik, al had het een ietwat ongenaakbare uitdrukking. Het mijne was een kindergezicht, ongevormd, alledaags, een puddinkje van een gezicht. Ik meesmuilde naar mijn spiegelbeeld en keek weer naar mijn vader in de spiegel. Ik hield mijn adem in.
Het gezicht van mijn vader was bezig te veranderen. De neus werd een haakneus, het dieprode haar doorschoten met wit, de huid rimpelig en vlekkerig als een oude appel die te lang is bewaard. Ik staarde er met ontzetting naar. Hij hief een hand op, en het was een oudemannenhand, knoestig en misvormd, met nagels als de klauwen van een of ander wild dier. Ik kon mijn ogen niet van het beeld in de spiegel afwenden.
'Kijk nu naar mij,' zei hij zacht, en de stem was zijn eigen stem. Ik dwong mijn ogen om voorzichtig opzij te gaan, hoewel ik bang werd bij de gedachte dat de man die naast me stond misschien dit verschrompelde omhulsel van mijn fiere, statige vader zou zijn. En daar stond hij, dezelfde als altijd, met zijn donkere ogen op de mijne gericht, en het haar nog altijd glanzend kastanjebruin om zijn slapen krullend. Ik keek weer naar de spiegel.

Het gezicht veranderde weer. Het trilde even en kwam tot stilstand. Dit keer was het verschil minder duidelijk. Het haar een tint lichter, iets steiler. De ogen diepblauw, niet de ongewone donkerpaarse kleur die mijn vader en ik allebei hadden. De schouders wat breder, de lengte een handbreedte meer, de neus en kin met een zweem van grofheid die eerder niet te zien was. Het was nog mijn vader, maar toch was het een andere man.
'Dit keer,' zei hij, 'zul je wanneer je je ogen van de spiegel afwendt, zien wat ik wil dat je ziet. Wees niet bang, Fainne. Ik ben nog steeds mezelf. Dit is het Mom, dat wij gebruiken om ons voor een bepaald doel mee uit te dossen. Het is een krachtig werktuig als het goed wordt toegepast. Het is niet zozeer een verandering van het eigen uiterlijk, als wel een verschuiving in de waarneming van anderen. De techniek moet zeer voorzichtig worden beoefend.'
Toen ik ditmaal keek, was de man naast me de man in de spiegel; mijn vader en niet mijn vader. Ik knipperde met mijn ogen, maar hij bleef een ander. Mijn hart bonsde in mijn borst en mijn handen voelden klam aan.
'Goed,' zei mijn vader langzaam. 'Adem langzaam zoals ik je heb geleerd. Pak je angst aan en zet hem van je af. Deze vaardigheid is niet in één dag te leren; ook niet in een seizoen of in een jaar. Je zult buitengewoon hard moeten werken.'
'Waarom bent u dan niet eerder begonnen mij dit te leren?' wist ik uit te brengen, nog steeds erg van streek door hem zo anders te zien. Het zou bijna gemakkelijker zijn geweest als hij de gedaante van een hond, of van een paard, of zelfs een kleine draak had aangenomen; niet deze... deze net niet kloppende versie van zichzelf.
'Eerder was je er te jong voor. Dit is de goede leeftijd. Kom nu.' En plotseling was hij weer zichzelf, snel als een knip met de vingers. 'Stap voor stap. Gebruik de spiegel. We zullen met de ogen beginnen. Concentreer je, Fainne. Adem vanuit de buik. Kijk in de spiegel. Kijk naar het punt tussen de wenkbrauwen. Goed. Gebruik je wil om je lichaam volkomen bewegingloos te maken... zet het besef van tijd van je af... Ik zal je een paar woorden geven om te gebruiken, in het begin. Later moet je het leren zonder de spiegel, en zonder de woorden.'
Tegen de avondschemering was ik uitgeput, mijn hoofd leek hol als een lege pompoen, mijn lichaam was koud en klam van het zweet. We rustten uit, tegenover elkaar gezeten op de stenen vloer.
'Hoe kan ik weten,' vroeg ik, 'hoe kan ik weten wat werkelijkheid

is en wat een beeld? Hoe kan ik weten dat de manier waarop ik u zie de ware manier is? U zou wel een lelijke, rimpelige oude man kunnen zijn, die zich in het Mom van een tovenaar heeft gehuld.'
Vader knikte, met een sombere uitdrukking op zijn bleke gezicht. 'Dat kun je niet weten.'
'Maar...'
'Het zou voor iemand die doorkneed is in deze kunst mogelijk zijn deze vermomming jarenlang vol te houden, als het nodig was. Het zou voor zo iemand mogelijk zijn iedereen om de tuin te leiden. Of bijna iedereen. Zoals ik al zei, het is een krachtig werktuig.'
'Bijna iedereen?'
Hij zweeg even en knikte toen. 'Een andere beoefenaar van onze kunst zal door deze betovering heen zien. Er zijn, denk ik, drie soorten mensen die altijd je ware zelf zullen herkennen: een tovenaar, een ziener en een onschuldige. Je ziet er moe uit, Fainne. Misschien moet je maar gaan slapen en hier morgenochtend weer mee beginnen.'
'Ik voel me goed, vader,' zei ik, want ik wilde hem niet teleurstellen. 'Ik kan doorgaan, heus waar. Ik ben sterker dan ik eruitzie.'
Vader glimlachte, een zeldzaam schouwspel. Dat leek me een verandering die dieper ging dan wat het Mom kon uitrichten; het leek of ik werkelijk een andere man zag, de man die hij had kunnen zijn als het noodlot hem vriendelijker had behandeld. 'Ik vergeet soms hoe jong je bent, dochter,' zei hij zacht. 'Ik ben een harde leermeester, hè?'
'Nee, vader,' zei ik. Mijn ogen prikten vreemd, alsof er tranen in kwamen. 'Ik ben sterk genoeg.'
'O, ja,' zei hij en zijn mond was weer streng. 'Daar twijfel ik geen ogenblik aan. Maar kom, laten we weer beginnen.'

Ik was twaalf jaar, en gedurende korte tijd was ik langer dan Darragh. Die zomer liet mijn vader me niet vaak naar buiten gaan. Wanneer hij me korte tijd rust gunde, sloop ik weg van de Honingraat en de heuvel op. Ik wist niet of dit nog wel mocht, maar wilde geen toestemming vragen uit angst dat het geweigerd zou worden. Meestal wachtte Darragh op me, en vaak zat hij te oefenen op de doedelzak, want Dan had het hem goed geleerd en het bespelen van zijn instrument was meer genoegen dan plicht. We gingen niet meer op verkenning in de grotten, liepen niet meer langs het strand om schelpen te zoeken en bouwden geen vuurtjes meer van takjes.

Meestal zaten we in de schaduw van de staande stenen, of in een holte bij de rand van het klif, en praatten, en dan ging ik weer naar huis terwijl het zoete geluid van de doedelzak achter me bogen vormde door de lucht. Ik zeg dat we praatten, maar meestal ging het zo dat Darragh praatte en ik luisterde; ik was er tevreden mee stil bij hem te zitten. Trouwens, waarover kon ik praten? De dingen die ik deed waren geheim, er mocht niet over worden gesproken. En Darraghs wereld was me in toenemende mate onbekend, vreemd, als een soort spannende droom die nooit uit kon komen.
'Waarom neemt hij je niet mee terug naar Zeven Wateren?' vroeg hij op een dag, een tikje ondoordacht. 'Wij zijn daar een paar keer geweest, moet je weten. Een oude tante van mijn vader woont daar nog altijd. En jij hebt daar een hele familie wonen: ooms, tantes, en een hele rits nichtjes. Ze zouden je hartelijk ontvangen, dat weet ik wel zeker.'
'Waarom zou hij dat moeten doen?' Ik keek hem kwaad aan, want ik had altijd moeite met kritiek op mijn vader, ook al werd die niet rechtstreeks uitgesproken.
'Omdat...' Darragh leek naar woorden te zoeken. 'Omdat... nou ja, omdat het zo gaat, met familie. Je groeit samen op, je doet dingen samen, je leert van elkaar en zorgt voor elkaar, en... en...'
'Ik heb mijn vader. Hij heeft mij. We hebben niemand anders nodig.'
'Dat is geen leven,' mompelde Darragh. 'Het is geen leven voor een meisje.'
'Ik ben geen meisje, ik ben een tovenaarsdochter,' beet ik hem toe, terwijl ik mijn wenkbrauwen naar hem optrok. 'Het is nergens voor nodig dat ik naar Zeven Wateren ga. Mijn huis is hier.'
'Nou doe je het weer,' zei Darragh even later.
'Wat?'
'Wat je altijd doet als je boos bent. Je ogen beginnen te gloeien en er lopen lichtflitsen door je haar, net als vlammetjes. Ga me nou niet vertellen dat je dat niet wist.'
'Zie je wel,' zei ik, terwijl ik bedacht dat ik mijn gevoelens beter moest zien te beheersen.
'Zie je wel wat?'
'Zie je wel dat ik niet gewoon *een meisje* ben. Je kunt er dus mee ophouden mijn toekomst voor me uit te stippelen. Dat kan ik zelf wel.'
'Mm-mm.' Hij vroeg niet verder. We bleven een tijdlang zwijgend

zitten en keken naar de meeuwen die rondcirkelden boven de terugkerende curraghs. De zee was donkergrijs als lei; voor de avond zou het gaan onweren. Na een tijdje begon hij me te vertellen over de witte pony die hij uit de heuvels had meegenomen, en dat zijn vader waarschijnlijk wilde dat hij haar voor een goede prijs zou verkopen op de paardenmarkt, maar Darragh wist niet of hij wel afstand van haar wilde doen, want er was een bijzondere band tussen hem en het paardje ontstaan. Tegen de tijd dat hij het hele verhaal had verteld, hing ik aan zijn lippen en was ik helemaal vergeten dat ik boos op hem was.

Ik was veertien en de zomer was bijna voorbij. Vader was tevreden over me, dat zag ik in zijn ogen. Het Mom was lastig. Het was mogelijk om spectaculaire effecten te bereiken. Mijn vader kon zich in een totaal ander wezen veranderen: een rode vos met schitterende ogen, of een vreemd, spookachtig wezen dat nog het meest leek op een verdunde sliert rook. Hij gaf me hier de woorden voor, maar hij wilde me geen toestemming geven het te proberen. Het kon gevaarlijk zijn, als het onvoorzichtig werd gebruikt. Het gevaar was dat je niet voldoende beheersing had om de betovering terug te draaien. Er bestond altijd een kans dat je nooit meer jezelf zou kunnen worden. Bovendien, zei vader, deed zo'n transformatie een zwaar beroep op de kracht van een tovenaar. Hoe verder de schijngestalte van je eigen gedaante af lag, hoe meer je vermogens werden uitgeput. Stel dat je een woest zeemonster werd, of een adelaar met vlijmscherpe klauwen, en er vervolgens in slaagde weer jezelf te worden. Dan kon je daarna een tijdlang de kunst niet beoefenen. Dat kon wel een dag en een nacht duren. Gedurende die tijd was de tovenaar dan op zijn of haar allerkwetsbaarst.

Het was me daarom verboden om de grote varianten van de betovering te proberen, die de niet-menselijke vormen betroffen. Maar voor de andere, meer subtiele veranderingen bleek ik aanleg te hebben. In het begin was het zwaar werk en was ik na afloop uitgeput en zwak. Maar ik deed mijn best, en na verloop van tijd kon ik het Mom in een oogwenk aan- en uitdoen. Ik leerde mijn vermoeidheid te verbergen.

'Je begrijpt natuurlijk,' zei vader, 'dat wat je doet domweg gezichtsbedrog is in de ogen van anderen. Als je vermomming subtiel is, als je jezelf alleen een beetje in een bepaalde richting verandert, zullen de mensen niet beseffen dat er iets veranderd is. Ze zullen zich alleen maar afvragen waarom ze niet eerder hadden gezien hoe ongelooflijk bekoorlijk je was, of hoe betrouwbaar je uit je ogen kijkt. Ze zullen niet weten dat je hen beïnvloed hebt. En wanneer je weer in jezelf verandert, zullen ze niet weten dat ze je ooit anders zagen. Een volledige vermomming is iets heel anders. Die moet met grote voorzichtigheid worden gebruikt. Die kan moeilijkheden geven. Het is altijd het beste om met je vermomming zo dicht mogelijk bij je eigen vorm te blijven. Op die manier kun je gemakkelijk ongemerkt terugveranderen en snel je kracht terugkrijgen. Een ogenblikje.' Hij wendde zich af om een zware hoestbui te onderdrukken.

'Bent u niet in orde?' vroeg ik. Hij was anders nooit verkouden, zelfs niet in hartje winter.

'Ik ben in orde, Fainne,' zei hij. 'Ga me niet betuttelen. Onthoud goed wat ik over het Mom heb gezegd. Als je de grote vormen gebruikt, neem je een groot persoonlijk risico.'

'Maar ik zou het vast kunnen,' wierp ik tegen. 'Me veranderen in een vogel of een slang. Ik weet zeker dat ik het zou kunnen. Mag ik het niet proberen, één keertje maar?'

Vader keek me aan. 'Wees blij,' zei hij, 'dat het voor jou niet nodig is. Geloof me, het is gevaarlijk. Het is een betovering die als laatste redmiddel moet worden gebruikt.'

Het was niet meer mogelijk om vrijaf te nemen van mijn studie. Ik had de zon de hele zomer amper gezien, want vader had het zo geregeld dat de kleine hoeveelheden brood, vis en groenten die we nodig hadden, door een van de meisjes van het dorp naar de Honingraat werden gebracht. In een van de diepe kloven was een bron, en nu ging vader zelf met een emmer water halen. Ik bleef binnen en werkte door. Ik leerde mezelf dit niet erg te vinden. In het begin deed het veel pijn te weten dat Darragh buiten ergens naar me zocht, op me wachtte. Later, toen hij het wachten had opgegeven, deed het nog meer pijn. Soms ontsnapte ik korte tijd naar een hoge richel boven het water, een geheime plek die alleen bereikt kon worden vanuit de gewelfde gangen in de Honingraat. Vanaf dit punt kon je de hele bocht van de baai overzien, van onze kant, met zijn steile kliffen en beukende brekers, tot de westelijke kant, waar in de beschutting van de verre kaap verspreide hutjes lagen en het kleurige, slordige kamp van de reizende mensen. Je kon de jongens en meisjes over het strand zien rennen en hun gelach horen, dat op de adem van de westenwind werd aangevoerd, vermengd met de wilde stemmen van zeevogels. Darragh was bij hen; hij was nu groter, want hij was in de afgelopen winter terwijl hij weg was een stuk gegroeid. Zijn donkere haar werd door de wind uit zijn gezicht geblazen, en zijn lach was even scheef als altijd. Er was nu altijd een meisje in zijn buurt, soms waren er ook twee of drie. Een ervan viel me vooral op, een klein ding met een door de zon gebruinde huid en een lange vlecht op haar rug. Overal waar Darragh heen ging, was zij ook in de buurt; haar witte tanden blonken in een lach, en met een hand op haar heup keek ze naar hem. Ik haatte haar, al had ik daar helemaal geen goede reden voor.

De jongens hadden de gewoonte van de rotsen onder aan de Honingraat af te duiken, zonder zich bewust te zijn van mijn aanwezigheid op de richel boven hen. Ze hadden de leeftijd waarop een jongen denkt dat hij onoverwinnelijk is, waarop elke jongen een held is die alle monsters die zijn pad zouden kunnen kruisen, kan verslaan. De richel die ze daarvoor uitkozen was smal en glibberig; de zee eronder donker, koud en verraderlijk. Het moment van de duik moest precies worden berekend, om te voorkomen dat ze door de kracht van een aankomende golf tegen de puntige rotsen aan de onderkant van de Honingraat werden gesmakt. Ze deden het telkens en telkens weer, drie of vier jongens; ze wachtten het moment af, met hun blote voeten stevig op de rots geplant, hun lichaam nootbruin in de zon, terwijl de meisjes en de kleinere kinderen vanaf het strand stonden toe te kijken, stil van verwachting. En dan, plotseling en angstwekkend, hoe vaak hij ook werd herhaald, de duik in het dreigende water eronder.

Ik zag hen die zomer twee of drie keer. De laatste keer dat ik erheen ging, zag ik dat Darragh van de richel af omhoog klom, behendig als een krab over de spleten van de steile wand van het klif. Hij klauterde omhoog tot hij op een uiterst klein steunpunt ver boven de duikplek stond. Ik hield mijn adem in van schrik. Hij was toch niet van plan... hij kon toch niet van plan zijn om...? Ik beet op mijn lip en proefde zout bloed; ik balde mijn handen zo stijf tot vuisten dat mijn nagels in mijn handpalmen drukten. Die dwaas. Waarom ging hij zoiets proberen? Hoe kon hij nou...?

Hij bleef daar een ogenblik staan, terwijl zijn publiek stil werd en verstijfde; ze hadden ongetwijfeld hetzelfde gevoel van angstige fascinatie als ik. Diep, diep beneden braken de golven en zoog de branding, en ver in de hoogte krijsten de meeuwen waarschuwend. Darragh hief zijn armen niet op voor een duik. Hij leunde domweg naar

voren en dook met zijn hoofd naar voren als een steen omlaag, recht als een pijl, met zijn handen langs zijn lichaam, helemaal naar beneden tot zijn lichaam het water inschoot, even gemakkelijk als een jan-van-gent die op vis duikt; en ik zag een grote golf over de plek rollen waar hij verdwenen was, en een tweede, en een derde, terwijl mijn hart bonsde van angst, en toen kwam een heel stuk dichter bij het strand een glad, donker hoofd uit het water. Hij begon te zwemmen, en er ging een gejuich op bij de jongens op de richel en de meisjes op het zand, en toen hij uit het water kwam, druipend en lachend, was zij daar om hem te begroeten en hem de omslagdoek van haar eigen schouders aan te bieden om zich mee af te drogen.
Ik kon me die dag niet erg goed concentreren, en vader wierp me een onderzoekende blik toe, maar zei niets. Het was mijn eigen keus dat ik daarna niet terugging om naar hen te kijken. Wat vader me had geleerd, was waar. Een tovenaar, of een tovenaarsdochter, kon de verlangde opdrachten niet uitvoeren, kon de kunst niet ten volle uitoefenen als hij of zij andere dingen toestond in de weg te komen.
Het liep tegen Lugnasad, en tegen het einde van die zomer, toen mijn vader me eindelijk zijn eigen verhaal vertelde. We zaten voor het vuur na een lange dag werken en dronken van ons bier. Meestal zaten we dan zwijgend bij elkaar, verdiept in onze eigen gedachten. Ik keek naar vader terwijl hij in de vlammen staarde, en ik vond dat hij mager werd, want de beenderen van zijn gezicht tekenden zich duidelijk af onder de huid. Hij was nog bleker dan anders. Het moest soms een beproeving voor hem zijn om mij les te geven. Geen wonder dat hij er vermoeid uitzag. Ik zou beter mijn best moeten doen.
'Je weet dat wij uit een geslacht van tovenaars stammen, Fainne,' zei hij plotseling, alsof hij gewoon een gedachte uitsprak die hem was ingevallen.
'Ja, vader.'
'En je begrijpt wat dat betekent?'
Het verbaasde me een beetje dat hij dit vroeg. 'Dat wij niet hetzelfde zijn als gewone mensen, en dat we dat nooit kunnen zijn. Wij zijn een apart soort, noch het een, noch het ander. We kunnen de toverkunst beoefenen, met een doel dat we zelf kunnen kiezen. Maar bepaalde elementen van de magie vallen buiten ons vermogen. We kunnen de Andere Wereld aanraken, maar het is niet echt onze wereld. We leven in deze wereld, maar we horen er niet echt bij.'

'Goed zo, Fainne. Je begrijpt het in theorie heel goed. Maar het is nog iets anders om de wereld in te gaan en te ontdekken wat dit betekent. Je kunt niet weten hoeveel verdriet dit half-bestaan kan meebrengen. Zeg eens, kun je je grootmoeder nog herinneren? Het is al lang geleden dat ze hier is geweest; tien jaar en meer. Misschien ben je haar vergeten.'
Ik fronste mijn voorhoofd om me te concentreren. 'Ik geloof dat ik me haar kan herinneren. Ze had net zulke ogen als wij, en ze staarde me aan tot ik er hoofdpijn van kreeg. Ze vroeg me wat ik geleerd had, en toen ik het haar vertelde, lachte ze. Ik wilde dat ze wegging.'
Vader knikte grimmig. 'Mijn moeder begeeft zich liever niet in de wereld. Nu niet meer. Ze houdt zich op in het donker; maar we kunnen ons niet van haar losmaken, of van de kunsten die zij beheerst. We dragen haar erfenis in ons mee, jij en ik, of we willen of niet, en het is door haar dat wij tegelijkertijd minder en meer zijn dan gewone mensen. Ik wilde je hierover liever niet meer vertellen, maar de tijd is gekomen dat het moet. Wil je naar mijn verhaal luisteren?'
'Ja, vader,' fluisterde ik geschrokken.
'Heel goed. Weet dan dat ik gedurende achttien jaren van mijn leven ben opgegroeid in de nemetons, een heilig gedeelte van het bos, onder bescherming van en verzorgd door de wijzen. Wat daaraan voorafging, kan ik me niet herinneren, want ik woonde diep in het grote woud van Zeven Wateren sinds ik nauwelijks meer dan een zuigeling was. Eiken en essen waren mijn gezelschap; ik sliep op een bed van gevlochten lijsterbestwijgen, om de stem van de geest beter te kunnen horen, en ik droeg het eenvoudige gewaad van de nieuweling. Het was een jeugd van discipline en orde; karig wat betreft de voorziening in lichamelijke behoeften, maar vol rijke voeding voor geest en ziel, gespeend van de lagere elementen van het menselijk bestaan, omringd door de schoonheid van boom en stroom, meer en bemoste steen. Ik leerde van kennis te houden, Fainne. Deze liefde heb ik geprobeerd in de jaren van jouw jeugd aan je over te dragen.
Het merendeel van mijn opleiding tot druïde dank ik aan een man die Conor heette, die gedurende mijn tijd daar leider van de wijzen werd. Mijn opvoeding ging hem zeer ter harte. Conor was een harde leermeester. Hij gaf nooit rechtstreeks antwoord op een vraag. Hij stuurde me altijd in de juiste richting, maar liet het aan mij over

zelf de antwoorden te zoeken. Ik leerde snel en verlangde naar meer. Ik maakte vorderingen; ik werd ouder, en was een jongeman. Conor was niet scheutig met zijn lof. Maar hij was tevreden over me, en kort voor ik mijn opleiding zou voltooien en mezelf eindelijk druïde zou mogen noemen, vond hij het goed dat ik hem vergezelde naar het grote huis van Zeven Wateren en mocht ik assisteren bij het ritueel van Imbolc.
Het was de eerste keer dat ik buiten de nemetons en de diepten van het woud kwam. Het was de eerste keer dat ik andere mensen zag dan mijn broeders bij de wijzen. Conor voltrok het ritueel en ontstak het heilige vuur, en ik droeg de toorts voor hem. Het was het hoogtepunt van de lange jaren van opleiding. Na het avondmaal gaf hij me toestemming om aan het gezelschap een verhaal te vertellen. En hij was trots op me; dat zag ik aan zijn gezicht, hoe goed hij er ook in was zijn gedachten te verbergen. Er was die nacht een blijheid in mijn hart, alsof de hand van de godin zelve mijn ziel had aangeraakt en mijn voeten op een weg had gezet die ik de rest van mijn levensdagen vol vreugde zou mogen volgen. Vanaf dat moment, dacht ik, zou ik me wijden aan de weg van het licht.
Zeven Wateren is een voornaam huis en een grote túath. De meester daar was een man die Liam heette, Conors broer. En er was een zuster, Sorcha, over wie wonderbaarlijke dingen werden verteld. Ze was zelf een geweldig verhalenvertelster en een beroemde genezeres, en haar eigen verhaal was nog het allervreemdst. Haar broers waren door een boosaardige tovenares in zwanen veranderd, en Sorcha had hun menselijke gedaante voor hen terugveroverd door middel van een uiterst moedige en opofferende daad. Als je naar haar keek, was het moeilijk te geloven dat dit waar kon zijn, want ze was maar een kleine, broze vrouw. Maar ik wist dat het waar was. Conor had het me verteld; Conor die zelf drie lange jaren in de gedaante van een wild dier had geleefd. Het is een familie met veel macht en invloed, en ze bezitten meer dan gewone vermogens.
Die avond was alles nieuw voor mij. Een groot huis, een feestmaal met meer voedsel dan ik ooit had gezien, schalen vol lekkernijen en bier dat in overvloed vloeide, licht en muziek en dans. Ik vond het... moeilijk. Maar ik stond daar en keek. Keek naar een wonderschoon meisje dat danste, rondwervelde en lachte. Haar lange, als koper glanzende haar hing op haar rug en haar huid gloeide als goud in de gloed van de toortsen. Later, in de grote zaal, toen ik mijn verhaal vertelde, deed ik dat voor haar. Die nacht droomde ik niet van

de godin of van mijn mooie idealen, maar van Niamh, dochter van Zeven Wateren, die ronddanste en draaide in haar lange, blauwe jurk, en naar me lachte wanneer ze mijn kant opkeek. Dit was helemaal niet wat Conor had bedoeld toen hij me meenam naar het feest. Maar toen het eenmaal begonnen was, was er geen weg terug. Ik hield van haar; zij hield van mij. We ontmoetten elkaar heimelijk in het bos. Het leed geen twijfel dat er problemen zouden rijzen als we onze plannen bekendmaakten. Een druïde mag trouwen als hij dat wil, maar het is hoogst ongebruikelijk om daarvoor te kiezen. Bovendien had Conor plannen voor mij, en ik wist dat het idee bij hem niet goed zou vallen. Niamhs hand was niet aan iemand beloofd, maar ze zei dat het waarschijnlijk een tijd zou duren voor haar familie het idee zou accepteren dat zij zou trouwen met een jongeman wiens familieachtergrond volkomen onbekend was. Ze was tenslotte het nichtje van heer Liam zelf. Maar voor ons was er geen alternatief. We konden ons geen toekomst voorstellen waarin we niet samen waren. Daarom ontmoetten we elkaar onder de eiken, buiten bereik van nieuwsgierige ogen, en wanneer we daar samen waren, smolten de problemen weg. We waren jong. Het leek toen alsof we alle tijd van de wereld hadden.'

Hij zweeg om te hoesten en nam een slokje van zijn bier. Ik voelde wel dat het erg moeilijk voor hem was om dit verhaal te vertellen, en ik zei niets.

'Na enige tijd werd het ontdekt. Hoe, dat doet er niet toe. Conors neef kwam spoorslags naar de nemetons om zijn oom te halen, en ik hoorde genoeg om te weten dat Niamh in moeilijkheden was. Toen ik op Zeven Wateren aankwam, werd ik in een kleine kamer gebracht en daar waren Conor zelf, zijn broer, de leider van de túath, en Niamhs vader, de Brit. Ik verwachtte op tegenstand te stuiten. Ik hoopte voor mezelf te kunnen opkomen en voor een huwelijk met Niamh te pleiten; ik wilde het weinige wat ik aan geloofsbrieven had kunnen aanbieden en gehoord worden. Maar daar kwam niets van in. Er zou geen huwelijk zijn. Ze waren hoegenaamd niet geïnteresseerd in wat ik te zeggen had. Dat leek op zichzelf al een dodelijke klap. Maar er was meer. De reden waarom deze verbintenis niet werd toegestaan, was niet de reden die ik verwacht had. Het ging er niet om dat ik niet van goede familie was of dat ik arm was. Het was een kwestie van bloedverwantschap. Want ik was niet, zoals ik had gedacht, een jongen van onbekende afstamming die door de wijzen was geadopteerd en verzorgd. Er was jarenlang een leugen verteld, een essentiële waarheid achtergehouden. Ik was de nakomeling van een tovenares, een vijandin van Zeven Wateren. En tegelijkertijd was ik de zevende zoon van heer Colum, voorheen de heerser van de túath.'

Ik staarde hem met grote ogen aan. De zoon van een clanhoofd, van edel bloed, en ze hadden het hem niet verteld; dat was niet eerlijk. De zoon van heer Colum; maar... maar dat hield in...

'Ja,' zei mijn vader, en hij nam me met een ernstige blik op. 'Ik was de halfbroer van Conor; en van heer Liam, die daar nu heerste, en van Sorcha. Ik had slecht bloed in mijn aderen. En ik was te nauw verwant aan Niamh. Ik was de halfbroer van haar moeder. Onze verbintenis was bij wet verboden. Zo verloor ik in één klap zowel mijn liefste als mijn toekomst. Hoe kon de zoon van een tovenares de wegen van het licht nastreven? Hoe kon de nakomeling van zo iemand ooit een druïde worden? Een stralend visioen werd verduisterd, zuivere hoop werd bezoedeld. Wat Niamh betrof, haar toekomst was al precies uitgestippeld. Ze zou met een ander trouwen, met een of ander invloedrijk clanhoofd dat haar zou meenemen, flink ver weg, zodat ze er niet meer aan hoefden te denken hoe ze op een haar na de familie-eer had besmeurd.'

Zijn stem klonk donker van verbittering. Hij zette zijn beker met bier op de schoorsteenmantel en wrong zijn handen.

'Dat is verschrikkelijk,' fluisterde ik. 'Verschrikkelijk en treurig. En gebeurde dat ook? Stuurden ze haar weg?'

'Ze trouwde en reisde ver naar het noorden, naar Tirconnell. Haar echtgenoot behandelde haar wreed. Ik wist een tijdlang van niets, want ik was ver weg gegaan, op zoek naar mijn verleden. Dat is een ander verhaal. Uiteindelijk is Niamh ontsnapt. Haar zuster zag hoe de situatie werkelijk was en hielp haar. Ik kreeg een boodschap toegestuurd en kwam haar halen. Maar de schade was aangericht, Fainne. Ze heeft zich er nooit echt van hersteld.'

'Vader?'

'Wat is er, Fainne?' Zijn stem klonk vreselijk moe, zwak en schor.

'Was mijn moeder hier in Kerry niet gelukkig?'

Een tijdlang dacht ik dat hij geen antwoord zou geven. Ik kreeg de indruk dat hij diep in zichzelf naar de woorden moest zoeken.

'Geluk is iets betrekkelijks. Er waren momenten van tevredenheid; jouw geboorte was zo'n moment. Daarmee geloofde Niamh dat ze eindelijk iets goed had gedaan. Ik dacht dat ze weer gezond was; ik was niet goed voorbereid op wat er uiteindelijk gebeurd is. Het lijkt erop dat ze nooit heeft teruggevonden wat ze verloren had. Misschien was haar laatste antwoord het enige dat ze nog over had.'

'Het is een erg droevig verhaal,' zei ik. 'Maar ik ben blij dat u het me hebt verteld.'

'Het was noodzakelijk om het je te vertellen, Fainne,' zei vader heel zacht. 'Ik heb over je toekomst nagedacht. Ik denk dat de tijd is gekomen dat jij verder moet gaan.'

'Wat bedoelt u, verder gaan?' Mijn hart begon geschrokken te bonzen. 'Mag ik een andere tak van de kunst gaan leren? Ik wil er graag verder in komen, vader. Ik zal hard werken, dat beloof ik.'

'Nee, Fainne, dat is niet wat ik bedoel. De tijd komt eraan dat je een tijdlang weg moet gaan, om jezelf bekend te maken aan de familie van wie ik je vertelde, de mensen die intussen helemaal zijn vergeten dat Niamh ooit heeft bestaan, hun last heeft bezorgd en in verlegenheid heeft gebracht. Het is tijd dat je naar Zeven Wateren gaat.'

'Wát!' Ik was ontzet. Weggaan uit Kerry, weggaan van de baai, helemaal daarheen reizen, om dan te belanden tussen die mensen die mijn ouders zo slecht hadden behandeld dat ze nooit naar hun ouderlijk huis hadden kunnen terugkeren? Hoe kon hij zoiets voorstellen?

'Fainne, nu moet je rustig luisteren.' Vaders gezicht stond heel ernstig; in het licht van het vuur waren de holten en lijnen van zijn gezicht te zien, als voorafschaduwing van de oude man die hij later zou zijn. Ik slikte een vloedgolf van angstige vragen in. 'Je wordt groot,' zei hij. 'Je bent de kleindochter van een clanhoofd van Ulster. De andere kant van je afstamming verandert daar niets aan. Je moeder zou niet gewild hebben dat je hier alleen met mij opgroeit, zonder meer te kennen dan dit kleine kringetje van visserslui en reizigers; ze zou niet willen dat je je hele leven besteedt aan het oefenen van de kunst. Er is een grotere wereld, dochter, en je moet naar voren treden en er je plaats in innemen. De mensen van het woud hebben een schuld aan je in te lossen, en dat zullen ze doen.'

'Maar, vader...' Zijn woorden zeiden me niets. Ik voelde niets dan de angst weggestuurd te worden, de enige veilige plek die ik op de hele wereld kende te moeten verlaten. 'De kunst, wat zegt u nou, de kunst is toch het enige dat belangrijk is. Ik heb zo lang geleerd en nu ben ik er goed in, echt goed, dat hebt u zelf gezegd...'

'Stil, Fainne. Adem langzaam in en uit; maak je geest kalm. Het is niet nodig om jezelf overstuur te maken. Wees niet bang dat je je vaardigheden zult verliezen of dat je geen gelegenheid meer zult hebben ze te gebruiken wanneer je hier weg bent. Ik heb je zo goed voorbereid dat dat niet zal gebeuren.'

'Maar... Zeven Wateren? Een groot huis, met heel veel vreemden... vader, ik...' Het leek onmogelijk om uit te leggen hoeveel angst me dat inboezemde.

'Het is niet nodig om zo bang te zijn. Zeker, Zeven Wateren was een plaats waar zowel ik als je moeder verdriet en verlies hebben geleden. Maar de mensen van die familie zijn niet allemaal slecht. Ik heb geen onenigheid met de zuster van je moeder. Liadan heeft me ooit een grote gunst bewezen. Als zij er niet was geweest, zou Niamh nooit uit dat huwelijk, dat zogenaamde huwelijk zijn ontsnapt. Dat ben ik niet vergeten. Liadan volgde het voorbeeld van haar moeder door voor een huwelijk met een Brit te kiezen. Ze handelde tegen Conors wil; ze verbond zich aan een bandiet en nam haar kind mee uit het woud. Liadan en haar echtgenoot zijn goede mensen, al kan het wel enige tijd duren voor je hen zult zien, want zij wonen nu op Harrowfield, aan de andere kant van het water. Het is passend dat je Conor leert kennen. Ik wil dat hij weet dat jij er bent. Je zult er klaar voor zijn, Fainne. Je zult volgende zomer gaan; we hebben een heel jaar om je voor te bereiden. De dingen die ik je niet kan leren, zal mijn moeder je leren.' Zijn lippen vertrokken in een vreugdeloze glimlach.

'O,' zei ik met een klein stemmetje. 'Komt ze hier? Mijn grootmoeder?'

'Later,' antwoordde vader koel. 'Je vindt dat misschien niet plezierig, en ik misschien ook niet, maar mijn moeder heeft hierin een rol te vervullen, en het lijdt geen twijfel dat ze veel vaardigheden heeft die je van pas kunnen komen. In een oord als Zeven Wateren moet je in staat zijn je in alle opzichten te gedragen zoals de dochter van een clanhoofd betaamt. Dat kun je van mij niet leren. Ik heb in de nemetons diepzinnige kennis verworven, maar ik ben nooit te weten gekomen hoe ik me in de wereld moest manifesteren als de zoon van heer Colum.'

'Dat vind ik erg naar voor u, vader,' zei ik. Ik besefte dat mijn eigen verdriet niets was in vergelijking met het zijne. 'Ik heb altijd gedacht... ik dacht dat ik eens misschien zo zou worden als u, een groot geleerde en magiër. De lessen die u me hebt gegeven, de lange seizoenen van oefening en studie, zal dat allemaal niet verloren

gaan als ik word weggestuurd om een soort... deftige dame te worden?'
Vaders lippen vormden een boog. 'Je zult al je vaardigheden gebruiken op Zeven Wateren, denk ik,' zei hij. 'Ik heb je de kunst geleerd zoals mijn moeder het mij heeft geleerd – o, ja,' zei hij, toen hij zag dat mijn ogen groot werden van verbazing, 'zij is buitengewoon kundig en onovertroffen in bepaalde takken van de magie. En iemand zoals zij hoeft niet lijfelijk aanwezig te zijn om les te geven.'
Ik dacht aan de afgesloten kamer, de lange perioden van zwijgen. Hij had zijn geheimen beslist goed bewaard.
'Ik vraag haar niet lichtvaardig hier te komen, Fainne. Mijn moeder is een gevaarlijke vrouw. Ik heb haar zo lang als ik kon van jou weggehouden, maar nu hebben we haar nodig. Het is tijd. Je moet daar niet tegenop zien. Je bent mijn dochter, en ik ben trots op wat je kunt en wat je allemaal bereikt hebt. Dat ik je wegstuur is een teken van het grote vertrouwen dat ik in je heb, Fainne, vertrouwen in je talenten en vertrouwen in je vermogen er de juiste toepassing voor te vinden. Ik hoop dat het je eens duidelijk zal worden wat ik bedoel. Maar het is al laat en we hebben morgenochtend werk te doen. Je moest maar eens gaan slapen, dochter.'
Ik was diep geschokt door wat mijn vader me had verteld, en vanbinnen ernstig verontrust. Maar een jaar was een hele tijd. Er kon van alles gebeuren in een jaar. Misschien zou ik niet hoeven gaan. Misschien zou hij van gedachten veranderen. Intussen zat er niets anders op dan door te gaan met het beoefenen van de kunst, want als het ergste gebeurde en mijn vader me werkelijk alleen wegstuurde, wilde ik zoveel mogelijk vaardigheden leren om me te helpen. Ik zette mijn bange voorgevoelens van me af en wijdde me aan het werk.
Het was nog warm weer, maar vader had toch last van een hardnekkige hoest en kortademigheid. Hij probeerde het te verbergen, maar ik hoorde het, 's nachts wanneer ik wakker lag in het donker.
Ik oefende nu zonder de spiegel. Ik had de uit te spreken spreuk teruggebracht tot enkele woorden. Ik maakte mijn ogen blauw, of groen, of heldergrijs als een winterhemel. Ik gaf ze een lange, schuine vorm, of een ronde vorm als de ogen van een kat; met dikke wimpers, bol, of ingevallen en oud. Terwijl het seizoen vorderde, ging ik verder met de andere gelaatstrekken: de neus, de mond, de beenderen van het gezicht. Het haar. De kleren. Een oud besje in

lompen, dat was ik misschien zelf in de toekomst. Een vissersmeisje met haar hand op haar heup en een uitnodigende glimlach, met blinkend witte tanden. Een Fainne die op mij leek, bijna een tweelingzus, maar net even anders. De lippen liever, de wenkbrauwen meer gebogen, de wimpers langer. Het figuur slanker en meer gewelfd. De huid licht en fijn als een doorschijnende parel. Een gevaarlijke Fainne.

'Goed zo,' zei mijn vader, die toekeek terwijl ik van de ene vermomming overging in een volgende. 'Je hebt hier aanleg voor, dat is wel duidelijk. De gelijkenis is beslist overtuigend. Maar kun je dit langere tijd volhouden, vraag ik me af?'

'Natuurlijk kan ik dat,' antwoordde ik onmiddellijk. 'Stel me maar op de proef, als u wilt.'

'Dat zal ik zeker doen.' Vader graaide een bundel boekrollen en brieven bij elkaar, en een stijf met banden omwikkelde geitenleren zak waar van alles in had kunnen zitten. 'Hier, neem dit mee. De wandeling zal je goed doen.'

Hij liep al naar de gang die naar buiten leidde; zijn in sandalen gestoken voeten maakten geen geluid.

'Waar gaan we heen?' Ik was overdonderd en liep haastig achter hem aan, nog steeds in de vermomming van niet-mezelf.

'Dan gaat morgenochtend weer op weg naar het noorden. Ik heb zaken die hij voor me moet doen en boodschappen die moeten worden afgeleverd. Blijf zoals je bent. Gedraag je in overeenstemming met je schijnbare uiterlijk. Houd dit vol tot we terug zijn. Laat me zien hoe sterk je bent.'

'Maar... zullen ze niet zien dat ik... anders ben?'

'Ze hebben je een jaar niet gezien. Meisjes worden snel volwassen. Daar hoef je je geen zorgen over te maken.'

'Maar...'

Vader keek achterom over zijn schouder toen we uit de Honingraat kwamen en op het pad langs het klif liepen. De uitdrukking op zijn gezicht was effen. 'Is er een probleem?' vroeg hij.

'Nee, vader.' Er was geen probleem. Alleen Dan en Peg en de andere mannen en vrouwen met hun scherpe blikken en hun snelle commentaren. Alleen de meisjes met hun giechelend gefluister en de jongens met hun grappen. Alleen het feit dat ik nog nooit, in al die lange jaren dat de mensen van Dan Walker hun zomers aan de baai hadden doorgebracht, in het kamp was geweest zonder Darragh naast me. Alleen dat ik nog steeds doodsbang was om onder de mensen te komen, ook al was ik een tovenaarsdochter, want mijn knappe toverkunsten wogen toch niet echt op tegen mijn manke, onhandige manier van lopen en mijn verlammende verlegenheid. Maar, dacht ik terwijl ik de stevig doorstappende, in donkere mantel gehulde gestalte van mijn vader volgde over het pad en de helling af naar de baai, vandaag was ik niet dat meisje, niet die Fainne. In plaats daarvan was ik wat ik maar wilde zijn. Ik was die andere Fainne; het Mom hulde me in een zacht gewaad van elegantie, het streek mijn krullen glad tot een glanzende stroom van zijde, het maakte mijn gang recht en gelijkmatig, trok het oog naar mijn lange, krullende wimpers en mijn ingetogen, mooie glimlach. Ze zouden me zien, Dan en Peg en de anderen, en ze zouden me bewonderen en helemaal niet merken dat er iets veranderd was.

'Klaar?' vroeg vader binnensmonds toen we bij de weg kwamen en de drom mensen in het oog kregen die bezig waren vee en bezittingen gereed te maken voor het vertrek, de volgende ochtend vroeg. Honden renden keffend rond, en kinderen zaten elkaar na tussen wagens en paarden en de benen van mannen en vrouwen die bezig waren met hun werk. Naarmate we dichterbij kwamen en gezien werden, trokken de mensen zich terug, zoals ze gewoon waren, zodat er een keurige, lege ruimte om mijn vader bleef bestaan. Dat stoorde hem niet en hij schreed voort tot hij Dan Walker zag, die bezig was iets bij te stellen aan een stuk tuig. Een stel jongens kwam met hun paardjes aanlopen vanaf het strand en ze keken mijn kant op. Ik zette mijn ene hand op mijn heup, achteloos, en keek van onder mijn wimpers naar hen zoals ik dat meisje had zien doen, dat meisje met die tanden. Een jongen sloeg zijn ogen neer, alsof hij verlegen was, en liep voorbij. De ander begon waarderend te fluiten.

'En geef dit af bij het klooster van de heilige Ronan,' hoorde ik mijn vader tegen Dan Walker zeggen. 'Ik ben je zeer erkentelijk, zoals altijd.'

'Het is geen moeite. Ik moet toch die kant op, dit jaar. Het is tamelijk dicht bij Zeven Wateren. Ik kan die streken niet passeren zonder bij mijn oude tantetje langs te gaan; ze zou het me nooit vergeven. Ze is stokoud, maar nog goed bij de tijd, altijd geweest. Hebt u nog boodschappen voor de mensen daar?' De vraag werd schijnbaar toevallig gesteld.

Vaders gezicht verstrakte haast onmerkbaar. 'Dit keer niet.'

Ik deed een stap naar voren, en toen nog een, en ik voelde dat Peg en de andere vrouwen naar me keken vanaf de plek waar ze kle-

ding te drogen hingen aan de struiken, en ik zag dat ook Dans ogen nu op mij gericht waren, met een waarderende uitdrukking. Ik wendde mijn ogen af en keek naar de zee beneden.
'Je mag trots zijn op dat meisje, Ciarán,' zei Dan. Hij had zijn stem gedempt, maar ik hoorde toch wat hij zei. 'Wie had dat ooit gedacht? Ze begint een echte schoonheid te worden; ze lijkt op haar moeder. Je kunt maar beter gauw een man voor haar zoeken.'
Het bleef even stil.
'Ik bedoel het niet verkeerd,' voegde Dan er zonder nadruk aan toe.
'Het was ongepast om zoiets op te merken,' zei mijn vader. 'Mijn dochter is nog een kind.'
Dan zei verder niets, maar ik kon voelen dat zijn ogen me volgden terwijl ik naar de rij paarden liep die losjes vastgebonden waren in de schaduw onder de bomen en knabbelden aan het ruwe gras. Ik kon voelen dat vele ogen me volgden, en ze keken niet spottend of medelijdend of honend, maar nieuwsgierig, bewonderend, geïntrigeerd. Ik kreeg er een heel vreemd gevoel van.
Ik stak mijn hand uit om de lange neus van een rustig, grijs dier te strelen, en de jongen die zo-even had gefloten verscheen naast me. Het was een slungelige jongen met sproeten, iets ouder dan ik. Ik had hem vaak bij de anderen gezien en nog nooit ook maar een woord met hem gewisseld. Achter hem stond nog een stel jongens.
'Hij heet Zilver.' Dit werd beschroomd gezegd, alsof de spreker er niet helemaal zeker van was hoe zijn woorden zouden worden ontvangen. Het bleef even stil. Het was duidelijk dat er van mij een reactie werd verwacht. Het was tot daar aan toe om het Mom vol te houden, om mezelf te blijven vertonen als deze niet-helemaal-mezelf die ze allemaal graag schenen te willen zien, en tegen wie ze graag wilden praten. Daarvoor was mijn techniek toereikend. Maar ik moest me ook overeenkomstig gedragen; de woorden, de lachjes, de gebaartjes vinden. De moed vinden. Ik stak mijn hand in de zak van mijn jurk, herhaalde stilzwijgend in mijn hoofd de woorden van een oude toverspreuk, en haalde een gerimpeld appeltje te voorschijn dat er niet was geweest toen we van huis gingen.
'Is het goed als ik hem dit geef?' vroeg ik liefjes, terwijl ik mijn wenkbrauwen hoog optrok en een verlegen lachje probeerde te produceren.
De jongen knikte met een brede grijns. Nu stonden er vijf om me heen, die met bestudeerde achteloosheid tegen de bomen leunden, of zich half achter elkaar verscholen en om de ander heen keken

om me beter te kunnen zien zonder zelf op te vallen. Ik legde de appel op mijn handpalm en het paard at hem op. Hij had zijn oren plat naar achteren gelegd. Hij voelde zich niet op zijn gemak bij me, en ik wist waarom.
'Is het waar dat je vuur kunt maken met je handen?' vroeg een van de jongens plotseling.
'Stil toch, Paddy,' beet de eerste hem toe. 'Hoe kom je erbij de jongedame zoiets te vragen?'
'Dat gaat ons natuurlijk niets aan,' zei een ander, hoewel hij vast net als de rest flink over ons had geroddeld en zich had afgevraagd wat we uitspookten in de lange perioden dat we ons eenzaam ophielden in de Honingraat.
'Mijn vader is tovenaar, ik niet,' zei ik zacht, terwijl ik nog steeds met tedere vingers de neus van het paard streelde. 'Ik ben gewoon een meisje.'
'We hebben je deze zomer niet vaak buiten gezien,' zei de sproetige jongen. 'Hij laat je wel werken, hè?'
Ik knikte en liet een verslagen uitdrukking op mijn gezicht komen. 'We zijn maar met ons tweetjes, mijn vader en ik, zie je.' Ik stelde me mezelf voor als een plichtsgetrouwe dochter die voedzame maaltijden kookte, kleren verstelde, de vloer veegde en voor mijn vader zorgde, en ik kon hetzelfde beeld in hun ogen zien.
'Dat is toch jammer,' zei een van de jongens. 'Je zou ook eens beneden moeten komen. Hier in het kamp wordt gedanst, er zijn spelen en we maken plezier. Jammer om dat te missen.'
'Misschien...' begon de andere jongen, maar ik kreeg nooit te horen wat hij wilde zeggen, want op dat moment riep mijn vader me, en de jongens verdwenen sneller dan smeltende sneeuw in de lente, zodat ik alleen achterbleef met het paard. En toen ik me omdraaide om mijn vader gehoorzaam te volgen, terug naar huis, zag ik Darragh, aan de andere kant van de rijen paarden, bezig zijn witte paardje te borstelen. Aoife, zo heette ze; hij had lang onderhandeld met Dan om haar te mogen houden, en had uiteindelijk zijn zin gekregen. Nu keek Darragh even naar mij en wendde zijn ogen af zonder een spier van zijn gezicht te vertrekken; uit niets bleek dat hij me herkende.
'Heel goed,' zei mijn vader terwijl we naar huis liepen in de kou van een opstekende westenwind. 'Echt heel goed. Je begint er slag van te krijgen. Maar dit is nog maar het begin. Ik zou graag willen dat je een zekere wereldwijsheid ontwikkelt. Dat zul je nodig heb-

ben op Zeven Wateren. De mensen daar zijn toch anders dan deze vissers en eenvoudige reizigers. We moeten daaraan gaan werken.'
'Ja, vader.'
'Ik denk dat we eerder kunnen beginnen dan ik voorzien had. Zodra Dans mensen weg zijn, zullen we de volgende stap doen. Je mag één dag rusten. Dat heb je wel verdiend; meer kunnen we ons niet veroorloven. Gebruik de dag verstandig.'
Ik had niets te kiezen; dat had ik nooit gehad. 'Ja, vader,' zei ik, en terwijl we het pad langs het klif beklommen en de donkere tunnels van de Honingraat inliepen, liet ik het Mom van me afglijden en was ik weer mezelf, mank en onhandig. Ik had gedaan wat mijn vader had gevraagd. Waarom voelde ik me dan zo ongelukkig? Ik had toch bewezen dat ik kon zijn wat ik wilde? Ik had toch aangetoond dat ik kon zorgen dat mensen me bewonderden, dat ik hen kon laten doen wat ik wilde? En toch lag ik later op mijn bed in het donker te staren en voelde ik een leegte in me die helemaal niets te maken had met toverspreuken, betoveringen en het beheersen van de toverkunst.
Het was een nacht vol onrustige dromen, en ik werd voor zonsopgang wakker, rillend onder mijn wollen deken; ik hoorde het huilen van de wind en het bulderen van de zee die op de rotsen van de Honingraat beukte. Geen goede dag om buiten te zijn. Misschien zouden Dan Walker en zijn mensen besluiten nog wat langer te blijven. Maar zo ging het nooit. Ze waren even trouw aan hun tijd als vogels die wegtrokken voor de winter; ze kwamen en gingen precies op dezelfde tijdstippen, even precies als de beweging van schaduwen in een heilige cirkel. Je kon het jaar aan hen aftellen. De gouden tijd. De grauwe tijd. Ik kreeg de indruk dat ik woorden hoorde in de wind. *Ik zal je kaal achterlaten... kaal... Ik zal je alles afnemen... alles...* En de zee antwoordde op dezelfde manier. *Ik heb honger... geef me... geef...*
Ik drukte mijn handen tegen mijn oren en rolde me zo klein mogelijk op. Het moest immers een rustdag worden. Mocht ik dan niet rustig slapen, tenminste tot de zon opkwam? Maar de stemmen wilden niet weggaan, dus stond ik maar op en kleedde me aan. Ik wist niet wat de dag zou brengen, maar was van plan de handen flink uit de mouwen te steken en te proberen het misselijke, lege gevoel in mijn maag te negeren. Toen ik mijn laarzen aantrok, hoorde ik, heel zwak door het loeien van de wind heen, een ander geluid. Een paar noten, fragmenten van een melodie met daaronder een vaste,

stevige dreun. De stem van de doedelzak. Ze waren dus nog niet vertrokken. Zonder er verder over na te denken greep ik mijn omslagdoek en was weg, naar buiten, de helling op naar de staande stenen. Mijn haar werd alle kanten op gezwiept in het onstuimige weer, en de opspattende druppeltjes zeewater achtervolgden me zo ver vanaf de kliffen als hun ijzige vingers reikten.

Darragh hield op met spelen toen hij me zag. Hij had tussen de stenen een beschutte plek gevonden en zat met zijn benen gestrekt en zijn rug naar de grote dolmen die we de Wachter noemden, niet echt oneerbiedig, maar ermee versmeltend alsof hij daar hoorde, net als de konijnen. Ik kwam struikelend naar hem toe, duwde het haar uit mijn ogen en ging naast hem zitten. Ik trok mijn omslagdoek dichter om me heen. Het was nog maar net na zonsopgang en in de lucht was al een zweem van een verre winter te voelen.

Het duurde even voor ik op adem was gekomen.

'Zo,' zei Darragh na een tijdje. Dat hielp niet erg.

'Zo,' herhaalde ik.

'Je bent vroeg buiten.'

'Ik hoorde je spelen.'

'Ik heb hier boven vaak gespeeld, deze zomer. Toen kwam je er niet voor naar buiten. We gaan vanmorgen weg. Maar dat wist je waarschijnlijk al.'

Ik knikte, plotseling overmand door een ellendig gevoel. 'Het spijt me,' mompelde ik. 'Ik had het druk. Te druk om naar buiten te komen. Ik...'

'Je hoeft je niet te verontschuldigen, als je het toch niet meent,' zei Darragh op luchtige toon.

'Maar ik wilde wel... ik had geen keus,' zei ik.

Darragh keek me recht aan, met een ernstige blik in zijn ogen en een kleine rimpel in zijn voorhoofd. 'Er is altijd een keus, Fainne,' zei hij nuchter.

Daarna bleven we een tijdje zwijgend zitten, en uiteindelijk pakte hij de doedelzak en begon weer te spelen, een wijsje dat ik niet herkende en dat zo treurig was dat je er tranen van in je ogen zou kunnen krijgen. Niet dat ik om zoiets onnozels zou hebben gehuild, zelfs als ik het had gekund.

'Er zijn ook woorden op die melodie,' begon Darragh. 'Ik zou ze je kunnen leren. Het klinkt heel aardig, met de doedelzak en zang.'

'Ik, zingen?' Mijn ongelukkige stemming was op slag verdwenen. 'Dat lijkt me niks.'

'Heb je het nooit geprobeerd?' zei Darragh. 'Dat is vreemd. Ik heb nog nooit een mens ontmoet in wie helemaal geen muziek zat. Ik weet zeker dat je zo mooi zou kunnen zingen dat de zeehonden ervoor uit de oceaan zouden opduiken, als je het probeerde.' Zijn stem klonk vleiend.
'Ik niet,' zei ik kortweg. 'Ik heb betere dingen te doen. Belangrijker dingen.'
'Wat dan zoal?'
'Dingen. Je weet toch dat ik er niet over mag praten.'
'Fainne.'
'Wat?'
'Ik vind het niet prettig te zien dat je... dat je doet wat je gisteren deed. Ik vind het niet prettig.'
'Dat ik wat deed?' Ik trok mijn wenkbrauwen zo hooghartig op als ik kon en staarde hem recht in de ogen. Hij bleef terugkijken.
'De jongens uitdagen. Flirten. Je gedragen als een... een dom meisje. Het is niet goed.'
'Ik heb geen idee wat je bedoelt,' bitste ik terug, al raakte zijn kritiek me in het hart. 'Trouwens, je keek niet eens naar me.'
Darragh lachte zijn scheve grijns, maar die drukte geen vrolijkheid uit. 'Ik keek wel degelijk. Je zorgde er wel voor dat iedereen keek.'
Ik zei niets.
'Mijn vader had gelijk, weet je,' zei hij na een poos. 'Jij zou moeten trouwen, een stel kinderen krijgen, een geregeld leven leiden. Je moet iemand hebben die op je let.'
'Onzin,' zei ik spottend. 'Ik kan op mezelf letten.'
'Het is nodig dat er op je gelet wordt,' hield Darragh vol. 'Misschien kun je dat zelf niet inzien, en misschien kan je vader het niet zien, maar je bent een gevaar voor jezelf.'
'Kletskoek,' zei ik, diep gekrenkt omdat hij me zo onvolwaardig bleek te vinden. 'Bovendien, met wie zou ik moeten trouwen, hier in de baai? Met een visser? Of de zoon van een ketellapper? Dat lijkt me niks.'
'Je hebt natuurlijk gelijk,' zei Darragh na een tijdje. 'Dat zou helemaal niet gaan. Dat begrijp ik ook wel.' Toen stond hij op en tilde de doedelzak netjes op zijn schouder. Hij was een heel eind gegroeid, het afgelopen jaar, en er was al een donkere schaduw van baardgroei te zien om zijn kin. Hij had intussen ook een gouden ringetje in zijn ene oor, net als zijn vader.
'Dan moest ik maar eens gaan.' Hij keek me zonder glimlach aan.

'Ik zou je in mijn zak stoppen en je meenemen als je wat kleiner was. Om ervoor te zorgen dat je niets overkomt.'
'Ik zou het toch te druk hebben,' zei ik, terwijl ik weer overspoeld werd door het ellendige gevoel van het uiteengaan. Het werd nooit gemakkelijker, jaar op jaar, en de wetenschap dat ik zelf de volgende herfst zou weggaan maakte het dit keer nog erger. 'Ik heb werk te doen. Moeilijk werk, Darragh.'
'Mm.' Hij leek niet echt naar me te luisteren, alleen maar te kijken. Toen stak hij zijn hand uit om even aan mijn haar te trekken, niet te hard, en hij zei wat hij altijd zei. 'Dag, Krullenbol. Tot de volgende zomer. Doe geen domme dingen, hè, tot ik terugkom.'
Ik knikte; ik kon geen woord uitbrengen. Ook al had ik dit seizoen zoveel geleerd, ook al was ik bijna volleerd in mijn kunst, op de een of andere manier leek het plotseling alsof de zomer helemaal verspild was, alsof ik iets kostbaars en onvervangbaars had weggegooid. Ik keek mijn vriend na terwijl hij door de cirkel van stenen wegliep. De wind rukte en trok aan zijn oude kleren en liet zijn donkere haar achter hem aan wapperen, en toen ging hij aan de andere kant van de heuvel naar beneden en was weg. En het was koud, zo koud dat ik het tot in het merg voelde, een kou die niet verdreven kon worden door een warm vuur of een jas van schapenvacht. Ik ging naar huis, en nog altijd kwam de zon nauwelijks omhoog in de oostelijke hemel, donkerrood achter de door de storm voortgezweepte wolken. Terwijl ik terugliep naar de Honingraat en een lantaarn aanstak om me binnen door de duistere gangen te leiden, begon ik op een bepaalde manier te ademen. Eén keer inademen, lang en diep vanuit de buik. Uitademen in stapjes, als de trappen van een grote waterval. Beheersing, daar ging het allemaal om. Je moest het blijven beheersen. Was je je beheersing kwijt, dan was de beoefening van de kunst zinloos. Ik was de dochter van een tovenaar. De dochter van een tovenaar had geen vrienden of gevoelens; die kon ze zich niet veroorloven. Je zag het aan mijn vader. Hij had geprobeerd een ander soort leven te leiden, en het enige dat dat hem had opgeleverd waren verdriet en verbittering. Het was veel verstandiger je te concentreren op de kunst en de rest van je af te zetten.
Terug in mijn kamer vormde ik me een beeld van de reizende mensen die hun wagens laadden, hun paarden inspanden en op weg gingen over het karrenspoor naar het noorden, terwijl de honden ernaast meeholden en de jongens de achterhoede vormden. Ik dwong

mezelf aan Darragh te denken op zijn witte paardje, en om zijn woorden weer te horen. *Ik vind het niet prettig te zien dat je dat doet... je zorgde er wel voor dat iedereen keek... je bent een gevaar voor jezelf...* Als hij me zo zag, was het beslist veel beter dat onze wegen zich nu scheidden. Jaar in jaar uit, elk seizoen weer, had ik op hem gewacht, had ik mijn hoop en geluk gekoppeld aan zijn terugkeer. Soms had ik het gevoel gehad dat ik niet helemaal leefde als hij er niet was. Nu zou mijn grootmoeder komen en werd ik weggestuurd; alles ging veranderen. Het was het beste Darragh uit mijn gedachten te zetten en gewoon de draad weer op te pakken. Het was het beste dat ik leerde het zonder hem te stellen. Bovendien, hoe kon een reizende jongen iets begrijpen van toverij, van gedaanteverandering en van de kunsten van de geest? Dat was een andere wereld; een wereld waar hij geen flauw idee van had. Het was een wereld waarin je uiteindelijk sterk genoeg moest zijn om helemaal alleen verder te gaan.

HOOFDSTUK TWEE

Die dag ruimde ik al mijn spullen op. Ik streek mijn smalle bed glad en vouwde de deken op. Ik veegde de stenen vloer van mijn slaapkamer, die gevormd werd door een van de vele grotten in de doolhof van kamers en gangen in de Honingraat. Ik borg mijn omslagdoek en buitenschoenen op in de kleine houten kist die mijn weinige bezittingen bevatte. Ons leven was heel eenvoudig. Werken, rusten, eten wanneer we moesten eten. We hadden niet veel nodig. Diep in de kist, half verstopt onder het beddengoed voor de winter, zat Riona. Zij was de enige van mijn bezittingen die niet een strikte levensbehoefte was. Riona was een pop. Wanneer de mensen over mijn moeder spraken, zeiden ze altijd hoe mooi ze was, en hoe slank, als een jonge berk, en hoeveel mijn vader van haar had gehouden. Ze zeiden dat ze altijd een beetje vreemd in het hoofd was geweest, al waren ze erg geschrokken toen ze dat vreselijke deed wat ze gedaan had. Maar je hoorde hen nooit praten over haar talenten, zoals ze wel vaak zeiden dat Dan een kampioen was op de doedelzak, of dat Molly de beste mandenvlechtster was, of dat Pegs knoedels de lekkerste waren van heel Kerry. Je zou de indruk kunnen krijgen dat mijn moeder helemaal geen kwaliteiten had, behalve schoonheid en waanzin. Maar ik wist wel beter. Je hoefde alleen maar naar Riona te kijken om te weten dat mijn moeder een kunstenares was geweest met naald en draad. Na al die jaren was Riona behoorlijk versleten; haar gezichtje was vervaagd en haar jurk had hier en daar sleetse plekken. Maar ze was stevig en netjes gemaakt, met zulke kleine, gelijkmatige steekjes dat ze bijna onzichtbaar waren. Ze had vingers en tenen, en geborduurde wimpers. Ze had lang, wollen haar dat zo geel was als boerenwormkruid, en een jurk van roze zijde met daaronder een kanten onderrok. De halsketting die Riona droeg, en die voor de zekerheid drie keer om haar kleine hals was gewonden, was het allersterkste. Het was een wonderlijk vlechtwerk van allerlei verschillende vezels, dat zo gemaakt was dat het niet gebroken kon worden, al trok je er nog zo hard aan. Aan dit koord was een kleine, witte steen met een gat erin geregen. Ik speelde niet met Riona als vader erbij was. Ik was nu natuurlijk ook te oud om te spelen. Het was verspilling van tijd, net als dom en gevaarlijk van de rotsen af duiken terwijl het niet nodig was. Maar in de loop van de jaren had Riona samen met Darragh en mij talloze avonturen beleefd. Ze had diepe grotten en steile ravijnen verkend; ze was soms bijna van een klif in de zee gevallen, en ook een keer bijna op het strand achtergelaten terwijl de vloed opkwam. Ze had kransen gedragen van aan elkaar geregen madeliefjes en mantels van konijnenvacht. Ze had onder aan de staande stenen gezeten, en naar ons gekeken alsof ze een koningin was die haar onderdanen overzag. Haar donkere, geborduurde ogen wisten zo veel van mij dat het soms beangstigend was. Riona oordeelde niet, niet echt. Ze nam waar. Ze hield alles bij.

Die dag voelde ik een sterke behoefte om bezig te zijn, om mijn gedachten op strikt praktische zaken te richten. Dus ging ik, toen mijn kamer leeg en schoon was, naar de plaats waar we onze kleine voorraad levensmiddelen bewaarden, en pakte de vis die het meisje had gebracht, en een paar rapen. De vis was al schoongemaakt en geschubd. Mijn vader en ik waren geen koks. We aten omdat het noodzakelijk was, meer niet. Maar ik moest de tijd vullen. Daarom stak ik het vuur aan, liet de vlammen wegsterven en roosterde de rapen in de gloeiende kooltjes terwijl ik de vis bovenop liet bakken. Toen het klaar was, bracht ik een bord met eten naar beneden naar de werkruimte voor mijn vader. Maar de deur was vanbinnen vergrendeld. Ik hoorde hem geen spreuken murmelen of toverwoorden uitspreken. Het enige geluid was het schorre gekras van een vogel die in de gewelfde kamer zat. Dat betekende dat Fiacha terug was. Ik kreeg een moedeloos gevoel, want ik had een gloeiende hekel aan Fiacha. De raaf kwam en ging zoals het hem beliefde, en wanneer hij bij ons verbleef, leek hij me altijd aan te staren met zijn kleine, glimmende oogjes, alsof hij me taxeerde en me niet bepaald indrukwekkend vond. En dan was hij plotseling weer weg, zonder ook maar afscheid te nemen. Misschien bracht hij boodschappen over. Vader zei nooit wat hij kwam doen. Ik was een beetje bang voor Fiacha's scherpe snavel en de gevaarlijke glans in zijn ogen. Hij had me een keer gepikt toen ik klein was, en dat deed erge pijn. Vader zei dat het per ongeluk was, maar daar was ik niet zo zeker van.

Ik liet het eten voor de deur staan. Er was een regel die niet uitgesproken hoefde te worden: wanneer de deur afgesloten was, probeerde je niet om binnengelaten te worden. Bepaalde aspecten van de kunst moesten in afzondering worden verricht, en mijn vader streefde er altijd naar zijn kennis te verdiepen en te verbreden. Het is voor een buitenstaander maar al te gemakkelijk om ons verkeerd te beoordelen, om een bedreiging te zien in wat we doen, domweg omdat hij er niets van begrijpt. Ons soort mensen is niet altijd welkom, nergens in Ierland, want de mensen vertellen verhalen over ons die half waar zijn en die voor de andere helft bestaan uit een mengelmoes van hun eigen angsten en bijgeloof. Het was niet toevallig dat mijn vader in deze verre, afgelegen uithoek van Kerry was komen wonen. Hier waren de mensen eenvoudige zielen wier leven om zee en seizoenen draaide, in wier wereld geen plaats was voor de weelde van geroddel en vooroordeel. Ze hadden hem en mijn moeder geaccepteerd als twee medebewoners van de baai, rustige, beleefde mensen die hen ook met rust lieten. En iedereen wist dat een nederzetting die een eigen tovenaar had, de veiligste plek was om te wonen. Mijn vader had dat al gauw gedemonstreerd, want kort na zijn aankomst in Kerry waren de Noormannen gekomen. Langs de hele kust deden verhalen de ronde over de overvallen die ze pleegden, de wrede moorden, de verkrachtingen, het brandstichten en het roven van vrouwen en kinderen. Er waren verhalen over plaatsen waar ze in hun vikingschepen waren aangekomen en waar ze domweg hun intrek hadden genomen in de hutten en boerderijen die ze zich hadden toegeëigend; ze hadden zich er gevestigd alsof ze daartoe het volste recht hadden. Maar in onze baai was geen vikingnederzetting gekomen. Daar had Ciarán voor gezorgd. De mensen vertelden het verhaal nog altijd: hoe de vikingschepen met hun gebeeldhouwde voorkanten in het zicht waren gekomen en snel op de kust af kwamen roeien; zonder waarschuwing vooraf zodat er geen tijd was om dekking te zoeken. Het zonlicht had geblikkerd op de bijlen en op de vreemde helmen die de mannen droegen; de vele riemen gingen spetterend het water in, telkens weer, terwijl de visserslui verstijfd van angst stonden te kijken hoe hun dood naderbij kwam. Toen was de tovenaar op een hoge richel van de Honingraat gaan staan met zijn staf van taxushout in zijn hand. Hij hief de staf in de hoogte en even later waren er dikke wolken komen opzetten uit het westen, en de zee was zover gezwollen dat de brekers met schuimkoppen op het strand beukten. De vikingschepen raakten in moeilijkheden, maakten slagzij, en de orde in de rijen riemen werd verstoord. Ogenblikken later was de hemel donker, het onweerde en de oceaan kolkte, en de mensen keken met grote ogen toe terwijl de schepen van de Noormannen kraakten en spleten en een voor een uiteen werden gescheurd. Later vonden kinderen op het strand vreemde en wonderlijke voorwerpen die waren aangespoeld. Een armband versierd met slangen en honden in een merkwaardig patroon. Een halsketting in de vorm van een klein, dodelijk bijltje dat aan gedraaid ijzerdraad hing. Een bronzen kom. De paal van een roeiriem, mooi gemaakt. Het lijk van een man met een witte huid en lang, gevlochten haar in de kleur van tarwe tijdens Lugnasad. Er kwam dus geen vikingnederzetting in onze baai. Hierna werd mijn vader vereerd en beschermd, hij kon geen kwaad meer doen. Toen mijn moeder stierf, rouwden ze samen met hem. Maar toch liepen ze met een grote boog om hem heen.

Die hele lange dag bleef mijn vader in de werkruimte met de grendel op de deur. Toen hij er eindelijk uitkwam om het bord met eten op te pakken en het afwezig op te eten, zonder te merken dat het intussen koud was geworden, zag hij er bleek en moe uit. Hij zat naast de resten van mijn kleine kookvuur, prikte lusteloos in de gestolde vis en had niets te zeggen. Fiacha was hem gevolgd en zat op een rand boven hem naar mij te staren. Ik trok een lelijk gezicht naar hem.

'Je kunt beter naar bed gaan, dochter,' zei mijn vader, en hoestte hevig. 'Ik ben vanavond geen goed gezelschap.'

'Vader, u bent ziek.' Ik keek geschrokken toe terwijl hij lucht probeerde te krijgen. 'U hebt hulp nodig. Op zijn minst een dokter.'

'Onzin.' Zijn gezicht stond grimmig. 'Mij mankeert niets. Schiet op, naar bed jij. Dit gaat voorbij. Het is niets.'

Hij had me absoluut niet overtuigd.

'Vader, zeg me alstublieft wat er met u is.'

Hij liet een korte lach horen. Het was geen blij geluid. 'Waar zou ik moeten beginnen? Kom, genoeg nu. Ik ben moe. Welterusten, Fainne.'

Zo werd ik weggestuurd, en ik liet hem daar achter. Hij zat bewegingloos naar de kern van het uitdovende vuur te staren. Terwijl ik wegliep naar mijn kamer, werd ik achtervolgd door het geluid van zijn gehoest, dat hol weerkaatste door de ondergrondse grotten.

Zij kwam op een morgen laat in de herfst aan, terwijl vader buiten was om water te halen. Ik ging naar buiten toen ik haar bij de ingang hoorde roepen. We kregen weinig bezoek. Maar zij was er; een oude, in omslagdoeken gehulde dame die te voet aan was komen sjokken zonder ook maar een tas of een mand bij zich te hebben. Haar gezicht was helemaal gerimpeld en haar ogen lagen zo diep in hun kassen dat je nauwelijks kon zien welke kleur ze hadden. Om haar hoofd kranste warrig wit haar en ze had een erg luide stem.

'Nou, vooruit, meisje! Vraag me binnen te komen. Ga me niet vertellen dat ik niet verwacht werd. Wat is Ciarán aan het doen?'

Ze duwde me opzij en dribbelde naar binnen, door de tunnel naar de werkruimte alsof dit haar eigen huis was. Ik draafde haar achterna en hoopte maar dat mijn vader niet te lang weg zou blijven. Plotseling draaide ze zich om zodat ze tegenover me stond, sneller dan een oud dametje hoorde te bewegen, en tuurde aandachtig in mijn ogen, alsof ze me taxeerde.

'Je weet toch wie ik ben, hè?'

'Ja, grootmoeder,' zei ik, want hoewel ze er heel anders uitzag dan de elegante vrouw die ik me herinnerde, kon ik de magie aan alle kanten van haar af zien druipen, krachtig en oeroud, en het was me duidelijk wie ze moest zijn.

'Hmm. Je bent groter geworden, Fainne.' Duidelijk niet onder de indruk draaide ze me haar rug toe en ging rustig verder met haar wandeling door de donkere gangen van de Honingraat. Voor de grote deur van de werkruimte bleef ze staan. Ze stak haar hand uit en duwde. De deur ging niet open. De deur, gemaakt van sterk eikenhout en geplaatst in een zware deurpost die precies in de stenen boog paste, was verzegeld met ijzeren bouten en met krachtige woorden. Mijn vader bewaakte zijn kennis angstvallig. De oude vrouw duwde nog eens.

'U kunt daar niet naar binnen gaan,' zei ik ontsteld. 'Mijn vader laat er niemand binnen. Alleen hij mag erin, en soms ik. U zult moeten wachten.'

'Wachten?' Ze trok haar wenkbrauwen op en glimlachte zuur. Op haar stokoude gezicht zag die glimlach er monsterlijk uit. Haar ogen boorden zich in me, alsof ze mijn gedachten wilde lezen. 'Heeft je vader je deze truc geleerd, hoe je uit een kamer gaat en hem vanbinnen afgesloten kan laten?'

Ik knikte, meesmuilend.

'En ook hoe je zo'n deur weer ontsluit?'

'U hoeft niet te denken dat ik hem voor u open ga maken,' zei ik tegen haar, en mijn stem begon scherp te worden van boosheid over haar brutaliteit. Ik voelde mijn gezicht rood worden en wist dat de vlammetjes die Darragh een keer had opgemerkt waarschijnlijk zichtbaar begonnen te worden in mijn haar. 'Als mijn vader wil dat hij op slot is, blijft hij op slot. Ik doe het niet.'

'Je kunt het vast niet.'

'Ik maak hem niet open. Dat heb ik al gezegd.'

Ze lachte, de lach van een jong meisje die klonk als het getinkel van klokjes. 'Dan zal ik het dus zelf moeten doen, hè?' zei ze op luchtige toon, en ze hief haar knoestige, knobbelige hand naar de zware eikenhouten panelen. Ze knipte één enkele keer met haar vingers, en een stralende rand van vuur likte aan de deur, rondom langs de randen. Er kwamen rookwolken af en ik begon te hoesten. Heel even kon ik niets meer zien. Ik hoorde een plofgeluid en gekraak. De rook trok weg. Nu stond de grote deur op een kier; het oppervlak was zwartgeblakerd en de zware grendels hingen er nutteloos bij waar ze hadden losgelaten van het verkoolde hout.

Ik bleef in de deuropening staan kijken terwijl de oude vrouw drie stappen in de geheime kamer van mijn vader zette.

'Hij zal hier niet blij mee zijn,' zei ik stroef.

'Hij komt het niet te weten,' antwoordde ze koeltjes. 'Ciarán is weg. Je zult hem niet terugzien voor we hier helemaal klaar zijn, kind; niet voor de volgende zomer op zijn eind loopt. Hij kan hier onmogelijk blijven terwijl ik hier ben. We kunnen niet samen onder één dak vertoeven. Het is beter zo. Jij en ik hebben heel wat werk te doen, Fainne.'

Ik bleef verstijfd van ontzetting staan; de klap van wat ze me had verteld voelde als een steek in mijn hart. Hoe kon vader dit doen? Waar was hij heen gegaan? Hoe kon hij me alleen laten met deze vreselijke vrouw?

Ze stond nu voor de bronzen spiegel, blijkbaar om zichzelf te bewonderen, want ze haalde een kam uit een zak van haar volumineuze kleding en begon die door haar bos verwarde haren te halen. Ondanks mezelf kwam ik iets dichterbij.

'Heeft Ciarán je niets over mij verteld, kind? Heeft hij niets uitgelegd?' Ze staarde aandachtig naar haar spiegelbeeld. Ik liep door tot ik achter haar stond, want ik voelde een onweerstaanbare drang om over haar schouder in de gepolijste spiegel te kijken.
De vrouw in de spiegel keek me aan. Ze was misschien zestien jaar oud, niet meer. Haar haar was het mijne, maar mooier en glanzender; het golfde om haar schouders met een eigen leven en had een volle, diepe kastanjebruine kleur. Haar huid was melkwit, zo blank dat je de vage blauwe aftekening van aderen op het parelachtige oppervlak zag. Haar figuur was slank maar welgevormd, met welvingen op de juiste plaatsen. Het was het figuur dat ik voor mezelf had geprobeerd te creëren op de dag dat ik naar beneden was gegaan naar het kamp. Ik vond toen dat ik een knappe prestatie had geleverd, maar hiermee vergeleken stelden mijn eigen pogingen niets voor. Deze vrouw was een meesteres in de kunst. Ik keek in haar ogen. Ze waren diep, donker, de kleur van rijpe moerbeien. Het waren de ogen van mijn vader. Het waren mijn eigen ogen. De oude vrouw glimlachte naar me vanuit de spiegel, met haar rode, gewelfde lippen en haar kleine, scherpe witte tanden.
'Zoals je ziet,' zei ze met een vreugdeloos gegrinnik, 'heb ik je heel wat te leren. En we kunnen maar beter meteen beginnen. Een mooie dame van jou maken wordt nog een hele uitdaging.'

Zo lang als ik me kon herinneren waren we met ons tweeën geweest, mijn vader en ik. We werkten samen of apart, en de dag werd besteed aan de beoefening van de kunst. Onze maaltijden, onze nachtrust, onze contacten met de buitenwereld bleven beperkt tot het strikt noodzakelijke: water halen, drijfhout verzamelen voor het vuur, de vis aannemen van het meisje aan de deur, boodschappen toevertrouwen aan Dan Walker. Ik had de zomers met Darragh gehad. Maar Darragh was weg, en ik was nu volwassen. Die tijd was voorbij. Mijn vader en ik begrepen elkaar zonder veel woorden nodig te hebben. Soms legde hij een techniek uit, of de theorie erachter. Soms stelde ik een vraag. Meestal liet hij het me zelf ontdekken, met hier en daar wat leiding. Hij liet me mijn eigen fouten maken, om ervan te leren. Op die manier, zei hij, zou ik meer verantwoordelijkheid voelen, en vooral de dingen onthouden die ik moest weten. En op den duur zou deze discipline niet alleen leiden tot kennis, maar tot inzicht. Het was een ordelijk, gestructureerd bestaan, al viel het ook enigszins buiten de patronen van gewone mensen.

Mijn grootmoeder had een totaal andere manier van lesgeven. Ze begon ermee me te vertellen dat Ciarán mijn opvoeding schromelijk had verwaarloosd; het minste wat hij me had kunnen leren was netjes te eten, en het eten niet met mijn vingers in mijn mond te stoppen als het kind van een ketellapper. Wanneer ik mijn vader probeerde te verdedigen, legde ze me het zwijgen op met een gemeen toverkunstje waardoor mijn tong opzwol en pluizig werd als een rijp wilgenkatje. Geen wonder dat ze had gezegd dat ze niet met haar zoon onder één dak kon wonen. Een van onze eerste regels was dat de kunst nooit door de leraar tegen de leerling mocht worden gebruikt, of door de leerling tegen de leraar. Mijn vader zou zijn teruggeschrikt voor het idee de toverkunst te gebruiken om straf toe te dienen. Grootmoeder gebruikte haar zonder enige scrupules. Ik vond het afschuwelijk hoe ze over hem praatte, over haar eigen zoon.

'Tja,' merkte ze op terwijl ze in het oog hield hoe ik mijn vis opat, en met haar blik elk stukje volgde op zijn reis van bord naar lippen, 'hij heeft je dus geleerd van gedaante te veranderen, dingen te laten bewegen en te goochelen. Wat zul je aan die vaardigheden hebben wanneer je aan tafel zit met de deftige mensen van Zeven Wateren? Kun je dansen? Kun je zingen? Kun je naar een man glimlachen zodat zijn bloed geprikkeld wordt en zijn hart sneller gaat kloppen? Ik zou denken van niet. Zit me niet zo dom aan te gapen, kind. Je opvoeding lijkt echt nergens op. Volgens mij is het de schuld van die druïden; die hebben zich van je vader meester gemaakt en zijn hoofd gevuld met onzin. Het is maar goed dat hij me nog op tijd geroepen heeft. Voor ik met je klaar ben, zul je met het grootste gemak een man om je vinger winden – zo onhandig en lelijk als je bent. Ik ben een kunstenares.'

'Ik heb veel van mijn vader geleerd,' zei ik boos. 'Hij is een groot tovenaar en ze hebben hier diep ontzag voor hem. Ik weet niet of we uw – kunstenaarschap wel nodig hebben. Ik beschik over kennis en over vaardigheden, en ik zal beide nog uitbreiden zo goed als ik kan, want mijn vader heeft me de liefde voor het leren bijgebracht. Waarom zou ik tijd en energie aan tafelmanieren besteden?'

Ze lachte haar jongevrouwenlach, die zo ongerijmd leek zoals hij uit die verschrompelde mond met hier en daar een tand klaterde.

'Och, och. Driftkopje stampvoet, en de vonken vliegen eraf. Het eerste wat je moet leren is jezelf niet zo te verraden, kind. Maar er is meer, heel veel meer. Ik weet dat je vader je een ondergrond aan vaardigheden heeft gegeven. Het geraamte, bij wijze van spreken. Maar je kunt grote dingen bereiken op Zeven Wateren als je je kansen zo goed mogelijk benut. Ik zal je helpen, kind. Geloof me, ik ken die mensen.'

Vanaf dat moment nam zij de leiding. Ik was gewend aan lessen en oefeningen. Ik was eraan gewend lang door te werken, altijd moe te zijn en toch door te gaan. Maar deze lessen waren zo saai. Hoe ik keurig moest eten als een winterkoninkje, met piepkleine hapjes tegelijk. Hoe ik moest giechelen en fluisterend over geheimen moest praten. Hoe ik mijn rug recht moest houden als ik liep, en met mijn heupen moest wiegen. Dit ging niet gemakkelijk, met die voet van mij. Op het laatst had ze er genoeg van.

'Je zult nooit recht kunnen lopen in je eigen gedaante,' zei ze botweg tegen me. 'Je zult nooit dansen zonder er belachelijk uit te zien. Hindert niet. Je kunt het Mom gebruiken wanneer je maar wilt. Je kunt jezelf zo gracieus maken als je wilt. De mooiste voetjes van de wereld hebben, als je die nodig hebt. Het enige probleem is dat het vermoeiend wordt. Om het de hele tijd vol te houden, bedoel ik. Je raakt er doodmoe van. Waarom denk je dat ik een oude, rimpelige heks ben? Ons soort leeft lang. Te lang, denk ik weleens. Maar ik ben zoals ik ben doordat ik toen voortdurend bekoorlijk moest zijn voor heer Colum, om hem naar mijn pijpen te laten dansen.' Ze zuchtte. 'Ja, dát was nog eens een echte man. Jammer dat dat kleine mormel, die Sorcha, mijn plannen in de war heeft gestuurd. Als zij niet gedaan had wat ze deed, was dit allemaal niet nodig geweest. Dan zou het allemaal al van mij zijn geweest, en later van Ciarán. Je ongelukkige moeder zou nooit bestaan hebben, en jij ook niet, liefje. Stel je eens voor wat ik had kunnen bereiken. Het zou allemaal van ons zijn geweest, en zo had het ook moeten zijn. Maar zij speelde het klaar, ze was me te slim af, zij en die – die schepsels die graag met dure namen pronken. Wezens uit de Andere Wereld. Het mocht wat! De macht is hun lang geleden naar het hoofd gestegen, dat is hun probleem. Ons soort werd buitengesloten. Wij waren nooit goed genoeg voor hen, en ze vinden het maar wat leuk ons daaraan te herinneren. Maar goed, we zullen zien hoe het Feeënvolk reageert op het kleine geschenk dat ik hun ga geven. Het lachen zal hun vergaan wanneer jij je werk hebt gedaan, meisje.'

Ik durfde haar niet goed te vragen wat ze bedoelde. Ze aarzelde niet om me te bespotten of te straffen wanneer ze me traag of dom vond. Het was te laat, zei grootmoeder, om de harp of de fluit te leren bespelen. Ik weigerde te zingen, zelfs al strafte ze me door mijn stem weg te nemen. Ik kon best zonder, want ik was gewend aan lange dagen zwijgen, en na verloop van tijd gaf ze haar pogingen op om enige vorm van muziek uit me te krijgen. Ze ontdekte heel gauw dat mijn vaardigheden op het gebied van lezen en schrijven de hare ver overtroffen. Met naaien was het anders gesteld; ze noemde mijn prestaties uiterst rudimentair. Bliksemsnel verschenen er materialen, fijne zijden garens, gazen stoffen, gewoon linnen om eerst op te oefenen. Bij het licht van een lantaarn prikte ik in mijn vingers, tuurde ik tot mijn ogen pijn deden en vervloekte ik haar stilzwijgend. Maar ik leerde naaien. Ze bekeek me met een ietwat spottende uitdrukking op haar gezicht en een keer zei ze: 'Dit roept bepaalde herinneringen op. Nou en of.'

Ze leerde me nog andere dingen; het waren lessen waarover ik alleen blozend zou kunnen praten. Het was noodzakelijk, zei mijn grootmoeder, want ik was een meisje, en om ergens te komen in de wereld moest ik in staat zijn een man aan te trekken en vast te houden. Dat was niet alleen een kwestie van een bepaalde manier van lopen en een speciale manier van kijken aanleren, of zelfs van weten wat je moest zeggen en wanneer je moest zwijgen. Het was ook niet gewoon een kwestie van het Mom aanwenden om je mooier of verlokkender te maken, hoewel dat zeker hielp. Grootmoeders lessen waren veel gerichter. Soms kon ik wel door de grond gaan als ik haar hoorde praten. Ik kreeg het warm van schaamte wanneer ik in haar bijzijn moest laten zien wat ik geleerd had. Bij de gedachte dat ik die dingen werkelijk zou doen, kromp ik in elkaar van afschuw. Ze vond me erg onnozel, en dat zei ze ook. Ze herinnerde me aan het feit dat ik in mijn vijftiende jaar was, van huwbare leeftijd, en dat ik het weinige wat ik aan natuurlijke charmes bezat, maar beter zo goed mogelijk kon gebruiken. Ik moest leren de toverkunst te gebruiken om die charmes zo nodig te versterken, anders kon ik de hoop ooit iets te bereiken wel opgeven. Terwijl ik me moeizaam door deze lessen heen worstelde, werd het me duidelijk waarom mijn vader haar had opgeroepen om me leiding te geven. Als het waar was dat ik deze vaardigheden nodig had, dat ik deze intieme geheimen diende te weten, dan was het ook duidelijk dat hij me die nooit zelf had kunnen leren. Er zijn dingen die een meisje niet met haar vader kan bespreken, hoe goed het contact met hem ook is. Toch lag ik 's nachts wakker en vroeg me af waarom hij deze beslissing had genomen, want grootmoeder was een wrede lerares, en haar aanwezigheid in de Honingraat wierp een kille schaduw over mijn dagen en vulde mijn nachten met boze dromen. Waarom was hij weggegaan, zo ver dat ik niet eens wist waar hij was? Was dat op zichzelf al een soort proef? Hij had me nooit eerder alleen gelaten, nog niet één nacht. Ik voelde me treurig en eenzaam, en ik maakte me zorgen over hem. Hij was mijn wereld, mijn familie, het enige vaste punt in mijn leven. Ik had hem nodig; en hij had mij beslist ook nodig, want er was niemand anders aan wie hij dat zeldzame lachje schonk dat zijn sombere gelaat deed oplichten en me de man toonde voor wie mijn moeder de wereld had achtergelaten. Was hij bang voor grootmoeder? Was dat de reden waarom hij me aan haar genade had overgelaten? In mijn dromen verscheen hij, mager en bleek, pijnlijk hoestend, helemaal alleen ergens in een donkere grot. Ik wenste dat hij naar huis kwam.

De herfst werd winter, en de lessen gingen door in een moordend tempo.

'Heel goed, Fainne,' zei grootmoeder op een dag, heel plotseling, terwijl we in de werkruimte zaten uit te rusten. Ze was de hele middag bezig geweest mij een spin in andere vormen te laten veranderen: een hagedis, fonkelend als een juweel; een klein vogeltje met fladderende vleugels dat in verwarring tegen de stenen wanden opbotste; een muis die bijna door een spleet wist te ontsnappen tot ik met mijn vingers knipte om hem te veranderen in een heel klein vuurspuwend draakje, dat een klein rookwolkje uitademde en uitdagend met zijn leerachtige vleugeltjes sloeg. Ik was uitgeput en zat even slap in mijn stoel als de spin die nu, zo roerloos alsof hij dood was, hoog boven me in zijn web hing. 'Nu is het tijd voor een geschiedenisles. Luister goed en val me niet onnodig in de rede.'

'Ja, grootmoeder.' Het was bij haar het gemakkelijkste om gehoorzaam te doen wat ze zei. Ze was vindingrijk wat betreft methoden om me te straffen, en ze had er een hekel aan uitgedaagd te worden. Ik had veel liever vaders manier van lesgeven, die wel streng was, maar nooit onvriendelijk.

'Geef antwoord op mijn vragen. Wie waren de eerste mensen in het land van Erin?'

'De Ouden.' Dit soort vragen was gemakkelijk. Vader had me de verhalen jarenlang verteld, en hij en ik waren bedreven in het spel van vraag en antwoord. 'De Fomhóire: Mensen van de diepe oceaan, de bronnen en de meerbeddingen. Mensen van de zee en van de donkere krochten van de aarde.'

Grootmoeder gaf een miniem knikje. 'En wie kwamen daarna?'
'De Fir Bolg. De zakmensen.'
'En daarna?'
'Toen kwamen de Túatha Dé Danann, uit het westen, die later de anderen verbannen hebben en zich over het hele land van Erin verspreidden. Zij regeerden lange tijd, tot de komst van de zonen van Mil.'
'Heel goed. Maar wat weet je van de oorsprong van ons eigen geslacht?' Haar blik was borend.
'Ons geslacht komt niet in de verhalen voor. Ik weet dat wij anders zijn. We zijn vervloekt, en daarom staan we altijd overal buiten. We horen niet tot de Túatha Dé. We zijn ook geen sterfelijke mannen en vrouwen. We zijn noch het een, noch het ander.'
'Tot zover heb je het goed. We staan erbuiten omdat we eruit zijn gezet. Een van ons beging lang geleden een overtreding, en dat hebben ze ons nooit laten vergeten. Ken je dat verhaal?'
Ik schudde mijn hoofd.
'We zijn hun afstammelingen, of ze dat nu prettig vinden of niet. Van het Feeënvolk, of hoe ze zich ook maar wensen te noemen. Stuk voor stuk goden en godinnen, in elk opzicht superieur; ze bewogen zich hier alsof het land van hen was, wat natuurlijk ook zo was, nadat ze de anderen hadden teruggedreven in de hoeken en gaten waar ze uit waren gekomen. Maar iemand speelde met dingen waar ze van af had moeten blijven, en zo begon het allemaal.'
'Speelde met dingen? Wat voor dingen?'
'Ik zei toch dat je me niet in de rede moest vallen.' Ze keek me met een felle blik aan en ik voelde een scherpe, stekende pijn in mijn slaap. 'Toen, in het begin, konden we alles, we beheersten elke tak van de kunst. Gedaanteverandering, transformatie. Genezing. Beheersing van wind en regen, golf en getijde. We waren werkelijk goden, en geen wonder dat de Ouden met hun staart tussen de benen terugkropen naar hun holen. Maar er zijn bepaalde zijlijnen van de kunst waar we ons niet aan mogen wagen, zelfs een meester niet. Iedereen wist dat. Het is gevaarlijk om de duistere kant aan te raken; je kunt er beter van afblijven, je er verre van houden. Ongelukkigerwijs was er iemand die zich door haar nieuwsgierigheid liet overmeesteren. Ze speelde met een verboden toverkunst; riep iets op dat niet gewekt had mogen worden. Sinds die dag was er een kwaad losgelaten dat nooit meer weg zou gaan. Daarom werd zij uitgestoten en gestraft – ze werd ontdaan van het vermogen de ho-

gere elementen van de magie te gebruiken: de krachten van het licht, het genezen en het vliegen. Ze beschikte alleen nog over de waardeloze rommel, over flauwe toverkunstjes: ze kon gebeurtenissen beïnvloeden en ze kon gedaanteveranderingen laten plaatsvinden, bijvoorbeeld een kikker in een man veranderen of een meisje in een kakkerlak. Ze had het Mom. Bitter weinig, vergeleken met wat ze verloren had. Ze verbond zich aan een sterfelijke man, want geen van de hoge geesten wilde haar hebben na wat ze gedaan had. En je weet wat dat betekent.'

Ditmaal scheen ze een antwoord te verwachten. 'Dat ze zelf sterfelijk zou worden?'

'Dat niet precies. Ons geslacht leeft lang, Fainne; veel langer dan de menselijke levensduur. Maar het betekende wel dat zij op haar beurt ook zou sterven. Ze zou lang genoeg leven om haar gezin van ouderdom te zien sterven voor ze zelf overging. Haar afstammelingen hadden het bloed van deze vervloekte in zich, door de eeuwen heen. Elk van ons heeft haar ogen. Jouw ogen, meisje. Elk van ons bezit de kunst, maar in beperkte zin, begrijp je. Sommige dingen zullen altijd buiten ons vermogen liggen. Dat steekt. Dat doet pijn. Ze komen ons toe. De straf was onrechtvaardig; te streng.'

Ik opende mijn mond om iets te zeggen, maar bedacht me en deed hem weer dicht.

'Je denkt zeker aan je vader, hè?' zei ze zonder te glimlachen. 'Je denkt dat hij blijk geeft van een wat ruimer scala aan vermogens dan ik zojuist heb beschreven? Je hebt natuurlijk gelijk. Ik heb zijn vader goed gekozen: niemand minder dan Colum, heer van Zeven Wateren. Er komen druïden uit die familie voort. Kijk naar hun wijze van leven, verscholen in dat geliefde woud van ze, omringd door die Anderen. Ze hebben het bloed van de Ouden, vermengd met dat van het mensenras. Ciarán is anders. Bijzonder. Hij had daar moeten heersen na Colum. Hij is immers de zevende zoon van een zevende zoon? Maar ik werd gedwarsboomd. Gedwarsboomd door dat ellendige meisje en haar vervloekte broers. Dat zijn de mensen voor wie je uit moet kijken. De mensen met iets van de Fomhóire in zich.'

Ik fronste nadenkend mijn voorhoofd. 'Waarom zou dat gevaarlijk zijn, grootmoeder? De Fomhóire maakten geen gebruik van hoge magie.'

'Ah. Je hebt hoge magie en je hebt de magie van de tovenaar, en dan is er nog een soort magie. Je zou het diepe magie kunnen noe-

men. Dat is wat de mensen van Zeven Wateren hebben, en wij niet, kind. Dat wil zeggen, niet allemaal. De meesten zijn simpele dwazen zoals je moeder, zwak van wil en zwak van geest. Hoe mijn zoon ooit voor dat leeghoofdige gansje kon vallen, begrijp ik niet. Niamh heeft zijn leven geruïneerd; ze heeft hem ernstig verzwakt. Maar nu ben jij er, Fainne. Op jou is mijn hoop gevestigd.'
Ik had geleerd dat het geen zin had iets hatelijks terug te zeggen, al voelde ik me gekwetst door de verachtelijke manier waarop ze over mijn moeder sprak. 'Diepe magie?' vroeg ik. 'Wat is dat?'
'De magie van de aarde en de oceaan. Daar kwam dat andere soort vandaan, lang geleden. Daarom klampen ze zich zo aan de Eilanden vast. Ze zijn geen tovenaars. Ze kunnen niet toveren. Maar sommigen van hen hebben het vermogen via de geest met elkaar te spreken, zonder woorden. Je hebt geen idee hoe hard ik geprobeerd heb dat te ontwikkelen. Tot ik erbij neerviel. Maar je hebt het of je hebt het niet. Enkelen van hen kunnen in de toekomst zien. Dat zijn beide machtige hulpmiddelen. En sommigen hebben genezende vermogens die de geneeskunst van een arts verre overtreffen.'
'Is dat alles?'
'Hoor haar! Is dat alles, zegt ze.' Haar lach klonk spottend. 'Is dat niet genoeg? Die talenten hebben mij al bijna twee generaties lang verhinderd mijn doel te bereiken, meisje. Ze hebben me mijn zoon afgenomen en hem zacht gemaakt. Maar nu is het anders. Ik heb jou, Fainne, en ik heb een nieuw doel, een veel grootser doel. Jij hebt iets van alles in je, dankzij je moeder. Dat is het enige goede dat ze voor jou heeft gedaan, dat armzalige schepsel. Ik heb het nooit begrepen. Als Ciarán zich zo nodig moest vergooien aan een van de meiden van Zeven Wateren, waarom koos hij dan niet de andere zuster? Een kind uit die verbintenis zou helemaal zeldzame vermogens hebben gehad. Nou ja, Fainne. Jij hebt het bloed van vier geslachten in je. Dat moet toch ook iets opleveren.'
Dit keer was het onmogelijk om niet tegen haar in te gaan. 'Ik vind het niet prettig als u zo over mijn moeder spreekt,' zei ik, terwijl ik haar boos aankeek.
'O nee? Ik spreek slechts de waarheid, kind. Trouwens, wat maakt het jou uit? Je herinnert je haar waarschijnlijk amper. Maar ik neem aan dat die hele instelling van je vader afkomstig is. Hij wil geen kwaad horen over zijn geliefde Niamh. Voor hem was ze een prinsesje, een volmaakt schepsel dat nooit iets fout kon doen. Hij is helemaal weggekwijnd nadat hij haar verloren had. Luister, Fainne.'

Haar stem had opeens een heel andere klank. 'Je hebt het er tot nu toe heel goed van afgebracht, kind; we zullen waarschijnlijk op tijd klaar zijn, als je goed bij de les blijft. Morgen zal ik in het kort aangeven wat er op Zeven Wateren van je verwacht wordt. Je moet begrijpen dat al deze dingen, de houdingen en gebaartjes, de vloeiende conversatie, de vaardigheden voor de slaapkamer, niet meer zijn dan een werktuig, een deel van de middelen om een doel te bereiken. Morgen zal ik beginnen je uit te leggen wat dat doel is. Er ligt een belangrijke taak voor je, kleindochter. Een belangrijke taak. En nu, naar bed jij, je zult je nachtrust hard nodig hebben.'

Die nacht, toen ik alleen in mijn kamer was met een kaars als gezelschap en terwijl buiten de oceaan bulderde, opende ik de houten kist en haalde Riona te voorschijn. Ze leek een beetje verkreukeld doordat ze in de verdrukking had gelegen onder een stapel dekens, en ik meende op haar keurig geborduurde gezichtje een verwijtende uitdrukking te zien. Ik ontwarde haar gele haren en strikte de bandjes aan de achterkant van haar jurk weer vast. In deze nacht voelde ik me plotseling niet meer zo volwassen, en toen ik de kaars uitblies en op mijn bed ging liggen, hield ik Riona bij me; dat had ik al een hele tijd niet meer gedaan.

'Is het waar?' fluisterde ik in het donker. 'Is dat alles wat mijn moeder was, een dom meisje dat het leven van mijn vader in het honderd stuurde? Wil hij daarom niet over haar praten? Maar hij heeft gezegd dat hij van haar hield. Als hij over haar zou praten, zou ik me haar misschien herinneren. Dan zou ik me misschien iets herinneren. Een kleinigheid.'

Riona gaf geen antwoord. Toch was haar aanwezigheid naast me troostrijk. Mijn vingers voelden aan de vreemde, gevlochten halsketting die ze droeg en streken over het koele, gladde oppervlak van de witte steen die eraan geregen was.

'Misschien is het ook maar beter,' zei ik, tegen haar of tegen mezelf. 'Misschien is het maar beter dat ik het niet weet. Ze was een van hen, van het mensengeslacht, van de familie van Zeven Wateren. Ik behoor tot het andere geslacht; ik ben de dochter van mijn vader. Het is beter dat ik het nooit weet.' Maar mijn hand streek over de zachte zijde van Riona's rok, en terwijl ik in slaap viel, zag ik de vingers van mijn moeder, het snelle flitsen van de naald terwijl ze het jurkje naaide met kleine, gelijkmatige steekjes. Een geschenk voor haar dochter, ter herinnering aan haarzelf; een kleine vriendin om me te troosten in het donker wanneer zij weg was.

De volgende morgen legde grootmoeder het me allemaal uit.
'Zo, Fainne,' zei ze, terwijl ze me nauwlettend bekeek zoals ik voor haar stond in mijn eenvoudige jurk en op mijn degelijke schoenen, met mijn handen in elkaar verstrengeld op mijn rug. 'Waarom denk je dat je vader wil dat je naar Zeven Wateren gaat? Is dat niet uitgerekend de plek die hij uit zijn herinnering wil bannen, maar die hij niet kan vergeten? Waarom zou hij jou, zijn enige dochter, daarheen willen sturen, in het hart van het gebied van zijn vijand?'
'Ik ben de kleindochter van een clanhoofd van Ulster,' zei ik. 'Vader zei dat de mensen van Zeven Wateren een schuld hebben in te lossen. Hij vindt dat ik moet leren me in die kringen te bewegen, omdat er hier in Kerry geen echte toekomst voor mij is.' Ik voelde een rilling over mijn rug lopen. Voor het eerst kwam de gedachte bij me op dat ik misschien nooit terug zou komen in de Honingraat. Ik schrok erg van die gedachte. 'Als hij wil dat ik naar Ulster reis, zal dat wel het beste zijn.'
Grootmoeder vertrok haar gezicht, zodat er een netwerk van diepe rimpels in haar oude huid ontstond. 'Je vertrouwen in Ciaráns oordeel is roerend, kind, al is het ongegrond. Zijn beslissing is verstandig, maar de redenen die hij ervoor aanvoert, laten te wensen over. Ik schrijf dat toe aan zijn opleiding tot druïde. Die misselijke Conor heeft heel wat te verantwoorden. Samen met die broers van hem heeft hij mijn zoon beroofd van zijn geboorterecht, en zijn hoofd volgestopt met idiote ideeën zodat hij niet meer weet wat wat is. Ze hadden het nooit mogen overleven, wat ik met ze heb gedaan. Maar daar hebben we het nu niet over. Je vader heeft je maar de helft van de waarheid verteld, Fainne. Ciarán is ziek. Ernstig ziek. Hij stuurt jou weg omdat hij de dag ziet naderen dat hij er niet meer zal zijn om voor jou te zorgen.'
Ik voelde het bloed uit mijn gezicht wegtrekken. 'Wat?' fluisterde ik dommig.
'Geloof je me niet? Geloof me maar wel. Ik ben degene die dit kan weten. Ciarán wil zijn kostbare leerlingetje niet hier achterlaten bij het vissersvolk, waar ze de zoveelste vissersvrouw zou worden met een sleep krijsende koters aan haar rokken. Hij kan je niet bij mij achterlaten; ik kom en ga zoals het me uitkomt. Daarom blijft hem maar één mogelijkheid over. Je ooms, heer Sean van Zeven Wateren, Conor, de aartsdruïde en de verre Liadan; zij zijn de enige familie die je hebt. Je vader ziet geen andere mogelijkheid.'
'U bedoelt... die hoest, die bleekheid, bedoelt u dat hij... doodgaat?'

Ik kreeg het woord met moeite over mijn lippen. 'Maar... maar hoe kan dat nou? Ons geslacht is niet zoals gewone mannen en vrouwen; wij leven lang... hoe kan hij dan zo ziek zijn? Hij zei dat hij gezond was. Hij zei dat er niets met hem aan de hand was...'

'Natuurlijk zei hij dat. Maar er zijn ziekten waar geen kruid tegen gewassen is, Fainne; ziekten die zelfs de machtigste magiër kunnen treffen. Hij heeft je de waarheid niet verteld omdat hij wist dat je niet zou willen gaan als je het wist.'

'Daar had hij gelijk in,' zei ik tandenknarsend. 'Ik ga niet. Ik kan hem niet alleen laten. Hoe kon hij het voor me verzwijgen?' We hadden elkaar zo na gestaan, hadden elkaar al die tijd zo volkomen begrepen, zo goed samengewerkt zonder dat er een woord werd gesproken. De pijn hechtte zich diep in me vast, als een koude steen.

Grootmoeder was kalm. 'Laat ik je iets uitleggen,' zei ze. 'Het gaat niet zozeer om de mensen van Zeven Wateren. Het gaat om de krachten achter hen: die wezens uit de Andere Wereld met hun verheven gedoe, en hun greep op ons allemaal. Je zult naar Zeven Wateren gaan, en als het niet voor je vader is, dan is het wel voor mij. Ik heb een taak voor je, een opdracht die je moet uitvoeren. Dit is belangrijk, Fainne, belangrijker dan je je kunt voorstellen.'

'Maar vader zei...'

'Vergeet dat. Ik ben zijn moeder. Ik weet waar ik over praat. Er is één reden voor jou om naar Zeven Wateren te gaan, en niet meer dan één reden. Mijn reden. Waarom denk je dat ik hierheen gekomen ben, Fainne? Ik heb je gadegeslagen, jarenlang; ik heb gewacht tot je hier klaar voor was. Jij zult afmaken wat ik begonnen ben. Jij zult het succes bereiken dat ons geslacht zo lang ontzegd is gebleven. Jij zult het Feeënvolk laten zien dat de uitgestotenen sterk kunnen zijn, sterk genoeg om hun liefste wens niet in vervulling te doen gaan. Jij zult het plan dat ze lange tijd hebben gekoesterd dwarsbomen. Samen zullen ze ten val komen, de mensen van Zeven Wateren en hun schaduwen uit de Andere Wereld. Dat is jouw taak.'

Ik staarde haar met open mond aan. 'Maar... maar grootmoeder, de Túatha Dé Danann? Wie zou tegen hun macht kunnen vechten? Ik zou verpletterd worden.'

Ze grijnsde zuurzoet. 'Ik heb ertegen gevochten, en ik ben er nog altijd. Ietwat gebutst, maar ik heb mijn wil nog. En ik ben er bijna in geslaagd. Ze zijn ernstig verzwakt sinds de Eilanden in handen van de Britten zijn gevallen. Ze hadden een plan voor dat meisje,

Sorcha, en haar boerenpummel van een minnaar. Ze hebben ook een plan voor Zeven Wateren. Het eerste plan heb ik bijna in de war gestuurd. Maar het meisje was te sterk voor me. Ik was vergeten dat ze ook een stukje Fomhóire in zich heeft. Dat mag jij nooit vergeten. Wees ervoor op je hoede. Nu zul jij het tweede plan dwarsbomen. Het Feeënvolk wil de Eilanden terug. Ze willen dat het allemaal verloopt in overeenstemming met de profetie. Tot de letter nauwkeurig. En het is de bedoeling dat het gaat gebeuren wanneer er nog een jaar verstreken is. Dat heb ik gehoord.'

'Profetie?' Mijn hoofd tolde; ik kon er geen touw meer aan vastknopen, zo gruwelijk, groots en dwaas klonken haar woorden me in de oren.

'Heeft Ciarán je dan helemaal niets verteld? De Eilanden zijn generaties geleden door de Britten ingenomen. Sindsdien is Zeven Wateren in oorlog met Northwoods. Tot de Eilanden weer van de Ieren zijn, zal zowel het Feeënvolk als het mensenvolk geen rust hebben. Ze hebben die eilanden nodig. De machthebbers willen dat de Eilanden bewaakt worden. Dat erop gepast wordt. Dat is de enige manier om zich te beschermen tegen wat te gebeuren staat. De profetie zei dat er een kind zou komen dat noch van Britse, noch van Ierse afkomst was, maar tegelijkertijd van beide. En er wordt ook nog iets beweerd over het teken van de raaf. Nou, nu hebben ze hem dan eindelijk, de langverwachte leider, de kleinzoon van die ellendige Sorcha. Hij is volwassen en gereed om ten strijde te trekken tegen Northwoods, en hij heeft een aanzienlijk leger achter zich. Het zal nu niet lang meer duren. Niet de volgende zomer, maar de zomer daarna, zeggen ze. Het is jouw taak om hen tegen te houden. Eigenlijk heel eenvoudig. Je moet ervoor zorgen dat ze niet gaan vechten of, als ze dat toch doen, dat ze verliezen. Denk je eens in. Wij, de uitgestotenen, krijgen eindelijk de overhand over het Feeënvolk. Ik zou de uitdrukking op hun gezicht weleens willen zien als het zover is.'

Ik was zo verbaasd dat ik bijna niet kon praten. 'Maar hoe zou ik zoiets kunnen bereiken? En waarom heeft vader hier nooit over gesproken? Het lijkt me ondenkbaar dat één meisje een leger kan tegenhouden. Ik zou dat niet eens willen proberen. Het is belachelijk.'

'Wie noem je belachelijk?' De oude vrouw staarde me strak aan met haar als bessen zo donkere ogen.

Ik voelde mijn ruggengraat slap worden als pudding, maar ik pro-

beerde voet bij stuk te houden. 'Ik zou zoiets niet willen proberen zonder de goedkeuring van vader,' zei ik. 'Ik kan onmogelijk geloven dat hij zo'n idee zou steunen.'
De blik van grootmoeder werd scherper. Ik schrok van de uitdrukking op haar gezicht. Een prikkend gevoel van angst kroop op en neer in mijn nek.
'Ah,' zei ze, met een heel zachte stem die me beetpakte als een koude hand. 'Je zult gaan, Fainne. En je zult van nu af aan precies doen wat ik je opdraag te doen. Ik weiger mijn plannen nog een keer te laten dwarsbomen.'
'Ik ga het niet doen,' zei ik bevend. 'Ik ga mijn vader niet alleen laten. Het kan me niet schelen hoe sterk uw toverkracht is. U kunt me niet dwingen om het te doen.'
Grootmoeder lachte. Ditmaal klonk haar lach niet tinkelend als een klokje, maar als een schel, triomfantelijk, geamuseerd gekakel. 'Och, Fainne. Wat ben je nog jong. Wacht maar tot je gaat voelen dat je macht hebt, wacht maar tot mannen een moord voor je begaan en hun beste vrienden verraden, en zich keren tegen datgene wat hun zielsdierbaar is. Er is geen genoegen dat daarmee te vergelijken is. Wacht maar tot je inziet wat je in je hebt. Want je mag dan Ciaráns dochter zijn en onder invloed staan van zijn druïdenmanieren en zijn overmaat aan geweten, maar je bent mijn kleindochter. Vergeet dat nooit. Je zult altijd ergens diep vanbinnen een stukje van mij met je meedragen. Dat valt niet te ontkennen.'
'U kunt me niet dwingen slechte dingen te doen. U kunt me niet dwingen om tegen de wil van mijn vader in te gaan. Ik moet het hem op zijn minst vragen.'
'Je zult merken dat ik dat nu juist wél kan. Vanaf dit moment zul je elke opdracht uitvoeren die ik je geef. Je zult mijn streven volvoeren tot het bittere einde en de overwinning behalen die mij is ontzegd. Je denkt misschien dat ik je zal laten lijden als je me niet gehoorzaamt. Een hoofdpijntje hier, een aanval van diarree daar. Of wratten misschien, of een gemene puist op een lastige plek. Maar zo simpel zit ik niet in elkaar, Fainne. Als je tegen mijn bevelen ingaat, word niet jij gestraft, maar je vader.'
Mijn hart bonkte van ontzetting. 'Dat kunt u niet doen!' fluisterde ik. 'Dat doet u toch niet? Uw eigen zoon? Ik geloof u niet.' Maar dat was niet waar; ik had de uitdrukking in haar ogen gezien.
Ze grijnsde, zodat haar puntige, kleine tanden zichtbaar werden, het gebit van een roofdier. 'Mijn eigen zoon, ja, en wat een teleur-

stelling is hij geworden. Wat mijn wil betreft, daar heb je al iets van kunnen zien. De ziekte van je vader is niet zomaar een koorts die hij heeft opgelopen, of het gevolg van zenuwen en uitputting. Ik heb hem die bezorgd. Ik loop al een paar jaar met deze plannen rond en heb jullie beiden gadegeslagen. Hij voelt het misschien wel aan; maar ik heb hem overvallen toen hij er niet op bedacht was, en nu kan hij me niet van zich afschudden. Daarom stuurt hij jou weg naar wat volgens hem een veilige plek is. Rechtstreeks naar Conor, zijn aartsvijand. Wel ironisch, hè?'

'U liegt!' beet ik haar toe, in tweestrijd tussen afgrijzen en woede. 'Vader kan bliksemsnel een betovering afweren met een tegenbetovering, hij zou dat nooit laten gebeuren. Er is geen tovenaar ter wereld die sterker is dan hij.' Mijn stem sprak uitdagende woorden, maar mijn hart kromp ineen van angst; ze had ons in de val gelokt, ons beiden, in de val door de liefde die we voor elkaar voelden. Zij was de sterkste, en dat was ze altijd geweest.

'Heb je niet naar me geluisterd?' vroeg ze. 'Ciarán had kunnen zijn wat jij zegt. Hij had de sterkste van allen kunnen zijn. Maar hij gooide het weg. Hij liet toe dat de hoop hem kapotmaakte. Hij beoefent de kunst misschien nog wel, maar hij heeft de wil niet meer. Hij was een gemakkelijke prooi voor mij. Je zult buitengewoon voorzichtig moeten zijn. Ik zal je nog wat aanwijzingen geven voor je gaat. Telkens als je ook maar enigszins afwijkt van mijn bevelen, gaat je vader een beetje achteruit. Je hebt gezien hoe hij eraan toe is. Je zou niet zo heel veel fouten hoeven te maken om hem heel ernstig ziek te laten worden, bijna ongeneeslijk. Doe je het daarentegen goed, dan zou hij nog wel beter kunnen worden. Je ziet wat een macht ik je geef.'

'Maar u zult het niet weten.' Mijn stem beefde. 'Ik zal op Zeven Wateren zijn, en u hebt zelf gezegd dat u geen gedachten kunt lezen. Ik zou ongehoorzaam kunnen zijn, zonder dat u er iets van merkte.'

Haar wenkbrauwen gingen verachtelijk omhoog. 'Je verbaast me, Fainne. Heb je de kunst van de kristallen bol, van spiegels nog niet geleerd? Ik zal het weten.'

Ik sloeg mijn armen om mezelf heen, want er was een kou in me die voortaan zou blijven, ook op een stralende zomerdag. Mijn vader ziek, lijdend, stervend; hoe kon ik dat verdragen? Dit was echt gemeen, gemeen en slim. 'Ik... ik denk dat ik geen keus heb,' mompelde ik.

Grootmoeder knikte. 'Heel verstandig. Het zal niet lang duren voor je er plezier aan beleeft, geloof me maar. Er valt een onevenredig groot genoegen aan te beleven als je ziet hoe een groot vernietigingswerk zich ontvouwt. Je zult het in enige mate zelf in de hand hebben. Je moet je tenslotte aan allerlei omstandigheden kunnen aanpassen. Ik zal je een aantal ideeën geven. De rest kun je zelf bedenken. Het is verbluffend hoeveel macht een vrouw kan hebben als ze leert zichzelf onweerstaanbaar te maken. Ik zal je laten zien hoe je in een menigte van vijftig mensen de man herkent op wie je je moet richten; de man met macht en invloed. Ik heb dat ooit gedaan, en ik heb bijna alles gekregen wat ik wilde. Ik was er bijna. Maar toen werd alles bedorven door dat meisje. Ik zal net zo blij zijn als Ciarán als ik zie dat haar familie definitief en volledig het onderspit delft. Als ik zie hoe ze uiteen valt en zichzelf vernietigt.'
Ze grabbelde in een verborgen zak.
'Nu. Je zult elk beetje hulp nodig hebben dat je kunt krijgen. Dit zal je van pas komen. Het is heel oud. Een kleine amulet. Eigenlijk een beetje onzin. Hij zal je beschermen tegen verkeerde soorten van invloed.' Ze liet een koord om mijn hals glijden. Het symbool dat eraan was geregen, leek een onschuldig sieraad; een driehoekje van fraai bewerkt brons waarop de tekening zo klein was dat ik de vormen haast niet kon onderscheiden. Maar zodra het tegen mijn hart rustte, leek het alsof ik alles helderder zag; mijn angst vervaagde en ik begon te begrijpen dat ik misschien toch wel kon doen wat mijn grootmoeder wilde. De kunst was sterk in mij, dat wist ik. Misschien hoefde ik niet meer te doen dan haar bevelen opvolgen, dan zou alles goed komen. Ik sloot mijn vingers om de amulet; hij straalde een zoete warmte uit die in mij leek over te vloeien, troostend en geruststellend.
'Nu, Fainne,' zei grootmoeder bijna vriendelijk, 'je moet deze kleine amulet verborgen onder je jurk dragen. Houd hem altijd om. Doe hem nooit af, begrepen? Hij zal je beschermen tegen mensen die dit plan proberen te verijdelen. Ciarán zou waarschijnlijk zeggen dat de krachten van de geest voldoende zijn. Dat heeft hij uit de leer van de druïden. Maar wat weten die ervan? Ik heb temidden van deze mensen geleefd, en ik kan je vertellen dat je elk beetje hulp nodig zult hebben dat je kunt krijgen.'
Wat ze zei, klonk volkomen praktisch. 'Ja, grootmoeder,' zei ik, terwijl mijn vingers over de bronzen amulet streken.
'Hij zal je doorzettingsvermogen versterken,' zei grootmoeder. 'Hij

zal je ervan weerhouden op de vlucht te slaan als het te moeilijk wordt.'
'Ja, grootmoeder.'
'Vertel eens. Is er iemand aan wie je een hekel hebt gekregen, hier in deze beschutte uithoek? Is er iemand tegen wie je een wrok koestert?'
Hier moest ik hard over nadenken. Mijn kring was nogal beperkt, vooral de laatste tijd. Maar één beeld kwam me voor ogen: dat meisje met haar zongebruinde huid en haar stralende glimlach, dat haar omslagdoek om Darraghs schouders sloeg.
'Er is een meisje,' zei ik voorzichtig, want ik meende wel zo'n beetje te weten wat er zou komen. 'Een vissersmeisje, beneden aan de baai. Ik ben niet zo erg op haar gesteld.'
'Heel goed.' Grootmoeder keek me recht in de ogen, heel gericht. 'Je weet hoe je een kikker in een vogel moet veranderen, en een kever in een krab. Wat zou je met dit meisje willen doen?'
'Ik...'
'Last van gewetensbezwaren, Fainne?' Haar stem klonk scherper.
'Nee, grootmoeder.' Ik twijfelde er niet aan dat ze me de waarheid had verteld en dat ik moest doen wat ze vroeg. Als ik het verkeerd deed, zou mijn vader ervoor boeten. Maar een gedaanteverandering hoefde niet definitief te zijn. Ze hoefde niet noodzakelijkerwijs lang te duren. Ik kon haar gehoorzamen en dit toch op mijn eigen manier doen.
'Mooi. Het komt goed uit dat het wat beter weer is, vind je niet? Nu kun je vanmiddag naar beneden wandelen om je benen te strekken. Neem dat misbaksel van een raaf mee uit, hij schijnt hier nog steeds rond te hangen. Dan kun je het doen. Het is wel nodig dat je haar alleen treft.'
'Ja, grootmoeder.'
'Concentreer je. Onthoud dat je niets anders doet dan een kleine aanpassing maken. Heel onschuldig, als je het goed bekijkt.'
Ik koos het tijdstip zo dat de boten nog buitengaats waren en de vrouwen binnen. Als iemand me zag, zouden ze zeker bepaalde conclusies trekken. Ik miste het vermogen om mezelf onzichtbaar te maken, want, zoals mijn grootmoeder me had verteld, wij waren beroofd van de hogere vermogens. Toch lukte het me om van de kale rotsen, via de door de wind gegeselde struiken naar de stenen wand te komen zonder aandacht te trekken, met horrelvoet en al. Het leek erop dat Fiacha heel goed wist wat ik deed, want hij ge-

droeg zich precies zo als een willekeurige raaf die zich die dag toevallig in het dorp bevond. Meestal zat hij in een boom naar me te kijken.

Het meisje was voor haar huisje bezig kleren te wassen in een tobbe. Haar glanzende, bruine haar was uit haar gezicht naar achteren getrokken en ze leek alledaagser dan ik me herinnerde. Twee kindertjes speelden in haar buurt op het gras. Ik bleef even staan kijken, ongezien in de schaduw van een privaat. Maar ik keek niet lang toe; ik gaf mezelf niet te veel tijd om na te denken. Het meisje keek op en zei iets tegen de kinderen, en eentje gierde van het lachen, en het meisje lachte breed zodat haar witte tanden te zien waren. Ik bewoog met mijn hand en vormde de toverformule in mijn hoofd, en een ogenblik later lag er op het aarden pad een mooie, dikke kabeljauw te spartelen en naar adem te happen en was het meisje met de bruine huid weg. De twee peuters leken het niet te merken, want ze gingen helemaal op in hun spelletje. Ik keek toe terwijl de vis zich in bochten wrong, wanhopig vechtend voor zijn leven. Ik zou hem net lang genoeg zo laten om te laten zien dat ik sterk was; net lang genoeg om aan mijn grootmoeder te bewijzen dat ik dit kon. Dan zou ik mijn vinger richten en de formule uitspreken om het ongedaan te maken. Nu, misschien. Ik begon me weer te concentreren om mijn geest de woorden te laten oproepen. Maar voor ik ze kon fluisteren, kwam er een vrouw uit het huisje hollen met een scherp mes in haar hand. Haar gerimpelde gezicht was gefronst. Het was een dikke vrouw en ze bleef precies voor me op het pad staan, zodat ik de spartelende vis niet meer kon zien. En zolang ik het schepsel dat ik had veranderd niet kon zien, kon ik de onttovering niet voltrekken.

Ga opzij, beval ik haar met mijn geest. *Ga onmiddellijk opzij.*

'Brid!' riep ze. 'Waar ben je, kind?'

Ga opzij. O, alsjeblieft.

'Waar is jullie zus gebleven?' De vrouw scheen zich tot de twee peuters te richten, zonder een antwoord te verwachten. 'En wat doet die vis hier?' Voor mijn ontstelde ogen bukte ze zich en raapte iets van het pad op. Draaide ze zich nu maar een klein beetje om, al wat ik nodig had, was een glimp van een zilverige staart, een starend oog of een happende bek, dan kon ik het meisje terugveranderen. Ik moest het doen, ook al hield dat in dat iedereen de waarheid te weten kwam. Als ik het niet deed, zou ik een moord op mijn geweten hebben.

‘Wie is hier geweest?’ vroeg de vrouw aan de kinderen. ‘Hebben de jongens van de ketellappers weer iets uitgehaald? Er zwaait wat voor jullie zus als ze terugkomt, reken maar. Jullie alleen achterlaten met een tobbe vol waswater, dat is vragen om moeilijkheden. Maar goed, deze zal best smaken met wat kool en een paar knoedels.’ Ze maakte een snelle beweging met haar hand, de hand die het mes vasthield, en toen, toen pas, draaide ze zich half om. Ik zag de vis slap in haar hand hangen, nu werkelijk getransformeerd tot niet meer dan een welkome traktatie voor de tafel van een hongerig gezin. Ik was machteloos. Het was te laat. De grootste tovenaar ter wereld kan geen leven schenken. Een ijzige huivering van afgrijzen doorvoer me. Niet alleen vanwege het feit dat ik iets onvergeeflijks had gedaan, maar vooral vanwege iets dat nog veel erger was. Ik had nu immers bewezen dat mijn grootmoeder gelijk had. In mij stroomde het bloed van een vervloekt geslacht, een geslacht van tovenaars en uitgestotenen. Het leek erop dat ik me daar niet tegen kon verzetten; het zou tot uiting komen zoals het beliefde. Mijn schreden waren onafwendbaar gericht naar het duister. Ik draaide me om en ging er geluidloos vandoor, zonder dat de vrouw me zag.

Later hoorden we het bericht uit het dorp over de verdwijning van het meisje. Er werd een zoektocht op touw gezet; ze zochten overal naar haar. Maar niemand zei iets over de dode vis, en de kinderen waren te klein om iets te kunnen vertellen. Het voorval werd oud nieuws. Het meisje werd nooit gevonden. Ze konden alleen maar voor haar hopen dat ze was weggelopen met een liefje en ergens anders een leven was begonnen. Toch vreemd; het was altijd zo’n braaf meisje geweest.

Daarna werd het moeilijker om in slaap te komen. Riona bleef in de kast. Ik kon me voorstellen dat haar oogjes naar me keken, in het donker naar me keken en me waarheden over mezelf vertelden zonder dat er een woord werd gezegd. Ik wilde niet horen wat ze misschien te zeggen had. Ik wilde eigenlijk nergens over nadenken. Ik kende heel wat spelletjes van de geest, trucs die vader me had laten zien om je concentratie te richten, methoden om dingen buiten te sluiten waaraan je niet wilde denken. Maar nu leken die allemaal niet te werken. In plaats daarvan herhaalde mijn geest telkens weer drie dingen. De stem van mijn grootmoeder die zei: *Gewetensbezwaren, Fainne?* Darragh, die toekeek terwijl ik vuur maakte door met mijn vinger te wijzen. Darragh, met gefronst voorhoofd. *Je bent een gevaar voor jezelf.* En een klein beeld van een meisje met rood haar dat vreselijk huilde, gek van verdriet, dat met haar ogen dichtgeknepen naar haar hoofd greep. Tranen stroomden over haar wangen, haar stem was hees en schor van het snikken. Vooral dat meisje wilde ik weg hebben uit mijn geest. Ik kon er niet tegen getuige te zijn van zo'n woest vertoon van verdriet. Het maakte dat ik wilde gillen. Het maakte dat ik wilde huilen, en ik kon voelen dat de tranen zich vormden in mij. Maar ons soort huilt niet. *Hou op! Hou op!* siste ik, en probeerde haar weg te dringen. Toen hief ze haar vlekkerige, tragische gezicht naar me op, en het meisje was ikzelf.

Na een eindeloze winter en een koud voorjaar kwam de zomer en de reizende mensen keerden terug naar de baai. Mijn vijftiende verjaardag kwam en ging voorbij. Hoewel ik vrij buiten zou kunnen rondzwerven, nu vader er niet was om me beperkingen op te leggen, ging ik dit jaar niet de heuvel op om te kijken wanneer de lange schaduwen de dag van Darraghs komst aangaven. Maar ik hoorde de zoete, droevige stem van de doedelzak die door de zachte stilte van de schemering sneed, en ik wist dat hij er was. Een deel van me verlangde er nog naar te ontsnappen, naar de geheime plek te gaan en naast mijn vriend te zitten, uit te kijken over de zee en te praten, of niet te praten al naargelang onze stemming. Maar het was dit keer gemakkelijk om redenen te vinden om niet te gaan. De meeste waren redenen waar ik niet over na wilde denken, die ergens binnen in me waren weggestopt. Bijvoorbeeld dat meisje, en wat ik gedaan had. Het leek niets uit te maken dat mijn grootmoeder me ertoe had gebracht het te doen; het leek geen verschil te maken dat ik haar alleen bang had willen maken en dat het me onmogelijk was gemaakt haar bijtijds terug te veranderen. Ik was en bleef degene die het gedaan had, en dat maakte mij tot een moordenares. Ik wist dat ik door dat te doen misbruik had gemaakt van de kunst. Maar toch had ik alles wat ik bezat, alles wat ik was, te danken aan mijn vader. Om hem te redden moest ik bereid zijn het ondenkbare te doen. Ik had getoond sterk genoeg te zijn. Ik wilde alleen niet dat iemand me er vragen over stelde. Vooral Darragh niet. En er was een andere reden, die nog dwingender was, iets wat mijn grootmoeder een keer had gezegd.

'Er is nog een stap,' had ze gezegd. 'Je hebt het goed gedaan. Je hebt het aanzienlijk beter gedaan dan ik verwacht had, gezien de afloop. Maar het is gemakkelijk iets met mensen te doen als je ze haat; en ook best gemakkelijk wanneer ze je koud laten. Het zal misschien nodig zijn nog meer te doen. Zeg eens, Fainne, is er iemand met wie

je bevriend bent? Iemand op wie je speciaal gesteld bent?'
Ik dacht snel na en was zielsdankbaar dat het mijn grootmoeder niet gelukt was de kunst van het gedachtelezen machtig te worden.
'Nee, niemand,' zei ik kalm. 'Behalve vader natuurlijk.'
Grootmoeder trok een grimas. 'Weet je dat zeker? Geen vrienden? Geen liefje? Nee, dat zal wel niet. Jammer hoor. Je moet dat wel oefenen.'
'Waarom? Waarom moet ik oefenen? Wat bedoelt u?'
Ze zuchtte. 'Zeg eens, welke dingen zijn voor jou het belangrijkst?'
Ik formuleerde mijn antwoord zorgvuldig. 'De taak die me gesteld is. Dat is het enige belangrijke.'
'Mm. Het lijkt heel gemakkelijk, niet? Je gaat naar Zeven Wateren, je dringt je listig in het huishouden binnen, je verricht je magie en de taak is volvoerd. Maar stel nu dat je met hen bevriend raakt? Of dat je hen aardig vindt? Dan is het misschien niet zo gemakkelijk. Dan wordt je sterkte pas echt op de proef gesteld. Deze mensen zijn nauw verbonden met de Túatha Dé, Fainne. Je zult de een niet kwetsen zonder de ander te verwonden.'
'*Aardig vinden*?' Mijn verbazing was niet gespeeld. 'Bevriend raken met de familie die het leven van mijn moeder heeft kapotgemaakt, en die mijn vader zijn dromen heeft afgenomen? Hoe zou ik dat kunnen?'
'Dat zou je nog weleens kunnen verbazen.' Grootmoeders stem klonk licht geamuseerd. 'Het zijn geen monsters, wat ze ook gedaan mogen hebben. En je hebt maar weinig mensen ontmoet, hier met Ciarán weggestopt in deze uithoek van de wereld. Hij heeft je geen gunst bewezen door je mee te nemen naar Kerry, kind. Je zult heel geslepen moeten zijn. Je zult je elk moment van elke dag moeten herinneren wie je bent en waarom je daar bent. Je kunt je niet veroorloven ook maar een ogenblik niet op je hoede te zijn. Er zijn gevaarlijke mensen op Zeven Wateren.'
'Hoe zal ik weten wie...?'
'Sommigen zullen veilig zijn. Sommigen zijn onschadelijk. Sommigen hebben het vermogen je tegen te houden als je jezelf verraadt. Dat is bij mij gebeurd. Zorg dat dat bij jou niet gebeurt, want dit is onze laatste kans. Je zult op moeten passen voor de man met de zwanenvleugel.'
'Wat?' Ik had haar zeker niet goed verstaan.
'Hij is gevaarlijk. Hij is degene die over kan gaan en terug kan komen zoals het hem uitkomt. Pas op voor hem.'

Ik had graag willen weten wat ze bedoelde. Maar hoe ik het ook probeerde, ze wilde me die middag niet meer vertellen. Ze leek zelfs plotseling in een erg boze bui te zijn, en ze begon me met scherpe, wespachtige steken te straffen voor het minste foutje bij het omtoveren van iets in iets anders. Het was nodig me buitengewoon goed te concentreren; zo goed dat ik geen lastige vragen kon stellen.

Die zomer leerde ik wat pijn is. De eerdere kunsten van mijn grootmoeder waren niets in vergelijking met de straffen die ze uitdeelde wanneer ze vond dat ik dwars of koppig was, of wanneer ze me erop betrapte dat ik zat te dromen, in plaats van bezig te zijn met de opdracht die ik had gekregen. Ze kon me een hoofdpijn bezorgen die leek op de greep van de kaken van een aarddraak, een helse pijn die mijn darmen in water veranderde en alle wilskracht wegzoog die ik vroeger te hulp had kunnen roepen. Ze kon mijn buik doorsteken met duizend lange naalden, en elk plekje van mijn huid laten jeuken, branden en zweren, zodat ik om genade schreeuwde. Of bijna schreeuwde. Ze wist dat ik nog jong was en ze hield altijd op net voor de marteling ondraaglijk werd. Wat ze van mijn wilskracht vond, heeft ze nooit gezegd. Ik verdroeg het allemaal, omdat ik geen keus had. Mijn vader had vast niet geweten dat ze me zo zou behandelen, anders had hij me nooit aan haar genade overgeleverd. Ik leerde, en was bang.

Op een avond liet ze me een visioen zien dat nog veel angstaanjagender was.

'Voor het geval,' zei ze, 'dat je op het idee komt om van gedachten te veranderen wanneer je hier eenmaal weg bent. Gewoon om die laatste kleine glinstering van opstandigheid uit je ogen te verdrijven, Fainne. Je denkt misschien dat ik tegen je heb gelogen; dat dit allemaal een soort ingewikkelde hersenschim is. Kijk in de kooltjes daar, wanneer het vuur dieprood gloeit. Vertraag je ademhaling en sluit al het andere buiten, zoals je geleerd is. Kijk goed en vertel me wat je ziet.'

Maar het was niet nodig het onder woorden te brengen. Ze kon de ontzetting waarschijnlijk op mijn gezicht lezen toen ik in het vuur staarde en de piepkleine beeltenis van mijn vader zag; zijn sterke gelaatstrekken waren verwrongen, zijn lichaam kronkelde van de pijn, zijn borstkas werd geteisterd door een hoestbui die hem bijna uit elkaar scheurde. Er droop bloed uit zijn hijgende mond, zijn handen klauwden blindelings in de lucht, zijn donkere ogen stonden star als die van een waanzinnige. Mijn hele lichaam werd koud. Ik hoorde mezelf fluisteren: 'Nee. O, nee.' Ik had haar toen om genade kunnen smeken, als ik de kracht had gehad om er woorden voor te vinden.

'O, ja,' zei grootmoeder, terwijl het visioen vervaagde en ik in elkaar gezakt op het kleed voor de haard bleef zitten. 'Het maakt mij niets uit of dit mijn zoon is of een vreemde, Fainne. Het enige dat ertoe doet, is de taak die voor ons ligt.'

'M-mijn vader,' stamelde ik. 'Is hij...?'

'Wat je ziet is niet nu, het is de toekomst. Een mogelijke toekomst. Als je een ander beeld wilt zien, is het aan jou om ervoor te zorgen dat je mijn bevelen gehoorzaamt en uitvoert wat er van je wordt verlangd. Trotseer je mij, dan zal hij sterven, langzaam. Je zult doen wat ik zeg, en je zult er je mond over houden. Ik hoop maar dat je me gelooft, kind. Anders zou je wel een heel dom meisje zijn. Geloof je me, Fainne?'

'Ja, grootmoeder,' fluisterde ik.

De warme dagen gingen voorbij en de stemmen van kinderen dreven omhoog op de zomerwind en drongen lachend en roepend binnen tot in de duistere binnenste kamers van de Honingraat. De curraghs voeren in de vroege morgen de baai uit en keerden in de avondschemering terug, beladen met hun glanzende vangst. Vrouwen zaten op de pier netten te boeten en gebruinde jongens richtten paarden af op het strand en lieten ze met hoog opgetrokken benen over de hopen zeewier draven. Ik lag elke nacht wakker en luisterde naar de verre klaagzang van de doedelzak. Hoewel Fiacha kwam en ging, was er taal noch teken van vader, en ik begon te vrezen dat ik hem misschien nooit meer zou zien. Dat deed me verschrikkelijk pijn; maar toch wilde ik niet dat hij zag wat ik bezig was te worden, dat hij getuige was van de manier waarop ik de kunst misbruikte, en daarom was het in zekere zin een opluchting dat hij er niet was. Ik hoopte dat hij de waarheid nooit zou hoeven weten, namelijk dat hij door mij weg te sturen zijn enige kind had opgeofferd aan een doldriest en onmogelijk streven, waarbij zijn eigen leven de prijs was als ik faalde. Wat grootmoeder betreft, voor haar was ik niet meer dan een fijn afgesteld wapen, een werktuig waaraan jarenlang geschaafd was en dat ze nu zou gebruiken voor een doel dat zo groots van opzet was dat ik nog steeds moeite had het te bevatten.

De zomer was bijna ten einde. Grootmoeder had enige praktische voorbereidingen getroffen. Mijn kleine voorraadkist bevatte nu twee jurken die iets beter toonden dan mijn gebruikelijke dracht, een oude werkjurk en een degelijk schort. Ik had een nieuw paar schoenen voor binnen en mijn hoge schoenen om buiten te wandelen. Een man had ze speciaal gemaakt, in zichzelf mompelend terwijl hij de maat nam van mijn misvormde voet. Dat was een beproeving. Ik zou de schoenmaker dolgraag blaren op zijn vingers hebben bezorgd, maar ik had de schoenen nodig.

Ik had niet aan mijn grootmoeder gevraagd hoe ik naar Zeven Wateren moest reizen. Het was heel ver; dat wist ik omdat Darragh het me had verteld; je moest Erin bijna over de hele lengte en breedte doorkruisen. Maar ik had geen idee hoeveel maanden zo'n reis zou kosten. Misschien zou mijn grootmoeder me een toverreis laten maken en me in een oogwenk met mijn bagage en al naar het noorden verplaatsen. Uiteindelijk was het niet nodig het te vragen, want op een dag kondigde grootmoeder gewoon aan dat het tijd was om te gaan.

'Je zult naar het noorden reizen met de wagen van Dan Walker,' zei ze, terwijl ze de riem nakeek waarmee mijn voorraadkist was dichtgebonden. 'Heel praktisch, al is het niet bepaald deftig.'

'Praktisch?' herhaalde ik ontsteld. 'Wat is er praktisch aan?'

'Je zult aanmerkelijk minder argwaan wekken als je in gezelschap van de reizende mensen verschijnt,' zei ze droogjes, 'dan wanneer je midden in een vonkenregen in de zaal van je oom opduikt. Op deze manier zal niemand je opmerken. Je bent gewoon één meisje meer temidden van die hoop mensen. Je bent toch niet zenuwachtig? Dat heb ik er inmiddels toch wel uit weten te krijgen, hoop ik. Gebruik het Mom als het nodig is. Wees wat je graag wilt zijn, kind. Deze mensen zijn ketellappers, meer niet, Fainne. Ze stellen niets voor.'

'Ja, grootmoeder.' Haar woorden hielpen niet erg mee om het zenuwachtige gevoel in mijn buik te laten bedaren. Ik wist dat ik sterk moest zijn. De taak die ik voor mijn grootmoeder ging vervullen, haar verschrikkelijke wraakneming op degenen die ons geslacht hadden gekleineerd, moest met uiterste doelgerichtheid worden uitgevoerd. Het leven van mijn vader lag in mijn handen. Ik mocht niet falen. Ik zou niet falen. Maar toch was ik amper vijftien jaar oud, gekweld door verlegenheid en zonder enige ervaring met de grote wereld. Ik denk dat juist dit mij tot zo'n geraffineerd wapen maakte. Ik leek waarschijnlijk even onschadelijk als een klein dier-

tje in een haag, dat bij elk denkbeeldig gevaar snel wegkruipt in zijn schuilplaats.
Ik nam afscheid van grootmoeder. Als ze nog twijfels koesterde, hield ze die voor zich.
'Ik zou bijna willen dat ik met je mee kon gaan,' zuchtte ze, en heel even kreeg ik de andere gedaante te zien die ze graag aannam, een bekoorlijk jong wezen met welvingen, kastanjebruin haar en een parelblanke huid. 'Er moeten in die streken nog voortreffelijke mannen zijn, ook al zal er nooit een tweede Colum zijn. En ik zou er nog altijd een in mijn netten kunnen verstrikken, daar kun je van op aan.' Toen was ze plotseling weer zichzelf. 'Maar ik zie wel in dat dat niet zou gaan. Ze zouden weten wie ik was, ondanks het Mom. De druïde zou me doorzien. En die andere ook. Dit is jouw tijd, kind. Onthoud wat ik je heb gezegd. Tot in alle details, Fainne.'
'Ja, grootmoeder.'
We liepen de Honingraat uit tot het punt waar het pad langs het klif helemaal omlaagging naar het strand en vandaar naar de westkant van de baai, waar Dan Walker en zijn mensen vermoedelijk bezig waren zich klaar te maken voor vertrek. En daar stond, in een donkere mantel en met een asgrauw gezicht, mijn vader zwijgend in de verte te staren over de zee. Mijn hart maakte een duikeling.
'Ik kan wel met je meelopen naar beneden,' zei grootmoeder. 'Om je uit te zwaaien.'
Het is niet gemakkelijk om een andere beoefenaar van de kunst te betoveren. Je moet het heel snel doen, anders stuit je op een hindernis of een tegenbetovering, en dan zullen je pogingen niets uithalen. Nu gebeurde het buitengewoon snel. In een oogwenk hadden vader en ik, zonder elkaar ook maar aan te kijken, elk een net van onbeweeglijkheid over grootmoeder geworpen, zodat ze zowel van links als van rechts op haar plaats werd vastgehouden, met haar voeten verankerd aan de steen, haar mond iets geopend en haar ogen verstard in een uitdrukking van snijdende ergernis.
'Ze zal wel boos zijn,' zei ik tegen vader terwijl we op weg gingen. We liepen naar beneden over het pad, terwijl hij mijn kleine houten kist op zijn schouder droeg en ik een dekenrol voor de reis vasthield. Fiacha vloog boven ons hoofd.
'Dat handel ik wel af,' zei vader kalm. Ik keek hem van opzij aan en meende een schaduw van geamuseerdheid in zijn donkere ogen te zien. Maar hij was mager, vreselijk mager, en hij leek veel ouder

dan hij afgelopen herfst was geweest, met holle wangen en om zijn strenge mond nieuwe lijnen van pijn. ‘Luister, Fainne, we hebben weinig tijd. Gaat het goed met je? Dit is ongetwijfeld een moeilijke tijd voor je geweest, een tijd van grote veranderingen. Het viel me zwaar je zo achter te laten, maar het was noodzakelijk. Ben je nu klaar voor deze reis, dochter?’

Ik zocht voorzichtig mijn weg over het smalle, steile paadje. Het had geregend en het pad was verraderlijk glad. Er stormden allerlei vragen door mijn hoofd. *Hoe hebt u kunnen toelaten dat uw eigen moeder u dit aandeed?* En: *Waarom hebt u me de waarheid niet verteld?* En de vraag die zich het sterkst opdrong: *Zal ik u ooit weerzien?* Ik kon ze geen van alle stellen, want dan zou grootmoeder het weten, en mijn vader was degene die ervoor gestraft zou worden. Ik verlangde ernaar mijn armen om hem heen te slaan en de hele waarheid eruit te gooien, en weer een kind te zijn in een wereld waar de regels ergens op sloegen. Ik mocht hem niets vertellen.

‘Ja, ik ben er klaar voor,’ zei ik, en ik had een vreemd gevoel achter mijn ogen, alsof ik op het punt stond te gaan huilen.

‘Weet je het zeker?’

‘Ja, vader.’

En dus liepen we zwijgend verder. Ook al liepen we heel langzaam, alsof we er tegenop zagen het einde te bereiken, het leek of we al heel gauw op het horizontale karrenspoor kwamen dat langs het strand liep, waar we Dan en Peg en de menigte mensen in kleurige kleren langs de weg in zicht kregen.

‘Vader,’ zei ik opeens.

‘Ja, Fainne?’

‘Ik wil zeggen… ik wil je bedanken omdat je zo’n goede leraar bent geweest. Ik wil je bedanken voor je wijsheid en je geduld… en… en omdat je me de kans hebt gegeven zelf dingen te ontdekken. Ik wil je bedanken voor je vertrouwen.’

Hij zei even niets. Toen hij wel iets zei, was zijn stem niet helemaal vast.

‘Fainne, ik vind het moeilijk om dit tegen je te zeggen.’

‘Wat, vader?’

‘Ik… je hoeft niet te gaan als je het niet wilt. Als je in je hart voelt dat je deze weg niet moet gaan, heb je die keus.’

‘*Niet gaan?*’ Mijn hart bonkte. Nu het te laat was, nu zei hij dat ik mocht blijven, en het was me verboden om ja te zeggen. Ik schraapte mijn keel. Ik had nog nooit tegen hem gelogen. ‘Nu we zo ver

gekomen zijn, dit niet voor jou doen? Ben ik niet aan mijn moeder verschuldigd om terug te gaan naar Zeven Wateren en te worden wat zij zou willen dat ik zou zijn? Ik moet beslist gaan.' En o, wat wilde ik hem graag zeggen dat ik er alles voor zou geven om bij hem in Kerry te blijven, om te zorgen dat alles weer was zoals vroeger. Maar hij was mijn vader, en voor zijn eigen bestwil moest ik de moed vinden om bij hem weg te gaan.
'Ik wil... ik wil alleen dat je begrijpt dat jij uiteindelijk bepaalt wat er gebeurt, wat zich ontwikkelt. En... en, Fainne, de gebeurtenissen zoals die zich zullen ontvouwen, kunnen weleens veel groter, van veel meer gewicht zijn dan jij of ik ons ooit hebben voorgesteld. We zijn wat we zijn door geboorte en door bloed. Daarover hebben we geen beheersing. We kunnen de sjabloon van ons geslacht niet doorbreken. Maar we hebben altijd de keus om de kunst uit te oefenen, voor een of ander doel, of om ons afzijdig te houden. Die keus heb jij ook, dochter.'
Ik staarde hem aan. 'De kunst niet uit te oefenen? Maar... maar wat kun je dan doen?'
Vader gaf geen antwoord, maar knikte alleen even. De uitdrukking op zijn gezicht bleef onbewogen. Hij was altijd een meester in beheersing geweest. We begonnen weer te lopen, onze laatste wandeling samen langs de baai, met achter ons de pluimen van spattend zeewater dat brak tegen de Honingraat, boven ons de verre kreten van de meeuwen, en voor ons Dan Walker, die naar ons toe kwam, met zijn hand uitgestoken om ons te begroeten en een grijns op zijn donkere, baardige gezicht.
'Zo, Ciarán. Je hebt het meisje meegebracht, zie ik. Geef die rol maar aan Darragh, jongedame, dan zorgen we dat je een plaatsje vindt op de wagen. Ben je klaar om te gaan?'
Ik knikte zenuwachtig, met gebogen hoofd. Ik keek zelfs niet naar Darragh toen die aan kwam lopen en de dekenrol uit mijn handen trok. De houten kist werd zonder plichtplegingen op een kar geladen en zelf werd ik op de andere kar gehesen, waar ik kwam te zitten naast Pegs vriendin, Molly, en verscheidene kleine meisjes met tamelijk luide stemmen. Vader bleef naast de wagen staan, en ik dacht dat hij nog bleker zag dan tevoren, als dat tenminste mogelijk was.
'Ik zal goed voor haar zorgen, Ciarán,' zei Dan terwijl hij op de voorste wagen sprong en de teugels in zijn hand nam. 'Bij ons zal ze veilig zijn.'

Vader knikte. In de achterhoede van de groep mensen dreven jongens scherp fluitend de paarden in de rij. Honden lieten opgewonden geblaf horen. Fiacha trok zich terug op een hoog punt boven in een dode boom, en de meeuwen verspreidden zich.
'Nu,' zei vader zacht. 'Vaarwel, dochter. Het zou weleens lang kunnen duren.'
Nu het tijdstip van scheiden werkelijk was gekomen, kon ik haast geen woord uitbrengen. De taak die voor me lag, was zo zwaar dat ik me er nauwelijks een voorstelling van kon maken. Het verloop van een veldslag veranderen. Het Feeënvolk verslaan in een spel dat zij gedurende meer jaren hadden gespeeld dan er zandkorrels waren op het witte strand van de baai. *Gebeurtenissen van groot gewicht*... ik moest de taak waaraan mijn grootmoeder begonnen was, afmaken, en dat moest ik doen tegen elke prijs, om mijn vader terug te betalen voor de jaren van geduld en het kostbare geschenk van kennis.
'Vaarwel, vader,' fluisterde ik, en toen riep Peg de paarden iets toe en gaf een geoefend klapje met de teugels, en we waren vertrokken. Ik keek achterom over mijn schouder en zag de roerloze gestalte van mijn vader steeds kleiner worden. Ik herinner me kleuren. Het diepe rood van zijn haar. Zijn strenge gelaat, zo wit als een doek. De lange, zwarte mantel, een tovenaarsmantel. Achter hem golfde de zee aan en af, aan en af, en in de hemel hoopten zich boze wolken op, leigrijs, paarsroze, violet, donker en geheimzinnig als de vacht van een groot oceaandier. De wind stak op en bewoog de geteisterde takken van de lage struiken langs het karrenspoor. De kleine meisjes kropen dicht tegen elkaar aan onder hun deken en ze giechelden en fluisterden achter hun handen.
'Het gaat wel over,' zei Peg tegen niemand in het bijzonder.
'Gaat het wel, meisje?' vroeg Molly een beetje verlegen. Ik gaf een stijf knikje en trok een pijnlijk gezicht toen de kar over een steen reed. Toen maakte de weg een bocht, en vader was weg.

HOOFDSTUK DRIE

Dit was niet het moment om terug te blikken, dus zette ik mijn kiezen op elkaar en probeerde alles zo goed mogelijk te doorstaan. Het ergste was het voortdurende lawaai: gehinnik, geblaf, het piepen van wagenwielen en de mensen die allemaal door elkaar kwebbelden als snaterende ganzen. Ik had zin om ze met een toverformule het zwijgen op te leggen. Ik had de aanvechting om mijn handen tegen mijn oren te drukken. Het kostte moeite, maar ik deed geen van beide.

We hielden al vrij snel halt onderweg, zodat Dan Walker met een man kon praten over een paard. De wagens waren onder de schaduw van hoge iepen getrokken, en de vrouwen maakten een klein vuur en zetten een ketel op om thee te maken. Maar de paarden bleven ingespannen en kregen water te drinken uit een emmer. We zouden maar al te snel weer verder reizen.

Het lawaai ging gewoon door. De kleinste kinderen renden rond; ze lachten, gilden en spatten elkaar nat in de beek die vlakbij stroomde. Peg floot een wijsje; Molly neuriede binnensmonds. De oudere meisjes voerden een gesprek over de paardenmarkt en vroegen zich af wie van de jongens die ze vorig jaar hadden gezien er nu weer zouden zijn. De jongens maakten grappen terwijl ze tussen de dieren rondgingen met hun rammelende wateremmers.

Ik ging onder de bomen zitten en stelde me de schemerige stilte van de Honingraat voor, waar soms een hele dag voorbij kon gaan terwijl er nauwelijks een woord werd gesproken; waar de enige geluiden de fluistering van voeten in sandalen en het verre bulderen van de oceaan waren.

'Kom even mee.'

Mijn gedachten werden onderbroken door Darraghs stem, en voor ik de kans had om ja of nee te zeggen, greep Darraghs hand de mijne en trok me overeind.

'Ik wil je iets laten zien. Kom mee.'

Hij trok me mee tot onder de bomen en, sneller dan me lief was, over een steile, met gras begroeide helling omhoog naar een hoog punt waarop een kleine cairn van stenen stond. We waren al een eind gevorderd vanaf de kust; het karrenspoor was moeilijk begaanbaar geweest voor de paarden en soms waren de mensen van de wagens geklommen om ernaast mee te lopen. Peg had tegen mij gezegd dat ik moest blijven zitten, en ik was er niet tegenin gegaan. Misschien dachten ze dat ik hen niet zou kunnen bijhouden vanwege mijn voet. Darragh hield niet op die manier rekening met me.

'Ziezo,' zei hij. 'Kijk nu eens naar die kant. Dat is het laatste wat je van de kust van Kerry te zien zult krijgen. Je zult deze herinnering willen bewaren. Bij Zeven Wateren is geen zee, alleen heel veel bomen.'

De zee was ver weg, nu al heel ver. Ik hoorde geen golven breken, geen machtig gebulder, geen zeevogels die krijsten bij de oever terwijl de vissers de vangst schoonmaakten. Alleen het glinsteren van zonlicht op het verre water; alleen de parelgrijze hemel, en het land uitgestrekt in plooien van groen, grijs en bruin, hier en daar bespikkeld met grote stenen en bosjes door de wind gegeselde bomen.

'Kijk verder. Achter die kaap. Zeg me wat je ziet.' Darragh legde zijn hand op mijn schouder en draaide me een klein eindje om, en met zijn andere hand wees hij naar een stuk ogenschijnlijk lege oceaan. 'Kijk goed.'

Er was een eiland: een klein, steil driehoekje van steen, ver in de onherbergzame wateren. Als ik mijn ogen een beetje dichtkneep, kon ik het schuim zien opspatten waar de golven tegen de onderkant sloegen. Niet ver ervandaan lag een tweede eilandje. Zelfs naar mijn maatstaven was het een troosteloze plek.

'Vanuit onze baai zijn ze niet te zien,' zei Darragh. 'De Skellig-rotsen, zo worden ze genoemd. Er wonen mensen op.'

'Wonen ze daar? Hoe kan dat?'

'Christelijke kluizenaars. Heilige mannen. Het schijnt goed te zijn voor de ziel, zeggen ze. De Noormannen hebben er een keer aangelegd, de meeste broeders vermoord en hun weinige bezittingen stukgeslagen. Maar de kluizenaars kwamen terug. Een vreemd leven lijkt me dat. Denk eens aan alles wat je zou missen.'

'Het zou er tenminste rustig zijn,' zei ik een beetje kribbig, terwijl ik naar de stipjes in de oceaan keek en me afvroeg hoe iemand ertoe zou komen om daarvoor te kiezen.
'Het is je een beetje te druk, hè?'
Ik zei niets.
'Je bent geen mensen gewend, dat is alles. Het zal gaandeweg wel makkelijker worden. Je hoeft niet bang voor ons te zijn.'
'Bang?' zei ik beledigd. 'Waarom zou ik bang zijn?'
Darragh dacht even na. 'Omdat het allemaal nieuw voor je is?' opperde hij. 'Omdat je gewend bent aan de stilte, alleen opgesloten met je vader, bezig met wat jullie doen? Omdat je het vervelend vindt bekeken te worden?'
Een diep ongelukkig gevoel daalde over me neer als een kleine, persoonlijke grijze wolk. Ik staarde zwijgend naar de zee in de verte.
'Dat is waar, hè?'
'Misschien wel.'
'Misschien zou je liever als kluizenaar op een rots in de zee wonen en jezelf voeden met zeewier en kokkels? Dan zou je aan niemand anders hoeven denken dan jezelf.'
'Wat bedoel je daarmee?' snauwde ik.
'Niets meer of minder dan ik zei.'
'Er is niets mis met zo'n soort leven,' zei ik. 'Het is in elk geval... veilig.'
'Grappig dat je het zo bekijkt. En de kliffen dan? En de Noormannen? En het feit dat je er in de winter doodgaat van de honger? Maar misschien wijs je dan even met je pink naar een van de broeders om hem in een mooie, dikke kabeljauw te veranderen?'
Ik verstijfde en kon hem niet aankijken. Er viel een moeizame stilte.
'Fainne?' vroeg hij na enige tijd. 'Wat is er?'
En ik wist dat zijn woorden onschuldig waren geweest, een grapje, en dat het mijn eigen geest was die me bang had gemaakt.
'Niets.'
'Ik maak me zorgen over je. Er was deze zomer nog iemand, hè?'
'Mijn grootmoeder. Ze was op bezoek.'
'Ah zo. En daarom wilde je niet naar buiten komen?'
'Onder andere daarom.'
'En waarom nog meer?' Hij had zijn voorhoofd gefronst; zijn donkere wenkbrauwen waren naar elkaar toe getrokken.
'Ik... ik mag geen gewone dingen meer doen. Ik mag geen... vrien-

den hebben. Ik mag me daardoor niet laten afleiden. Ik kan het niet goed uitleggen. Dit is al erg genoeg, op de wagen te zitten, tussen de mensen te zijn, te moeten praten en luisteren en... ik mag die dingen niet meer doen. Ik... ik mag niemand dichtbij laten komen.'

Darragh antwoordde niet. Ik staarde naar de grond; ik wist dat hij naar me keek, maar wilde de uitdrukking in die al te eerlijke bruine ogen niet zien.

'Het spijt me,' fluisterde ik.

'Het spijt mij ook,' zei hij langzaam. 'Ik vind het nogal vreemd klinken. Misschien vind je jezelf te goed voor lui zoals wij. Maar waar je heen gaat, zul je mensen van je eigen soort vinden. Familie. Dat zal goed voor je zijn, Fainne. Ze zullen je hartelijk ontvangen. Mensen zijn niet zo kwaad, als je ze beter leert kennen. En... het is ook beter om familie en vrienden om je heen te hebben. Ik begrijp niet hoe je het uithoudt zonder.'

Ik trok mijn omslagdoek dichter om mijn schouders heen. 'Nee, dat zul je wel niet begrijpen,' zei ik. 'Maar ons soort mensen heeft geen vrienden.'

Toen draaiden we ons om en liepen de heuvel weer af, en hij pakte mijn hand bij de steilste stukken. Geen van beiden zeiden we iets tot we bijna onder de iepen waren en Molly konden horen lachen om een grap van Peg.

'Toch heb je ze, hoor,' zei Darragh zacht. 'Soms krijg je vrienden zonder dat je erom vraagt. En wanneer je eenmaal een vriend hebt, raak je die niet zo gemakkelijk weer kwijt.'

'Ik ga heel ver weg,' zei ik.

'Ik ben een reiziger, dat weet je toch?' zei Darragh. 'Ik ben altijd onderweg.'

De reis duurde lang. Ik leerde me enigszins voor het lawaai af te sluiten door telkens weer in gedachten de reeks vragen en antwoorden te herhalen die vader en ik in de lange jaren van mijn jeugd hadden geoefend.

Wie waren de eerste mensen in het land Erin?

De Ouden. De Fomhóire.

En wie kwamen daarna?

En zo verder, terwijl de wagens voortrolden onder zachte herfstregens en frisse westenwinden, en soms, wanneer we tot laat doorreden, onder een groot sterrengewelf.

Waar kom je vandaan?

Van de Kookpot van Onwetendheid.
Waarnaar streef je?
Naar kennis. Naar wijsheid. Naar het begrijpen van alle dingen.
Het oude verhaal was het enige dat me op de been hield. Het oude verhaal gaf steun en richting, temidden van de lawaaiige kinderen en de kwebbelende vrouwen en de mensen die voortdurend om me heen waren, meer mensen dan ik in een heel leven om me heen zou willen hebben.

Peg was heel vriendelijk, op haar ruwe manier. Ze vroeg me nooit om te helpen met het villen van konijnen, of het halen van water, of het wassen van kinderkleren. Ze probeerde een rustig plekje voor me te zoeken waar ik mijn dekenrol kon uitrollen, nadat ze een keer had gezien hoe ik me terugtrok van de andere meisjes en de deken over mijn hoofd trok. Wanneer we maar één nacht stopten, sliepen we altijd in de wagens, met een soort huif erover die gedeeltelijk beschutting bood. De jongens sliepen buiten onder de bomen, bij de paarden. Het rook onfris, met zoveel mensen dicht op elkaar, en het was nooit echt stil. Vaak lag ik wakker naar de hemel boven me te kijken, denkend aan vader thuis, en luisterend naar kraak- en ritselgeluidjes om me heen, het schuifelen van de paarden, het zuchten van kinderen die zich omdraaiden in hun slaap, het snurken van oudere mensen na een vermoeiende, lange dag rijden. Bij zonsopgang waren ze alweer op en even later konden ze weer vertrekken; het inpakken was een door ervaring ingeslepen proces. Ik had de indruk dat we een grote afstand aflegden, ondanks het feit dat er vaak werd gestopt om manden te verkopen, een paard op te halen, of gewoon oude vrienden te bezoeken. Na enige tijd raakte ik de tel van de dagen kwijt. Op een gegeven moment daalden we af door een troosteloos dal, met zo te zien kleine meertjes op de bodem, en ik wist Darragh even te pakken te krijgen toen hij langs de achterkant van de wagen reed waarin ik zat.

'Zijn we er bijna?' vroeg ik, zo zacht dat niemand anders het kon horen.'

'Bijna waar?' vroeg Darragh.

'Bijna bij Zeven Wateren,' fluisterde ik.

Darragh lachte zijn scheve lachje en schudde zijn hoofd. 'Nog nauwelijks halverwege,' zei hij. 'We moeten nog een heel eind naar het noorden, en ook naar het oosten, voor we bij het bos aankomen. Het is daar heel anders. Maar binnenkort krijg je even rust, en kun je ook wat plezier hebben.'

'Plezier?' Ik keek hem meesmuilend aan, bitter teleurgesteld dat we nog zo ver moesten reizen, en woedend op mezelf omdat ik het gevraagd had.
'Jazeker. De beste dagen van het jaar. Daar beneden, waar het dal zich verwijdt, houden we een tijdlang halt. De paarden mogen rusten. We slaan een klein kamp op. Niet ver daarvandaan kom je bij de Kruising. Daar wordt de beste paardenmarkt van het land gehouden. Spelen, wedstrijden, muziek, veel eten en drinken, de aardigste mensen die je maar kunt tegenkomen. Daar zul je fijne mensen leren kennen, reken maar.' Hij nam me aandachtig op. 'Kijk niet zo angstig, Fainne. Ik let wel op je.'
We hielden stil aan de oever van het meer en de mannen liepen een eind langs de oever tot we ze niet meer zagen. Het was niet erg koud, ook al ging de herfst voorbij. Niet dat het ooit moeite kostte om de kinderen in het water te krijgen, maar ze te wassen gaf meer moeilijkheden. Ik keek toe terwijl de vrouwen en de oudere meisjes de kleintjes uitkleedden en afboenden, begeleid door protesterend gegil en veel gespat met water. Het baden ging over in een soort watergevecht, en toen trokken Peg, Molly en de andere meisjes zonder ook maar even te waarschuwen hun eigen kleren uit en begonnen zich te wassen met een schilfer zeep die ze samen deelden, onder een spervuur van baldadige opmerkingen. Ik wendde mijn ogen af, met een vreemde mengeling van schaamte en afgunst. Alles leek zoveel gemakkelijker voor hen. Ik hield niet van water. Thuis had ik nooit in de zee gezwommen. Ik baadde in een kleine tobbe voor het vuur, en ik haalde en verwarmde het water altijd zelf. Ik had me altijd in volledige afzondering gewassen. Zelfs grootmoeder had dat gerespecteerd. Maar ik wist dat ik vuil was en dat ik niet rook zoals ik zou willen ruiken, en ik had twee schone jurken in mijn kleine kist. Maar dit... dit kon ik niet opbrengen.
Peg krabbelde het water uit; ze had een slank en welgevormd lichaam, ondanks die rits kinderen.
'Kom, meisje,' zei ze met een glimlach. 'Je laatste kans om schoon en fris te worden voor de markt. Het water is echt niet koud als je er eenmaal door bent.'
'Ik... ik weet niet...'
'Kom, kind, er kijkt toch niemand. Daarginds is een kleine baai, waar je iets meer afzondering hebt. Je bent dit niet gewend, zie ik wel. Ik zal voor je op wacht staan.'
En met gloeiende wangen van schaamte liep ik voorzichtig naar de

waterkant, van de anderen gescheiden door een bocht in het strand en een paar wilgen. Ik trok mijn kleren uit terwijl Peg, die een schone jurk had aangetrokken en nu haar lange, donkere haar kamde en opnieuw vlocht, vlakbij op een omgevallen boomstam zat en de kinderen wegjoeg als ze te dichtbij kwamen. Het water was ijskoud. Tot overmaat van ramp bestond de bodem uit zachte, zuigende modder, zodat je gemakkelijk je houvast verloor. En het werd snel dieper. Ik keek naar de andere kant en zag de andere meisjes zwemmen met snelle bewegingen van hun bruine armen; hun natte haar lag als sierlijk wier over hun schouders. Zo te horen doken de jongens verderop bij het meer van een boomtak in het diepe water. Ik waste me zo snel mogelijk, en gebruikte de flinter zeep voor mijn lichaam en haar, blij met de kans me te ontdoen van het zweet en het vuil van de reis, maar doodsbenauwd dat ik een stap te ver zou doen en per ongeluk kopje-onder zou gaan. Peg keek de andere kant op. Ik kon verdrinken voor ze het merkte. Niemand wist dat ik niet kon zwemmen. Niemand behalve Darragh. Onder water weg te zinken, te hijgen en te vechten zonder je borstkas met lucht te kunnen vullen, dat zou een verschrikkelijke manier zijn om te sterven. Het zou net zoiets zijn als... eigenlijk hetzelfde als... Ik dwong die gedachte om onafgemaakt uit mijn hoofd te verdwijnen.

Toen ik eruit kwam, gaf Peg me een doek aan om me af te drogen, en toen was Molly er opeens met een jurk in haar handen, een jurk die niet van mij was, want hij was van een kleurige, zelfgeweven stof, blauw en groen gestreept, en over haar schouder hing een halsdoek, omboord met blauw lint.

Ik stond te rillen met de doek om me heen getrokken; hij bedekte mijn naaktheid nauwelijks.

'Ik heb nog een jurk in mijn kist,' bracht ik uit. 'Ik weet niet...'

'Zo gaat het makkelijker,' zei Peg met een stem die geen tegenspraak duldde. 'Die kleur zal je goed staan, dat blauw. Hier, doe je armen omhoog, meisje. Ja, zo.'

Ze hadden alles, zelfs een schoon hemd voor onder de jurk, en kousen met blauwe randen. Toen ik aangekleed was, draaide Peg me om en begon mijn haar uit te borstelen.

'Ik weet niet...'

'Zo, kind. Het is geen moeite. Helemaal geen moeite. Wat een krullen. Ik heb nog een mooi stuk van dat blauwe lint waarmee ik die halsdoeken heb afgezet – Moll, wil je even kijken of je het kunt vinden – en dat precies goed is om het uiteinde van deze vlecht mee

vast te binden. Je moeder had een mooie bos haar. Het had een prachtige kleur, net donkere klaverhoning.'
Ik zei niets terwijl haar behendige vingers mijn haar begonnen te vlechten, snel en handig, en er het felblauwe lint omheen strikten dat Molly te voorschijn haalde uit een mand die onder in de wagen was weggestopt.
'Zo,' zei Peg, terwijl ze me op een armlengte afstand hield en me van top tot teen bekeek. 'Dat viel toch best mee? Laten we nu deze spullen wassen, en dan gaan we weer. Vanmorgen is er tijd genoeg om ze te laten drogen. Vannacht hebben we een echt kamp, een flink vuur en een kans om ons te ontspannen en plezier te maken. Je zult het leuk vinden, meisje. Wedden van wel?'
Niet lang daarna zaten we weer op de wagen en rolden voort tussen velden die steeds vlakker werden. Er hing weer een zeegeur in de lucht. De kleine meisjes waren ongewoon stil geworden; ze staarden me met hun grote, donkere ogen aan. Misschien, dacht ik, waren ze doodmoe van het baden. Toen begon een van hen te spreken.
'Je ziet er mooi uit,' zei ze, waarop ze in een zenuwachtig gegiechel uitbarstte. De anderen sisten dat ze stil moest zijn en ze hielden de stilte een paar tellen vol, en toen begonnen ze alledrie weer te lachen. En omdat ik niet wist of ze het had gemeend of me alleen maar plaagde, zei ik helemaal niets.
Het ging precies zoals Darragh had gezegd. We bereikten vlak terrein en een splitsing in de weg, en plotseling waren overal mensen, mannen te paard, jongens die paarden meevoerden, boeren met hoog opgetaste karren, mensen in vreemde kleren met jongleursballen of gekleurde vogels in kooien. Er was een afgesloten wagen, met een kerel in zwarte kleding die nors op de bok zat en een mager oud paard mende. Hiernaast liep een jongere man, en onder het lopen verkondigde hij de kwaliteiten van de diverse elixers die hij te koop had: liefdesdranken, toverdranken die kracht gaven, vervloekingen om een vijand mee te treffen. 'Komt, komt allen,' riep hij met luide stem en nog meer zelfvertrouwen. 'Kwalen worden genezen! Uw fortuin wordt voorspeld! Ga te rade bij de Grote Meester onder de oude eiken benoorden het wedstrijdterrein. Tevredenheid gegarandeerd.' Ik zette grote ogen op toen ze ons voorbijreden en ik vroeg me af wat die man in zijn brouwsels deed. Een paar kruiden en een likje honing? Niet veel dat waarde had, vermoedde ik. Maar er waren mensen die achter zijn wagen aan-

holden, opgewonden kwebbelend. Onnozele halzen, dacht ik. Ze zouden spoedig het beetje zilver dat ze hadden kwijt zijn, en voor niets.

We reden niet lang over deze weg met de steeds dichter wordende menigte, maar sloegen een zijweg naar het westen in en kwamen weldra bij een beschut grasveld. Het was omringd door oude bomen en er liep een snelstromende beek langs. Hier hielden we halt en werd het kamp opgeslagen. Ditmaal werden de wagens volledig uitgeladen, er werden tenten opgezet en in het midden van de open ruimte werd een degelijke vuurplaats van stenen gebouwd, met rondom voldoende plaats, zodat de mensen er gemakkelijk konden zitten. De paarden werden uitgespannen en losjes vastgebonden in de schaduw van de bomen, en de jongens begonnen aan hun werk. Ze borstelden elk dier af en keken het na op eventuele verwondingen na de reis. Ik begreep dat we hier zouden blijven zolang de paardenmarkt duurde, en dat we elke dag de weg op zouden gaan om zaken te doen, en 's avonds weer naar ons kamp terug zouden keren. Ik kon de zee horen, een zacht, aanhoudend heen en weer spoelen van kleine golven.

De vrouwen en meisjes hadden nu een grote tent, waarin ik mijn eigen hoekje kreeg dat Peg me met een knipoog aanwees. Terwijl ik mijn deken uitrolde en keek of het slot op de houten kist nog vastzat, lukte het me zacht dankjewel te fluisteren, en ze gaf een scheef lachje, precies het lachje van haar zoon. Zodra mijn spulletjes netjes waren neergelegd, ontsnapte ik uit de tent en liep tussen de bomen een klein pad af in westelijke richting. Het was niet ver. Een korte wandeling over het kiezelpad, tussen ruige struikjes door, dan een lichte helling op en daar was hij. De golven kwamen loom aanrollen om aan het zuivere, witte strand te likken dat zich tussen hoge landtongen in het noorden en het zuiden uitstrekte. Verder naar buiten zag ik schuim opspatten van de donkere klippen, die glad waren van het water. Deze vredige baai werd blijkbaar afgeschermd door een groot rif. De ondergaande zon kwam steeds dichter bij het uitgestrekte watervlak, en gaf het zand een lichtgouden tint. Hier en daar waren op het strand figuren te zien: twee jongens die hun pony's nek aan nek lieten galopperen, in een wilde wedstrijd langs de grens tussen land en water; een jongen op een zwart paard dat in het water zwom, dwars tegen de deining in, en daarna het strand op kwam, druipend van het water, dat het vervolgens afschudde in een nevel van zilveren druppeltjes. Er waren mensen

aan het wandelen, een jong stel hand in hand, een meisje dat zich bukte om schelpen op te rapen.
Ik bleef daar een tijdje zitten kijken. Ik zat er lang genoeg om kalm te worden, om mijn ademhaling tot rust te laten komen, om tegen mezelf te zeggen dat ik het best kon volhouden, dat ik het zou volhouden. Misschien zouden ze het vanavond, wanneer ze om het kampvuur gingen zitten, niet erg vinden als ik vroeg ging slapen. En wanneer ze weggingen om zich bij de grote menigte op de paardenmarkt te voegen, kon ik misschien hier achterblijven en alleen langs het strand wandelen, of hier gewoon zitten en naar het langzame patroon kijken dat altijd anders was maar toch ook altijd hetzelfde bleef. Misschien zou dat mogelijk zijn. Zo niet, dan zou ik het Mom moeten gebruiken. Grootmoeder zou het natuurlijk al dom vinden dat ik dat nog niet had gedaan om mijn onhandigheid te verbloemen, om mijn angst voor vreemde mensen te maskeren. Ik vond het zelf eigenlijk ook dom. Maar er was iets dat me weerhield. Ik herinnerde me het gefronste voorhoofd van Darragh en zijn woorden. *Ik vind het niet prettig als je dat doet.* Ik dacht aan de stem van het kleine meisje. *Je ziet er mooi uit.* Ik wist nu bijna zeker dat ze een grapje had gemaakt. Maar haar woorden hadden me heel even een warm gevoel gegeven. Als ik het Mom gebruikte, zou iedereen denken dat ik mooi was. Maar dat was niet hetzelfde.
Die avond bleek dat het niet mogelijk was aan de feestelijkheden te ontkomen. Mijn half geformuleerde uitvlucht werd afgewimpeld door Peg, die me meetroonde naar de mensen die op kleden en oude kisten en allerlei lappen in een kring om het vuur zaten. Ze gaf me een plaats tussen Molly en haar in, gaf me een kop met iets dampends en geurigs in handen en ging er vervolgens zelf lekker voor zitten; allemaal, zo leek het, in een oogwenk. Ik kreeg domweg niet de kans om te protesteren.
Rondom het vuur zag ik veel gezichten, bekend en onbekend. De kleinste kinderen zaten knikkebollend op schoot bij hun ouders, of sliepen opgerold in een deken naast een waakzaam zusje of broertje. De oudere mensen kregen de beste plaatsen, de meest comfortabele dingen om op te zitten, het dichtste bij de warmte van het vuur. Iedereen was er: Dan Walker met zijn donkere baardje en het gouden ringetje in zijn oor; de groep jongelui die ik was tegengekomen bij mijn bezoek aan het kamp toen ik nog thuis was; Darragh zelf, in gesprek met twee meisjes in kleurige kleding die ik niet eerder had gezien. Er waren nog meer mensen die ik niet kende,

hoewel ze kennelijk uitgenodigd waren als gasten. De twee meisjes hadden blijkbaar broers, of neven, en er was een oudere, grijsharige man die naast Dan zat en net als de anderen dronk van de hete drank uit een grote ketel die naast het vuur was gezet. Ik nam voorzichtig een teugje. Het was lekker, maar sterk, een beetje zoals cider met specerijen en honing.
'Een paar verhalen, dat lijkt me wel wat,' zei iemand. 'Wie heeft er een mooi verhaal? Brian? Diarmuid?'
'Ik niet,' zei de grijsharige man en hij schudde zijn hoofd. 'Ik heb kiespijn. Kan niet praten.'
'Huh!' zei een ander smalend. 'Drink nog wat, dan is het zo over.'
'Er is een man op de markt die kiezen trekt, snel en netjes,' opperde Molly. 'Daar moet je naartoe, hij heeft hem eruit voor je pap kunt zeggen.'
'Die slager?' De man verbleekte zichtbaar. 'Ik laat hem nog net zo lief door mijn ouwetje trekken met een vuurtang.'
Er werden nog verscheidene andere ideeën geopperd over wat hij eraan zou kunnen laten doen, geen van alle erg bruikbaar. Toen nam Dan Walker het woord.
'Ik zal een verhaal vertellen,' zei hij. Er volgde een koor van goedkeurende uitroepen, en toen werd het stil. 'Het gaat over een man die Daithi heette, Daithi O'Flaherty. Geen familie, hoor, van de deftige familie van die naam die hier in de streek woont.' Er werd gebruld van het lachen. 'Hij was boer. Nou, deze Daithi kwam op het idee om zijn liefje eens op te zoeken, voor de gezelligheid, zie je. Hij liep over de weg toen hij een geluidje hoorde, tap tapperdetap, van onder de struiken langs het pad. Daithi was niet dom. Hij maakte geen geluid, maar hurkte stilletjes neer en tuurde onder de takken om te zien wat het was. En verdraaid, daar zag hij een klein manneke, keurig aangekleed met een puntmuts op en een mooie, kleine leren voorschoot. Naast hem stond een kan, en er lag een kleine scheplepel bij. De kleine zat te hameren op een schoen die hij aan het maken was, een schoen zo lang als een vingerkootje, alleen geschikt voor een kabouter zoals hij zelf. Terwijl Daithi met ingehouden adem toekeek, legde het kleine kereltje zijn schoenmakershamer neer en liep naar de kan. Hij dompelde er de lepel in en nam een slok van de drank, en toen ging hij weer aan het werk, tapperdetap.
We moeten dit voorzichtig aanpakken, zei Daithi bij zichzelf. En hij begon zacht te praten, om het manneke niet te laten schrikken.

"Goedendag, beste heer," zei hij heel beleefd.
"U ook goedendag," antwoordde de kleine, nog steeds ijverig hamerend.
"Wat bent u daar voor moois aan het maken?" vroeg Daithi.
"Dat is toch zeker een schoen," zei de kabouter, een tikje verachtelijk. "En wat bent u eigenlijk aan het doen, dat u over de weg loopt in plaats van uw dagelijkse werk te verrichten?"
"Daar ga ik gauw genoeg weer mee door," antwoordde Daithi, en hij dacht: tenzij ik jou eerst te pakken krijg. "En vertel eens, wat hebt u in dat mooie kannetje daar?"
"Bier," zei het manneke. "Het lekkerste bier dat ooit gebrouwen is. Ik heb het zelf gemaakt." Hij likte zijn lippen af.
"Zo?" zei Daithi. "En waar maakt u dat van, dat brouwsel van u? Mout misschien?"
De kabouter sloeg zijn ogen misprijzend ten hemel. "Mout? Mout is voor kleine kinderen. Deze drank wordt gebrouwen van heide. Beter is er niet."
"Heide?" riep Daithi uit. "Je kunt geen bier brouwen van heide."
"Ah," zei de kleine. "De Dubh-ghaill heeft me laten zien hoe dat moet. Een geheim recept. Alleen mijn familie maakt het, verder niemand."
"Mag ik misschien eens proeven?"
"Natuurlijk," zei de kabouter. "Maar ik vind het wel verbijsterend dat een beste boer zoals u zomaar zijn tijd verdoet met drinken langs de weg, terwijl zijn eigen ganzen van zijn erf ontsnapt zijn en verwoestingen aanrichten in de tuin van zijn buurman."
Daithi schrok en wilde zich al bijna omdraaien en terugrennen naar zijn huisje om te zien of het manneke gelijk had. Maar op het laatste ogenblik bedacht hij zich, en in plaats daarvan stak hij snel zijn hand uit om de kabouter bij zijn been te pakken. De kan viel om, en al het bier stroomde over de grond.
"En nu," zei Daithi met een zo bars mogelijke stem, "laat je me zien waar je je voorraad goud bewaart, anders loopt het slecht met je af."
Tja, nu zat de kabouter in de val, want zoals iedereen weet hoef je zo'n schepsel alleen maar vast te houden en te zorgen dat je hem niet uit het oog verliest, en hij moet je zijn schat laten zien. En daar gingen ze, terug naar Daithi's eigen akkers, en naar een plek waar nog heel wat stenen verplaatst moesten worden voor er gezaaid kon worden. De kabouter wees naar een van de grote keien aan de zuidelijke kant van de akker.

"Daar," zei het manneke. "Daaronder ligt mijn pot met goud, en moge het je slecht bekomen."
Nou, Daithi deed wat hij kon om te proberen de kei te verplaatsen, hij duwde en trok, terwijl hij ook nog de kabouter vasthield, maar na verloop van tijd had hij wel door dat hij de kei er niet uit kon krijgen zonder zijn spade. Maar er waren daar heel veel stenen, een hele akker vol stenen. Hij zou hem op de een of andere manier moeten merken, voor hij de spade ging halen. Daithi voelde in zijn zak. Daar vond hij een stuk rood lint dat hij van een marskramer had gekocht en dat hij aan zijn liefje wilde geven als verrassing. Hij haalde het uit zijn zak en bond het om de steen waar het goud onder begraven lag.
"Ziezo," zei hij. Hij keek het manneke met gefronst voorhoofd aan. "Voor ik je nu vrijlaat," zei hij, want hij wist wel hoe doortrapt dat soort is, "wil ik dat je me je woord geeft. Je zult de schat niet weghalen voor ik terugkom met de spade. En je zult het lint niet van deze steen afhalen. Beloof het."
"Ik beloof het, met mijn hand op mijn hart," zei de kabouter volkomen oprecht.'
Er werd al gegiecheld door diegenen onder Dans gehoor die de afloop van dit verhaal kenden.
"'Goed dan," zei Daithi.
"Laat je me nu dan gaan?" vroeg het manneke heel beleefd. Dus Daithi liet hem los, en de kabouter ging er als de weerlicht vandoor. Daithi ging naar huis om zijn spade te halen en haastte zich terug naar de akker. Hij kon aan niets anders denken dan aan wat hij allemaal zou doen wanneer hij die pot met goud in handen kreeg. En toen hij de hoek omkwam en de akker in het oog kreeg, wat zag hij daar? Om elke steen op die akker zat een rood lint gestrikt. En wat hij ook probeerde en hoe hij ook groef, Daithi O'Flaherty heeft de schat van de kabouter nooit gevonden.'
Er volgde een golf van voldaan applaus. Zelfs ik had genoten van het verhaal, al had het niet het grootse van de verhalen die mijn vader vertelde. Toen begon de grijsharige man, kennelijk genezen van zijn kiespijn, een lied te zingen. Het was een mooi, verheffend lied over hoe hard het was om je brood te verdienen in het bitter koude, barre land van Ceann na Mara, en dat hij het niettemin zozeer liefhad dat zijn hart hem altijd daarheen terug zou roepen. Er kwamen nog meer verhalen: grappige, treurige, ontroerende. Tot slot werd Darragh overgehaald op de doedelzak te spelen. Ditmaal koos

hij niet een van de hartverscheurende klaagzangen die ik zo vaak over de heuvel boven de baai had horen klinken. Hij speelde muziek om op te dansen, en de jongelui stonden op en vormden een kring. Er werd met de voeten gestampt en in de handen geklapt, en er was een bonte werveling van rokken en omslagdoeken met franje in het warme, goudkleurige licht van het kampvuur. Ik zat toe te kijken en dronk met kleine teugjes van mijn drank. Darragh speelde door. Daarbij keek hij niet naar de vrolijke dansers, of naar de oudere mensen die op hun gemak om het vuur zaten en vriendschappen hernieuwden na een jaar van scheiding. Hij keek naar mij. *Sta op en ga dansen*, zeiden zijn ogen; ze daagden me uit. *Waarom doe je dat niet?* En diep vanbinnen voelde ik dat ik dat ook wilde doen. De muziek sprak tot het bloed; ze riep gevoelens op die beter niet gewekt konden worden. Maar ik was goed gedrild. Ik sprak mezelf streng toe. *Jij, dansen? Doe niet zo mal. Jij zult nooit dansen, als je jezelf niet belachelijk wilt maken. Bovendien, je bent wat je bent. Je hoort hier niet bij, en zult er nooit bij horen.*

Daarna was het gemakkelijk genoeg om op te staan, even met Peg te praten en me terug te trekken in de tent.

'Heb je een leuke avond gehad, meisje?' vroeg Peg. Ik gaf een knikje dat alles had kunnen betekenen, en vluchtte weg naar mijn donkere hoek en naar de afzondering. Buiten ging de muziek door. Op een gegeven moment kreeg Darraghs doedelzak gezelschap van een fluit en een trommel. Op mijn eigen plekje van stilte maakte ik de houten kist open, grabbelde erin en vond Riona. Ik haalde haar eruit. Haar gezicht was in het donker nauwelijks te onderscheiden. *Heeft mijn moeder gedanst?* vroeg ik aan haar. *Is dit vroeger misschien een jurk geweest om in te dansen?* Mijn vingers voelden aan een plooi van de rozenkleurige zijde waarvan Riona's lange jurkje gemaakt was. Alleen een mooi meisje dat van zichzelf overtuigd was, zou natuurlijk zo'n stof durven dragen. Maar toch was datzelfde meisje het kwetsbare schepsel geworden waarover Peg had verteld, de vrouw die haar kleine kind en de jongeman die zo wanhopig veel van haar hield in de steek had gelaten, de vrouw die op een dag gewoon van het klif was afgestapt en omlaag was gevallen, omlaag door het wilde opspattende water naar de ijzige greep van de golven van de oceaan die op de rotsen van de Honingraat beukten. Dit had haar eigen familie haar aangedaan; haar vader, haar ooms, haar broer die nog steeds als heer van Zeven Wateren heerste. Wat Darragh over familie had gezegd, was onzin. Ze hadden

haar zo goed als vermoord en ze hadden mijn vader bijna te gronde gericht. Op hun manier waren ze even slecht als mijn grootmoeder. Nu moest ik hun het hoofd bieden, en ik moest op de een of andere manier de taak volvoeren die mijn grootmoeder me had opgedragen. Hoe kon ik aan verhalen, muziek en plezier denken terwijl ik dat in het vooruitzicht had? Dan Walker en zijn soort waren eenvoudige mensen. Zelfs de verhalen die ze vertelden, waren eenvoudig. Ik hoorde niet bij hen, en het was dom te geloven dat ik ooit bij hen zou horen. Ik moest me afzijdig houden en zorgen dat ik geen onnodige aandacht trok. Ooit zou deze reis afgelopen zijn en kon ik beginnen aan het werk dat van me verlangd werd.
Maar het was niet gemakkelijk. Ik had het gevoel dat er een kleine samenzwering op touw was gezet om me uit mezelf te halen en om me, of ik wilde of niet, aan alles deel te laten nemen. Ze waren de volgende morgen alweer vroeg op, en er zaten al mensen pap te eten toen ik met de slaap nog in mijn ogen uit de tent kwam. Er was een trog met water voor iedereen. Daar maakte ik mijn gezicht nat, want ik had al geleerd niet te kieskeurig te zijn.
'Eet vlug je pap op,' raadde een van de meisjes me in het voorbijgaan aan terwijl ze haar haar netjes in een doek bond. 'Het is een heel eind lopen. En de markt begint vroeg.'
Zonder een woord nam ik een kom pap aan en ging onder de bomen op een gevallen tak zitten om te eten. Ik was moe. Het was de vorige avond laat geworden. Ik wilde eigenlijk niet mee. Maar iedereen leek het erg druk te hebben; er was niemand aan wie ik het kon vragen. De pony's moesten er piekfijn uitzien; Dan inspecteerde ze terwijl de jongens rondliepen om de laatste details te verzorgen: manen werden fraai gevlochten, staarten zorgvuldig uitgeborsteld. Peg zocht de beste manden uit en gaf de meisjes instructies over het onderhandelen, en nog meer instructies over het vermijden van moeilijkheden. Misschien was het niet nodig om te vragen of ik hier mocht blijven. Misschien zouden ze me gewoon vergeten. Plotseling werd ik overspoeld door een golf van heimwee, een verlangen om vader te zien en weer terug te zijn in het veilige, vertrouwde, stille Kerry. Kon ik maar een kleine tas inpakken en alleen weggaan, en dezelfde weg terug volgen tot ik op de heuvel kwam waar de staande stenen het voorbijgaan van de tijd markeerden, en weer in de baai was. Maar dat kon niet. Het enige dat erop zat, was verder te gaan. Ik voelde me machteloos en treurig. Ik voelde me overal buiten staan, alsof ik nergens thuishoorde.

'Ga die kom maar gauw schoonspoelen, en zorg dat je klaar bent om te vertrekken, meisje.' Pegs stem onderbrak mijn gedachten. 'We gaan dadelijk weg. Het wordt een drukke dag.'
Ik keek naar haar op en probeerde de juiste woorden te vinden. Toen verscheen Darragh achter haar, met zijn beste kleren aan, een zwierige groene halsdoek om en zijn laarzen glimmend gepoetst.
'Het is voor Fainne te ver om te lopen,' zei hij tegen zijn moeder.
'Dat kan ze best,' zei Peg, terwijl ze hem van opzij aankeek met een vreemde uitdrukking op haar gezicht. 'Ze is niet kreupel.'
'Ik... ik zou liever...' Verder kwam ik niet. Twee paar ogen keken me indringend aan, en ik wist dat ze wisten wat ik probeerde te zeggen.
'Weet je wat,' zei Darragh alsof er niets aan de hand was. 'Ik neem Fainne wel mee. Het zal Aoife geen kwaad doen nog iemand te dragen. Ik zet haar af bij de eiken; we zorgen dat we jullie vinden voor ik naar de paarden ga. Dat is gemakkelijker voor iedereen.'
'Als je het zo wilt,' zei zijn moeder droogjes. 'Maar kom niet te laat, hè.'
'Nee, ma,' grijnsde Darragh, en hij kwam naar de plek toe waar ik met een kwaad gezicht onder de bomen stond, met mijn lege papkom in mijn hand. 'Klaar?' vroeg hij terwijl hij zijn wenkbrauwen optrok.
'Ik wil er helemaal niet heen,' mopperde ik.
'Ja, maar je kunt hier niet alleen blijven, dus is er eigenlijk geen keus,' zei hij op luchtige toon. 'Je moet een hoofddoek om, het waait flink als je op een paard zit. Je kunt je haar ook beter vlechten. Zal ik het voor je doen?'
'Beslist niet!' snauwde ik. 'Ik ben geen klein kind. Ik doe het zelf wel.'
'Doe er niet te lang over,' zei hij rustig.
Een van de andere meisjes bood aan me met mijn haar te helpen, en omdat ik haast had, vond ik het goed. Daar kreeg ik algauw spijt van.
'De speciale behandeling, hè?' vroeg ze terwijl haar vingers zich door de dikke, onhandelbare massa rosse krullen ploegden.
Ik kon haar niet aankijken om haar geroddel met een verachtelijke blik de kop in te drukken. Ik was daarom gedwongen antwoord te geven. 'Wat bedoel je?'
'Dat je bij Darragh op zijn paard mee mag rijden. Dat heeft hij nog nooit gedaan, een meisje meenemen naar de Kruising. Er zitten te

veel meisjes achter hem aan, dat is zijn probleem. Hij pakt het heel voorzichtig aan, Darragh. Hij wil niemand voortrekken.'
Ik wist niet goed wat ik moest zeggen. Ik had haar een klap in haar gezicht kunnen geven, als ze niet met mijn haar bezig was geweest.
'Het heeft niets met voortrekken te maken,' fluisterde ik boos. 'Hij wil me alleen behulpzaam zijn, omdat ik niet zo snel kan lopen.' Ik schoof mijn rechtervoet een eindje naar voren, om de schoen te laten zien die anders gevormd was dan een gewone schoen.
'Dat?' zei het meisje achteloos. 'Dat stelt niet veel voor. Je zou ons best bij kunnen houden. Heb je toevallig een lint?'
Ik gaf haar het blauwe lint aan, over mijn schouder.
'Nee. Hij trekt je wel degelijk voor. Het is niets voor hem om hier te blijven rondhangen, op de eerste dag van de markt. Hij is altijd de eerste die vertrekt, meteen na zonsopgang. Darragh is een echte paardengek. Wacht maar tot hij bij de Kruising verschijnt, met jou achter op zijn paard. Dat zal een paar meisjesharten breken, reken maar.'
'Je vergist je, echt,' zei ik, en ik voelde mijn wangen gloeien van verlegenheid. 'Het komt alleen doordat... doordat ik niet een van jullie ben. Een... een vreemde, een gast. Het is gewoon beleefdheid. Meer niet.'
Het meisje strikte het lint netjes en stevig vast. 'Misschien,' zei ze, terwijl ze zich naar voren boog met een lachje waaraan ik kon zien dat ze ook tot de schijnbaar eindeloze stoet kinderen van Peg hoorde. Dan was ze dus een zus van Darragh. Ik kon me niet eens meer herinneren hoe ze heette. 'En misschien ook niet.' En weg was ze in een werveling van rode rokken en een blinken van gouden oorringen, nog voor ik eraan dacht haar te bedanken.
Ze had het natuurlijk helemaal mis. Darragh en ik waren oude vrienden, dat was alles. En Darragh dacht dat ik iedereen tot last zou zijn en in moeilijkheden zou komen als hij niet op me lette. Iets anders te denken was veel te moeilijk. Ik bond de kleine doek met de blauwe rand om mijn pasgevlochten haar en ging naar hem toe; hij stond op me te wachten zonder blijk te geven van ongeduld, terwijl Aoife kalm aan het gras knabbelde. Het zag ernaar uit dat Dan en de mannen en de andere jongens al weg waren. Peg en Molly waren bezig grote kinderen op te dragen de kleintjes te dragen, en gebruikten een paar oude paarden om manden en baby's te dragen. Darragh bekeek me met een vreemde uitdrukking op zijn gezicht; het leek wel of hij me ging uitlachen.

'Helemaal een meisje dat op reis gaat,' merkte hij op. 'Het enige dat je nog nodig hebt, is een laatste detail, dan val je helemaal niet meer op. Hier.' Hij stak zijn hand onder zijn jasje en haalde een keurig opgevouwen bundeltje zijdezachte stof te voorschijn. Terwijl ik het in mijn handen nam, ontplooide het zich en bleek het een schitterende veelkleurige sjaal te zijn, geborduurd met talloze kleine beestjes, fijn en juweelachtig, bladgroene hagedissen, felblauwe vogeltjes, goudgele vlinders en uitheemse, regenboogkleurige vissen met franjestaarten. De sjaal was afgezet met lange, glanzende kwasten, in een kleur tussen goud en zilver in. Het was het mooiste kledingstuk dat ik ooit had gezien.

'Ik kan dit niet dragen,' zei ik, terwijl ik het met grote ogen bekeek. Het leek alleen geschikt voor een prinses.

'O nee?' zei Darragh, en hij nam me de sjaal uit handen en legde hem om mijn schouders, waarna hij er aan de voorkant een knoop in legde. 'Kom nu,' zei hij. 'Ik heb beloofd dat ik niet te laat zou komen. Je bent toch niet bang om op een paard te zitten?'

'Natuurlijk niet!' zei ik vlug.

'Nou dan.'

Met zijn hulp was het niet zo moeilijk om op Aoifes rug te klauteren. Ik had gedacht dat ik achter hem zou moeten zitten en me aan hem zou moeten vasthouden, zoals zijn zus had gezegd; maar hij zette me voor zich neer, dwars zittend als een dame, en hield me met zijn ene arm vast terwijl de andere hand de teugels losjes vasthield. Ik had onder het rijden de indruk dat Aoife wist wat hij van haar wilde, bijna zonder dat ze een commando kreeg. Wanneer het pad zich splitste, zei Darragh een woordje, en dan ging ze de ene of de andere kant op. Hij raakte haar even aan met zijn knie of legde zijn gebruinde hand op haar glanzende witte nek, en dan begreep ze meteen wat hij wilde.

'Gaat het wel?' vroeg hij een paar keer aan mij, en ik knikte. Dat het wel ging, was zacht uitgedrukt. Eigenlijk was het weer net als vroeger, in de tijd van stilzwijgende kameraadschap die we als kinderen samen hadden gehad. Die tijd was nu voorbij. Dat wist ik. Maar voor de duur van deze rit kon ik doen alsof er niets was veranderd. Ik kon genieten van het zachte gevoel van de prachtige sjaal met zijn zinderende patroon van leven, die me omhulde als een beschermende talisman; ik kon bijna geloven dat ik een van de reizende mensen was, onbevreesd op weg naar de markt, met achter me, met zijn arm om mijn middel, een fiere kerel die de beste doedelzakspeler van heel Kerry was. Hier zat ik, op de rug van de witste en slimste pony die je ooit hebt gezien, met de wind in mijn gezicht, en aan de ene kant de vreemde, krachtige vormen van verre heuvels, en aan de andere kant het water van een weidse zeearm, met een rotsige kust erlangs, met hier en daar een strandje en een paar boten die veilig op het droge waren getrokken. Er waren nu niet zoveel mensen op de weg. Misschien waren we werkelijk aan de late kant. Darragh leek zich daar niet druk over te maken, en Aoife draafde voort alsof zij het enige schepsel van belang was op deze weg. We waren Peg, Molly en de kinderen gepasseerd, en Darraghs zus had me een knipoog gegeven.

Na een tijdje zei ik tegen hem: 'Hoe heet je zus?'

'Welke zus?'

'De zus met de rode rok; ze heeft iets vrijpostigs over zich. De zus die in leeftijd op jou volgt, denk ik.'

Het bleef even stil. 'Waarom vraag je het haar zelf niet?' zei Darragh.

Ik antwoordde niet.

'Ze bijten niet, hoor,' zei hij, maar er klonk geen verwijt in zijn stem. 'Dat moet Roisin zijn. Is ze brutaal tegen je geweest?'

'Niet echt.'

'Je moet voor haar oppassen. Ze zegt gewoon wat ze denkt, als ze daar zin in heeft.'

'Mm,' zei ik. 'Dat heb ik gemerkt.'

'Maar ze is een beste meid. Dat zijn ze allemaal.'

We waren veel te vlug op de plaats van bestemming. Ik had nog nooit zoveel mensen op één plek bij elkaar gezien, of zoveel stemmen door elkaar gehoord. Maar als je goed keek, heerste er toch een soort orde. De echte zaken werden gedaan op de plaats waar de paarden stonden; daar zag je groepjes boeren en reizende mannen, en ook enkelen die eruitzagen als een heer uit de streek of een wapenmeester, die gebitten bekeken en hoeven inspecteerden, en onderling fel in gesprek waren. Wat dichterbij werd gehandeld in allerlei waren, er werd gekletst en er hing een lekkere geur van iets dat boven een klein vuur werd geroosterd, en ik kon de huifkar van de Grote Meester en zijn heetgebakerde bediende zien. Iemand riep Darragh uit de verte iets toe. We hielden stil onder een bosje hoge bomen.

'Ziezo,' zei hij, en licht als een veertje gleed hij van Aoifes rug af. 'We zijn er.' Hij tilde me eraf en bleef staan met zijn handen om mijn middel. 'Ah,' zei hij. 'Een lachje. Dat is een zeldzame verrassing.'

Ik stak mijn hand uit om op Aoifes verzorgde flank te kloppen. 'Je gaat haar toch niet verkopen?' vroeg ik.

'Haar? Geen denken aan. Ik zou geen afstand van haar kunnen doen, nu al helemaal niet meer. Ze brengt me geluk.'

Ik knikte. 'Je wordt geroepen,' zei ik.

Darragh nam zijn handen weg. 'Ik weet niet of ik al weg kan,' zei hij en hij fronste zijn voorhoofd. 'Ma is er nog niet, en ik heb gezegd dat ik ervoor zou zorgen dat ik hen voor jou zou zoeken. En daarginds heeft een meisje niets te zoeken,' zei hij met een ruk van zijn hoofd naar de rijen paarden.

Een tweede stem schreeuwde: 'Darragh! We hebben je hier nodig!'

'Je kunt beter gaan,' zei ik, dapperder dan ik me voelde. 'Ik kan hier onder de eiken wachten en uitkijken naar de anderen.'

Darraghs bruine ogen namen me onderzoekend op. 'Weet je het zeker?'

'Ik ben toch geen kind. Ik denk dat het me wel toevertrouwd is even te wachten zonder zoek te raken.'

'Beloof dat je geen rare dingen zult doen.'

'Doe niet zo belachelijk.'

'Beloof het, of ik ben genoodzaakt hier bij je te wachten.'

'Darragh!' Ditmaal was het Dan Walker die hem riep.

'Dit is idioot. Goed, ik beloof het.'

'Tot straks dan.' Hij trok even aan een hoek van mijn hoofddoek, draaide zich om en was vertrokken, terwijl Aoife gehoorzaam naast hem liep, kalm als een rots in de kolkende, dringende, lawaaiige menigte.

Ik meende het heus wel toen ik dat beloofde. Echt waar. Maar je kunt er niets aan doen wie je bent, en wat je bent. Soms gebeurt er iets, en dan moet je handelen, dan kun je jezelf domweg niet tegenhouden. Zo gebeurde het die ochtend bij de Kruising.

Ik trok me terug in de schaduwen onder de hoge bomen en had wel gewild dat ik het vermogen bezat mezelf onzichtbaar te maken. Vooralsnog kon ik hier onopgemerkt staan, ook met mijn kleurige sjaal, want alle aandacht was gericht op de wagen van de Grote Meester. De kar werd op nog geen tien pas afstand geopend en uitgeladen, onder grote nieuwsgierigheid en oh- en ah-geroep van de menigte die zich eromheen had verzameld. De slungelige assistent nam bijna al het werk en al het praten voor zijn rekening, terwijl de Meester zelf daar stond in het verfomfaaide vod dat een tovenaarsmantel moest voorstellen. Met zijn neus in de lucht deed hij zijn best om er hooghartig en geheimzinnig uit te zien. Er zat nog minder toverkracht in die griezelige kerel, dacht ik, dan in mijn eigen pink. Het was op het eerste gezicht duidelijk dat hij een bedrieger was, en het verbaasde me dat de mensen zich erdoor lieten beetnemen.

De assistent was druk bezig. Binnen korte tijd was het terrein aan weerskanten van de wagen een bont geheel van banieren en netten. Daartussen hingen allerlei kleine kooien aan palen, met in elk daarvan een vreemd schepsel dat men kon kopen om een liefje te amuseren of een buurman jaloers te maken. Ik kwam voorzichtig wat naderbij, maar het was moeilijk om iets te zien zonder zelf gezien te worden. In de kooi die het dichtste bij hing, zat een ongelukkig uitziende vogel, een uilachtig beest, met rafelige veren. Hij sprong met schokkerige bewegingen heen en weer op zijn stokje, en zijn ogen waren rond en wild. Daaronder zat een harig beest, dat een klauwachtig handje om de tralies van zijn kleine gevangenis gekromd had en zijn kop op zijn borst liet hangen alsof hij veinsde te slapen. Aan de andere kant hoorde ik schel gekrijs, en de mensen wezen ernaar en slaakten gilletjes.

'Ziehier, schone dames, waarde heren, gelukkige jongelui!' De assistent schreeuwde luid; dat moest wel om boven het rumoer uit te komen. 'Komt naderbij, komt naderbij, dan zal de Meester jullie de verbluffende geneesmiddelen tonen die we jullie dit jaar kunnen aanbieden, waarvan sommige beproefd en betrouwbaar zijn, en andere wonderbaarlijke nieuwe vindingen, alle verbluffend werkzaam.'

In deze trant ging hij nog een tijdje door. Ik keek even om me heen. Peg, Molly en de anderen waren nog steeds nergens te bekennen. Ik kwam nog wat dichterbij. Nu kon ik de bron van het kabaal zien: een fel gekleurde vogel die vastgebonden zat op een stok aan de andere kant van de wagen. Daarachter waren nog meer beesten in kooien. Duiven. Vinken. Een haas met een lichtgetinte vacht, in een erg krappe gevangenis, zo krap dat hij zich niet kon omdraaien, laat staan zijn sterke poten buigen en springen zoals hazen gewoon zijn te doen. Er stond een jongen bij die met zijn vinger door de tralies heen naar het dier porde, en de haas had niet eens genoeg ruimte om hem te ontwijken. Ik keek in zijn ogen: lege, starende ogen waarin de paniek de rede had verdrongen. De vogel krijste weer, en ik had de indruk dat hij de woede en de angst van al die beesten uitschreeuwde, omdat ze opgesloten waren en tentoongesteld en bekeken werden, omdat ze iets moois waren dat geketend was, dat aangegaapt werd, waar de mensen even plezier van hadden, om het daarna zonder er verder over na te denken weg te gooien.

De man had het intussen over een drank die kracht gaf. Hij deed alsof hij er wat van dronk en wees toen een grote kerel uit de menigte aan om met hem te komen vechten. Het resultaat was voorspelbaar. Het tweetal deed alsof ze begonnen te vechten, en toen velde de assistent van de Meester zijn veel grotere tegenstander met een voorzichtig tikje op zijn kaak. De reus zakte in elkaar en de menigte hield de adem in. Na een korte pauze, waarin je een kind kon horen zeggen: 'Is hij dood, ma?' begon de man te kreunen en werd overeind gehesen. Hij wreef over zijn kaak en rolde met zijn ogen. Nu begon iedereen opgewonden te praten, en gretige kopers verdrongen zich. Ik vroeg me af hoeveel ze de grote man hadden betaald voor zijn optreden.

'En nu,' zei de helper, kennelijk gesterkt door zijn succes, 'zal de Meester zelf het gebruik van de nieuwe, altijd werkzame liefdesdrank demonstreren. Deze krachtige drank, die hij eigenhandig heeft vervaardigd, zal het meest terughoudende meisje omtoveren in een... lieve vrienden, jullie hebben geen idee. Het moet maar voor zichzelf spreken. Beste mensen, hier is... de Meester.'

Het was vermoedelijk de bedoeling dat er gejuicht werd. Ik kon het nog steeds niet goed zien. Maar als ik nog dichterbij kwam, stond ik echt tussen de mensen, en ze zouden naar me kijken en tegen me aan dringen en misschien tegen me praten en... Mijn vingers grepen naar de amulet om me gerust te stellen. *Gebruik het Mom, kind*, zei de stem van mijn grootmoeder ergens in mijn hoofd. *Je kunt zijn wat je wilt zijn.*

Ik deed het snel, voor ik van gedachten kon veranderen. Peg en Molly waren er niet. Darragh was bezig. Niemand zou er iets van merken. Ik koos de vorm die volgens mij de minste kans maakte aandacht te trekken, een veel oudere versie van mezelf, een vrouw van middelbare leeftijd, in simpele werkkleding, met een omslagdoek en een hoofddoek en slordige haren. Ik had een willekeurig iemand kunnen zijn. In feite waren er in de menigte veel andere vrouwen zoals ik. Geen mens merkte het toen ik stilletjes opschoof tot ik bijna vooraan stond en de man die zich de Meester noemde kon zien. Hij keek zoekend in de menigte, nog steeds in die pose van minachting.

'De Meester is op zoek,' zei zijn assistent gewichtig. 'Hij zoekt, hij kijkt uit naar een man die eenzaam is, naar een arme ziel zonder liefje. U misschien, mijnheer?'
'Die is al bezet!' antwoordde een scherpe vrouwenstem achter in de menigte. Iedereen lachte.
'Ah,' zei de assistent toen de Meester met zijn benige vinger iemand aanwees. 'Daar hebben we iemand. Hoe heet u, mijnheer?'
De man werd vuurrood van verlegenheid, maar hij lachte toch. 'Hij heet Ross,' zei een behulpzame vriend, proestend van het lachen. 'Hij is een paar turfjes te kort, maar toch een beste man.' Zo te horen waren ze al vroeg begonnen met het bier.
'Jij zou zeker wel een knap liefje willen, hè, Ross?' vroeg de assistent terwijl hij zijn slachtoffer het trapje van de wagen op trok zodat iedereen hem kon zien. 'Laten we eens kijken of we er een voor je kunnen vinden. Wie van de dames wil ons nieuwe elixer eens proberen?'
Er werd met voeten geschuifeld, en het bleef stil. Blijkbaar waren er geen liefhebbers. Dat verbaasde me niets. De man die ze hadden uitgezocht, was mager en zag er niet bepaald fris uit, en hij had een knobbelneus waar een druppel aan hing.
'Kom nou,' vleide de helper. 'Wie wil het proberen? Er zal hier toch wel een knappe dame zijn die voor een pleziertje te vinden is? Nee? Dan moet de Meester het zelf gaan vragen.'
De man in de zwarte mantel was al van de wagen af gekomen en liep heen en weer voor de menigte, waar de mensen dicht opeengepakt stonden. Ik had hem in de gaten gehouden terwijl de anderen alleen maar aandacht hadden voor de man die het woord voerde. De Meester had een fijn, gouden kettinkje in zijn hand, waar een klein, glimmend voorwerp aan hing, en dat liet hij heen en weer bungelen, heen en weer.
'Er valt misschien een kleinigheid aan over te houden, voor het meisje dat durft,' zei de assistent veelbetekenend. De Meester stapte heen en weer. Het kettinkje zwaaide naar links en naar rechts, naar links en naar rechts. Hij bleef stilstaan. Hij wachtte. Hij strekte zijn vinger en wees.
'Ah!' riep de assistent. 'We hebben een vrijwilligster. Kom maar naar boven, lieve kind, kom naar boven en neem een slokje van deze uitnemende drank, gemaakt van zorgvuldig geselecteerde kruiden en bessen met een héél klein beetje,' hij vormde een kringetje met duim en wijsvinger, 'van een ingrediënt dat in het diepste ge-

heim wordt bewaard. Een klein slokje maar.'

Het meisje dat ze hadden uitgekozen was heel jong, zeker jonger dan ik, en armoedig gekleed, in een jurk die vaak versteld was. Niettemin had ze een tere schoonheid die een man zou kunnen aanspreken. Niemand maakte bezwaar toen de mannen haar naar voren brachten. Ze was hier blijkbaar alleen. Het viel ook niemand op hoe ze naar het gouden kettinkje staarde dat heen en weer, heen en weer zwaaide, alsof dat alles was wat ze kon zien. Het viel niemand op behalve mij. Ik voelde boosheid in me opkomen.

De Meester stopte het gouden kettinkje weg in zijn zak. Het jonge meisje stond voor hem, zonder enige uitdrukking op haar onschuldige gezichtje. Aan de andere kant stond de man met de knobbelneus naar haar te loeren; daarna keek hij weer naar zijn vrienden in de menigte, die grinnikten en elkaar aanstootten.

De Meester boog zich naar voren en fluisterde iets in het oor van het meisje. Het enige dat ik hoorde was: 'Drink hiervan, lieve.' Maar hij had nog meer gezegd. Ik kon wel raden wat.

Ze nam de kleine beker in haar hand en dronk. Er viel een verwachtingsvolle stilte. Even gebeurde er niets. Toen draaide ze zich om, uitdrukkingsloos, en deed een stap naar de man, Ross. Ze sloeg haar armen om zijn nek, drukte haar lichaam tegen het zijne aan en plaatste een langdurige kus op zijn lippen. De menigte juichte en klapte in de handen. Ik zag hoe de hand van de man naar haar rokken graaide, en hoe zijn tong op een weerzinwekkende manier in haar mond ging. Ik wachtte tot de Meester met zijn vingers zou knippen of zijn hand voor de ogen van het meisje zou bewegen om ongedaan te maken wat hij had gedaan. Maar in plaats daarvan keek hij toe terwijl de kerel het jonge meisje van het trapje af leidde en door de menigte met haar verdween. Een massa kooplustige mannen verdrong zich om de wagen. Ik was diep verontwaardigd. Het was allemaal bedrog, een oude truc, gemakkelijk als je maar een ontvankelijk slachtoffer uitkoos. Eenvoudig om te doen. Eenvoudig om ongedaan te maken.

Maar deze man had het niet ongedaan gemaakt. Hij had dat jonge meisje met die kerel mee laten gaan, en... zoals ik al zei, je bent wat je bent. Soms moet je gewoon iets doen. De regenboogkleurige vogel zat op zijn stok vlak naast de schouder van de Meester, nog steeds krijsend te schelden, wat ook wel gepast was. Ik keek het beest in zijn oog en sprak in gedachten een woord uit.

Het riempje waarmee de vogel vastzat, brak. Niemand zag het. De vogel kromp in, zwol toen op en veranderde. Eerst zag niemand het, in het gedrang van de kooplustige menigte. Kleurige veren werden glimmende schubben. Klauwen en snavel verdwenen. Ik gebruikte mijn verbeelding. Het beest werd lang, dun en bochtig. De slang kronkelde zich om de zitstok, voelde de kracht in zijn gespierde nek, voelde het gif in zijn gevorkte tong. Hij voelde de bijna vergeten macht van de vrijheid.

Weer was het een kind dat iets zei. 'Wat is dat, ma?'

De Meester verstijfde toen er iets kruipends, kronkelends over zijn schouders en om zijn nek schoof, boven de voddige zwarte mantel. 'Aaah...' bracht hij uit, een iel geluid. Zijn assistent deinsde terug. De menigte ging achteruit. Tussen de mensen bleef de man Ross staan en keek om. Hij had het meisje nog steeds bij haar arm vast. Ik deed een stap naar voren, zodat de Meester me kon zien.

'Maak het ongedaan,' zei ik heel zacht.

Hij keek me met uitpuilende ogen aan. Zijn gezicht was paars aangelopen. Misschien zaten de windingen erg strak. Dat kon mij niets schelen.

'Roep dat meisje terug en maak ongedaan wat je gedaan hebt,' zei ik weer, zo zacht dat alleen hij en zijn assistent me konden horen. 'Doe het nu of je bent er geweest. Denk niet dat het mij raakt wat er met je gebeurt.'

'Aaaah...' hijgde de Meester weer, terwijl hij zijn assistent met rollende ogen aankeek. De slang veranderde van houding, en zijn staart gleed van de zitstok af en wond zich netjes om de arm van de Meester. Nu droeg hij het hele gewicht van het beest. De kleine, driehoekige kop zweefde vlak voor zijn ogen.

De assistent kwam in actie en riep. 'Jij! Jij daar! Breng haar terug!'

De menigte week uiteen voor de man en het meisje. De mensen waren te bang om dicht bij de wagen te komen, maar te geboeid om weg te lopen, want over de belevenissen die ze op deze markt beleefden, konden nog vele lange winters verhalen worden verteld bij het haardvuur. De assistent greep de andere arm van het meisje en trok haar los van de wellustige Ross. Hij hoefde niet erg hard te trekken. Ross was bleek geworden bij de aanblik van de gemene oogjes van de slang. Hij verdween weer in de menigte.

Het meisje werd naderbij gebracht. De uitdrukking op haar gezicht was nietszeggend; het griezelige beest kon evengoed een egel of een schaap zijn geweest.

'Maak het ongedaan,' siste ik. 'Vlug. Anders laat ik hem bijten.' Ik wist eigenlijk niet of ik dat kon, maar het klonk goed. De Meester hief een bevende hand op en knipte één keer met zijn vingers voor het uitdrukkingsloze gezicht van het meisje. Ze knipperde met haar oogleden en wreef haar ogen uit. Toen zag ze de slang en begon te gillen.

'Er is niets om bang voor te zijn,' zei ik tegen haar, onder dekking van de opgewonden reactie van de menigte. 'Ga naar huis. Toe maar. Zoek je familie op en ga naar huis.'

'Mijn pa,' zei ze met een angstige stem, alsof ze zich iets herinnerde. 'Mijn pa vermoordt me.' Ze keek wild om zich heen, ontdekte iemand in de verte bij de rijen paarden, en ging er hollend vandoor.

'Urggh...' hoorde ik gesmoord. Ik had de Meester niet vergeten. Niet helemaal. En ik moest snel handelen en dan verdwijnen, want ik zag een glimp van Roisin aan de buitenkant van de menigte, en ik wist dat de anderen er ook waren en me zochten.

Ik keek de slang in zijn kleine, heldere oog. Ik was heel tevreden geweest over deze creatie. Maar een slang kon natuurlijk niet vliegen. Ik sprak het woord uit en hij veranderde. De Meester kermde van pijn toen de regenboogkleurige vogel zijn klauwen kortstondig in zijn schouder sloeg, en vervolgens zijn kleurige vleugels spreidde en een tikje onbeheerst opsteeg in de lucht. Met een spottend gekrijs cirkelde hij boven de menigte voor hij in oostelijke richting wegvloog. Iedereen keek omhoog, de mensen rekten hun nek om dit verschijnsel te zien. Ik had weinig tijd, maar in dit soort dingen was ik goed. Deurtjes van kooien sprongen open, grendels vielen uit elkaar, schuiven schoven terug. Niet alle dieren konden veilig wegkomen; sommige moest ik veranderen. De haas werd een mooi, gezond paardje, dat ik met een klap op de achterhand wegstuurde, ongeveer in de richting van de andere paarden. Zo zou het wel gaan met hem. Het harige beest met klauwen werd een eekhoorn, die als een schicht over het open terrein wegrende en in een eik klom, waar hij zich al dadelijk thuis voelde. De vinken en de duiven zouden zich wel redden. Misschien waren ze nog niet lang in gevangenschap geweest, want ze vlogen snel weg om het op te nemen tegen de winter, en de vogelvanger, en de havik. Maar er was nog een gevangene over. De kooi van het uiltje stond open, de weg naar de vrijheid lag voor hem, maar het diertje stond bibberend op zijn stok. Het tilde nu eens zijn ene, dan weer zijn andere poot op, maar het was blijkbaar niet in staat om de eerste beweging te maken. En nu zagen de mensen het ook; ze wezen, ze staarden, en de Meester en zijn helper kwamen naar me toe, want ik stond te proberen het beest met mijn wil ertoe te bewegen zijn vleugels uit te slaan en weg te vliegen. Ik dacht dat ik ergens achter de eiken Pegs stem hoorde die mijn naam riep.

Vlieg dan, stom beest, zei ik tegen de vogel. Ik kon hem niet in iets anders veranderen; hij was te teer en te angstig om dat te overleven. Ik moest snel een beslissing nemen. Ik wendde me tot de Meester.

'Geef mij deze uil. Anders zeg ik tegen al deze mensen wat voor een bedrieger je bent. Dat al je geneesmiddelen nep zijn. Ik doe het, hoor.'

Hij keek me uit de hoogte aan. 'Jij?' siste hij, zo zacht dat de mensen het niet hoorden. 'Een boerenvrouw? Dat denk ik niet. Maak nu dat je wegkomt, anders laat ik je ranselen omdat je mijn optreden hebt verstoord en mijn beesten hebt gestolen. Vooruit, scheer je...' Hij hield opeens op, want ik richtte mijn blik op zijn nek en paste nog een kleine toverkunst toe.

'Ah... aaagh...'

'Zie je?' zei ik liefjes. 'Die slang was maar om het mooi te maken. Die heb ik niet nodig om je langzaam te wurgen. Geef de vogel aan mij.'

Hij maakte wilde gebaren met zijn ene hand, terwijl hij met de andere zijn keel vastgreep. De assistent tilde de kleine kooi met zijn bewoner omlaag en ik nam hem aan.

'Mooi zo,' zei ik kalm, en verbrak de betovering. De Meester wankelde met een krijtwit gezicht achteruit en zijn assistent werd bestormd door druk gebarende, in verwarring geraakte toeschouwers. Nu ze zeker wisten dat de slang weg was, hadden ze vragen waarop ze antwoorden wilden.

De Meester stond mij aan te staren.

'Wie bén jij?' fluisterde hij met echte angst in zijn ogen.

'Ik ben de dochter van een tovenaar, en ik heb meer van een meester in me dan jij ooit zult hebben, met je goedkope trucjes,' zei ik tegen hem. 'Probeer dat niet nog eens, een jong meisje zo van de wijs te brengen dat ze zich gedraagt als een slet die zich verkoopt. Zet zelfs de gedachte eraan uit je hoofd.' Ik maakte een gebaar in de richting van mijn hals, alsof ik hem wilde waarschuwen voor de gevolgen. Toen kreeg ik Molly in het oog, en Roisin naast haar, en ik zorgde ervoor dat ik in de menigte verdween, waar ik gewoon een boerenvrouw was die een leuke dag wilde hebben.

Ik trok me terug op een stille plek achter een lege kar en ging op het gras zitten. Ik sprak de woorden stilzwijgend uit en was weer mezelf, een meisje van de groep reizigers in een gestreepte jurk, met een blauw omboorde hoofddoek, een lange, rode vlecht en een manke voet. Een meisje dat de mooiste sjaal droeg die bij de Kruising te vinden was, een sjaal met een fier patroon van allerlei prachtige schepsels. Een meisje met een kapotte kooi in haar handen, waar een verdwaasde uil in zat. Het was duidelijk dat dit laatste niet kon. Ik sprak het dier zachtjes toe. Het leek zowat verlamd van angst, en de enige beweging die het maakte was het vreemde, mechanische optillen van zijn poten, links en rechts, links en rechts.

'Niet bang zijn,' zei ik, zonder te weten of het beest me wel kon horen, laat staan begrijpen. 'Je mag nu weg. Vlieg dan. Vlieg weg naar de vrijheid.' Ik stak mijn hand heel langzaam in de kooi en verwachtte op zijn minst dat er hard in mijn vingers zou worden gepikt. De vogel maakte geen beweging behalve dat zinloze heen en weer stappen. Misschien was hij echt gek geworden. Misschien zou het beter zijn om zijn nek om te draaien. Ik hoorde Pegs stem weer boven het lawaai van de menigte uit.

'Toe dan,' zei ik. 'Help eens een beetje mee, wil je?' Ik sloot mijn hand om het beest en hield de vleugels vast zodat hij zichzelf niet kon bezeren door te fladderen. Ik tilde hem voorzichtig uit de kooi, met zijn kop naar voren. Ik voelde zijn hartje gejaagd kloppen, ik voelde de broosheid van zijn lijfje, niets dan botjes en veren. Ik gebruikte beide handen om de vogel zo'n beetje rechtop op de grond voor me te houden, met zijn kop naar het open veld.

'Bomen,' zei ik. 'Eiken. Dat zijn eiken. Vlieg. Gebruik die vleugels. Daar ga je.' Ik haalde mijn handen weg. De vogel bleef staan. Hij trilde helemaal, maar was tenminste opgehouden met heen en weer stappen. 'Toe dan,' zei ik, en ik gaf hem een klein duwtje.

Hij draaide zijn kop om en keek me aan.

'Bij alle machten!' fluisterde ik geërgerd. 'Wat moet ik nu doen? Ik kan je niet houden, ik moet weg, en bovendien...'

De vogel staarde me aan met zijn grote, ronde, krankzinnige ogen. 'Heb ik al niet genoeg aan mijn hoofd?' vroeg ik aan het beest. 'Nou ja, kom dan maar.' Het zielige hoopje veren kon een gedaanteverandering niet verdragen, dat wist ik uit bittere ervaring. Meer dan één rat of kever was opgeofferd aan grootmoeders streven naar perfectie in deze kunst. Maar een kleinere verandering zou misschien wel kunnen. En mijn jurk had diepe zakken, want voor een reizigersmeisje kon het nodig zijn naald en draad bij zich te hebben, of een handig mes, of een paar doeken. Ik stak mijn hand uit en streek ermee over het rafelige lijf van het beestje. 'Zo dan,' zei ik, en ik pakte het op in mijn hand. Het had nu ongeveer het formaat van een muis: de klauwtjes leken op de doorns van een wilde roos, de oogjes waren klein, donker en plechtig. Het beestje knipperde met zijn ogen naar me.

'Ik hoop dat je geen honger hebt,' zei ik binnensmonds. 'En ik hoop dat je deze dingen begrijpt: *niet bewegen* en *stil zijn*.' Toen liet ik het piepkleine vogeltje in mijn zak glijden en liep de markt op.

'Fainne!' gilde Roisin, toen ik nog geen vijf stappen over het gras had gelopen. 'Waar was je? Ma is in alle staten, ze zei dat ze je nergens kon vinden! Waar zat je?'

'O, ergens, wat doet het ertoe,' zei ik. 'Ze had zich geen zorgen hoeven maken.'

'Darragh zei iets heel anders.'

Ik keek haar scherp aan. 'Wat heeft Darragh dan gezegd?' vroeg ik. Mijn verlegenheid was verdreven door de schrik.

Roisin grijnsde. 'Hij zei dat je moeilijkheden zou opzoeken als je maar even de kans kreeg.'

'Onzin,' zei ik. 'Zoals je ziet, gaat het heel goed met me. Waar gaan we nu naartoe?'

'We gaan de manden verkopen. Als ze allemaal verkocht zijn, mogen we rondlopen en kijken naar wat er te zien is. Maar niet alleen. Dat vindt ma niet goed.' Ze keek me met opgetrokken wenkbrauwen van opzij aan.

'Sorry,' zei ik inschikkelijk. 'Dat wist ik niet.'

'Uh-huh,' zei Roisin, op precies dezelfde toon als haar broer.

Het was het gesprek van de dag. Ik zat en keek toe terwijl Peg, Molly, Roisin en de andere meisjes onderhandelden over hun koopwaar en hun winsten opstreken, en het verhaal over wat er die morgen gebeurd was, werd steeds mooier. We hadden gezien dat de Grote Meester en zijn assistent hun spullen hadden gepakt en van de markt waren vertrokken, na enig oponthoud, want er waren ontevreden klanten en men wilde een verklaring horen. Uiteindelijk konden ze ontkomen, en dat was op zichzelf al reden voor verbaasde gissingen, want ze waren al vele seizoenen een vast onderdeel van de jaarmarkt, zei Peg. De mensen zwoeren bij hun drankjes. Wat haar betrof, zij had de noodzaak ervan nooit ingezien. Wat je niet zelf kon oplossen, daar was niets aan te doen. De mensen zouden dat moeten accepteren, ze moesten ermee ophouden iets proberen te zijn wat ze niet waren. Die man trok een hoop mensen aan, dat was het enige dat voor hem pleitte. Als je je kraam dicht bij de wagen van de Meester had, verkocht je goed.

Ik hield me erbuiten. Roisin vroeg aan mij wat ik gezien had, en ik zei dat ik niet veel had kunnen zien, omdat er lange mensen voor me hadden gestaan. Een hele heisa, en een paar vogels die wegvlogen. Dat was alles. Maar de hele ochtend werd erover gepraat. De mensen zeiden dat er een reden was waarom de betovering mislukt was. Een vloek, misschien. De beesten waren dol geworden, en er was een slang geweest die de man bijna had gedood, en nog een groot beest met klauwen als messen. Zoiets hadden ze nog nooit gezien. En er was een vrouw die de Meester scherp op zijn nummer had gezet. Die moest je niet tegen je krijgen. Ze ging zo fel tekeer als een tovenares, al was ze ook maar gewoon een boerenvrouw. En toen was ze plotseling spoorloos verdwenen. Maar die vent was bang, dat was duidelijk te zien. Zijn gezicht had de kleur van verse kaas en om zijn nek zat een rode streep.

De manden waren algauw verkocht en Peg was tevreden. Ze had er nog meer in het kamp, zei ze, en nog andere dingen, doeken en snuisterijen. Die zouden we morgen meenemen. Nu hadden we de middag vrij. Maar, zei Peg streng, geen malligheid. Niemand mocht er alleen op uit, en we moesten terug zijn voor de zon de eiken raakte, want het was een heel eind lopen naar het kamp en ze wilde niet dat de kinderen te moe waren. Molly en zij zouden inpakken, en dan een paar kroezen cider drinken en de kans benutten om bij te praten met vriendinnen.

Weer scheen ik geen keus te hebben. Roisin had me vastgepakt en trok me, in gezelschap van twee andere meisjes, mee in het gedrang van al die lijven, op zoek naar iets leuks. Ik werd overvallen door plotselinge paniek. Er waren zoveel mensen, zo dichtbij, en het waren allemaal vreemden. Afschuwelijke, wellustig kijkende mannen zoals die kerel, Ross, mannen die hun handen niet thuis konden houden en die knepen en aan me zaten, mannen die dingen zeiden zoals: ‘Ga je mee, schat?’ en dan brulden van het lachen alsof ze een bijzonder geestige grap hadden gemaakt. Vrouwen die lastige kinderen de huid volscholden. Kraamhouders die hun waren aanprezen met stemmen als schetterende hoorns. Ik kon me niet excuseren, want ik kon nergens heen. Ik had niet het vermogen om mezelf door middel van magie te verplaatsen. Vader had geweigerd me dat te leren; hij zei dat ik er nog niet aan toe was. Ik speelde met de gedachte hen allemaal in kevers of spinnen te veranderen. Dan zou het beestje in mijn zak in elk geval een avondmaal hebben. Maar ik wilde geen ruzie krijgen met Roisin, Peg of Molly. Of met Darragh. Nee, ik zou iets anders moeten doen. *Gebruik het Mom, Fainne.* Het had daarstraks goed gewerkt, en me net genoeg zelfvertrouwen gegeven om me staande te houden zolang ik het nodig had. En niemand had er iets van gemerkt. Het zou volkomen veilig zijn. Ik deed het geleidelijk, terwijl we ons tussen de mensen door wurmden. Het was niet zo'n grote verandering. Het haar van kroezig rood naar gladder goudblond als fijne klaverhoning. De ogen lichter, blauwer, groter, de wimpers lang en donker. De wenkbrauwen fijn gebogen, de lippen lieflijk en rood. Het figuur niet zo heel anders, alleen een welvinkje hier en een welvinkje daar, en een verandering in de stand van de schouders. En tot slot de voeten. Rechte, mooie, volmaakte voeten, in keurige, gelijke schoenen. Voeten om mee te dansen.

We haalden geroosterde noten om te eten bij een donkergetinte man met een klein komfoor. Ze werden betaald met een kus. Niet door mij; zelfs het Mom was niet genoeg om me zo gauw al zo vrijmoedig te maken. Het was Roisin die de man voorzichtig een kusje op zijn ene wang en toen ook een op zijn andere wang gaf, met een ondeugend lachje. Toen was er cider, en die was gratis voor alle mensen die hun waren verkochten op de markt. Maar we werden aangelokt door het geluid van een fluit, een bodhrán en iemand die heel goed met kleppers overweg kon, en we kwamen terecht in een groot geheel van door elkaar heen cirkelende en draaiende mensen die bewogen op de horlepijpen en de reels die over het grasveld klonken. De mannen kwamen langzamerhand terug, want de zaken waren gedaan voor vandaag, en Roisin en de anderen keken al uit naar bepaalde jongens die ze interessant vonden.

Niemand merkte dat ik anders was. Ik was immers niet veranderd in een boerin, een oud besje of een waterdraak. Ik had alleen zo subtiel mogelijk een paar dingen aan mezelf verbeterd. Zoals vader me had verteld verander je jezelf niet met het Mom. Je verandert het beeld dat anderen van je hebben. Daarom nam ik die middag geen vermomming aan. Ik wilde niet verdwijnen, zodat Roisin en de anderen naar me zouden moeten zoeken. Ik wilde alleen mee kunnen doen, erbij kunnen horen, af zijn van de angst die voortvloeide uit het feit dat ik mezelf was en dus altijd op de verkeerde plaats. Bovendien, zo hield ik mezelf voor, vormde het een goede oefening voor Zeven Wateren.

Roisin had een liefje. Hij verscheen aan de rand van de menigte, en ik zag hoe hij naar haar keek en zich vervolgens een weg baande om lachend van achteren zijn handen op haar ogen te leggen en haar te vragen of ze wilde dansen. Hij had een zeer wilskrachtige kaak en sterke schouders. Niet lang hierna kwam een jongen mij vragen, en ik zei ja, en het lukte me het soort glimlach te produceren dat mijn grootmoeder me had geleerd.

Het was een vreemd gevoel, dankbaar te zijn. De muziek leek me mee te voeren en ik zweefde van de ene partner naar de volgende en glimlachte zonder dat ik er mijn best voor deed. Het was warm en ik deed mijn hoofddoek af. Het blauwe lint was afgegleden en mijn vlecht ging los. Ik voelde mijn haar lang en rossig goudkleurig over mijn schouders vallen en de gestreepte rok om me heen wervelen. Ik zag de zijden franje van mijn mooie sjaal glinsteren in de middagzon. Ik voelde het trommelen van de bodhrán diep in me, het dreef me voort. Ik voelde de blikken van mensen op me, bewonderend, en ik vond het helemaal niet erg. Ik danste met de sproetige jongen uit ons eigen kamp, de jongen met het paard dat Zilver heette, en hij lachte breed en zei helemaal niets. Aan de andere kant van de kring danste Roisin nog steeds met diezelfde jongeman; ze hadden alleen ogen voor elkaar. Ik danste met een oudere man, een boer met een mooie jas met zilveren knopen en scherpe ogen. Hij vroeg hoe ik heette, en ik zei het. Hij vroeg of hij me hier morgen weer zou zien, en ik zei misschien. Toen drukte hij me dichter tegen zich aan dan ik prettig vond, en ik moest even heel snel denken. De man trok plotseling een beetje wit weg en excuseerde zich snel. Ik had hem niet echt kwaad gedaan. Hij zou de inhoud van zijn maag uitbraken en morgenochtend weer beter zijn.

De zon naderde de toppen van de hoge eiken en wolken pakten zich samen. Ik was nog niet aan weggaan toe. Hier was ik het middelpunt van iets. Ik was tegelijkertijd mezelf en niet-mezelf. Alles draaide om me heen, de mannen met hun hongerige blikken, het deinen en bonzen van de muziek, het kleurige wapperen en schitteren van doek en sjaal en wuivend haar, een cirkel van beweging, gelach en licht.

Een lange vent vroeg me ten dans, aangespoord door zijn vrienden. In de verte zag ik dat Roisin afscheid nam van haar jongeman. En achter hen, aan de andere kant van de kring, stond Darragh roerloos naar me te kijken. Zijn gezicht stond niet zozeer boos. Het drukte veel meer uit. Het was het gezicht van een man wiens ergste vrees voor zijn ogen bewaarheid is. Hij maakte een rukkerige beweging met zijn hoofd alsof hij wilde zeggen: kom mee, het is tijd om te gaan. Toen liep hij weg en was verdwenen in de menigte. Hij bleef niet eens op me wachten.

'Excuseer me,' fluisterde ik tegen de man met wie ik zou gaan dansen, en ik sloop zo stil mogelijk weg, terwijl ik me onderweg ontdeed van het Mom. Ik hinkte naar de plaats waar Darragh me eerder had achtergelaten, dicht bij de grote eiken.

Aoife stond in de schaduw onder de bomen. Darragh stond naast haar, zwijgend en met een somber gezicht. Hij strengelde zijn handen in elkaar om me op de rug van de pony te tillen en sprong er achter me op, en daar gingen we, in razende vaart. Hij zei helemaal niets tot we al een flink eind op weg waren. We passeerden de kleine curraghs die bij de inham op het strand lagen, terwijl de wolken donker werden in de hemel boven ons. Er was niemand anders te zien.

'Ik kan je ook geen ogenblik uit het oog verliezen, hè?' zei hij.

'Ik weet niet waar je het over hebt.'

'Ik dacht dat je had beloofd geen rare dingen te doen. En je ziet wat er gebeurt.'

'Wat bedoel je, je ziet wat er gebeurt?' snauwde ik; ik vond het vreselijk dat hij boos op me was. 'Ik ben naar de markt gegaan, ik heb manden verkocht, ik ben samen met je zus gaan dansen en nu ga ik naar huis. Net als iedereen. Dat wil je toch?'

Het bleef stil.

'Nou, wil je dat of niet?' Zelfs in mijn eigen oren klonk mijn stem schril. Ik voelde me helemaal niet op mijn gemak.

'Wat ik wil, lijkt helemaal niet van belang te zijn,' zei Darragh zacht.

'Dat is onzin,' antwoordde ik bits, zonder te begrijpen wat hij bedoelde. We reden zwijgend verder terwijl er regendruppels begonnen te vallen. Aoife bewoog met haar oren.

'Natuurlijk is het goed dat je tussen de mensen komt en plezier hebt,' zei hij na een tijdje. 'En er is niets op tegen dat je danst. Maar niet... niet zo.'

'Niet hoe?'

'Niet zo uitdagend. Om aandacht te trekken. Zo te dansen dat de jongens naar je kijken alsof ze nog wel meer zouden willen dan met je dansen. Te doen... te doen wat het ook is dat je doet.'

Ik beet op mijn lip en zei niets. 'Fainne?'
'Ik heb geen rare dingen gedaan,' zei ik met alle waardigheid die ik kon opbrengen; ik vroeg me af waarom hij in staat was me zo van streek te maken. 'Ik heb me alleen geamuseerd. Trouwens, jij hoeft je er niet mee te bemoeien.'
Er viel weer een pijnlijke stilte tussen ons, die onderstreept werd door het geluid van naderende hoefslagen. De sproetige jongen op het grijze paard haalde ons in en kwam naast ons rijden. Hij lachte naar me. 'Wil je gezelschap?' vroeg hij, en toen keek hij naar Darragh. Ik zag de uitdrukking op zijn gezicht veranderen, en hij drukte zijn hielen in de flanken van het paard en verdween voor ons in een pittige galop.
'Trouwens,' zei Darragh terwijl we rechtsaf gingen en de inham achter ons lieten, 'daarvoor was er nog iets gebeurd. Ik heb een verhaal gehoord over een tovenaar, en dieren die ontsnapten, en iets wat bijna uitliep op een rel, en vogels die in slangen veranderden.'
'Dat heb ik ook gehoord.'
'Nou?'
'Nou wat?'
'Kom nou, Fainne,' zei hij ten einde raad, en hij liet Aoife stilhouden. 'Ga me nou niet vertellen dat dat niets met jou te maken had. Iemand zei dat een man half gewurgd werd. Vertel me nu de waarheid.'
Ik zei niets. Dat hoefde ook niet, want op dat moment stak een klein, verfomfaaid schepsel zijn kop uit mijn zak; misschien dacht het dat het hotsen en schokken eindelijk afgelopen was. Het kleine vogeltje sprong eruit, ging op Aoifes nek zitten en begon met zijn snavel een nutteloze poging te doen zijn ontoonbare verenpak te verzorgen. Aoife bleef staan als een huis, een juweel onder de paarden.
'Wat is dát in Brighidsnaam?'
Ik schraapte mijn keel. 'Ik geloof dat het een soort uil is. Hij wilde niet wegvliegen, en ik kon hem moeilijk achterlaten. Ik moest hem kleiner maken, zodat de mensen hem niet zouden zien.'
'Juist.'
'Die man was een bedrieger, Darragh. Hij probeerde een meisje iets vreselijks te laten doen. Door middel van een truc. Zijn drankjes zijn waardeloos. Hij gaf niets om deze dieren, ze zaten in akelig kleine kooien en... zou je dan willen dat ik zoiets aanzie en niets doe terwijl ik het wel kan?'

Darragh zuchtte. 'Ik weet het niet. Ik weet het niet meer.' Zonder een zichtbaar teken van haar berijder begon Aoife weer te lopen, en het uiltje wiebelde een beetje. Ik deed mijn hand eromheen om het te steunen. Sprinkhanen, dacht ik vaag. Wormen. Kleine kevers. We waren bijna terug bij het kamp voor hij weer iets zei.
'Wat jij nodig hebt, is constante bewaking, dag en nacht. Ik snap niet hoe je vader het in zijn hoofd heeft gehaald om jou alleen weg te sturen. Dat is net zoiets als... als een klein kind een brandende toorts geven en te zeggen dat het buiten mag gaan spelen. Je bent niet alleen een gevaar voor jezelf, je bent ook een gevaar voor alle anderen. En het ergste is nog wel dat je het niet eens weet.'
'Wat weet jij ervan?' mompelde ik; ik dacht eraan hoe gelukkig ik me had gevoeld toen we vanmorgen langs deze plek kwamen, en hoe ellendig ik me nu voelde. Hij had alle vreugde uit de dag weggenomen.
'Ik weet het, Fainne,' zei hij rustig. 'Ik ken je beter dan wie ook. Ik wou dat je naar me wilde luisteren. Wat je doet is... het is niet goed. Je schaadt je eigen toekomst. Het is niet de goede weg voor jou. Ik wou dat je naar mijn raad luisterde.'
Een deel van mij wilde hem dolgraag vertellen dat het me speet; dat het me speet dat onze dag bedorven was, dat we ruzie hadden gemaakt; dat het me ook heel erg speet dat hij volgend jaar terug zou gaan naar Kerry en dat ik er dan niet zou zijn. Maar ik kon dat allemaal niet zeggen, ik kon me niet veroorloven naar hem te luisteren, anders zou ik de moed verliezen om door te gaan, om te doen wat mijn grootmoeder had gezegd dat ik moest doen. Het leven van mijn vader hing ervan af. En Darragh had me diep bezeerd, want het betekende alles voor me dat hij goed over me dacht. Woorden rolden uit mijn mond voor ik ze kon tegenhouden, gemene, kwetsende woorden. 'Je weet het niet! Hoe zou je het kunnen weten? Hoe zou jij ooit kunnen begrijpen wat ik moet doen, en waarom? Het is net zoiets als... als een straathond die probeert de bewegingen van de sterren te duiden. Onmogelijk en belachelijk. Ik wou dat je me met rust liet! Ik mag niet naar je luisteren. En ik kan je vriendin niet meer zijn. Ik heb je niet nodig, Darragh. Nu niet, en nooit.'
Toen het eenmaal gezegd was, kon het niet worden teruggenomen. We eindigden onze reis in star stilzwijgen. Hij steeg af zonder een woord te zeggen en hielp me beleefd van het paard af. Ik nam het piepkleine uiltje in mijn hand en stopte het voorzichtig terug in mijn

zak. Ik keek naar hem en hij keek naar mij. Toen pakte hij Aoifes teugel en leidde haar weg, en ik was alleen.

HOOFDSTUK VIER

Het begon te regenen en een van de kinderen hoestte erg. Ik bood aan om achter te blijven en voor haar te zorgen, en Peg nam mijn aanbod dankbaar aan. Maar ze liet Roisin ook achter, om me gezelschap te houden, zei ze. Kindermeisje spelen beviel me wel. Het kleine meisje was niet lastig. Bovendien was het te nat om te lopen, en ik peinsde er niet over om weer met Darragh mee te rijden, laat staan tegen hem te praten. Alleen al de gedachte aan hem gaf me een ellendig gevoel. Ik wist dat ik hem diep had gekwetst. Het gekke was dat mijn eigen hart nu pijn leek te doen.

Terwijl het kind sliep, hield ik me bezig met mijn andere kleine beschermeling. Die had gedurende de nacht op een zijsteun van de tent doorgebracht, waar hij klein, bewegingloos en zwijgend had gezeten. Misschien wilde hij niet dat ik wist dat hij kon vliegen. Hij sliep de hele dag niet, zoals een gewone uil hoorde te doen. In plaats daarvan hield hij zijn ogen half open en keek naar mij. Hij leek gretig de kleine hapjes aan te nemen die ik hem aanbood: larven, kevers en meer van dat soort spul. In de nachtelijke stilte, terwijl de mensen sliepen, had ik twee keer gezien dat hij zijn rafelige vleugeltjes uitsloeg en dodelijk en geluidloos omlaag vloog om een klein, wriemelend iets van de grond op te pakken, waarna hij naar zijn zitplaats terugkeerde om zijn maal keurig op te eten met zijn miniatuursnavel en -klauwen.

'Je bent een bedrieger,' fluisterde ik terwijl ik naast het bed van het kind zat met het uiltje op mijn vinger en een net opgegraven worm voor zijn snavel liet bengelen. Het vogeltje staarde aandachtig naar de worm, opende toen zijn snavel en hapte. Weg was de worm. 'Een

echte bedrieger.' De vogel kneep zijn ogen tot spleetjes, zette zijn veren op en leek in slaap te vallen. Toen hoorde ik buiten hoefgetrappel, en bracht hem haastig terug naar zijn donkere hoekje.
Ik hoorde Roisins stem en een mannenstem. Ik keek naar buiten en trok me toen weer in de tent terug. Ik vermoedde dat Roisin haar jongeman maar één keer in het jaar zag. Dat was niet de gemakkelijkste manier om verkering te hebben, als het dat was. Ik bleef stil zitten en hoorde hun stemmen, maar kon de woorden niet verstaan. Mijn gedachten waren ver weg. Ik dacht aan vader, die zowel zijn liefje als zijn dromen had verloren. Ik dacht dat het maar goed was dat ik nu naar Zeven Wateren ging, en niet later. Sommige dingen konden je pijn doen. Sommige mensen konden je verwonden. In mijn leven was daar geen plaats voor. En er was voor mij geen plaats in een ander soort leven, voor mij of voor mijn soort. Dat wist ik al. Ik moest het me alleen blijven voorhouden, dan zou de pijn op den duur wel weggaan.
De regen was bijna opgehouden. Van buiten bij het vuur hoorde ik Roisin roepen.
'Fainne?'
Ik kwam de tent uit. De jongeman was bezig het vuur aan te leggen en Roisin maakte thee.
'Kom wat drinken. Het wordt koud. Dit is Aidan. Aidan, dit is Fainne. Darraghs vriendinnetje.'
Niet meer, dacht ik, maar ik dwong mezelf te glimlachen.
'Aangenaam kennis te maken,' zei de jongeman, en ik knikte.
'Aidan heeft een bericht, Fainne.' Roisins stem klonk ongewoon aarzelend. Ik keek haar verbaasd aan. Ik kon me geen bericht voorstellen dat voor mij van belang kon zijn. 'Het schijnt dat Darragh eindelijk een besluit heeft genomen,' vervolgde ze.
'Waarover?' vroeg ik, terwijl ik een beker met haar dampende kamillebrouwsel aannam.
'Diarmuid O'Flaherty, en zijn paarden,' zei Aidan, die op een van de houten banken was gaan zitten met zijn arm om Roisin heen.
'Heeft hij het jou niet verteld?' vroeg Roisin, omdat ik niet reageerde.
Ik schudde mijn hoofd.
'Nou, O'Flaherty zeurt hem en pa al twee jaar aan hun hoofd of Darragh daar op de boerderij mag blijven om hem te helpen met het africhten van zijn paarden. Dat is begonnen nadat Darragh een klein wonder heeft verricht met een dier dat geen van O'Flaherty's

mannen kon aanraken. Dat is al een hele tijd geleden. Darragh heeft iets met paarden, wat niemand anders heeft. De beste paarden komen uit de stal van O'Flaherty. Het zou een geweldige kans voor Darragh zijn. Maar ons volk kan niet op één plek blijven. Hij heeft altijd nee gezegd. Hij is liever onderweg, of ginds in Kerry, paarden of geen paarden.'
'Maar het ziet ernaar uit dat hij nu toch voor vastigheid kiest,' merkte Aidan op. 'Misschien heeft het iets te maken met een meisje. O'-Flaherty's twee dochters zijn leuke meiden.'
Roisin keek hem woest aan. En ik zat daar met mijn beker in mijn handen en zei niets.
'Het komt wel als een verrassing,' zei Roisin. 'Pa is er blij om, maar ook bedroefd. Hij weet dat het een geweldige kans is. Maar we zullen Darragh allemaal missen.'
'Misschien valt het wel mee,' zei Aidan. 'Jullie zullen hem op de jaarmarkt zien. Zo gaat het voor ons allemaal hier in Ceann na Mara,' legde hij uit met een blik naar mij. 's Zomers in het heuvelland, 's winters aan de kust. Flaherty heeft veel bezit. Trouw je in die familie, dan kom je goed terecht, zoveel is zeker.'
'Wie zei iets over trouwen?' zei Roisin smalend, terwijl ze hem een por tussen zijn ribben gaf.
'Dat zullen de mensen zeggen.'
'De mensen kunnen zeggen wat ze willen. Dat maakt het nog niet waar. Ik had nooit gedacht dat Darragh het zou doen. Het was voor ons allemaal een verrassing.' Ze keek naar mij. 'Ik had wel gedacht dat jij het als eerste zou weten.'
Hierna gebeurde alles heel snel. O'Flaherty zou de volgende dag naar huis vertrekken en Darragh meenemen. Die avond kwamen de mensen rondom het vuur bijeen, maar het was snijdend koud en niemand was in feeststemming. Ik zei dat ik moe was en bleef in de tent. De mensen praatten zacht en dronken hun bier. Er werden geen verhalen verteld en er werd niet veel gelachen. Later vroeg iemand aan Darragh of hij op de doedelzak wilde spelen, maar Dan Walker was degene die een paar wijsjes voor het gezelschap speelde. Dat kon ik niet zien, maar ik kon het horen. Het spel was technisch beter dan dat van Darragh, maar er sprak minder gevoel uit. Veel later, toen iedereen sliep en het weer zacht was gaan regenen, hoorde ik hem spelen, heel ver weg, in het donker op het strand. Hij speelde alleen, speelde een soort afscheid, van zijn volk en zijn familie, van het soort leven dat in zijn bloed en in zijn hele wezen

zat. *Ik ben een reiziger, weet je?* had hij gezegd. *Ik ben altijd onderweg.* De treurzang weerklonk over het lege strand en de donkere, golvende wateren en drong diep door in mijn ziel. Dit zou vroeger gemakkelijk zijn geweest. Ik zou gewoon zijn opgestaan en naar het strand zijn gelopen om bij Darragh te gaan zitten terwijl hij speelde. Er zouden geen woorden nodig zijn geweest tussen ons, want mijn aanwezigheid zou genoeg zijn geweest om hem te zeggen dat het me speet dat ik hem had gekwetst. Hij zou begrepen hebben dat hij nog altijd mijn vriend was. Maar nu was alles anders. Ik had het veranderd, en nu zou mijn vriend me voorgoed verlaten. Het was beter zo; beter voor mij en veel beter voor hem. Waarom deed het dan zo'n pijn? Ik kneep mijn hand dicht om de amulet van mijn grootmoeder, zodat ik de warmte ervan voelde, en voelde dat hij me verzekerde dat de weg die ik had gekozen de goede weg was, de enige weg. Ik wikkelde de deken om me heen, rolde me stijf op en drukte mijn handen tegen mijn oren. Maar de stem van de doedelzak huilde in mijn hart en liet zich niet tot zwijgen brengen.

Lange tijd hierna bereikte ik Zeven Wateren. Het was na Meán Fómhair en de lucht was stil en nevelig. We waren vele dagen onderweg geweest, te veel om te tellen. Ons gezelschap had zich in tweeën gesplitst; één wagen was met de meeste mensen achtergelaten in een kamp, niet ver landinwaarts vanaf de Kruising. Zonder de oude mensen en de kinderen schoten we sneller op en stopten we alleen voor de nacht. Dan bestuurde de wagen, Peg zat naast hem en Roisin hield mij gezelschap. Hoe vriendelijk ze me ook bejegenden, mijn gedachten waren bij de taak die voor me lag; verder kon ik niets zien. Ik droeg mezelf streng op Darragh te vergeten. Voorbij was voorbij. Ik deed ook erg mijn best niet aan vader te denken.

We kampeerden een paar nachten bij een plaats die Glencarnagh heette; daar was een groot huis, en er liepen veel gewapende mannen in groene tunieken rond die met grimmige concentratie deden wat ze moesten doen. Ik zag daar al meer bomen dan ik ooit eerder had gezien, van allerlei soorten, hoge dennen met donkere mantels van fijne naalden, en kleinere vormen, hazelaars en vlieren, die al in winterslaap wegdommelden. Maar dat was nog niets in vergelijking met het woud. Terwijl we over een pad reden, met links en rechts grote hopen zwerfstenen, kon je de rand van het woud in de verte zien; daar kroop het over het landschap, bedekte het de heuvels met een lijkwade en smoorde het de dalen. En erboven hing de mist, vochtig en dicht.

'Daar is het, meisje,' kondigde Dan Walker aan. 'Het woud van Zeven Wateren.'

'We gaan er dwars doorheen, hè?' vroeg Peg. Haar stem klonk niet bepaald enthousiast.

'Mijn oude tantetje zou me vermoorden,' zei Dan, 'als ik door deze streek reisde zonder haar te bezoeken. Bovendien heb ik Ciarán beloofd dat ik het meisje veilig bij de deur van haar oom zou afleveren.'

'Als het zo moet, dan moet het maar zo,' zei Peg.

'Je krijgt er in elk geval een goed maal voorgezet,' zei Dan terwijl hij haar van opzij aankeek. 'Daar zorgt tante wel voor.'

Er dwars doorheen gaan, zoals Peg had gezegd, bleek moeilijker dan ik had kunnen denken. We kwamen over weiden voor het vee en reden een helling op naar een uitstekende rotspunt. Het woud lag voor ons, omringd door heuvels; het strekte zich uit als een reusachtige, donkere deken. Het was beangstigend, een oord van mysteriën en schaduwen, een andere wereld, omhuld en geheim. Ik kon niet begrijpen hoe iemand ervoor kon kiezen om daar te gaan wonen. Zou het je ziel niet verstikken, als je het zonder de wind, de golven en de open ruimte moest stellen? In mijn zak bewoog het uiltje. En voor ons op het pad, waar eerst helemaal niemand was geweest, stond plotseling een troep gewapende mannen, gekleed in dezelfde donkere kleuren als de stenen en bomen om ons heen. Hun aanvoerder was duidelijk te herkennen, want over zijn wambuis droeg hij een witte tuniek met een blauw embleem erop: twee in elkaar verstrengelde torques.

'Dan Walker, reiziger uit Kerry,' zei Dan kalm, terwijl hij zonder dat het gevraagd werd van de wagen afklom. 'Jullie kennen mij. Mijn vrouw, mijn dochter. We komen nu van Glencarnagh. Ik hoop en verwacht dat heer Sean ons een paar nachten onderdak zal willen geven.'

De mannen kwamen aan weerskanten om de wagen staan; ze porden en prikten wat in de lading. Ze hadden zwaarden en messen, en twee van hen waren gewapend met een boog. Hun hele optreden maakte een grimmige, doeltreffende indruk.

'Zeg tegen je mensen dat ze eraf moeten terwijl wij de wagen doorzoeken,' zei de leider.

'We zijn reizigers.' Dans stem klonk vriendelijk. 'We hebben hier niets behalve potten en pannen en een paar manden. En de meisjes zijn moe.'
'Zeg tegen ze dat ze eraf gaan.'
We deden wat ons gezegd werd. Naast het pad stonden we te kijken terwijl de wagen systematisch werd doorzocht; elk afzonderlijk voorwerp in de wagen werd bekeken. Zelfs mijn kleine, houten kist ontkwam er niet aan. Ik vond het niet prettig te zien dat de gewapende mannen Riona eruit haalden en met hun grote handen aan haar zijden rokken zaten. Na een poos waren ze klaar. De aanvoerder keek naar ons. Roisin knipoogde naar hem, maar hij bleef onbewogen. Hij keek naar mij en de uitdrukking op zijn gezicht werd scherper.
'Wie is dit meisje?'
Hij bekeek me nauwkeurig en ik werd bang. Dit waren toch druïden? Misschien kon hij in mijn ogen kijken en daar de boosaardige bedoelingen van mijn grootmoeder lezen. Misschien zouden ze me tegenhouden nog voor ik begonnen was, en dan zou mijn vader gestraft worden. Bliksemsnel gebruikte ik het Mom, heel subtiel, om mijn gezicht iets liefs te geven en mijn ogen een bedauwd soort onschuld. Ik keek door mijn lange wimpers naar de soldaat op.
'Dat is heer Seans nichtje uit Kerry,' zei Dan. 'Fainne. Ze is aan mijn hoede toevertrouwd voor de reis hierheen. Het is de bedoeling dat zij een tijdlang op Zeven Wateren blijft wanneer wij terugreizen.'
'Een nichtje?' zei de man, maar zijn stem klonk wat zachter. 'Ik weet van geen nichtje.'
'Stuur een boodschap naar heer Sean, als je wilt. Zeg hem dat de dochter van zijn zuster hier is. Hij zal ons door laten reizen.'
De gewapende mannen trokken zich terug om onderling te overleggen. Er werden blikken in mijn richting geworpen, en ook meer dan één blik in Roisins richting.
'Het is erger dan de vorige keer,' zei Peg. 'De wacht is uitgebreid. Er is vast iets aan de hand.'
'Ze laten ons wel door,' zei Dan.
We moesten behoorlijk lang wachten. De eerste nacht moesten we bij de wachtpost kamperen, terwijl een man over een bijna onzichtbaar bospad wegreed om een boodschap aan mijn oom te gaan brengen. De volgende morgen werden we heel vroeg gewekt door het geluid van gedempte hoefslagen op de zachte grond. Ik was nog bezig mijn dekens opzij te schuiven en de slaap uit mijn ogen te wrij-

ven toen er twee mannen kwamen aanrijden en op het pad afstegen. Dan Walker liep naar voren om hen te begroeten. Twee grijze honden, zo groot als kleine pony's, hielden de wacht bij de paarden.

'Heer.'

'Dan Walker, toch? Plichtplegingen zijn niet nodig. Ik neem aan dat je hier veilig hebt geslapen.'

De man die dit zei, moest mijn oom Sean zijn. Hij straalde het gezag uit waaruit onmiddellijk bleek dat hij een leider was. Hij was van middelbare leeftijd, niet erg lang, maar krachtig gebouwd, met donker, krullend haar dat strak uit zijn gezicht was getrokken. Zijn kleren waren eenvoudig en degelijk, maar van uitstekende kwaliteit, en ook hij droeg het embleem van de in elkaar gehaakte torques. De andere man, die naast hem stond, kon ik niet zien.

'Ik heb gehoord,' zei mijn oom, 'dat je een onverwachte gast voor ons hebt meegebracht.'

Dan Walker kuchte. 'Ik heb beloofd haar veilig tot aan uw deur te brengen, heer. Ze woont dicht bij de plaats waar wij 's zomers ons kamp hebben. Het meisje heet Fainne.'

Omdat ik het niet langer kon uitstellen, liep ik erheen en ging naast Dan staan. Ik keek op naar mijn oom Sean en lachte voorzichtig.

'Goedemorgen, oom,' zei ik heel beleefd.

De uitdrukking op zijn gezicht veranderde alsof hij een geestverschijning zag. 'Brighid bewaar ons,' zei hij zacht. 'Jij bent duidelijk de dochter van je moeder.'

Toen drong een van die enorme honden zich bezitterig langs me om zich vierkant voor hem te posteren; het beest liet een gegrom horen dat diep uit zijn keel kwam en keek me met zijn felle ogen strak aan.

'Genoeg, Neassa,' zei mijn oom en de hond hield op met grommen, maar bleef me aankijken. 'Je bent hartelijk welkom in ons huis, Fainne.' Hij boog zich naar voren om me eerst op mijn ene wang en toen op de andere wang te kussen. 'Dit is wel een verrassing.'

'Het spijt me als het niet goed uitkomt.'

'Je zult inderdaad wel merken dat het huis in rep en roer is, want we zitten midden in een grote onderneming. Maar je zult niettemin hartelijk worden ontvangen op Zeven Wateren. Het lijkt me het beste als jij met ons mee terugrijdt. We hebben een geschikt rijdier voor je meegebracht. Dan en zijn mensen kunnen in een rustiger tempo volgen, onder begeleiding van een escorte.'

'Dat is niet nodig,' zei Dan. 'Bovendien heb ik beloofd dat ik het meisje zelf helemaal naar Zeven Wateren zal brengen. Mijn opdracht was heel precies op dat punt.'
De ogen van heer Sean vernauwden zich een fractie. 'Een escorte is verplicht voor iedereen die binnenkomt en voor iedereen die weggaat, ook al is het een vriend. Het is ook voor jullie eigen bescherming. De tijd dat men gewoon op Zeven Wateren binnen kon komen voor een bruiloft of een dodenwake is allang voorbij. Het zijn gevaarlijke tijden. En wat mijn nichtje betreft, haar veiligheid is verzekerd bij haar familieleden. Dat trek je toch niet in twijfel?'
Dan lachte wrang. 'Nee, heer,' antwoordde hij.
'Misschien wil je wat tijd nemen om je gereed te maken voor de reis.' Mijn oom bekeek me beter en zag misschien de gekreukte jurk, het ongevlochten haar. 'Of om een hapje te eten. Maar doe er niet te lang over. Het is een hele rit.'
Hij trok Dan een eindje opzij, alsof hij buiten gehoorsafstand met hem wilde overleggen. Nu zag ik de andere man ook, zijn zwijgende metgezel, die op korte afstand stond te wachten en drie paarden bij de teugel hield. Dit was een veel oudere man, met zacht, glanzend haar dat ooit kastanjebruin was geweest, maar nu doorschoten was met wit; haar dat in vele dunne vlechtjes was gevlochten, waar gekleurd draad omheen was gebonden. Hij had een merkwaardig rimpelloos gezicht en kalme, leeftijdloze grijze ogen; hij droeg een lang, wit gewaad dat om hem heen golfde en zwierde, hoewel er geen wind stond. Hij had een berkenstaf in zijn hand en de bleke ochtendzon scheen op de gouden torque om zijn hals.
'Je weet wie ik ben, denk ik.' Het was de stem van een druïde, zacht, muzikaal, een stem om het oor en de geest te verstrikken.
'U bent Conor, de aartsdruïde?'
'Die ben ik. Noem me maar oom, als je dat niet te verwarrend vindt.'
'Ik... ja, oom.'
'Kom wat dichterbij, Fainne.'
Ik deed het schoorvoetend. Ik had tijd nodig om me hierop voor te bereiden; tijd om tot mezelf te komen, om de kracht te verzamelen die ik wellicht nodig zou hebben. Maar ik kreeg geen tijd. Ik keek hem recht in de ogen, wetend dat zijn herinnering aan mijn moeder me kon helpen. Deze man was de aanstichter van haar ondergang. Hij had haar weggezonden van alles wat haar lief was, en uiteindelijk was dat haar doodvonnis geworden. Hij keek me aan met zijn kalme, grijze ogen, en ik voelde me niet op mijn gemak, haast als-

of hij binnen in me kon kijken. Maar ik staarde terug zonder met mijn ogen te knipperen; dat was me goed geleerd.
'Sean vergiste zich,' zei Conor. 'Volgens mij heb je veel meer weg van je vader.'
Zelfs in de herfst, nu de bladeren als een dikke, vochtige laag onder de voeten van onze paarden lagen, was het donker in het bos. Het leek zijn hand uit te strekken terwijl we er steeds dieper in reden, en ons in schaduwen te hullen. Soms hoorde ik stemmen. Ze riepen door de lucht boven ons, hoog en vreemd, maar toen ik omhoogkeek, zag ik niet meer dan een fluistering van beweging aan de uiterste rand van mijn gezichtsveld, tussen de kale twijgen van de beuken. Het had iets van spinrag in de lucht, van een mistsliert die sneller bewoog dan het oog kon bijhouden. Ik kon geen woorden verstaan. De twee mannen reden onverstoorbaar door; als ze deze spelingen van licht en schaduw al zagen, leken ze die te accepteren als een vertrouwd onderdeel van dit ondoordringbare, geheimzinnige landschap. Het was geheim, omsloten. Het voelde als een val.
Het tempo hield geen rekening met mijn vermoeidheid en ik klampte me grimmig aan het zadel vast en was dankbaar dat mijn paard zonder aansporingen de goede kant leek op te gaan. Niemand had me gevraagd of ik kon paardrijden, en ik was niet van plan hun te vertellen dat ik nog nooit op een paardenrug had gezeten zonder Darragh achter me, die alles deed wat er gedaan moest worden. De honden renden voor ons uit en volgden geursporen in het onderhout. Mijn oom Sean hield onder het rijden een vriendschappelijk gesprek op gang. Eerst waren het alleen beleefdheden. Ik dacht dat hij probeerde me op mijn gemak te stellen. Hij deelde me mee dat er een bespreking aan de gang was, zodat er veel bezoekers in huis waren; en dat men in deze tijd bijzonder voorzichtig moest zijn, hij wist dat ik dat zou begrijpen. Hij zei dat hij een dochter had van ongeveer mijn leeftijd, die me zou helpen mijn draai te vinden. Zijn echtgenote, mijn tante Aisling, zou erg blij zijn me te zien, want ook zij had mijn moeder vroeger gekend.
'Je moet weten dat we geen idee hadden dat je zou komen, tot die man gisteravond kwam aanrijden,' voegde hij er ernstig aan toe. 'Je vader heeft erg weinig van zich laten horen. We zouden graag de kans hebben gehad je eerder te zien. Maar Ciarán heeft het contact met onze familie doeltreffend verbroken. We hebben hen nooit teruggezien, na... na wat er gebeurd is.'

'Daar had mijn vader zijn redenen voor,' zei ik in de tamelijk pijnlijke stilte.
Sean knikte. 'Ze konden natuurlijk niet samen terugkomen op Zeven Wateren. Ik ben er nog altijd niet van overtuigd dat het goed was wat hij heeft gedaan. Toch heeft hij jou nu naar huis gestuurd. Daar ben ik blij om. Na je aankomst zul je eerst wel merken dat de mensen nieuwsgierig naar je zijn. Muirrin, mijn oudste dochter, zal voor je zorgen en je helpen met hun vragen om te gaan.'
'Nieuwsgierig?'
'Het is nu alweer lang geleden. Het weggaan van je moeder en de gebeurtenissen die daartoe hebben geleid, daar vertellen de mensen inmiddels verhalen over; ongeveer net zo als het verhaal van je grootmoeder en de tijd dat mijn ooms betoverd waren en als dieren in de wilde natuur moesten leven. De mensen kunnen nu al nauwelijks onderscheid maken tussen geschiedenis en legende. Zo gaat het nu eenmaal. Jouw komst zal aanleiding zijn tot allerlei gissingen. De mensen zullen een tijdlang kletsen. Ze weten niet wat er in werkelijkheid met je moeder is gebeurd. De hele situatie dient voorzichtig te worden aangepakt.'
Ik gaf geen antwoord. Ik werd me steeds sterker bewust van de zwijgende aanwezigheid van de druïde aan mijn andere kant, van de manier waarop hij naar me leek te kijken, hoewel zijn ogen op het pad voor ons gevestigd waren. Ik had het gevoel dat hij me taxeerde zonder een woord te spreken. Het gaf me een uiterst ongemakkelijk gevoel.
'We kunnen hier wel kort halt houden,' zei Sean, terwijl hij zijn paard stilhield op een kleine open plek. Er stroomde een beek, er groeiden varens langs een poel, en er viel gezeefd licht door de takken boven ons, dat de met mos beklede boomstammen een spookachtige groene gloed gaf. De hoge iepen droegen een jas van klimop. 'Ik help je van je paard af, Fainne.'
Ik kon een pijnlijk kreunen niet onderdrukken toen mijn voeten de grond raakten en ik overal kramp kreeg.
'Je bent niet gewend paard te rijden,' merkte Sean op, terwijl hij hout raapte om vuur te maken. 'Dat had je ons moeten zeggen.'
Ik wreef over mijn pijnlijke rug en liet me toen met enige moeite zakken op de zadeldeken die werd klaargelegd. Ik was werkelijk doodmoe; maar ik wilde mezelf niet blootgeven zolang die man naar me staarde met zijn bodemloze grijze ogen.
Sean had snel een keurige stapel van gevallen takken gebouwd. Het

feit dat hij heer van Zeven Wateren was, scheen hem er niet van te hebben weerhouden praktische vaardigheden te verwerven. De honden ploften neer op de grond; hun lange tong hing roze uit hun reusachtige, open bek.

'Het hout is een beetje nat,' merkte Sean op, en hij keek Conor aan. 'Wil jij het even voor me aansteken?'

Ik keek naar de druïde, en hij keek mij aan, zonder emotie op zijn bleke gezicht.

'Waarom steek jij het niet aan, Fainne?' zei hij zonder veel nadruk. Op dat moment wist ik dat, wat ik ook zou moeten doen om deze man te slim af te zijn, ik nooit tegen hem zou kunnen liegen. Ik kon geen meisjesachtige onschuld voorwenden of proberen me eruit te bluffen. Ik werd op de proef gesteld, en er was maar één manier om voor de proef te slagen. Ik hief mijn hand op en wees met mijn vinger naar het stapeltje takken en dunne twijgjes. Het vuur vlamde op, kreeg vat op het hout en begon te branden, warm en rustig.

'Dank je,' zei Sean met opgetrokken wenkbrauwen. 'Je hebt dus het een en ander van je vader geleerd.'

'Een paar dingen,' antwoordde ik voorzichtig, terwijl ik mijn handen warmde aan de gloed van het vuur. 'Kleine kunstjes, meer niet.'

Conor ging op een grote, platte steen zitten, aan de andere kant van het vuur. In de vlammen leken er vreemde schaduwen over zijn gezicht te komen, en zijn bleekheid werd erdoor geaccentueerd. De ogen waren intussen scherp op mij gericht.

'Je weet dat Ciarán jarenlang het leven van een druïde heeft geleid,' merkte hij op. 'En dat hij als zodanig veelbelovend en zeer begaafd was.'

Ik knikte en beet van boosheid mijn kiezen op elkaar. Hij had makkelijk praten; hij had mijn vader aangemoedigd en tegen hem gelogen, door hem in de waan te laten dat hij een van de wijzen zou kunnen worden, terwijl hij al die tijd geweten moest hebben dat zijn leerling de zoon van een tovenares was. Dat was een wrede handelwijze geweest.

'Je zegt dat je vader je een paar kunstjes heeft geleerd. Hoe zit het met Ciarán zelf? Hoe ziet zijn leven eruit? Oefent hij de talenten die hij zo overvloedig bezat nog uit?'

Wat kan dat jou schelen? dacht ik woest. Maar ik formuleerde mijn antwoord met zorg. 'We leven heel eenvoudig, in afzondering. Hij zoekt naar kennis. Hij oefent zich in zijn kunst. Toepassen doet hij haar slechts zelden. Dat is zijn keuze geweest.'

Conor zweeg enige tijd. Toen vroeg hij: 'Waarom heeft hij jou teruggestuurd?'
Sean wierp hem een korte blik toe en fronste even zijn voorhoofd.
'Een redelijke vraag.' Conors stem klonk vriendelijk. 'Waarom nu? Waarom kiest hij ervoor zijn dochter alleen groot te brengen, en haar na – hoeveel, vijftien, zestien jaar – weg te zenden?'
'Misschien denkt hij dat Fainne een betere kans maakt op een goed huwelijk, op een redelijke toekomst, als ze een tijdlang hier bij de familie woont,' zei Sean. 'Gewoon een praktische reden. Ze heeft een geboorterecht, net als alle andere kinderen van Zeven Wateren, ook al...' Hij hield plotseling op.
'Fainne?' Conor dacht er niet over deze vraag onbeantwoord voorbij te laten gaan.
'We dachten dat de tijd er rijp voor was.' Dit leek me een goed antwoord. Het was waar, en het verried niets.
'Blijkbaar,' zei Conor, en daarmee was het voor dit moment afgelopen. Hij vroeg niet waarvoor de tijd dan wel rijp was.
Weldra zaten we weer te paard en reden we verder.
'Het is een beetje pijnlijk, Fainne,' zei Sean na een poos. 'Ik moet dit tegen je zeggen, maar je zult het misschien niet prettig vinden. Het zou problemen geven als je de identiteit van je vader aan onze familieleden en bondgenoten en aan de gemeenschap van Zeven Wateren bekendmaakte. Het zou bijzonder slecht vallen in deze fase van de onderhandelingen die we voeren. Maar ik wil er ook niet over liegen.'
'Liegen?' Mijn verbazing was volkomen echt. 'Waarom zou u moeten liegen?'
Hij glimlachte wrang. 'Omdat de mensen ook nu nog, zoveel jaren later, de waarheid niet weten. Niet de hele waarheid. Dat Niamh geestelijk van de wijs raakte, dat ze naar het zuiden gevlucht is en later weduwe is geworden, dat weten ze. Binnen ons eigen huishouden weten ze misschien nog iets meer. Maar over het algemeen denkt men dat ze zich heeft teruggetrokken in een christelijk klooster en daar later is gestorven. De plotselinge verschijning van een dochter zal op de een of andere manier verklaard moeten worden, want iedereen die mijn zuster heeft gekend, zal jou ogenblikkelijk herkennen als haar kind.'
Ik voelde Conors blik, peinzend en indringend, hoewel ik een andere kant opkeek.
'Waarom zou ik hun de waarheid niet vertellen? Mijn ouders hiel-

den van elkaar. Ik weet dat ze niet getrouwd waren, maar dat is niet echt een reden om me te schamen. Als ik nou een jongen was en aanspraak wilde maken op landerijen of leiderschap, maar dat ben ik niet.'

Sean keek naar Conor. Conor zei niets.

'Fainne,' Sean leek zijn woorden met zorg te kiezen, 'heeft je vader je ooit uitgelegd waarom hij niet met je moeder kon trouwen?'

Ik hield mijn boosheid onder controle. 'Hij spreekt niet graag over haar. Ik weet dat hun verbintenis verboden was door het bloed. Ik weet dat mijn vader het woud en de wijzen heeft verlaten toen hij de waarheid over zijn eigen afkomst ontdekte. Later heeft hij haar teruggevonden, en zo ben ik er gekomen. Maar voor hen was het te laat.'

Het bleef even stil.

'Ja,' zei Sean. 'Dan Walker bracht ons het bericht van de dood van mijn zuster, hoewel hij zoals altijd alleen vertelde wat Ciarán hem had opgedragen te vertellen, niets meer. Het is al lang geleden. Je zult je haar waarschijnlijk nauwelijks herinneren.'

Ik perste mijn lippen op elkaar en zei niets.

'Ik vind het heel naar voor je, Fainne,' zei Sean. Hij liet zijn paard in stap gaan terwijl we een bruisende beek die van de helling af stroomde overstaken. 'Ik vind het heel naar dat je de kans niet hebt gehad om haar te kennen. Ondanks haar fouten was mijn zus een heerlijk meisje, vol leven en schoonheid. Ze zou trots op je zijn geweest.'

Denkt u dat? Waarom heeft ze ons dan in de steek gelaten? Waarom heeft ze die weg gekozen? 'Misschien,' zei ik.

'Om op de zaak terug te komen,' vervolgde Sean. 'Het is een beetje pijnlijk. Je moeder was uitgehuwelijkt aan een clanhoofd van de Uí Néill, een zeer machtige clan die onderling verdeeld is in twee elkaar bestrijdende groepen. Jaren geleden is ons gevraagd de leider van de noordelijke tak bij te staan in zijn strijd tegen de Noormannen, en dit heeft een zware tol geëist van onze hulpbronnen en onze mogelijkheden. Uiteindelijk heeft Aed Finnliath de overwinning behaald. De indringers zijn tot de laatste man van de kust van Ulster verdreven, en de vrede is bezegeld door een huwelijk tussen de dochter van Aed Finnliath en een edelman van de Finn-ghaill. Onze steun aan deze onderneming was van wezenlijk belang, niet alleen voor onze eigen veiligheid, maar ook voor het hernieuwen van onze banden met de Uí Néill van Tirconnell, die verslechterd

waren door het mislukken van het huwelijk van je moeder. Dit heeft veel geduld en diplomatie gekost, naast het feit dat onze manschappen niet konden worden ingezet voor de strijd die ons veel meer raakte. De noordelijke Uí Néill zitten vandaag met ons aan de vergadertafel op Zeven Wateren terwijl wij een strategie opstellen voor onze eigen onderneming. Dit zal de belangrijkste veldtocht van ons leven worden. Jouw komst levert een probleem op. De echtgenoot die wij zo zorgvuldig voor Niamh kozen, bleek een wrede man te zijn, en om aan hem te ontsnappen is ze al die jaren geleden weggevlucht van een schijnbaar veilige plaats. Dat feit is niet bekend buiten onze familie. We hebben de mensen laten weten dat ze leefde; er werd algemeen aangenomen dat ze geestesziek was geworden en zich in een gebedshuis had teruggetrokken. Haar echtgenoot stierf korte tijd later; het was niet nodig ruchtbaarheid te geven aan wat hij had gedaan. Slechts een handjevol mensen wist dat ze naar je vader is gegaan. Ik wist het, mijn zuster en haar man, en mijn ooms. Verder niemand. Zelfs mijn vrouw kent niet het hele verhaal. Dat Niamh Fionn Uí Néill heeft verlaten voor een andere man en dat ze een kind heeft gekregen van een partner die haar verboden was, deze dingen moeten liever geheim blijven, zowel omwille van jou als van ons bondgenootschap.'
'Juist ja,' zei ik stijfjes.
'Het spijt me als dit moeilijk voor je is.' Seans stem klonk vriendelijk, maar dat leek het alleen maar erger te maken. 'Je bent er niet minder welkom om, Fainne. Jij draagt geen verantwoordelijkheid voor de daden van je ouders. Je bent een dochter van dit huishouden en je zult als zodanig worden behandeld.'
'U wilt liever dat ik net doe alsof ik geen vader heb, bedoelt u dat?' Deze woorden waren eruit voor ik ze kon tegenhouden, voor ik de boosheid in mijn stem kon verdoezelen. Hoe durfden ze? Hoe durfden ze mij te vragen mijn sterke, knappe, wijze vader te verloochenen, de vader die alles voor me was geweest?
'Dit doet je pijn,' zei Conor. 'Hij was een jongeman met uitnemende kwaliteiten. Hij is ongetwijfeld een man geworden om trots op te zijn. Dat begrijpen we. Niamh en Ciarán waren jong. Ze hebben een fout gemaakt, en ze hebben er zwaar voor geboet. Het is niet nodig dat jij er ook nog voor boet.'
'Dit kan worden opgelost zonder dat er leugens nodig zijn.' Sean had de beslissing blijkbaar al genomen. 'We kunnen de mensen gewoon zoveel van de waarheid meedelen als nuttig is voor ons doel.

Er is geen reden waarom Niamh niet hertrouwd zou zijn na de dood van haar echtgenoot. We zullen bekend laten worden dat je vader een druïde was uit een goede familie. We zullen zeggen dat Niamh haar dochter kreeg in het zuiden, enige tijd na het voortijdige heengâan van Fionn. Nu ben jij teruggekeerd naar je wettige tehuis, naar de bescherming van je familie. Dat moet voldoende zijn als verklaring. Weinig mensen buiten de nemetons wisten van Ciaráns bestaan, laat staan dat ze zijn ware identiteit kenden. Wat onze gasten van het bondgenootschap aangaat, zolang ze hier zijn zullen we geen onnodige aandacht aan jouw aanwezigheid besteden. Eamonn zou een probleem kunnen zijn.'

'Het is jammer dat Liadan niet hier is,' merkte Conor op.

'We zullen het haar moeten laten weten,' zei Sean. 'Dat zal ik doen. Je ziet er moe uit, nicht. Misschien wil je het laatste stuk bij mij op het paard zitten.'

'Het gaat best,' zei ik tandenknarsend. Het was erg veel gevraagd: ik moest naar een klamme, naargeestige plaats waar eindeloze bomen de westenwind tegenhielden, ik moest mijn vader verloochenen, me door een of ander meisje dat als waakhond fungeerde, laten vertellen wat ik moest doen, ik moest ervoor zorgen dat ik geen aandacht trok, en dat allemaal vanwege hun kostbare bondgenootschap. Het begon me al duidelijk te worden dat ik goed zou moeten luisteren en snel zou moeten leren, wilde ik ook maar een kans hebben de taak te volvoeren die mijn grootmoeder me had opgelegd. De mannen van Zeven Wateren waren intelligent en zelfbewust; deze twee zouden al geduchte tegenstanders zijn, en wanneer we daar aankwamen, waren er misschien nog meer zoals zij. Wie was Eamonn? Waarom zou hij een probleem zijn? Mijn vader had die naam nooit genoemd. Ik zou zorgen dat ik het te weten kwam. En voorlopig zou ik het spel van oom Sean meespelen. Maar vanbinnen zou ik nooit vergeten wiens dochter ik was. Nooit.

We staken tal van beken over die onder de bomen van de heuvels af stroomden. Toen kwamen we onder een groep wilgen vandaan en voor ons opende zich een groot, glanzend watervlak, dat helder oplichtte in de zon en bespikkeld was met kleine eilandjes en de vormen van drijvende vogels: ganzen, eenden, prachtige witte zwanen. We stonden stil.

'Het meer van Zeven Wateren,' zei Sean zacht. 'Ons kasteel is aan de andere kant, naar het oosten. Het pad is van hieraf gemakkelijk begaanbaar. Je doet het overigens heel goed, Fainne.'

Ik ademde diep in en probeerde een houding te vinden om minder pijn in mijn rug te hebben. Ik was blij het water te zien, bevrijd te zijn van die eindeloze gevangenis van bomen die op me afkwamen. Het meer was heel mooi, met zijn paarlemoeren glans, zijn weidse oppervlak onder de open hemel, zijn stille strandjes en zijn onzichtbare, geheime leven.

'Er komen zeven beken in het meer uit,' zei Conor. 'Ze zijn het levensbloed van het meer. Er is maar één uitgaand water: de rivier die naar het noorden stroomt en dan naar het oosten afbuigt naar het grote water. Het meer voedt het woud. Het woud behoedt de mensen van Zeven Wateren, en het is hun geheime opdracht het te verdedigen en te beschermen met alle mysteriën die het bevat. Dit zul je te zijner tijd weten.'

'Misschien,' zei ik. En jij, dacht ik, zult te weten komen dat niet alles is wat het lijkt; dat de weg voor sommigen niet altijd naar licht en orde voert. Je zou er weleens achter kunnen komen dat het leven wreed en onrechtvaardig kan zijn.

'Je zou het nu vrij kunnen laten,' zei Conor.

'Wat?'

'Je zou het nu kunnen laten gaan. Het uiltje. Kijk maar hoe het naar buiten kijkt en zijn kop naar de hemel richt. Het is eraan toe om terug te gaan.'

Ik staarde hem zwijgend aan, en het uiltje klom uit mijn zak en ging, een tikje wankel, op de nek van het paard zitten. De vogel was nu iets sterker, want ik had hem goed verzorgd. Maar dit paard was geen Aoife. Het dier rilde en maakte een schichtige beweging, en ik greep de manen beet en hield me stevig vast om er niet afgegooid te worden. Een ogenblik later had mijn oom Sean de teugel in zijn hand en hield haar in bedwang, terwijl hij haar kalmerend toesprak.

'Wat is dát?' vroeg hij, met een stem die me aan die van Darragh deed denken.

Conor zweeg. Hij had voor onrust gezorgd en nu moest ik het maar oplossen.

'Het was opgesloten. Ik... ik heb het gekocht. Dat was alles. Het wilde niet wegvliegen.'

'Ik heb nog nooit een uiltje gezien dat zo klein was, maar toch helemaal volwassen. Hier moet toverij in het spel zijn.' Seans stem klonk volkomen nuchter. Dat had me misschien niet hoeven te verbazen, want dit was Zeven Wateren, een oord waar de oude mysteriën veilig werden bewaard.

'Het zal niet weggaan eer de betovering ongedaan is gemaakt,' zei Conor, terwijl hij zijn paard naderbij liet komen. 'Mag ik?' Hij stak zijn hand uit en bewoog hem zacht over het piepkleine vogeltje, en ogenblikkelijk was de vogel weer zichzelf: nog steeds klein en een beetje verfomfaaid, maar hij had weer het formaat van een uil en was sterk genoeg om zich in het bos te redden. Sean had moeite het paard, dat het wit van zijn ogen liet zien, in toom te houden.
'Ga in veiligheid,' zei Conor, en het beest spreidde gehoorzaam zijn rafelige vleugels en vloog op zonder enig geluid te maken en zonder om te kijken, op naar de boomtoppen en weg in de schaduwrijke omhelzing van het bos. Ik zei niets.
'Het is goed dat je het thuis hebt gebracht.' Er klonk een diepe rust in Conors stem.
'Ik heb het niet gebrácht,' zei ik een beetje kribbig. 'Het liet me geen keus.'
'Er is altijd een keus,' zei de druïde.

Het waren er gewoon te veel. Overal meisjes: ze kwamen de trap van het stenen fort aftuimelen waar onze reis eindelijk eindigde. Grote meisjes die aan de handen van hun vader trokken, en kwebbelden en lachten terwijl hun moeder naar buiten kwam om mij te begroeten, en kleine meisjes die rondrenden en de reusachtige honden plaagden.
'Genoeg, dochters,' zei Sean glimlachend en in een oogwenk waren ze verdwenen, even gehoorzaam als uitbundig. Ik had ze niet kunnen tellen, zo snel waren ze. Vijf? Zes?
'Ik ben je tante Aisling,' zei de tengere, tamelijk streng uitziende vrouw die op de trap stond. Haar rode haar werd op zijn plaats gehouden door een keurige sluier, en haar sproetige gezicht had een aandachtige, ernstige uitdrukking. 'Je bent hier hartelijk welkom, zoals mijn echtgenoot je ongetwijfeld heeft gezegd. Het is nogal druk nu. We hebben veel gasten in huis. Muirrin zal voor je zorgen.'
'Waar is Muirrin?' vroeg mijn oom terwijl we naar binnen gingen. De paarden waren al weggeleid. En Conor was domweg verdwenen. Misschien was de schare kleine meisjes hem te veel geweest.
'We vinden haar wel,' zei mijn tante zelfverzekerd. 'Jij kunt beter teruggaan naar de vergadering. Ze zitten op je te wachten.'
'De vertegenwoordiger van Inis Eala komt waarschijnlijk vandaag aan,' zei mijn oom. 'Misschien kunnen we toch nog op tijd tot een besluit komen.' Hij wendde zich tot mij. 'Ik laat je nu alleen, nicht.

Het was een lange rit voor een beginneling. Je kunt je vermoeide benen het beste wat rust geven, Muirrin heeft vast wel een paar drankjes die zullen helpen. Misschien zien we elkaar weer bij het avondmaal.'
Ze schenen te denken dat Muirrin het antwoord was op alle vragen. Ik vormde me een beeld van haar dat helemaal niet klopte met het meisje dat we enige tijd later vonden, aan het werk in een heel klein, tamelijk donker kamertje achter in het huis.
Het eerste wat me opviel, was hoe klein ze was; klein en slank, met grote, groene ogen, en de donkere krullen van haar vader zo'n beetje uit haar gezicht getrokken, zodat ze haar niet hinderden bij het werk. Ze was bezig iets fijn te hakken, paddestoelen zo te zien, met een groot en gevaarlijk uitziend mes. Ze had al haar aandacht bij haar werk en neuriede binnensmonds. Rondom waren planken, volgezet met potten en flessen; aan het plafond hingen bossen drogende bloemen en kruiden, en voor het raam hing een slinger van gevlochten knoflook. Achter haar stond een deur open, die uitkwam op een kleine tuin.
'Muirrin,' zei haar moeder, met een spoortje scherpte in haar stem. 'Hier is je nichtje Fainne. Was je het vergeten?'
Het meisje keek op, zonder verbazing in haar grote ogen.
'Nee, moeder. Het spijt me dat ik er niet was. Er kwam een boodschap uit het dorp – ze hebben dit dringend nodig. Hoe gaat het met je, Fainne? Ik ben je nicht Muirrin. De oudste van zes meisjes. Je hebt mijn zusjes waarschijnlijk al ontmoet?' Ze glimlachte wrang, en ik moest wel teruglachen.
'Ik heb het tamelijk druk,' zei tante Aisling. 'Misschien kun jij...?'
'Ga maar, moeder. Ik zorg voor Fainne. Zijn haar spullen hier, om uit te pakken?'
Ik vertelde met tegenzin over Dan Walker en de wagens en mijn kist, en tegen de tijd dat ik klaar was met mijn uitleg, was mijn tante weg.
'Ga even zitten,' zei Muirrin. 'Ik moet dit afmaken en aan iemand geven om het af te leveren. Dan zal ik je het huis laten zien. Daar, naast het vuur. Wil je thee? Het water kookt. Neem de tweede pot van links – ja die – dat is een mengsel van pepermunt en tijm, heel verfrissend. Daar staan bekers. Kun je voor mij ook een beker maken?'
Onder het praten bleven haar handen doorgaan met het regelmatig fijnhakken van de bronskleurige zwammen op de stenen plaat voor

haar. Ik keek naar haar terwijl ze specerijen afmat, oliën zeefde en ten slotte het donkere, scherpruikende mengsel in een kleine, aardewerken kruik goot, die ze netjes met een kurk afsloot.
'Hier is je thee,' zei ik.
'Ha, lekker. Ik ga nog even mijn handen wassen en... wil je me even excuseren?' Ze stak haar hoofd door de deur naar de tuin. 'Paddy?' riep ze.
Een jongen in grove kleren verscheen en kreeg de kruik aangereikt met een reeks instructies die ze hem enkele malen liet herhalen om er zeker van te zijn dat hij ze goed zou onthouden.
'En zeg tegen ze dat ik later zelf zal komen om naar de oude man te kijken. Vergeet niet het te zeggen.'
'Ja, vrouwe.'
Ik had het heel plezierig gevonden naar haar te zitten kijken. Nu ze zelf ook ging zitten en haar beker met kleine, vaardige handen oppakte, wist ik eigenlijk niet wat ik moest zeggen. Ze straalde veel zelfvertrouwen uit en leek niemand nodig te hebben.
'Zo,' begon zij. 'Een lange reis achter de rug. Je zult je wel willen wassen en even willen uitrusten, en wat tijd voor jezelf willen hebben. En je zult wel stijf zijn van het paardrijden, denk ik. Daar heb ik een zalf voor. Ik stel voor dat we even praten, en dan zal ik je je kamer wijzen, wat spullen voor je halen en je alleen laten tot een later tijdstip. Ik moet naar het dorp; morgen zou je misschien met me mee kunnen gaan. Vandaag is het voornaamste je tegen mijn zusjes te beschermen. Want ze maken erg veel kabaal.'
'Dat heb ik gemerkt.'
'Je bent zoveel mensen niet gewend?'
Ik ontspande me een beetje. 'Thuis was het heel rustig. Er waren vissers, en in de zomer kwamen de reizende mensen. Maar we waren erg op onszelf.'
Muirrin knikte, met een ernstige uitdrukking in haar groene ogen. 'Je zult wel merken dat het hier het tegenovergestelde is. Vooral nu. Het huis is vol mensen, voor de vergadering. En ze mogen elkaar niet. De avondmaaltijden kunnen heel interessant zijn. Je zult moeten uitzoeken wie wie is, een paar namen leren. Ik zal je helpen. Maar nu nog niet. Het belangrijkste gaat voor.'
'Dank je. Zei je zes meisjes?'
Muirrin trok een grimas. 'Dat is juist; ik en nog vijf, en niet één jongen ertussen. Het is maar goed dat mijn tante jongens heeft gekregen, anders zou Zeven Wateren zonder erfgenaam zitten.'

'Je tante? Dat is dan zeker...?'
'Onze tante Liadan. De tweelingzus van mijn vader. Hij heeft dochters gekregen. Zij heeft zonen gekregen. De túath zal van oom op neef overgaan, wat wel eens eerder is gebeurd. Mijn vader is daar niet ongelukkig over.'
'Hoe heten je zusjes?'
'Wil je dat echt weten? Deirdre, Clodagh, Maeve, Sibeal en Eilis. Die namen zul je snel genoeg leren. Ze zullen je er telkens aan herinneren wie wie is, tot je het weet.'
Ik kreeg een snelle rondleiding door het huis, dat van binnen gerieflijker was dan de grimmige, versterkte buitenkant deed vermoeden. Muirrin hield me buiten de raadszaal, waarvan de deuren gesloten waren. In de keuken heerste koortsachtige activiteit; er werd gevogelte geplukt, deeg uitgerold, en op het vuur stond een reusachtige ijzeren pan te borrelen. De hitte was verzengend, de geur verrukkelijk. We wilden juist doorlopen toen een gebiedende stem uit de richting van de haard ons deed verstarren.
'Muirrin! Breng het meisje hier, kind!'
Op een houten bank naast het vuur zat een zeer oude vrouw. Dit was geen hulpbehoevend besje, maar een magere, rechte gestalte met donker haar dat in een grote wrong in haar nek lag. Een sjaal met franje hing om haar benige schouders. Haar huid was gerimpeld, maar haar ogen keken schrander. Ik had de indruk dat niemand iets verkeerd zou durven doen in de keuken zolang zij er was.
'Nee, Niamh kan het niet zijn,' zei ze terwijl we naderbij kwamen. 'Het moet dus Niamhs dochter zijn, want ze is haar evenbeeld, tot de laatste haar op haar hoofd. Ik had nooit gedacht dat ik zoiets nog te zien zou krijgen.'
'Dit is Janis,' zei Muirrin, alsof dat iets moest betekenen. 'Ze is al langer op Zeven Wateren dan wie ook.' Ze wendde zich weer naar de oude vrouw. 'Fainne is helemaal uit Kerry gekomen, Janis. Ik wilde haar net naar boven brengen om te rusten.'
De donkere ogen werden toegeknepen. 'Kerry, ja? Dan weet ik met wiens wagen je bent gekomen. Maar waar is Dan? Waarom komt hij me niet begroeten? Waar is Darragh?'
Dus dit was die oude tante waar zo vaak over werd gesproken.
'Dan komt eraan,' zei ik, 'en Peg ook. Maar Darragh komt niet.'
'Wat? Hoe is het mogelijk dat de jongen niet komt? Ergens blijven hangen om naar een mooi stuk paardenvlees te kijken zeker? Of speelt hij op een wake?'

'Nee,' zei ik. 'Hij komt helemaal niet. Hij heeft het reizende leven vaarwel gezegd en is op een boerderij in het westen gaan wonen. Daar richt hij paarden af. Een geweldige kans. Dat zeggen ze.'

'En wat zeg jij?'

'Ik? Ik heb er niets mee te maken.'

Ze was niet overtuigd. 'Paarden africhten, hè? Daarvoor geeft hij het reizen niet op. Het heeft natuurlijk iets met een meisje te maken. Wat zou het anders kunnen zijn?'

'Het gaat niet om een meisje,' zei ik streng. 'Alleen om een kans hogerop te komen. Hij heeft een verstandige keus gemaakt.'

'Zo, denk je dat?' zei de oude vrouw, en ze staarde me met haar doordringende donkere ogen aan. 'Dan ken je mijn Darragh niet erg goed. Hij is een reiziger in hart en nieren, en een reiziger vestigt zich nooit voorgoed. Hij probeert het misschien weleens; maar vroeg of laat roept de weg hem, en dan gaat hij weer. Voor een vrouw is het anders. Ze verlangt er misschien naar, maar ze kan het zonder stellen omwille van een man of een kind. Maar goed, ga maar. Muirrin, zorg dat het meisje de oude kamer van haar moeder krijgt. Breng de kleintjes maar aan de noordkant onder. En vergeet niet het beddengoed goed te luchten.'

Ze praatte alsof ze de meesteres van het huis was en Muirrin de bediende. Maar Muirrin glimlachte, en toen we naar boven waren gegaan naar een keurige kamer met een smal raam dat uitkeek op de bosrand, begon ze meteen het vuur aan te maken en de stromatras en de wollen quilts na te kijken. Mijn conclusie was dat mijn ideeën over hoe het leven zou zijn in een groot huis zoals Zeven Wateren nodig herzien moesten worden.

Ik wilde Muirrin niet dankbaar zijn. Ik wilde niet met haar bevriend raken. Ik kon me niet veroorloven met iemand bevriend te raken, als ik de wil van mijn grootmoeder wilde uitvoeren. Maar ik moest toch toegeven dat mijn nicht blijk gaf van inzicht. Waar ik vooral naar verlangde, was alleen te zijn. Het was me zwaar gevallen met zoveel nieuwe mensen kennis te moeten maken, te glimlachen en beleefd te zijn. Muirrin ging alleen maar na of ik alles had wat ik nodig had en liet me toen alleen, met de belofte dat ze later terug zou komen. De kamer zou alleen van mij zijn, ook al stonden er twee bedden. Deirdre en Clodagh zouden het helemaal niet erg vinden om te verhuizen, had ze me glimlachend verteld.

Later werd er beleefd op de deur geklopt en bracht een man mijn kist naar binnen. Het was een heel vreemd gevoel, mijn spullen uit

te pakken in de kamer die vroeger van mijn moeder was geweest. Misschien had ze deze kamer gedeeld met haar zus, de tante Liadan over wie ze het allemaal hadden. Ik had weinig bezittingen. Ik haalde een van de mooie jurken te voorschijn en spreidde hem netjes uit, voor straks. Ik haalde de verkreukelde en boos kijkende Riona uit de kist en zette haar neer op de vensterbank, zodat ze over het bos uit kon kijken. Hier leek geen reden te bestaan om haar weg te stoppen. Met al die meisjes waren er vermoedelijk heel wat poppen in huis. Eigenlijk leek ze zich hier meer thuis te voelen dan ik. Ik kon geen rust vinden, ondanks mijn pijnlijke rug en ledematen. Mijn geest bleef bezig met proberen het allemaal te bevatten. De omvang van de taak die me wachtte, hield in dat ik geen tijd mocht verspillen. Ik moest zoveel mogelijk ontdekken, en vervolgens moest ik een soort plan ontwerpen. Ik mocht niet luieren. Grootmoeder zou kijken, en ze zou me vinden. Het was dom van me dat ik daaraan had getwijfeld. Het was een richting van de kunst waar ik weinig aanleg voor had, die ik tot mijn spijt niet onder de knie had kunnen krijgen. Maar zij had met haar donkere spiegel en haar kom met stilstaand water het vermogen te zoeken en de blik om te zien. Wanneer ze me zocht, zou ik me nergens kunnen verstoppen.
Er was tijd voor nodig. Er was ook moed voor nodig. Er waren zoveel mensen en er was zoveel lawaai, en behalve Muirrin scheen niemand te begrijpen dat ik daar een ontzettende hekel aan had. Mijn maag kromp ineen, ik kreeg er hoofdpijn van, en mijn vingers kregen de neiging zomaar wat kattenkwaad uit te halen. Maar ik gebruikte de kunst niet. In plaats daarvan keek ik toe en luisterde ik, en weldra was ik, met de toewijding die na jaren bij vader in de leer te zijn geweest een tweede natuur van me was geworden, op de hoogte van alle bijzonderheden van de familie en haar bondgenoten.
Er waren de mensen van dit huishouden, in het fort Zeven Wateren, dat het middelpunt vormde van de uitgestrekte túath van mijn oom Sean. Met hem kon ik het wel vinden. Soms leek hij wat afstandelijk, maar wanneer hij iets tegen me zei, sprak hij als tegen een gelijke, en hij nam de tijd om me dingen uit te leggen. Nooit zag ik hem leden van zijn huishouden anders dan rechtvaardig behandelen. Ik moest mezelf dwingen te bedenken dat hij samen met anderen degene was geweest die mijn moeder van haar huis had verbannen. Ik had niet de indruk dat oom Sean gevaarlijk zou zijn, behalve misschien op het slagveld of in een discussie over strategie.

Dan was er tante Aisling. Ik werd al moe als ik alleen maar naar haar keek. Ze was eeuwig in touw, hield toezicht op alle aspecten van het huishouden met een wervelwindachtige energie die haar hele dag in beslag nam. Het gevolg hiervan was dat het huishouden op rolletjes liep. Ik vroeg me wel af of ze ooit gelukkig was. Ik vroeg me af waarom je zoveel kinderen nam wanneer je amper de tijd had om goedemorgen tegen ze te zeggen voor je weer wegrende om een of andere dringende toestand af te handelen.

Dit fort was vroeger de enige nederzetting van enige omvang geweest in het bos van Zeven Wateren. Maar er waren nu nog meer dorpen, gesticht door mijn oom en gepacht door zijn vrije onderhorigen; in tijden van nood kon hij een beroep doen op hun eigen troepen gewapende mannen. Op die manier was de túath minder kwetsbaar gemaakt en beschikte hij over sterke buitenposten, die machtige buren ervan moesten weerhouden hun handen wat verder uit te strekken dan gepast was. Deze vrije onderhorigen maakten deel uit van de Raad, evenals de rijk geklede leiders van de Uí Néill in hun tunieken waarop het vuurrode embleem van de opgerolde slang was aangebracht. In het huishouden van Zeven Wateren waren een brithem, een schrijver en een dichter aanwezig. Er waren een wapenmeester, een pijlenmaker en verscheidene smeden. Maar ik was meer geïntrigeerd door bepaalde anderen, die ik niet te zien kreeg.

Tante Liadan was de zuster van mijn moeder, de tweelingzus van Sean. Mijn vader had gezegd dat ze op Harrowfield woonde. Ik had niet beseft hoe ver dat hiervandaan was. Het was heel vreemd dat ze in Brittannië woonde temidden van de vijanden van Zeven Wateren, want haar echtgenoot was nu meester van een landgoed in Northumbrië dat vroeger aan haar vader had toebehoord. Wanneer ze daar niet woonden, verbleven ze op Inis Eala, een ver afgelegen oord in het noorden, zo ver dat het de moeite niet waard was eraan te denken. Maar wanneer mijn oom Sean over zijn zuster sprak, was het alsof ze op een steenworp afstand woonde. Conor sprak over haar als over een oude, geëerbiedigde vriendin. Ik probeerde me te herinneren wat mijn grootmoeder me had verteld. Ik dacht dat ze ongeveer had gezegd dat ze had gewild dat Ciarán de andere zus had gekozen, omdat hun kind intelligenter of handiger zou zijn geweest. Dat was nou niet bepaald een tactvolle opmerking aan mijn adres. Maar ja, zo was grootmoeder nu eenmaal.

Liadan en haar echtgenoot hadden zonen. Niet lang na mijn komst kreeg ik al het een en ander over hen te horen. Ondanks al mijn pogingen me in mijn kamer terug te trekken om even alleen te zijn, om het Mom een tijdlang af te werpen, of om in alle rust de geheime spreuken van de kunst te repeteren, was het me niet gelukt te voorkomen dat ik geregeld bezoek kreeg van kleine, nieuwsgierige personen. Zoals Muirrin had voorspeld, leerde ik algauw hen van elkaar te onderscheiden, ook al hadden ze allemaal een bos rood haar en vrolijke gezichtjes vol sproeten. Sibeal was de enige die erbuiten viel; donker, net als haar oudste zus, en stil. En ze had heel vreemde ogen, heldere, kleurloze ogen die door de buitenkant van dingen leken heen te kijken. Eilis was heel klein en erg ondeugend. Je moest op haar letten. Maeve was de middelste; zij had een hond die haar overal volgde als een toegewijde slaaf. En Deirdre en Clodagh waren tweelingen. Wanneer zij iets ouder waren, zou het zijn alsof er nog twee tantes Aisling rondrenden om te zorgen dat alles in het huishouden volmaakt was. Ik begon algauw te begrijpen waarom Muirrin een groot deel van haar tijd in de distilleerkamer doorbracht, waar ze werkte, of beneden in het dorp, waar ze zieken verzorgde.

Op deze dag had ik de tweeling in mijn kamer op mijn bed zitten, en ook Maeve was er met haar hond. De hond was tenminste stil, hoewel het beest met zijn grote lijf voor het vuur lag zodat de warmte ons niet kon bereiken.

'Is dit jouw pop? Mag ik haar vasthouden?' had Maeve meteen na binnenkomst gevraagd, en ze had Riona gepakt voor ik antwoord kon geven. Er konden vervelende dingen gebeuren met kleine meisjes die me irriteerden. Ze konden hun vingers prikken aan een verborgen speld. Ze konden tot de ontdekking komen dat hun hond hen niet meer aardig vond. Of ze konden ontdekken dat diezelfde hond opeens weg was, terwijl er alleen een mier of een kakkerlak op zijn plaats zat. Met enige moeite kon ik mezelf inhouden.

'Heeft je moeder die gemaakt?' vroeg Clodagh. Deirdre keek haar woest aan.

'Ja,' zei ik.

'Hoe heet ze?' vroeg Maeve, terwijl ze Riona's roze rokje bekeek en haar neus optrok voor de vreemd gevlochten halsketting.

'Riona.'

'Muirrin heeft ook eens een pop voor me gemaakt. Maar die is niet zo mooi als deze. Mag ik met haar spelen?'

'Ze is niet om mee te spelen,' zei ik en ik liep naar het kind toe en

nam Riona uit haar armen. Ik zette haar voorzichtig terug waar ze hoorde, uit het raam kijkend, naar de bosrand beneden.
'Baby,' zei Deirdre en ze trok een gezicht naar Maeve.
'Ik ben geen baby! Eilis is een baby. Coll is een baby. Ik ben tien. Ik ben groot.'
Deirdre trok haar wenkbrauwen op en grijnsde.
Maeve barstte in tranen uit. 'Ik ben groot! Ik ben groot! Ik ben toch al groot, hè Fainne?'
Er konden nare dingen gebeuren met meisjes die hun kleine zusjes zomaar aan het huilen maakten. Mijn vingers jeukten om een toverkunst uit te voeren; het was al een tijd geleden dat ze iets hadden gedaan. Ik beheerste me. De kunst mocht uitsluitend worden gebruikt voor het werkelijke doel van mijn aanwezigheid hier.
'Je mag met Riona spelen, als je wilt,' zei ik grootmoedig.
'Nu wil ik het niet meer,' pruilde Maeve, maar ze pakte Riona weer van de vensterbank en zat daar hikkend met de pop in haar armen.
'Hier,' zei ik terwijl ik haar mijn haarborstel gaf. 'Ze kan wel een opknapbeurt gebruiken.' Ik wendde me tot de oudere meisjes. 'Wie is Coll?' vroeg ik.
'Onze neef.' Clodagh legde je graag dingen uit; ze vond het fijn haar inzichten met anderen te delen. 'Dan is hij dus ook jouw neef, denk ik.'
'De zoon van tante Liadan?'
'Een van haar zonen. Ze heeft er een heleboel.'
'Vier zijn het er,' merkte Deirdre op. 'Coll is de kleinste.'
'Verder is er Cormack, die is veertien en denkt dat hij al een hele krijger is. Dan is er Fintan, maar die zien we nooit, hij blijft altijd op Harrowfield. En dan is er Johnny.' Deze naam werd met een speciale klank uitgesproken, alsof hij een god aanduidde.
'Ik ga met Johnny trouwen wanneer ik oud genoeg ben,' zei Deirdre met grote zekerheid.
Haar tweelingzus keek haar aan met een wrange uitdrukking op haar gezicht. 'Nee, dat ga je niet,' zei Clodagh.
'Welles!' Deirdre keek alsof ze op uitbarsten stond.
'Nee, je gaat niet met hem trouwen,' herhaalde haar tweelingzus beslist. 'Je mag niet met je neef of je oom trouwen. Dat heeft Janis gezegd.'
'Waarom niet?' wilde Deirdre weten.
'Omdat je kinderen dan vervloekt zouden zijn. Ze zouden geboren worden met drie ogen, of met de oren van een haas, of met klomp-

voeten of met nog iets anders. Dat weet iedereen.'
'Wat is er, Fainne?' vroeg Maeve opeens, terwijl ze naar me opkeek. 'Je ziet ineens helemaal wit.'
'Niks,' zei ik zo opgewekt mogelijk, hoewel Clodaghs woorden me een kou om het hart hadden doen slaan. 'Maar vertel. Die jongens, die neven. Die wonen toch nogal ver weg? Toch schijnen jullie ze goed te kennen.'
'We zien ze af en toe. Fintan niet; hij is de erfgenaam van Harrowfield, en tante Liadan zegt dat hij net als zijn grootvader liever op het landgoed is om velden te ploegen of ruzies te beslechten, dan dat hij zijn tijd besteedt aan een lange reis naar Ulster. En Cormack blijft meestal op Inis Eala. Maar tante Liadan brengt Coll mee als ze hier op bezoek komt. Een vreselijke combinatie, Coll en Eilis. Niets is veilig als die twee bij elkaar zijn.'
'En de andere? Johnny, heet hij zo?'
'Johnny is anders.' Clodaghs stem had een zachte klank gekregen. 'Hij is hier vaak; hij wil alles weten over Zeven Wateren, de namen van alle mensen, en hoe de boerderijen worden beheerd, en alles over de bondgenootschappen, de troepen en de veldtochten.'
'Johnny is een goeie ruiter,' vulde Maeve aan.
'Wat verwacht je anders?' zei Clodagh met verachting in haar stem. 'Als je ziet hoe hij is opgevoed, temidden van de beste krijgers van heel Ulster. Hij is een echte krijger, en een groot leider, ook al is hij nog jong.'
'Hij is dus een angstaanjagend, woest iemand?' vroeg ik.
'O, nee.' Maeve keek me met opgetrokken wenkbrauwen aan. 'Hij is beeldschoon.'
'Zo beeldschoon,' voegde Clodagh er grijnzend aan toe, 'dat het een wonder is dat hij nog niet getrouwd is. Binnenkort komt hij waarschijnlijk met een mooie, hooggeboren echtgenote aanzetten.'
'Je weet niet waar je het over hebt,' mopperde Deirdre.
'Wel waar,' bitste Clodagh terug.
'Nietes!'
'Is het waar wat ze zeggen,' vroeg ik voorzichtig, 'dat deze Johnny het kind is waarover de oude profetie spreekt? Weten jullie daar iets van?'
'Dat verhaal kent iedereen,' snoof Maeve, die bezig was Riona's blonde haar tot een ingewikkelde krans te vlechten.
'Maar is het waar?'
De tweelingzusjes draaiden hun gezichtjes naar me toe.

'Ja, natuurlijk,' zeiden ze in koor, en Deirdre zuchtte. Ik vond dat ik niet meer kon vragen zonder al te nieuwsgierig te lijken. Ik zei verder niets meer, en na een tijdje kregen ze genoeg van mij en gingen weg om iemand anders te hinderen.

Er waren dus oom Sean met zijn meisjes, en tante Liadan met haar jongens. Een door iedereen geliefde grootvader was kort geleden gestorven en te rusten gelegd onder de eiken. En dan was Conor er nog. De druïden woonden diep in een geheim gedeelte van het woud, zoals de wijzen gewoon zijn. Maar Conor was lid van de Raad, en daarom bleef hij op Zeven Wateren terwijl de besprekingen achter gesloten deuren werden voortgezet. Hij was bovendien het oudste lid van de familie en werd met grote eerbied behandeld. En er was nog een oom, de broer van tante Aisling. Hem kwam ik op de allereerste dag toevallig tegen toen ik met Muirrin de trap afliep op weg naar het avondeten, en hij juist de trap opkwam. Deze goedgebouwde, rijk geklede man van middelbare leeftijd met een vriendelijk gezicht en bruin haar zou me niet zijn opgevallen als hij niet stokstijf was blijven staan toen hij mij in het oog kreeg en krijtwit wegtrok.

'Oom Eamonn,' zei Muirrin alsof er niets aan de hand was, 'dit is mijn nichtje Fainne. De dochter van Niamh. Uit Kerry.' Een verklaring die we samen hadden gerepeteerd, waarmee precies genoeg werd gezegd en die geen pijnlijke vragen opriep.

De man deed zijn mond open en sloot hem weer. Verschillende gelaatsuitdrukkingen streden om voorrang: schrik, boosheid, gekrenktheid en, met zichtbare moeite, een beleefd welkom.

'Hoe maak je het, Fainne? Zo te zien helpt Muirrin je om hier je plaats te vinden. Dit bezoek was... onverwacht?' 'Vader is vanmorgen Fainne tegemoet gereden,' zei Muirrin vlot. 'Ze zal hier een tijd blijven.'

'O juist.' Zijn gezicht stond weer in de plooi, maar daarachter zag ik wel dat zijn geest razendsnel werkte, alsof hij vlug en doelgericht de stukjes van een puzzel in elkaar zette. Dit beviel me allerminst.

'We gaan nu maar naar beneden. We zien u bij het avondeten, oom Eamonn.'

'Dat lijkt me wel waarschijnlijk, Muirrin.'

Dat was alles; maar daarna gebeurde het meer dan eens dat ik zag dat deze man naar me keek, aan tafel wanneer andere mensen met elkaar zaten te praten, of vanaf de andere kant van de zaal waar de mensen 's avonds bijeen waren, of wanneer ik in de tuin wandelde.

Hij had veel invloed, dat merkte ik aan de eerbiedige manier waarop hij door de mannen van het bondgenootschap werd benaderd. Muirrin vertelde me dat hij meester was van een reusachtig landgoed, of eigenlijk van twee landgoederen, die aan de oost- en noordkant van Zeven Wateren grensden. Hij bezat zowel Glencarnagh als Sídhe Dubh, en dat betekende dat hij over meer manschappen en meer grond beschikte dan Sean. Maar hij was familie en dus geen bedreiging. Maar hij hield mij in het oog, tot ik er genoeg van kreeg en hem op mijn beurt in het oog begon te houden. Ik twijfelde er niet aan wat mijn grootmoeder van deze man zou vinden. Zij zou zeggen: macht is waar het om gaat, Fainne.

De tijd ging voorbij, en Dan Walker en zijn mensen reisden weer verder. Ik had hen nauwelijks gezien, want ondanks mezelf deed ik mee aan het dagelijks leven van de familie, en wanneer ze me niet nodig hadden, vluchtte ik naar mijn kamer of naar buiten in de tuin, om kostbare tijd voor mezelf te hebben. Het begon me duidelijk te worden waarom de druïden liever in afzondering leefden, en alleen naar buiten traden voor de grote feesten, om een huwelijk te voltrekken of de oogst te zegenen. Om je bewust te blijven van de leer, om je innerlijke krachten aan te spreken en je blijvend te concentreren had je stilte en afzondering nodig, zij net zo goed als wij. Een druïde had bovendien het gezelschap van bomen nodig, want bomen zijn krachtige symbolen in de leer van de wijzen. In een landschap waar bijna geen bomen voorkwamen, had ik toch al voor mijn vijfde jaar hun namen en vormen geleerd. Sean had gezegd dat hij betwijfelde of het verstandig van mijn vader was geweest om in Kerry te gaan wonen, die afgelegen plek, zo ver van Zeven Wateren. Voor mij werd het steeds duidelijker dat mijn vader precies had geweten wat hij deed. Misschien was hij aanvankelijk weggegaan om mijn moeder te beschermen. Maar ik herinnerde me die lange jaren van studie, van zwijgend mediteren, van zelfopgelegde ascese, en ik wist dat als we niet daar in de Honingraat hadden gewoond, bijna geheel omringd door de woeste zee, met boven ons de regengrijze hemel en bewaakt door de geheimzinnige vormen van de staande stenen, ik nooit geworden zou zijn wat ik was. Hij had er eenvoudig naar gestreefd door te geven wat hij wist, zijn enige kind een soort roeping mee te geven zodat ze haar weg in de wereld zou vinden. De ironie hiervan was dat hij als een echte meester een wapen had gesmeed; het wapen van zijn moeder. Misschien had hij zich nooit echt bevrijd van de erfenis die zij hem naliet, want had hij hiermee niet precies gedaan wat zij wilde?

Ondanks mijn verlangen naar huis raakte ik geleidelijk meer gewend aan het patroon van het leven op Zeven Wateren, en het werd steeds moeilijker om te blijven bedenken waarom ik hier was. De herinnering aan de dreigementen van grootmoeder leek haast een fantasie. Er was genoeg afleiding. Soms keek ik naar de drukke, huiselijke taferelen om me heen, en dan dacht ik aan de grootte van de taak die me was opgedragen en zei tegen mezelf: *dit kan niet waar zijn. Deze dingen kunnen niet naast elkaar bestaan in dezelfde wereld. Misschien droom ik het. Laat het een droom zijn.*

Al had tante Aisling het nog zo druk, ze was niet van zins mij te laten wegglippen om te doen wat ik wilde. Ik kon Muirrin helpen bij haar werk als genezeres; ik kon Deirdre en Clodagh helpen met lezen en schrijven, want ik bleek daar heel goed in te zijn, en de opvoeding van de meisjes was de laatste tijd een beetje in het gedrang gekomen, omdat iedereen het zo druk had. Ik mocht toezicht houden op de kleintjes bij het naaien, want dat kon ik ook heel goed. Ik moest ook goed leren paardrijden, want je wist nooit wanneer je haastig zou moeten vertrekken. En ik moest nodig nieuwe kleren hebben. Ik vroeg me af wat ik volgens tante Aisling zou uitspoken als ze niet elk ogenblik van mijn dag organiseerde.

Muirrin hielp me. Wanneer ik opdracht had haar te helpen in de distilleerkamer of met haar mee te gaan als ze ergens een of ander liefdewerk ging doen, keek ze me vaak aan met haar grote groene ogen en zei ze tegen me dat ik ook in de tuin mocht gaan zitten om even rust en stilte te hebben, terwijl zij doorging met haar werk. En dan ging ze aan het mengen en roeren, drogen en conserveren, soms alleen en soms geholpen door de kleine Sibeal, een ernstig, stil kind. En dan ging ik op de stenen bank in de kruidentuin zitten, gewikkeld in mijn daagse omslagdoek, want ik had Darraghs geschenk netjes opgevouwen en weggelegd onder in de houten kist, veilig voor nieuwsgierige ogen en hebberige handjes. Daar zat ik dan alleen in de kou van de late herfst, en liet in mijn geest de klaagzang komen. Ik kon de stem van mijn vader bijna horen.

Vanwaar kom je?

Van de Kookpot van Onwetendheid.

Zo ontvouwde het zich, langer dan de dag, langer dan het seizoen, langer dan de kringloop van het jaar, zo oud als het patroon van elk bestaan. En terwijl ik het vertrouwde, oude verhaal zich liet ontvouwen, speelde ik een beetje met dingen om me heen, me nauwelijks bewust van wat ik deed. De manier waarop het mos op de oude stenen groeide, werd net even anders. Er hingen misschien meer bijen aan de laatste bloempjes van de lavendel, terwijl er wat minder vogeltjes op de kale takken van de sering zaten. Steentjes op de grond rolden in de vorm van een oud symbool. Es, berk, eik, kardinaalsmuts. Niets bijzonders. Net genoeg om in vorm te blijven, bij wijze van spreken.

Mijn dagelijkse leven bleef moeite kosten, ook toen ik er een beetje aan gewend raakte. Het was uitputtend. Ik wist dat ik nooit zou wennen aan de mensen, het gezelschap van mensen, de noodzaak om vanzelfsprekende dingen toch te zeggen en naar vervelende dingen te luisteren, de noodzaak om mee te doen. Als je in eenzaamheid en stilte bent opgegroeid, raak je het verlangen daarnaar nooit meer kwijt. Soms kwam ik in de verleiding een kleine tas in te pakken en weg te lopen, ook al moest ik dan door het bos, ook al had grootmoeder me bedreigd. Maar dat zou zeker misgaan. Het wemelde overal van de gewapende mannen, en het was de meisjes verboden zonder escorte voorbij een bepaald punt te komen. In deze tijd, vertelde Clodagh me in volle ernst, kon je niet voorzichtig genoeg zijn.

De bijeenkomst van de Raad liep ten einde. Ik had graag willen zien wie de vertegenwoordiger van Inis Eala was, want ik wilde meer te weten komen over tante Liadan en haar man, en de fameuze Johnny. Maar ik ontwaarde 's avonds geen nieuwe gezichten aan tafel, en zag geen ruiters het erf oprijden op de dag dat mijn oom Sean zei dat ze zouden komen. Uiteindelijk vroeg ik het maar rechtstreeks aan Muirrin.

'Zijn de mensen van Inis Eala niet vertegenwoordigd in de Raad?' Ik probeerde mijn stem luchtig te laten klinken. 'En hoe zit het met Harrowfield? Als Johnny erfgenaam is van Zeven Wateren, waarom is hij of zijn vader dan niet aanwezig? Spelen zij geen rol in deze onderneming, wat die ook mag zijn?'

Muirrin wierp me een blik toe terwijl ze in een pan roerde die op haar vuurtje stond. 'Harrowfield heeft hier geen deel aan,' zei ze. 'Dat landgoed is altijd buiten de vete gebleven; ze distantiëren zich van Northwoods, dat onze eigenlijke vijand is, ook al hebben ze een gemeenschappelijke grens. Dat is niet veranderd sinds Liadan en de Baas daar de leiding hebben overgenomen. En het is de reden waarom de Baas nooit op Zeven Wateren komt. Maar hij neemt een moeilijke positie in, want hij voelt zich nog altijd sterk betrokken bij de zaken van Inis Eala. En Inis Eala was wel degelijk vertegenwoordigd in de Raad. Deze onderneming kan niet doorgaan zonder hun medewerking.'

'De Baas?' vroeg ik.

'De echtgenoot van tante Liadan. Zo wordt hij door iedereen genoemd. Zijn echte naam is Bran, de raaf.'

'Wie is er uit Inis Eala naar de vergadering van de Raad gekomen?' vroeg ik. 'Ik heb niemand zien komen.'

Muirrin fronste nu toch even haar voorhoofd. 'Waarom interesseert jou dat?' vroeg ze.

'Ik probeer gewoon alles over de familie te weten te komen. Johnny lijkt erg belangrijk te zijn. En tante Liadan was de zuster van mijn moeder.'

'Ja, het is jammer dat ze niet hier was om kennis met je te maken,' zei Muirrin, terwijl ze wat van haar brouwsel proefde en een vies gezicht trok. 'O help, ik geloof dat er honing in moet. Kun je die even voor me pakken, Fainne? Het verbaast me niet dat je de man die ze hebben gestuurd niet hebt gezien. De mensen van de Baas zijn er meesters in zich onzichtbaar te maken.' Ze zag de uitdrukking op mijn gezicht en begon te lachen. 'O, daar komt geen toverkunst bij te pas, hoor. Het is hun handelsmerk, en ze zijn er geweldig goed in ongezien binnen te komen en weg te gaan, en zich zo te vermommen dat niemand zich hen herinnert. Dat is ook een reden waarom de Baas niet zelf komt. Hém zou je je altijd herinneren. Er is een man gekomen, en weer weggegaan. Dat is alles.'

'Waarom zou je je die... de Baas altijd herinneren?'

'Dat zul je wel begrijpen als je hem ooit ontmoet. Maar voor een Raadsvergadering zoals deze zal hij nooit komen. Zoals ik al zei, doet hij alles om onpartijdig te blijven. Bovendien heeft hij te veel vijanden en zijn er ook nu nog bondgenoten van vader die hem niet vertrouwen.'

'Zo? Maar waarom doen zijn mensen van Inis Eala dan wel mee? Loopt hij daardoor geen gevaar?'

'Vanwege Johnny.' Ze sprak zijn naam niet zo eerbiedig uit als haar zusjes, maar haar stem klonk wel ernstig. 'Johnny is een symbool. De zoon van de raaf. Hij moet deze onderneming leiden, en dat kan niet zonder de steun van zijn vader. Bovendien maken de unieke vaardigheden van de Baas en de speciale manschappen van Johnny een onmisbaar deel van de campagne uit. Zonder hen gaat het niet. Dat zegt vader.'

'En hoe past je oom Eamonn in het geheel?'
'Gewoon dat hij de grootste en best uitgeruste troep krijgers heeft van heel Ulster,' zei Muirrin luchtig. 'Wil je dit even vasthouden, terwijl ik het zeef. Bedankt. Hij moet eraan meedoen. Ze moeten allemaal meedoen. Het is vaders taak hen er lang genoeg vanaf te houden elkaar naar de strot te vliegen om de onderneming te laten slagen. Volgens mij is het net zoiets als de oudste te zijn van zes zusjes.'
De vragen brandden me op de lippen, maar ik vond dat ik haar niet meer kon vragen zonder argwaan te wekken. In plaats daarvan keek en luisterde ik, want mijn vader had me geleerd raadsels op te lossen. De man Eamonn was een gesloten boek; moeilijk, teruggetrokken. Aan tafel zat hij altijd naast tante Aisling, en hij was erg zwijgzaam, bijna abnormaal zwijgzaam. Je zou kunnen denken dat het feit dat hij niet aan het gesprek deelnam, veroorzaakt werd doordat hij zich het uitstekende bier dat geschonken werd te goed liet smaken, want hij zat de hele avond stevig door te drinken, terwijl hij in de verte staarde en weinig at. Maar zijn ogen verrieden hem. Ik zag dat hij aandachtig luisterde en alles in zijn geheugen opsloeg wat hem ooit van nut zou kunnen zijn. En nog steeds betrapte ik hem erop dat hij naar me keek, keer op keer, alsof ik het laatste stukje was van zijn puzzel en hij nog niet had besloten waar hij me moest plaatsen. Ik keek naar hem vanonder mijn wimpers. Hij bleef naar me kijken zonder zijn blik af te wenden. Hij is het, dacht ik. Grootmoeder zou zeggen dat hij de man was op wie ik me moest richten. *Zoek een man met macht en invloed, Fainne. Een vrouw kan wonderen verrichten met zo'n man als werktuig.* Het idee alleen al was beangstigend. Mijn maag draaide zich om en ik kreeg kippenvel als ik eraan dacht.
Een voor een namen de deelnemers aan het bondgenootschap afscheid en vertrokken van Zeven Wateren onder gewapende begeleiding. Dat was om hen te beschermen, zo luidde de verklaring, terwijl Seans mannen in hun kleding in bostinten voor hen uit en achter hen reden, met de bezoekers daartussenin, zodat ze geen kant op konden. Hoe kon je samenwerken en een grote campagne voorbereiden, vroeg ik aan Muirrin, als er zo weinig onderling vertrouwen was? Zou je bondgenoot zich niet tegen je kunnen keren en je een mes in de rug steken?
'O, maar daar gaat het niet om,' zei Muirrin luchtig. 'Het gaat om het woud. Het woud kent zijn eigen mensen. Anderen kunnen er

niet veilig in- en uitkomen. Paden veranderen. Er groeien wortels over het karrenspoor. Stemmen maken de mensen in de war, en er komt mist opzetten.' Ze praatte alsof dit allemaal heel gewoon was, en ik voelde de haartjes in mijn nek prikken.
'Stemmen?' herhaalde ik.
'Niet iedereen hoort ze,' vertelde ze. 'Maar het woud is heel oud. Het is in oude tijden aan onze familie toevertrouwd. Wij zijn de behoeders van het woud, maar we zijn zeker niet de enige bewoners.'
Ik knikte. 'Ik heb het verhaal gehoord,' zei ik voorzichtig. 'Is een van je voorouders – van onze voorouders – niet met een vrouw van de Fomhóire getrouwd?'
'Dat zeggen ze. En van haar is het geheim van de Eilanden afkomstig. Het heeft allemaal met elkaar te maken: de Eilanden, het woud, de vertrouwelijke taak die het Feeënvolk ons lang geleden heeft gesteld. Als één aspect mislukt, mislukt alles. Dit weet je misschien al.'
'Ik weet er een klein beetje van. Ik wil graag meer horen.'
'Dat kun je het beste aan Conor vragen. Hij vertelt het verhaal beter dan wie ook.'
Maar ik vermeed Conor. Hij was nog steeds op Zeven Wateren, maar hij had geen poging gedaan mij op te zoeken; in plaats daarvan was hij vaak in overleg met Sean, of hij praatte met Muirrin, of hij zat zwijgend in de tuin in de richting van het woud te kijken. Ik had de indruk dat hij wachtte.
Mijn gedachten waren met andere dingen bezig. Oom Sean had bevolen dat ik goed moest leren paardrijden, omdat je nooit wist wanneer je onverwacht te paard zou moeten vertrekken. Het was een vernederende ervaring. De paarden vertrouwden mij niet. En iedereen kon hier paardrijden, zelfs Eilis, die nog maar net vijf jaar was. Zij had het maar makkelijk, dacht ik knorrig wanneer ik haar op haar kleine, zwarte pony rond het erf zag draven. Zij was ermee opgevoed. Ik kwam bijna in de verleiding haar pony te laten schrikken zodat hij haar af zou gooien. Lang geleden, in een andere wereld, had Darragh aangeboden me te leren paardrijden, en ik had geweigerd. Nu had ik daar bittere spijt van. Aoife zou niet hebben staan trillen, ze zou me niet hebben ontweken. Darragh zou geduld hebben gehad. Hij zou misschien hebben gedaan alsof het een grap was, maar hij zou me nooit hebben uitgelachen zoals Eilis nu deed. Goed, de staljongens hielpen me graag, maar dat had meer te maken met de manier waarop ik hen toelachte dan met gewoon vrien-

delijk zijn. Sinds mijn komst op Zeven Wateren had ik me niet één keer onder de mensen gewaagd zonder mezelf te hullen in de magische uitdossing van schoonheid en liefheid die het Mom mogelijk maakte. Geen wonder dat de mensen zeiden dat ik op mijn moeder leek. Zonder het masker van het Mom zou mijn eigen onhandigheid me helemaal verlamd hebben. Maar hier op het erf bij de stallen kwam ik in de verleiding het af te werpen en hun gewoon te laten zien hoe lelijk en verlegen ik in werkelijkheid was. Ik had natuurlijk een paar toverkunstjes kunnen gebruiken om hen op hun plaats te zetten. Maar ik bood weerstand aan die aanvechting en bleef het gewoon proberen. Aan het eind van de ochtend was ik moe en gefrustreerd, en mijn instructeurs krabden verbaasd op hun hoofd.

'De paarden hebben iets tegen u, lijkt het wel,' merkte een van de stalknechten op. 'Ik heb nog nooit zoiets gezien.' Naast hem stond de merrie waar ik op gereden had met haar ogen te rollen en te rillen.

'Het geeft niet,' zei ik. 'Bedankt voor je tijd.'

'Het is een eer, vrouwe,' zei de jongen, heftig blozend. Toen vluchtte ik weg. Het was de bedoeling dat ik Eilis en Maeve terugbracht naar het huis, waar ze zich moesten wassen en aan een naaiwerkje beginnen. Maar dat was plotseling meer dan ik aankon, en ik sloop stilletjes weg achter de stallen. Ik moest een paar ogenblikken alleen zijn. Er was een plek waar je rustig kon zitten, een achterdeur met een trapje van drie treden ervoor. Gewoon een moment rust zonder ongewenst gezelschap, dat had ik nodig.

Maar er was al iemand. Op het trapje zat Eamonn, in rijkleding, met zijn in laarzen gestoken benen voor zich uitgestrekt. Hij had zijn armen over elkaar gevouwen, zijn ogen keken recht vooruit en de uitdrukking op zijn gezicht was donker, alsof hij in gedachten verzonken was. Hij droeg een donkergroene tuniek over zijn rijkleding.

'O,' zei ik, geschrokken. 'O... neem me niet kwalijk...'

Hij stond op. 'Fainne, ik geloof dat ik je toevluchtsoord heb bezet. Ik moet hoe dan ook gaan. Ik ga vandaag terug naar huis. Er zijn vele zaken die mijn aandacht vereisen.'

Mom of geen Mom, ik was verstijfd van verlegenheid en had geen idee wat ik tegen hem moest zeggen of wat ik moest doen. Ik begon automatisch te spreken met de zachte, ademloze stem die mijn grootmoeder voor zo'n situatie zou hebben aanbevolen, en ik be-

woog zoals zij het me had geleerd, want ik wist niet wat ik anders moest doen.
'Toe... blijf als u wilt. Ik had niet de bedoeling u te storen. U hebt gelijk, dit is een plek waar je heen kan vluchten wanneer het... wanneer het allemaal moeilijk wordt. Maar... ik vind het niet erg er samen gebruik van te maken. Verlangt u ook naar rust en stilte? Even weg te zijn van het geroezemoes en de drukte? U lijkt het erg druk te hebben.' Ik kwam aarzelend naar voren en voelde dat ik licht bloosde, zonder dat ik daar de kunst voor hoefde te gebruiken.
'Alsjeblieft,' zei hij. 'Ga zitten. Je hebt immers gereden? Je zult wel moe zijn.'
'Ik ben een beetje vermoeid,' zei ik met een spijtig lachje, en ging sierlijk zitten op de bovenste trede. Hij bleef naast me staan, met een even ondoorgrondelijke uitdrukking op zijn gezicht als altijd.
'Heb je nooit leren paardrijden? Dat is ongewoon voor een meisje van jouw leeftijd,' merkte Eamonn op.
'Dat weet ik,' zei ik heel eerlijk. 'En ik wil het ook eigenlijk niet leren, maar oom Sean zegt dat ik het moet leren. Ik zou mijn tijd liever besteden aan andere bezigheden.'
'Andere bezigheden?'
Hij scheen met me te willen praten. Misschien was grootmoeders raad over hoe je met mannen omging, minder dwaas dan ik had gedacht. Ik wist niet goed welk antwoord hij het liefste zou horen. Ik deed er een gooi naar.
'Naaien, lezen, studeren. Ik ben niet gewend aan zoveel mensen.'
Hij gaf een goedkeurend knikje. Het leek erop dat ik hem goed had ingeschat.
'Je bent dus niet opgegroeid in zo'n gezin als dat van mijn zuster? Ben je opgevoed in het huishouden van je vader?'
Het was een fout zo'n man ooit te onderschatten. Ik voelde mijn blos dieper worden en sloeg mijn ogen neer. 'Ik... neem me niet kwalijk, dit maakt me van streek. U zou het aan mijn oom Sean moeten vragen. Ik vind het pijnlijk om hierover te praten.'
Eamonn hurkte bij me neer; hij was kennelijk bezorgd. Maar de onderzoekende uitdrukking in zijn donkere ogen was me niet ontgaan.
'Het spijt me,' zei hij. 'Ik heb je van streek gemaakt. Het was niet mijn bedoeling...'
'Het geeft niet.' Mijn stem trilde een beetje. 'Ik... ik vind het niet prettig om over deze dingen te praten. Ik heb een tamelijk beschermd

leven geleid voor ik hier kwam. Een leven van rust en contemplatie.'

'Ik heb lange tijd geloofd dat je moeder op mijn eigen land verdronken was ten gevolge van mijn nalatigheid,' zei Eamonn. 'Later hoorde ik dat ze nog leefde en in een klooster woonde. Ze zeiden dat haar gezondheid broos was. Maar... vergeef me als dit bot klinkt, maar niemand heeft ooit gezegd dat ze een dochter had.'

'Ik heb mijn moeder nooit gekend,' zei ik fluisterend. Dit gesprek maakte me in de war. Ik begreep niet wat hij wilde. Als hij geheimen te weten wilde komen die van strategisch nut konden zijn, kon hij toch niet verwachten dat hij ze van mij zou horen.

'Ze leek veel op jou,' zei Eamonn. 'Niamh werd als meisje erg bewonderd. Nooit waren er twee zusters die zo weinig op elkaar leken.' Zijn mond vertrok. Zijn gezicht was vlakbij het mijne.

'U zult zeker blij zijn dat u eindelijk naar huis terug kunt keren,' zei ik.

Hij staarde me zwijgend aan.

'Uw eigen familie zal u wel missen,' voegde ik eraan toe.

'Aisling is de enige familie die ik heb,' zei hij na een ogenblik, en nu was hij degene die naar de grond keek.

Ik wachtte even. 'Dat verbaast me,' zei ik. 'Geen echtgenote? Geen kinderen? Misschien heb ik maar een beperkt begrip van dit soort dingen, ten gevolge van mijn geringe ervaring met de wereld, maar wilt u geen erfgenaam hebben om uw landgoederen aan na te laten?'

Hij toonde een miniem lachje. 'Je spreekt erg openhartig, Fainne. Onthutsend openhartig.'

Ik maakte weer gebruik van grootmoeders lessen door een elegant gebaartje te maken dat verwarring uitdrukte, met mijn vingers tegen mijn lippen. 'Dat spijt me. Ik wilde u niet beledigen. Ik ben in eenzaamheid opgegroeid en heb de kunst van het converseren nooit geleerd. Besteed alstublieft geen aandacht aan wat ik zei.'

'Het is niet gebruikelijk, denk ik,' zei Eamonn, en hij deed een stap en kwam naast me zitten op het trapje. 'Er is een tijd geweest dat ik dacht dat ik die dingen zou kunnen krijgen. Een man beschouwt ze immers als niet meer dan iets waarop hij recht heeft. Maar toen veranderde alles.'

'Hoe?'

Hij keek neer op zijn handen, die nu stijf in elkaar geklemd waren. 'Ah. Nu kom jij op een terrein waar ik niet over kan spreken. We

moeten allebei onze geheimen bewaren, denk ik.'
'Het spijt me, Eamonn.'
Hij keek me aan, met opgetrokken wenkbrauwen.
'Hebt u liever dat ik u oom Eamonn noem? Dat lijkt op de een of andere manier niet passend.'
'Dat is het ook niet, Fainne. En ik ben tenslotte je oom niet, al had ik het kunnen zijn. Nu moet ik gaan. Mijn mannen wachten waarschijnlijk al op me. Het is een lange rit naar Sídhe Dubh.'
'Daar woont u?'
'En op Glencarnagh. Dat huis zou jou beter bevallen. Het is meer geschikt voor een vrouw.'
'En ik moet maar eens teruggaan naar de kinderen,' zei ik. 'Ze moeten worden gewassen en ik moet ze wat naaiwerk geven. Tante Aisling zet ons allemaal aan het werk. Dat vind ik niet erg. Ze maken alleen zoveel lawaai.'
Eamonn glimlachte. Hierdoor zag hij er aanmerkelijk beter uit. Jammer dat hij zo oud was. Zeker negenendertig, dacht ik. Ouder dan mijn vader.
'Je houdt dus van stilte?'
Ik knikte. 'Ik had beter in het zuiden kunnen blijven, waar ik me had kunnen wijden aan een leven van stilte en contemplatie,' zei ik zacht, blij dat ik niet had hoeven liegen.
'Zou je dan geen eigen gezin willen, later?' vroeg Eamonn ernstig.
Ik wist niet wat grootmoeder hier passend zou vinden, dus ik raadde er maar naar. 'O, ja,' zei ik hees, terwijl ik ervoor zorgde dat mijn gezicht een toonbeeld werd van heerlijke, jonge vrouwelijkheid, op het punt van ontdekking. 'Een echtgenoot, een flinke zoon, een snoezig dochtertje om voor te zorgen – verlangt niet elk meisje daarnaar?'
Het bleef weer even stil. 'Ik hoop,' zei Eamonn, 'ik hoop dat Sean een verstandige keus voor je doet. Ik zou niet graag zien dat zo'n… ik hoop maar dat hij voor jou een goed oordeel vormt. Nu moet ik gaan. Het beste met je rijlessen. Ik ben ervan overtuigd dat je daarin even bedreven wordt als je ongetwijfeld in alle andere dingen bent.'
'U vleit me,' zei ik.
'Dat betwijfel ik ten zeerste. Vaarwel, Fainne. Misschien kunnen we nog eens met elkaar praten wanneer ik de volgende keer een bezoek breng aan Zeven Wateren.'
'Dat zou ik heel prettig vinden,' zei ik, en keek hem na toen hij weg-

liep. Ik had het er in elk geval heelhuids van afgebracht. Grootmoeder zou het vermoedelijk hebben goedgekeurd. Waarom had dit gesprekje me dan zo van streek gemaakt dat mijn maag zichzelf in knopen leek te leggen wanneer ik eraan terugdacht? Ik nam alles door wat ik had gezegd en kon er geen fout in ontdekken. Maar ik bleef het gezicht van Darragh voor me zien die naar me keek terwijl ik danste op de jaarmarkt, het gezicht van een man die zich op de een of andere manier verraden voelt. En ik kon aan niets anders denken dan dat ik blij was dat Darragh me nu niet kon zien; blij dat hij niet zou weten wat ik moest doen en wat ik moest worden.

HOOFDSTUK VIJF

Het woud was als een mantel van duisternis rondom het fort en de kleine nederzetting. Naarmate het jaar vorderde en het vochtig en koud weer werd, vond ik het moeilijk om het bedrukte gevoel van me af te zetten dat ik opgesloten zat in een val die zich om me heen zou sluiten en me zou verstikken. Het bos beschermt zijn bewoners, had Muirrin gezegd. Ik had de indruk dat het bos leefde en ademde, en dat het voelde dat er een indringer was gekomen met vernietiging in haar hart. Grootmoeder had verbijsterend eenvoudig voorgesteld wat me te doen stond. *Zorg dat ze niet gaan vechten*, had ze gezegd, *of zorg als ze toch gaan vechten dat ze verliezen*. De slag verliezen betekende de Eilanden verliezen. Het verlies van de Eilanden moest kwaad over het woud en over al zijn bewoners brengen, of ze nu tot de mensenwereld of tot de Andere Wereld behoorden. Ik had de indruk dat het woud dit wist, zoals een levend wezen een belangrijke waarheid weet. Domme gedachten, zei ik ferm tegen mezelf, terwijl ik een houtblok op het kleine haardvuur in mijn kamer legde. Het waren immers maar bomen. Bomen kunnen omgehakt en verbrand worden. Bomen kunnen worden weggehaald om ruimte te maken voor landbouw of vee. Het was dom om die angsten te zwaar te laten wegen. Maar volgens de oude verhalen mochten bomen niet onderschat worden. Voor Conor en de andere druïden waren ze krachtige symbolen. Voor Muirrin en haar familie was het een heilige opdracht ze tot elke prijs te beschermen. En het woud op zijn beurt beschermde alle mensen die op Zeven Wateren woonden.

Ik stond voor mijn raam en keek naar beneden, naar de regen die zijwaarts werd gezweept door de stormwind, en ik zag de ontbladerde vormen van grote eiken en beuken huiveren onder het geweld van de storm, maar toch allemaal stevig blijven staan. Het was bijna donker en ik had een kaars aangestoken, die zijn best deed om daar in het raam te blijven branden. De flakkerende, gouden gloed wekte Riona's geborduurde gezichtje tot leven en gaf haar zijden japon de tint van herfstrozen. Deze plek vlak bij het smalle raam gaf me een heel vreemd gevoel. Ik had dat gevoel al eerder gehad: een kracht, een betekenis, alsof iemand hier eindeloos lang had gewacht, alsof datgene wat die persoon had gevoeld zo sterk was dat de herinnering eraan hier nog in de koude lucht hing, voor de flakkerende kaars. Ik werd er koud van. Ik liep weg en ging op het bed zitten, en Riona's ogen keken naar me.

Angsten, hield ik mezelf voor, te veel angsten. Ik moest me ervan ontdoen, zodat de taak zich kon ontvouwen. Als het woud een bedreiging vormde, moest ik die tegemoet treden. Ik moest de stemmen antwoorden en de zwijgende wachters uitdagen. Mijn taak zou immers het Feeënvolk zelf treffen? Maar toch sidderde ik bij het vooruitzicht alleen onder de eiken te lopen, omdat ik bang was dat ik hun stemmen zou horen. Zonder kennis van degenen die ik moest verslaan, kon ik niets bereiken. Ik was toch een tovenaarsdochter? Waar was mijn moed?

Het klaarde op; de stormachtige dagen maakten plaats voor frisse, vrieskoude ochtenden en koele middagen onder een bleke zon die de pijn diep in mijn botten niet wegnam. De kleine meisjes hielden op met kibbelen en gingen buiten spelen, niet ver van het huis. Het laatste werk van het seizoen was gedaan, daken waren hersteld, hout was opgestapeld, wintervoorraden waren zorgvuldig opgeslagen. Op de erven waren mannen met zwaarden, speren en messen eindeloos bezig de dodelijke dansen van de oorlog te repeteren. Er kwamen nog meer paarden binnen, en de stalknechten hadden het te druk om een vrouw rijles te geven. Sean maakte een grimmige, afwezige indruk, zoals hij rondliep met de twee grote honden die zwijgend achter hem aan sloften. Er kwamen weer mannen die met hem overlegden en weer weggingen. Er werden voorraden aangevoerd op wagens, die werden weggeborgen voor iemand kon zien waaruit ze bestonden. Conor was vaak bij zijn neef om dingen na te kijken en ernstige raad te geven. Het was niet heel ongewoon dat een druïde zich bezighield met een militaire campagne, vooral wanneer die te maken had met iets wat hem zo na aan het hart lag.

Want mijn grootmoeder had gelijk gehad toen ze zei dat er voor de zomer een grote onderneming op touw werd gezet. Het was inderdaad niets minder dan de definitieve aanval op de Britten van Northwoods, de clan die zich, generaties geleden, meester had gemaakt van de Eilanden, die het heiligdom van het oude geloof waren. Dit was de zomer waarin de Eilanden eindelijk zouden worden teruggegeven aan degenen die rechtens hun hoeders waren. Niet hun bezitters; die uitdrukking was niet van toepassing. De familie hield alleen toezicht op het woud, het meer en de Eilanden. Deze taak was onze voorvader in de oude tijd toevertrouwd door het volk van de Túatha Dé Danann, toen hij het woud van Zeven Wateren voor het eerst betrad. De taak was op een vreselijke manier verwaarloosd, en Northwoods had de Eilanden in beslag genomen. Gedurende talloze jaren was de vete om de zeggenschap over deze stipjes land midden in de zee uitgevochten, en zowel zonen van Erin als van Brittannië hadden hun leven ervoor gegeven. Dit zou de laatste aanval worden. Northwoods zou verdreven worden en zijn leger zou worden vernietigd. De tijd was rijp; het kind van de profetie bevond zich in hun midden en was een volwassen krijger. Met hem als aanvoerder, en een hoeveelheid bondgenoten die nooit eerder bijeen was gebracht, kon de onderneming niet mislukken.

Dit kwam ik allemaal te weten door te luisteren en te kijken. De lessen die ik van mijn vader had gekregen, hadden ervoor gezorgd dat ik dat goed kon. Soms hoorde ik zelfs meer dan ik eigenlijk wilde horen; dan verbaasde ik me over de geschiedenis van deze grote familie en de geheimen die ermee verweven leken te zijn. Op een dag was ik het gekwebbel van de kinderen ontvlucht en had ik me naar een verre hoek van de tuin begeven om daar in stilte op een oude, stenen bank te zitten. Het was koud; ik was warm ingepakt in mijn dikke mantel. Ik hield de amulet van mijn grootmoeder in mijn hand en probeerde mijn geest te concentreren op de taak die ze me had gesteld, en op de manier om die uit te voeren. Wanneer ik de kleine bronzen driehoek aanraakte, kwam me soms haar gezicht voor de geest, en dan hoorde ik haar woeste fluisterstem: *Vergeet het niet, Fainne. Vergeet je vader niet.* Ik herinnerde me de straffen die ze me had gegeven en twijfelde niet aan haar macht. Soms zakte de moed me in de schoenen, zo onmogelijk leek de opdracht die me wachtte. In deze ogenblikken van twijfel hielp de amulet me. De kleine vorm in mijn hand werkte altijd geruststellend; zolang ik hem vasthield, kon ik geloven dat ik tot bijna alles in staat was.

Die dag zat ik op mijn bank in de schaduw van een hoge, winters bruine haag, toen ik stemmen hoorde: de stemmen van mijn oom Sean en Conor. Ze liepen over een grindpad aan de andere kant van de geschoren beuken en bleven vlak achter me stilstaan, zodat ik hun woorden letterlijk kon verstaan. Voor het geval dat ze op het idee zouden komen om de hoek om te komen, zodat ze me zouden zien, gebruikte ik een kleine toverspreuk om mezelf meer in de schaduw van de haag te laten opgaan, om mijn kleren de vlekken te geven van dor, winters gebladerte en donkere, in elkaar grijpende takjes. Ik luisterde.

'... heb me dikwijls afgevraagd welke redenen Ciarán hiervoor zou kunnen hebben, maar ik vind geen antwoorden op mijn vragen,' hoorde ik Conor zeggen.

'Mij lijkt het nogal duidelijk, oom,' antwoordde Sean. 'Zelfs Ciarán begrijpt natuurlijk dat zijn dochter geen toekomst heeft in een afgelegen nederzetting, ergens aan de buitenste rand van Kerry. Hij kan haar niet zelf naar het noorden brengen; hij weet dat hij hier nooit ontvangen kan worden, ook al is hij een bloedverwant van ons. Daarom stuurt hij het meisje naar ons toe, in de hoop dat wij erop toe zullen zien dat ze haar weg vindt, dat we een goede echtgenoot voor haar zullen zoeken, dat we haar zullen verzekeren van een toekomst die een dochter van Zeven Wateren past.'

Het bleef even stil.

'Er klopt iets niet.' Conors stem klonk nadenkend, alsof hij een moeilijke puzzel probeerde op te lossen. 'Ciarán hield niet van Zeven Wateren of van deze familie toen hij hier al die jaren geleden wegstormde. Hij wilde niets meer met ons te maken hebben, en ook niet met de broederschap, zodra hij erachter was gekomen wie hij was. Hij bezegelde die beslissing door Niamh als vrouw te nemen, ook toen hij al wist dat dat tegen de natuurlijke wetten indruiste. Door dat te doen sneed hij haar in feite van ons allen af. Waarom zou hij dan nu zijn dochter aan onze genade willen overleveren? Zelfs als kind was Ciarán een denker die rekening hield met de kleinste dingen. Hier schuilt een bedoeling achter, en dat is niet domweg de wens dat zijn dochter een geschikte edelman huwt.'

'Met alle respect, oom, maar volgens mij hebt u ongelijk. Volgens mij doet Ciarán precies wat Niamh gewild zou hebben. Mijn zuster hield van dit huis en van haar familie; ze hield ook van het leven dat ze hier had kunnen hebben, de mooie dingen, de muziek, het dansen, het gezelschap en de feesten. Niamh was geen kluizenares. Het maakt me verdrietig dat ik nooit zal weten of mijn zuster ons heeft vergeven wat we haar hebben aangedaan, of ze verbitterd is gestorven omdat we zo'n slechte keus voor haar hebben gedaan. Zouden we Fainnes aanwezigheid hier niet kunnen opvatten als een soort vergeving?'

'Je zou graag willen dat het zo kon zijn,' zei Conor kalm. 'Je ziet over het hoofd wat het meisje is; welke erfenis ze met zich meedraagt. Zeker, ze is Niamhs dochter; dat zie ik in de houding van haar hoofd, de plotselinge stiltes, haar lichtgeraaktheid. Maar ze is ook de dochter van Ciarán. Je weet wat dat betekent. Fainne hier te houden zou een gevaar voor ons kunnen inhouden. We moeten voorzichtig te werk gaan, denk ik.'

'Kom nou, oom, Fainne kan een beetje toveren, dat is waar, maar elke druïde zou hetzelfde kunnen doen als wat zij die dag in het bos deed. Ze is al die jaren alleen met haar vader opgegroeid; het hoeft geen verbazing te wekken dat ze wat van zijn kennis heeft overgenomen. Er dreigt eerder een gevaar van een andere kant; Eamonn heeft me een aantal vragen gesteld, en ik weet niet hoe ik die moet beantwoorden.'

'Wat voor vragen?' Conors stem had plotseling een scherpe klank.

'Over de vader van het meisje, wie hij was, zijn achtergrond. De antwoorden die ik Aisling heb gegeven, bevredigden haar broer niet; hij wilde niet zomaar accepteren dat de man een druïde uit een goede familie was. Hij drong aan op meer informatie.'

'Hmm,' zei Conor. 'Waarom zou dat Eamonn interesseren, denk je?'

'Alles interesseert Eamonn. Hij vindt het belangrijk alles te weten wat er te weten is, gewoon voor het geval dat het hem een keer van nut zou kunnen zijn. Ongetwijfeld is dat de manier waarop hij zoveel rijkdom en invloed heeft verworven.'

Ze liepen weer verder over het pad. Zacht als een fluisterende bries stond ik op en liep aan mijn kant van de haag met hen mee. Ik had veel oefening gehad in onhoorbaar lopen, al had ik ook een manke voet.

'... nog geheimen,' hoorde ik Conor zeggen. 'Wat was nu eigenlijk het ware verhaal op die dag dat Niamh wegvluchtte van Sídhe Dubh en zich op de een of andere wijze weer bij Ciarán voegde? Eamonn voelt dat nog steeds als een grote schande; hij heeft zichzelf nooit vergeven dat hij een dergelijke inbreuk op de beveiliging in zijn eigen huis heeft kunnen laten gebeuren.'

'Dat verhaal hoef ik niet zo nodig te horen,' zei Sean. 'Ik zou de waarheid willen weten over die keer dat mijn zuster Liadan Eamonn ging bezoeken, en ergens in een buitenpost terechtkwam met twee gewonde mannen en een hele groep bandieten. Daar zou ik graag het fijne van willen weten. Ik heb daar al die jaren bange vermoedens over gehad.'
'Ja, dat geheim hebben ze nooit prijsgegeven, Liadan en haar Bran. Al die tijd. Er bestaat nog steeds enige twijfel ten aanzien van Eamonns betrokkenheid in die kwestie.'
'Maar hij is wel de broer van mijn vrouw. Hij is nu familie.'
'Zeker. En vanaf die tijd is hij een onberispelijke bondgenoot geweest. Dat roept interessante vragen op.' Ze zwegen. Ik kon niet veel verder meer lopen; het eind van de haag was vlakbij, en dan zouden ze me zien. De kunst me onzichtbaar te maken beheerste ik niet.
'Maak je nou maar geen zorgen over het meisje,' zei Sean. 'Het is een braaf kind, daar ben ik van overtuigd. Een beetje toveren, een paar bijzondere vermogens, daar steekt toch geen kwaad in? Dat zie je aan Liadan.'
Conor lachte, maar het klonk niet vrolijk. 'Je vergist je. Dit meisje is even krachtig als haar vader was, vermoed ik. Ik zie het in haar, ik voel wat ze is, elke keer dat ik bij haar in de buurt kom. Zo'n kracht in een meisje dat nog te jong is om hem met verstand te hanteren zou rampzalig kunnen zijn voor ons. Eén ding weet ik wel. Ik zou een magiër met zulke gaven veel liever als bondgenoot hebben dan als vijand.'
Ze liepen verder en ik bleef achter. Conor was een druïde; het was dus niet verrassend dat hij mijn vermogens aanvoelde en dat hij me wantrouwde. Was ik maar echt zo krachtig als hij dacht; dan zou ik misschien sterker zijn dan mijn grootmoeder en zou ik op de een of andere manier nee tegen haar kunnen zeggen, en toch mijn vader beschermen. Maar Conor vergiste zich. Wat ik kon doen met de kunst was miezerig en zwak in vergelijking met wat mijn grootmoeder kon doen. Als ik haar tegenwerkte, zou zowel mijn vader als ik vernietigd worden, daar twijfelde ik niet aan. Ergens achter in mijn geest zaten haar woorden: *Je zou niet zo heel veel fouten hoeven te maken om hem ernstig ziek te maken.* Ze had gezegd dat ze het zou weten als ik haar bevelen niet uitvoerde, en het zou dom zijn als ik dat naast me neerlegde. Ik moest zien verder te komen, anders zou mijn vader eronder lijden.

Ik koos een onbewolkte dag uit, een dag waarop tante Aisling me voor de verandering niets had opgedragen. Dit was een geschikt moment. Er was niets om bang voor te zijn, hield ik mezelf voor terwijl ik mijn buitenschoenen aantrok en mijn omslagdoek van de haak achter de deur nam. Helemaal niets. Doe het gewoon stap voor stap. De stap van vandaag was die schaduwen in het bos tegemoet te treden en vast te stellen dat ik me daarover geen zorgen hoefde te maken. Het waren natuurlijk kunstgrepen van de Túatha Dé, die ze hadden opgesteld om de mensen bang te houden en te voorkomen dat ze lastige vragen gingen stellen. Mijn grootmoeder had altijd gezegd dat het Feeënvolk naast zijn schoenen liep van verwaandheid. Ze waren hooghartig. Ze vonden dat ze beter waren dan alle anderen; je zag het aan de manier waarop ze een van de hunnen hadden uitgestoten, zonder er enige notie van te hebben hoe het voelde als je geslacht voor eeuwig vervloekt was. Het was tijd dat iemand hun eens het hoofd bood. Maar wel voorzichtig, zoals alles wat ik deed. Mijn uiteindelijke doel moest tot het allerlaatst geheim blijven, anders zou het zeker niet lukken.

Ik wikkelde de wollen omslagdoek om me heen. Riona keek toe. *Nee*, leek ze te zeggen. *Dat is niet genoeg, dat weet je ook wel.* Ik keek haar boos aan. Maar ik ging toch naar de kleine kist en haalde er de mooie sjaal uit met de vele kleurige figuurtjes en de franje die in het licht danste als een beweeglijke waterval, en ik knoopte hem vast om mijn schouders.

'Nou tevreden?' mopperde ik. Riona antwoordde niet, want dat kon ze niet. Maar de uitdrukking op haar gezicht leek te zeggen: *Zo is het beter. Je kunt beter vasthouden wat je nog hebt, want veel is het niet.* Ik keek haar verbaasd aan en vroeg me af waar die gedachte vandaan was gekomen, en wat ermee werd bedoeld. Toen pakte ik haar, stopte haar in de kist en deed het deksel dicht.

Het was midden op de dag, maar de rijp knerpte nog onder mijn schoenen. Op het meer dreven een paar eenden, die doken naar mogelijke hapjes onder water. In de lucht hing rook van de vuren in de huisjes; naast de lage deuren lagen turven keurig opgestapeld. Ik liep het dorp snel door en ging langs de stenen walletjes van de weiden op weg naar de bosrand. En daar naast het pad stonden twee van de mannen van mijn oom Sean. Ze leunden op hun staf en keken naar me terwijl ik aan kwam lopen.

Ik lachte hun zo vriendelijk mogelijk toe. 'Goedemiddag.'

'Goedemiddag, vrouwe. U kunt beter niet alleen verder gaan.'

'Ik ga niet ver. Alleen een eindje langs de oever van het meer. Ik blijf niet lang weg.'

'Er moeten een paar mannen met u mee. Bevel van heer Sean.'

'O, maar...'

'Het spijt me, vrouwe. Ik mag u niet alleen laten gaan. Het is niet veilig.'

Ze waren allebei groot en breed, en aan hun gezicht zag ik dat het zinloos was ertegen in te gaan. De man links had het gladde uiterlijk van een eend, met volle lippen en zijn haar strak weggetrokken van zijn voorhoofd. De ander had meer weg van een kikker. Ik nam een spreuk in gedachten en hief mijn hand op.

'Ik loop met de jonge vrouwe mee. Daarmee is het probleem naar ieders tevredenheid opgelost en gebeuren er geen ongelukken.' Het was Conor, die achter me op het pad stond, waar een ogenblik geleden nog niemand had gestaan.

'Ja, heer.'

De aanwezigheid van een aartsdruïde was blijkbaar zonder meer een garantie voor veiligheid. De gewapende mannen gingen opzij en lieten ons passeren. We liepen zwijgend het pad af dat onder het baldakijn van kale takken doorliep. Onder onze voeten waren de afgevallen bladeren van eiken, essen, beuken en berken verteerd tot een dik, donker tapijt van vochtige deeltjes waaruit vreemde zwammen opschoten en waarin kleine beestjes rondkropen. Ik trok de sjaal dichter om me heen.

'Je hebt een speciaal doel met dit uitstapje.' Dit was geen vraag maar een constatering. 'En je zou liever alleen gaan. Maar zoals je ziet, is dat niet mogelijk. De tijd dat de kinderen van Zeven Wateren vrijelijk door het bos konden zwerven, zonder ergens bang voor te hoeven zijn, is voorbij. Er is hier veel veranderd.'

Ik knikte.

'Ik zal me niet in die zaak mengen, Fainne. Het is verstandig van mijn neef dat hij beperkingen oplegt aan het verkeer door het woud. Het is noodzakelijk dat alles hier geheim blijft tot na de zomer. Dat zul je wel begrijpen.'

'Bovendien,' zei ik, 'is het woud zelf niet altijd goedaardig, heb ik gehoord. Vreemdelingen zijn hier niet altijd veilig. Muirrin heeft gezegd dat het zijn bewoners beschermt.'

Er viel een stilte terwijl we samen verder liepen onder de bomen.

'Dat is waar,' zei Conor na een tijdje. 'Maar daar hoef jij je geen zorgen over te maken. Je bent tenslotte een van de onzen.'

Ik hield mijn verbitterde antwoord voor me. *Denkt u dat ik die leugen voor zoete koek slik, zoals mijn vader destijds?* 'Maar toch,' zei ik naar waarheid, 'ben ik niet gewend aan zoveel bomen. Ik krijg er... een onrustig gevoel van.'

'In dat geval is een druïde wellicht het beste gezelschap dat je kunt hebben.'

Ik antwoordde niet, en we liepen zwijgend verder tot we bij een open plek kwamen tussen lijsterbessen met kale takken, waaraan nog hier en daar een laatste verschrompeld restant van de vruchtjes van de zomer hing. Midden in de open ruimte lag een reusachtige platte steen, begroeid met korstmos. Er hing een roerloze stilte die deze plek uitzonderlijk maakte. De enige geluiden waren de roep van een enkele vogel hoog in de bomen en het druppelen van een klein, onzichtbaar beekje dat zijn weg zocht naar het meer beneden.

'Deze plek is geschikt,' zei Conor. 'Ik ga een poos mediteren, want ik heb ook behoefte aan respijt van de drukte. Jij moet maar gaan doen wat je wilt. Je hoeft je niet te haasten.' Hij ging met gekruiste benen op de steen zitten. Zijn witte gewaad viel soepel om hem heen, zijn rug was zo recht als die van een klein kind, en hij sloot zijn ogen.

Ik leek niets anders te kunnen doen dan ook te gaan zitten, zo ver van hem vandaan als de breedte van de steen toeliet, en hetzelfde te doen. Ik wist genoeg van magie, van trances en van Anderwereldse machten om te beseffen dat je niet zomaar op zoek kon gaan naar verschijningen, en verwachten dat ze dan tot je beschikking zouden staan. Het was noodzakelijk eerst de zintuigen te kalmeren en te vertragen; ze te richten op een gekozen symbool of een bekend fragment van de klaagzang; en het tijd te gunnen. Zelfs dan zou je misschien niet krijgen wat je verwachtte. Het hielp als je op een goede plek was, en het was een stuk gemakkelijker wanneer er niets was om je af te leiden. De hoge richels van de Honingraat waren heel geschikt; het bulderen van de oceaan en het krijsen van de meeuwen verweefden zich tot een tijdloze, afgezonderde vorm van rust. De kleine grot onder aan de rotsen, waar zee, aarde en gezeefd licht bij elkaar kwamen, elkaar aanraakten en veranderden in een subtiel evenwicht, was nog het allerbeste. Ik verlangde naar de waterig blauwe schaduwen daar, het fluisteren van golfjes op het witte zand. Op die plek vond het hart rust. Maar Kerry was ver weg, en in het woud van Zeven Wateren kon je het lied van de zee niet horen. Hier moest je aan de steen denken; een steen, zo massief en oud dat hij deel kon uitmaken van het lichaam van de aarde zelf, alsof je veilig bij Dana zelf op schoot zat. Ik zou me concentreren op de steen en de bomen vergeten. Mijn ademhaling vertragen; hem diep in mijn buik voelen, de kracht ervan door alle delen van het lichaam voelen stromen. In en uit. Wacht. In en uit. Langzaam, nog langzamer. *Ik ben hier. De aarde houdt me vast. Vroeger zat ik met mijn rug tegen de staande stenen, en werd één met de eeuwige patronen van zon en maan. Nu voel ik de sterkte van deze steen onder me, en haar eeuwenoude doel in alle uithoeken van mijn wezen. Ze klopt in mijn bloed; ze slaat in mijn hart; anker en steun van geest en ziel. Ik ben van de aarde, en de aarde is in mij.*

Er ging geruime tijd voorbij, of korte tijd. Zonder te bewegen, zonder mijn ogen te openen wist ik dat er iets aanwezig was. Het fladderde omlaag en kwam niet ver van me af op het bemoste oppervlak zitten, zo groot als een uil en een beetje mottig. Het richtte zijn vreemde ronde ogen op mij en knipperde met zijn oogleden. Plotseling veranderde het; geen flits, want er was geen licht. Geen knal, want er was geen geluid. Alleen een soort rimpeling in de lucht, een verschuiving in het weefsel van alles. In plaats van een uil zat daar een klein, mensachtig wezen, ongeveer even groot als Eilis. Maar dit was geen kind. Ik wist niet of het wezen mannelijk of vrouwelijk was, want het was gekleed in een dikke mantel van veren, bruin, grijs, zwart, geelbruin gestreept, en het droeg een kap in soortgelijke tinten, zodat alleen het gezicht te zien was, rond, met uilenogen, een stompe neus en borstelige wenkbrauwen, en onder de mantel zag ik een paar keurige, kleine voeten in felrode laarsjes. Het was niet nodig me te bewegen of mijn ogen open te doen. Mijn geestesoog zag alles heel duidelijk.

Een goede gedaanteverwisseling, vuurkind, zei de verschijning. *Heb je dat van een druïde geleerd?*

Van mijn vader. Ik had de indruk dat ik sprak zonder geluid te maken.

Dat verklaart het. Een groot verlies voor de wijzen; hij heeft een paar uiterst ongelukkige keuzes gemaakt. En je moeder ook. Tenminste, zo leek het destijds. Maar het is toch allemaal goed uitgepakt. De zaak keerde zich ten goede. Dat gebeurt soms.

Wie ben jij? Ben je een van de... behoor jij tot het Feeënvolk?

Het kleine wezen begon te giechelen; het kakelende geluid eindigde in gekras.

Met vleierij bereik je niets, merkte het tamelijk bits op. *Fee of kobold, dat is voor mij lood om oud ijzer. Als je me iets wilt vragen, zal ik antwoord geven. Ik sta bij je in het krijt. Je hebt me een gunst bewezen. Dat verbaasde me. Waarom besloot je om mij te redden? Dat hoorde toch zeker niet bij een of ander plan?*

Ik wilde je misschien vrijlaten, omdat dat me het beste leek wat ik kon doen. Dat kan toch? vroeg ik, een beetje beledigd. *Gewoon een vriendelijk gebaar?*

Daar sta je anders niet om bekend, toch? Vriendelijke gebaren? Jij bent een meisje dat een schat weg zou gooien, als ze denkt dat hij haar in de weg staat. Wij hebben de indruk dat het je niets kan schelen of er slachtoffers vallen.

Wat bedoel je, slachtoffers? Wat is dit, een kruisverhoor? Daar ben ik niet voor gekomen.

Je gebruikt je kunst handig; je beheerst de techniek perfect. Maar je gebruikt haar onverstandig. Je telt de kosten niet.

Welke kosten? Maar achter in mijn geest was dat kleine, heldere beeld van een kabeljauw die spartelend op de grond lag, naar adem happend en verdrinkend in de koude, droge lucht. Dat beeld was nooit echt weggegaan. Ik was er alleen beter in geworden het niet te zien. En ik dacht weer aan Riona, die me aanstaarde en met dat vreemde stemmetje dat geen echte stem was tegen me zei: *Je kunt beter vasthouden wat je nog hebt*. Ik meende heel zwak het klaaglijke geluid van een doedelzak te horen.

Je moet wel voorzichtig zijn, zei het kleine personage met de verencape.

Is dat soms een dreigement? vroeg ik uitdagend.

Weer dat krassende gelach. *Je bedreigen? Ik?*

Wat is het dan? Wat probeer je tegen me te zeggen?

Er wacht je een zware taak. De zwaarst denkbare taak, vuurkind. Verspil de kunst niet. Besteed haar niet aan onbenulligheden. Het heeft een paar keer maar een haartje gescheeld, toch? Spaar je kracht voor later. Dan zul je alles nodig hebben wat je hebt, en meer.

Ik dacht een paar ogenblikken koortsachtig na. *Wat probeer je me te zeggen? Ik begrijp het niet*. Dit kleine wezen kon toch niet weten wat ik hier kwam doen. Vermoedelijk was het een truc om me aan het praten te krijgen. Dan dachten ze wel dat ik erg onnozel was.

Vreemd, hè? zei het wezen, terwijl het naast me neerhurkte op de steen. Ik kon met geen mogelijkheid zeggen wat er onder die overdadige verendos zat. De ogen van het wezen veranderden; de donkere pupillen werden rond, de gele rand werd dunner. *Zelfs in de verreikende plannen van het Feeënvolk lukt niet altijd alles. Dat meisje Liadan, zij kwam niet in de opzet voor. Ze beseften te laat hoe belangrijk haar rol was. Op dat moment konden ze haar niet meer op andere gedachten brengen; ze koos gewoon haar eigen weg, liet ons in de steek, verliet het woud en is nooit teruggekomen behalve om hier af en toe een bezoek te brengen. Ze nam het kind mee, en stuurde bijna het hele plan in de war. Maar het kind zal terugkomen. Ze komen altijd terug. Het woud roept hen. Dat zie je aan jou. Jij bent teruggekomen. Maar wat ga je doen?*

Waarom zou ik dat aan jou vertellen? Ik weet niet wie je bent. Waarom zou ik het aan wie dan ook vertellen?

Ik zou je kunnen helpen, vuurkind.

Ik heb geen hulp nodig. Ik wil geen hulp. Waarom noem je me steeds zo?

Als je boos bent, vliegen de vonken van je af. Betekent dat niets voor je?

Het betekent dat ik mijn beheersing heb verwaarloosd. Het zal niet nog eens gebeuren.

Je bent een koppige tante, hè? Laat me weten als je van gedachten verandert.

Dat zal ik niet doen. Ik werk alleen, net als mijn vader.

Hmm. En je ziet wat er met hém gebeurd is. Hij had hier terug moeten komen, waar een plaats voor hem was, als je het mij vraagt. Hij was een domoor.

Ik vraag het jou niet, en ik wil niet naar je luisteren als je hem beledigt. Hij is een geweldige man, wijs en eerzaam, en een meester in wat hij doet.

Nu doe je het weer. Flikkeren. Je bent een loyale dochter. Als je maar zorgt dat die trouw je niet opbreekt. Als je vragen hebt, kun je die beter nu stellen. Er zit een bui aan te komen.

Zonder mijn ogen open te doen kon ik de hemel boven ons zien, lichtblauw en volkomen wolkeloos.

Heel goed. Ik dacht dat ik misschien maar gebruik moest maken van de gelegenheid, of de antwoorden nu van waarde waren of niet. *Wat ligt er op de Eilanden? Waarom zijn ze zo belangrijk voor deze familie, en voor het Feeënvolk?*

Het uilwezen knipperde met zijn ogen. *Vraag dat maar aan de druïde.*

Ik vraag het aan jou.
Vraag de druïde je het verhaal te vertellen. Daar is hij heel goed in. De Eilanden zijn de Laatste Plek. Jammer dat jij de gave niet hebt.
Welke gave?
De gave in de toekomst te zien. Binnenkort zal het allemaal weg zijn. In de tijd van jouw kleindochter, of die van haar kleindochter. De bomen. Het meer. Het enige dat er nog zal zijn, zijn een handvol onvruchtbare velden waar schapen hun kostje bijeen scharrelen en een drooggevallen vijver met een paar ziekelijke palingen erin, die naar adem snakken. Dan kunnen we nergens meer heen. Mijn soort niet, hun soort niet, en zelfs jouw soort niet. Zonder de Eilanden is het voor ons allemaal afgelopen.
Ik dacht dat de Eilanden niet meer waren dan rotsen in de zee. Als... als ze helemaal kaal zullen worden, hoe kunnen ze dan iemand helpen in leven te blijven? Dan is er toch geen leven mogelijk?
Het kleine wezen slaakte een diepe zucht, die sidderend door al zijn veren trok. *Dat heb ik toch gezegd. Het is de Laatste Plek. De druïde zal het je uitleggen.*
Ik wil het niet aan hem vragen.
Hij wil dat je het aan hem vraagt. Hij wacht erop dat je het vraagt. Hij wacht al sinds het moment dat je vader woedend van Zeven Wateren wegging en de wijzen hun toekomstige leider verloren. Maar dat weet je natuurlijk al, hè?
Ik antwoordde niet. Het gevederde wezen was akelig dicht bij de waarheid.
Nog meer vragen? Er komt een bui aan. Wil je weten wat je tante Liadan zei toen ze hoorde dat de dochter van Ciarán op Zeven Wateren was verschenen? Wil je weten hoe het met je vader gaat, die daar helemaal alleen in Kerry zit? Wil je een verhaal horen over doedelzakspelers en bruiloften?
Hou op! Hoe kun je dat trouwens *allemaal weten? Het zijn misschien niets dan leugens, die je alleen vertelt om mij in de war te brengen en me ongelukkig te maken.*
Ongelukkig? Ik wist niet dat je tot zo'n gevoel in staat was. Hoe weet ik dat allemaal? Wat is dat nou voor een vraag, van een halfwas tovenares? Heeft je vader je nooit geleerd in de verte te spieden?
Ik aarzelde.
Nou?
Jawel. Maar ik ben er niet zo goed in.

Het kleine wezen knikte. *Er zijn in je familie mensen die er echt talent voor hebben*, zei het. *Jij hebt een ziener nodig*. En toen gebeurde het weer, die kleine verandering van hoe alles was; ik hoorde vleugels slaan, en daarna was het stil.
Ik was zo diep in trance dat ik me niet kon bewegen of mijn ogen open kon doen. Tegen de tijd dat ik de trage serie handelingen had afgewerkt: eerst oppervlakkiger ademen, terugkeren naar het bewuste denken, dan het lichaam weer wakker maken en tot slot weer in de tijd en plaats van *nu* en *hier* uitkomen, was er geen vogel meer te zien. Alleen de stille open plek, en de aartsdruïde die zijn armen boven zijn hoofd rekte en elegant overeind kwam met het gemak van een man die half zo oud was als hij. Het was een heldere dag en de zon scheen nog en glinsterde op het water van het meer, dat beneden tussen de wilgen door zichtbaar was.
'Klaar?' vroeg Conor zacht. Ik knikte en we begonnen huiswaarts te lopen.
Het had niet lang hoeven duren. We waren net ver genoeg van huis gegaan om zeker te zijn van afzondering en stilte. Ik was er niet met mijn hoofd bij, want in gedachten herhaalde ik dat vreemde gesprek. Ik probeerde uit te zoeken hoeveel ervan echt had plaatsgevonden en hoeveel toe te schrijven was aan een nogal werkzame meditatie, gecombineerd met mijn eigen onrust. Na een poos begon het me op te vallen dat, hoewel we gewoon op onze schreden terugkeerden over het pad, we nu door een ander soort terrein liepen, waar we beslist niet eerder waren geweest: een steile helling waarop veel grote keien lagen. Ik hoorde ook een beek, heel dichtbij. Het begon te regenen, dikke druppels die neerpletsten, dan een huiverende windstoot, gevolgd door plotselinge vlagen regen die me meteen doornat maakten. Ik had kunnen zweren dat de zon nog scheen. Ik trok mijn sjaal over mijn hoofd in een nutteloze poging droog te blijven.
'Hier naar binnen, Fainne!' riep Conor door de stortregen heen, en hij pakte mijn hand en trok me zijwaarts van het smalle pad af en naar beneden waar de rotsen beschutting boden. Het was een heel eind naar beneden, door een heel lage opening die toegang gaf tot een echte grot, met een brede stenen plaat boven de stenen vloer en een kleine, ronde opening in het plafond waar het licht doorheen viel. Ergens vlakbij stroomde water met veel lawaai.
'De beek,' zei Conor, maar dat had ik al begrepen. 'Een van de zeven. Als het regent, zwelt hij snel aan. Ben je erg nat geworden? We zouden wel een vuurtje kunnen maken, denk ik.'

'Waarmee?' zei ik kribbig, terwijl ik rondkeek in de naargeestige, vochtige ruimte. Buiten klonk het alsof de regen met bakken uit de hemel viel. Druïden hadden iets met regen.
'We zouden kunnen improviseren,' zei hij met een lachje. 'Samen zouden we vast wel iets kunnen verzinnen.'
'Misschien.' Mijn stem klonk niet bepaald inschikkelijk. Ik hield er niet van beetgenomen te worden. Ik hield er niet van het koud te hebben en nat te zijn, en in een kleine grot opgesloten te zitten met een aartsdruïde, ook al was hij dan familie. 'Maar het is niet nodig. Dit gaat vast snel voorbij. Het leek een mooie dag.'
'Ja, dat leek het wel, hè?' merkte Conor op. 'Maar toch zou ik liever hebben dat je geen kou vatte.' Hij deed de mantel af die hij over zijn lange gewaad droeg en legde hem om mijn schouders. De mantel sloot zacht en warm om me heen, en was niet eens een beetje vochtig. 'Zo is het beter.'
Ik kon me niet langer inhouden. 'Als u expres probeert mij te ergeren,' snauwde ik, 'dan lukt dat u aardig.'
Hij glimlachte. 'En als jij expres probeert je niet uit deze situatie te bevrijden, omdat je niet wilt dat ik zie hoeveel je al weet, dan verspil je zowel mijn tijd als je eigen tijd.'
Ik trok een lelijk gezicht naar hem. 'Wat bedoelt u nou weer?'
'Zou je geen toverformule kunnen gebruiken waarmee je jezelf verplaatst, zodat je veilig voor je haardvuur in het fort komt te zitten? Veilig achter een dichte deur?'
'Als u het weten wilt, nee,' zei ik boos. 'Vader zei dat ik er nog niet aan toe was dat te leren.'
Conor knikte. 'Heel verstandig van hem. Het is maar al te gemakkelijk om als je eenmaal weet hoe het moet, gauw naar huis te vluchten zodra het je een beetje te veel wordt. Goed, die toverkunst beheers je dus nog niet. Maar er zijn er nog meer.'
'U bedoelt dat ik u in een kikker zou kunnen veranderen, omdat u zo dol lijkt te zijn op nattigheid?'
'Om maar iets te noemen. Je zou het kunnen proberen. Maar ik ben iets ouder dan jij, en hoewel ik er geen gewoonte van maak tovenaarskunsten toe te passen, betekent dat niet dat ik er niet van op de hoogte ben. Ik denk dat je zou merken dat het je moeilijk zou vallen. Je zou buitengewoon snel moeten werken.'
Ik keek woedend neer op de stenen plaat waar we op zaten. Het geluid van de stortbui was aan alle kanten om ons heen; het stroomde langs de ronde opening boven ons en bulderde buiten de smalle

ingang waardoor we waren binnengekomen. Onder ons, op de vloer van de grot, liep water over de steen en vormde een plas in het midden. Van de wanden droop water af.
'Ik wilde dat hij bij ons bleef,' zei Conor zacht. Ondanks het gedruis hoorde ik hem duidelijk. 'Ik vroeg hem te blijven, maar hij wilde niet. Hij was erg jong en diep gekwetst. Hij had niet van ons weg moeten gaan. Er is nooit een ander gekomen met zoveel aanleg; iemand die zoveel dingen beheerste en zo diep kon denken. Ik heb er moeite mee gehad het mezelf te vergeven. Het hoort bij de overeenkomst, bij het rentmeesterschap, dat elke generatie een zoon of een dochter aan de wijzen afstaat.'
'Er zullen toch wel anderen gekomen zijn,' zei ik; ik vroeg me af hoe hij glashard kon liegen en toch zo overtuigend kon klinken. Hij moest toch weten welke beperkingen ons geslacht waren opgelegd. Hij moest toch begrijpen wat Ciarán was, en hoezeer dat hem inperkte. Toch sprak hij als een vader die een geliefde zoon had verloren. 'Bijvoorbeeld mijn neven en nichten: Seans dochters, en de zonen van tante Liadan. Een van hen zou toch...?'
'Zij die aanleg hebben, zijn niet gemakkelijk te vinden. Het is niet een roeping die je zelf kiest. Ze kiest jou. Ik heb ooit gedacht dat Liadan deze weg zou volgen, Liadan of haar zoon. Maar zij heeft het patroon doorbroken. Wat Johnny betreft, hij had alles kunnen worden wat hij wilde worden. Maar zij haalde hem weg. Johnny is een krijger, een aanvoerder van krijgers, zo jong als hij is. Liadan heeft haar eigen weg gezocht. Zowel de vreemde bewoners van Inis Eala als de brave mensen van het landgoed van haar echtgenoot in Brittannië zien haar als het hart van hun gemeenschap. En ze is een geoefend genezeres. Muirrin vervult die rol op Zeven Wateren. Maar er is geen druïde.'
Ik zei niets en keek naar het water in de kuil op de vloer, die volliep en overstroomde, zodat het water in donkere kronkels naar de hoeken van de grot stroomde. Ik wilde niet laten merken dat ik bang was.
'Wist je,' zei Conor op conversatietoon, 'dat ik zelf al bijna twintig was voor ik de nemetons inging? Ik had natuurlijk gestudeerd en was begonnen me de leer en de discipline eigen te maken. Maar ik had het erg lang uitgesteld. Op die leeftijd had Ciarán zijn leerlingschap al bijna voltooid. Ik zou me prettiger voelen als ik kon geloven dat het niet voor niets was geweest. Het lijkt erop dat het water stijgt.'

Ik knikte.
'Wie waren de eerste mensen in het land van Erin?' vroeg hij zacht.
'De Ouden. De Fomhóire. Mensen van de diepe oceaan, van bronnen en meren. Mensen van de zee en van de donkere krochten van de aarde.'
'En na hen?'
'De Fir Bolg. De zakmensen.'
'Zou je verder kunnen gaan?'
'Zo lang als u maar wilt. Dat zou volgens mij wel een mooie manier zijn om te sterven: het verhaal te reciteren terwijl je langzaam verdrinkt.'
Hij keek naar de vloer van de grot. Het water droop nu niet alleen van de muren af, maar het stroomde ook naar binnen door de lage ingang, als een nieuwe beek. Daar konden we niet meer doorheen naar buiten. Het water steeg en kwam steeds dichter bij de plaat waarop wij zaten. Het gebulder buiten ging onverminderd door.
'Het water lijkt inderdaad te stijgen,' merkte Conor op.
Ik zette mijn kiezen op elkaar en probeerde eruit te zien alsof ik nergens mee zat. Ik pijnigde mijn hersens af om een geschikte toverformule te bedenken, maar er kwam niets. Mijn vader, die was goed met het weer.
'Je bent toch niet bang, hoop ik?' vroeg Conor, terwijl hij een eindje naar achteren schoof op de richel. Het water golfde al vlak onder onze tenen. 'Hij heeft je toch grootgebracht in Kerry, op een plaats waar de golven zo hoog zijn als eiken? Volgens mij heb ik die jonge Maeve dat weleens horen zeggen.'
'Ja, goed, ik ben er misschien aan gewend water te zien, water te ruiken en het te horen, maar dat betekent niet dat ik erin wil zitten,' zei ik stroef.
'Nee. Ik zou zo zeggen dat jouw element vuur is,' zei de druïde kalm. 'Ik geloof dat ik natte voeten krijg. Zullen we een poging wagen om te ontsnappen?' Hij stond op en keek naar het kleine, ronde gat in het plafond van de grot boven ons. Het zou, dacht ik, mogelijk zijn om je daardoorheen te wurmen. Net. Als je er eerst bij kon komen. Het water spoelde om mijn enkels en steeg snel.
'Wat denk je ervan?' vroeg Conor, en op dat moment kwam er opeens een stortvloed van water door de opening boven zijn hoofd, een plotselinge waterval die onafgebroken doorging zodat ik niets meer hoorde en bijna niets meer zag. Het water steeg met angst-

wekkende snelheid tot aan mijn middel; ik voelde dat mijn jurk zwaar aan me trok. Mijn hart bonsde, en zelfs als ik mezelf in een vis of kikker had willen veranderen, zou dat onmogelijk zijn geweest door mijn pure doodsangst.

Conor schreeuwde in mijn oor. 'Kom! Ik zal je helpen. Adem diep in en ga naar boven!'

'Wát?' Daardoorheen naar boven, door die beukende, alles doordringende stroom, met water in mijn neus, ogen en oren, zonder te weten wat er aan de andere kant was? De gedachte alleen al verlamde me.

'Vlug!' riep Conor, en hij pakte mijn arm toen mijn voet onder water uitgleed op de richel en ik bijna kopje-onder ging. 'Vlug, zolang we nog kunnen zien waar het gat zit.'

'Ik... ik...'

'Ben je Ciaráns dochter of niet?' zei hij; hij deed zijn armen om mijn middel en tilde me op naar de ronde plek licht, waardoor onverminderd water naar binnen stroomde. Ik ademde diep in en liet mijn borstkas langzaam van onder tot boven vollopen met lucht. Toen stak ik mijn armen uit en trok mezelf zo krachtig mogelijk op tegen het gewicht van het neerstromende water in. Ik klemde mijn handen vast aan de glibberige rotsen, graaide naar een wortel of tak of wat dan ook dat houvast gaf, hield mijn adem in tot mijn borstkas bijna uit elkaar leek te barsten, vervloekte het feit dat meisjes een lange jurk moesten dragen, trapte met mijn geschoeide voeten naar voren en vond een klein richeltje in de rots, zette af naar boven... en vond eindelijk lucht. Ik greep me vast aan de blootliggende wortels van een wilg, hijgend en proestend, en krabbelde uit het gat, over rotsen waarover nog steeds water stroomde, dat door de nauwe opening neerkolkte in de grot.

'Conor!' gilde ik, en ik boog me over het gat en tuurde in de donkerte onder de stroom. 'Conor!' Er kwam geen antwoord. Ik keek wild om me heen, met de gedachte dat een touw handig zou zijn, of een kleine ladder, of zelfs maar een lantaarntje, als ik dat aan zou kunnen krijgen. Licht. Vuur. Dan kon hij tenminste zien waar de uitgang was. Ik knipte met mijn vingers en mompelde iets. Een plofgeluid, een sissend geluid en een wolkje stoom, dat was alles. 'Hè, toe nou,' zei ik, en ik deed het nog eens. Een bol vuur verscheen en hing in de lucht boven het donkere gat tussen de rotsen. Schiet op, Fainne, dacht ik grimmig. De man is oud genoeg om je grootvader te zijn, en hij heeft jou eerst gered. Ik keek nog eens om me heen en kon net op tijd een dikke essentak grijpen die door de stroom werd meegevoerd. Ik hield me met mijn ene hand vast aan de boomwortels, terwijl het water om me heen spoelde, en stak de stok omlaag. De grot zou intussen toch wel zijn volgelopen. Hoe lang kon een oude man zijn adem inhouden? Ik bewoog de stok rond, terwijl ik mijn vingers stijf vastklemde om de zuigkracht van het water te weerstaan. Zoveel regen was er nog nooit gevallen. Vervloekt woud. Ik hoorde woorden in mijn hoofd. *We hebben de indruk dat het je niets kan schelen of er slachtoffers vallen.* Het Feeënvolk en hun uilachtige vriendjes konden de pokken krijgen. Wat wisten zij ervan? Ik porde weer in het rond met de stok, op zoek naar iets, het deed er niet toe wat. Waar was hij? De regen stroomde over mijn gezicht, spoelde het schoon, spoelde alles weg. Voelde het zo als je huilde?

Ik voelde een ruk aan de stok in mijn hand. Ik liet de boomwortels los en greep de essentak met beide handen beet, terwijl ik mijn voet vastzette tussen de wortels om niet weggespoeld te worden over de rotsen en langs de steile helling. Boven mijn hoofd bleef de vuurbol een vaste gloed uitstralen, zodat de uitgang verlicht werd. Ik trok zo hard als ik kon en voelde de spanning door mijn rug trekken. *Kom nou, kom nou, oude man. Een klein eindje. Een klein eindje maar.*

Er verscheen een lange, witte hand die de stok vasthield, en daarna nog een hand, die door de waterval omhoog reikte en de modderige wortels naast me beetpakte. Ik bukte en greep zijn arm vast, en trok weer uit alle macht. Een spattend geluid en zijn hoofd kwam te voorschijn uit het water. De vlechtjes zaten aan zijn wangen geplakt, zijn mond was open en hij hapte naar adem als een vis. Toch wist hij er op de een of andere manier nog waardig uit te zien.

'Manannán bewaar me,' proestte hij, 'dat is een ervaring die ik liever niet nog eens zou willen beleven. Geef me nog even een hand, Fainne. Ik ben niet zo lenig meer als vroeger... ja, zo. Bij alles wat heilig is. En ik ben ook nog mijn staf kwijt.'

'Kom,' zei ik, terwijl ik met enige moeite overeind krabbelde op het verraderlijke oppervlak. 'Laat me u helpen. We kunnen beter van deze rotsen afgaan en droog terrein opzoeken, als dat ergens te vinden is.'

'Heel verstandig, Fainne,' zei hij, en hij hoestte krachtig terwijl hij naar de lichtbol staarde die boven het gat in de grond zweefde. Er stroomde nog steeds water naar binnen. Wat lager op de helling

hoorde ik nu het geluid van uitstromend water.
Ik murmelde een woord en het vuur doofde. 'Kom,' zei ik weer, en we wankelden arm in arm voor de veiligheid over de rotsen en over het restant van een pad langs de helling dat nu afbrokkelde in vele kleine landverschuivingen, tot we een dennenbosje vonden. Daaronder was een plek bedekt met een tapijt van dennennaalden, met erboven een dik baldakijn van takken. Hier was het gelukkig droog. We gingen naast elkaar op de grond zitten, nog nahijgend.
'Hij komt wel terug,' zei ik na een tijdje.'
'Wat?'
'Uw staf. Daar hoeft u niet over te piekeren. Ze vinden altijd hun weg terug. Dat zei vader.'
'Zei hij dat? Ik ben hem nog nooit eerder kwijtgeraakt. Er zijn verhalen. Misschien zijn ze waar, misschien niet.'
'Waarom hebt u dat gedaan? Waarom zou u zoiets doen? Ze zeggen dat je de kunst niet onverstandig mag gebruiken, en dan... doet u iets wat u bijna het leven kost. En u bent nog wel een aartsdruïde. Waarom?'
'Waarom heb ik wat gedaan, Fainne?'
'Dat. Die regen en... en alles. Op uw leeftijd zou u beter moeten weten.'
'Waarom ga je ervan uit dat het door mijn toedoen was?'
Ik keek hem van opzij aan terwijl ik de sjaal van mijn schouders nam en hem uitwrong. De verf was niet doorgelopen; de sjaal was nog steeds versierd met een dapper patroon van alles wat mooi, schoon en heerlijk was. 'Vader zei altijd dat u goed met het weer kon werken.'
'Uh-huh.' Nu hij weer op adem was gekomen, leek Conor weer helemaal de oude; bijna alsof er niets gebeurd was.
'Vader kan ook goed met weer werken,' zei ik voorzichtig. 'Hij heeft een keer de wind en de golven naar zijn hand gezet, bij de baai. De mensen daar vinden hem een held.'
'Ik ben ervan overtuigd dat dat waar is,' zei Conor heel zacht. 'Een held maakt fouten en wordt sterk. Maar zelf is hij meestal de laatste die dat inziet. Luister. Het houdt op met regenen. Zullen we naar huis gaan?'
We liepen. Mijn schoenen sopten en mijn jurk leek wel van lood, zo zwaar was hij. Ik was Conors mantel ergens in het water kwijtgeraakt en had alleen mijn natte sjaal om de kou te verdrijven. De regen druppelde nog wat na en hield toen helemaal op. De wind

ging liggen. Op de oever, waar het pad onder de bomen uitkwam, was een lang, sterk stuk berkenhout aangespoeld. Het gladde oppervlak was ingekerfd met allerlei kleine symbolen.
'Je had gelijk,' zei Conor en hij bukte zich om het op te rapen. Ik had de indruk dat de staf opprees en zich in zijn hand legde, alsof hij thuiskwam. En terwijl we het laatste stuk van het pad afliepen, tussen het woud en de buitenste velden, voelde ik merkwaardig genoeg dat mijn kleren opdroogden, dat mijn haar niet meer zwaar en vochtig was en dat mijn schoenen weer waterdicht waren en lekker zaten. En wat Conor betreft, je zou gedacht hebben dat hij alleen een korte wandeling bij mooi weer had gemaakt.
Ik dacht koortsachtig na. Ik probeerde in elkaar te passen wat er gebeurd was; probeerde verder te kijken dan het fysieke, het onmiddellijk waarneembare, en het minder voor de hand liggende waar te nemen, zoals mijn vader me geleerd had. De donkerte van de grot, onder de aarde. Het opstijgen door water, het naar buiten komen door een nauwe opening, in licht en lucht. Het vuur. Dat stukje had ik zelf bijgedragen. De hand, uitgestoken in vriendschap, in verwantschap. En het vreemde, vredige gevoel dat nu over me was gekomen, tegen alle rede in. Ik bleef staan.
'Wat is er, Fainne?' vroeg Conor zacht, zonder naar me te kijken.
Ik wist niet goed hoe ik de vraag moest inkleden.
'Volgens mij kan dat niet zo,' zei ik na een tijdje, terwijl ik een meesmuilend gezicht naar hem trok. 'Een... een inwijdingsritueel, neem ik aan dat het was, uitvoeren zonder iemands instemming. Volgens mij werkt het niet, tenzij je leerling zich naar behoren heeft voorbereid en er uit vrije wil aan deelneemt. Bovendien...' Ik hield me in. Het was niet aan mij hem eraan te herinneren dat iemand die uit een geslacht van tovenaars stamt nooit een druïde kon worden. Dat wist hij natuurlijk.
'Bovendien wat, Fainne?' Hij glimlachte; Dana alleen wist wat hij dacht, die sluwe oude man.
'Niets.' Ik schopte met mijn schoen in de aarde en voelde dat ik boos begon te worden. 'U... u zult vast wel weten hoe zinloos dit is, met mij. U weet wiens dochter ik ben. Ik kan geen... ik kan hier niet bij horen. Het woud, de familie, de... de broederschap. Dat zult u toch wel beseffen.'
Conor begon weer door te lopen, met vaste, kalme tred op zijn oude, leren sandalen.
'Ik heb dit niet zo uitgedacht,' zei hij. 'Je zult dat waarschijnlijk niet

geloven, maar het is toch de waarheid. Misschien was het een proef, zoals je zegt; als dat zo was, heb je hem doorstaan, denk ik. Een proef die je niet door mij, maar door anderen is opgelegd. Je zou dit kunnen gebruiken als uitgangspunt voor meditatie en overweging, Fainne. Er valt altijd iets te leren uit een dergelijke ervaring.'
'Wat dan?' beet ik hem toe. Dit was niet eerlijk; zijn stem leek precies op die van mijn vader. 'Dat een aartsdruïde net zo gemakkelijk kan verdrinken als een ander mens, misschien?'
'Je weet wel beter dan aan mij te vragen wat je zou kunnen leren. Jij bent de enige die kan ontdekken welke les hieruit voor jou te leren valt. Misschien heeft het te maken met de vraag *wie ben ik*, of *wat ben ik*. Je kunt een heel leven besteden aan het zoeken van antwoorden op dat soort vragen. Je hebt natuurlijk gelijk. Alle symbolen van de toetreding van een druïde tot de broederschap waren aanwezig; precies op die manier geven we de onzen een nieuwe geboorte, laten we hen opnieuw in het licht komen, vanuit het lichaam van onze moeder, de aarde. Stel jezelf de vraag waarom jou zo'n ervaring is toebedeeld.'
'Het was vast een vergissing. Misschien hielden ze – wie ze ook waren – mij voor iemand anders.'
Conor grinnikte. 'Dat betwijfel ik ten zeerste. Je bent de dochter van je vader. Maar nu wil ik jou iets vragen, Fainne. Een gunst. Ik zou graag willen dat je me hielp.'
We waren intussen bij het pad langs de hutten aangekomen.
'Als het iets met water van doen heeft, is het antwoord nee.'
Hij grijnsde. 'Ik zou graag willen dat je me helpt bij de ceremonie om Samhain te vieren. Je hebt het ritueel geleerd, neem ik aan?'
'Ja, maar... u moet begrijpen dat wij geen druïden waren, mijn vader en ik. Wat vandaag is gebeurd, verandert daar niets aan.'
Conor keek me ernstig aan. 'Je twijfelt aan jezelf. Maar dit zou je met gemak kunnen doen. Dit, en nog veel meer, denk ik.'
'Ik... ik weet het niet,' stamelde ik; het was maar al te gemakkelijk om verwarring voor te wenden, want ik voelde een plotseling verlangen om alles aan deze kalme oude man op te biechten; om hem de reden te vertellen waarom ik daar was, en wat mijn grootmoeder had gedaan, en mijn vrees om mijn vader. *U hield ook van hem. Help me.* Maar ik mocht niets zeggen.
'Denk erover na, Fainne. Je zult keuzes moeten maken terwijl je hier bent. Keuzes die verreikend zullen zijn, misschien verder dan je je kunt voorstellen.'

Als u wist wat ik me voorstel, zou u beven van angst. 'Ik zal erover nadenken,' zei ik.
Conor knikte, en we liepen zwijgend naar het fort. Toen ik terugkwam in mijn kamer deed ik de sjaal, die helemaal droog was, af en borg hem in de kist. Ik aarzelde voor ik Riona eruit nam en haar weer in de vensterbank zette. Toen stookte ik het vuurtje op tot een rijke, rozige gloed, en ging ervoor zitten. Het was een uiterst vreemde dag geweest. In zekere zin had ik bereikt waar ik voor naar buiten was gegaan. Ik was het woud tegemoet getreden en ik had de ervaring overleefd. Ik had een stem van de Andere Wereld gehoord, misschien niet de stem die ik verwacht had, maar toch een stem. Maar ik was niets te weten gekomen. De boodschap die het uilachtige wezen me had gegeven, was geen boodschap geweest. De woorden waren betekenisloos. Ik had Conor niet de vragen gesteld waarop ik antwoorden wilde hebben. En toch voelde ik vanbinnen een soort warmte, alsof ik eindelijk iets goed had gedaan. Het klopte niet. Alle druïden mochten de pokken krijgen. Ze maakten je alleen maar in de war. Net als sprekende uilen en kleren die in een oogwenk vanzelf droogden, en poppen die je met hun ogen volgden en in je hoofd tegen je spraken. Ik geeuwde, en geeuwde nog eens, en toen rolde ik me op, zo voor het vuur, en viel in slaap.

Stil en onopvallend, op dezelfde manier als een schaduw verschuift onder de winterzon, kwamen de druïden naar Zeven Wateren. Het waren er niet veel: een oude man met een grijze baard en een paar veel jongere mannen en vrouwen met gevlochten haren en bleke, kalme gezichten. Ondoorgrondelijk, net als hun leider. Ze werden ondergebracht in een bijgebouw bij de stallen, want ze gaven er de voorkeur aan buiten de stenen muren van het fort te blijven, dichter bij het woud. Ze wachtten.
Samhain is het donkerste en geheimste van de grote feesten. In Kerry hadden vader en ik ons eigen ritueel uitgevoerd, alleen wij tweeën, en door wat we waren, was de vorm enigszins anders. Niet zoals de mensen misschien zouden denken. We mogen dan tovenaars zijn, maar we zijn geen duivelaanbidders. We zijn geen dodenbezweerders of beoefenaars van de zwarte kunsten. Wij erkennen de oude godheden. We groeten de elementen, vuur, lucht, water en aarde. Het vijfde element, dat de zuivere essentie van geest is, kunnen we niet naderen. We eerbiedigen het verstrijken van het jaar en de keerpunten daarin. Maar we gebruiken onze vermogens voor onze ei-

gen doeleinden; de gewoonten van de druïden zijn niet de onze. Toch komt datgene wat wij doen er in veel opzichten dichtbij. Ik wist hoe de ceremonie zou verlopen en wat mijn eigen rol erin zou zijn. Conor had blijk gegeven van inzicht, dat moest ik toegeven. Hij had mijn vader goed genoeg gekend om er zeker van te zijn dat ik het oude verhaal geleerd zou hebben, en de betekenis erachter begreep. Hij had gelijk; als je alleen naar opleiding keek, was ik voldoende geschoold om een druïde te worden. Bovendien, wat had ik anders voor toekomst? Het was niet waarschijnlijk dat ik een rijk of invloedrijk man als echtgenoot zou kunnen strikken, ongeacht of de waarheid over mijn afstamming verteld werd. Ik was óf het bastaardkind uit een verboden verbintenis, óf ik was, wellicht nog erger, niet in kaart gebracht terrein, een meisje van wie de vader onbekend was. Misschien deed het verhaal de ronde dat ik de dochter van een druïde was, maar wie kon dat met zekerheid zeggen? Mijn vader had ook een leproos kunnen zijn, of een kruimeldief, of een of ander wezen van de Andere Wereld, een kabouter misschien. Welk clanhoofd zou met het oog op zijn nageslacht ook maar naar me kijken?

Die nacht was het extra moeilijk om te blijven bedenken waarom ik op Zeven Wateren was. Zoals ik heb gezegd is de viering van Samhain geheim. De druïden waren dit jaar alleen uit het woud gekomen omdat iedereen wist dat dit de laatste keer zou zijn voor de definitieve slag. Het feest markeerde het begin van een nieuw jaar, het jaar waarin de Britten van de Eilanden zouden worden verjaagd en het evenwicht eindelijk zou worden hersteld. Misschien, zei Conor, zou onze eerstvolgende Samhain weer gevierd worden zoals heel vroeger, onder de heilige lijsterbessen die op de Naald groeiden, ver in de oostelijke zee. Als hij daarbij zou mogen zijn, zei hij, zou hij tevreden uit dit leven scheiden. Zijn woorden deden een rilling over mijn rug lopen, maar ik zei niets.

Het ritueel zou ook nog worden volvoerd diep in het hart van het woud, waar de druïden hun afgezonderde leven leidden, onder de waakzame ogen van die andere bewoners met hun vreemde stemmen en half waargenomen verschijningen. In de nemetons was een aantal van Conors broeders achtergebleven om daarvoor te zorgen. Degenen die naar Zeven Wateren waren gekomen, zouden een ceremonie uitvoeren waarbij de oudere leden van de familie uitgenodigd zouden worden, en na afloop zouden ze naar buiten komen om het hele huishouden te begroeten en samen met hen het rituele feestmaal van Samhain te gebruiken. Op deze manier zouden allen er deel aan hebben. Maar de heilige woorden zelf, en de wijze waarop ze werden uitgesproken, daarvan mocht alleen een kring van ingewijden getuige zijn, en ik mag ze hier niet volledig onthullen. De kleinste meisjes mochten er niet bij zijn. Met het oog op hun volstrekte onvermogen om langer dan een paar tellen stil te zitten leek me dat een verstandig besluit.

Samhain is een gevaarlijke tijd. Gedurende de drie dagen die het keerpunt van het jaar en zijn afdaling in duisternis markeren, worden hindernissen opzij gezet, en zijn de grenzen tussen werelden minder duidelijk bepaald. Het wordt minder moeilijk om verschijningen uit de Andere Wereld te zien, want hun schaduwen zijn dichtbij in deze chaotische tijd. Alles lijkt anders. In het licht van het grote Samhainvuur zou je bijvoorbeeld naar degene die naast je zit kunnen kijken en plotseling het gezicht kunnen zien van een vriend die allang dood is. Je zou 's morgens wakker kunnen worden en merken dat alles om je heen door elkaar is gegooid. Het vee ontsnapt, ook al staat het binnen stevige hekken. Er zijn vreemde lichtverschijnselen te zien in het duister van de nacht, en flarden van oeroude muziek zijn vaag te horen. Als je zou willen leren beelden van ver op te vangen, zou dit de tijd zijn om dat te proberen. Je zou bijna altijd iets zien. Maar achteraf zou je wellicht wensen dat je het maar niet had gedaan.

Er was in het ritueel een rol weggelegd voor de jongste druïde, en die rol vervulde ik. Het was geen probleem de woorden met betekenis en gevoel uit te spreken. Conors eigen stem had een plechtige kracht die recht op je ziel leek in te werken. Ik had erin toegestemd hem te helpen. Mijn redenering was dat ik om de wil van mijn grootmoeder te kunnen doen, het vertrouwen van deze man moest winnen; ik moest een plaats in dit huishouden verwerven. Ik hield mezelf voor dat ik gewoon een rol speelde, dat het weinig voor me betekende. Maar naarmate de ceremonie zich ontvouwde in de met kaarsen verlichte kamer die voor dit doel was gereserveerd, werd het onmogelijk om me niet bewust te zijn van ongeziene anderen in ons midden, die ergens in de donkere hoeken of in de vlammen van het rituele vuur aanwezig waren. Een onderdeel van het ritueel is het plechtig oplezen van namen: de namen van hen die uit dit leven zijn gescheiden en zijn overgegaan naar een ander leven; degenen die op deze avond wellicht in staat zouden zijn onze woorden te horen, want met Samhain zijn hun zielen niet meer dan een ademtocht van ons af. Dit raakte me op de een of andere manier dieper dan alles wat eraan vooraf was gegaan, en dat gebeurde ondanks mezelf, want een tijdlang vergat ik dat ik hier niet echt thuishoorde, en nooit kon thuishoren. Ik vergat grootmoeder. We stonden bij elkaar als een familie, de levende kern in onze kring, en de anderen bewogen tussen ons door en om ons heen.

Er waren veel namen; heel veel, zelfs in de tijd van degenen die hier aanwezig waren. Heel veel verdriet. Ze bleven in de buurt, de verloren mensen van Zeven Wateren, en ze verbonden en versterkten het weefsel van deze familie.

'Ik spreek tot jullie, mijn broers,' zei Conor zacht. 'Diarmid, altijd moedig en recht door zee. Cormack, mijn tweelingbroer en kameraad, trouw en oprecht. Liam, eens meester van deze zaal. Jouw erfenis leeft in de voortreffelijke man die je neef geworden is, een man zoals je zelf was.'

'Sorcha, dochter van het woud,' zei Sean. 'Genezeres zonder weerga, en groot van ziel. Iubdan, man van de aarde, standvastig en wijs. Mijn hand ligt in jullie handen; jullie leiden mijn schreden.'

'Eilis, mijn moeder,' zei Aisling. 'Bij mijn geboorte gaf jij je leven. Ik heb je nooit gekend, maar ik hou van je en ik eer je.'

En toen keken ze naar mij, en mijn woorden kwamen onvoorbereid.

'Niamh,' fluisterde ik. 'Jij danste met Imbolc en straalde licht uit. Je bent mijn moeder, en een dochter van Zeven Wateren. Wij houden je dicht bij ons, zoals we allen die zijn heengegaan, bij ons houden.'

'En ook de zonen van dit huishouden, mijn broertjes die maar een korte wijle in deze wereld leefden,' voegde Muirrin eraan toe, terwijl ze haar moeders hand vastpakte. 'Kleine Liam en Seamus; kostbaar als stralende sterren aan het firmament; mooi als dauwdruppels op de meidoorn; jullie leven als heldere vlammen in ons hoofd en in ons hart. Vanavond komen we naderbij en raken we jullie aan, lieve kindertjes.'

'Door de schaduwen heen voelen we jullie aanwezigheid naast ons,' zei Conor, en hij hief zijn handen op, 'want in deze nacht is er geen hindernis die ons scheidt. Heb deel aan ons feestmaal; wees welkom en loop temidden van ons.'

Hij ging verder met het ritueel. Achtereenvolgens namen alle aanwezigen zout, brood, wijn en honing tot zich, en het aandeel van de zielen werd in het vuur geworpen. Ik liep om de kring heen en speelde mijn rol, net als de druïden. Ik zag in dat de vreselijke verliezen die deze familie had geleden mijn eigen verliezen waren, en dat hun dierbaren de mijne waren. Ik wist dat de doden nog aanwezig waren, in ons. Hun nalatenschap lag in de daden en keuzes van degenen die nu leefden. Keek mijn moeder door de sluier die deze wereld van de andere scheidde, en glimlachte ze om wat ze zag? Welke weg zou zij willen dat ik ging?

De kring werd ontbonden en het ritueel was volvoerd.

'Kom,' zei Conor. 'De brave mensen van het huishouden wachten op ons gezelschap. Laten we samen feestvieren en ons voorbereiden op de tijd van duisternis.'

We gingen naar de grote zaal, waar alle mensen van huishouden en nederzetting bijeen waren gekomen. Het was een groot gezelschap. Het aantal mensen dat op Zeven Wateren woonde, was vermeerderd met vele krijgers en anderen die een rol zouden spelen bij de voorbereiding van de oorlog. Smeden, wapensmeden, mannen die met paarden konden werken, en mensen die zorgden voor bevoorrading en het snel en geruisloos verplaatsen van grote aantallen mensen. Ook de oude vrouw was er, de tante van Dan Walker. Ik zag dat ze naar me keek met haar donkere, doordringende ogen.

Er werden houten banken neergezet, waarvan sommige leeg werden gelaten voor de bezoekers van de Andere Wereld die wellicht bij ons zouden willen komen. De deuren stonden open, want deze avond werd niemand die wilde binnenkomen tegengehouden, werd niemand de doorgang versperd. De haardvuren waren gedoofd. Buiten, in de open ruimte tussen het fort en de stallen, brandde een groot vreugdevuur, dat zijn dansende vonken hoog de lucht in stuwde. De maan was vol, en kleine wolkjes schoven over haar bleke, lichtende oppervlak.

'Morrigan kijkt naar me van achter haar sluier,' zei Conor. 'Kom mee, Fainne. Laten we deze vuren opnieuw aansteken en met onze voeten het nieuwe jaar betreden.'

Hij had het grote vuur al veel eerder aangestoken, door zijn handen en een spreuk te gebruiken. Anderen hadden het met meer aardse middelen brandende gehouden, door er geregeld bundels kurkdroog essenhout op te gooien. Nu nam Conor een niet-brandende toorts en hield die in de vlammen tot hij opvlamde en met een gouden gloed brandde in de nacht.

'Dit is het vuur van het nieuwe jaar.' Zijn stem was krachtig en helder, zijn ogen vol kalme hoop. 'Dit is het jaar van de afrekening.

We meten de dagen van duisternis en beoordelen de situatie. We bereiden ons voor op de tijd van zonlicht en vreugde, en op de dag van de overwinning. Ik beloof aan de mensen van het woud, aan beide zijden van de sluier, dat we voor de volgende Samhain de Eilanden terug zullen hebben. Het kind van de profetie zal ons leiden, en wij zullen onze heilige opdracht vervullen. Dit beloof ik plechtig.'

Hierop gaf hij mij de toorts aan.

'Je weet wat je moet doen?' vroeg hij zacht.

Ik knikte. Ik kreeg een uiterst vreemd gevoel, alsof ik dit op de een of andere manier al eerder had gedaan, alsof een scène uit het verleden werd herhaald, maar wel met kleine verschillen. Mijn voeten bewogen als vanzelf. Ik droeg de vlammende toorts naar de grote zaal en voor alle aanwezigen stak ik hem naar voren en hield hem bij de houtblokken die waren klaargelegd in de grote open haard. Ze vlamden op en begonnen fel te branden. Vervolgens liep ik door het huis, waarbij ik zorgde afstand te houden tot de wandtapijten, tot ik stuk voor stuk alle haardvuren had ontstoken, ook het kleine vuur in mijn eigen kamer. Vanuit mijn ooghoek meende ik een glimlachje om Riona's geborduurde mond te zien, maar toen ik mijn hoofd draaide om te kijken, staarde ze even ernstig uit het raam als anders.

Toen mijn taak vervuld was, ging ik terug naar de grote zaal. Deze avond was ik opeens niet meer bang voor de massa mensen daar, het gepraat en het licht. Er was wijn en haverbrood, en wat koud vlees, en wat van de lekkere, zachte kaas die ze van ooienmelk maken. Dat was maar een kleine hoeveelheid, want er zou vanaf nu tot in het voorjaar geen verse melk meer zijn, en het grootste deel van onze boter en kaas was in de kelders gelegd. De laatste stuks overtollig vee waren geslacht en de late gewassen waren binnengehaald. De fokdieren, de beste schapen en runderen van de kuddes, stonden in de schuren of op de ommuurde velden bij de nederzetting. Het beetje graan dat nog op de velden lag, zou daar worden achtergelaten, voor de geesten. Dit was de tijd om het licht van de zon in te wisselen voor de warmte van het haardvuur, de activiteiten van boerderij, bos en slagveld voor de kleinere kring van huishouden en familie, en om voor te bereiden wat zou komen.

Het was niet echt een feest. De mensen zaten zacht met elkaar te praten. Zelfs de kleine meisjes waren rustiger dan gewoonlijk. Het was voor hen allang bedtijd geweest, en Eilis zat als een baby met haar duim in haar mond bij tante Aisling op schoot. Maeve, die me met grote ogen van bewondering stap voor stap was gevolgd bij mijn ronde door het huis, ging slaperig tegen haar grote hond geleund bij de haard zitten. Sibeal zat naast de oude vrouw, Janis, die haar een verhaal leek te vertellen. De oudere meisjes liepen bedrijvig rond en zorgden ervoor dat bokalen weer werden volgeschonken en schotels opnieuw werden gevuld.

'Je hebt het vanavond heel goed gedaan, Fainne.' Dat was Muirrin, die met een karaf wijn langskwam om mijn beker weer te vullen. 'Bijna alsof je ertoe geroepen was, vond ik. Het is een hele eer om met de ceremonie te mogen helpen. Het is een nog grotere eer om de vuren aan te steken. Ik heb nog nooit meegemaakt dat Conor dat aan iemand anders dan een druïde toevertrouwde.'

'Werkelijk?' zei ik, en nam een slokje wijn.

'Hij waardeert je echt, Fainne. Dat moet je niet lichtvaardig opvatten. Van alle zwanenbroers is Conor de enige die hier in het woud is gebleven. Hij houdt de nagedachtenis aan de oude tijd levend. Hij laat ons niet vergeten wie we zijn en wat we moeten doen. Hij ziet dat daar voor jou een rol in is weggelegd, dat weet ik zeker.'

'Misschien,' zei ik. 'Muirrin, je hebt gezegd dat jouw ouders dochters hebben gekregen, en tante Liadan zonen. Maar...'

Ze glimlachte even. 'Er waren twee jongetjes, een tweeling. Tussen Maeve en Sibeal. Ze hebben nog geen dag geleefd. Ik was een jaar of zeven toen ze geboren werden. Ik heb ze nog een tijdje vastgehouden. Ze hadden zulke kleine handjes.'

'Wat naar. Ik had er beter niet over kunnen praten. Je zei dat je vader er vrede mee had dat Johnny zijn erfgenaam zou zijn. Maar ik wist niet dat ze zonen hadden gekregen, en die verloren hadden.'

'Ze waren verschrikkelijk verdrietig. Vader heeft het kunnen aanvaarden. Hij houdt van Johnny en respecteert hem. Met moeder is het anders.' Ze aarzelde.

'Is zij er niet gelukkig mee dat een neef de erfgenaam wordt?' vroeg ik.

'Dat zou ze nooit zeggen. Ze is een goede echtgenote; ze aanbidt mijn vader en wijdt zich helemaal aan het naadloos doen verlopen van dit huishouden. Ze zou het nooit openlijk zeggen, maar ze denkt dat ze gefaald heeft doordat ze hem geen gezonde zoon heeft geschonken. En ze maakt... een zeker voorbehoud, meer zou ik het niet noemen. Ze vindt Johnny een aardige jongen. Dat kan ook niet

anders. Hij zal een ideale heer van Zeven Wateren zijn. Maar ze heeft ook twijfels.'
'Twijfels?' vroeg ik terwijl we samen op een bank in de hoek gingen zitten. 'Waarom heeft ze twijfels, als Johnny zo volmaakt is als iedereen zegt?'
Ze lachte. 'Hij is echt volmaakt. Ik weet zeker dat je dat ook zult vinden wanneer je hem leert kennen. Moeders gevoelens hebben eerder iets te maken met zijn afkomst. Hij is natuurlijk een neef van ons, maar...'
'Heeft tante Aisling bezwaren tegen Johnny's vader?'
'Geen bezwáren. Zo sterk zou ik het niet willen stellen. Mijn moeder legt zich neer bij de beslissingen van mijn vader. Het is alleen zo dat... er is nog steeds veel kwaad bloed tussen mijn oom Eamonn en de Baas. Niemand zegt ooit waarover dat gaat, of ging. Mijn moeder gelooft volgens mij dat haar broer nooit zal goedkeuren dat Johnny de toekomstige heer van dit gebied wordt. Daarom is ze ongerust over de toekomst. De Baas is hier nooit meer geweest sinds tante Liadan en hij zijn weggegaan. En oom Eamonn doet zijn best om weg te blijven wanneer Liadan hier is. Het is alsof het tussen hen alleen vrede kan blijven als ze elkaar nooit zien.'
'Wat vreemd. Hoelang is dat al zo?'
'Sinds Johnny een baby was. Bijna achttien jaar dus.'
'Ik begrijp het,' zei ik, hoewel ik het eigenlijk niet begreep. Er waren hier werkelijk geheimen, interessante geheimen. 'Ik vind het erg naar allemaal, Muirrin. Vooral dat van je broertjes.' Dit was gewoon de waarheid. Ik had de treurige uitdrukking op het kleine, sproetige gezicht van tante Aisling gezien toen hun namen werden genoemd.
'Dank je, Fainne. Je bent een lief meisje. Ik ben blij dat je bij ons bent gekomen. Zusjes zijn allemaal goed en wel, maar het is heerlijk om een vriendin te hebben met wie ik kan praten. Moeder zal vaders plannen voor Zeven Wateren nog weleens gaan accepteren. Eerst moet de slag worden gewonnen. Daarna gaan we aan de toekomst werken.' Haar gezicht straalde van hoop en vastberadenheid.
'Neem me niet kwalijk,' zei ik. 'Ik voel me plotseling erg moe. Denk je dat oom Sean het erg zou vinden als ik nu naar bed ging?'
'O, Fainne, arm kind! Het spijt me, ik was helemaal vergeten dat je zo hard hebt gewerkt, door Conor te helpen en die grote toorts rond te dragen... ga maar, ga maar gauw. Ik zal je wel excuseren.'
Ik vluchtte naar mijn kamer en vergrendelde de deur, en ik schud-

de het Mom van me af en verwisselde mijn mooie lange jurk voor een simpel, degelijk oud nachthemd. Ik haalde Riona van de vensterbank af en ging bij de haard zitten met haar naast me. Mijn vingers raakten het ingekerfde oppervlak van de amulet die om mijn hals hing aan en voelden de kleine inscripties. Hoewel het vuurtje vrolijk brandde, was het koud in de kamer: kouder dan de vorst bij zonsopgang, kouder dan het opspattende zeewater met midwinter, maar niet zo koud als de kilte die zich meester maakte van mijn ziel en me niet meer losliet. Het was de ijzige greep van de onzekerheid.
Ik pakte de pook, want ik wilde het vuur warmer oppoken. Ik stak het ijzer tussen de kooltjes, en ogenblikkelijk schoot er een felle steekvlam omhoog, die de hele kamer in een felle, oranjerode gloed zette en mijn neus en mond vulde met een scherpe, verstikkende rook. Zelfs de lucht om me heen leek te vonken en te sissen, en mijn hart bonsde van angst. De vlam doofde weer uit, het vuur gloeide paars, zo donker als moerbeien, en daar in de diepte ervan zag ik het gerimpelde gezicht van mijn grootmoeder, omkranst met lekkende vlammen. Haar doordringende ogen staarden me aan, en in het geknetter van brandend hout hoorde ik haar spottende stem.
Schaam je, Fainne. Ben je het lijden van je vader vergeten? Heb je je discipline zo snel verloren dat je nu voor druïde speelt en vergeet waarom je daar bent?
Het leek alsof ik geen woord uit kon brengen. Mijn hart sloeg razendsnel, mijn huid was klam van het zweet. Ik had geweten dat ze me zou weten te vinden. Ik had geweten dat ze vroeg of laat zou komen. Maar niet nu. Niet zo. 'Ik... ik...' stamelde ik, terwijl ik mijn best deed me weer een beetje te beheersen. 'Ik ben het niet vergeten, ik zweer dat ik het niet vergeten ben...'
O, Fainne. Zo zwak. Ze gemakkelijk beet te nemen. Waarom heb je de druïde van de overstroming gered? Waarom heb je de man die je vader vernietigd heeft, niet gewoon in het donker laten verdrinken? Jazeker, ik zag het. Je wil is niet zo sterk als je dacht.
'Conor speelt zijn eigen spel.' Ik klappertandde. Als ze me maar niet het beeld van mijn vader liet zien, dat niet. 'Ik heb hem getaxeerd. Ik zal hem overtroeven. Hij is een oude man.'
Hij is een druïde. Je overtuigt me niet, Fainne. Moet ik daar niet alleen in de geest, maar ook lijfelijk heen komen, om je wilskracht een beetje aan te sporen? Ben je vergeten waarom je daar bent, kind?
'N-nee, grootmoeder.'
Waarom verdoe je dan je tijd met dromen voor het vuur?

'Het... het was nodig om het vertrouwen van deze mensen te verdienen,' hakkelde ik. Dit leek nergens op, ik moest mezelf snel in de hand zien te krijgen. Haar ogen leken wel messen, ze leken zich diep in me te boren en te speuren naar het kleinste geheimpje. 'Ik moest hun vriendin lijken; als familielid optreden. Mijn moeder...' Ik kon niet verder. Deze avond had ik bijna gevoeld dat Niamh naar me keek, door de sluier van schaduwen.

Je moeder zou zich voor je schamen. Grootmoeders stem was koud en hard als steen. *Ze verafschuwde deze mensen om wat ze haar en Ciarán hebben aangedaan. Je raakt je wil kwijt, Fainne. En je weet waarom.*

'Wat bedoelt u?'

Deze mensen zijn geraffineerd. Ze doen alsof ze je welkom heten, alsof ze je accepteren, aan de buitenkant. Conor sust je zover in slaap dat je bijna dezelfde leugen gelooft die hij je vader op de mouw heeft gespeld. Je begint te denken dat het misschien toch kan. Dat je misschien kunt doorbreken naar het licht; dat je de weg van de wijzen kunt volgen, tot je wordt wat hij is. Huh! Kijk dan toch naar jezelf, Fainne. Kijk naar jezelf zonder de uitdossing van het Mom. Je bent anders; je bent niet een van hen. Je draagt mijn erfenis met je mee, het bloed van de uitgestotene, en dat weet Conor. Hij speelt een spelletje met je, meer niet. Zelfs je vader wil je alleen gebruiken voor zijn eigen doeleinden. Zo is het nu eenmaal bij ons soort. Er is geen liefde. Er is geen licht. Er is geen aanvaarding. De weg is een en al verwarring en donkerte. Geef er dan tenminste een doel aan.

'U zegt dat er geen liefde is. Maar ik hou van mijn vader, en hij houdt van mij. Dat telt toch als liefde.'

Dat is sentimentele onzin. Ciarán dacht ook dat hij van je moeder hield. Dat was zijn grootste vergissing. Als hij van jou hield, zou hij je nooit hierheen hebben gestuurd. Je vader weet, en ik weet, dat je nooit iets anders zult zijn dan wat je bent. Let nu goed op. Kijk in het vuur.

'Ik kijk al.'

Kijk nog eens.

Ik gehoorzaamde, en de vlammen veranderden, krulden om en spreidden zich en lieten me, precies in het gloeiende midden van het vuur, een klein, duidelijk beeld zien: mijn vader, voorovergebogen, hoestend alsof zijn borstkas ervan open zou springen, en tussen zijn vingers door, die hij voor zijn mond hield, sijpelde felrood bloed.

Ik knipperde met mijn ogen en het beeld was weg. Mijn hart werd koud.
Dat heb je wel goed kunnen zien, hè? Dat is door jouw toedoen. Je ziet het zoals het nu is. Een man kan moeilijk slikken, als hij zo hoest. Geen wonder dat hij zo mager is. Soms krijgt hij haast geen adem. En het is koud in Kerry in de winter. Haar ogen boorden zich in me.
'Alstublieft!' Mijn stem klonk schor van ellende. Ik kon mezelf er niet van weerhouden haar te smeken: 'Doe dit toch niet, alstublieft, het is niet de schuld van mijn vader. Doe hem toch alstublieft niet zo'n pijn! Ik doe toch wat u wilt, echt waar, ik heb plannen gemaakt. U straft hem voor niets.'
Plannen zijn nog geen daden. Wat heb je gedaan sinds je hier bent? Heb je de kunst gebruikt? Heb je een man gevonden die als werktuig kan dienen? Wat heb je gedaan?
'Ik... ik ben het woud ingegaan en heb het Feeënvolk gezocht. Ik heb met een van hen gesproken.'
En wat nog meer?
'Ik... ik heb de belangstelling van een man gewekt,' stamelde ik. In mijn wanhoop klampte ik me vast aan strohalmen. 'Een invloedrijk man. Hij komt voor in mijn plan.'
Als je zijn belangstelling hebt gewekt, waar is hij dan vanavond?
'Hij is voorlopig naar huis gegaan. Maar hij zei dat hij zich erop verheugde me weer te zien.' Het was niet genoeg, ik wist dat het niet genoeg was. Het gesmoorde hoesten van mijn vader weerklonk in mijn hoofd als doodsgebeier.
Niet goed genoeg, Fainne. Bedroevend halfzachte maatregelen. Herinner je je die kabeljauw? Dat ging je toch heel gemakkelijk af. De volgende fase, dat is de echte uitdaging. Je bent zo dom geweest toe te laten dat deze mensen zich in je hart dringen. Je kunt het beste snel handelen, voor je vergeet hoe het moet. Anders zul je je wil kwijtraken. Je zult domweg een van hen worden. Misschien vind je het fijn je vader te zien lijden.
'Hou op! Het ging me trouwens helemaal niet gemakkelijk af. Ik zie die vis voor me, elke avond voor ik in slaap val. Het was slecht. Het was misbruik maken van de kunst.'
Ze kon gemist worden, Fainne. Dat geldt voor hen allemaal. Heb je geen ruggengraat, meisje? Laat me zien dat je niets om deze mensen geeft. Het zijn de mensen die je moeder uit haar huis hebben verdreven, haar in de armen van een man hebben gedreven die zo

wreed was dat ze er nooit van hersteld is. Het zijn de mensen die je vader hoop hebben gegeven, alleen om hem die later weer te ontnemen. Zij geven niets om jou. Niets. Het enige dat voor hen telt, is dat kostbare woud van hen, en hun Eilanden, en de wil van het Feeënvolk. Je moeder is gestorven. Ze heeft haar eigen dood gezocht om wat deze mensen hebben gedaan. Ben je dat vergeten? Laat je je in plaats daarvan meetrekken in hun vreemde opvatting van de wereld, zodat je aan een of andere zogenaamde profetie, een verhaspeld stukje bardenfantasie, meer waarde hecht dan aan het bestaan van een vrouw? Neem daar afstand van, Fainne. Waar is je woede? Laat me je kracht zien.

Op dat moment voelde ik haar in me opwellen, de kunst in al haar kracht, die uitstroomde tot in elk deel van mijn lichaam. Ik kon doen wat ze wilde, ik wist dat ik het kon; ik hoefde alleen maar te gebruiken wat vader me zelf had geleerd. Maar toch had hij gezegd... 'Soms,' fluisterde ik, 'getuigt het van meer wilskracht niet te handelen...'

Wat is dat? Weer zo'n loos druïdenpraatje? Wees trouw aan jezelf. Erken je afstamming. Laat zien dat je het nog kunt. Hoelang is het al geleden dat je voor het laatst gebruik hebt gemaakt van de kunst? Laat het me zien, Fainne. Een brandje, misschien. Gewoon een klein brandje. Maar goed heet. Laat ze schrikken. Breng ze van hun stuk. Je kunt het zeker niet? Je bent de boosheid kwijtgeraakt. De wil kwijtgeraakt. De liefde die je beweerde voor je vader te voelen, stelt dus niets voor. Die betekent niets.

'Ik kan het wel! Zelfs nu voelen mijn vingers het vuur dat in me zit! Maar... maar dit lijkt helemaal nergens toe te dienen... het is alleen gegoochel...'

Je vraagt waar het toe dient? Uitgerekend op deze avond? Heeft je moeder soms niet jaar na jaar tussen de werelden gewacht tot je zou komen, tot ze je eindelijk door de sluier zou kunnen zien op Samhainavond? Tot ze zou kunnen toekijken terwijl je eindelijk aan haar broer, en aan haar oom, en aan al deze mensen laat zien dat ze niet zomaar voort kunnen gaan op een weg die besproeid is met het bloed van onschuldigen? In deze nacht ziet je moeder je, Fainne. Doe het voor haar. Ze hebben haar haar kracht ontnomen; ze hebben haar verdreven naar duisternis en wanhoop. Haal haar kracht terug voor haar. Laat haar zien wat haar dochter vermag te doen.

De kunst was nu sterk in me, een vlam die me voort leek te drijven,

maar om de een of andere reden verzette ik me er nog steeds tegen. Dit was de familie van mijn moeder, wat ze ook gedaan hadden.
'Ik... ik weet niet of...'
Als je hiertoe de wilskracht niet kunt opbrengen, ben je wel een heel slechte leerlinge. Je zou geen ogenblik moeten aarzelen. Ciarán heeft zijn schat verloren, Fainne; zijn liefste en zijn hoop. Hij heeft zijn hele identiteit verloren. En jij hebt hem verloochend, door ermee in te stemmen dat je geen vader zou hebben, hier op Zeven Wateren. Je weet dat ik hem zal laten lijden als je mijn bevel niet opvolgt. Doe het nu. Laat je vader zien dat je hem niet vergeten bent. Zoek de woede in jezelf op. Maak de brand.
Heel even sloot ik mijn ogen, omdat ik de kracht van haar blik niet langer kon verdragen, en toen ik ze weer opendeed, was het vuur gedoofd tot gloeiende houtskool, en was ze weg.
'Vader,' fluisterde ik. 'Vader, hou vol, waar je ook bent. Wees sterk.'

Ik pakte Riona en borg haar weg in de kist, helemaal onderin, onder Darraghs sjaal. Helemaal onderin, in het donker, waar ze niets kon zien. Ik sloot het deksel. Toen liep ik naar het raam. Het was heel laat. Ik had lange tijd in mijn eentje gezeten. Er leek niemand meer te zijn, maar er zouden wel wachten zijn; die waren er altijd. De familie, de druïden, de mensen van huishouden en nederzetting zouden nu wel naar bed zijn gegaan. Alles was in diepe rust. Ik blies de kaars uit en sloot mijn ogen. Ik ademde langzaam en diep in en uit; ik riep het oog van de geest op; langzaam en diep liet ik het geleidelijk aanzwellen, als de vloedgolven van de grote oceaan. In mijn geest keek ik naar het vreugdevuur dat Conor had gemaakt, en dat nog brandde, beneden onder de muren van het fort. Ik zag het klein en helder. Er waren mannen die de wacht hielden bij het vuur, waakzaam in het donker; ze kwamen dichterbij om zich te warmen. Het was windstil, en zo koud dat een man zou kunnen bevriezen, ondanks zijn jas van schapenvacht en zijn wollen mantel. Ik dacht aan dat vuur en zag het zo duidelijk alsof het vlak voor me was. Grote stammen in het midden van het vuur, die goudkleurig en oranje gloeiden, en verkruimelden tot donkere as. Vlokken as die opstegen in de opwaartse trek en in de lucht dansten als gloeiende insecten. Een paar vonken. Krinkelende rook. Morgenochtend zou er niet veel over zijn. Ik kon vuur maken. Ik hoefde enkel met mijn vinger te wijzen. Maar dit zou anders zijn. Een ongeluk. Het zou niets met mij te maken hebben. Ik had immers in mijn kamer liggen slapen, aan de andere kant van het fort? Vanuit mijn raam kon ik de binnenplaats niet eens zien waar het vuur ongelukkigerwijs uit de hand was gelopen, zich had uitgebreid naar plaatsen waar het niet had mogen komen. Met mijn ogen stijf dichtgeknepen hield ik het vuur in mijn geest vast. De verandering ging snel. Dat moest, voor de wachten met stokken en zakken konden toesnellen om de vlammen uit te slaan. Een plotseling opvlammen, vuur dat over de grond liep en voedsel vond in al wat maar zou kunnen branden. Mannen die schreeuwden, mannen die renden. De vlammen hadden een mooie kleur, rood en goud, als de herfstzon op donkere klaverhoning. *Ziet u het, grootmoeder? Ziet u wat ik kan doen?* De vlammen maakten zich meester van het vlechtwerk van de bijgebouwen en rekten zich hongerig naar de hemel. Ze zongen. Ze krijsten. Ze brulden. En ik hoorde ook andere geluiden, nu niet in mijn hoofd, maar volkomen echt buiten in de nacht, geluiden van mensen die schreeuwden, en rammelende emmers, en de stem van mijn oom Sean, die luidkeels bevelen gaf. Paarden die hinnikten, een dreun toen iets groots omviel of uit de weg werd gesleept, een plotseling, vreselijk geluid van pijn, een man die gilde, gilde, die maar doorging met gillen. Ik wilde dit niet horen. Ik stopte mijn vingers in mijn oren, maar het maakte niets uit. Ik hoorde nog meer klappen, en het geluid van hoeven op de stenen van het pad. Ik deed mijn ogen open en nu kon ik onder mijn raam mannen zien die doodsbange paarden wegleidden naar de veiligheid van de velden, en weer terug renden naar de herrie. In de gloed van de brand waren hun schaduwen lang en donker op het stuk groen tussen het fort en het bos. Ik bleef doodstil staan. Het was niet nodig de betovering op te heffen. Ze zouden de brand blussen. De dieren waren gered. Daar was ik blij om. Het huishouden zou in rep en roer zijn. Zo'n gebeurtenis, in de nacht van Samhain, zou wellicht de gedachte oproepen dat de hoop van de aartsdruïde voor het komende jaar ongegrond was. Het zaad van onzekerheid zou erdoor worden gezaaid. Het was allemaal heel goed gelukt. Waarom beefden mijn handen dan als berkenbladeren in een herfststorm? Ik hield de kleine amulet om mijn hals stevig vast om het beven te laten ophouden.

Er werd heftig op mijn deur gebonsd.

'Fainne! Ben je wakker?'

Het was Muirrin. Ik had geen andere keus dan de deur open te doen en haar binnen te laten.

'Wat is er? Wat gebeurt er?' Ik deed mijn best om mijn stem slaperig en verward te laten klinken.

'O, Fainne! Heb je dat lawaai dan niet gehoord? Er is een vreselijke brand uitgebroken. Een van de druïden is dood, anderen zijn ernstig gewond. En we kunnen Maeve nergens vinden. Ik hoopte... ik dacht dat ze misschien bij jou was. Maar ik zie dat ze niet hier is. O, Fainne, wat moeten we doen als...' Op dit punt sloeg de beheerste, kundige genezeres van Zeven Wateren haar handen voor haar gezicht en barstte in tranen uit. Ik voelde een vreselijke rilling door mijn lichaam trekken, die niets te maken had met het late uur of met de winterse kou.

'Ik help je wel haar te zoeken,' zei ik, en het beverige van mijn stem was niet te danken aan toneelspel. 'Ik ga mijn mantel pakken. Er is vast niets met haar gebeurd, Muirrin. Tegen de tijd dat wij weer beneden zijn, zullen ze haar zeker gevonden hebben, geloof me.' Brighid sta me bij, waarom had ik het niet bijtijds doen ophouden? Waarom had ik het niet laten ophouden zodra de vlammen aan de muren begonnen te lekken? Waarom had ik er niet aan gedacht dat de druïden daar sliepen?

Als er een antwoord op deze vragen bestond, ontging het mij. In plaats daarvan begon, terwijl we de trappen af en naar buiten renden, een klein stemmetje binnen in me te spreken. *Het is weer precies hetzelfde. Hetzelfde als toen met die vis. Je kunt het ook niet helpen; het zit in je bloed...*

Ik had die nacht bijna het gevoel alsof ik uit twee personen bestond. De ene was de Fainne die Muirrin ging helpen, die overal naar Maeve zocht, in het hele huis, buiten in de tuin met een lantaarn in de hand, beneden in de nederzetting waar oude mensen en kleine kinderen nu wakker en angstig wachtten, terwijl de jonge mensen allemaal naar boven waren gegaan om water te pompen, emmers door te geven en vlammen uit te slaan. Het vee stond op elkaar gedrongen in de buitenste velden terwijl jongens en honden hun best deden om de chaotische kudde doodsbange dieren enigszins tot bedaren te brengen. We vroegen het aan iedereen, maar niemand had Maeve gezien. En toen we waren teruggekomen bij de smeulende resten van de verbrande bijgebouwen, waren we net op tijd om te zien hoe Sean haar naar buiten bracht; zijn gezicht leek op dat van een oude man in het licht van de toortsen. Muirrin slaakte een woordeloze kreet van ontzetting voordat ze naar haar vader en de slappe, popachtige figuur die hij in zijn armen hield, toerende.

En al die tijd keek de andere Fainne van binnen in mij toe. Niemand kon haar zien. Niemand behalve ik kon haar stemmetje horen; het stemmetje dat de stem van mijn grootmoeder was. *Dit heb jij gedaan. Zie je hoe sterk je kunt zijn? Morgen zal je vader gemakkelijker adem kunnen halen.*
Ik drukte mijn handen tegen mijn oren en ik ademde diep in en uit, een, twee, drie keer. Toen dwong ik mezelf om naar voren te lopen en deed ik mijn mond open om een vraag te stellen waarop ik het antwoord vreesde. Maar ik hoefde het niet te vragen.
'Goed,' zei Muirrin kordaat, hoewel haar gezicht betraand en bleek was. 'Breng haar naar de kamer naast de mijne, en jullie kunnen de gewonde mannen er het beste naast leggen. Draag haar voorzichtig. We zullen veel schoon linnen nodig hebben, en mensen die ons kunnen helpen. Vlug nu.'
Maeve leefde dus nog. Ik schraapte mijn keel.
'W-waar is de hond?' probeerde ik. 'Ze wil misschien haar hond bij zich hebben, wanneer ze...'
'De hond is dood,' zei Sean moeilijk. 'Hij mag niet binnen bij haar slapen; hij is naar beneden gegaan om een warm plekje te zoeken, en de druïden hebben hem binnengelaten.'
'Ze zocht haar hond?' fluisterde ik terwijl we in een sombere stoet terug liepen naar het fort. Ergens in de verte hoorde ik nog steeds een man schreeuwen van pijn. 'In de brand?'
Sean knikte. 'We hebben haar op de een of andere manier over het hoofd gezien. Ze is waarschijnlijk naar binnen geglipt om te proberen hem eruit te halen.'
'Wat is er gebeurd? Is ze erg gewond?' dwong ik mezelf te vragen.
'Ze is blijkbaar gestruikeld, en in een poging haar val te breken is ze met haar handen op een ijzeren staaf terechtgekomen waarmee de deur vergrendeld was; ze wist niet dat hij de hitte zo vasthield. Haar handen zijn... ze zijn beschadigd.' De stem van mijn oom beefde. 'Haar haar brandde. We hebben de vlammen geblust. Haar gezicht en handen zullen blijvend getekend zijn, als ze het overleeft. Ik kan het mezelf niet vergeven. Hoe heb ik zoiets kunnen laten gebeuren?'
Met een krijtwit gezicht zorgde Muirrin snel en doeltreffend dat alles er kwam. Linnen, water, kruiden. Een vrijgemaakte ruimte waar rijen stromatrassen moesten worden neergelegd. Mensen om spullen te halen en te dragen. Er was een jonge druïde met vreselijke brandwonden aan zijn benen en voeten. Ondanks zijn disci-

pline kon hij zijn kreten van pijn niet inhouden, en het geluid ervan ging me door merg en been. Wat de oudste druïde betreft, de matras waarop hij lag was van onder tot boven met wit afgedekt. Deze wijze zou niet terugkeren om midwinter te zien onder de kale eiken. Iemand had een taxustwijg op het sneeuwwitte linnen gelegd dat hem bedekte. Er waren vijf mannen gewond; sommigen hadden brandwonden, anderen waren duizelig en benauwd door de rook. In de kamer waar ze waren neergelegd, liep Conor van de een naar de ander en boog zich over hen heen om zachte woorden te murmelen, een hand vast te houden of zijn hand op een voorhoofd te leggen. Ze brachten Maeve naar de kamer ernaast en ik bleef aarzelend, hulpeloos, in de deuropening staan terwijl ze haar neerlegden. Tante Aisling leek nu eens helemaal niet te weten wat ze moest doen. Ze knielde bij haar dochter neer en staarde met lege ogen naar het verschroeide haar en de blaren op haar gezicht en handen, terwijl het raspende geluid van de zwoegende ademhaling van het kind door de met kaarsen verlichte kamer klonk.

Muirrin stak nog meer lampen aan. Ik zag dat haar handen trilden. 'Vader,' zei ze.

Sean keek haar aan.

'Er zijn hier meer gewonden dan ik alleen kan verzorgen,' zei ze zacht. 'En ik heb hiervoor misschien ook niet de kennis in huis. We hebben Liadan nodig.'

Mijn oom knikte. 'Het is een gelukkig toeval dat ze op Inis Eala is, en niet in Brittannië. Ze hoeft nu tenminste niet over zee te reizen om bij ons te komen, en zal daarom eerder hier zijn. Wat kun jij voor Maeve doen?'

Muirrin aarzelde. 'Ik zal mijn best doen, vader,' fluisterde ze. 'Nu moet u maar gaan. Ik hoor mannen die om u roepen. En u ook, moeder.'

'Ik moet eigenlijk bij haar blijven.' De stem van tante Aisling was onherkenbaar; dun, beverig en helemaal niet bij haar passend. Ik vond het beangstigend dat alles zo snel kon veranderen. 'Stel dat ze wakker wordt en...'

'Dan zal ik u onmiddellijk roepen,' zei Muirrin met prijzenswaardige fermheid. 'Dat beloof ik. U hebt gelijk; ze zal willen dat u bij haar bent. Maar ik ga haar een drankje tegen de pijn geven; ze zal voorlopig niet wakker worden. De mensen zullen u beneden nodig hebben; u moet hun zeggen wat ze moeten doen, en hen geruststel-

len dat alles weer goed zal komen. Iedereen zal erg in de war zijn.'
'Je hebt natuurlijk gelijk.' Aisling stond op, een kleine, tengere gestalte in haar keurige gewaad. Zonder de sluier was haar haar kleurig als goudsbloemen in het licht van de kaarsen. 'Ik moet naar beneden gaan.' Ik zag dat ze haar schouders rechtte en haar tranen wegslikte, en toen riep iemand haar vanuit de aangrenzende kamer, en ze was weg.
'Kan ik... is er iets wat ik kan doen?'
Muirrin wierp me een blik toe. 'Eigenlijk niet, Fainne. Dit is werk voor ervaren handen, en er zijn meer dan genoeg helpers om water te halen en kruiden voor me te snijden. Maar...' Ze keek nu naar iets achter me, door de deuropening naar de gang. Ik draaide me om.
Ze stonden er roerloos en verstard als een rij kleine standbeelden. Deirdre, Clodagh, Sibeal en de kleine Eilis, in hun nachtpon, met hun blote voetjes op de stenen vloer. Acht grote, angstige ogen waren op me gericht, wachtend op geruststelling. Op mij gericht. Achter me hoorde ik Muirrin met vaste stem spreken.
'Het is goed hoor, meisjes.' Ze was dichterbij gekomen, zodat de kinderen niet in de kamer konden kijken. 'Er is brand geweest, en Maeve heeft zich bezeerd. Ik zorg voor haar. Nu zal Fainne jullie weer naar bed brengen en jullie een verhaaltje vertellen, en morgenochtend horen jullie alles.' Ze dempte haar stem. 'Fainne, alsjeblieft?' In de klank van haar stem was de verschrikkelijke angst achter de kalme, rustige woorden hoorbaar.
'Ik wil naar moeder toe,' jammerde Eilis, terwijl ze in haar oogjes wreef.
'Mogen we Maeve zien?' vroeg Deirdre en ze ging op haar tenen staan om te proberen iets te zien. 'Wat heeft ze?'
Er zat niets anders op dan te doen wat me gezegd werd. 'Kom mee,' zei ik in een poging Muirrins optreden na te doen. 'Jullie moeder is bezig, en Muirrin ook. Ik weet een heel leuk verhaal over een man die een kabouter ving, en ook nog een over een witte pony. En jij,' met een blik op de uitgeputte, huilerige Eilis, 'mag vannacht met Riona in bed slapen. Als je lief bent.'
Achter ons ging de deur zachtjes dicht. In de andere kamer hoorde ik nog steeds een man snikken van pijn. Ik hoorde de zachte stem van Conor, gematigd en kalm.
'Fainne,' zei Clodagh zacht terwijl we wegliepen. 'Wie huilt daar?'
'Een man heeft zich bezeerd,' zei ik, met de gedachte dat leugens

geen zin hadden. 'Een van de druïden. Ze verzorgen hem. Hij is erg verbrand.'
Toen werd het stil, wat een zeldzaamheid was voor hen. Geen van de meisjes zei een woord tot we alle vijf in mijn kamer waren, en ik dekens uitdeelde en plekjes zocht waar ze op de bedden konden zitten, en het vuurtje weer opstookte. Het deed me goed mijn geest te vullen met praktische dingen, dingen die grijpbaar waren.
Ik vertelde hun het verhaal van de kabouter, en daarna het andere verhaal, en ik stopte Riona naast Eilis in bed. Weldra sliepen ze allemaal, behalve Clodagh, die nog voor het vuur zat. Ze hield mijn zijden sjaal in haar handen en voelde met verrassend voorzichtige vingers aan de kleine wezens.
'Wat is dit mooi,' zei ze, zacht om de anderen niet wakker te maken. 'Heb je die van je liefje gekregen?'
'Ik ben niet het soort meisje dat een liefje heeft,' zei ik. 'Ik heb hem van een vriend gekregen.' En het was maar goed dat hij daarna van me weg was gegaan. Zo kon hij tenminste niet zien wat ik vannacht had gedaan.
'Fainne?'
'Mmm?'
'Gaat Maeve dood?'
Ik huiverde. Het was alsof ik het kind kon zien zoals ze daar in de vensterbank had gezeten, en Riona's haar vlocht terwijl haar grote hond voor het vuur lag te snurken.
'Ik weet het niet,' zei ik. 'Muirrin is een goede genezeres, dat zeggen ze allemaal. En je vader zei dat Liadan zal komen, al kan het lang duren om bericht daarheen te sturen om haar terug te laten komen naar Zeven Wateren.'
Clodagh keek me verbaasd aan. 'Nee hoor,' zei ze. 'Vader praat met haar. Ze is waarschijnlijk al onderweg.'
'Praat met haar?'
'Net als Deirdre en ik samen. Kun jij dat niet? Praten zonder te spreken, bedoel ik. Vader kan Liadan direct dingen vertellen, ook als ze op Harrowfield is, wat ver weg ligt in Northumbrië. Ze zal zo snel mogelijk hiernaartoe komen. Tante Liadan kan iedereen genezen.'
'Nou,' zei ik grimmig, 'dat betekent dan denk ik dat Maeve een goede kans heeft om te herstellen. Maar nu moeten we slapen. Jij moet hier bij mij in bed komen liggen. Ik hoop dat je geen koude voeten krijgt.'

Maar terwijl zij eindelijk sliep, lag ik met open ogen en zag het vroege licht van de dageraad in het raam verschijnen, en het huis begon weer te leven om ons heen. Ik lag naar de stenen muren te staren en ik dacht aan mijn moeder. Ik vroeg me af of haar ongelukkige geest hier nog ergens rondzwierf en naar mij keek, naar alles wat ik deed. Wat had vader ook weer gezegd? *Er waren momenten van tevredenheid; jouw geboorte... ze geloofde dat ze eindelijk iets goed had gedaan.* Maar uiteindelijk had ze dat toch niet kunnen geloven. *Misschien was haar laatste antwoord het enige dat ze nog over had.* Dat zou een uitweg zijn. Je polsen doorsnijden, of van het dak afspringen, of je in de koude omhelzing van het meer storten. Maar ik kon niet doen wat zij had gedaan. Dat zou mijn vaders einde betekenen. Ik moest doen wat mijn grootmoeder me opdroeg. Ik was hem alles verschuldigd, en ik mocht niet toelaten dat ze hem martelde. Maar hoe kon ik dat verzoenen met wat ik deze nacht had gedaan? Ik had nu al twee keer een mens gedood. En dan was er nog het vreselijke wat ik Maeve had aangedaan, en die jonge druïde. Hoe hoog was de prijs die ik moest betalen voor mijn vaders veiligheid? Het boosaardige werk van deze nacht had toch zeker niets te maken met de strijd en het Feeënvolk? Waarom had ze me dit laten doen?

Ze heeft het je niet laten doen, fluisterde het ongewenste stemmetje in me. *Je hebt het helemaal zelfstandig gedaan. Het zit in je bloed. Je kunt het niet helpen. Trouwens, dit is niet meer dan een passende straf voor wat zij gedaan hebben.*

Het is niet passend dat een kind pijn moet lijden, zei ik tegen mezelf.

Je vergist je. Het was wel passend. Je hebt je oom van streek gemaakt, en twijfel gezaaid in de harten van de mensen. Je hebt de druïde verzwakt. Dat zijn drie stappen in de richting van het grote doel. Het is dus juist heel passend.

Ik... ik geloof dat ik niet wil zijn wie ik ben.

Wat wil je dan wel zijn? De vrouw van een ketellapper met een kind in je buik en drie aan je voeten, en altijd onderweg? Je denkt dat je een keus hebt? Dat dacht je vader ook. En je ziet wat er met hem gebeurd is. En jij voelt medeleven met deze mensen?

Ik probeerde deze stem mijn wil op te leggen zodat hij ermee ophield me te kwellen, maar hij hield niet op. Het was mijn eigen stem, die niet tot zwijgen kon worden gebracht. De kinderen lagen rustig te slapen om me heen, en terwijl het licht van de ochtendstond de kamer vulde met een gouden glans, leek het mij dat er schaduwen in mijn geest en hart kropen, en dat de zon niet eens bij machte was ze te verjagen.

HOOFDSTUK ZES

Vuur is iets angstwekkends. Het begint als een enkel vonkje, een miniem sliertje rook. Het groeit, wint aan kracht en breidt zich uit, tot het een grote brand wordt die alles verteert wat hij kan vinden. Als hij niet in toom wordt gehouden, zal hij alles nemen. De vernietigende kracht van wat ik had ontketend, maakte me bang. En niet alleen het werk van de vlammen als zodanig, de verwoeste gebouwen, een oude man die zijn laatste adem uitblies in een rokerige nachtmerrie, jongeren die zich aan het leven vastklampten, maar pijn leden. Niet alleen Maeve, die nu op de grens van deze wereld en de volgende zweefde. Het was de manier waarop ze er allemaal in waren betrokken, de manier waarop de gebeurtenis die had plaatsgevonden, zich net als vlammen verspreidde om elke aanwezige op Zeven Wateren aan te tasten en te verwonden. Als mijn grootmoeder wilde dat ik het huishouden ontregelde en het zaad van twijfel aan hun onderneming zaaide, dan beschouwde ze dit waarschijnlijk als een groot succes. Ik wilde er niet aan denken wat mijn vader ervan zou hebben gevonden. Ik probeerde me voor te stellen dat hij de kunst zou gebruiken om te doen wat ik zojuist gedaan had, maar dat lukte niet. Ik dacht aan dat voorval waarover altijd werd gepraat, de keer dat hij de Finn-ghaill uit de baai had weggejaagd. Toen waren er mannen verdronken ten gevolge van zijn handelen. Maar dit was anders.

Ik zag hoe vonkjes van onzekerheid opvlamden en zich uitbreidden, hoe gevoelens van onvrede zich op verschillende manieren begonnen te tonen, hoe de stemming in huis van zuivere hoop en inspiratie van het Samhainritueel veranderde in bezorgde introspectie. Tijdens de maaltijden was het stil. Er werd weinig gepraat. Kleine onenigheden vlamden op en werden niet altijd snel bijgelegd. Sean was in zichzelf gekeerd en zwijgzaam, en Aisling was zenuwachtig in de weer. Conor bleef maar één dag na de brand, en vertrok toen naar de nemetons, met vier broeders die het lichaam van de oude man tussen zich in op een plank meedroegen. Hij moest het vreselijke nieuws zelf aan zijn mensen meedelen, zei hij zacht tegen Sean; het mocht hen niet door middel van praatjes bereiken. Hun oudste moest met het gepaste ritueel op zijn weg worden gezonden, en zijn lichaam moest te rusten worden gelegd waar het hoorde te liggen, onder de eiken.

Het was duidelijk dat Conor eigenlijk wilde blijven, want hoewel sommigen zich snel hadden hersteld, waren er nog drie mannen die door Muirrin werden verpleegd, en de vooruitzichten voor de jongste waren erg somber, tenzij hij het kon volhouden tot mijn tante Liadan arriveerde. Hun vertrouwen in haar genezende vermogens verbaasde me. Liadan was tenslotte maar een gewone vrouw, ook al had ze dan Fomhóire-bloed in haar aderen. Kon zij iets wat Muirrin en haar helpers niet konden?

Conor zei dat hij zo snel mogelijk zou terugkomen. Hij wist dat zijn gewonde mannen de verpleging zouden krijgen die hun volgens de wet en volgens verwantschap toekwam. Intussen had hij verplichtingen jegens de mensen die in het woud waren achtergebleven, en die moest hij nakomen. De kille vormelijkheid van zijn woorden creëerde een afstand tussen hem en zijn neef die er eerst niet was geweest. Ik had gedacht dat Conor onvermoeibaar was. Ik had gezien hoe hij bijna verdronken was en hoe hij dat had doorstaan met een gelijkmoedigheid die mannen van eenentwintig misschien niet zouden opbrengen. Maar de brand had hem geschokt. Hij leunde zwaar op zijn berkenstaf toen hij van Zeven Wateren wegwandelde, met zijn kap over zijn hoofd getrokken om zijn gezicht te beschaduwen. Niemand kon de uitdrukking zien die erop lag. De kleine stoet liep het pad onder de winterse bomen af en was weg. Conor had niet tegen me gesproken sinds de nacht van de brand. Of hij het wist, of hij het vermoedde, of dat hij domweg te veel met andere dingen bezig was geweest om mij op te merken, kon ik niet zeggen.

Muirrin was een sterk meisje, ook al was ze maar klein. In de ziekenkamer regelde zij alles, en er werd aan één stuk door gewerkt. Vrouwen sponsden koortsige voorhoofden af, verwisselden verbanden en maakten kruidenaftreksels op het vuur. Mannen brachten brandhout binnen en droegen emmers. Maar het was er stil, afgezien van het geluid van pijnlijk ademen, of de stem van Muirrin, die zacht duidelijke instructies gaf. Wanneer ik langs de deuropening kwam, sloot ik mijn oren af voor de stem van de jonge druïde die kreunde van pijn. Ik bracht geen bezoek aan Maeves ziekbed. Maar het oog van mijn geest liet me haar gezicht zien, dat aan de linkerkant overdekt was met glinsterende, met etter gevulde blaren, en haar starende, angstige ogen.

De kinderen waren helemaal van slag, en tante Aisling leek niet bij machte daar veel aan te doen. In plaats daarvan hield ze vast aan de strenge regelmaat van haar huishouden, alsof dit zou verhinderen dat ze helemaal instortte. Ze huilde niet, althans niet waar ze gezien kon worden. Alleen wanneer ze alleen bij Maeve had gezeten, terwijl Muirrin snel een hap at of even uitrustte, liet ze haar tranen gaan. Dat was later te zien aan haar bleke gezicht en haar rode ogen.

Het verschrikkelijke dat ik had gedaan, bleef me dag en nacht achtervolgen. Ik had een van de grondregels van de kunst overtreden. Ik was boos gemaakt, en ik had me door die boosheid laten overmeesteren. Ik wist dat het verkeerd was. En toch wist ik niet wat ik anders had kunnen doen. Terwijl de tijd verstreek kwam de innerlijke stem, de stem die ik niet wilde horen, me vaak kwellen.

Je bent volwassen geworden, murmelde hij. *Je weet nu uit eigen ervaring dat het waar is. Ons soort kan alleen de weg naar chaos en vernietiging bewandelen. Het licht is ons ontzegd. Waarom verbaast je dat? Het is je verteld. Zelfs je vader heeft het je verteld.*

Mijn vader gebruikt de kunst niet op die manier, om verdriet op te wekken, zei ik tegen mezelf.

Neem geen voorbeeld aan hem. Hij heeft zichzelf verloren, toen hij haar verloor. Hij heeft helemaal geen weg. Zijn zwakheid was hoop, en hij liet zich erdoor kapotmaken.

Elke nacht, terwijl ik met open ogen naar de slaap lag te verlangen, fluisterde deze stem in mijn hoofd, en het werd steeds moeilijker om er geen aandacht aan te besteden. Het was alsof ik mijn grootmoeder in me meedroeg, een tweeling-ik, en ik dacht dat ze steeds sterker werd, er steeds dichterbij kwam de andere Fainne uit te doven, het meisje dat ooit thee had gemaakt op een klein vuur, en stil onder de staande stenen had gezeten, en op een witte pony had gereden. Ik raakte dat meisje in hoog tempo kwijt. De muren van Zeven Wateren en de grote deken van het woud leken zich elke dag strakker om me te sluiten, en ik voelde hoe het laatste stukje Kerry langzaam uit me werd geknepen. Het deed pijn. Het deed zoveel pijn dat ik domme dingen deed om te proberen de pijn te verminderen. Ik had Riona naast mijn kussen liggen, warm ingepakt in een mooie sjaal met kwasten zo helder als maanlicht. Terwijl ik daar lag kon ik de zijden plooien ervan voelen en dromen van een toekomst die niet voor mij was weggelegd. Terwijl ik het wollen haar van de pop streelde, kon ik me een verleden voor ogen halen dat ik niet gekend had, waarin een jonge moeder een schat voor haar dochtertje naaide, met liefde in de keurige steekjes. Mijn vingers streken over het mooie, sterke koord dat Riona's vreemde halsketting vormde, en diep in me fluisterde iets: *Hou vast. Hou vast aan wat je nog over hebt.* Dit kleine aandenken had iets magisch, niet de handige, slimme magie die ik zelf beheerste, maar een dieper, ouder soort dat sprak van familie en ergens bij horen. Dit koord met zijn wonderlijk vervlochten vezels in vele tinten en van velerlei aard zat vol kracht. Ik kon voelen dat het aan me trok, dat het me aanspoorde, me zacht meetrok naar een pad dat ik niet mocht volgen.

Nog niet zo lang geleden zou ik blij zijn geweest dat de mensen te veel met andere dingen bezig waren om zich met mij te bemoeien. Ik zou de kans om alleen te zijn dankbaar hebben aangegrepen om het oude verhaal te reciteren, zwijgend te mediteren of toverkunsten te oefenen, zoals verplaatsing of het doen bewegen van voorwerpen. Maar nu voelde ik me ontworteld. Ik kon niet mediteren. Mijn geest weigerde zich te ontdoen van onwelkome gedachten. Het oude verhaal leek me niet langer te helpen. Het herinnerde me aan de druïde die een paar deuren verder pijn lag te lijden, en aan de andere die aan zijn eeuwige slaap was begonnen. Ik zwoer dat ik de kunst niet meer zou gebruiken, uit angst dat ik opnieuw zou ontdekken dat ik haar alleen kon gebruiken om te vernietigen.

Niemand had tijd voor mij, en niemand had tijd voor de kinderen. Het gevolg was onvermijdelijk. Ik zat alleen en deed alsof ik ergens mee bezig was, en een voor een kwamen ze binnensluipen met een of ander voorwendsel. Clodagh, die geholpen wilde worden met haar schrijfwerk. Deirdre, op zoek naar Clodagh. Eilis, met betraande wangen en een schaafwond op haar knie waar Muirrin niet naar kon kijken omdat ze het te druk had. Sibeal als een kleine schim, zonder uitvlucht. Zij kwam gewoon binnensluipen en ging zwijgend bij me zitten.

Ik was genoodzaakt diep te graven. Tijdens de reis van Kerry hierheen had ik een paar verhalen gehoord. Die waren niet allemaal geschikt voor meisjesoren, dus paste ik ze hier en daar aan. Mijn verhalen vielen in de smaak, en ik moest er wel meer verzinnen. Ik kende nauwelijks spelletjes, maar de meisjes leerden me ringstenen en een paar kunstjes met vingers en touw. Ze probeerden me een lied te leren, maar ik voerde als excuus aan dat ik geen zangstem had, en daarom zongen ze het lied voor mij. Samen deden we ons best op ons naaiwerk. Tante Aisling bedankte me omdat ik de kinderen bezighield zodat ze niemand voor de voeten liepen. Ik kon naar waarheid zeggen dat ik blij was iets te kunnen doen. De dag was gevuld. Het gekwebbel van de kinderen sloot de stem van mijn geest buiten. Hun gezelschap maakte me doodmoe, zodat ik kon slapen.

Maar ik kon niet voortdurend bij hen zijn. Muirrin zei niet veel, maar ik wist dat Maeve niet vooruitging, evenmin als de jonge druïde. Ik hoorde Sean zeggen dat het een wonder was dat het hun gelukt was hem zo lang in leven te houden, en dat hij hoopte dat Liadan er iets op zou weten wanneer ze hier aankwam. Muirrin zag erg bleek, met schaduwen om haar ogen en altijd een licht gefronst voorhoofd. Wanneer de meisjes niet sliepen of bij mij waren, konden ze meestal in de gang buiten de ziekenkamer worden aangetroffen; daar stonden of zaten ze op een rij, zwijgend. Vroeger zou ik hun plechtig stilzwijgen als een zeldzame zegening hebben beschouwd. Nu dacht ik daar anders over. Het gaf hun te veel tijd om na te denken. Ze begonnen vragen te stellen die ik niet wilde beantwoorden. Waarom was er zoiets naars met Maeve gebeurd? Wanneer zou ze weer kunnen komen spelen? Waarom was moeder altijd boos, en waarom snauwden vader en zij elkaar af?

Uiteindelijk verbood Muirrin hen buiten de deur te wachten. Maeve was zo ziek dat er niemand bij haar mocht, en zij deed haar best. Ze moesten het maar accepteren, zei ze op scherpe toon, en trok zich weer terug in de ziekenkamer, terwijl ze de deur voor hun neus dichtdeed. Eilis barstte in tranen uit. Sibeal trok zich in zichzelf terug. Deirdre mopperde zacht. En Clodagh zei: 'Muirrin is nóóit boos. Maeve gaat vast dood. En die man ook.'

Op de vierde dag na de brand regende het zo hard dat ik moest denken aan mijn verblijf in de grot met Conor. Er was geen wind. De hemel was leigrijs en het water kwam met bakken naar beneden; het roffelde op het dak, het stroomde over de paden, het verander-

de de velden in een moeras. Als Liadan werkelijk onderweg was naar het zuiden, zou dit haar aankomst op Zeven Wateren zeker vertragen. De toch al gedrukte stemming duikelde verder omlaag. Eilis haalde in haar hoofd dat Maeves ziekte op de een of andere manier haar schuld was, omdat ze een keer tegen de hond had gezegd dat hij een groot, smerig beest was dat op het erf bij de stallen thuishoorde. Ze begon te huilen en liet zich niet troosten door lekkers of verhaaltjes of andere aardigheden die ik kon bedenken. Na een poos begonnen bij Sibeal van de weeromstuit ook tranen te vloeien, en toen begonnen de anderen ook, tot mijn kamer een poel van ellende was. Verdriet was een besmetting die zich tot in alle hoeken van dit grote huis had uitgebreid. Het sloop ook binnen in mijn hart, waar schuldgevoel en twijfel al streden met het uiteindelijke doel dat ik moest nastreven. Het putte mijn kracht uit en rukte aan mijn wil. Ik had het gevoel dat ik het haast niet uit kon houden om nog een ogenblik langer hier te zijn, in dit gezin, in dit huis, gevangen door de regen, verstikt door het woud, verdrinkend in tranen, opgesloten met wat ik gedaan had. Ik had het gevoel dat ik alles zou geven om weg te komen, al was het maar even; alleen om weer adem te krijgen en sterk te worden.
De redding kwam uit onverwachte hoek. De meisjes kwamen ten slotte in een toestand van volkomen ontreddering, en ik ging de kamer uit op zoek naar iets om hen af te leiden, want ik kon niets meer bedenken. Ik liep door de bovengang, diep in gedachten, haast zonder te beseffen waar ik was. Ik liep langs de ziekenkamer en keek niet naar binnen. Maar ik hoorde geluiden. Daar kon je je niet voor afsluiten, hoe je het ook probeerde. Toen ik bij de trap was, kreeg ik opeens een slap gevoel in mijn benen, en ik ging op de bovenste trede zitten en legde mijn hoofd in mijn handen. Als ik maar kon ophouden met denken. Als ik de stemmen die me kwelden maar kon buitensluiten. *We hadden de indruk dat het je niets kon schelen of er slachtoffers vielen.*
'Fainne?'
Ik nam mijn handen weg en keek op. Een paar treden onder me stond Eamonn, in rijkleding. Zijn bruine haar was druipnat, en op zijn gezicht stond een uitdrukking van vriendelijke bezorgdheid.
'Je ziet er slecht uit,' zei hij met licht gefronst voorhoofd. 'Je zult wel uitgeput zijn. Ik hoor dat je helpt met de meisjes. Ik vind het erg naar wat er gebeurd is. Ik ben gekomen zodra Aislings boodschapper me het bericht had gebracht.'

Ik vond het moeilijk niet te laten merken dat ik verrast was. 'Het is nogal nat buiten,' zei ik onomwonden. 'Ik dacht dat niemand zich in zulk weer buiten zou wagen. Tante Liadan zal later komen. Dat zeggen ze.'
Er vloog een uitdrukking over zijn gezicht, die te snel weg was om geïnterpreteerd te kunnen worden. 'Ik dacht dat ze mij hier misschien nodig zouden hebben,' zei Eamonn.
'Ik ben ervan overtuigd dat tante Aisling blij zal zijn u te zien,' zei ik beleefd. 'Ze is de laatste tijd erg van streek. Maeve is er slecht aan toe.'
Hij knikte. 'En ben jij ook blij me te zien, Fainne?' vroeg hij zacht.
'Ja,' zei ik, en het was waar. Hij stond hier helemaal buiten, het huilen, de stenen muren en de verstikkende donkerte van het woud. Ik kon naar hem kijken zonder eraan herinnerd te worden wat ik gedaan had, omdat hij er niet bij betrokken was geweest.
'Ah,' zei hij, en hij stak zijn hand uit om een opstandige sliert van mijn haar achter mijn oor te stoppen, een wonderlijk intiem gebaar. 'Dat is een opmerkelijke eigenschap van jou, Fainne. Je zegt altijd wat je denkt, zonder een blad voor de mond te nemen.'
Ik voelde dat ik weer bloosde. 'Misschien heb ik niet de verfijnde manieren die een meisje in een huishouden als dit behoort te hebben. Ik zeg inderdaad wat ik denk. Ik heb nooit anders geleerd. Maar ik zou u niet in verlegenheid willen brengen door iets ongepasts te zeggen.'
'Je brengt me echt niet in verlegenheid, lieve kind,' zei hij met een lachje. 'Ik stel je eerlijkheid op prijs. Maar kom, je moet liever niet op deze koude, stenen vloer zitten. Laten we op zoek gaan naar een haardvuur, en misschien wat bier. En dan heb ik een voorstel dat ik je ter overweging wil geven.'
Hij reikte me zijn hand om me overeind te helpen, en ik nam hem aan. Zijn hand was droog en warm, en zijn greep was krachtig. Ik had geen idee wat hij me wilde zeggen, maar alles was beter dan teruggaan naar dat kamertje vol huilende meisjes. Hun verdriet maakte mijn schaamte over wat ik had gedaan alleen maar erger.
De keuken was het enige vertrek waar het echt warm was, dus gingen we daar in een hoek zitten. Het was niet bepaald een rustige plek; mannelijke en vrouwelijke bedienden liepen in en uit, er werden kippen geplukt en puddingen ingepakt om gekookt te worden, en er kwam een gestage stroom nat uitziende krijgers langs om snel een pul bier te halen, een stuk haverbrood te eten en even voor het

grote vuur te vertoeven. Maar bij zoveel geluid en activiteit zou een zacht gesprek tenminste niet gehoord kunnen worden, al werd het wel gezien. De oude vrouw, Janis, zat op dezelfde plek waar ik haar voor het eerst had gezien, kaarsrecht op haar stoel, en ze hield alles en iedereen scherp in de gaten met haar donkere ogen. Ik schonk bier uit de kruik in een pul en gaf die aan Eamonn.

'Dank je, Fainne,' zei hij ernstig. 'Vertel me nu eens. Ik heb mijn zuster of je oom nog niet gesproken. In een van de buitenste nederzettingen is een overstroming, en Sean is erheen om te zien wat er voor de mensen daar kan worden gedaan. Ik hoor dat Aisling onwel is. Ik ben ietwat ongerust over de situatie hier. Jij bent getuige geweest van alle ontwikkelingen. Is er een grote kans dat het kind zal sterven? En de druïde? Hoe kon deze brand zo snel toeslaan, en hoe is het mogelijk dat hij niet geblust kon worden voor er zoveel kwaad was aangericht? Het is niets voor Sean om toe te laten dat er zoiets gebeurt. Ik maak me zorgen over zijn veiligheid.'

Ik keek hem met grote ogen aan. 'U bedoelt dat u vermoedt dat er kwade wil in het spel is? Dat er een vijand is binnengedrongen?'

'Ik weet niet wat ik vermoed. De omstandigheden leken... ongewoon, dat is alles. Ik zou niet graag denken dat er nog eens zo'n ongeluk zou kunnen gebeuren om ons te verzwakken. In deze tijd kunnen we het ons niet veroorloven onze waakzaamheid ook maar even te laten verslappen. Stel je voor dat deze brand een wapenmagazijn had getroffen, of zorgvuldig opgeslagen voorraden? Ik wil dat je me precies vertelt hoe het gebeurd is.'

'Dat kan ik niet. Ik had me al teruggetrokken voor de nacht toen de brand uitbrak. En mijn kamer ligt aan de andere kant. Tegen de tijd dat ik beneden kwam, was het kwaad al geschied.' Dat was niet meer dan de waarheid.

'En het kind?'

'Ze is ernstig gewond. Ze heeft brandwonden aan haar gezicht en haar handen. De druïde is er nog slechter aan toe. Toch is er nog wel hoop. Mijn tante Liadan kan elke dag hier zijn, denken ze.' Het ontging me niet dat er een andere uitdrukking over Eamonns gezicht leek te flitsen, telkens als deze naam werd genoemd. Datgene wat er, lang geleden, tussen hen was geweest, had een pijnlijke indruk achtergelaten die nog steeds vlak onder de oppervlakte leefde. 'Ze zeggen dat ze een geweldige genezeres is. Muirrin gelooft dat zij net de doorslag kan geven.'

'Juist.' Zijn gezicht was nu beheerst en onbewogen. 'En mijn zus-

ter? Is zij ook ziek?'
'Tante Aisling is erg van streek. Dat was te verwachten. Ze maakt zich ernstig bezorgd over Maeve.'
'Dat verbaast me niets.'
'Ze is erg verdrietig. De meisjes voelen het. Ze heeft weinig tijd voor hen, en ze voelt hun aanwezigheid als een last. Ze is erg bang dat ze weer een kind zal verliezen. Volgens mij is het hele huishouden afhankelijk van haar sterke aanwezigheid, en het lijkt op de een of andere manier in de war nu zij zo in beslag wordt genomen door haar verdriet. Ze doet alles wat er gedaan moet worden, maar ze is... er niet echt bij.'
Eamonn knikte. 'Dat zie je goed. Ik heb dit ook gevoeld, in de manier waarop ik hier ontvangen werd. Het leven gaat door, maar niet zoals voorheen. Laten we hopen dat... laten we hopen dat Seans zuster werkelijk wonderen kan doen.'
'Dat schijnen ze wel te denken. Er wordt gezegd dat ze bepaalde bovenmenselijke vermogens bezit.'
Een uiterst somber lachje kwam op zijn gezicht. 'O, ja. Dat is zeker waar. Het mankeert haar alleen aan beoordelingsvermogen. Maar nu wat betreft de huidige situatie. Ik wil een voorstel doen, een voorstel dat mijn zuster waarschijnlijk goed zal uitkomen. Maar eerst moet ik weten of jij het ermee eens bent.'
Ik trok vragend mijn wenkbrauwen op.
'Ik bezit een mooi, leegstaand huis in Glencarnagh, met genoeg mensen om het huishouden te doen. Veel te groot voor een man alleen. Tuinen om in te wandelen, paarden om te berijden, warmte en ruimte. Deze kinderen putten jou uit en ze maken mijn zuster zenuwachtig. Ze zouden met me mee kunnen gaan als ik weer naar huis ga, en daar blijven tot de situatie hier op de een of andere manier is opgelost. En jij zou met hen mee kunnen komen, niet als kindermeisje, begrijp dat goed, maar als iemand die ze kennen. Dit zou mij een groot genoegen doen, Fainne. Ik zou graag weer wat kleur op je wangen zien. Ik zou blij zijn met de kans je mijn huis te laten zien. En er zijn daar vrouwen die voor de kinderen kunnen zorgen. Je zou tijd hebben om uit te rusten en je te herstellen. Wat vind je ervan?'
'Ik... ik weet het niet,' stamelde ik, want dit overviel me. 'De meisjes zouden het leuk vinden, denk ik; Eilis heeft het altijd over uw mooie stallen. Maar...' Ik kon niet tegen hem zeggen waar ik aan dacht, namelijk dat zijn voorstel mij de kans bood precies te doen

wat mijn grootmoeder zou willen, en dat die gedachte alleen al me deed rillen van angstige voorgevoelens. 'Ik zal natuurlijk doen wat tante Aisling wil,' zei ik tamelijk zwak. Tante Aisling zou het niet goed vinden, dacht ik; het leek helemaal niet gepast dat ik met zo'n familiebezoek mee zou gaan.

'Dat is dan geregeld,' zei Eamonn. 'Ik zal met Sean praten zodra hij terugkomt. Ik denk niet dat hij bezwaar zal maken. Het is een praktische oplossing. We zouden morgenochtend kunnen vertrekken, als het tenminste ophoudt met regenen.'

'Misschien,' zei ik met een gedwongen glimlach. 'Dan zouden we al weg zijn voordat tante Liadan aankomt.'

Zijn blik werd scherper. 'Wat bedoel je?' wilde hij weten.

Vanaf de andere kant van de keuken keek de oude vrouw naar ons.

'Ik... ik heb alleen gehoord dat jullie beiden moeite doen om elkaar te vermijden,' zei ik. 'Ik bedoelde er niets onaardigs mee.' De plotselinge scherpte van zijn stem trof me onaangenaam.

'Dat is geen onderwerp om grappen over te maken.'

'Ik heb u beledigd. Dat spijt me. Wat er tussen u en mijn tante Liadan is geweest, doet nog steeds pijn. Dat zie ik.'

'Dat is allemaal verleden tijd. Ik praat er niet meer over.' Zijn mond was strak, de blik in de bruine ogen verbitterd.

Ik kon geen woorden meer vinden. Het leek erop dat ik op gevaarlijk terrein was beland.

'Fainne! Daar ben je!' Het was Clodagh, die vanaf de binnendeur door de keuken op ons af kwam hollen, gevolgd door de anderen. Ze hadden nog rode ogen en vlekkerige gezichten, maar het gehuil was tenminste opgehouden. 'O, hallo, oom Eamonn. Waar was je nou, Fainne?'

'Nergens,' zei ik met een zwakke glimlach. Hoe vermoeiend de meisjes ook vaak waren, op sommige momenten hadden ze hun nut. 'Jullie oom Eamonn heeft iets bedacht. We zullen het aan jullie vertellen. Maar het gaat alleen door als jullie vader het goed vindt.'

Sean had wel een paar bedenkingen toen hij eindelijk thuiskwam en om toestemming werd gevraagd. Er was al genoeg verwarring, zei hij, en ook had ik eigenlijk nog niet de kans gehad om me thuis te gaan voelen op Zeven Wateren. Het was aan de vroege kant om nu weer ergens anders te gaan wonen. En het weer was onaangenaam. Maar tante Aisling nam hem het heft uit handen.

'Het is best een praktisch voorstel,' zei ze kordaat. 'Het zou mij

goed uitkomen. Het is beter dat de meisjes voorlopig niet bij Muirrin komen. Jullie zouden kunnen overnachten in het Sint-Ronanklooster om de reis te onderbreken. Dat is niet zo'n lange rit.'
'Het is wel een lange rit voor Fainne,' merkte Eilis op, die aandachtig had geluisterd. 'Ze kan niet eens goed rijden, en alle paarden zijn bang voor haar.'
'Eilis!' riep haar moeder uit. 'Dat is helmaal niet aardig van je. Je moet leren je tong in bedwang te houden.'
'Maar het is wel waar.' Deirdre kwam tegen haar gewoonte in haar kleine zusje te hulp.
'Wat dat aangaat,' zei Eamonn luchtig, 'ik heb een paard voor Fainne meegebracht. Een merrie met een uitzonderlijk temperament, uitermate geschikt voor een jongedame. We zullen in etappes reizen. Niemand hoeft zich zorgen te maken.'
Zowel Sean als Aisling wierp hem een scherpe blik toe. Ik keek naar de vloer, een tikje verlegen met de situatie, maar ook best verheugd. Er was kennelijk toch meer van tevoren over nagedacht dan de nonchalante manier waarop hij me had uitgenodigd had doen denken.
'Juist,' zei Sean met gefronst voorhoofd. 'Ik weet het nog niet.'
'De meisjes moeten gaan.' Aisling scheen haar beslissing genomen te hebben. 'Dit huis is voor hen op dit moment niet de geschikte plaats; de stemming is te treurig. Het is beter als ze gaan, Sean.'
'We zouden morgenochtend kunnen vertrekken, dacht ik, als de regen ophoudt.' Eamonn leek erop gebrand de voordelige punten te benadrukken.
'Heel goed,' zei Sean ernstig met een blik naar zijn vrouw. 'Maar er is geen haast bij. De meisjes moeten tijd hebben om afscheid te nemen.'
'Neem me niet kwalijk...' Tante Aisling wendde zich plotseling af en liep, rende bijna, naar de deur. Ik had de indruk dat ze opkomende tranen probeerde in te houden.
'Kom, meisjes,' zei ik ferm. 'We moeten maar eens naar jullie spulletjes gaan kijken, en zorgen dat jullie schoenen schoon en jullie mantels droog zijn.' Ik keek even naar Eamonn. 'Dank u voor uw zorgzaamheid,' zei ik zacht.
De uitdrukking op zijn gezicht was diep ernstig. Dat was hij meestal. Ik bedacht dat het een hele toer zou zijn zo'n man aan het lachen te krijgen. Daar had grootmoeder geen kunstje voor. 'Het is niets, Fainne,' zei hij.
'Ze hebben een leuke tuin op Glencarnagh,' merkte Deirdre op toen

we weer boven waren. Ik had mijn houten kist opengemaakt en was bezig in mijn armzalige voorraad bezittingen te kijken wat er geschikt zou kunnen zijn voor zo'n bezoek. 'Ze hebben er een vijver met vissen, en een doolhof van hagen, en notenbomen.'
'En een hééééleboel paarden,' zei Eilis. 'Zou ik van oom Eamonn op dat zwarte paard mogen rijden?'
'Daar zijn je benen te kort voor. Als je tien jaar wacht, wil hij er misschien over nadenken,' zei Deirdre droog.
'Fainne,' zei Clodagh.
'Wat?' vroeg ik afwezig.
'Volgens mij vindt oom Eamonn jou aardig.'
'Natuurlijk vindt hij haar aardig,' zei Eilis verbaasd. 'Hij is onze oom, dus vindt hij ons allemaal aardig.'
'Hij is niet Fainnes oom,' zei Clodagh. 'Trouwens, ik bedoel dat hij haar héél aardig vindt. Dat begrijp jij toch niet, daar ben je nog te klein voor.'
'Bedoel je dat hij op haar ís of zo?' Deirdres wenkbrauwen schoten omhoog. 'Maar hij is stokoud. Ouder dan vader.'
'Toch is het zo,' zei Clodagh. 'Let maar eens op.'
'Volgens mij moeten jullie maar eens gaan inpakken,' zei ik streng. 'Je spullen uitzoeken. Het zou tenslotte best kunnen dat we morgen weggaan.'
Sibeal zei zelden iets. Nu was haar stem zacht, maar haar woorden deden me verkillen tot in elke uithoek van mijn lichaam. 'Maar als Maeve nou doodgaat terwijl wij er niet zijn?'
De tweeling viel helemaal stil; hun sproetige gezichtjes werden bleek. Eilis' onderlip begon onheilspellend te trillen.
'Zulke dingen moet je niet zeggen.' Ik probeerde mijn stem zo vast mogelijk te laten klinken. 'Jullie tante Liadan komt immers, en zij is toch de beste genezeres van heel Ulster? Natuurlijk gaat Maeve niet dood. Tegen de tijd dat we terugkomen, zal ze zo goed als nieuw zijn, dat zul je zien.' Het was een geloofwaardige imitatie van de opgewekte spreektrant van Peg Walker. Maar hoe kon ik verwachten hen te overtuigen als ik het zelf niet geloofde?
'Fainne?' Clodaghs stem klonk niet zo zelfverzekerd als anders.
'Wat?'
'We moeten naar Maeve toe. Voor we weggaan. Muirrin zei dat het niet mocht. Maar het moet gewoon. Wil jij het aan haar vragen? Naar jou zal ze luisteren.'
Vier paar ronde ogen met dezelfde uitdrukking erin waren op mij

gericht. Ik wist zeker dat Clodagh uitsprak wat ze allemaal dachten, en ik vroeg me weer af hoe dat werkte, die berichten via de geest, en wie van hen welke bijzondere vermogens had geërfd.
'Ik... ik denk niet...' stamelde ik.
'Alsjeblieft, Fainne,' zei Sibeal met een beleefd fluisterstemmetje.
'Goed dan,' zei ik. 'Ik zal het aan haar vragen. Maar jullie moeten twee dingen voor me doen. Ten eerste naar jullie eigen kamer gaan en jullie spullen in orde brengen. Leg apart wat je mee wilt nemen. En blijf uit de buurt van de ziekenkamer tot ik jullie roep. Jullie moeten niet voor de deur op me wachten. Jullie weten hoe vervelend Muirrin dat vindt.'
Ze verdwenen zonder een kik te geven. Ik huiverde, mijn hart was koud van angst. Ik had sinds de nacht van de brand elke uitvlucht gebruikt die ik maar kon vinden om mezelf ervan te overtuigen dat ik niet naar de ziekenkamer hoefde te gaan, waar ik zou zien wat ik had aangericht. Muirrin kon me niet gebruiken. Ze had tal van helpers die veel meer konden doen. Ik was trouwens niet eens echt familie. Ik zou een indringer zijn. Ik kon me beter nuttig maken door op de kinderen te letten. De meeste uitvluchten waren ook wel waar. Maar de reden waarom ik niet was gegaan, was een andere. Ik was weggebleven omdat ik bang was dat, wanneer ik zag wat er in die kamer was, ik de wil niet meer zou hebben om door te gaan met de taak die me gesteld was. En als ik dat niet deed, zou mijn vader onder gruwelijke pijnen sterven. Maar vandaag had ik geen keus. Ik had het beloofd. Ik moest gaan. Ik moest nu meteen gaan, voor ik het beetje moed verloor dat ik bijeen had geraapt. Het was gewoon een kwestie van mijn voeten voor elkaar zetten zodat ze recht door de gang liepen, en wanneer ik bij de deur kwam zou ik, in plaats van er snel voorbij te lopen en te proberen niet de geluiden te horen, gewoon naar binnen gaan en...
Ik pakte Riona en stopte haar onder mijn arm. En daar was de sjaal die om haar heen gewikkeld was, die prachtige, met zonlicht doordrenkte sjaal. Hoe kon ik die omdoen? Het zou zijn alsof ik Darragh liet zien wat ik gedaan had, alsof ik voorwendde dat ik zo'n geschenk waardig was, terwijl ik iets voor me zag dat bevestigde dat het waar was, dat mijn soort alleen in staat was tot daden van vernietiging en boosaardigheid. Maar toch was er iets wat me ertoe bracht hem om te doen. Ik deed mijn degelijke wollen omslagdoek er overheen, zodat alleen de zijden franje te zien was, er onderuit piepte. Toen liep ik door de gang, klopte op de deur en ging

naar binnen. Mijn hart bonsde en mijn huid was klam.

'Fainne!' riep Muirrin verbaasd uit. Ze stond bij het vuur in een pannetje te roeren. Maeve lag op een stromatras die op een verhoging was gelegd, en tante Aisling zat naast haar, zodat ik het kind niet kon zien. In de haard brandde een klein, warm vuur, en ik rook de prettige geur van kruiden. Bij het raam waren twee dienaressen bezig pasgewassen linnengoed op te vouwen. Deze kamer grensde aan de andere, waar de gewonde druïden lagen, maar ik kon de tweede kamer niet zien. Het was er stil, afgezien van een mannenstem die zacht voorlas of vertelde.

'Ik ben blij dat je gekomen bent,' zei Muirrin zacht tegen mij, met een hoofdbeweging naar haar moeder. 'Probeer of je moeder zover kunt krijgen dat ze gaat rusten. Ze put zich uit, zonder dat het veel zin heeft. Ze kan hier weinig doen. Nu jij er bent, wil ze misschien gaan.'

Ik dwong mezelf voorwaarts te lopen naar het bed; dwong mezelf neer te kijken op het kind dat daar lag in een soort rusteloze halfslaap. Haar handen zaten dik in het verband. Ik kon alleen gissen naar de schade die ze hadden opgelopen toen ze zich in haar val aan het hete ijzer had vastgegrepen. Maar het verband was van haar hoofd afgenomen, en aan de ene kant was haar rossige haar helemaal kroezig geworden en weggebrand, het linkerooglid was wanstaltig gezwollen, haar wenkbrauw en wimpers waren weg. Van het oog tot helemaal achter het oortje was het één afgrijselijke, vochtige massa paars, rood en bruin. Aan die kant was haar gezichtje dat van een monster. Ik dwong mezelf om te blijven kijken. Ik hield mijn gezichtsuitdrukking in bedwang. Na een poos merkte ik dat ik kon spreken.

'Ik blijf hier een tijdje bij haar zitten, tante Aisling. U moet gaan rusten. Eilis vroeg naar u. Ze wil u graag het doekje laten zien dat ze omzoomd heeft. Ze is er heel trots op.'

Aisling staarde me aan, zonder enige uitdrukking in haar blauwe ogen. Even dacht ik dat ze amper besefte wie ik was.

'Ik blijf hier bij Maeve. Het is in orde, tante. U kunt weg.' Ik gebruikte de kunst heel subtiel om mijn stem meer overtuigingskracht te geven. Ik legde er de boodschap in dat ze me kon vertrouwen. Van binnen rilde ik van mijn eigen dubbelhartigheid.

Tante Aisling knipperde met haar ogen en leek tot zichzelf te komen. 'Het zal wel goed zijn, denk ik,' zei ze met tegenzin. 'Dank je, Fainne. Muirrin, ik kom straks terug.'

Lange tijd zat ik daar alleen maar naar het kind te staren. Naar haar te kijken was mezelf straffen. Maar alle schuldgevoel van de wereld zou het kwaad dat ik haar had aangedaan niet goed maken. Als deze mensen het wisten, als ze begrepen dat ik ervoor verantwoordelijk was, zou ik pas echt een uitgestotene zijn. Ik zou gehaat en verafschuwd worden, net als mijn grootmoeder. Desalniettemin moest ik zo handelen om te voorkomen dat mijn vader moest lijden. Desalniettemin moest ik een taak volvoeren die zo veelomvattend was dat hun leven nooit meer hetzelfde zou zijn. Ik staarde naar het kind en wist dat ik haar van haar toekomst had beroofd. Wat ik had gedaan, was precies even slecht als wat Conor mijn vader had aangedaan. Als Maeve bleef leven, zou ze afgrijselijke littekens hebben. Ik vond mezelf lelijk en onhandig, met mijn kroezige krulletjes en mijn misvormde voet, mijn slungelige lengte en mijn verlegenheid. Maar mijn huid was glad en blank, mijn handen waren vaardig en ongeschonden, mijn lichaam was gezond, want zoals Roisin had gezegd stelde mijn mankheid niets voor. Ik was niet mismaakt. Niet zo. Op dat moment zwoer ik mezelf dat ik het Mom nooit meer zou gebruiken om mezelf mooi te laten lijken. Ik zou de godin danken dat ik zo geboft had, en verder als mezelf door het leven gaan. Voorzichtig liet ik de sluier van schoonheid verdwijnen; ik wist dat het nu eenmaal zo was dat de mensen de verandering niet als vreemd zouden ervaren.

'Ze wordt wakker,' zei Muirrin zacht. 'Deze drankjes werken goed, maar ze werken niet zo lang. We komen allemaal slaap te kort. Ze heeft veel pijn gehad. Blijf je hier terwijl ik het verband verschoon?'

Ik knikte en ging een eindje van het bed af staan. Met Riona tegen mijn borst gedrukt keek ik toe terwijl het kind wakker werd; het beschadigde oog was een spleetje door de gezwollen weefsels eromheen, en het andere keek groot en angstig toe terwijl Muirrin haar verbrande huid bette met koel kruidenwater; ik hoorde hoe haar zwakke, ijle gejammer aanzwol tot een dun, pijnlijk kermen terwijl een kompres van uienschillen op de verbrande huid van gezicht en voorhoofd werd gelegd en daar werd vastgebonden met een schoon linnen verband. Ik hield het op zijn plaats terwijl Muirrin er knopen in legde, en ik voelde Maeves kreten door mijn eigen hoofd trillen, alsof ze daar altijd zouden blijven zitten. Vervolgens werd het beddengoed verschoond, terwijl een forse dienares het kind in haar armen opnam, zo voorzichtig als een mand vol verse eieren. Tegen de tijd dat Maeve weer veilig op haar stromatras was gelegd en een poging deed om iets te drinken uit een beker die Muirrin aan haar lippen hield, was ik koud van ontzetting.

'Kijk eens, Maeve,' zei Muirrin kalm, 'je hebt bezoek. Fainne is hier voor jou. Had je haar al gezien? Drink eens op, en als je de beker leeg hebt gedronken, komt zij een tijdje bij je zitten. Misschien vertelt ze je zelfs een verhaaltje.'

Het kind slikte gehoorzaam, moeizaam. Deze drank zou haar weer korte tijd rust kunnen geven. Ik verbaasde me over Muirrins wilskracht. Zij huilde niet van angst over haar eigen machteloosheid. Ze ging niet tegen de goden tekeer omdat ze haar zusje zo hadden getroffen. Ze zakte niet in elkaar van uitputting, en ook vroeg ze mij niet waarom ik het zo lang had uitgesteld om bij het kind op bezoek te komen. Ze ging er gewoon rustig mee door te doen wat er gedaan moest worden; ze accepteerde dat de dingen waren zoals ze waren, en nam haar plaats daarin in met een doelgerichtheid die geen plaats liet voor twijfel. En toch eiste dat zijn tol. Dat kon je zien in haar overschaduwde ogen.

Maeve ging weer in haar kussens liggen en liet piepend haar adem ontsnappen, of misschien was het wel een zucht. Haar ogen richtten zich op mij.

'Ja, Maeve,' zei ik met een zo vast mogelijke stem, terwijl ik plaats nam op de kruk naast haar bed. 'Ik heb iemand voor je meegebracht.' Ik tilde Riona op zodat het kind naar haar botergele lokken, haar slimme, donkere oogjes en haar fijngeborduurde mondje kon kijken. De lichtroze rokken waaierden uit op het spierwitte linnen van Maeves laken. De lippen van het kind verbreedden zich tot een lachje.

'Mooi,' zei ik. 'Ze is ook blij jou te zien. Ik moet je een gunst vragen. Ik ga op bezoek bij je oom Eamonn en ik blijf een tijdje weg. Riona mag niet mee. Maar ik wil haar niet alleen hier laten, omdat we hier nog nieuw zijn. Ik hoopte dat jij misschien zolang voor haar wilt zorgen, terwijl ik weg ben. Je zou haar gezelschap moeten houden, zorgen dat haar haar netjes zit, en haar misschien 's nachts een plaatsje geven in je bed. Zou je dat kunnen doen?'

Weer dat pijnlijke lachje.

'Mooi,' zei ik, en ik maakte de vreemde halsketting los die om de hals van de pop gewonden zat, omdat ik ergens diep vanbinnen wist dat ik mijn kleine gezellin misschien wel aan iemand kon geven die haar meer nodig had, maar dat ik deze laatste schakel die me met mijn moeder verbond niet los kon laten. Ik liet de halsketting in de

zak van mijn jurk glijden en stopte Riona in bed naast Maeve, onder de lakens. Ze lag lekker in de bocht van de arm van het kind, en paste er alsof ze daar thuishoorde. De uitdrukking op haar geborduurde gezicht leek bijna welwillend.
'Nu zal ik je een verhaal vertellen, en dan moet ik weg. Wil je wel een verhaal horen?'
Een heel zwakke reactie. 'Mmm.' Meer kon ze niet opbrengen. Aan de andere kant van de kamer ging Muirrin bij het vuur zitten, en een van de vrouwen gaf haar een pul aan. Ze staarde in de vlammen alsof ze plotseling te moe was om te bewegen.
Wat voor verhaal vertel je aan een kind terwijl het de kamer inkijkt en de dood ziet wachten in de schaduwen? Ik kende er genoeg, maar geen ervan leek geschikt. Welke kunstjes kunnen een klein meisje amuseren terwijl haar huid wringt en strak trekt en zich omvormt tot hinderlijk littekenweefsel? Hoe houd je haar hart sterk en haar geest helder wanneer je moet spreken vanuit het duistere kolken van je eigen schuldgevoel? Mijn vingers speelden met de rand franje die onder mijn wollen omslagdoek hing. Zijdezacht en zonnig. Herinnering aan onschuld. Het fijne, kantachtige patroon van golfjes die over het zand spoelden in de kleine, geheime grot. Noten van een melodie die een boog vormde in de stilte van de dageraad.
'De mensen met wie ik reisde toen ik hierheen kwam, die vertellen 's avonds verhalen als ze om het vuur zitten. Dat moet helpen de kou weg te houden, begrijp je? De kleinste kinderen zitten vooraan, bij de oude mannen en vrouwen, want daar is het het warmst. Daarachter, in een tweede kring, zitten de grotere jongens en meisjes en de volwassenen. En daarachter vind je de beesten. Honden die het kamp bewaken, en eenden en kippen in kleine rennen, en de paarden. Als die paarden konden praten, zouden ze ook een paar verhalen kunnen vertellen. Ik ga je een verhaal vertellen over een jongen en een witte pony. Het is een nieuw verhaal. Jij bent de eerste die het hoort. Jij en Riona.'
Maeve zuchtte even en draaide haar hoofd een beetje naar me toe, alsof ze geen woord wilde missen.
'Welnu,' zei ik, 'deze jongen hoorde bij de reizende mensen. Hij was reizend opgegroeid. Daar was hij aan gewend. Een mooi huis of een zacht bed kende hij niet; geen bedienden om te koken of te wassen, geen horigen om voor de beesten te zorgen of in de velden te werken. Alleen een wagen en een stel paarden, en de hemel en de zee, en de weg die zich voor hem uitstrekte, vol avonturen. Hij bleef

nooit ergens lang. Het ligt in de aard van een reiziger om altijd onderweg te zijn, begrijp je.'

Maeve probeerde iets te zeggen. Ik boog mijn hoofd om de zachte woorden op te vangen.

'... heette hij?'

Ik slikte. 'Hij heette Darragh. Hij reisde met zijn vader en moeder, en zijn broers en zusjes, en neven en nichten en ooms en tantes, en ook nog met zijn oude grootvader. Er waren veel mensen, en nog meer paarden, want dat was hun werk. Ze vingen wilde paarden of kochten ze goedkoop, en richtten ze af om bereden te worden, en dan verkochten ze die paarden bij de Kruising. Daar wordt de beste paardenmarkt van heel Erin gehouden.'

Het was heel stil in de kamer. Niet alleen het kind luisterde aandachtig naar het verhaal, maar ook Muirrins blik was nu op mij gevestigd, en de dienaressen hadden hun werk gestaakt en waren op een bank bij het raam gaan zitten om te luisteren.

'Darragh was iemand die een zeldzaam talent had om met paarden om te gaan. Hij had iets, iets wat je nooit precies zou kunnen aanwijzen, maar de beesten vertrouwden hem. Het is heel moeilijk voor een paard om weg te gaan van de kudde en bij mensen te moeten leven, weet je, moeilijk en beangstigend. Net als afscheid nemen van je familie. Ze noemen dat een paard breken, het temmen, zodat het een zadel op zijn rug zal verdragen en zich zal onderwerpen aan de wil van de ruiter. Soms lijkt het wel gemeen wat ze daarvoor doen; een beest vastbinden, het dwingen te gaan liggen en de mens als meester te accepteren. De wil van het paard wordt gebroken, daar komt het op neer. Dat is de enige manier, zeggen de reizende mensen, als je wilt dat het paard waarde heeft voor de koper. Niemand wil een beest waarvan hij niet zeker weet dat het zal gehoorzamen.

Darragh sprak liever niet over breken. Hij had een heel andere aanpak. En als de andere mannen zijn methode een beetje vreemd vonden, zeiden ze dat niet, want de paarden die Darragh had ingebracht, waren altijd de dieren die op de paardenmarkt het meest gewild waren en de beste prijzen opbrachten.

Op een keer hadden ze hun kamp opgeslagen onder een heuvel, en de mannen en jongens trokken erop uit om naar wilde pony's te zoeken, want ze wilden er een paar vangen om ze voor te bereiden op de paardenmarkt van de volgende herfst. De paarden graasden van het zoete gras op de helling. Ze waren schichtig, draaiden met hun oren en sloegen met hun staart, alsof ze voelden dat er iets op til was. Ze stonden klaar om er bij het minste onraad vandoor te gaan. Hun vacht had de kleuren van het landschap, zwart, grijs, bruin, de tinten van steen, korstmos en schors. Maar er was een pony bij die opviel. Ze bewoog tussen de andere door als een mooie volle maan tussen donkere wolken en haar vacht was zo wit en glanzend als je je maar kunt voorstellen. Haar manen en staart hingen af als de zijden franje aan de sjaal van een edelvrouw, stralend en glanzend.

"Die is voor mij," fluisterde Darragh.

"Die merrie?" mompelde zijn vader, die meer over paarden wist dan de meeste mensen in hun hele leven konden leren. "Vast niet. Kijk eens naar die ogen. Dat beest is gek. Daar zit zoveel trots en woede in dat je haar nooit zult kunnen breken. Ze zal nog eerder je dood worden. Kies liever een van de andere uit."

Maar Darragh was vastbesloten. Wanneer ze de pony's hadden uitgekozen die de moeite waard waren om te vangen, was het de gewoonte om terug te komen met hun eigen paarden en de honden, waarna ze de pony's afzonderden van de kudde en ze mee terugnamen naar het kamp. Daar werden ze in een omheind veld gezet en aan de gebruikelijke procedure onderworpen tot ze mak genoeg waren om bereden te worden.

Darragh wist dat de witte pony anders was. Hij had ook gezien wat zijn vader had gezien: de wildheid in de ogen, de opengesperde neusgaten, de trotse houding van het prachtige hoofd. Ze leek op een prinses uit de oude verhalen, hooghartig en ongenaakbaar, en heel erg zichzelf. En angstig. Ze had zijn aanwezigheid gevoeld. Deze pony kon niet gegrepen worden en met stokken worden opgejaagd, met jachthonden happend naar haar benen. Daardoor zou ze echt gek worden. Deze prinses kon alleen door middel van liefde worden getemd.

Het was maar goed dat de reizende mensen daar de hele zomer hun kamp hadden, want Darragh had tijd nodig. Hij zei tegen zijn moeder dat hij even weg zou zijn, en dat ze dat aan zijn vader moest zeggen, maar niet meteen. Toen ging hij heel vroeg in de morgen de heuvel op, toen de nevel nog sliep in de holten en spleten, en alleen de dapperste vogels hun uitdagende lied zongen naar de eerste roze tinten van de dageraad. Hij liep met zachte tred, zonder gezelschap, met een kleine halster in zijn ene zak en een stuk brood en kaas in de andere, en hij hield zijn ogen en oren open. De witte pony stond alleen onder de lijsterbessen. Ze stond te dromen; en Darragh liep zo zacht naar haar toe dat ze niets hoorde, tot hij vlakbij was en zo roerloos mogelijk op een steen zat. Ze keek naar hem. Hij bewoog niet, hoewel het eerlijk gezegd ijskoud was en het hem moeite kostte om niet te bibberen en te rillen. Maar hij bleef stil zitten en zorgde dat zijn blik gericht was op het gras, op de bomen of op de hemel, die langzaam oplichtte tot een lichtpaarse tint. Na een poos leek ze hem bijna te zijn vergeten en boog ze haar hoofd om wat te grazen. Maar ze hield hem in het oog, dat wist hij.

Zo ging het lange tijd door. Enerzijds putte Darragh haar uit met zijn geduld. Anderzijds stelde zij zijn uithoudingsvermogen tot het uiterste op de proef. Overal waar de witte pony heen ging, was Darragh ook, zwijgend, roerloos, zonder iets te doen; hij bleef alleen dicht in haar buurt. Vaak rende ze weg, rende ze zo snel als de westenwind, door de dalen en over de passen en door de velden met glanzend gras, en dan rende Darragh achter haar aan, zo snel als zijn mensenbenen hem konden dragen, en telkens weer raakte hij achter. Maar altijd vond hij haar later weer. Hij was altijd een magere jongen geweest, en nu werd hij nog magerder. Hij kreeg een hap te eten bij een huisje hier, of at een handvol bessen daar, maar veel was het niet. Zijn schoenen waren bijna doorgesleten. In het kamp telden de mensen de dagen die voorbijgingen.

"Die jongen is niet goed wijs," zei zijn vader. "Ik heb hem gezegd dat hij die pony nooit zou breken. Iedereen kan zien dat ze gek is."

Zijn moeder zei niets. Zij had haar eigen mening, maar die hield ze voor zich.

Darragh was uitgeput. Hij had van zonsopgang tot zonsondergang gerend, hij had zijn enkel bezeerd en hij had blaren op al zijn tenen. Er waren vele dagen voorbijgegaan sinds hij de eerste keer op weg was gegaan, en nu waren ze weer op de heuvel waar het allemaal begonnen was. De pony keek naar hem, en hij was vlakbij, vlak bij de plek waar ze stond. Hij kon bijna horen wat ze dacht: dat ze zijn gedrag uitermate vreemd vond en niet kon begrijpen wat hij van haar wilde. Dat ze eigenlijk aan de andere kant van de heuvel in het oosten zou moeten zijn, bij de kudde, maar dat ze om de een of andere reden hier was, bij hem. Ze moest gaan, de andere pony's wachtten, maar... maar...

"Zo," zei Darragh, en hij deed één stap naar voren en legde zijn magere, bruine hand heel zacht op de nek van de witte pony. "Nu ga ik naar huis. Jij kunt het beste teruggaan naar je eigen makkers.

Doe geen domme dingen, hè." En met die woorden draaide hij zich om en liep de helling af naar het kamp.'
Ik zweeg. Het was doodstil in de kamer, en zelfs de stem uit de kamer ernaast was opgehouden met zijn regelmatige geprevel. Buiten riepen vogels.
'Dat kan nog niet het einde zijn,' zei Muirrin.
Ik keek neer op Maeve. Ze was nog wakker en haar gezichtje was vol verwachting naar mij toe gekeerd.
'Nee, zeker niet,' zei ik. 'Darragh ging naar huis, en hij baadde zijn voeten in een emmer vol warm water, en hij at een grote nap vol stoofpot, en toen rolde hij zich in zijn deken en sliep van de avondschemering tot een tijd na het hanengekraai. Zijn zusje, Roisin heette ze, moest hem wakker maken, zo vast sliep hij na al dat rennen, en al dat stilzitten, en al dat proberen net zo te denken als een pony.
"Sta op, Darragh," siste ze in zijn oor. "Kijk. Kijk daar."
Hij rolde weer uit zijn deken, knipperde met zijn oogleden en wreef zijn ogen uit. En daar stond, sierlijk en rank in de ochtendzon, de witte pony op hem te wachten aan de andere kant van het kamp, temidden van de manden en vaten en rommel. Ze hield haar mooie hoofd een beetje opzij en keek naar hem met de ogen die zijn vader gek had genoemd, en ze hinnikte zacht, alsof ze wilde zeggen: Nu ben ik hier, wat gaat er verder gebeuren?
De volgende zomer vroeg Darraghs vader of hij van plan was Aoife te verkopen, want zo had hij de witte pony genoemd. Hij zou een goede prijs voor haar krijgen op de paardenmarkt, want ze was een buitengewoon schrander dier, hoewel ze eerlijk gezegd op haar best was wanneer Darragh zelf op haar rug zat. Maar hij had ook een keer met een meisje een rit op haar gemaakt, en ze had zich voorbeeldig gedragen. Maar Darragh wilde geen afstand van haar doen.
"Dat kan ik niet doen," zei hij tegen zijn vader. "Ze is niet van mij; ik kan haar niet verkopen."
"Wat is dat nou weer voor onzin?" vroeg zijn vader. "Jij hebt het beest gevangen, jij hebt haar getemd. Natuurlijk is ze van jou. Ik weet wel vijf mannen die goed zilver zouden betalen voor zo'n merrie."
"Zo is het niet," antwoordde Darragh, terwijl hij met zachte vingers Aoifes sneeuwwitte vacht streelde. "Ik heb haar gekozen, en zij heeft mij gekozen. Vangen was er niet bij, en bezitten is er ook

niet bij. Ze is vrij om te gaan als ze dat wil. Bovendien zou ik nooit van haar willen scheiden, nu niet meer. Ze brengt me geluk."

In de loop van de tijd werd Darragh veel gevraagd vanwege de manier waarop hij met paarden omging. Niet iedereen heeft het vermogen en het geduld om een wild dier alleen met liefde te temmen. Hij heeft nooit afstand gedaan van Aoife, en zij is nooit van hem weggegaan. Samen werden ze een soort legende. De mensen wezen en fluisterden wanneer ze de donkere jongeman met het gouden ringetje in zijn oor langs hun huisjes zagen rijden op de mooie witte pony.

"Die jongen is zelf half een paard," zei iemand dan.

"Ik heb iets anders gehoord," zei een ander. "Ze zeggen dat dat beest een feeënpony is. Het verandert 's nachts in een mooi meisje, en overdag weer in zichzelf. Geen wonder dat hij haar niet wil afstaan."

Maar Darragh lachte alleen zijn scheve grijns en drukte zijn hielen zacht in Aoifes flanken, en samen verdwenen ze in het schemerduister. En dat is voorlopig het einde van het verhaal.'

Maeve scheen in slaap te zijn gevallen; ze ademde rustiger en had Riona nog steeds stevig in haar armen geklemd. Ik stopte het dek in om haar kleine lichaam.

'Is dat verhaal waar gebeurd?' vroeg de forse dienares na enig aarzelen. Ze had tijdens het hele verhaal als gehypnotiseerd zitten luisteren.

'Zo goed als,' zei ik, met de gedachte dat het maar goed was dat mijn soort niet kon huilen, anders zou ik inmiddels lelijk te kijk zitten. 'Het is zeker zo dat ik zelf een keer op die pony heb gereden. En ze is precies zo slim en mooi als het verhaal zegt.'

'Je vertelt het goed.' Muirrin stond op uit haar stoel en rekte zich vermoeid uit. 'Als ik je zo hoor, lijk je net... een heel ander iemand.'

Ik antwoordde niet. Alle mooie verhalen van de wereld, alle fijne herinneringen konden de dingen niet meer goedmaken. Voor Maeve niet; voor niemand van ons. Ik was blij dat Darragh was weggegaan. Ik was blij dat ik hem nooit terug zou zien. Welke jongen die bij zijn volle verstand was, zou zo iemand als mij als vriendin willen?

'Muirrin,' zei ik, want ik herinnerde me opeens weer waarom ik daar was, wel wat aan de late kant. 'Heb je gehoord dat we allemaal naar Glencarnagh gaan, de meisjes en ik?'

'Dat heb ik gehoord,' zei Muirrin met een wrang lachje. 'Het was

een hele verrassing. Ik vraag me af wat oom Eamonn tot dit plotselinge gebaar van steun aan zijn familie heeft bewogen?'
'Ik denk dat hij gewoon probeert iets voor jullie te doen,' zei ik.
'Mogelijk. De meisjes zijn daar nog nooit geweest, behalve tijdens formele visites met moeder of vader. Oom Eamonn is een echte fatsoensridder. Hij doet alles precies volgens de regels.'
'Hiermee gaat hij niet tegen de regels in. Hij is tenslotte hun oom.'
'Mmm.' Muirrin keek me een beetje spottend aan. 'Zolang jij maar weet wat je doet.'
'Ik... ik moet je een gunst vragen,' zei ik. 'De kinderen willen Maeve zien voor ze gaan. Het schijnt belangrijk te zijn. Ik ben erop uitgestuurd om jou te overreden hen binnen te laten, al is het maar heel even.'
Muirrin fronste haar voorhoofd. 'Het zal hen alleen maar verdrietig maken, en dat zal Maeve weer verdrietig maken. Misschien besef je niet hoe ziek ze is, Fainne. Ze heeft een zware schok gehad en is heel zwak. Ik wil niet riskeren dat haar wonden nog verder besmet raken; dat zou fataal kunnen zijn. Vergeef me dat ik zo bot ben, maar ik moet alles doen wat in mijn vermogen ligt om haar te helpen het vol te houden tot tante Liadan er is. Dit lijkt me geen goed idee.'
'Laat hen alsjeblieft even komen.' Ik gebruikte de kunst zo subtiel mogelijk om mijn woorden overtuigend te laten klinken. 'Ik wil je niet ongerust maken, maar... maar Sibeal zei: stel je voor dat Maeve doodgaat en wij zijn niet hier? Daar denken ze aan. Ik zal hun van tevoren zeggen dat ze hun commentaar voor zich moeten houden en haar niet verdrietig mogen maken. Alsjeblieft, Muirrin.'
Nu keek Muirrin me heel aandachtig aan, alsof ze probeerde woorden van een blad papier te lezen die geschreven waren in een taal die ze tegelijkertijd goed kende en niet kende.
'Goed dan,' zei ze na enkele ogenblikken. 'Ik kan moeilijk nee zeggen als je het zo stelt. Ik zal jullie laten roepen wanneer ze wakker wordt. De meisjes moeten weggaan voor het verband weer wordt verschoond. Daar mogen ze beslist niet bij zijn. Fainne...' Ze slikte haar woorden in.
'Wat?' vroeg ik.
'Je lijkt... anders; dat is alles.'
'Hoe bedoel je, anders?' Ik schrok ervan. Ze zou toch niet gemerkt hebben dat ik de kunst had gebruikt?
'Ik weet het niet,' zei Muirrin. 'Het is net alsof je soms de een bent

en soms een ander. Alsof je met zijn tweeën bent. Dat klinkt wel raar, hè? Ik ben zeker erg moe.'
'Ben ik in mijn eentje niet genoeg?' zei ik op luchtige toon, maar ik wist dat ik onvoorzichtig was geweest. Ik had geen rekening gehouden met de vreemde vermogens die sommigen van mijn familieleden bezaten. Ik was vergeten dat ze iets van de Fomhóire in zich hadden. Voortaan zou ik beter oppassen.

Als om de weg vrij te maken voor ons vertrek, losten de wolken op en was het een heldere, koude morgen toen de zon opkwam. Paarden en pony's werden voor de hoofdpoort in gereedheid gebracht, en een groot aantal gewapende mannen, aan wier donkergroene tuniek met het embleem van een zwarte toren te zien was dat ze tot Eamonns huishouden behoorden, verzamelde zich om een indrukwekkend escorte te vormen. Ditmaal zouden er blijkbaar geen mannen van Zeven Wateren met ons meerijden. Eamonn was familie en daarom werd hem, nam ik aan, de vernedering bespaard door de wachten van mijn oom tot over de grens te worden gebracht. Familie was altijd te vertrouwen. Dat wilde Darragh me al laten geloven; de boodschap lag besloten in de blije manier waarop hij vertelde over de vreugde van het opgroeien temidden van zusjes en broertjes. Hieruit bleek eens te meer, dacht ik verbitterd, hoe weinig ik hier in feite geaccepteerd was; Eamonn mocht naar believen in en uit reizen, maar mij wilden ze niet eens een boswandeling laten maken zonder een escorte van gewapende mannen. Terwijl ik toch een bloedverwant was, en Eamonn niet.
De meisjes waren erg stil. Het bezoek bij Maeve was moeilijk voor ze geweest; het voor zich houden van hun opmerkingen en het inhouden van hun tranen van ontsteltenis waren nog moeilijker. Ze hadden zich dapper geweerd, alle vier, en dat had ik tegen hen gezegd, later, toen de deur weer gesloten was en ze hun zusje met haar pijn hadden achtergelaten. Toen vloeiden de tranen rijkelijk, maar het waren tranen van boosheid, evengoed als van verdriet.
'Het is gemeen!' had Clodagh gemompeld, terwijl ze met een woedend gefronst voorhoofd neerkeek op haar gebalde vuisten. 'Zulke dingen zouden niet mogen gebeuren. Hoe kunnen de goden zoiets laten gebeuren?'
'Het is niet eerlijk,' had Deirdre eraan toegevoegd, terwijl ze met een kwade blik in het rond keek.
De kleinsten hadden niets te zeggen. Sibeal was een schim van een

kind; Eilis zoog op haar duim. De volgende ochtend kwamen ze naar beneden met hun mantel en rijlaarzen aan en werden op hun pony's geholpen, en korte tijd later reden we diep het bos in, op weg naar Glencarnagh.

HOOFDSTUK ZEVEN

Alles wat ik over paarden wist, had ik van Darragh geleerd. Maar ik had niet altijd zo aandachtig naar zijn verhalen geluisterd als ik had kunnen doen, en daarom wist ik niet veel. De kleine merrie die me veilig naar Eamonns huis droeg, was heel oud in paardenjaren, maar nog zo betrouwbaar als een rots. Ik wist dat ze oud was omdat Eilis het zei. Je kon het aan het gebit zien, zei ze. Het paard was zilvergrijs, had een zachtmoedige oogopslag en scheen net als Aoife te weten waar ze heen moest zonder dat het haar gezegd was. Ze begon niet te trillen en voor me terug te deinzen zoals de andere beesten in de stal van mijn oom hadden gedaan. Natuurlijk zou elk dier me wel eerder vertrouwen, nu ik me had ontdaan van het Mom, maar volgens mij was het meer dan dat. Deze merrie leek op de een of andere manier anders, bijzonder.

'Waar heb je haar vandaan?' had ik al vrij snel aan Eamonn gevraagd. Ik vroeg me af of een groot heer, die uitgestrekte landerijen bezat, naar een paardenmarkt zou reizen, of iemand zou sturen om voor hem te onderhandelen, of zich verre zou houden van zulke laag-bij-de-grondse evenementen en gewoon zijn eigen schitterende paarden zou fokken.

'Ze is lang geleden bij me achtergelaten.' Eamonn reed naast me, alsof hij ervoor wilde zorgen dat ik niet afdwaalde. Misschien twijfelde hij eraan of ik zelfs met zo'n goed afgericht dier als dit kon omgaan. 'Door een vrouwe. Het is een mooi dier, en nog opmerkelijk gezond voor haar hoge leeftijd. Te weinig gebruikt.'

'Is er al die tijd geen vrouwe geweest om haar te berijden?' durfde ik te vragen.

Hij wierp me een blik toe. 'Dat is inderdaad het geval. Er is gedurende vele jaren geen meesteres geweest op Glencarnagh. En sinds Aisling met jouw oom getrouwd is, hebben er op Sídhe Dubh, mijn andere bezitting, alleen mannen gewoond. Dat is intussen een hele tijd.'

'Waarom hebt u het paard niet teruggegeven aan de vergeetachtige eigenares?' vroeg ik.

Ik dacht eerst dat hij geen antwoord zou geven. Zijn mond verstrakte en de bruine ogen kregen een koude glans. Weer had ik me zonder erg op verboden terrein begeven.

'Er was geen gelegenheid voor,' zei hij ten slotte. 'Ze is nooit teruggekomen.'

Ik drong niet verder aan. Hij had dezelfde uitdrukking op zijn gezicht die erop verschenen was toen ik de naam Liadan uitsprak. Ik vroeg me af of het paard van haar was geweest.

Glencarnagh was een mooi huis. Ik had niet veel opgemerkt toen ik hier had gekampeerd met de mensen van Dan Walker, behalve dat het huis degelijk en statig was, en buitengewoon goed werd bewaakt. Toen waren mijn gedachten vol van Zeven Wateren en wat ik daar zou vinden. Nu had ik tijd om te kijken en te luisteren.

Dit huis was goed ingericht voor een gezin. Eamonns moeder had hier gewoond, voor ze met zijn vader was gehuwd en wegging naar Sídhe Dubh. Later was er een bruid in het huis geweest, de jonge vrouw die Eamonns grootvader Seamus op zijn oude dag had genomen. Er was een kind geweest; maar het scheen dat hij zijn zevende jaar niet had mogen beleven, en de oude man had zich nooit helemaal hersteld van het verdriet daarover. Toen Seamus stierf, was zijn echtgenote teruggegaan naar haar eigen familie. Nu behoorde zowel Glencarnagh als Sídhe Dubh aan Eamonn toe: een man van middelbare leeftijd zonder echtgenote en zonder erfgenaam, en blijkbaar zonder de neiging om die alsnog te verwerven. Dat was vreemd. Zelfs ik wist genoeg om te beseffen dat het plotseling wegvallen van een man als hij, wat uiteraard altijd mogelijk was, zou leiden tot een tijd van grote instabiliteit, en van groot gevaar voor zijn buurman, Sean van Zeven Wateren, wiens gebied bijna helemaal omringd werd door Eamonns landerijen. Er zouden clanhoofden en kleine vorsten uit heel Ulster zijn die zich beriepen op een vorm van verwantschap, en ze zouden wedijveren om de túath. Dat zou het laatste zijn wat ze konden gebruiken, nu ze druk bezig waren met de voorbereidingen voor de grote slag om de Eilanden. En hoe zat het trouwens met Eamonn zelf? Kon het hem

niets schelen dat hij geen zoon had om zijn uitgebreide bezittingen te erven, zijn twee mooie huizen, zijn persoonlijke leger van krijgers, zijn weiden en de andere bezittingen die hij nog had?
Er bood zich hier een gelegenheid die kon worden aangegrepen; er was een geheim, en grootmoeder zou willen dat ik dat ontsluierde, daarvan was ik overtuigd. Dat geheim zorgde er nog steeds voor dat Eamonns gezicht verstrakte en dat zijn ogen donker werden wanneer de naam van mijn tante werd genoemd. Mijn gezond verstand zei me dat als grootmoeder wilde dat deze mensen verslagen werden, dat niet te bereiken was door een overwicht in manschappen, of door militaire strategieën, en zelfs niet door een spectaculair vertoon van magische kracht, gesteld alleen al dat ik daartoe in staat zou zijn. De nederlaag zou uit hun eigen gelederen moeten voortkomen, door verdeeldheid tussen bondgenoten en tussen broer en zus. Ik wist dat zonder het ooit in boeken gelezen te hebben, of het van een leraar te hebben gehoord. Ik wist het op grond van de manier waarop mijn grootmoeder had ingespeeld op mijn liefde voor mijn vader, en daarvan gebruik had gemaakt om mij in de val te lokken. De sterkste wapens waren de wapens van het hart: haat, gekwetstheid, angst. En ook liefde. Die kon op een buitengewoon wrede manier worden gebruikt. Grootmoeder begreep dat. Zelf handelde ze immers ook vanuit het verlangen wraak te nemen op degenen die ons geslacht hadden gekrenkt? Haar haat was een kracht die meer kon uitrichten dan welk leger ook. Het leek heel gemakkelijk voor haar om mij opdrachten te geven en me slechte dingen te laten doen, ook al wilde ik dat niet. Ik zou Maeve nooit kwaad hebben gedaan, nooit; het kind was onschuldig, ze was amper aan haar leven begonnen. Ik zou dat nooit gedaan hebben. Maar ik had het toch gedaan, met een vingerknip en het oproepen van toverkracht, alsof het niet meer betekende dan het aansteken van een kampvuurtje om water aan de kook te brengen. En hoewel ik nu sidderde bij de gedachte dat ik de opdracht van mijn grootmoeder zou uitvoeren, viel het me in dat als ik naar haar smaak niet genoeg vorderingen maakte, ze kon zorgen dat ik nog meer mensen kwaad zou doen. Wie zou de volgende kunnen zijn? De visionaire, oplettende Sibeal met haar diepe ogen of de opvliegende Deirdre, die even vaak van stemming kon veranderen als een herfstdag? De praktische, gevoelige Clodagh of de lieveling van tante Aisling, de kleine Eilis? Ze waren me allemaal dierbaar geworden ondanks mijn pogingen om me afzijdig te houden; dierbaar als zusjes. Zou ik hen

niet allemaal in gevaar brengen als ik me niet aan grootmoeders plan hield?

Ik wist wat ze zou willen dat ik hier op Glencarnagh deed. Zelf zou ze het bekwaam hebben aangepakt. Ik kon haar bijna zien, hoe ze uitgedost met glanzende, kastanjebruine krullen en een bevallig, gewelfd figuurtje, met een onschuldige glimlach en grote, vrolijke ogen om haar slachtoffer heen danste, hem een rad voor ogen draaide met haar oogverblindende, vlinderachtige bekoorlijkheid en altijd net buiten zijn bereik bleef, zodat hij de veiligheid uit het oog verloor in zijn wanhopige pogingen haar te veroveren. Ik wist hoe ik dat moest doen. Ze had het me uitvoerig laten zien. Maar ik wilde het niet zo doen, als er tenminste een andere manier was. Het had iets laaghartigs om met die middelen een doel te bereiken, hoe belangrijk dat doel misschien ook was. Het was een tak van de kunst waar ik me liever niet aan wilde wagen. Ik zou een tijdlang afwachten; ik zou een andere manier zoeken. En daarom vestigde ik me voorlopig op Glencarnagh met de simpele dankbaarheid van een gevangene die onverwacht de vrijheid krijgt. Ik keek naar de meisjes die een balspel deden op het gras, en elkaar nazaten in de doolhof, en noten roosterden boven het haardvuur, in een gezellige, met kaarsen verlichte kamer, en ik voelde de kou die mijn ziel omhulde wat minder worden.

Ik had verwacht dat ik door zou gaan met hetzelfde: overdag de meisjes gezelschap houden, 's nachts op hen passen, misschien af en toe deelnemen aan een volwassen gesprek als mijn gastheer dat wenste. Ik had geen muzikaal talent; ik kon de mensen niet aangenaam bezighouden. Je kon het gezelschap na de maaltijd moeilijk het oude verhaal van de druïden voorschotelen. De talenten die ik wel bezat, waren niet geschikt om er anderen mee te amuseren. Ik hoopte dat ik wat tijd voor mezelf zou hebben, om mijn gedachten te ordenen. Verder wilde ik niet denken.

Maar Eamonn had andere ideeën, en die maakte hij duidelijk zodra we op Glencarnagh waren aangekomen. De meisjes waren uitgeput van de rit en gingen vroeg naar bed. Ik had me ook willen terugtrekken, want ik had een mooie kamer voor mij alleen en ik verlangde naar afzondering en stilte. De laatste tijd, sinds de brand, had ik zelfs de nacht zelden alleen doorgebracht, want meestal kwam er wel een van de meisjes op haar tenen binnensluipen omdat ze wakker was geworden door een nachtmerrie en gezelschap zocht om het donker weg te houden. Het was wel ironisch dat ze

daarvoor naar mij toe kwamen, en mijn mening over mezelf werd er niet beter van. Maar hier waren de kinderen ondergebracht in een gerieflijk ingerichte vierpersoonskamer, met een eigen kamermeisje. Ik zou ongestoord kunnen slapen, zei Eamonn toen we die avond samen voor het vuur stonden. De zaal op Glencarnagh was veel kleiner dan de grote ruimte op Zeven Wateren, en de warmte van het vuur reikte tot in alle hoeken. Het meubilair was zo glanzend gepoetst dat je je erin kon spiegelen, en de rugleuningen van de stoelen waren met knap houtsnijwerk versierd; kleine wezens en krullen. Ik nam een teugje van de bokaal met uitstekende wijn die ik gekregen had en knikte zonder iets te zeggen.
'Ik heb gezien hoe mijn zuster je aan het werk zette op Zeven Wateren,' zei Eamonn op effen toon. 'Je afkomst mag dan niet helemaal duidelijk zijn, maar toch ben je de nicht van haar echtgenoot, en je behoort als zodanig behandeld te worden. Je te gebruiken als een handige extra bediende is absoluut ongepast. Hier ben je mijn gast.'
'Ik...' Zijn woorden troffen me onaangenaam. Ik besefte, tot mijn eigen verrassing, dat ik de taken die mijn tante me had opgedragen zonder meer had aanvaard. Ik had er zelfs bijna plezier in. 'Tante Aisling is altijd heel vriendelijk tegen me geweest. De kinderen zijn niet lastig. Maar ik dank u voor uw hoffelijkheid. Ik verheug me zeker op een tijd van rust, op tijd voor mezelf.'
'Ik moet bekennen,' zei Eamonn voorzichtig, 'dat dat niet helemaal is wat ik op het oog had. Hoewel je hier zeker afzondering en rust zult krijgen, als je daar zo naar verlangt. Mijn beweegredenen zijn niet geheel en al gespeend van eigenbelang. Ik vermoed dat je dat wel begrijpt.'
Ik wierp hem een snelle blik toe, en keek toen weer neer op mijn wijnbeker. Betekende dat wat ik dacht dat het betekende? Vast niet.
'Ik hoopte namelijk,' vervolgde hij, 'dat we enige tijd samen door zouden kunnen brengen. Ik moet me natuurlijk bezighouden met de zaken van het landgoed, en de kinderen lijken jouw gezelschap op prijs te stelen. Maar dan blijven de avonden nog over. En als dit mooie weer aanhoudt, zouden we samen ritten te paard kunnen maken. Het landschap is hier de moeite waard: weiden, beboste valleien, een waterval. Ik zou je dat graag laten zien.'
'Te paard?' vroeg ik. 'Daar ben ik niet zo sterk in.'
'Je hebt het er niet slecht afgebracht op weg hierheen, Fainne. Volgens mij leer je snel.'

Ik glimlachte. 'Dat is weleens eerder over me gezegd.'
Nu keek hij me recht in de ogen, en in zijn blik was een glans die mijn grootmoeder bekend zou zijn voorgekomen. 'Ik ben een goede leraar,' zei hij zacht. 'Dat zul je wel ontdekken, wanneer je me beter kent.'
Ik voelde een gloeiende blos naar mijn wangen stijgen. 'Daar twijfel ik niet aan,' mompelde ik. Hij bedoelde dát wel degelijk. Ik kon het nauwelijks geloven. Want sinds we van Zeven Wateren waren weggereden, had ik niet een van de kunstjes gebruikt die grootmoeder me had laten zien. Ik had hem op geen enkele manier aangemoedigd. Toch leek het duidelijk waar hij op doelde. Dit was zowel vreemd als verontrustend. Zo snel als mogelijk was zonder onbeleefd te zijn, zei ik dat ik moe was en trok ik me terug in de veilige afzondering van mijn kamer.
Het bleef mooi, maar koud weer. Mijn nichtjes gingen op onderzoek uit in het lange, lage huis met zijn muren van steen en zijn kunstig met riet gedekte dak. Ze gingen kijken in schuren en stallen, ze hielpen de kippen te voeren en brachten kleine lekkernijen aan de bewoners van Eamonns welvoorziene stallen. Eilis had vriendschap gesloten met een zwart, langbenig paard dat boven haar uittorende. Ik zag wel dat ze de hoop koesterde op dit indrukwekkende dier weg te kunnen rijden zodra ze haar oom kon overhalen toestemming te geven. Ik was jaloers op haar zelfvertrouwen. Clodagh ontdekte hoe je door de doolhof kon komen en liet dit een tikje opschepperig aan de anderen zien. Deirdre viel in een vijver toen ze achter een bal aan rende, zodat al haar kleren gewassen moesten worden en bij het vuur gedroogd. Ze hadden allemaal hun bezigheden, en er kwam weer een lach op hun bezorgde gezichtjes. Sibeal bleef erg stil. Ze had haar schrijfplankje meegenomen van Zeven Wateren, en terwijl haar zusjes elkaar nazaten over de paden, of met hun bal gooiden, of wortels voerden aan de paarden, zag je haar met haar pennetje zorgvuldige letters maken op het met was bedekte oppervlak. Ze kwam naar mij toe om haar werk te laten nakijken, een feit dat niet onopgemerkt bleef.
'Jij kunt dus schrijven?' vroeg Eamonn me later toen we na het avondmaal in de zaal zaten. Voor het eten waren er anderen aanwezig geweest: zijn brithem, zijn rentmeester, zijn wapenmeester en verscheidene andere mannen van het huishouden, en er waren ook enkele echtgenotes meegekomen. Maar Eamonn had blijkbaar niet de gewoonte in gezelschap te eten. Het was hier niet zoals op Ze-

ven Wateren, waar allen samen voor het avondeten aan tafel zaten en levendige gesprekken voerden, waar telkens gelach opklonk; waar de kinderen bij hun ouders aan tafel kwamen zitten en de werkende mensen de vruchten van hun arbeid deelden met clanhoofd en vrouwe. Hier kwam de kleine groep vertrouwde raadgevers bijeen om over ernstige zaken te praten: grensgeschillen, de handel in vee, een probleem met de bewapening, het uitzenden van mannen om een lading goederen op te halen van een schip dat ergens had aangelegd. De vrouwen droegen weinig bij aan het gesprek, maar ik merkte wel dat ik aandachtig werd bekeken. Het was een mannengesprek. Ik luisterde goed, maar kon er niet veel van begrijpen. Het was al vreemd dat ik bij deze groep mocht zijn. Mijn aanwezigheid was aanvankelijk aanleiding tot het optrekken van wenkbrauwen hier en daar, en een man knipoogde zelfs, al viel het me wel op dat ze ervoor zorgden dat Eamonn dat allemaal niet zag. Maar toen de maaltijd zou worden opgediend, gingen ze allemaal weg als op een onuitgesproken bevel, en ik bleef over met Eamonn en zat temidden van enige pracht en praal aan een tafel waarvan het eiken blad glansde als een spiegel. Ik zag ervan af hierover iets te zeggen, hoewel ik me beslist veel meer op mijn gemak zou hebben gevoeld als ik met mijn nichtjes en hun kamenier in hun eigen kamer had kunnen eten, of een hapje had gegeten in een hoek van de keukens, of waar de overige mensen van Glencarnagh anders aten. Ik dacht aan vis, geroosterd boven een klein vuur, met een paar rapen erbij om het af te maken. Ik hoorde hier niet, bij deze man, en ik begreep niet wat hij van mij verwachtte. Ik paste de tafelmanieren toe die grootmoeder me had geleerd en zei weinig, en na verloop van tijd was de maaltijd afgelopen en gingen we bij het vuur zitten, met de karaf wijn op een tafeltje. Toen maakte hij die opmerking over het feit dat ik Sibeal met haar letters had geholpen.
'Ja, ik kan lezen en schrijven,' zei ik behoedzaam. 'Ik kan Latijn in Iers vertalen, en Iers in Latijn. Ik kan een redelijke halve unciaal maken. Ik heb heel goed les gehad.'
'Het ligt voor de hand dat je een goede opleiding zal hebben gekregen, in een gebedshuis, al heb ik wel gehoord dat de opleiding van een heilige zuster niet het niveau heeft van het onderwijs dat een jongeman in zo'n instelling wordt gegeven. Het is duidelijk dat ze voor jou een toekomst binnen die muren voorzagen. En toch ben je er weggegaan zonder je tot het christelijke geloof bekeerd te hebben.'

'Hoe weet u dat ik me niet bekeerd heb?' vroeg ik, terwijl ik me afvroeg hoe ver dit gesprek zou kunnen komen voor ik zou moeten liegen.
'Ik weet dat Conor onder de indruk was van je kennis en vaardigheden, en dat hij Sean heeft ingefluisterd dat hij je misschien wilde voorstellen je bij zijn broeders en zusters in de nemetons aan te sluiten. Op de een of andere manier heb je de levenswijze van je vader aangehouden. Ik heb gehoord dat hij een druïde was. Dat vond ik interessant.'
Ik gaf geen antwoord. De wijn was goed; hij verwarmde het hart en maakte me een tikje licht in het hoofd. Eamonn scheen de ene beker na de andere te kunnen drinken, zonder dat er enige uitwerking van te bespeuren was.
'Wil je weten wat ik denk?' vroeg hij.
Ik zei niets.
'Ik denk dat het een soort verspilling zou zijn.'
'Wat?'
'Als jij een druïde zou worden. Je houdt van kinderen, dat is wel duidelijk. Ik denk dat je niet afkerig zou zijn van... van de mogelijkheden die een voller leven je zou bieden.'
Ik keek hem zo vlak mogelijk aan, wat niet meeviel na die wijn. 'Je zou kunnen zeggen dat het volste leven het leven van de ziel is,' zei ik streng. 'Van de ziel, en van de geest. In die overtuiging ben ik opgevoed.'
'Maar je bent er niet echt van overtuigd, hè Fainne?' Hij was dichterbij komen zitten, en ik was opeens op mijn hoede, voelde me niet op mijn gemak, alsof hij bezig was me af te tasten, mijn spoor op te zoeken op de manier van een roofdier dat zijn prooi uitkiest. Ik vond het beangstigend dat ik hem zo snel de leiding in handen had laten nemen.
'Ik weet het niet,' zei ik, en ik slikte. 'Ik ben pas vijftien en mijn toekomst is onzeker. Ik zal keuzes moeten maken. Ik denk dat mijn oom Sean me daarbij zal helpen.'
'Niettemin,' zei hij vlotweg, en hij stak zijn hand uit om de wijnkaraf van de tafel te pakken, waarbij hij in het voorbijgaan schijnbaar toevallig langs mijn arm streek, 'moet een keuze nooit blindelings worden gemaakt. Het zou verstandig zijn de mogelijkheden te onderzoeken alvorens je een bepaalde koers uitzet. Vind je niet?'
'Misschien,' zei ik, en ik probeerde mezelf te laten ophouden met beven, mijn hart te laten ophouden met bonzen.

'Het is niet nodig om bang voor me te zijn,' zei Eamonn.
Op die uitspraak kon ik niet eens proberen een antwoord te bedenken, en daarom deed ik alsof ik hem niet had gehoord. Mijn hand ging naar de amulet; ik hoopte dat ik er inspiratie uit kon putten. Ik haalde diep adem. Misschien was de aanval hier de beste verdediging. 'Mag ik u een vraag stellen?' zei ik.
'Zeker.'
'Ik heb de indruk dat dit een huis is voor een gezin. Een gerieflijk, prettig huis; het is vol licht. De meisjes vinden het hier prettig; het is veilig en dat voelen ze.'
Eamonn boog zijn hoofd licht, schijnbaar bevestigend, maar zijn ogen stonden argwanend.
'De meester van zo'n huis moet een zorgvuldig beheerder zijn,' vervolgde ik. 'Het is in onberispelijke staat en wordt onderhouden in al zijn schoonheid en gerieflijkheid. Het is een huis... het is een huis dat tot doel heeft een vrouw te plezieren, en haar kinderen beschutting te bieden. En toch hebt u ervoor gekozen om hier vrouw noch kinderen te hebben. Dat doet mij vreemd aan.'
Het bleef stil, en ik begon spijt te krijgen van mijn stoutmoedige woorden.
'Het spijt me als ik u heb beledigd,' zei ik maar.
Eamonn keek me even aan en wendde zijn ogen af. 'Je zegt werkelijk wat je denkt. Wat Glencarnagh betreft, dat was het huis van mijn grootvader voor het aan mij toeviel. Seamus Roodbaard werd hij genoemd. Hij trouwde laat in zijn leven, voor de tweede keer, en bracht hier verbeteringen aan om zijn jonge vrouw een genoegen te doen. Het is altijd een mooi huis geweest. Ik woon hier niet; ik kom hier van tijd tot tijd, en ik heb mensen die het voor me onderhouden. Mijn andere huis is heel anders.'
'Een fort, omringd door moerassen? Dat heb ik gehoord.'
'Inderdaad. Dat zou je misschien een meer passende behuizing vinden voor een alleenstaande man van middelbare leeftijd.'
'Toch hebt u Glencarnagh willen behouden zoals het is. De tuin is vast heel mooi in het voorjaar. Waarom doet u zoveel moeite, terwijl u er bijna nooit bent om het te zien?'
Weer een korte stilte. 'Ik zou daar een gemakkelijk antwoord op kunnen geven. Ik zou kunnen zeggen: opdat mensen zoals jij en mijn nichtjes ervan zouden kunnen genieten wanneer jullie hier een bezoek brengen.'
'Maar?'

Zijn gezicht vertrok. 'Doet het er iets toe waarom?' vroeg hij. 'De hoop blust uit, en toch betrap je je erop dat je nog steeds vasthoudt aan bepaalde rituelen. Glencarnagh is een lege huls, Fainne. Een schrijn voor wat nooit heeft mogen zijn. En toch kan ik het niet opbrengen om er afstand van te doen. Dat zou... dat zou het definitieve einde van mijn dromen zijn. Dromen die al lang geleden begraven hadden moeten worden.'

Ik keek hem met grote ogen aan. 'Dat is vreselijk,' zei ik impulsief; door de schok waren alle angsten die ik zojuist had gevoeld verdreven. 'Hoe kunt u dat zeggen?'

'Al wat ik wilde,' zei hij zacht, terwijl hij naar de wijn in zijn beker staarde, 'al wat ik wilde was wat elke redelijke man wil. Een vrouw, een zoon, mijn huis en landerijen, de kans om voor mijn mensen te zorgen en mijn plicht te vervullen. Ik heb nooit iets verkeerd gedaan, Fainne. Ik heb me steeds aan de regels gehouden. En toen werd het me plotseling, met een vingerknip, ontstolen, niet door een man van hogere statuur, dat zou ik bijna begrepen hebben, maar door een booswicht die beter in de wieg gestorven had kunnen zijn.' Zijn vingers omklemden de beker zo stijf dat zijn knokkels wit werden. 'Beroofd van alles wat belangrijk was. Zelfs beroofd van de kans om me te wreken. Erger nog, gedwongen tot een duivels bondgenootschap met een schepsel wiens naam alleen al ik verfoei. En toch houd ik dit huis licht en fris, alsof de lente in zijn zalen rondwandelt wanneer de wintersneeuw de velden buiten bedekt. Alsof er zelfs nu nog een kans zou zijn dat ze terug zou kunnen komen.'

Zijn verhaal had me sprakeloos gemaakt. Ik bleef stil zitten en wachtte tot mijn hartslag weer wat rustiger zou worden, terwijl ik bedacht dat ik me in meer dan één opzicht had vergist. Ik bedacht dat grootmoeders kleine kunstgrepen hier hoegenaamd niets zouden hebben uitgehaald, want deze man had zijn hele leven maar één vrouw gewild, en dat was de vrouw die hij niet kon krijgen.

'U... u hebt het over mijn tante Liadan, niet?' vroeg ik na een tijdje.

'Heeft Sean je dat verteld?' beet hij me toe.

'Nee,' zei ik zo kalm mogelijk. 'Ik heb het geraden. U maakt het duidelijk genoeg, al spreekt u alleen in toespelingen. U verdraagt het nauwelijks haar naam te horen uitspreken; en toch lijkt het alsof u zegt dat u nog altijd van haar houdt.'

'Van haar houd?' Zijn stem klonk verbitterd. 'Ik heb ooit gedacht dat ik het woord liefde begreep. Maar nu niet meer. Er is zoiets als geven en nemen tussen mannen en vrouwen. Misschien is dat alles wat er ooit is. Het kan geen liefde geweest zijn die haar ertoe bracht zo te handelen als ze heeft gedaan. Eerder een soort perverse wellust, die haar ertoe aanzette te vergeten wie ze was en wat ze had beloofd.'

'Het is lang geleden,' probeerde ik. 'U lijkt nog steeds erg boos te zijn.'

Op dit punt scheen hij zich opeens te herinneren waar hij was en tegen wie hij sprak. Ik zag hem diep inademen en moeite doen zijn gezicht weer een enigszins ontspannen uitdrukking te geven.

'Het spijt me, Fainne. Ik kan niet geloven dat ik zo tegen jou heb gesproken. Ik vergat mezelf, en kan je alleen om vergeving vragen. Je bent te jong om met zulke dwaasheid te worden lastig gevallen.'

Hij hechtte erg aan de regels. Dat had Muirrin gezegd. Het deed hem natuurlijk pijn te beseffen dat hij zich op die manier had blootgegeven aan een meisje, een kind nog, dat hij nog maar betrekkelijk kort kende. Ik formuleerde mijn antwoord zorgvuldig.

'Ik ben niet op dezelfde manier grootgebracht als andere meisjes. Laat dat u niet storen.'

'Je spreekt vanuit je onschuld,' antwoordde hij, zijn voorhoofd fronsend. 'Dit was niet correct, onbeheerst en ongepast.'

'Dat denk ik niet,' zei ik zacht. 'Want ik heb de indruk dat dit een last is die u al lange tijd alleen hebt gedragen. Zou u hem mee willen nemen in uw graf?'

'Fainne! Je maakt me aan het schrikken. Ik mag dan naar jouw maatstaven een oude man zijn, maar ik ben niet van zins nu al de laatste adem uit te blazen.'

'Niettemin,' zei ik, 'gaat u deze zomer in de slag. Een zeer gevaarlijke onderneming, levensgevaarlijk. Het lijkt erop dat u weinig gelegen is aan de toekomst van uw naam of van uw bezittingen. Misschien bent u niet bang voor de dood. Toch is het beter uw ziel te ontdoen van zoveel haat. De godin roept wanneer zij wil, niet op het tijdstip wanneer men over de grens wil stappen.'

'Je bent een vreemd meisje, Fainne,' zei Eamonn, en hij nam mijn hand in de zijne en bracht hem aan zijn lippen. 'Ik weet niet wat ik van je moet vinden.'

'Ik weet dat ook niet van u,' zei ik terwijl ik mijn hand terugtrok. 'Ik weet niet wat u van me wilt.'

'Op dit moment,' zei hij zonder glimlach, 'denk ik dat het voor jou tijd is om naar bed te gaan. Neem een kaars mee van die plank, naast de deur.'

'Ik...'

'Het is beter dat je gaat, Fainne. Ik ben vanavond geen prettig gezelschap.'

En dus liet ik hem achter, staande bij het vuur met de wijnkaraf naast hem, en ik vroeg me af hoeveel bekers hij zou moeten leegdrinken voor hij een korte tijd van vergetelheid voor zichzelf zou kunnen veroveren.

Ik ging voor de spiegel staan. Het was een mooie spiegel; het gepolijste brons kaatste het licht van de kaarsvlammetjes terug, gloeiend van een gouden warmte. Rondom langs de rand was het metaal fijn gegraveerd met een ingewikkeld patroon van in elkaar grijpende schakels, een drievoudige keten met hier en daar een ingelegd ovaal van email. Rood, zonnig goud en diepblauw, als de onpeilbare oceaan. Het was de spiegel van een rijk man. Mijn spiegelbeeld staarde me aan, haar vorm werd verzacht door de rozeachtige tint van het metaal, een herfstmeisje. Ik keek naar mezelf en hoorde Eamonns woorden. Ik ben een goede leraar, had hij gezegd, en als ik erover nadacht, wist ik wel welke kunsten hij dacht mij te kunnen bijbrengen. Het meisje in de spiegel was niet het soort meisje dat een man in begeerte zou laten ontvlammen. Haar haar was kroezig gekruld; het had de kleur van vlammen, vuurrood. Haar ogen waren diep, donkerpaars als rijpe bessen. De lippen waren streng. Het was de mond van een kluizenares, geschikt om het oude verhaal voor te dragen, of in afzondering te bidden. Dit waren geen lippen om te kussen, of lieve woordjes te fluisteren, of liefdesliedjes te zingen. De huid was bleek, de wangen hadden geen blos. Maar mijn lichaam was veranderd bijna zonder dat ik het had gemerkt. Ik begon hier en daar welvingen te krijgen, zodat het slungelige, onhandige meisje nu op de juiste plaatsen rond was. De scheefstaande voet was er nog. Er was geen genezing voor die erfenis van een verboden verbintenis, dacht ik woest. Maar ondanks dat zag ik er toch... niet onaardig uit. Ik lachte naar mezelf in de spiegel, en de kleine amulet die om mijn hals hing, fonkelde naar me terug, toen er kaarslicht op viel. Mijn lach doofde uit. Het was dom om te geloven dat ik ooit iets anders zou kunnen zijn dan wat ik was. Uiterlijk betekende niets. Wat had haar uiterlijk mijn moeder opgeleverd? Ze was verkocht aan de hoogste bieder, en was de rest van haar korte leven ongelukkig geweest. Toch lag het zaad voor een oplossing van mijn probleem in Eamonns veelbetekenende opmerkingen en zijdelingse blikken; het begin van een strategie om het doel van mijn grootmoeder te verwezenlijken. Ik kon het haar horen zeggen. *Deze man is machtig. En hij is omkoopbaar. Zoek zijn nabijheid, maak dat hij je begeert. Gebruik hem, Fainne.* Maar ik kon het niet. Ik werd misselijk bij het vooruitzicht. Het was misbruik maken van de kunst en ik wist dat ik het niet kon opbrengen ermee door te gaan. Ik trok mijn nachtpon over mijn hoofd en stapte in bed. Ik bleef me bewust van de spiegel, die nog zacht glansde aan de andere kant van de kamer, in het licht van het kleine haardvuur. Ik had er de wilskracht niet voor. Mijn lichaam schrok ervoor terug. Hoe kon ik het doen, terwijl ik alleen al bij de woorden die de man tegen me sprak, rilde van afschuw? Het was domweg verkeerd. Een man zo te beïnvloeden dat hij hijgend van begeerte achter je aan kwam, als een hond achter een loopse teef, hem zo naar je hand te zetten dat hij alles voor je zou willen doen – daarmee zou je je laatste snipper zelfrespect verliezen. Ik dacht niet dat ik mannen ooit zou begrijpen, laat staan dat ik met een man naar bed zou willen gaan en alle dingen doen die, zoals grootmoeder me had verteld, mannen en vrouwen samen deden. Ik walgde bij de gedachte alleen al. Er moest een andere manier zijn. Hier komen was een vergissing geweest.

Vergeet je niet iets? zei het stemmetje vanbinnen. *Denk eens even aan je vader. Grijp deze kans, Fainne. Het bondgenootschap hangt toch al aan een zijden draadje. Kies het zwakste punt, want dat is werkelijk kwetsbaar. Deze man praat tegen je. Zorg dat hij weer praat. En bedenk dat de slaapkamer de plaats is waar een man zijn geheimste gedachten uitspreekt.* Ik stopte mijn vingers in mijn oren, alsof dat de stem in mij tot zwijgen zou brengen. Ik rolde me stijf op onder de dekens. Maar er was geen Riona om me te helpen de stem op een afstand te houden. Er was geen manier om hem tot zwijgen te brengen. Ik hoefde niet in de spiegel te kijken om het beeld van mijn vader te zien, die piepend naar adem hijgde en al zijn zelfbeheersing inzette om het niet uit te schreeuwen van pijn terwijl de aanval als een ijzeren greep om zijn borstkas klemde en hem beroofde van levenschenkende lucht. Ik voelde de kleine, harde vorm van de amulet warm tegen mijn borst. *Je moet doorgaan*, zei de stem. Telkens weer. *Voor je vader. Je bent het hem verschuldigd. Tot het einde toe, Fainne. Helemaal tot het einde.*

De regen kwam terug, zodat we niet konden gaan rijden. Eamonn leerde me brandubh spelen, een iets ingewikkelder spel dan ringstenen. Daar was ik blij mee. De mate van concentratie die nodig was om te anticiperen op de volgende strategische zet van de tegenstander hield in dat je niet tegelijkertijd een moeilijk gesprek kon voeren. Het feit dat je tegenover elkaar zat, met een tafeltje en het speelbord ertussenin, betekende dat je niet kon worden aangeraakt. De stukken waarmee we speelden waren prachtig gesneden, het bord zelf was versierd met fraai houten inlegwerk. We begonnen met oefenspelletjes, en toen hij kon zien dat ik de regels begreep, begonnen we in ernst te spelen. Ons derde echte spel duurde tot diep in de nacht. De rest van het huishouden was naar bed, en we zaten met ons tweeën voor de haard. Eamonn dronk achter elkaar door, zoals hij gewoon was. Ik nipte van mijn wijn, maar dronk zo weinig mogelijk. Ik had een helder hoofd nodig voor het spel op het bord voor ons, en ook voor het subtielere, onuitgesproken spel dat nog steeds in blikken en gebaren tussen ons aan de gang was. Voor het ochtend werd, hadden de zwarte stukken de witte verslagen, en had ik gewonnen. Eamonn was helemaal beduusd.

'Zo,' zei hij met een lichte frons, 'ik zie dat ik voor je uit moet kijken, Fainne.'

Ik kon de verleiding niet weerstaan om, al geeuwend, te zeggen: 'U zei toch dat u een goede leraar was.'

'En jij zei dat je snel leerde. Dat was waar. Je leert bijna al te snel.'

'Had u liever gehad dat ik u had laten winnen?' vroeg ik terwijl ik mijn wenkbrauwen optrok.

'Natuurlijk niet.' Zijn antwoord klonk scherp. 'Je hebt me verrast, dat is alles. De geest van een vrouw is meestal niet in staat de ingewikkelde patronen van een spel zoals dit te bevatten en in haar voordeel te gebruiken. De volgende keer zal ik op mijn hoede zijn. Ik heb je onderschat als tegenstander.'

'En u vindt het niet prettig om te verliezen.' Deze woorden waren eruit voor ik ze kon tegenhouden.

Hij kneep zijn ogen een beetje dicht. 'Je openhartige manier van spreken zal je nog eens in moeilijkheden brengen,' zei hij zacht. 'Het zou misschien verstandig zijn die tong een beetje in toom te houden in gezelschap van anderen. Maar wat je zegt is zonder meer waar. Ik heb er moeite mee een nederlaag te accepteren. Bij alles wat ik onderneem, verwacht ik dat ik zal winnen.'

'En verliest u vaak?'

'Op de lange termijn nooit.'

'Maar...'
'Een man die neemt wat van mij is kan verwachten met gelijke munt te worden terugbetaald. Hij vergeet misschien wat hij heeft gedaan. Maar ik vergeet het niet.'
'En als zo'n man nu uw bondgenoot werd?' vroeg ik. 'Zou u dan niet voor een onmogelijke keus komen te staan?'
Het bleef enige tijd stil. Zijn vingers omklemden de wijnbeker alsof hij de adem uit de keel van zijn vijand kneep.
'Zo'n man mag nooit als bondgenoot worden beschouwd,' zei hij stroef. 'Men zou nog beter vertrouwen kunnen stellen in een monster uit de Andere Wereld dan in iemand als hij. De normale regels van verwantschap en loyaliteit zijn niet van toepassing. Het ware beter dat zo'n schepsel nooit geboren was.'
Zijn sombere toon was verontrustend. Ik had er spijt van dat ik de vraag had gesteld. Ik pakte mijn kaars, en hij scheen weer tot zichzelf te komen.
'Het is al erg laat. Het wordt bijna dag. Je kunt morgenochtend beter in bed blijven liggen, je zult erg moe zijn.'
'Misschien doe ik dat. Maar ik ben gewend aan lange dagen en vroeg opstaan. Dank u voor het spel. Ik vond het erg plezierig.' En dat was waar. Het was prettig om mijn geest te oefenen in iets anders dan de onmogelijke opdracht die grootmoeder me had gegeven. Het was prettig om me zo sterk te moeten concentreren dat het beeld van Maeves verbrande gezicht een tijdlang uit mijn geest verdween. Wanneer ik naar huis ging, kon ik het misschien aan vader leren... nee, op die gedachte moest ik maar niet doorgaan. Ik was blijkbaar werkelijk moe.
'Voel je je niet goed?' vroeg Eamonn, en hij deed een stap naar voren om mijn arm te pakken. 'Je ziet bleek. Ik heb je veel te lang opgehouden.'
'Het is niets. Het gaat wel over.'
'Goedenacht dan. Of misschien moet ik zeggen goedemorgen.' Meestal nam hij afscheid van me met een ernstig knikje, of door mijn hand beet te pakken. Dit keer boog hij zich naar voren en gaf hij me een kusje op mijn wang. Het stelde niets voor, het was luchtig en snel. Maar ik zag de uitdrukking in zijn ogen.
'Goedenacht,' zei ik haastig, en ik trok me terug in mijn eigen kamer. Ik ging in bed liggen onder de zachte, wollen dekens en het laken van fijn linnen, zo moe dat ik in slaap had moeten vallen op het moment dat mijn hoofd het kussen raakte, maar ik was niet in

staat mijn geest stil te zetten. Het denken ging door. Het was overduidelijk wat grootmoeder nu wilde dat ik deed. Het begon er zelfs op te lijken dat de taak die ze me had gesteld toch niet zo onmogelijk was, als ik mezelf maar kon dwingen met Eamonn te doen wat er gedaan moest worden. Maar hoe kon ik dat doen? Hoe zou ik het kunnen verdragen? Terwijl het buiten licht begon te worden en een haan uitbundig begon te kraaien op het erf, viel ik in slaap, maar mijn problemen wentelden en verweefden zich nog steeds in mijn geest.

Ik sliep niet lang. Het natte weer hield even op en de meisjes wilden graag naar buiten, ondanks de bittere koude. Er waren bezoekers gearriveerd, en ze hadden zich al met Eamonn afgezonderd in zijn raadkamer. Hij had waarschijnlijk ook weinig slaap gekregen. Er werden mooie paarden verzorgd in de stallen, en er hingen fraaie mantels te drogen voor de keukenvuren. Niemand leek te willen zeggen wie de bezoekers waren. Misschien wist niemand het.

We gingen buiten wandelen, met ons vijven, gekleed in zware capes met kappen en sterke winterlaarzen. De zon deed pogingen om tussen de wolken, die nog zwaar waren van de regen, door te breken, en de wind was bijtend koud, maar de meisjes hadden een lach op hun gezicht. Ze waren blij weer in de buitenlucht te zijn.

'Het is hier fijn,' merkte Deirdre op. 'Je kunt hier tenminste wandelen zonder dat er elke keer een gewapende man te voorschijn springt en je de weg verspert.'

Eilis sprong over de plassen heen. Een, twee, drie... spring! Een, twee, drie... plons! Ze zou schone kleren aan moeten wanneer we weer terug waren. Terwijl we een pad afliepen tussen keurig geknipte taxushagen, naar een bosje hazelaars met kale takken, zag ik dat er wel degelijk wachten waren. Ze sprongen niet te voorschijn, zoals Deirdre had gezegd, maar waren bescheiden aanwezig op een redelijke afstand. Mannen in het groen, goed bewapend en stil. Je mocht hier misschien rondzwerven, maar niet ongezien. Dat was voor onze veiligheid, nam ik aan. Toch stoorde ik me eraan. Ik dacht aan Kerry, hoe Darragh en ik daar over de rotsen hadden geklauterd als wilde geitjes, en heen en weer hadden gerend voor de opkomende vloed uit, terwijl de mensen daar zich er nooit druk om hadden gemaakt of we wel veilig waren, of wanneer we thuis zouden komen. Ze wisten dat we veilig zouden zijn omdat we samen waren. Mijn hart deed pijn van verlangen weer dat kleine meisje te zijn. Maar het verleden kon niet herschreven

worden; het draaien van het rad kon niet worden stilgezet.
Deirdre wilde in bomen klimmen. Ze stopte haar rokken onder haar gordel en hees zichzelf omhoog, met bewonderenswaardige lenigheid en een niet erg damesachtig vertoon van benen. Meteen gilde Eilis dat ze opgetild wilde worden.
'Kinderachtig hoor,' smaalde Clodagh terwijl ze haar kleine zusje hoog genoeg optilde om de onderste tak te bereiken, maar de glinstering in haar ogen betekende dat ze zich niet door haar tweelingzus wilde laten overtroeven, en even later klauterden ze alledrie als eekhoorns rond in de boom, en zwaaiden ze gevaarlijk aan de bladerloze takken.
Sibeal zat op een platte steen, dicht bij de plaats waar de door de regen gezwollen beek in een kleine, ronde poel stroomde. Vandaag was het water bedekt met schuim, en de stroming was krachtig, zelfs op deze plek waar het tijdelijk tot rust kwam. Sibeal zat in kleermakerszit, met haar handen roerloos in haar schoot en een kaarsrechte rug. Het was een meditatiehouding, net als die van Conor. Haar blik was op het water gericht. Ik ging stil op de stenen naast haar zitten.
Er ging enige tijd voorbij. Geluiden kwamen en zakten weer weg; het lachen en gillen van de anderen, het kraken van takken; de stem van het water zelf dat als een waterval neerstroomde in het ontvangende bekken van de poel. De zon liet plotseling zijn gezicht zien tussen de wolken, en licht raakte het wateroppervlak, doordringend, verblindend in zijn zuivere schittering. De schuimbelletjes veranderden in goud; de natte stenen glommen.
Aan mijn andere kant zat iemand gehurkt; iemand die ongeveer even groot was als mijn nichtje, maar bedekt met veren. Op de een of andere manier was het mogelijk te spreken zonder geluid te maken.
Jij weer.
Teleurgesteld? Wie verwachtte je dan?
Ik ben niet hierheen gekomen om naar Anderwereldse wezens te zoeken.
Uh-huh. Als de stem van de geest ongeloof kan uitdrukken, was dat wat het wezen probeerde te doen. *En ik ben niet gekomen omdat jij me riep, maar zij.*
Mijn... mijn nichtje? Heeft ze jou geroepen?
Ze heeft de weg geopend, zodat ik kon oversteken. Wat zij ziet, is weer iets heel anders. Zij kijkt in het water. Ze ziet wat zal zijn, en wat misschien zal zijn. Ik ben hier voor jou.

Waarom moet je mij hebben? Ik was al genoeg in verwarring. Het laatste waar ik behoefte aan had, was nog een cryptisch gesprek dat meer vragen opriep dan het antwoorden gaf.
Je bent in de war. Ik voel het. Je bent de weg kwijt, als je al ooit een weg had. En je weet niet aan wie je moet vragen welke kant je op moet.
Dat hoef ik aan niemand te vragen. Ik vind mijn eigen weg wel. Mijn vader heeft me geleerd mijn eigen problemen op te lossen.
En dat zul je doen ook. Daar twijfelen we niet aan. Maar je verdoet er tijd mee. Zal ik je raad geven?
Jouw raad? Liever niet. Ik weet niet eens wie je bent. Of wat je bent.
Het kleine, uilachtige wezen schudde met zijn veren, zodat er een paar losraakten, die voor me door de lucht zweefden, tere, gelige deeltjes als de laatste halfverteerde blaadjes van de herfst. Aan mijn andere kant zat Sibeal bewegingloos, met haar heldere ogen gevestigd op het water.
Wat ik ben, herhaalde het wezen. *Wat wij zijn. Kijk dan eens naar ons, Fainne. Als je het niet kunt raden, terwijl je hoofd vol zit met druïdenverhalen, dan is je opleiding nergens goed voor geweest.*
Ons? vroeg ik, en terwijl de stem van de geest sprak, zag ik zonder mijn ogen open te doen een beweging in het landschap, een veranderen en ontvouwen, alsof het stroompje, de grote keien, de holten van de aarde rimpelden en verschoven om te onthullen wat er altijd al geweest was, als je maar wist hoe je moest kijken. Ze verzamelden zich in een kring om me heen, zwijgend. Geen van hen was groter dan een kind van een jaar of acht; ze waren allemaal verschillend, en elk van hen leek enigszins op een bekend schepsel, een kikker, een eekhoorn, een biggetje misschien, hoewel sommige eerder op kleine planten of struiken leken dan op iets anders; elk van hen was uniek. Ze waren niet dierlijk, en ze waren zeker niet menselijk. Ik keek beter. Er was er een met één oog midden op zijn voorhoofd, en een ander had maar één poot en bewoog zich voort met een kleine kruk, gemaakt van berkenhout. Een was gerimpeld over zijn hele lichaam, als een oud, verdroogd appeltje; en een leek van top tot teen bedekt te zijn met een grijsgroen, pluizig mos.
Jullie zijn... jullie zijn... Ik aarzelde.
Ga door. Het uilachtige schepsel knikte bemoedigend. *Wie waren de eerste bewoners van het land Erin?*
Jullie? zei ik voorzichtig.

Er volgde een goedkeurend koor van gegrinnik, gemompel, gekras en gegrom.

Wij zijn de Ouden. Dit werd gezegd door het bemoste, steenachtige schepsel. Het had een rondachtige vorm, zonder zichtbare ledematen, maar toch had het een soort gezicht; een spleet als mond en roodachtige plekken korstmos die ogen zouden kunnen zijn. *Wij zijn je voorouders.*

Wat! Ik zei het bijna hardop, zo verbluft was ik. *Jullie? Hoe kan dat nou?*

Rondom klonk kabbelend gelach. Sibeal bewoog zich niet.

Jouw voorouders, en ook die van je nicht. Maar zij ziet ons niet. Wat zij ziet is iets heel anders. Het lijkt of dit een schok voor je is. Het uilwezen richtte zijn grote, ronde ogen op me. *Je hebt nooit aan de druïde gevraagd je het verhaal te vertellen, hè? Waar was je bang voor? Het verhaal zegt dat er lang geleden een verbintenis is geweest tussen een man van de Kelten en een van ons. Het geslacht van Zeven Wateren is uit die verbintenis voortgekomen. En jij bent een kind van Zeven Wateren.*

Dat denk ik niet. Ik fronste mijn voorhoofd. *Ik ben niet grootgebracht in liefde voor het woud, zoals deze mensen. Mijn weg is een andere.*

Er was een wezen bij dat uit water leek te bestaan; de vorm ervan veranderde en vervloeide telkens terwijl ik ernaar keek, en door de verschuivende vloeibaarheid van zijn vorm heen kon ik de stenen en het gras erachter zien. Zijn vorm had wel iets van een klein kind, met een franje van donker zoetwaterwier als haar.

Ze komen allemaal terug. De stem van dit wezen leek op het kabbelen van een beek over gladde kiezelstenen. *De kinderen komen terug naar het woud. Maar dat is niet genoeg. Nu niet meer.*

Jij bent teruggekomen, zei het uilwezen. *Dat wil je misschien liever ontkennen, maar je bent een van de onzen.*

Dat is onzin. Ze probeerden me erin te laten lopen. Ze probeerden me zover te krijgen dat ik zou onthullen met welk doel ik hier was. *Ik ben een sterfelijk meisje, dat is alles. Ik ben gedeeltelijk Iers en gedeeltelijk Brits. Een mengeling. Ik sta net zo ver van jullie af als... als...*

Als een straathond van de mysterieuze patronen van de sterren? Zo was het toch? Ah, nu heb ik je boos gemaakt. En ik heb het bewijs geleverd.

Welk bewijs? Wat bedoel je?

Zie je die vlammetjes die over je haar flitsen wanneer je kwaad wordt? Ik ken geen sterfelijke meisjes die dat kunnen. Luister nu. We weten wat je bent.

O *ja?* Het gesprek begon een verontrustende wending te nemen. Ik onderdrukte de aanvechting om de kunst te gebruiken. Ik was niet van plan me op die manier bloot te geven. *Wat dan?*

De bemoste nam weer het woord. *Zoals je zei, een mengeling. Een buitengewoon gevaarlijk mengsel. Een mengeling van vier geslachten. Waarom heeft je vader je hier naartoe gestuurd? Waarom moest je nu komen, nu alles bijna op zijn eind loopt?*

Ik kreeg het koud bij deze woorden. Ik moest proberen de situatie naar mijn hand te zetten, zo goed en zo kwaad als het ging.

Vertel eens, zei ik. *Het Feeënvolk wil toch dat er een slag wordt gewonnen? Dat de Eilanden worden heroverd? Bedoel je dat als je zegt dat alles op zijn eind loopt? Maar ze hebben al veel macht. De Túatha Dé zijn immers goden en godinnen, die in staat zijn de patronen van wind en golven te veranderen, hele legers neer te slaan en de sterkste tegenstand te verpletteren? Waarom nemen ze de Eilanden niet gewoon zelf terug? Waarom is het nodig dat er generaties lang mensen sterven in deze langdurige vete? Deze familie heeft al vele zonen verloren? En wat heeft dat te maken met jullie soort? Met... een lager geslacht?*

Ik hoorde zoemen, fluisteren en mompelen, rondom in de kring van vreemde wezentjes. Wenkbrauwen gingen op en neer; staarten zwaaiden heen en weer; veren ritselden en neuzen werden spottend opgetrokken.

Een lager geslacht? Het bemoste wezen sprak met zijn lage, droge stem. *Zij vonden ons lager, toen ze ons verbanden naar bronnen en grotten, en naar de diepten van de zee; naar de woeste eilanden en de wortels van de grote eiken. Maar we zijn er nog, ondanks alles. We zijn er nog en we zijn verstandig. De tijden veranderen, dochter. De ordening verandert. Zo is het gegaan met de Túatha Dé. Na de komst van de zonen van Mil begon hun ster te verbleken. Aan hun tijd werd een grens gesteld. Jouw vader en de aartsdruïde behoren tot de laatsten van de wijzen in dit land. Conor rouwt terecht om het verlies van zijn beste leerling, want er zal nooit meer zo iemand zijn, niet in de tijd van een sterfelijk mens dat nu op deze aarde leeft, noch in de tijd van zijn kindskinderen, noch in die van hun kindskinderen. De mens wijdt zich graag aan spelen van macht en invloed, hij gaat op zoek naar verre horizonten en onvoorstelbare rijkdommen. Hij denkt te bezitten wat niet te bezitten is. Hij velt de oeroude bomen om zijn grasland uit te breiden; hij graaft de diepe grotten uit en werpt de staande stenen omver. Hij omhelst een nieuw geloof, met vuur en misschien met een oprecht hart. Maar hij raakt steeds verder verwijderd van de oude dingen. Hij kan de hartenklop van zijn moeder, de aarde, niet meer horen. Hij kan de verandering in de lucht niet ruiken; hij kan niet zien wat achter de sluier van schaduwen ligt. Zelfs zijn nieuwe god is naar zijn eigen beeld gevormd, want ze noemen hem immers de zoon des mensen? Het is zijn eigen keus geweest om zich los te maken van de oude kringlopen van zon en maan, het geordend verstrijken van de seizoenen. En zonder hem wordt het Feeënvolk nietig en nutteloos. Zij trekken zich terug en verbergen zich, en worden teruggebracht tot de kabouter met zijn kleine bierkan; de dwerg die met Samhain de melk van de koe steelt; het halfgehoorde gejammer van de banshee. Er blijft niet meer van hen over dan een herinnering in de geest van een zwakke oude man, een verhaal verteld door een waanzinnige oude vrouw. Wij hebben dit gezien, Fainne. Die tijd komt eraan, en zal weldra hier zijn. Bijlen zullen het grote woud van Zeven Wateren vellen, tot er nog maar een klein restant overblijft van wat er geweest is. Een oude eik hier en daar, waar nog een laatste maretak in hangt. Een enkele mooie berk aan de waterkant, waar eens een familie van kinderen met heldere ogen hun moeders naam en Dana's naam in één adem uitsprak. Het meer zelf niet meer dan een verdroogde vijver. Er zal geen plek meer zijn waar zij hun toevlucht kunnen nemen. En wanneer zij verdwijnen, verdwijnt ook ons geslacht. Dit hebben wij gezien.*

De kalme, afgemeten woorden deden me verkillen tot in het merg.

Is dit niet op de een of andere manier tegen te houden? vroeg ik.

Wij hebben het gezien. Het is zoals het zal zijn. In zo'n wereld is geen plaats voor ons. Om me heen zuchtten de wezens als één wezen.

Waarom is het dan zo belangrijk de Eilanden terug te winnen? Dan doet het er immers niet toe of de profetie vervuld wordt. Het teken van de raaf, de uitverkoren leider, en zo meer. Jullie zeggen dat het toch allemaal verloren zal gaan. De jaren van vertrouwen, de wijze waarop de mensen van Zeven Wateren het woud hebben beschermd, alles voor niets?

Ah. Dat is nu juist waar het om gaat. Alles zal eens verloren gaan; het meer, het woud, druïde, heer en Feeënvolk. Alles wat je ziet.

Het ongeziene is datgene wat zal moeten voortbestaan. Het zaad dat wacht in de verschrompelde vrucht van de herfst; de edelsteen die veilig omvat wordt door de zwijgende steen. Het geheim dat diep in het hart verborgen ligt. De waarheid die krachtig voortleeft in de ziel. Wanneer de Eilanden zelf niet meer dan een herinnering zijn voor het mensengeslacht, moet die kern voortleven. Dat is de reden waarom de slag moet worden gewonnen, en de Eilanden heroverd, voor het te laat is. Alles moet verlopen volgens de profetie. Zo beveelt het de godin zelve. De Eilanden zijn de Laatste Plek. Daar wordt het kostbaarste bewaard. Daar wordt het bewaakt tot het rad wentelt, en de tijd terugkomt dat de mens de hartenklop hoort en afstemt op het innerlijke leven. Met de komst van het kind van de profetie komt ook de hoeder van de waarheid, de Wachter in de Naald. Dit moet zo geschieden, anders zijn we helemaal verloren. Geloof me, de Túatha Dé zouden de hulp van de mensen niet zoeken als het niet moest. Het is diep grievend voor hun trots dat ze genoodzaakt zijn zich zo te verlagen. Maar alleen door het menselijk geslacht kan de profetie in vervulling gaan en kunnen de mysteriën bewaard blijven.

Wacht eens even. De Wachter in de Naald? Ik herinner me niet dat ik daar ooit iets over heb gehoord. Wat betekent dat? Je spreekt in raadsels.

Het bemoste wezen verbreedde zijn spleetachtige mond naar me. Misschien probeerde het te glimlachen. *Daar zou je aan gewend moeten zijn, kind. Je vader is toch een druïde?*

Wij kunnen je niet vertellen wat er zal gebeuren, zei het uilwezen. *Profetieën en visioenen zijn nooit zo eenvoudig als ze lijken. Er is sprake van een slag, van bloed en van dood. Er is sprake van offers en van tranen. Dat gedeelte is voor iedereen duidelijk. Maar niet het doden is belangrijk. Het bewaren, daar gaat het om. Het onuitgesproken gedeelte. Het bewaren van de waarheid, in tijden van duisternis en onwetendheid. Zonder dat zijn we allemaal verdwenen, en dan heb jij gelijk. Dan zullen de jaren van verlies en verdriet voor niets zijn geweest.*

Waarom vertellen jullie me dit eigenlijk? Ik huiverde. Als deze woorden waar waren, was de opdracht die mijn grootmoeder me had gegeven helemaal een verschrikking. *Jullie weten wie ik ben, en wie mijn vader is. Jullie weten waarschijnlijk ook wie mijn grootmoeder is, en wat ze heeft gedaan. Is het niet dom van jullie mij deze geheimen toe te vertrouwen?*

Denk je dat? Dit werd gezegd door het waterige wezen; zijn stem klonk sussend en kalm. *Is het nooit bij je opgekomen dat ieder meisje twee grootmoeders heeft?*
Opeens was er een warreling van bewegen, toevouwen en verbergen, en ze waren weg.
'Heb je haar ook gezien?'
Ik schrok zo van Sibeals stem dat ik bijna in de poel viel.
'Gezien... wie gezien?' stamelde ik.
'De Vrouwe. Heb je haar gezien?'
'Welke vrouwe?' Ik staarde haar aan en verbaasde me over de intense kalmte die haar gezicht uitstraalde. Ze had blijkbaar helemaal niets gemerkt van de vreemde wezens die mij hadden bezocht.
'De Vrouwe van het Woud. Heb je haar helemaal niet gezien? Ze stond daar, aan de overkant van de poel.'
Ik schudde mijn hoofd. 'Ik heb geen vrouwe gezien,' zei ik. 'Komt ze vaak bij je?'
'Soms.' Sibeal stond op en streek haar rokken naar beneden. 'Ze laat me beelden zien.'
'Beelden?'
'In het water. Ik zag Maeve.'
Angst beving me. Ik zei niets.
'Ze was groot geworden, ouder dan Muirrin. Maar ik wist dat zij het was. Ik kon het zien, aan haar gezicht.'
'Haar gezicht?' herhaalde ik dom, niet zeker of ik het wel wilde weten.
'Ja, de littekens. En haar handen waren nog kapot, ze had handschoenen aan, heel mooie. Zullen we nu teruggaan naar de anderen?'
'Nee. Vertel me de rest.'
'Welke rest?'
'Over Maeve. Was ze... ging het goed met haar? Wat deed ze? Was ze gelukkig?'
Sibeal wierp me een verbaasde blik toe. 'Ze had een baby'tje. Ze zong er een liedje voor. Waarom vraag je dat?'
'Waarom denk je?' riep ik geërgerd uit, zonder eraan te denken dat ze nog maar een klein meisje was. 'Natuurlijk wil ik dat weten! Jij ziet immers wat er zal komen? Zo weten we dat ze zal blijven leven, dat ze zal herstellen, en dat ze een soort toekomst heeft! Natuurlijk wil ik dat weten!'
'Je moet niet huilen, Fainne,' zei Sibeal ernstig, en ze bood me haar linnen zakdoekje aan.

'Ik huil niet,' zei ik kwaad; het ergerde me dat ik zomaar mijn zelfbeheersing had verloren. Ik zou trouwens niet hebben kunnen huilen, al had ik het gewild. Bij ons geslacht leken de tranen zich alleen maar vanbinnen op te hopen, op te hopen om nooit vrij te komen; een oceaan van tranen, die de diepten van het hart overstroomde.

'Het is alleen zo,' vervolgde ze terwijl we langzaam de helling op begonnen te lopen naar het hazelaarsbosje, 'dat je nooit zeker kunt weten of wat je ziet uit zal komen, of dat het alleen iets is dat misschien uit zou kunnen komen. Of het kan ook gewoon... gewoon een symbool zijn.'

'Weet je wat dat betekent?' vroeg ik, ondanks mezelf geamuseerd.

'Een schedel is bijvoorbeeld een symbool voor de dood,' legde Sibeal ernstig uit. 'Of een ring voor een belofte. Of zonneschijn voor vreugde, of schaduwen voor een mysterie.'

'Vergeet maar dat ik het gevraagd heb,' zei ik. 'Weet je zeker dat je pas acht bent?'

'Ik geloof het wel,' antwoordde Sibeal op verbaasde toon.

Ik at die avond alleen. Eamonn had me staande gehouden toen ik naar mijn kamer terugging om mijn bemodderde laarzen te verwisselen voor zachte schoenen voor binnenshuis en te proberen mijn verwarde haren weer een beetje in orde te brengen. Alsof hij mijn aanwezigheid had gevoeld, kwam hij precies op het moment dat ik langsliep uit de raadkamer en sloot meteen de deur achter zich. Maar ik had geleerd goed te kijken, en ik ving een korte glimp op van twee mannen die in de kamer naast de tafel stonden. Ik ving zelfs een flard van hun gesprek op. 'De zoon is de sleutel,' zei de grootste man, een man met vlasblond haar dat gevlochten was en naar achteren getrokken, en wiens schouders scheef stonden, alsof hij een oude wond had die niet goed genezen was. De ander was kleiner, ouder, met een streng gezicht en een ijzergrijze baard. De dichtgaande deur maakte het antwoord onhoorbaar.

'Fainne,' zei Eamonn op beminnelijke toon terwijl hij me van top tot teen opnam. 'Je bent buiten geweest, zie ik. Heb je een plezierige ochtend gehad?'

'Ja, dank u.' Door zijn onderzoekende blik werd ik me pijnlijk bewust van de blos op mijn wangen, mijn wilde haardos en mijn verkreukelde jurk, en van het feit dat ik nog hijgde, omdat we op de terugweg krijgertje hadden gespeeld. 'De meisjes hebben in bomen geklommen.'

‘Heb je goed geslapen?’
‘Dat gaat wel. En u?’
Hij trok een grimas. ‘Ik kan de laatste tijd geen rust vinden. Het is onbelangrijk. Ik stel voor dat we vanavond vroeg naar bed gaan, Fainne. Ik kan tot mijn spijt niet met je eten. We zijn in vergadering zolang deze mannen hier blijven. Ik moet bekennen dat ik de neiging voel om met je te pronken. Maar dat zou onder deze omstandigheden onverstandig zijn. Mijn gasten zullen morgenochtend vertrokken zijn. Dan kunnen we misschien de rit maken waarover ik sprak, als je nichtjes je een dag kunnen missen.’
‘Misschien,’ zei ik; ik wist eigenlijk niet wat de overhand had: opluchting bij het vooruitzicht van een vroeg, ontspannen avondmaal met de meisjes en daarna een goede nachtrust, of schrik bij het idee dat ik een dag buiten in gezelschap van Eamonn zou doorbrengen. ‘U hebt veel te doen. Ik laat u alleen zodat u ermee door kunt gaan.’ Ik draaide me om en wilde doorlopen, maar voelde dat zijn hand zich om mijn pols sloot. Voor een man van zijn leeftijd kon hij snel handelen.
‘Je bent niet boos? Niet beledigd dat ik je niet bij ons aan tafel kan noden?’
Ik zei, zonder me om te draaien: ‘Waarom zou ik beledigd zijn? Dit is uw huis; het zijn uw zaken. Ik verwacht niet erin te delen, in het een noch in het ander.’
‘Nee?’ zei Eamonn zacht, en hij liet me los. Achter me hoorde ik de deur weer open- en dichtgaan, en ik vluchtte door de gang naar mijn eigen kamer, aan verwarring ten prooi. Wat was dit voor oord; het ene ogenblik zat je buiten in de velden te babbelen met Anderwereldse wezens die je schenen te vertellen dat het einde van de wereld nabij was, en het volgende ogenblik speelde je een soort spelletje dat je zelf niet begreep met een man die oud genoeg was om je vader te zijn. Waarom kon ik niet weer een meisje van vijf zijn, wier grootste zorg eruit bestond haar beentjes snel genoeg te bewegen om Darragh bij te houden? Dat was trouwens nooit een echte zorg geweest; het was niet één keer voorgekomen dat hij niet op me had gewacht. Niet één keer, tot de dag dat ik tegen hem had gezegd dat ik hem niet meer nodig had en hem had weggestuurd.

Dat had ik gedacht, vroeg naar bed en een goede nachtrust. Ik werd gekweld door boze dromen, dromen waaruit ik wakker werd met pijn in mijn hoofd en een bezweet lichaam, dromen die ik me niet kon herinneren, behalve dat ik me erna nog ellendiger en verwarder voelde dan ervoor. Het enige dat ik me ervan herinnerde was dat ik rende, zo snel rende als ik kon, zonder ooit te kunnen bereiken waar ik achteraan rende.

De dag begon best goed. Als ik had verwacht dat we met zijn tweeën een rit zouden maken, zonder anderen erbij, had ik niet logisch nagedacht. Er moesten natuurlijk wachten mee, mannen gekleed in groene tunieken, die ons zwijgend op enige afstand begeleidden. Er was tenslotte een veldslag op handen, en er was een bondgenootschap waarvan de leden elkaar al nauwelijks leken te vertrouwen, laat staan de tegenstander. Ik bereed hetzelfde paardje dat me naar Glencarnagh had gebracht; ik merkte dat ik het paardrijden op haar bijna prettig vond. We begonnen aan een rondrit door de omheinde velden, de hoger gelegen weiden, de keurige kleine nederzettingen, elk met een eigen, goed bemand fort. Het landschap was grotendeels open: glooiende heuvels, brede, met gras begroeide dalen, met hier en daar een waterloop, omzoomd met wilgen en vlieren. Er waren heel wat bomen, maar de drukkende, verstikkende, roerloze atmosfeer van Zeven Wateren ontbrak hier, en het beviel me beter. Nog meer beviel me het feit dat Eamonn er genoegen mee scheen te nemen me alles uit te leggen, zonder ooit de indruk te geven dat het uitstapje een ander doel had dan mij te laten zien wat elke gast te zien zou krijgen. Dat was een hele opluchting en ik begon er plezier in te krijgen, want het was een mooie dag, en een mooi landgoed, en er was veel dat mijn belangstelling wekte. We keken naar de bijenkorven en spraken met de imker over de geneeskrachtige eigenschappen van verschillende bloemen, en hoe die in de honing bewaard en versterkt konden worden. We bekeken een kleine dam en een molenrad. We hielden stil bij een van de grootste nederzettingen, een grote *rath* op een heuvel met een stevige buitenmuur van gepunte boomstammen die het dorp en het kleine fort omsloot. Hier zette een van Eamonns vrije horigen, de leider van deze gemeenschap, ons een maal voor: bier, fijn brood en met knoflook bereid schapenvlees, en hij gaf ons de gelegenheid wat te rusten.

'Je hinkt,' merkte Eamonn op terwijl ik ging zitten op een houten bank en mijn voet wat ruimte gaf in de zware laars. 'Heb je je pijn gedaan?'

'Het is niets.' Ik kon niet verhelpen dat mijn stem kortaf klonk. Ik haatte deze voet, zo verwrongen en lelijk. En ik haatte mezelf om-

dat ik dat zo erg vond. Maar ik wilde niet meer het Mom gebruiken om er iets aan te doen. Niet na die keer op de paardenmarkt. Niet na wat er met Maeve was gebeurd.
'Weet je het zeker? Misschien kunnen we beter meteen teruggaan naar huis. Ik wil je niet te veel vermoeien.'
'Ik zei toch dat het niets is. Deze voet is... een beetje beschadigd, dat is alles. Ik loop altijd een beetje mank. Had u dat niet opgemerkt?'
Eamonn schudde alleen even met zijn hoofd. Het leek of hij glimlachte. Toen ging hij verder met het beleefde gesprek met onze gastheren, waarin nieuwtjes werden uitgewisseld.
We reden weg van de nederzetting, en Eamonn was in gesprek met een van zijn gewapende mannen. Nu kwam hij weer naar mij toe rijden.
'Zou je het leuk vinden de waterval te zien?' vroeg hij. 'Er is waarschijnlijk een flinke stroom na al die regen. Ben je niet te moe?'
Ik schudde mijn hoofd.
'Mooi. Het is die heuvel op naar het westen.'
Toen we in die richting wegreden, zag ik dat alle wachten op twee na achterbleven, kennelijk met de opdracht daar te wachten tot we terugkwamen. Het pad ging steeds omhoog onder het fijne kantwerk van kale berken en essen, en kwam uit op een open, steenachtige helling. Mijn paard zocht voorzichtig haar weg over het lastige pad. Boven ons was de winterhemel onbewolkt, als een reusachtige, omgekeerde kom van eendeneiblauw. Ik was me bewust van een onmetelijk vergezicht aan mijn rechterkant, velden, bomen en stenen muurtjes, en ver naar het oosten, de deken van donkere bomen die de grens met Zeven Wateren aangaf.
'Nog niet kijken,' zei Eamonn over zijn schouder.
Ik vond het een beetje angstig hoe de helling aan de ene kant van het pad steil naar beneden ging en steil naar boven aan de andere kant, en kon alleen maar vertrouwen op het gezonde instinct van mijn rijdier. Mijn angst verdreef andere gedachten uit mijn hoofd, en pas toen het geluid van stromend water aanzwol tot een gebulder in mijn oren, en het pad zich verbreedde tot een wijd, grazig vlak, omzoomd met grote rotsen, besefte ik dat de laatste wachten waren achtergelaten. Eamonn hielp me afstijgen, en ik had de indruk dat zijn handen iets langer om mijn middel bleven dan strikt nodig was.
Het geluid van het water was overal. Het weerkaatste tegen de rots-

wanden, bonsde in onze oren en vibreerde zelfs in de grond waarop we stonden. Er hing een fijne nevel in de lucht, en alles was bedekt met een laagje vocht.
'Kom maar kijken,' zei Eamonn met stemverheffing om boven het geraas uit te komen. 'Hier. Maar wees voorzichtig. Het is glad.'
Als je op een bepaald punt op het glibberige stenen oppervlak stond, precies bij de rand, kon je het zien. De rand van de waterval was net om de hoek en ongeveer een manslengte boven ons. Je kon zien hoe het water plotseling met kracht naar beneden stroomde, een wervelend gordijn van water dat donderend en spetterend naar beneden viel, ver naar beneden in een onzichtbare poel. Het klif werd verzacht door varens, mossen en kleine planten die zich aan het gebarsten en gespleten oppervlak vastklampten. Ik staarde naar de neerstromende, spetterende stroom, en ik kon aan niets anders denken dan de richel in de rotsen boven de Honingraat, en aan mijn moeder, die één stap in de ruimte zette en viel, door de meedogenloze lucht neerviel naar de rotsen en de kolkende branding beneden. Ik dacht aan de kunst, en de toverkunst die ik had geleerd met een glazen bol. *Val. Stop. Nu zacht naar beneden.* Haar val was door niemand tegengehouden. Geen grote hand was uitgestoken om haar zacht op te vangen in zijn palm en haar zachtjes terug te zetten op de aarde. *Hier is je tweede kans. Leef je leven nu opnieuw.* In plaats daarvan had ze mogen gaan. Misschien was het doel van haar leven al bereikt. Als speelgoed te dienen voor een rijke man. Het hart van mijn vader te breken. Een dochter te baren wier geest al even verward en ongelukkig was als de hare. Toen dat eenmaal gebeurd was, deed het er immers niet meer toe dat ze haar arme, mooie, breekbare lichaam te pletter wierp op de harde rotsen van de Honingraat?
'Fainne!'
Misschien had ik mijn ogen gesloten. Misschien stond ik te wankelen, of was mijn manke voet een klein stukje uitgegleden op het verraderlijke oppervlak. Terwijl Eamonn me riep, voelde ik weer zijn armen om mijn middel. Ze grepen me stevig vast, trokken me naar achteren.
'Voorzichtig,' zei hij op scherpe toon. 'Laat me niet zo schrikken.'
Maar nu was ik degene die bang was. Want hij had me niet losgelaten, nu we weer veilig op het gras stonden. Zijn handen hielden me nog steeds vast, en hij was vlakbij, zo dichtbij dat ik de warmte van zijn lichaam kon voelen en zijn ademhaling kon horen, boven het geluid van het water uit.

'Ik zou je niet willen verliezen, zo kort nadat ik je gevonden heb,' zei hij zacht.
'Ik... ik weet niet wat u bedoelt,' fluisterde ik. Ik wilde me losmaken, me losrukken uit zijn greep. Maar ik was bang dat ik hem zou beledigen. Hij draaide me om zodat ik hem aan moest kijken.
'Ik dacht... ik dacht even... nee, vergeet dat ik iets gezegd heb.'
'U dacht dat ik zou springen?'
'Vallen, misschien. Je bent vandaag niet erg vast ter been.'
'Ik zei toch dat het niets is.'
'Ik ben bang dat ik te veel van je heb gevergd. Laat me die voet eens bekijken. Misschien kunnen we iets verzinnen om de laars zachter te maken, of...'
'Ik heb toch gezegd dat het geen verwonding was. Mijn voet is misvormd, dat is hij altijd geweest. Ik zal nooit recht kunnen lopen.'
'Laat eens kijken.' Hij nam zijn handen van mijn middel en ging op de rotsen zitten. Hij sloeg zijn armen over elkaar en sloeg me kalm gade.
'Ik...' Hoe kon ik tegen hem zeggen dat dit het pijnlijkste was wat iemand me kon vragen te doen? Hoe kon ik uitleggen dat ik me vreselijk schaamde om deze misvorming te laten zien? Als Clodagh gelijk had, tekende dit me als een kind dat nooit geboren had mogen worden. En de man kende me amper. Hij begreep niets.
'Waarom ben je bang, Fainne?' vroeg Eamonn zacht.
'Ik ben niet bang!' snauwde ik, en met bevende handen maakte ik de veters van mijn laars los en trok hem voorzichtig van mijn voet. Ik rolde mijn kous af en hinkte naar hem toe om naast hem te gaan zitten. 'Daar,' zei ik kortaf. 'Ik begrijp echt niet waarom u dit wilt zien.' Mijn wangen gloeiden van schaamte.
Toen zat hij opeens geknield naast me, en zijn handen streken over mijn blote voet, schijnbaar zonder zich iets aan te trekken van de rare vorm; ze streken over de wreef, volgden de buiging naar binnen, en zijn vingers gingen omhoog en legden zich om mijn enkel, warm en sterk.
'Deze misvorming is niet zo ernstig dat ze een man blind zou maken voor je overige bekoorlijkheden. Maar ze hindert jou, dat zie ik wel,' merkte hij op, terwijl hij nog steeds neerkeek op de voet, hoewel zijn hand langs mijn been omhoog scheen te gaan, onder mijn rok, op een manier die me van mijn stuk bracht. 'Zozeer dat je vandaag anders lijkt. Meer op een afstand. Als een dier dat op het punt staat te vluchten. Ben je bang, Fainne? Ik heb al gezegd

dat ik een goede leraar ben. Ik zou voorzichtig doen, en langzaam aan. Je hoeft niet voor me terug te schrikken.'
Zijn hand bewoog nog steeds; hij streelde mijn kuit, lichtte de rok op, dwaalde als bij toeval af naar de knie, en hoger.
'Ik... ik...'
'Je bent bang.' Hij trok zijn hand terug en kwam weer naast me zitten, maar nu dichterbij. Ik hoopte dat mijn zucht van opluchting niet al te hoorbaar was. 'Ik zal je niet haasten. Alleen... je moet begrijpen dat deze dingen, voor een man... dringend zijn... dat er een behoefte is, een behoefte die moeilijk te negeren is. Het kan soms pijnlijk zijn om zelfbeheersing uit te oefenen.'
'Maar dat zult u wel doen,' wist ik uit te brengen; mijn stem klonk hoog van zenuwachtigheid.
'Je zou me enigszins tegemoet kunnen komen.'
'Ik... ik begrijp u niet.'
'Nee? Je moet toch begrijpen wat ik bedoel, Fainne. Je woorden, je blikken hebben me doen geloven dat je niet afkerig zou zijn van mijn attenties. Ontken het niet. Sinds ik je voor het eerst heb ontmoet op Zeven Wateren heb ik het in je gezicht gezien, en in die geheimzinnige donkere ogen. In het optrekken van je wenkbrauwen en de manier waarop je je hoofd beweegt, en waarop je lichaam wiegt wanneer je loopt. Een man zou een monnik moeten zijn om je niet te begeren. Een man zou krankzinnig moeten zijn om er niet naar te verlangen die sneeuwblanke huid aan te raken, de zuiverheid van dat lichaam tegen het zijne te voelen, op je neer te kijken terwijl je in zijn bed lag, met alleen het donkere vuur van je haar om je naaktheid te verhullen, en te weten dat je alleen de zijne was, een schitterend juweel dat hij nooit met iemand zou hoeven delen. Ik heb niet de kracht om dat verlangen te negeren, Fainne; ik moet je dit duidelijk maken, of je bang bent of niet.'
Ik was absoluut niet in staat om een antwoord te formuleren. Mijn hart bonsde van schrik. Dit had ik aangericht, zonder het ook maar te proberen. Deze gevoelens had ik gewekt, zonder ook maar het Mom te gebruiken. Ik begreep zijn woorden waarschijnlijk verkeerd.
'Ik heb je laten schrikken, en dat spijt me. Maar hier zijn geen nieuwsgierige ogen, geen luisterende oren. Je hebt heel duidelijk tegen me gesproken. Je leek te zeggen dat het tijd was om te vergeten; tijd om door te gaan met mijn leven. Ik weet niet of ik dat kan, Fainne. Maar jij zou me kunnen helpen. Met jou zou ik er een be-

gin mee kunnen maken het verleden uit te wissen.'
'Ik... ik geloof niet dat ik...' Ik had mijn armen stijf om me heen geslagen, als om mezelf ervan te weerhouden iets te doen waarvan ik eeuwig spijt zou hebben.
'Kom, nu. Ik geef je mijn woord. Ik zal niets doen wat je niet prettig vindt. Je hoeft het alleen maar te zeggen, dan houd ik ermee op. Maar je kunt niet tegen me liegen. Ik weet dat je me begeert. Ik zie het aan de manier waarop je bloost, alsof er plotseling vuur opvlamt onder de doorschijnende huid van je wang. Ik hoor aan je ademhaling dat je naar me verlangt.'
Hij had ervaring. Voor ik iets kon zeggen, zat ik gevangen in zijn armen, met mijn handen tegen zijn borst en mijn benen dwars op de zijne zodat ik bijna op zijn schoot zat, en hij gaf me een kus die me heel deskundig leek, al had ik natuurlijk geen vergelijkingsmateriaal. Het was een kus die zacht begon en harder werd; een kus die begon met een zachte ontmoeting van lippen, en uitgroeide tot een nat, intiem aftasten met tongen, een hongerige, veelbetekenende kus die me ademloos en trillend achterliet. Onder mijn hand klopte zijn hart razendsnel, en zijn eigen handen bewogen op een kundige manier; de ene ging over mijn rug en hield me tegen hem aan, en de andere streelde de binnenkant van mijn dij. Ik kreeg heel vreemde gewaarwordingen in delen van mijn lichaam waar ik niet aan wilde denken, en door de aanraking van zijn vingers begon ik te hijgen en te sidderen.
'O, Fainne,' murmelde hij. 'Kom, kom dichterbij. Leg je handen op me, liefje. Leg je hand hier, laat me je wijzen hoe.'
En plotseling had ik niets meer aan grootmoeders lessen. Ik was zelfs zo geschokt dat ik me er bijna geen woord van kon herinneren. Ik wist gewoon dat dit verkeerd was. Het was zo verkeerd dat ik domweg niet mocht toestaan dat het gebeurde. Gillen of vechten zou onbeheerst zijn, en beledigend bovendien. Ik dwong mezelf me te concentreren, ik dwong mezelf dit te behandelen als een puzzel die ik moest oplossen, terwijl zijn handen mijn lichaam liefkoosden en zijn lippen naar mijn oor reisden, en naar mijn hals, en omlaag naar mijn borsten. Onder mijn hand voelde ik het lichaamsdeel dat hij me had laten aanraken. Het was interessant hoe het onder mijn vingers veranderde. Ik was niet geheel onwetend van deze dingen, ondanks mijn vreemde opvoeding. Ik had een keer, in de baai, gezien hoe een merrie bij een hengst werd gebracht; ik had de daad met grote verbazing zien gebeuren en had geconcludeerd dat het

niet erg aangenaam leek, althans voor de merrie. Ik was me in het kamp van Dan Walker bewust geweest van geheime samenkomsten in hoeken, onder dekens of buiten in de nacht onder de bomen; van geluiden en bewegingen waarvan je leerde dat je moest doen alsof je ze niet opmerkte. Maar nu Eamonns lichaam hier hard werd tegen me aan, en zijn ademhaling ruw en onbeheerst werd, en zijn hand mijn keurs losmaakte om mijn borsten te ontbloten naar de winterzon, nu wist ik dat ik moest zorgen dat dit ophield.

Eamonn bewoog zijn hand naar beneden om zijn gordel los te maken, hij drukte zich tegen mijn hand aan. Wat de oplossing van dit probleem ook was, er was haast bij. Ik kon de kunst gebruiken zoals ik al een keer had gedaan, en hem een heftige buikpijn bezorgen, een plotselinge maagkramp. Dat leek een beetje onaardig, en ook zo willekeurig dat het argwaan zou kunnen wekken.

Nu lag ik op de grond; zijn lichaam lag in zijn volle lengte tegen me aan, en zijn handen begonnen dwingend te worden. Aan de andere kant van de grasvlakte maakte het kleine paard een zacht, hinnikend geluid. Paarden. Iets met paarden. Als ik maar even normaal kon denken. Een hengst kon de daad alleen voltrekken, kon een merrie alleen binnengaan als zijn apparaat door begeerte werd veranderd in een bruikbaarder werktuig. Wanneer dat het geval was, zag het er werkelijk indrukwekkend uit. Blijkbaar was het net zo bij een man. En hoewel ik geen toverformule kende die hier speciaal op gericht was, kon ik snel een andere aanpassen; een formule die gebruikt werd om de vorm van dingen te wijzigen, om iets zachts hard te maken bijvoorbeeld, of iets hards zacht. Maar niet al te plotseling; er mocht geen verdenking rijzen.

'Eamonn,' hijgde ik. 'Ik kan dit niet doen. Het is niet goed. Ik heb altijd... altijd gezegd dat ik zou wachten.' Binnensmonds mompelde ik de toverformule, juist terwijl mijn hand dat geheimste deel van zijn lichaam aanraakte. 'Dat ik zou wachten tot ik getrouwd was.'

De toverformule leek met verontrustende snelheid te werken. Ik zag de uitdrukking op zijn gezicht van intense opwinding veranderen in verbazing en vervolgens in diepe ontsteltenis. Hij trok zichzelf snel weg van mijn hand. 'Het spijt me,' zei ik. 'Ik weet hoe moeilijk dit voor een man moet zijn.'

'Werkelijk,' zei hij na enkele ogenblikken. 'Werkelijk.'

'Ik... ik kan het gewoon niet,' zei ik, terwijl ik ging zitten en mijn jurk met bevende vingers weer begon dicht te maken. 'Ik ben altijd opgevoed in de overtuiging dat dit soort dingen voorbehouden waren aan het huwelijksbed. Voor een vrouw, bedoel ik. Ik wil u niet beledigen of u... het u moeilijk maken. Maar ik heb het plechtig beloofd. Ik zou mezelf nooit aan een man geven voordat hij zijn ring aan mijn vinger had geschoven.'

Eamonn scheen er enige moeite mee te hebben zijn ademhaling weer onder controle te krijgen.

'Het spijt me,' zei ik weer.

'Nee. Ik moet jou mijn excuses aanbieden. Ik verwachtte te veel van je, te snel. Ik vergat hoe jong je bent. Je maakt het gemakkelijk om dat te vergeten, Fainne.'

'Het was niet mijn bedoeling...'

'Ah. Nu spreek je niet helemaal de waarheid. Want ik geloof dat we diep vanbinnen dezelfde taal spreken, jij en ik. Kom, het is het beste om maar naar huis te gaan. Je hebt het misschien verkeerd begrepen.'

'Wat heb ik verkeerd begrepen?'

'Mijn positie. Mijn verplichtingen. Mijn bedoelingen, toen ik jou hier op Glencarnagh uitnodigde.'

Ik voelde vernedering, op de voet gevolgd door opkomende boosheid, en ik sprak zonder na te denken. 'Je kunt beter zeggen waar het op staat, Eamonn. Waarom zou je moeizaam proberen me te ontzien door de waarheid te verbloemen? Je bedoelt dat je dacht dat ik hierheen zou komen en mezelf aan je zou geven, en het een eer zou vinden dat zo'n groot man het de moeite waard vond om met mij naar bed te gaan? Je bedoelt dat het alleen je bedoeling was me in bed te krijgen en verder niets? Een man mag graag af en toe van een ongerept meisje genieten, nietwaar?' Het lukte niet mijn stem rustig te houden. Het was verontrustend hoe slecht ik me kon beheersen. Ik had gedacht dat ik het slim had opgelost, met mijn kleine toverkunst. Nu voelde me ik goedkoop en vies, en erger, ik had hem nu echt beledigd. Hij was een man die ik liever niet als vijand zou hebben.

Maar ik had hem toch weer onderschat. Ik had hem voor veel simpeler gehouden dan hij was.

'Je bent heel mooi wanneer je je kwaad maakt,' zei hij kalm terwijl hij me bleef aanstaren. 'Je haar lijkt wel vuur in het licht van de zon. Je ogen gloeien van gevoel. Hoe kan een man daarnaar kijken zonder je te begeren? Je bent gevaarlijk, Fainne. Heel gevaarlijk. Maar ik heb altijd van een uitdaging gehouden. Laten we nu genieten van de rit naar huis, want het is een mooie dag. We zijn hierover nog niet uitgepraat. We lijken op elkaar, jij en ik. Laten we er later nog eens over spreken. Ik ben ervan overtuigd dat we mogelijkheden zullen vinden voor... onderhandeling.'

Hij hielp me op het paard en we begonnen het steile gedeelte weer af te dalen, nu met mij voorop. De gewapende mannen zouden staan wachten. Ons oponthoud boven was tamelijk kort geweest. Ik kon me wel voorstellen hoe ze dat waarschijnlijk zouden interpreteren. Mijn reputatie bij deze mensen zou er niet bepaald op vooruitgaan. De gedachte maakte me misselijk.

'Ik heb het al gezegd.' Eamonns stem kwam vanachter me en was net hoorbaar boven het verdwijnende gebulder van de waterval uit. 'Ik houd niet van verliezen. Maar ik denk dat je zult merken dat dit een spel is waarin we uiteindelijk allebei kunnen winnen.'

HOOFDSTUK ACHT

Die avond ging ik vroeg naar mijn kamer en Eamonn stelde geen vragen. Maar ik kon de slaap niet vatten. Ik had hoofdpijn, en ik lag te woelen en te draaien; het ene ogenblik had ik het ijskoud, het volgende gloeiend heet. Ik hoorde gekraak en geritsel in het huis, en de geluiden van het wisselen van de wacht buiten, een zachte woordenwisseling, gelaarsde voeten die wegstapten naar de keuken; hun eigenaars hoopten misschien dat er nog vuur zou branden in de haard en dat er een hapje te eten zou zijn. Na verloop van tijd stond ik op en hing een mantel om over mijn nachtpon, en ging zelf de gang op, want ik wist dat ik niet in slaap zou vallen als ik op mijn bed lag en uit alle macht probeerde rust te vinden. Ik was van plan kamillethee te halen en een bezoek te brengen aan het privaat, en als ik dan nog niet kon slapen, zou ik gewoon bij het licht van een kaars gaan zitten en proberen mijn gedachten te ordenen. Ik had hier natuurlijk geen echte taken. Ik kon de hele dag rusten als ik dat wilde. Ik was hier immers alleen heen gehaald om Eamonn een beetje plezier te verschaffen, een pikante afleiding te vormen in zijn goed geordende bestaan. Daar kwam het gewoon op neer. Het was dom van me geweest dat niet in te zien. Geen wonder dat ik me goedkoop voelde.

Het huis was in diepe rust. Een eind verderop in de grote zaal zag ik het flauwe licht van het keukenvuur door de open deur. Maar de gang was donker, alleen verlicht door hier en daar een kaars in een nis, zodat iemand zoals ik die de behoefte voelde om er 's nachts op uit te gaan, er veilig doorheen kon lopen. Het was donker in de kamers erlangs. Ik liep zacht op mijn muiltjes voor binnenshuis, om vooral niemand te storen. Ik was niet in de stemming voor gezelschap.

Het was maar een klein geluidje dat mijn aandacht trok, een ritmisch steunen, *ah – ah – ah*, half binnensmonds. Ik bleef staan bij de deur van een kamer waarin het donker was.
Ik had onmiddellijk moeten doorlopen toen ik hen zag. Maar ik merkte dat ik het niet kon. Ik stond als aan de grond genageld en keek. In het flauwe licht van de kaarsen in de gang waren ze vaag zichtbaar. Ik herkende de vrouw. Ze werkte in de keukens. Mhairi heette ze, een best aantrekkelijk schepsel, misschien een tikje slonzig, met een weelderig figuur en mooie, donkere ogen. Ze stond met haar rug tegen de muur, met gespreide benen en haar rok opgetrokken rond haar middel, en Eamonn deed met haar wat hij niet met mij had kunnen doen, boven bij de waterval. De uitwerking van mijn betovering was van korte duur geweest. Hij omhelsde de vrouw niet; hij had zijn beide handen plat tegen de muur gezet, aan weerskanten van haar hoofd, en hij keek haar nauwelijks aan terwijl hij stootte en stootte met een grimmige vastberadenheid die volgens mij aan woede grensde. Mhairi leek niet onwillig; het waren haar kreetjes die ik had gehoord, en in de schaduwen van de kamer zag ik dat haar ogen halfgesloten waren, haar gezicht rood aangelopen was, haar lippen geopend waren. Het lukte niet mijn benen in beweging te zetten om me weg te dragen van deze plaats waar ik niets te zoeken had. Het tempo van hun bewegingen nam toe, en Mhairi stootte een sidderend gekreun uit, en daarna slaakte Eamonn een kreet en stootte nog één keer in haar, en ik deed geruisloos een stap naar achteren en vluchtte naar de betrekkelijke veiligheid van de keuken, met gloeiende wangen van verlegenheid en schaamte.
Mijn dromen hielpen niet mee om mijn gevoelens van ongemak en walging over mezelf te verdrijven, en de volgende morgen merkte ik dat het domweg onmogelijk was om naar buiten te komen en mijn dagelijkse bezigheden op te pakken alsof er niets gebeurd was. In Kerry was er een eenvoudige oplossing als we ons niet lekker voelden. Vader sloot zich op in zijn werkkamer om op zijn eigen manier met zijn problemen te worstelen, of hij ging buiten lopen in de wind en het opspattende zeewater, met alleen Fiacha als gezelschap. En ik ging, als het zomer was, Darragh opzoeken, en vertelde hem wat me zo ongelukkig stemde, of ik ging zwijgend naast hem zitten terwijl de wereld langzaam weer goed werd. In de winter ging ik mediteren: ik richtte mijn gedachten op een regel van het oude verhaal, of op een versfragment, en liet de rest verdwijnen. In Kerry had je tijd en plaats voor zulke dingen. Hier was het anders.

De meisjes waren altijd in de buurt en wilden graag bij me zijn. En Eamonn was er, Eamonn die me duidelijk te verstaan had gegeven dat we nog een appeltje met elkaar te schillen hadden. Dat kon ik niet aan, nu nog niet. Er waren overal mensen. Er was geen plaats waar je stil kon zijn.

Mijn hoofd was vol onwelkome gedachten. Het was zo'n warboel in mijn geest dat het geen wonder was dat ik niet kon zien welke weg ik moest nemen. De winter was al ingevallen en ik had niets bereikt, behalve een afdaling in verwarring en twijfel aan mezelf. Dat had ik te danken aan de wezens die zich de Ouden noemden. Ik wilde niet geloven wat ze hadden gezegd, over de slag en wat die zou kunnen betekenen. Ik wilde daar niet serieus over denken. Maar toch moest het. Een dienares bracht warm water om me te wassen, en ik zei tegen haar dat ik me niet goed voelde. Ik wilde de hele dag alleen in mijn kamer doorbrengen, zei ik. Nee, ik hoefde geen eten en drinken te hebben, de kruik water die ik al gehaald had, was genoeg. Ik had houtblokken voor mijn haard. Zij moest zorgen dat iedereen wist dat ik niet gestoord mocht worden. Iedereen. Ik zou me wel weer beter gaan voelen, als er maar niemand kwam om me lastig te vallen.

Daarna schoof ik de grendel op de deur en maakte het vuur aan, en ging er in kleermakerszit voor zitten, met een opgevouwen deken onder me, tussen mij en de stenen vloer. Het zou een lange dag worden, en mijn zelfdiscipline was sinds Kerry enigszins afgezwakt. Vader zei altijd dat kou een geestestoestand was. Je moest leren omgaan met de manier waarop kou je lichaam deed huiveren en rillen, en deed verlangen naar wollen dekens en warme wijn. Je moest leren dat van je af te zetten. Ik had van zonsopgang tot avondschemering onder aan de staande stenen gezeten, of op de richels van de Honingraat. Maar vandaag had ik mijn deken en mijn kleine haardvuur nodig. Ik was bezig af te glijden. De leefwijze van deze mensen begon zich van me meester te maken en me te veranderen.

De tijd verstreek. Ik begon met het oude verhaal, omdat dat bijna zonder erbij na te denken in me opkwam. Al vloeiend voerde het me mee, tot een bepaald punt. Ik concentreerde me op vuur; ik dacht eraan in al zijn vormen, en ik begon dieper in mijn trance te komen; mijn ademhaling vertraagde, mijn lichaam baadde in licht, de geest begon zich los te maken, was precies op de grens... toen werd er beleefd op de deur geklopt.

'Fainne? Fainne!'
Het was Deirdre. Ik was nu ver weg, en hoorde haar stem als door een barrière, vanuit een diepe put. Ik besteedde er geen aandacht aan en probeerde mijn toestand van stilte met al mijn wilskracht vast te houden.
'Fainne!'
'Misschien slaapt ze.' Dat was Eilis.
'Maar het is midden op de dag. Het kan niet dat ze slaapt.'
'Laat haar liever met rust.' Clodaghs stem, de stem van de rede. 'Ze zeiden toch...'
'Ja, maar...'
'Deirdre. Ze zeiden dat ze beslist niet gestoord mocht worden. Nergens voor.'
'Ja, maar...'
Hun stemmen stierven weg. Maar ze hadden me toch gestoord. Ik merkte dat ik niet kon terugkomen in mijn trance, en ik voelde me misselijk, wat altijd gebeurt wanneer je te plotseling uit die andere bewustzijnstoestand wordt gehaald. Nu de woorden tot me waren doorgedrongen, werden ze gevolgd door gedachten en gevoelens, en mijn geest vertelde me weer wat er gisteren en vannacht allemaal was gebeurd, zonder dat hij er een logische draai aan kon geven. Goed, Eamonn had een vrouw willen hebben, en toen ik hem had gedwarsboomd met mijn toverkunstje, was hij ergens anders heen gegaan. Dat was zo logisch als wat. Waarom had ik bezwaar tegen de ontdekking dat de een net zo goed was als een ander? Waarom kon het me iets schelen dat hij me hier alleen had gevraagd te komen omdat hij dacht dat ik een gemakkelijke prooi zou zijn, dat schijnbaar arme, onschuldige, aanbiddende schepseltje? Ik kon niet van twee walletjes eten. Ik zou grootmoeders spelletje niet met hem spelen. Die beslissing had ik al genomen voor we samen een rit gingen maken. Waarom deed het er dan iets toe dat hij me zo goedkoop had gevonden, en dat hij vervolgens zo gemakkelijk bevrediging had gezocht bij een vervangster? Had ik soms geloofd dat hij me echt mooi vond? Dat ik misschien het geneesmiddel zou zijn voor al zijn problemen? Misschien dat hij erover zou denken mij zijn echtgenote te maken?
Je bent niets, zei ik tegen mezelf. *Liadan, die wil hij hebben. Voor hem zijn alle andere vrouwen hetzelfde. Je was voor hem gewoon de zoveelste maagd die hij kon nemen. Je bent niets. Je bent het aankijken niet waard. Welke man zou nu van een meisje zoals jij kun-*

nen houden? Houd je maar liever bij de dingen waar je goed in bent. Ik keek naar de andere kant van de kamer, naar de spinnenwebben rondom de deuropening. De grote spin in de hoek hing vlak boven het grootste web, donker en roerloos, wachtend. Ik richtte mijn aandacht op haar. Ze beefde en trilde, en daar op de stenen muur zat een klein, fonkelend gekleurd wezen dat het midden hield tussen een bij en een vogel, en dat zich met kleine, klauwachtige pootjes aan het harde oppervlak vastklampte. Het zag ernaar uit alsof het zich daar helemaal niet prettig voelde, alsof het liever in een regenboogkleurig bos zou zijn, waar slingers van exotische bloemen hingen. Ik dwong de spin met mijn wil terug te gaan naar haar plek, en zag haar snel wegkruipen in haar schuilplaats, ongetwijfeld een beetje geschokt.

Ik stond op, want het vermogen om stil te zitten was nu helemaal weg, en ik schonk mezelf een beker water in. Terwijl ik me voorover boog met de kan in mijn hand, viel er iets met een klein plofgeluid in de beker. Het was de bronzen amulet die om mijn nek hing, die grootmoeder me had gegeven. *Houd hem altijd om. Doe hem nooit af, begrepen? Hij zal je beschermen.* Ik viste hem uit de beker en droogde hem af aan mijn rok. Het koord waar hij aan geregen was, was doorgesleten. Ik zou een nieuw koord moeten zoeken. Voorlopig deed ik het kleine symbool voorzichtig in de houten kist die ik van Zeven Wateren had meegebracht, helemaal onderin, waar het veilig zou zijn. Een van de meisjes zou wel een stuk koord of lint hebben dat ik kon gebruiken.

Misschien kwam het door het water dat ik me wat beter voelde. Mijn hoofd was helderder. En de zon brak door de wolken heen, buiten mijn raam. Het leek lichter in de kamer. Ik rekte me uit en ging terug naar mijn plaats voor het vuur. Ik vouwde mijn handen in mijn schoot en sloot mijn ogen. Ditmaal zou ik het oog van de geest gebruiken om mijn meest geheime plek in beeld te krijgen, de plek van mijn hart. Een kleine grot, bijna ondergronds, maar niet helemaal. Licht, zacht blauwgrijs alsof licht en schaduw één waren in deze kleine, geheimzinnige ruimte. Het enige geluid was het zachte gekabbel van golfjes op een zuiver zandstrandje, nog geen twee passen lang. Een plek waar aarde, zee en lucht op een wonderbaarlijke en lieflijke manier bij elkaar kwamen en elkaar aanraakten. Mijn geest was in rust. Mijn hart sloeg regelmatig. Een soort vredigheid kwam over mijn ziel. Zachtjes begon ik over te gaan naar het rijk buiten het denken, het rijk van het licht.

Enige tijd later werd er op de deur geklopt en hoorde ik weer stemmen.
'Fainne! Ben je wakker?'
Clodagh dit keer. Ze was blijkbaar van gedachten veranderd wat betreft de vraag of ik gestoord mocht worden. Maar haar woorden gingen langs me heen en betekenden niets. Ik bleef roerloos zitten; ik was te ver weg om zo gemakkelijk te kunnen worden teruggeroepen.
'Fainne!' De stem had een dringende klank. En toen hoorde ik een andere stem, een mannenstem.
'Ik dacht dat tegen jullie gezegd was dat jullie je nicht vandaag alleen moesten laten, zodat ze kan rusten.'
'Ja, oom, maar...'
'Heeft je moeder je niet geleerd dat je moet doen wat je gezegd wordt?'
Een korte stilte. 'Ja, oom Eamonn.'
'Ze zou er dus niet blij mee zijn dat je dat niet doet nu je van huis weg bent.'
'Nee, maar...'
'Je hebt gehoord wat ik zei, Clodagh. Jullie nicht is moe, misschien onwel. We moeten haar wensen respecteren. Ik heb haar hierheen meegenomen om te rusten en niet voortdurend gestoord te worden. Zoek nu iets nuttigs om je mee bezig te houden. Allemaal.'
Er volgde een ietwat opstandige stilte. Toen murmelden drie of misschien vier stemmetjes: 'Ja, oom Eamonn,' en voetstappen liepen weg, en het werd stil. Ik hoorde dit allemaal, maar toch bleef ik op mijn veilige plek, in mijn toevluchtsoord. Ergens, diep in mijn geest, welde een gedachte op: *Het is tijd dat ik ze meeneem naar huis. Naar Zeven Wateren. Naar het woud.*
Toen het begon te schemeren had ik mijn meditatie beëindigd en was ik geleidelijk teruggekeerd in het hier en nu. Ik voelde me vermoeid, maar anders. Ik had het gevoel dat ik zou kunnen slapen, zonder boze dromen te krijgen. Mijn geest was kalm. Na het vasten en zwijgen leek mijn lichaam op de een of andere manier gezuiverd. Ik was wat dichter bij mezelf, bij het meisje uit Kerry, het meisje dat de laatste tijd bijna verdwenen leek te zijn. Misschien was ze er toch de hele tijd geweest, het meisje dat beslissingen kon nemen, dat vooruit kon zien en wist wanneer ze moest beginnen en wanneer ze moest ophouden. Misschien was er alleen stilte nodig geweest om haar te vinden.

Ik wilde niet naar beneden gaan voor het avondeten. Ik wilde dit gevoel vasthouden. Ik wilde het sterker laten worden, zodat ik de moed zou hebben om alles weer onder ogen te zien. En vooral zodat ik naar Eamonn toe zou kunnen gaan en hem beleefd bedanken voor zijn gastvrijheid, en tegen hem zeggen dat ik met de meisjes naar huis wilde, nu meteen. Er was tussen ons niets om over te onderhandelen, zou ik zeggen. Het was al voorbij voor het gebeurd was. Een vergissing van beide kanten. Een misverstand.
Ik ging op bed liggen met een deken over me heen, en ik repeteerde deze toespraak in gedachten. Het zou belangrijk zijn om dit goed te verwoorden. Eamonn was ondanks zijn tekortkomingen een machtig man, en ik wilde hem niet beledigen. Maar we moesten hier weggaan. Dat was me nu duidelijk. Ik had het domweg niet in me om te doen wat grootmoeder wilde. Ik was niet wat ze dacht dat ik was. Ik kon niet zijn zoals zij. Zelfs als ze deed wat ze gedreigd had te doen en mijn vader iets aandeed, kon ik het nog niet doen, dacht ik. Als de Ouden gelijk hadden, ging dit niet alleen over het winnen of verliezen van een strijd. Het ging veel verder. Het ging over het verschil tussen een toekomst of geen toekomst. Zulke gewichtige gebeurtenissen zouden zich voltrekken, ongeacht wat ik al of niet deed, daar was ik van overtuigd. Dit zou ik tegen mijn grootmoeder moeten zeggen. Ik zou moeten weigeren haar wil te doen, en de gevolgen moeten aanvaarden. Misschien zou ik Conor om raad vragen. Misschien zou ik hem de waarheid vertellen, en mezelf aan zijn genade overleveren.
Ik voelde me slaperig. Het vuur gloeide in gouden kleuren, de kaars brandde vast op zijn plank. De mensen van het huishouden gingen nu waarschijnlijk aan tafel, de kinderen kregen eten in hun eigen kamer en kibbelden misschien over de vraag of ze me wakker hadden moeten maken voor het wissewasje waar het over was gegaan. De mannen en vrouwen in de warme keuken. De heer van de túath alleen aan zijn mooi gedekte tafel. Ik dwong mezelf geen medelijden met hem te voelen. Zijn eenzaamheid had hij zelf bewerkstelligd. Het was zijn keus.
Warm en ontspannen zweefde ik op het randje van de slaap. Ik vroeg me af wat de meisjes eigenlijk hadden gewild. Ze waren niet teruggekomen nadat Eamonn hen had weggestuurd. Waarschijnlijk een klein drama, een snee in een vinger, of een poesje dat zoek was. Er waren genoeg mensen om hen te helpen. Ik begreep niet waarom ze altijd naar mij toe kwamen. Nu ging ik slapen, en ik zou

mooie dromen hebben, over de zee en de hemel, over oude vrienden en tijden van onschuld. Morgenochtend zou ik opnieuw beginnen, zo dapper als ik maar kon.

'Fainne.'

Eerst weigerde ik het te geloven. Ik kneep mijn ogen stijf dicht als om de bekende stem te ontkennen die ik daar in het licht van de haard vlak naast mijn bed hoorde.

'Fainne! Sta op!'

Ze was hier. Niet alleen haar beeld in de gloeiende kolen, niet alleen het zachte gefluister van haar stem in mijn hoofd, maar mijn grootmoeder zelf, hier bij mij, in mijn donkere en afgesloten kamer. Verkild van schrik draaide ik mijn hoofd om en liet mijn ogen vaststellen wat mijn bevend hart al wist. Daar stond ze, geen twee passen van me af, in haar vorm van oude vrouw, verward haar, voddige kleren, klauwachtige vingers en verbolgen blik. Haar stem trilde van woede.

'Sta op! Kom eruit! Kom voor me staan en leg verantwoording af, meisje!'

Ik deed wat ze me opdroeg, huiverend in mijn nachtpon. Mijn gevoelens van vrede en zelfvertrouwen waren verdwenen op het moment dat ik haar stem herkende.

'H-hoe bent u hier gekomen?' fluisterde ik.

'Denk je dat ik niet over het vermogen tot verplaatsing kan beschikken?' snauwde ze. 'Je onderschat me, meisje. Je zult nooit aan mijn waarneming ontsnappen. Haal niet in je hoofd me op die manier beet te nemen. Waar is de amulet? Wat heb je ermee gedaan?'

Een plotseling besef trof me als een ijzige verkilling. De amulet; een beschermend tovermiddel, had ze gezegd, en ik, stomkop, had haar geloofd. Op het moment dat ik hem had afgedaan, was ik weer mezelf geworden. En nu was ze hier, witheet van woede, zo boordevol vernietigende toverkracht dat de vonken van haar vingertoppen sprongen. 'Het koord was gebroken. Ik heb de amulet veilig opgeborgen. Morgenochtend zal ik een ander koordje zoeken en hem weer omdoen. Ik ben niet vergeten wat u me hebt opgedragen.'

'Laat zien.'

Ik liep naar de houten kist, maakte hem open en begon er achtereenvolgens opgevouwen kleren, mijn haarborstel en andere kleine voorwerpen uit te nemen. Mijn handen beefden. Helemaal onderin lag de amulet, en terwijl ik mijn vingers eromheen sloot, kwamen die tegen iets anders aan; een klein voorwerp dat allang vergeten was, dat daar jaar in jaar uit onopgemerkt had gelegen, misschien in afwachting van deze aanraking. Het was alsof ik in het hart werd getroffen. *Je zou me kunnen vergeten*, zei een stem diep in mijn herinnering.

'Nou? Heb je hem? Laat zien!'

Ik hield haar mijn hand voor, met de bronzen amulet op mijn handpalm. Ze snoof.

'Heel goed. Morgen. Zonder mankeren. Als je hem afdoet, breng je jezelf en onze grote onderneming in ernstig gevaar. Als je hem afdoet, ben je helemaal onbeschermd tegen deze mensen. Begrijp je me, Fainne?'

'Ja, grootmoeder.' Ik begreep het heel goed, zij het een beetje te laat. Als ik haar kleine tovermiddel, haar kleine amulet die ervoor zorgde dat ik bleef doen wat zij wilde, niet om mijn hals droeg, zou ze snel bij me zijn en klaar staan om zowel mij als mijn vader te straffen. Dit was geen beschermende talisman, maar een ding dat mijn denken vervormde, een middel om macht over me uit te oefenen. Geen wonder dat ik soms het gevoel had gehad dat mijn gedachten niet van mij waren. Geen wonder dat ik mezelf had gehaat.

'Nu, Fainne. Ik vraag me af of je vergeten bent waarom je hier bent.'

'Nee, grootmoeder. Maar...'

'Maar?' De dreigende klank in dit ene woord verlamde mijn wil bijna. Ik ademde diep in, en nog een keer, en ik zei tegen mezelf: Vuurkind. Zoek je kracht, vuurkind.

'Ik ben er niet meer zeker van of ik kan doen wat u wilt, grootmoeder. Ik heb... ik heb...'

Op dat moment voelde ik een stekende pijn door mijn rechterslaap gaan, een pijn waardoor ik op mijn knieën viel en op de vloer bleef zitten kokhalzen, terwijl bitter smakende gal over mijn kin droop, want mijn maag was leeg na een dag vasten.

'Ik... ik...'

'Wat wilde je zeggen, Fainne?' vroeg ze liefjes.

'Ik... luistert u tenminste naar wat ik wil zeggen. U kunt me tenminste laten uitspreken, voor u me straft voor mijn woorden.'

'Ik kan je tenminste laten uitspreken? Och gut. Wanneer zul je inzien dat ik alles kan doen wat ik wil? Echt alles, meisje.'

'Alles, behalve de hogere toverkunst beoefenen?' fluisterde ik. 'Alles, behalve de zelfbeheersing doorbreken die mijn vader beoefent? Dat is niet echt álles.'

'Hoe durf je! Hoe durf je me te tarten! Hoe durf je brutaal te zijn!'

Weer een pijnscheut, nu aan de linkerkant. Ik lag op mijn knieën voor haar met mijn hoofd in mijn handen, en de wereld tolde onbeheersbaar voor mijn stijfgesloten ogen.
'Het is verkeerd.' Mijn stem klonk ijl als een dun draadje; maar mijn vader had het me goed geleerd. Door de vreselijke pijn heen die door mijn schedel boorde, vond ik toch de woorden. 'Wat u wilt. Het woud. De Eilanden. U ziet het verkeerd. De slag moet gewonnen worden, niet verloren. De Eilanden moeten gered worden, niet weggeworpen. Anders kan niemand van ons blijven leven. Ik kan dit niet doen, grootmoeder. Voor u niet, voor mijn vader niet. Voor niemand.'
'Sta op.'
Ik dacht niet dat mijn benen me konden dragen. De pijn trok langzaam weg, maar mijn hele lichaam was nat van het zweet, en mijn maag draaide en krampte. Ik hees mezelf overeind om zwaaiend voor haar te blijven staan.
'Kijk me aan, Fainne.'
Ik dwong mezelf haar in de ogen te kijken. Haar ogen gloeiden donker; ze staarde me aan alsof ze mijn diepste hartsgeheimen wilde lezen.
'Zij hebben je dit verteld. Je hebt met hen gepraat. Wie was het? De vrouwe met de blauwe mantel en de honingzoete stem? Of die ander, die zweeft op de rand van het gezichtsveld, amper zichtbaar op de grens tussen licht en donker? Was het de maagd met golvende lokken en een gewaad van schuim en belletjes, of de heer met het vlammende haar, die zich zo dwingend gedraagt, met zijn kleine gedachtespelletjes? Wie was het? Je moet niet naar hen luisteren. Zij zijn de vijanden van ons geslacht. Ons streven moet zijn hun einddoel te verhinderen, niet het te bevorderen.'
'Ik geloof dat u zich vergist. En ik kan het niet doen. Zoek een ander werktuig om het voor u te doen. Trouwens, als u het vermogen hebt om hier in een mum van tijd bij me te zijn, waarom voert u deze taak dan niet zelf uit? Vergeleken met u ben ik niets. Doe uw eigen vernietigingswerk, als u wilt. Oefen uw eigen wraak uit.'
Ze keek me verachtelijk aan, met spottend opgetrokken wenkbrauwen.
'Soms ben je een erg dom meisje, Fainne. Dit kan op de juiste manier gebeuren, en op de verkeerde manier. Het moet zich ontvouwen. Het moet zich tot op het allerlaatst ontvouwen volgens de profetie. Waarom denk je dat ik je niet heb opgedragen hun leiders te

doden, of hun geheimen aan de vijand te verkopen? Waarom denk je dat ik je zo lang aan jezelf heb overgelaten? Ik wil dat je persoonlijk binnendringt, dat je in hun leven en in hun hart kruipt, kind. Ik wil dat ze je vertrouwen. Ik wil dat ze van je houden. En dan, op het allerlaatst, keer je om. Je keert je met een glimlach om en dient de dodelijke klap toe. Je bent voor deze taak gemaakt, Fainne. Jij en jij alleen kunt hem uitvoeren.'

'Ik doe het niet. Straf me maar zoveel u wilt. Ik kan er niet mee doorgaan onschuldigen te beschadigen en mijn kunst te misbruiken, en maar door te gaan zonder me iets van de gevolgen aan te trekken. Ik zou het zelfs niet kunnen als het doel iets was waarin ik geloofde.'

Een geladen stilte. Ik stond daar en beheerste mijn ademhaling zo goed als ik kon, terwijl ik me afvroeg waar de volgende steek van ondraaglijke pijn me zou treffen.

'Ben je niet iets vergeten?' vroeg mijn grootmoeder met een zijdeachtige stem. Ze wees naar de gloeiende sintels van het vuur. Ik draaide me om. Onder mijn starende blik wakkerden de vlammen vanzelf aan, draaiend en flikkerend zodat ze een beeld vormden. Daar was mijn vader, alleen in zijn werkruimte. Om hem heen zag ik in plaats van de keurig ingeruimde kasten, de ordelijke rijen flessen en potten, de zorgvuldig bewaarde boekrollen en handschriften, een chaotische bende, alsof al zijn bezittingen, elke talisman, elke grimoire, alle geheime ingrediënten door een gewelddadige ingreep van het noodlot door elkaar waren gesmeten. Hij zat in elkaar gedoken op de vloer in het midden, en probeerde adem te krijgen; zijn borst zwoegde, zijn mond was wijd open in het gevecht om lucht. Zijn kleren hingen in flarden om hem heen. Hij leek wel een geraamte, een breekbare verzameling botten die alleen bij elkaar leken te worden gehouden door de strakgespannen, bleke huid. Hij keek op, hij keek me recht aan met de felle donkere ogen van mijn grootmoeder.

Ik wendde me af met bonzend hart. Ik raapte al mijn wilskracht bijeen, maar toch trilde mijn stem.

'Ik ken mijn vader,' zei ik. 'Dit is vreselijk om te zien, als het een beeld van de werkelijkheid is. Maar mijn vader streeft naar de weg van licht, ook al is die voor hem afgesloten. Hij zou liever lijden en sterven dan te zien dat onschuldigen omkomen, en goede dingen vernietigd werden omdat ik hem wilde beschermen. Ik ken mijn vader. Ik ken hem beter dan u hem kent, ook al is hij uw zoon.'

Toen voelde ik de pijn weer, ditmaal in mijn voet; hij draaide en brandde, alsof een ijzeren vuist de botten had beetgepakt en er hard in kneep. Ik hijgde van ontzetting.
'Je bent nooit zo gelukkig geweest met deze voet, nietwaar?' merkte grootmoeder beminnelijk op. 'Je hebt altijd gewenst dat je mooier was. Dat valt je niet kwalijk te nemen natuurlijk. Ik begrijp ook niet waarom je niet vaker gebruik maakt van het Mom. Maar toch, je bent hier, in het huis van een invloedrijk man, die nog ongehuwd is ook. Een goede vangst. Denk je eens in, Fainne. Wanneer Zeven Wateren eenmaal verslagen is, kan deze man alles nemen. Alledrie de landgoederen tegelijk. Dat zou jouw zoon kunnen erven. Ciaráns kleinzoon. Een van ons geslacht. Hij zou de machtigste grootgrondbezitter in heel Ulster zijn. En jij zou zijn moeder zijn. Met zoveel macht heb je toch geen schoonheid nodig?'
Weer voelde ik een vreselijke, wringende pijn door mijn voet gaan, en ik zette mijn kiezen stijf op elkaar om niet te schreeuwen. De pijn hield op.
'Zo,' zei ze kalm. 'Kijk nu maar eens.'
Ik keek omlaag en voelde het bloed wegtrekken uit mijn gezicht. Waar eerst mijn rechtervoet had gezeten, de voet die een tikje afwijkend van vorm was, een tikje scheef, iets naar binnen gebogen, zat nu een afzichtelijke poot, als de poot van een of ander monster in een oud verhaal, een karikatuur van een voet met een harige, opgezwollen huid en bolle tenen met aan de uiteinden kromme, gele klauwnagels, dik en hoornig.
'Ik zou nog meer kunnen doen,' zei ze. 'Veel meer. De handen. Het gezicht. Het hele lichaam. Stap voor stap. Mannen zouden gillend op de vlucht slaan. Je zou nooit meer een stap buiten deze deur durven zetten. Weiger je nu nog steeds te doen wat ik je opdraag?' Ze ging achteloos op de rand van het bed zitten, glimlachend.
Ik keek neer op het monsterlijke ding dat in plaats van een voet aan mijn been zat. Ik zocht in mijn geheugen een toverspreuk om het terug te veranderen. Ik prevelde de woorden.
'O nee,' zei grootmoeder kalm. 'Zo gemakkelijk gaat dat niet.' En voor ik de spreuk kon voltooien, was de tegenbetovering er al, en mijn afzichtelijke, harige poot bleef zoals hij was.
'Heel goed,' zei ik terwijl de tranen zich ophoopten achter mijn ogen. 'Misschien moet u dan maar het ergste doen wat u kunt. Misschien moet u me maar in een monster veranderen. Dan zou ik hetzelfde doen wat mijn moeder gedaan heeft, en er een eind aan ma-

ken. Mijn polsen doorsnijden. Op Zeven Wateren van de toren af springen. Het meer in lopen, tot het water zich boven mijn hoofd sloot. En wat zou u daarmee opschieten?'

'Ellendig meisje. Je vader heeft zich voor heel wat te verantwoorden. Hier.' Ze knipte met haar vingers en mijn voet werd weer de oude. Ik zoog mijn adem naar binnen en slikte het verachtelijke dank u wel dat me op de lippen lag in. Ik was niet van plan haar te laten weten hoe na ik eraan toe was geweest toe te geven toen ik zag wat ze me kon aandoen.

'Ga zitten, kind. Doe deze deken om je heen. Het is koud. Je hebt daar een paar aardige dingen in die kist, zie ik. Een paar mooie japonnen. Dat is een hele opluchting voor me. Je kunt een rijke man niet het hof maken als je eruitziet als een slonzig viswijf. En wat een snoezig sjaaltje, met al die kleuren. Komt zeker uit een ketellapperskraam?'

'Dat is niets bijzonders.' Met grote moeite hield ik mijn gezicht en stem onbewogen. Ik dacht wel te weten waar ze naartoe wilde. 'U mag het hebben als u wilt,' voegde ik eraan toe. 'Het betekent niets voor me.'

'O nee? Nou ja, het is toch een beetje goedkoop en opzichtig naar mijn smaak, Fainne; het is het soort prul dat een reizende man aan zijn liefje zou geven. Ik ga me natuurlijk niet vertonen met zo'n kakelbont geval.'

'Dom van me om het u aan te bieden,' zei ik, en ik stond op en begon mijn bezittingen terug te leggen in de kist.

Achter me begon mijn grootmoeder weer te spreken. 'Je laat je vader dus rustig lijden en sterven. Je vindt het best om een monster te worden. Je eigen toekomst laat je koud. Dat verbaast me, moet ik toegeven. Je bent niet helemaal het meisje dat ik dacht dat je was. Maar toch zul je doen wat ik zeg, Fainne.'

'Ik weet niet wat u bedoelt. U kunt me niet laten doen wat u wilt. U kunt me niet dwingen.'

'Dacht je van niet? Stel dat je moest aanzien dat alle mensen van wie je hield, alle mensen om wie je gaf, een voor een werden geveld? Dat je de langzame vernietiging zou moeten aanzien van allen die je dierbaar zijn? Dat je dat moest aanzien, terwijl je wist dat het in je macht lag het te laten ophouden? Wat dan? Zou je nog steeds niets doen om hen te beschermen?'

'Ik weet niet wat u bedoelt,' fluisterde ik, maar een donker afgrijzen vloeide door me heen toen ik begreep wat haar woorden in-

hielden. 'Ik heb niemand. Ik geef om niemand behalve mijn vader. En ik zei al dat ik weet hoe hij hierover zou denken.'
'O, hij zal blijven lijden, daar kun je van op aan. Maar wat de anderen betreft, geloof ik je niet. Ik heb je gezien, van tijd tot tijd, ik heb de uitdrukking in je ogen gezien. Ik heb je met deze kinderen zien spelen, ik heb gezien hoe je ze in bed stopte en deed alsof je het vervelend vond dat ze je hinderen. Ik zie hoe je handen over dit prul van je ketellapper gaan, alsof de herinneringen in de plooien te kostbaar zijn om ze los te laten. Je kunt er van op aan, Fainne. Je zult alles zien, en de pijn voelen, stap voor stap. Een ongelukkige val van een paard. Een jong meisje dat verkeerde vrienden krijgt. Een langs de weg gegeten stoofpot, met onoordeelkundig geplukte paddestoelen erin. Een akelig voorval met een vishaak. Allemaal ongelukken. Wat jou betreft, misschien zul jij de enige zijn die ongedeerd blijft. Het zal jouw taak zijn toe te kijken terwijl ze om je heen lijden. Toe te kijken terwijl je weet dat je het had kunnen voorkomen. Te weten dat dat allemaal niet had hoeven gebeuren als jij niet ongehoorzaam was geweest.'
'Hou op! Hou op! Hoe weet ik trouwens of dit waar is? U kunt wel tegen me liegen. Mijn vader zou helemaal niet ziek kunnen zijn. Ik zou niet kunnen doen wat u wilt en toch zou niemand wat overkomen!'
'Denk je dat?' Ze keek nog eens naar mijn voet. 'Als je dat wilt uitproberen, kan ik je niet tegenhouden, lief kind. Het zou jouw risico zijn. En je hebt gelijk, je kunt niet weten hoe je vader eraan toe is. Behalve als je teruggaat naar Kerry. En als je dat doet, dan kun je erop rekenen dat zijn beenderen op het zand zullen liggen te bleken, lang voor je je kleine baai bereikt. Je zou natuurlijk altijd een ketellappersjongen kunnen sturen met een boodschap.' Ze wierp een blik op de houten kist, waar de sjaal nu netjes opgevouwen in lag. 'Dat zou je altijd kunnen doen. Maar wie zal zeggen of hij daar veilig aan zou komen, met de huidige toestand van de wegen? De kans dat hij onderweg vermoord wordt om zijn zakje met goedkope spullen, is minstens even groot als de kans dat hij zijn reis voltooit.'
'Hou op! Dit is boosaardig!'
'Huh. Boosaardig, zeg je? Je hebt nog veel te leren. Goed en kwaad, schaduw en zonlicht, er ligt maar een haarbreedte tussen. Uiteindelijk is het allemaal eender. Vertel nu. Vertel me alles wat je gedaan hebt sinds je hier bent. Tot in de kleinste bijzonderheden.'

'Hebt u me dan niet van begin tot eind gadegeslagen? Weet u het nog niet allemaal?'
Ze lachte kakelend. 'Welnee. Ik zie brokstukken. Een stukje hier, iets meer daar. Stukjes van een puzzel. Een puzzel die mij aangaat. Daarom ben ik hier. Vertel het me nu. Daarna gaan we uitzoeken wat er verder moet gebeuren. Je hebt tijd verspild. Dat doen we voortaan niet meer, hoor je?'
'Ja, grootmoeder.'
Ik vertelde het haar. Met mijn hart samengeknepen van ellende en mijn hoofd vol onvergoten tranen vertelde ik haar alles. Ik moest het haar vertellen omdat het mijn schuld was. Ik had toegelaten dat deze mensen onder mijn huid waren gekropen, ik had toegelaten dat ze me betoverden, en ik was een van hen geworden. En nu mocht ik niet werkeloos toezien terwijl Sibeal of Clodagh of de anderen iets vreselijks overkwam. Ik mocht niet werkeloos toezien terwijl tante Aisling nog een kind verloor. En ik moest vooral voorkomen dat mijn grootmoeder nog meer belangstelling kreeg voor Dan Walkers gezin, waar ze ook heen waren gereisd. Ze had een slimme val opgezet, en ik was er zomaar in gelopen.
Eindelijk was alles gezegd. Het verhaal van de brand, hoewel ik wegliet wat ik vond van mijn wandeling in het bos met Conor, en wat ik had gevoeld bij de viering van Samhain. Het verhaal van wat ik tegen Eamonn had gezegd, en van mijn reis hierheen, naar Glencarnagh, en hoe het tussen hem en mij was gegaan. Ik zei niets over de Ouden, en zo weinig mogelijk over de kinderen. Ik zei niets over Sibeal en haar vreemde, heldere ogen, de ogen van een zieneres.
'Mm,' zei grootmoeder toen ik helemaal uitgesproken was. 'Je moet deze man Eamonn gebruiken, dat is wel duidelijk. Je moet hem gebruiken en je zult hem gebruiken. Ik heb zijn vader gekend. Dit is er net zo een. Een heel machtig man, Fainne. En een gevaarlijke man. Een man zonder eer. Een man die niet zal aarzelen zijn broer een mes in de rug te stoten als dat hem tot voordeel zou zijn. Een man die nooit een krenking vergeet.'
'U moet zich vergissen.' Hoe vreemd Eamonns optreden soms ook leek, ik kon dit moeilijk geloven van een man die zo aan de conventies vasthield. Hij had immers tegen me gezegd dat hij nooit de regels overtrad?
'Geloof dat maar niet. Hij is het antwoord op ons probleem. Maak gebruik van zijn haat. Maak gebruik van zijn begeerte. Zorg dat hij je zo sterk begeert dat hij je alles zal beloven wat je vraagt.'

'Dat is belachelijk. Eamonn zou elke vrouw kunnen krijgen die hij maar wilde. Zijn belangstelling voor mij is tijdelijk. Hij is niet van plan me ten huwelijk te vragen. Dat weet ik zeker.'
'Dan moet je hem van gedachten doen veranderen. Neem de leiding over. Gebruik de kunst. Zorg dat hij brandt van begeerte naar jou.'
'Ik... dat kan ik niet. Ik schaam me ervoor, en het is vernederend voor hem. Het is... het is niet eerlijk.'
'Eerlijk? Hoor haar, eerlijk!' Grootmoeder begon weer kakelend te lachen. Ik vroeg me af hoelang het zou duren voor iemand haar hoorde en op de deur kwam kloppen om te vragen of ik me wel goed voelde. 'Vergeet eerlijkheid. Vergeet eer. Het zijn allebei zinloze begrippen. Er is hier maar één ding dat van belang is, Fainne. Macht. Jouw macht over deze man. Zijn macht om het bondgenootschap uiteen te laten vallen. Onze macht om het Feeënvolk te verslaan. Macht en wraak. De rest is van geen belang.'
'Ja, grootmoeder.'
'Vertel me nu nog eens wat hij zei over je tante Liadan. En vertel me wat hij zei over haar echtgenoot.'
'Dat hoef ik niet te herhalen. Ik weet wat er gedaan moet worden.'
'Huh! Jij? Dat kan ik niet goed geloven, gezien je prestaties tot nu toe.'
'Ik weet wat er gedaan moet worden,' herhaalde ik grimmig. 'U kunt me beter alleen laten, zodat ik ermee kan beginnen.'
'Wat? Waarmee beginnen?'
En ik legde het haar uit, stap voor onvermijdelijke stap: een intrige die wortelde in jaloezie en obsessie, die slinkse en verraderlijke methoden gebruikte om zijn doel te bereiken. Ik kon nauwelijks geloven dat ik ermee door moest gaan. Maar er leek geen andere weg te zijn. Toen ik uitgesproken was, keek mijn grootmoeder me aan en glimlachte, met kleine puntige tanden in een door ouderdom verschrompelde mond.
'Mooi,' kirde ze. 'Heel mooi, Fainne. Misschien kan er toch nog iets van je worden, ondanks je onaantrekkelijke uiterlijk.'
'Grootmoeder, u moet erop vertrouwen dat ik dit uitvoer. Het zal niet nodig zijn dat u weer hier komt. Als u dat doet, zou het voor mij moeilijk kunnen worden om hun vertrouwen te behouden.'
Ze bibberde van vrolijkheid. 'Ga jij mij nu bevelen geven? Ik kom als ik daar zin in heb, meisje.'
'U luistert niet naar wat ik zeg. Ik geef u mijn woord. Ik zal doen wat u vraagt, zolang u... zolang u niet...'

'De mensen van wie je houdt bezeer? O kind, liefde is wel erg verwarrend voor een jong meisje, hè? We zouden allemaal beter af zijn zonder. Hoe eerder je dat inziet, hoe gemakkelijker je leven zal zijn. Kies nooit een man vanwege de liefde. Daar zit geen toekomst in.'
'Gaat u akkoord? Zult u erop vertrouwen dat ik dit voor u uitvoer?'
'Vertrouwen? Huh! Ik moet een garantie hebben. En let op mijn woorden, als je niet kunt zorgen dat dit plan werkt, zul je drastischer moeten ingrijpen. Ik zal je wat tijd geven, net genoeg tijd. Maar ik wil vorderingen zien, Fainne. Ik wil resultaten. Je hebt gelijk, ik kom niet graag in deze streken. Draag de amulet. Dan zal ik weten dat je veilig bent. Doe hem niet af. Nooit, begrijp je?'
Ze staarde me weer strak aan, alsof ze diep in mijn binnenste wilde kijken. De grote godin zij dank had ze de kunst van het gedachtelezen, van het zonder woorden spreken nooit onder de knie gekregen. *En ze kon mij alleen zien wanneer ik hem droeg.* Lieve Brighid, het was waar. Ik was dom geweest. Ik was stekeblind geweest.
Ik beet op mijn lip en antwoordde niet.
'Nu goed,' zei ze opgewekt. 'Het was een gezellige visite. Zorg dat je dit goed doet, Fainne. Laat me niet nog eens zo schrikken. Als je me teleurstelt, zal ik je laten zien hoe creatief ik kan zijn, dat beloof ik je. Als je het goed doet, kan het lang duren voor je weer iets van me hoort.'
'Ja, grootmoeder.'
'Vaarwel dan.'
Ik keek toe terwijl ze langzaam vervaagde in het flauwe licht van het gloeiende haardvuur en de ene kaars. Ik bleef staan staren tot elk spoor van de monsterlijke, voddige oude vrouw volkomen verdwenen was. Zelfs toen haalde ik mijn hand een, twee, drie keer door de lucht voor ik er zeker van was dat er niets meer op die plek was. Het was nu donker buiten. Het avondeten was waarschijnlijk afgelopen, de kleine meisjes maakten zich klaar om naar bed te gaan. Eamonn zat waarschijnlijk alleen voor het haardvuur in de grote zaal, met de wijnkan als gezelschap. Misschien moest ik vanavond maar beginnen. De moed zakte me in de schoenen. Waarom had ik gedacht dat ik de kracht had om tegen haar in te gaan? Waarom had ik geloofd dat ik mijn weg zou kunnen kiezen, dat ik naar het licht kon streven in plaats van naar de duisternis? Er was voor mij geen keus, en die was er nooit geweest.
En de amulet. Wat was ik dom geweest om daarin niet het hek-

sentovermiddel te zien dat het ongetwijfeld was. *Houd hem altijd om. Hij zal je beschermen.* Een ding dat je gedachten vervormde, het krachtigste middel om iemand te beheersen dat er bestond; door middel daarvan kon ze me in de gaten houden en me naar haar eigen wil ombuigen. Ik had lang geleden iets gelezen over zo'n amulet, op de stoffige bladzijden van een oude grimoire. Zolang ik hem droeg, kon ze me vinden. Toen ik hem had afgedaan, wist ze dat meteen; ze wist het en was als de weerga achter me aan gekomen, woedend en... en nog iets. Bijna bang. Alsof een Fainne die ze niet in de hand kon houden oneindig veel gevaarlijker voor haar was dan het hele Feeënvolk bij elkaar. Maar dat kon niet waar zijn. Als tovenares was ik nog maar half opgeleid, nauwelijks onderlegd in de moeilijker takken van de kunst, gehinderd door mijn jeugd en gebrek aan ervaring. Mijn grootmoeder daarentegen was een meesteres, met meer macht zelfs dan mijn vader, want ze had hem immers gevangen in haar eigen betovering van een dodelijke ziekte? Ik had me vast vergist. Ik keek eens naar de houten kist. De amulet zat er veilig in. De volgende morgen moest ik hem weer omdoen. Ik moest woord houden. Het was de enige mogelijkheid. Ik wilde hen beschermen, mijn vader, de meisjes, de familie en... en iedereen die me na stond. Ik kon niet toekijken terwijl zij hen een voor een vernietigde.

Ik hoorde mensen lopen in de gang. Het was nog niet erg laat. Grootmoeder was gekomen en weggegaan tussen het moment dat ze aan tafel gingen en het moment dat de laatste kaarsen werden gedoofd. Ik moest nu met Eamonn gaan praten, nu ik er de moed voor had. Snel trok ik mijn nachtpon uit en kleedde me rillend in een schone jurk. Ik maakte een staart van mijn haar en bond er een lint om. Ik trok mijn muiltjes aan en zei tegen mezelf dat ik nooit van mijn leven meer zou klagen over mijn verdraaide voet. Ik maakte mijn gezicht nat met water uit de kruik, maar ik voelde de hele tijd het bonzen van mijn hart en de koude greep van de angst vanbinnen. Dat gevoel zou voortaan nooit meer weggaan, tot de taak die ze me had gesteld was uitgevoerd. En daarna zou niets ooit meer belangrijk zijn.

Ik deed voorzichtig de deur open in de hoop dat ik onopgemerkt door de gang zou kunnen sluipen. Ik zette één stap naar buiten en stond stil. Sibeal zat op de vloer van de gang met haar mantel om tegen de kou. Ze zei niets, maar keek naar me op, en het vlammetje van mijn kaars flakkerde klein maar vast in het waterheldere op-

pervlak van haar vreemde ogen. Ze stond zonder iets te zeggen op. Toen ik de deur verder opende, kwam ze als een kleine geestverschijning naar me toe en liep langs me mijn kamer in. Ik sloot de deur achter ons.
Eerst zei ze niets.
'Wat is er, Sibeal? Waarom zat je daar te wachten?'
'De anderen zeiden dat ik het niet tegen je moest zeggen. Nu niet meer. Ze zeiden dat het te laat was.'
'Wat? Wat niet tegen me te zeggen?' Kon er iets nog erger zijn dan wat me vandaag al was overkomen? Razendsnel ging mijn geest de mogelijkheden langs. Nieuws van Zeven Wateren. Maeve. Nieuws van verder weg. Mijn vader. 'Wat is het? Zeg het dan!'
Het kind keek me ernstig aan. 'We hebben geprobeerd het tegen je te zeggen. Maar je gaf geen antwoord. En toen werd oom Eamonn boos, en zei dat we weg moesten gaan.'
Ik pakte haar bij beide armen en schudde haar even door elkaar. 'Zeg het!' zei ik tandenknarsend.
'Je hoeft me geen pijn te doen. Je hoeft niet boos te zijn.'
Ik bracht mezelf in herinnering dat ze pas acht was en dat ze heel stil in het donker had gewacht tot ik zover was om uit mijn kamer te komen. 'Het spijt me. Ik... ik maak me alleen zorgen. Is het slecht nieuws?'
'Nee. Het is alleen dat die pony hier was. De pony uit je verhalen. We dachten dat je dat wel zou willen weten. We dachten dat je hem zou willen zien. Maar daar is het nu te laat voor.'
Als ik daarnet al angst had gevoeld, was dat niets vergeleken met de ontzetting die me nu beving.
'Welke pony?' fluisterde ik, alsof ik het antwoord niet wist.
'De witte pony. Je weet wel, die uit al je verhalen. We mochten haar van hem bekloppen, en Eilis heeft haar een wortel gegeven.'
'Van hem?' zuchtte ik.
'Van die man. De man uit de verhalen, met dat gouden ringetje in zijn oor. Hij vroeg nog naar jou.'
'Darragh? Was Darragh vandaag hier?' Mijn stem beefde. Hij was hier, en grootmoeder was hier, en ze had gezegd... ze had gezegd: *Je zou een ketellappersjongen met een boodschap kunnen sturen.* Ze had gezegd: *Alle kans dat hij onderweg vermoord wordt.* 'Misschien was hij het niet,' zei ik, me vastklampend aan een strohalm van hoop. 'Waarom zou hij hier komen? Hij heeft werk in het westen, mijlenver van Glencarnagh. Misschien was het iemand anders.

Waar is hij nu, Sibeal? Vlug, zeg het!'
Sibeals stem klonk plechtig. 'Weg. Hij en de pony, allebei. Oom Eamonn heeft hem weggestuurd. Oom Eamonn was boos.'
'Hoelang is dat geleden? Waar ging hij heen?'
'Weg. Ik weet niet waarheen.'
'Welke kant op? Naar het oosten, naar Zeven Wateren? Naar het westen? Welke kant op? En hoelang geleden, Sibeal?'
'Wat is er met je, Fainne?' Haar ogen waren groot en vragend, bijna angstig.
'Het spijt me, het spijt me. Er is niets. Het is goed dat je gewacht hebt zodat je het me kon vertellen. Ik ben alleen... ik vind het alleen...'
'Je vindt het naar dat je hem hebt gemist? Dat dachten we al. Daarom probeerden we het je eerder te vertellen. Maar je wilde niet aan de deur komen.'
'Het spijt me,' zei ik weer. Het speet me meer dan ze ooit zou weten. Dat hij hier was geweest, was al vreemd. Wie wist waarom hij gekomen was? Dat ik hem niet had gesproken was wel heel wreed. Maar toch was het beter zo. Hij was weg, ik zou hem niet terugzien, en dat betekende dat hij veilig was voor grootmoeder. Misschien was hij hier geweest om een bezoek te brengen aan de oude vrouw, Janis. Misschien was dat de reden. In elk geval was dit beter. Veel beter. Waarom deed het dan zo'n pijn dat ik het gevoel had alsof mijn hart in tweeën werd gescheurd?
'Ik vind het heel naar voor je, Fainne,' zei Sibeal met een klein stemmetje. 'Hij ging naar het westen, geloof ik. Voor zonsondergang. Hij zei dat hij snel terug moest. Maar hij had willen wachten tot jij je beter voelde en naar beneden kon komen om met hem te praten. Oom Eamonn zei dat hij weg moest gaan. Oom Eamonn was echt boos.'
'Ik... was hij... ging het goed met Darragh? Heeft hij met jou gepraat?' Ze moest me alles vertellen, elk woord, elk gebaar. Niet dat dat ooit genoeg zou zijn.
'Hij heeft me een boodschap gegeven voor jou,' zei Sibeal plechtig. 'Ik moest hem uit mijn hoofd leren.'
Ik wachtte.
'Hij zei: "Zeg Krullenbol gedag voor mij. Zeg dat ze geen domme dingen doet tot ik terugkom." Hij wilde dat ik het helemaal goed kon zeggen.'
'Maar hij moet niet terugkomen!' Mijn stem beefde terwijl de angst

zich weer van mijn binnenste meester maakte. 'Dat mag niet! Ik mag hem niet laten terugkomen!'
'Wat is er dan aan de hand, Fainne?' Sibeals kleurloze ogen namen me aandachtig op; er lag een bezorgde uitdrukking in.
'Niets,' mompelde ik. 'Niets. Het is in orde, Sibeal. Je hebt het goed gedaan, heel goed. Ik ben je veel verschuldigd. Maar het is vast allang bedtijd geweest voor jou, en je hebt het koud. Ga maar gauw terug naar de anderen. En Sibeal?'
Ze draaide haar bleke gezichtje omhoog naar het mijne.
'Je moet hier niet over praten. Alsjeblieft. Ik vind het vervelend om je te vragen een geheim te bewaren. Maar praat hierover niet met je oom, of met de anderen. Dat is heel belangrijk.'
Ze knikte kort en glipte stilletjes de deur uit.
Ik had één nacht. Eén nacht maar, voor ik de talisman om mijn hals moest hangen en weer aan mijn grootmoeder zou toebehoren. Darragh was gekomen, en ik had hem gemist. Darragh had gezegd dat hij terug zou komen. Hij mocht niet terugkomen. Ik had tot zonsopgang de tijd om hem te zoeken en hem dat te zeggen. Daarna kon ik geen geheimen meer hebben voor mijn grootmoeder. Daarna zou het niet langer mogelijk zijn vrienden te hebben.
Een goede pony kan een grote afstand afleggen tussen zonsondergang en bedtijd. Over open terrein kan ze, wanneer haar berijder haast heeft, vele mijlen doorkruisen. Aoife kon al buiten de grenzen van Glencarnagh zijn en nog steeds verder op weg zijn naar het westen, naar de kale stranden van Ceann na Mara. Eén ding stond voor mij vast. Ik kon niet aan Eamonn vragen of hij me wilde helpen. *Een man die iets neemt wat van mij is, wordt met gelijke munt terugbetaald*, had hij gezegd. Ik hoorde weer het ernstige stemmetje van Sibeal. *Oom Eamonn was echt boos.* Het was uitgesloten dat ik de zaal in zou lopen en beleefd zou vragen of ik een paard en een stel mannen met toortsen mee kon krijgen. Ik moest deze reis alleen en ongezien maken, en voor zonsopgang terug zijn in mijn kamer. Op de een of andere manier moest ik die afstand overbruggen; ik moest hem vinden.
Een groot tovenaar zoals mijn vader zou het Mom hebben gebruikt, maar dan volledig, om een totale gedaanteverandering te bewerkstelligen. Hij zou door bos en veld hebben gerend als een snelvoetig hert, of op sterke vleugels zijn gevlogen als een uil of een andere nachtvogel. Ik wist, althans in theorie, hoe dit moest. Maar mijn vader had me verboden het te proberen. Het was te gevaarlijk. Je

zou de verandering kunnen voltrekken en niet meer in staat zijn terug te komen. Je zou voorgoed in de veranderde vorm opgesloten zitten of, helemaal rampzalig, ergens tussenin blijven steken. En het putte je kunnen uit, het deed een zwaar beroep op je kracht. Niettemin vloog de tijd voorbij, en ik was bijna wanhopig genoeg om het te proberen. Met bonzend hart en snelstromend bloed stond ik bij mijn raam naar buiten te kijken in de nacht, terwijl ik me afvroeg of ik de afstand tussen vrouw en vogel durfde te overbruggen, van een aan de aarde gebonden mens naar een gevleugeld wezen van de lucht. Stel dat het mislukte en dat ik uit de lucht te pletter viel op de stenen beneden? Maar hoe kon ik er anders op tijd komen?

De maan tuurde tussen de wolken door. Een briesje ritselde door de hagen en bewoog de kale takken van de oude iepen die de ordelijke bedden van de tuin en de inktzwarte visvijver beschutten. En daar bij de haag stond een paard. De maan viel op het schemergrijs van haar vacht en verlichtte het tot een zachte pareltint. Misschien werd ik deze nacht behoed door de hand van de godin. Ik kwam zo snel als ik kon in beweging. Een donkere mantel; mijn schoenen voor buiten in mijn hand, om geen geluid te maken. Dan een toverformule. Niet om mijn gedaante te veranderen, in elk geval niet veel. Een halve verandering, alleen een soort schaduwwerking, zodat ik als ik geluk had, onopgemerkt kon blijven als ik iemand tegenkwam. Ik sloop geluidloos door de gang, langs de kamer waar Eamonn in zijn eentje zat. Ik ging via de keukens naar buiten en dook weg in een ondiepe nis toen de wachten lachend en grappen makend passeerden, op weg naar een late maaltijd en een beker goed bier. Ik sloop weg voor de volgende wacht op zijn post kwam. Ik volgde de haag tot ik haar zag, het paardje waarop ik al eerder had gereden, en dat nu kalm in de nacht op me stond te wachten. Ze schrok helemaal niet toen ik opeens voor haar neus stond. Hoe was ze uit haar stal ontsnapt en ongemerkt hierheen gekomen? Misschien was ze een wezen uit de Andere Wereld, want was ze al niet veel ouder dan een paard kon zijn, en toch nog zo opgewekt en bereidwillig? Ze was tenslotte ooit Liadans paard geweest, en van Liadan werd gezegd dat ze meer dan gewone vermogens bezat. In elk geval was de merrie hier en leek ze bereid me van dienst te zijn. Daarmee was het probleem hoe ik op haar rug moest komen en hoe ik zonder zadel of teugel moest rijden nog niet opgelost. En het hielp me niet te weten welke kant ik op moest.

'Kom,' fluisterde ik. 'Kom op. Vlug.'
Nu liep ze van me weg, langs de haag naar beneden, en werd onzichtbaar in de schaduwen.
'Wacht.' Ik liep snel achter haar aan. Bij de stenen muur die rondzwervende varkens uit de moestuin moest houden, stond ze stil.
'Goed zo,' mompelde ik. 'Heel goed. Jij weet hoe het moet, dat zie ik wel.' Ik trok mijn schoenen aan, klauterde op de muur en vandaar op de rug van het paard, waar ik in wankel evenwicht kwam te zitten zonder zadel of deken, zonder halster of teugel om me te helpen. 'Goed,' zei ik zacht. 'Ik zal hierbij alle hulp nodig hebben die ik kan krijgen. Je zult snel moeten gaan. En geruisloos. Zonder dat ik van je af val. Begrijp je dat? Ga nu Aoife zoeken. Zoek Darragh voor me.' Ik legde mijn hand op haar hals en wilde dat ze me hoorde, wilde dat ze wist wat ze moest doen. Heel mal eigenlijk. Ik was niet degene die in het oor van een paard kon fluisteren en levenslange vriendschap met haar kon sluiten. Ik was niet degene naar wie een wild dier terug zou komen, alleen uit liefde. Maar het grijze paard hief haar hoofd op en spitste haar oren, en ze begon in een gestaag tempo naar het westen te draven, langs de hagen, over een bruggetje, langs de hazelaars en weg in de duistere nacht. Ik wond haar manen om mijn beide handen en drukte mijn knieën stevig tegen haar lijf. Ik wilde er niet af vallen. Ik zou er niet af vallen. Ik zou er komen en voor zonsopgang terug zijn. Het moest. Wanneer ik hem vond, zou ik tegen hem zeggen dat hij regelrecht naar huis moest gaan, naar de boerderij van O'Flaherty, en dat hij nooit meer in mijn buurt mocht komen. Dat zou ik hem zeggen; daarna zou ik afscheid van hem nemen en terugrijden naar Glencarnagh. Het was eigenlijk heel eenvoudig.
De tijd verstreek en het paard draafde verder in de nacht, aanvankelijk in een gestaag tempo, alsof het maanlicht genoeg was om haar te laten zien waar ze moest lopen. Het was koud. Het was zo koud dat ik mijn vingers niet meer kon strekken, zo verkrampt waren ze. Mijn voeten waren gevoelloos en mijn oren deden pijn van de kou. Ik voelde krampachtige rillingen door mijn lichaam gaan, als golven ijskoud water op een bevroren kust.
Het was maar goed dat ze leek te weten waar ze heen moest, dacht ik somber, terwijl ik me afvroeg hoe lang ik het zou volhouden voor mijn verstijfde lichaam de wil verloor om zich vast te klampen, en ik van haar rug af zou glijden en op de harde grond terecht zou komen. Eén ding was zeker. Als ik eraf viel, was het uitgesloten dat

ik de kracht zou hebben om er weer op te komen.
Aanvankelijk had de nachtwereld stil geleken. Maar naarmate we verder naar het westen kwamen, werd ik me steeds duidelijker bewust van kleine geluidjes. Boven de zachte voetstappen van de grijze merrie uit hoorde ik geritsel en gekraak, alsof de bomen zich bogen om ons voorbij te zien gaan. Eén keer dacht ik dat ik in de verte gehuil hoorde, als van hongerige wolven. Ik zei tegen mezelf dat ik me vergiste. Iets kraste in de donkere takken boven me. Een kwakend koor begroette ons toen we over een donker glanzend stuk moerasland kwamen. Eén keer hoorde ik opeens een suizend geluid van leerachtige vleugels, en er klonken uiterst hoge tonen toen vleermuizen over ons hoofd vlogen op weg naar een onderaardse grot. Ik had het zo koud dat ik nauwelijks wakker kon blijven, hoe dringend de reis ook was. Ik was zo moe dat ik dacht dat ik er misschien maar mee op moest houden te doen alsof ik het kon volhouden, en me gewoon in de varens moest oprollen om te gaan slapen. Heel lang slapen. Er was toch niemand die me zou missen?
Het paard liep langzamer. Haar hoofd draaide opzij naar de ene kant, dan naar de andere kant. Ze deed een stap en stond stil. Ze deed nog een stap en wachtte. Ik was meteen weer helemaal wakker en mijn hart bonsde van schrik.
'Je moet de weg weten!' zei ik op scherpe toon tegen haar. 'Het moet! Wat heeft het voor zin om zo ver te komen als we het nu opgeven? Kun je Aoifes spoor niet volgen, net als een jachthond? Wat mankeert je opeens?'
Ze trilde een beetje maar bleef daar staan in de nacht. We waren aan de rand van een open terrein; in het maanlicht waren lage heuvels te zien, bezaaid met bosjes van lage bomen.
'Loop door!' siste ik. 'Snel, voor we allebei doodvriezen! Weet je niet dat we daar moeten zijn en voor de ochtend weer terug? Lopen! Alsjeblieft!'
Ik trapte met mijn voeten in haar flanken en drukte mijn knieën aan. Ik had zo weinig kracht over ze het misschien niet eens voelde. 'O, alsjeblieft,' fluisterde ik in het donker, maar de merrie bleef onbeweeglijk staan. Mijn geest bepeinsde, van een afstand als het ware, hoe ik het aan Eamonn zou kunnen verklaren wanneer ik hier de volgende morgen gevonden werd, half bevroren, met een paard dat niet van mij was. Misschien zou ik sterven van de kou. Dat zou me in elk geval ontheffen van de noodzaak uitvluchten te verzinnen.

Ik hoorde gekras boven me, en iets donkers vloog voorbij met een plotseling suizen van vleugels. Ik dacht dat ik een veertje voelde dat omlaag dwarrelde langs mijn neus. Ik nieste. Ik hoorde weer krassen. De klank ervan hield een duidelijke boodschap in. *Kom op, suffie. We hebben niet de hele nacht de tijd.*
Het paardje begon weer te lopen. Voor ons vloog de uil heen en weer; hij wachtte op een lage tak, een stenen muur of een uitstekende rotspunt. Ongeduldig. *Kom op. Kun je niet sneller lopen?*
Het paard begon te draven en toen we even later op een echt pad uitkwamen, begon het te galopperen. Ik hotste op en neer als een zak graan. Ik greep me weer vast aan haar manen en boog me voorover, en dwong mijn knieën te blijven drukken. Pijn schoot door mijn benen en rug. Ik zette mijn kiezen op elkaar.
De uil vloog verder, en de merrie volgde. Ik moest denken aan Fiacha, de raaf. Die vloog op dezelfde manier: een eindje voor je uit, een eindje achter je aan, even wachten aan de ene of de andere kant, waarbij hij duidelijk de indruk wekte dat hij mensen ongelooflijk traag en sloom vond, maar dat het zijn taak was ze in de gaten te houden, dus dat deed hij dan maar. Ik vroeg me af waar Fiacha nu was. Zat hij op een richel boven de Honingraat en keek hij naar de tovenaar Ciarán die zijn levensbloed uithoestte temidden van de kapotgeslagen werktuigen van zijn oude kunst? Of was hij door mijn grootmoeder verbannen, en had hij mijn vader helemaal alleen achtergelaten? Waarom kwamen ze, deze wezens uit de Andere Wereld die ons bewaakten en leidden, op een manier waar een gewone uil of raaf het verstand of de wil niet voor had? De vogel vloog verder in de nacht en leidde mijn paard voorwaarts, over heuvels, door dalen, door moeras en bos, en veilig tot buiten de grenzen van Glencarnagh.
Eindelijk bleven we stilstaan, onder appelbomen met kale takken. De uil zat boven ons op een bemoste tak, afgetekend tegen de maan. Ik zag haar tuttig haar kop buigen om haar verenpak in orde te brengen. Ik had een gevoel alsof ik was opgepakt, door elkaar geschud als een karn met room en plotseling weer was neergezet. Alle botten in mijn lichaam deden pijn.
Het was stil in het bos om ons heen. De merrie stond onbeweeglijk. De uil maakte geen geluid. Ze wachtten tot ik iets zou doen. Ik dwong mijn lichaam om in beweging te komen en gleed half, viel half van de rug van de merrie op de grond. Mijn benen waren zo slap als pudding. Ik kon alleen blijven staan omdat mijn hand haar

manen nog vasthad. Zij bleef rotsvast staan, volkomen rustig; dit paard was een zeldzaam geschenk.
Voor ons ging een flauwe helling naar beneden en daar stonden nog meer bomen, en water glinsterde zilverig in het zachte licht van de maan. En er was nog een lichtje, een warm, flikkerend soort licht. Ik bespeurde de vage geur van iets smakelijks in de koude lucht: dat kon toch geen havermoutpap zijn? Toen maakte de merrie een zacht hinnikend geluid, en van onder aan de helling kwam antwoord, een zacht gehinnik. Ik zag een gestalte overeind komen naast het gloeiende kampvuur en zich langzaam naar me omdraaien. Zwaar leunend tegen de schoft van het paard wankelde ik naar voren.
Toen gebeurden er in snelle opeenvolging een heleboel dingen zonder dat er een woord werd gesproken. Zachte, rennende voetstappen en een zucht van verbazing. Een arm om me heen, die me ondersteunde in mijn wankele tocht naar het vuur. Een mantel om mijn schouders, zalig warm. Ik kon niet gaan zitten, mijn lichaam deed te veel pijn; er werd een gevouwen deken die sterk naar paard geurde neergelegd, en ik werd in een halfliggende houding neergevlijd, zo dicht bij het vuur als nog veilig was. Ik hoorde metaal kletteren, als van een pannetje dat gebruikt werd om iets anders te vullen. Toen boog een hand mijn verstijfde vingers om een kom met een warme, geurige inhoud. Er liepen rillingen door mijn lichaam, ik klappertandde, ik had geen woord kunnen uitbrengen zelfs al had ik geweten wat ik moest zeggen. Darragh ging aan de slag om het vuur op te stoken; hij gooide er een paar stukken hout op en blies op de houtskool. De vlammen laaiden op; mijn gezicht begon te ontdooien. Ik nam een slokje van de drank die hij me gegeven had. Het was thee, heet en heel zoet. Ik had nog nooit zoiets lekkers geproefd. Ten slotte ging Darragh aan de andere kant van het vuur tegenover me zitten en keek me aan.
'Dat is een mooie kleine merrie die je daar hebt,' merkte hij op. 'Ik zie dat je hebt leren paardrijden sinds je van me bent weggegaan.'
Ik was heel even sprakeloos. Was dat het enige dat hij kon bedenken om te zeggen? Bij nader inzien was het juist kenmerkend voor hem.
'Als ik het me goed herinner, ben jij van *míj* weggegaan,' snauwde ik, maar mijn stem kwam er bibberig en zielig uit. 'Maar ja, ik kan nu paardrijden. Een beetje. En dạt is maar goed ook. Ik moet voor zonsopgang terug zijn.'
Darragh keek me aan. 'Ach, dan pas?' zei hij.

'Je hoeft niet zo'n toon tegen me aan te slaan,' zei ik bits.
'Wat voor toon, Fainne?'
'Alsof jij het allemaal zo goed weet. Alsof je denkt dat het stom van me is dat ik hierheen ben gekomen. Ik weet niet waarom ik de moeite heb genomen.' Een volgende rilling maakte zich van me meester, en ik trok de mantel dichter om me heen.
Darragh bleef een tijdlang zwijgend naar me kijken. Het gouden ringetje in zijn oor glinsterde in het licht van het vuur.
'Waarom ben je eigenlijk gekomen?' vroeg hij na verloop van tijd.
'Om... om iets tegen je te zeggen. Iets belangrijks.'
Nu roerde hij in zijn pannetje boven het vuur. Ik rook weer die lekkere geur. Peg en Molly maakten 's ochtends altijd havermoutpap. Om de kou weg te houden, zei Peg. Hij nam het pannetje van het vuur en kwam het me brengen.
'We hebben hier geen gouden borden,' zei hij. 'Geen zilveren lepels. We zijn niet gewend deftige edelvrouwen te bedienen, zie je. Maar het eten is goed. Kom, Fainne. Je moet iets eten.'
'Ik ben te moe om te eten.'
'Hier,' zei hij zacht, en hij kwam naast me zitten. 'Eten, en niet praten.' Hij stak de hoornen lepel in de pot, en ik merkte dat ik mijn mond opendeed en gevoerd werd als een vogeltje in het nest. Het zou vernederend geweest zijn, maar de voorzichtige uitdrukking op zijn gezicht en de grote zorgzaamheid waarmee hij het deed, maakte op de een of andere manier dat het goed was tussen ons. Bovendien was de pap verrukkelijk, en ik ontdekte dat ik razende honger had.
'Goed zo,' zei Darragh van tijd tot tijd. 'Zo gaat het goed. Braaf meisje.' En het duurde niet lang of alles was op.
'Het spijt me,' zei ik. Mijn stem klonk alweer wat krachtiger. 'Was dat jouw ontbijt?'
Darragh antwoordde niet. Hij zat vlak naast me en keek in het vuur, met zijn armen over elkaar. De stilte duurde voort. Uiteindelijk zei hij iets, op schuchtere toon.
'Je kunt het beter zeggen. Vertel me wat het is.'
'Vertel jij mij eerst iets. Waarom je naar Glencarnagh bent gekomen. Wat je zo ver van huis doet, midden in de winter. Moet je niet voor O'Flaherty werken?'
'Jawel. We zijn nu op de terugweg, Aoife en ik. Hij zag er niet veel in dat ik naar Zeven Wateren wilde gaan. Ik moest Orla vragen hem met zoete woordjes te bepraten. Uiteindelijk zei hij dat ik mocht

gaan, maar ik heb mijn woord gegeven dat ik met nieuwe maan terug zou zijn. Niet veel tijd.'

Ik deed mijn best om dit tot me door te laten dringen. 'Wie is Orla?' vroeg ik.

Darragh keek me van opzij even aan. 'De dochter van O'Flaherty. Zijn jongste dochter.'

'Ik begrijp het.'

'Nee, je begrijpt het niet, Fainne.'

'Wel waar. Ze kan zeker goed met paarden overweg, hè?'

'Heel goed,' zei hij, en zijn tanden blonken wit in het donker toen hij grijnsde. 'Ze is een uitstekend ruiter, voor een meisje. Ze begrijpt precies hoe alles in zijn werk gaat.'

'Ja, dat zal best. En ze is natuurlijk ook beeldschoon?'

'O, ja,' zei Darragh terwijl hij zijn handen uitstrekte om ze aan het vuur te warmen. 'Lang, goudblond haar, wangen als rozen, ogen zo blauw als een zomerhemel. Net als haar zus. De aanbidders staan voor ze in de rij van hier tot aan de Kruising.'

Hij plaagde me maar.

'Vergeet dat ik het gevraagd heb,' zei ik knorrig. 'Geef nu antwoord op de vraag. Waarom ben je hier?'

'Ik maakte me zorgen. Om jou. Ik dacht dat je misschien in moeilijkheden zat en hulp nodig had.'

'Wat?'

'Je hoeft niet zo geschokt te doen. Ik reed naar Zeven Wateren, kreeg te horen dat je weg was. Reed door naar Glencarnagh, ontdekte dat je me helemaal niet nodig had. Nu ben ik op weg naar huis. Een simpel verhaal. Ik had me vergist. Niet voor het eerst.'

Ik had geen idee wat ik moest zeggen, dus zei ik niets. Ik begon het al bijna warm te krijgen, dankzij het vuur, de mantel en de pap. Mijn lichaam voelde al wat beter, ondanks de pijn en het rillen. Alleen mijn geest scheen niet goed te werken. Ik kon er alleen maar aan denken hoe kort één nacht was, en hoeveel er te zeggen was, en dat ik elke keer dat ik mijn mond opendeed, de verkeerde woorden zei.

'Fainne?' Zijn stem klonk zacht en vriendelijk in het donker.

'Mmm?'

'Vertel het me. Vertel me wat er aan de hand is. Waarom ga je dat hele eind in het donker rijden om me te zoeken? Wat is het? Wat kan er zo belangrijk zijn dat je je er bijna voor dood laat vriezen?'

Zijn vriendelijke benadering werd me bijna te veel. Alles kwam opeens als een vloedgolf terug, mijn vader, grootmoeder en de amulet, Maeve en de brand, Eamonn. Ik wilde hem dolgraag alles vertellen, alles; mezelf ontlasten van mijn schuldgevoel en mijn angst. Maar dat mocht ik niet doen. Hij moest erbuiten blijven. Ik moest hem erbuiten houden.

'Ik ben gekomen om tegen je te zeggen dat je naar huis moet gaan, en nooit terug moet komen,' zei ik op doffe toon. 'Je mag niet terugkomen, Darragh. Je mag niet proberen me weer te zien. Het is belangrijk.'

Het bleef een tijdje stil.

'Je bent in het donker hierheen komen rijden om me dit te zeggen?'

'Ja. Het moet zo zijn. Geloof me.'

'Ik begrijp het,' zei hij kortaf.

'Nee, je begrijpt het niet.' Ik kon de ongelukkige klank in mijn stem niet verhullen. 'Je begrijpt het helemaal niet. Maar we zijn vrienden, ondanks alles. Ik moet je vragen om me te vertrouwen en te doen wat ik zeg.'

Hij keek me met half toegeknepen ogen aan. 'Vertel eens. Wat betekent die kerel voor je, de heer van Glencarnagh? Een onaangenaam heerschap, als je het mij vraagt. Wat betekent hij voor jou?'

'Daar heb jij niets mee te maken. Wat heeft hij tegen je gezegd?'

'Hij heeft me weggestuurd, kort en goed. Hij wilde me een gewapend escorte meegeven tot aan de grens. Ja zeg, ik ben een reiziger. Ik heb zijn vriendelijke aanbod afgewezen. Hij zei nee, ik kon jou niet bezoeken, vandaag niet, morgen niet en nooit niet. Hij zei dat je daar was als heel speciale gast van hem, en dat je niet gestoord mocht worden. Gajes zoals ik zou beter moeten weten en geen edelvrouwen lastig moeten vallen. Woorden van die strekking. Ik had heel even gewild dat ik een vechter was en geen muzikant. Wat betekent dat, Fainne? Een heel speciale gast?'

'Het spijt me dat hij je zo heeft behandeld.' Mijn stem beefde. 'Ik was ziek. Ik voelde me niet lekker. Ik wist niet dat je er was.'

'En vind je het best dat deze kerel voor jou beslissingen neemt? Vind je het goed dat hij je vrienden uitkiest?'

Ik gaf geen antwoord.

'Fainne. Kijk me aan.'

Ik keerde hem mijn gezicht toe. Hij zag er bleek en zeer ernstig uit. 'Zou je met deze man willen trouwen? Is dat het? Zeg me de waarheid.'

'Daar heb jij niets mee te maken,' fluisterde ik.

'Ja, wel degelijk. Zeg het nu.'
Ik knikte met tegenzin. 'Het is niet onmogelijk.'
'Is hij niet een beetje te oud voor jou?' zei Darragh botweg.
'Zo'n verbintenis komt wel vaker voor. De leeftijd van de vrouw is natuurlijk meer van belang, als een man een erfgenaam wil krijgen.'
Darragh werd nooit boos. Dat was een van zijn goede eigenschappen. Ik dacht dat hij er op dat moment dichtbij kwam. Zijn kaak verstrakte. Maar zijn stem bleef kalm klinken.
'Je zou dus een huwelijk sluiten om een naam en een fortuin te krijgen. En daarvoor zou je een oude man kinderen willen baren.'
'Dat begrijp jij toch niet.'
'Misschien toch wel.'
'Je zou het niet kunnen begrijpen.'
Darragh bleef even zwijgen. Toen zei hij: 'Dat heb je me al eens eerder duidelijk gemaakt, toch? Ik geloof dat het iets te maken had met een straathond.'
'Dat zei ik toen, zonder erbij na te denken. Het spijt me als ik je ermee gekwetst heb. Maar dit is iets wat ik je niet uit kan leggen. Ik vraag je alleen om weg te blijven, dat is alles.' O, wat verlangde ik ernaar hem de waarheid te vertellen.
Hij wachtte nog een tijdje. Naarmate de nacht vorderde, werd de lucht om ons heen steeds kouder. Nu waren het vuurtje en de warme mantel niet genoeg om het bevroren gevoel weg te nemen dat diep vanbinnen in me scheen te komen. Ik dacht dat als ik tot huilen in staat was geweest, de tranen al in druppels ijs zouden veranderen voor ze uit mijn ogen konden vallen. 'Hou je van die kerel?' vroeg Darragh toonloos zonder naar me te kijken.
'Of ik van hem hou!' riep ik uit; ik ging van ontzetting overeind zitten en onderdrukte een pijnlijk gekreun. 'Natuurlijk niet! Dit heeft niets met liefde te maken. Wie zou er trouwens uit liefde huwen? Dat is maar dwaasheid. Zo'n verbintenis levert niets op dan verdriet en verspilling.' Ik dacht aan mijn moeder en mijn vader, en aan het feit dat hun levens allebei verwoest waren door de liefdesband tussen hen.
'Jij zou dus mijn zuster Roisin aanraden om niet met Aidan te trouwen? Zij hebben plannen om in de herfst hun bruiloft te vieren, wanneer zij zeventien is. Aidan heeft nu zijn eigen stukje grond. Volgens jou zouden ze dat beter niet kunnen doorzetten?'
Ik keek hem meesmuilend aan. 'Dat is iets anders,' zei ik.

'Hoezo anders? Je bedoelt omdat zij eenvoudige lieden zijn, in tegenstelling tot jou en je grote heer daarginds?'
'Natuurlijk niet! Ik dacht dat je me beter kende!'
'Dat dacht ik ook,' zei Darragh vriendelijk. 'Maar je verrast me telkens weer.'
'Het is anders omdat... omdat... dat kan ik je niet vertellen. Maar het is wel zo.'
'Uh-huh,' zei Darragh. We bleven een tijdlang zwijgend zitten. De kou leek van alle kanten op me af te komen. De enige delen van mijn lichaam die ook maar een beetje warm waren, waren mijn handen, die ik tot dicht bij het vuur had uitgestrekt. De rest deed pijn van de kou, om maar te zwijgen van wat de rit met me had gedaan. Vaag drong de gedachte tot me door dat ik voor zonsopgang weer op dat paard moest klimmen en het allemaal nog eens moest doen.
Darragh zat met zijn handen om zijn knieën in de vlammen te kijken. Hij was in een ernstige stemming; niet zoals hij anders was, altijd met een lach op zijn gezicht.
'Je hebt me niet overtuigd,' zei hij.
'Je waarvan overtuigd?'
'Dat het goed met je gaat. Dat het niet nodig is dat ik op je let. Ik geloof het geen moment. Je woorden vertellen één verhaal en je ogen zeggen iets anders. Kom op. Je kunt tegen me praten. Er zijn geen geheimen tussen ons, tussen jou en mij. Wat zit je toch zo vreselijk dwars?'
'Niets.'
Mijn stem haperde, al deed ik nog zo mijn best. 'Niets. Ik zeg alleen tegen je: ga weg en kom hier nooit meer terug.'
'En wat doe je dan, als ik weg ben?'
Ik doe de amulet om en voer het werk van mijn grootmoeder uit, en zorg op die manier dat jou niets overkomt.
'Ik rijd terug naar Glencarnagh en zorg dat ik in mijn kamer ben voor ze merken dat ik weg was,' zei ik tegen hem. 'Ik ga door met mijn leven. Daar heb jij niets mee te maken.'
'Ik heb een ander voorstel,' zei Darragh.
Ik zei niets.
'We wachten tot het dag wordt, en dan zet ik je op Aoife en gaan we allebei terug naar Kerry, waar we thuishoren. Dat doen we.'
Het eenvoudige zelfvertrouwen dat hieruit sprak, benam me de adem, en even was ik niet in staat iets terug te zeggen. Ik werd over-

spoeld door een verlangen. Kon ik maar ja zeggen. Kon ik maar naar huis gaan, terug naar de Honingraat en naar mijn vader, terug naar de tijd toen alles nog klopte, en het ergste in mijn leven was dat ik de hele winter moest wachten tot de mensen van Dan Walker terugkeerden naar de baai. Maar ik kon niet gaan. Als ik bij zonsopgang niet de amulet van mijn grootmoeder om had, zou ze naast me verschijnen, en ze zou boos zijn en antwoorden willen horen. En zodra ik de amulet om had, kon ze me altijd zien, wanneer ze maar wilde. Teruggaan naar Kerry zou de dood betekenen voor mijn vader en voor Darragh. Niet doen wat mijn grootmoeder wilde, betekende het einde voor ons allemaal.

'Dat kan niet,' zei ik. 'Hoe zit het trouwens met O'Flaherty en zijn paarden? Moet je niet terug naar je werk? En hoe zit het met Orla?'

Darragh gooide een tak in het vuur.

'Vergeet O'Flaherty,' zei hij. 'Daar moet je niet aan denken. Ik bied aan je naar huis te brengen. Je bent moe, je bent bang, je weet niet goed welke kant je op moet. Ik denk dat je vader vast niet blij zou zijn als hij je zo zag.'

Ik dwong mezelf om te spreken. 'Ik kan niet teruggaan.' Mijn stem was even koud als de kilte die mijn hart gevoelloos maakte en mijn onvergoten tranen bevroor. 'Jij moet gaan. Met Aoife. Ik moet hier blijven. Ik weet wat ik doe, Darragh.'

Daarna zei hij een hele tijd niets, en naarmate de stilte langer duurde, begon ik te gapen, en mijn oogleden begonnen toe te vallen, ondanks de kou, en ik bedacht vaag dat het al behoorlijk lang geleden was dat ik had geslapen. Maar ik mocht mezelf niet toestaan te slapen. Ik moest nog terugrijden naar Glencarnagh, ik moest nog...

'Hier,' zei Darragh. Hij had nog een deken gevonden, niet veel meer dan een lap jute, die misschien gebruikt werd om Aoife warm te houden, want net als de eerste rook hij sterk naar paard. 'Je kunt beter een tijdje uitrusten. Je bent doodop. Kom, ga maar liggen, dan dek ik je toe.' 'Dat gaat niet,' wierp ik tegen tussen het krampachtig geeuwen door. 'Ik zei toch... voor zonsopgang terug... eind rijden...'

'Aoife is snel,' zei Darragh. 'Wij zorgen wel dat je ruim op tijd terug bent. Ik zal je wekken.'

'Nee... je begrijpt het niet...'

'Toch wel, Fainne.'

'Maar...' De deken was lekker warm, heel lekker warm. Nog terwijl ik mompelend protesteerde, legde ik mijn hoofd neer en deed mijn ogen dicht.
'Stil nou maar,' zei Darragh. 'Ik houd wel de wacht. Ga nu maar slapen.'
De slaap rolde over me heen als een grote golf, plotseling en onhoudbaar. Een paar keer werd ik half wakker, en werd ik me bewust van de winterkou die door alles heen drong, deken, mantel en jurk, om met zijn ijzige vingers mijn ziel aan te raken; ik werd me ervan bewust dat ik weer trilde en huiverde, ondanks de kooltjes die nog gloeiden en mijn pogingen om mezelf zo stijf mogelijk op te rollen. En toen had ik het plotseling warm, heerlijk warm, en ik was veilig en alles was goed en ergens achter in mijn geest zag ik de zon schijnen op het fonkelende water van de baai, en het was zomer. Weer later werd ik weer half wakker en wist ik dat de nacht voorbijging, maar ik wilde niet helemaal wakker worden uit angst dat ik dit mooie visioen voorgoed kwijt zou raken. Er lag een arm over me heen, die de mantel om me heen vasthield, en diezelfde oude deken bedekte nu ons beiden. Darragh lag achter me, met zijn lichaam gebogen tegen het mijne, zodat zijn levende warmte deel van mij uitmaakte, en ik voelde zijn langzame, rustige ademhaling op mijn haar. Ik bleef roerloos liggen. Ik stond mezelf niet toe tot volledig bewustzijn terug te keren. Ik dacht dat ik het helemaal niet erg zou vinden als alles op dit moment eindigde. Eindigde het maar, zodat ik nooit wakker zou hoeven worden. En ik gleed weer weg in de slaap.
'Krullenbol.'
Ik trok de deken om me heen en kneep mijn ogen stijf dicht.
'Fainne. Word wakker, liefje.'
Ik trok de deken over mijn gezicht.
'Fainne. Kom op nu.'
Ik knipperde met mijn oogleden, rekte me uit en kreunde. Ik ging met enige moeite zitten. Het was nog donker. Aan de andere kant van het vuur scharrelde Darragh rond, en ik kon zien dat Aoife haar zadeltassen en de opgevouwen deken op haar rug droeg. De grijze merrie stond stil naast haar. Het stralende visioen verdween uit mijn geest alsof het nooit had bestaan.
Ik probeerde op te staan. Het was niet gemakkelijk. De rit had me meer kwaad gedaan dan ik had beseft.
'Darragh.'

'Mmm?'
'Ik meende wat ik zei. Ga terug naar O'Flaherty. Ik rijd wel alleen naar Glencarnagh.'
'Huh-huh.'
'Zeg dat toch niet steeds!' Mijn stem klonk even zwak en wiebelig als die van een huilend kind. Wat mankeerde me toch? 'Je kunt niet meegaan. Ik ga alleen.'
'Laat dan maar eens zien of je hierheen kunt lopen.'
'Dat is niet eerlijk!' Ik deed een stap, en de pijn schoot door mijn rug. 'Ik kan gaan. Ik zal gaan.'
'Ga zitten, Fainne. Als je beslist terug wilt, zullen Aoife en ik je brengen. Dat heb ik al gezegd.'
'Waarom wil je toch niet naar me luisteren?' protesteerde ik, terwijl ik weer onhandig neerzakte op de grond, want mijn benen wilden me niet dragen. 'Je mag niet meekomen. Je mag niet in mijn gezelschap gezien worden. In Glencarnagh niet en nergens.'
'Je schaamt je er zeker voor, gezien te worden in gezelschap van een reizende man?' Hij stond met zijn rug naar me toe de merrie te verzorgen.
'Natuurlijk niet!'
'Je zou nog zo stom kunnen zijn om te proberen zelf te rijden. Ik zou het je kunnen laten doen, omdat ik er genoeg van had met je te bekvechten. Maar je kunt op deze merrie niet helemaal naar Glencarnagh rijden. Ze is oud, en ze heeft vannacht al een heel eind voor je gelopen. Ze is niet in staat om je terug te brengen, zeker niet in het donker. Ik breng je erheen. Maak je niet ongerust, ik zal je niet te schande maken door me aan de grote man zelf te vertonen. Ik wil je toekomst natuurlijk niet in gevaar brengen.'
Ik zei niets. Wat had het voor zin? Ik zou doen wat ik moest doen, en terwijl ik het deed zou ik voortdurend de godin danken dat hij ver weg was in het westen, en dat hij me niet kon zien. Elke dag zou ik dank zeggen omdat me deze ene kans gegund was om hem veilig weg te sturen, uit het zicht van mijn grootmoeder. Maar ik had zijn hulp nodig om terug te komen in Glencarnagh. Ik zou het nog één keer moeten accepteren.
'Ziezo,' zei hij na enige tijd opgeruimd. 'Nu moeten we maar eens gaan.'
'Het spijt me,' zei ik met een klein stemmetje.
'Wat spijt je?'
'Dat ik de merrie zo ver in het donker en in de kou heb laten lo-

pen. Dat ik haar heb uitgeput. Ik dacht nergens anders aan dan dat ik...'
'Zit daar nou maar niet over in,' zei Darragh. 'Ze is een beetje vermoeid, maar met rust en een warme stal komt dat wel weer goed. Ze is niet gewend aan zoveel opwinding, het arme oude beest. Maar ze is gezond. Je hoeft geen medelijden met haar te hebben. Ze haalt het met gemak, als ze achter Aoife aan loopt. Volgens mij heb je al genoeg aan je hoofd zonder dat je dit er ook nog bij neemt.'
Vervolgens tilde hij me op Aoifes rug en sprong er achter me op, en we gingen op weg in de nacht.
Het was een vreemde rit; er werd grotendeels gezwegen, en het ging sneller dan mijn tocht hierheen, want Aoife liep zowel snel als soepel, kennelijk zonder veel aanwijzingen nodig te hebben. In haar kielzog volgde de grijze merrie, een eindje achter ons. Op een gegeven moment zei Darragh: 'Daar gaat een uil. Hij volgt ons of hij gaat ons voor. Zie je hem? Dat doet me denken aan die raaf die altijd bij je vader in de buurt is, overal waar hij gaat. Als een wachter.'
Ik knikte in het donker. 'Ook een van dat soort,' zei ik.
'Aha. Fainne?'
'Mmm?' Ik weigerde verder te denken dan dit moment; verder te denken dan de vlotte gang van de pony en het witte glanzen van haar vacht onder de maan, en Darragh die achter me zat met zijn arm om mijn middel, terwijl zijn eigen warmte in me overging en de kou in mijn hart liet ontdooien. Ik voelde me veilig. Ik dacht, heel dwaas: ik houd dit zo lang mogelijk vast; want dit zal de allerlaatste keer zijn.
'Ik weet dat je niet met me mee wilt gaan. Ik weet dat je niet terug wilt gaan naar Kerry. Je hebt gezegd dat ik hier niet mag komen. Maar...'
'Maar wat?'
'Ik zou willen dat je de raad van een oude vriend ter harte neemt. Ik zou willen dat je tenminste niet op Glencarnagh blijft. Als je weer op Zeven Wateren was, zou je veiliger zijn. Daar wonen goede mensen. Je oom is een voortreffelijk mens. Mijn vader heeft groot respect voor hem en voor die hele familie. En... en je zou de tijd moeten nemen voor je keuzes maakt. Je bent nog jong. Je hebt alle tijd van de wereld.'
Nee, nee, dat heb ik niet. Ik heb de tijd tot de zomer. Meer niet. Mijn lot is uitgemeten over twee seizoenen. Maar ik kan een langere tijd voor jou kopen.

'Ben je klaar?' vroeg ik aan hem.
Hij gaf geen antwoord.
'Nog niet zo lang geleden gaf je me de raad een man te zoeken en een rits kinderen groot te brengen, herinner ik me geloof ik,' zei ik. 'Nu zeg je juist dat ik moet wachten. Wat moet ik nou doen?'
'Drijf niet de spot met me, Fainne. Als je dan toch moet huwen, kies dan tenminste een aardige man.'
Ik wist niets meer te zeggen. Hij had er op de een of andere manier slag van de eenvoudigste dingen te zeggen en mij ogenblikkelijk blij of ongelukkig te maken. We reden verder, en ik meende al een vaag lichten in de hemel te zien, alsof de dageraad niet ver meer was. Weer begon de vorst door te dringen in mijn ziel, alsof de beste en trouwste vriend die ik op de wereld had niet meer bij machte was zijn ijzige vingers tegen te houden.
'Darragh,' zei ik zacht, en zelfs in mijn eigen oren klonk mijn stem vreemd, alsof ik tegen tranen vocht. Maar mijn ogen waren droog. Ik was een tovenaarsdochter en ik was sterk. Ik zou niet huilen.
'Ja?'
'Als je wist wat ik allemaal gedaan heb, zou je mijn vriend niet willen zijn. Als je dat wist, zou je begrijpen waarom ik je vraag bij me weg te blijven. Vreselijke dingen. Slechte dingen, waarover beter niet gesproken kan worden.'
'Waarom vertel je ze me niet, zodat ik er zelf over kan oordelen?'
Mijn hart gaf een bons van schrik. 'Dat kan ik niet doen. Ik kan ze je niet vertellen.'
'Ik zou ernaar kunnen raden.'
'Nee, dat zou je niet kunnen. Niemand zou het kunnen raden. Het is... het gaat de verbeelding van gewone mensen te boven. Geloof nou maar dat je beter af bent als je ver bij me vandaan blijft. Geloof dat alsjeblieft.'
Aoife liep gestaag door, en nu zag ik een duidelijk grijs in de hemel, een verandering in het schaduwenpatroon om ons heen.
'Ik zou ernaar kunnen raden,' zei Darragh nogmaals. Zijn hand hield ontspannen de teugels vast, zijn arm lag vast en rustig om me heen. 'Er was een brand. Dat hoorde ik van mijn tante. Er kwam een man bij om, en een ander werd gewond. Een kind raakte ook gewond. Een vreemd ongeluk. Jij was er altijd goed in, vuur te maken.'
Ik zei niets.
'Je hebt gelijk, het was een vreselijke gebeurtenis. Je zou me er zon-

der al te veel moeite van kunnen overtuigen dat jij daar iets mee te maken had. Maar je zult me er nooit van overtuigen dat je zoiets met opzet zou doen. Onschuldige mensen verwonden, een heilige man van het leven beroven. Dat zal ik nooit geloven.'
'Er is nog meer,' fluisterde ik.
Darragh wachtte.
'Dat meisje, bij de baai. Het vissersmeisje dat opeens verdwenen was. Herinner je je dat?'
Hij zweeg.
Elk woord was een beproeving. Ik perste ze een voor een naar buiten, terwijl mijn hart hamerde. 'Ik... ik gebruikte de kunst, Darragh. Gebruikte haar verkeerd. Ik veranderde haar, en ze stierf. Er ging iets mis, en ze stierf. Dat heb ik nooit aan iemand verteld, tot dit moment. Hierna kun je natuurlijk niet meer mijn vriend zijn.'
Nu zou hij graag weggaan. Hij zou me verachten en van me weggaan, en ik zou me geen zorgen meer hoeven maken, want hij zou veilig zijn. Jammer dat dit zo'n pijn deed, jammer dat het voelde alsof er een mes in mijn hart stak, dat nog eens werd omgedraaid. Ik zou nooit genoeg kunnen lijden om de dingen die ik gedaan had, en de dingen die ik moest blijven doen, goed te maken.
'Ze was een goed kind,' zei Darragh zacht. We kwamen een flauwe helling af, reden tussen hoge iepen door, en daar in het glorende licht lag het lange, lage huis van Glencarnagh, en niet al te ver van ons af stonden twee mannen in groene tunieken met een wapen aan hun gordel op wacht. Aoife bleef stilstaan.
'Nu moet je gaan,' siste ik. 'Laat me hier alleen, ik ga zelf wel naar het huis. Je bent al te ver meegegaan.'
Achter me bleef Darragh rustig zitten.
'Darragh!' fluisterde ik dringend. De hemel werd steeds lichter. Ik moest weer binnen zijn en de amulet om mijn hals doen, voor het dag werd. Dat had ik grootmoeder beloofd. En Darragh moest weg zijn voor we gezien werden. Ik vreesde Eamonns woede.
Eindelijk kwam Darragh in beweging. Hij gleed van de rug van de pony af en stak zijn armen uit om mij eraf te helpen. Mijn benen waren wankel en hij hield me bij mijn armen vast en keek met gefronst voorhoofd aandachtig naar mijn gezicht in het vale licht voor zonsopgang.
'Misschien ga ik zelf naar Kerry, dan haal ik je vader,' mompelde hij. 'Dat doe ik misschien.'

'Nee!' hijgde ik. 'Nee! Doe dat niet! Ga gewoon weg, ga weg en laat me achter! Hoe duidelijk moet ik het zeggen opdat je het begrijpt?'

'Er moet iemand op je letten. Dat heb ik altijd gezegd, en dat is niet veranderd. Je bent betrokken bij iets wat te groot voor je is. Dat is niet goed, Fainne.'

Ik ademde diep in. 'Doe niet zo stom,' zei ik, en ik liet mijn stem zo koel klinken als ik kon. 'Dit is heel eenvoudig. Ik wil je vergeten. Ik wil elk spoor van jou uit mijn geest wissen. Ik wou dat je nou eens wegging, en dat ik je nooit meer zag. Geloof dit. Het is de waarheid.'

Darragh werd doodsbleek en hij haalde zijn handen langzaam weg. Ik merkte dat ik zonder steun kon blijven staan, al scheelde het niet veel. Zijn blik bleef op mijn gezicht gericht. Zijn bruine ogen keken onderzoekend in de mijne.

'Geef me je hand,' zei hij.

Ik deed mijn mond open om ertegenin te gaan, maar merkte dat ik in plaats daarvan mijn hand uitstak, en hij nam hem in de zijne. We keken er allebei naar.

'Ik geloof je niet,' zei Darragh, en zijn vingers gingen over het kleine ringetje van gevlochten gras dat ik aan mijn pink droeg; het kleine aandenken dat mijn handen haast als bij toeval waren tegengekomen in het geheimste hoekje van mijn houten kist, toen ik had gehoopt me te verzetten tegen mijn grootmoeder, maar verslagen was. Dit had ze niet gezien, en ze zou het ook nooit zien, want het zou weer veilig in de kist liggen voor de amulet weer om mijn hals hing. Dit was een symbool van onschuld, en ik was niet langer gerechtigd het te dragen. Toch had ik het deze nacht aan mijn vinger gedragen om te bewijzen dat ik het niet vergeten was.

'Ik geloof je niet,' zei hij weer, en liet mijn hand los. 'Maar nu gaat de zon bijna op, en je moest maar liever naar binnen gaan. Zal de wacht je niet zien?'

Ik schudde mijn hoofd. 'Er zijn manieren om dat soort dingen te doen.'

Hij fronste zijn voorhoofd. 'Dit bevalt me niet, Fainne. Het bevalt me niet dat ik je hier achter moet laten.'

Ik zei niets. We staarden elkaar even aan, en toen maakte ik aanstalten om te gaan.

'Goed dan,' zei Darragh zacht, en hij stak zijn hand uit om een lastige haarlok uit mijn gezicht te strijken. Zijn vingers aarzelden bij mijn slaap en gingen weg. 'Vaarwel, Krullenbol. Doe geen domme dingen tot...'

'Nee!' riep ik uit. 'Zeg dat niet! Je mag niet terugkomen! Nooit, begrijp je, nooit!'

En ik draaide me om en rende zo snel als mijn beurse lichaam me kon dragen onder de schaduw van de iepen weg, en prevelde onder het lopen een toverformule zodat de wachten niets zouden zien dan een eigenaardigheid van het morgenlicht, een spoor van beweging tegen het patroon van struiken en hoog gras. Ik keek niet één keer om. Ik rende langs de haag en door de tuin, ik glipte door de keukendeur naar binnen en liep door de gang naar mijn kamer, waar het vuur uit was en van de kaars alleen een misvormde klomp over was. De lucht was bitter koud, maar niet zo koud als de dodelijke kilte die mijn hart omsloot.

Ik haalde het ringetje van mijn vinger en duwde het diep in de kist onder de zijden sjaal. Ik zou ze geen van beide ooit meer dragen. Daarna haalde ik de amulet van mijn grootmoeder te voorschijn, de vreemd bewerkte bronzen driehoek, en ik zocht naar een koord of een lint, iets om het ding om mijn hals te hangen, want ik wilde niet de kans lopen dat ze terugkwam zolang Darragh nog op weg was binnen de grenzen van Glencarnagh. Zodra ik de amulet droeg, wist ze zeker dat ze macht over me had. Ik hoefde alleen haar wil te doen, dan zouden mijn dierbaren veilig zijn.

Ik herinnerde me iets. Een koord, een vreemd koord, dat als sieraad had gediend voor mijn pop Riona. Ik had het afgedaan om het te bewaren, met de bijbehorende witte steen. Waar had ik ze gelaten? In de zak van een jurk, meende ik me te herinneren. De donkerroze jurk. Die had ik hier, opgevouwen in de kist. Ja, daar was het, een sterk koord, gevlochten van allerlei vezels, zo sterk dat het onbreekbaar leek, en met leer omwonden uiteinden. Destijds had ik moeite gehad het los te krijgen. Nu ging de knoop wonderlijk gemakkelijk los. Het leek alsof dit ding, dat van mijn moeder was geweest, graag bereid was zo'n gevaarlijke talisman te dragen. Ik borg de kleine, witte steen weg in de kist en reeg in plaats daarvan de bronzen driehoek aan het koord. Terwijl ik het om mijn hals vastbond, merkte ik dat ik iets fluisterde: *Neem me niet kwalijk, het spijt me erg*. De amulet leek nu lichter aan te voelen, alsof het koord waar hij aan hing van veel sterkere makelij was dan het koord dat gerafeld en gebroken was door deze boosaardige last. Misschien hield de geest van mijn moeder de wacht over me, zelfs in de donkerste tijden. Ik huiverde. Het was beter dat zij me niet zag; het was beter dat ze niet wist dat ik weer het werktuig van mijn grootmoeder was. Want ik had het gevoel dat mijn stappen van nu af aan de weg van de tovenares zouden volgen, en dat mijn verhaal haar verhaal zou zijn.

HOOFDSTUK NEGEN

Ik wist wat ik moest doen. Het was een kwestie van discipline. De wil beheersen en de geest concentreren. De energie op de taak richten en zorgen dat niets haar in de weg kwam. Zo had het moeten zijn vanaf het moment dat ik in Dan Walkers wagen was geklommen en de kust van Kerry achter me had gelaten. Dit had ik moeten doen in het woud van Zeven Wateren, in plaats van toe te laten dat de meisjes door mijn verdediging heen glipten en zich een plaats in mijn hart veroverden, tegen beter weten in. Ik had me zo moeten beschermen, in plaats van naar een druïde te luisteren en me iets aan te trekken van de verhalen van de wezens die zichzelf de Ouden noemen.

Er was een strategie die moest worden gevolgd, en de eerste stap daarin was Eamonn. Eamonn was niet zo moeilijk, hield ik mezelf voor terwijl ik me waste en me kleedde met ongewoon veel aandacht voor details, en bezorgd in de spiegel naar mijn spookachtig witte gezicht en de donkere kringen onder mijn ogen keek. Om hem gaf ik tenminste niet, dacht ik, terwijl ik mijn haar borstelde met honderd harde slagen en het boven op mijn hoofd vlocht zodat ik er ouder uit zou zien, minstens zeventien. Het was gewoon een kwestie van me herinneren wat ik moest doen en waarom ik het deed. Het was een kwestie van denken aan de stem van mijn grootmoeder die zei: *Hij loopt een grote kans onderweg vermoord te worden voor zijn zakje met goedkope prullen.* Daaraan te denken en met de vaste hand van een tovenares datgene te doen wat ze me opdroeg.

Ik kwam voorzichtig mijn kamer uit, want ik wist dat het laat was en dat er vragen zouden rijzen als ik twee dagen achter elkaar niet verscheen. Ik was moe, ik had het koud en ik had overal blauwe plekken. Ik zag er niet uit zoals een meisje eruit zou moeten zien dat een heel etmaal heeft gerust. Een beetje bleek zien ging nog wel, maar een totaal uitgeputte indruk maken kon niet. Ik zag er in elk geval netjes uit. En ik wilde geen gebruik maken van het Mom. Als ik dit moest doen, zou ik het doen als mezelf.

Ik had geluk. De meisjes waren nergens te bekennen, en ik trof Eamonn alleen aan. Hij tuurde met een zorgelijk gezicht op met uiterst kleine lettertjes beschreven documenten, en zat in een zijkamer waar hoge, smalle ramen het koude zonlicht van deze wintermorgen opvingen. Ik bleef in de deuropening staan en keek naar hem; ik vond dat zijn gezicht er in het genadeloze licht afgemat en gegroefd uitzag, en zag dat zijn bruine haar bij de slapen sporen van grijs vertoonde. Ik herinnerde mezelf eraan dat ik moest leren dat mensen stukken waren in een spel, niet meer en niet minder. Ik maakte geen geluid, maar plotseling merkte hij dat ik er was en sprong overeind, haast alsof hij op zijn hoede was voor een vijand.

'Goedemorgen,' zei ik beleefd. 'Het spijt me als ik u heb laten schrikken.'

'Helemaal niet.' Hij herstelde zich snel en kwam naar voren om me naar een bankje bij de kleine haard te leiden. Het was ijzig koud; de wandtapijten bewogen door de tocht. Ik kon een huivering niet onderdrukken.

'Kom, ga hier zitten,' zei Eamonn. 'Je voelt je nog steeds niet goed. Heb je gegeten?'

Ik schudde mijn hoofd, en onmiddellijk werd er een dienares geroepen en met een opdracht weggestuurd, en er werd een dienblad met brood, koud gevogelte en een kan bier gebracht en naast me neergezet. De vrouw werd heengezonden. De deur werd gesloten.

'Alstublieft,' zei ik, 'ik heb u gestoord bij uw werk. Ga alstublieft verder. Let niet op mij. Ik zal stil zijn. Als u wilt kan ik dit ergens anders mee naartoe nemen. Het was niet mijn bedoeling...'

Eamonn toonde een grimmig lachje. 'Helemaal niet nodig. Ik schiet hier maar langzaam mee op; ik houd niet van dit werk en ik kan me vandaag niet concentreren. De onderbreking komt me goed uit. Bovendien stond ik op het punt iemand naar je toe te sturen om te kijken hoe het met je was. Hier, laat mij dit voor je inschenken.'

Ik wachtte zwijgend terwijl hij dat deed, en dacht aan Darraghs vingers die zich warm om de mijne hadden gesloten, dacht eraan hoe hij me als een kind had gevoerd.

'Alsjeblieft,' zei Eamonn. 'Ik heb me zorgen over je gemaakt, Fainne. We hebben gisteren niet van je gezelschap kunnen genieten.'
'Zoals u ziet, ben ik nu weer helemaal in orde.' Ik dronk met kleine teugjes van het bier en verkruimelde het brood tussen mijn vingers.
'Ik...' Eamonn sprak ongewoon aarzelend. 'Ik vroeg me namelijk af of je ongesteldheid het gevolg was van... ik dacht dat ik je misschien had beledigd, je van streek had gemaakt. Mijn gedrag was niet helemaal gepast, dat besef ik wel.'
Ik keek naar hem op.
'Het was niet zozeer uw gedrag als... het was wat u zei. Ik was... ik was inderdaad een beetje van streek. Maar zoals u ziet, ben ik nu hersteld.'
'Ik heb je dus inderdaad beledigd. Dat betreur ik.' Het klonk wel alsof hij het meende. Hij had plaatsgenomen op de bank tegenover de mijne en nam me onderzoekend op. Ik dronk van het bier. Eigenlijk had ik razende honger, want aan die havermoutpap had ik lang niet genoeg gehad, maar een flinke eetlust strookte niet met het beeld dat ik wilde oproepen. Ik liet het brood onaangeroerd liggen.
'We moeten hierover praten,' zei Eamonn met weinig enthousiasme in zijn stem. 'Maar ik weet eigenlijk niet waar ik moet beginnen.'
Ik keek naar hem op. Hij zag eruit als een man die niet geslapen had, en ik had het gevoel dat de papierrollen die op de tafel verspreid lagen, niet zijn grootste zorg vormden. 'U zei iets over een compromis,' hielp ik hem herinneren. 'Ik ben ervan overtuigd dat zoiets mogelijk is tussen ons. Maar we zullen daar vanmorgen niet over spreken. Ik ben nog vermoeid, en u lijkt met andere dingen bezig te zijn. Mag ik een voorstel doen?'
'Zeker.'
'Misschien zou ik hier een tijdlang rustig kunnen blijven zitten. We hoeven niet te spreken over wat er tussen ons gebeurd is. Ik heb een handwerkje bij me; ik zal eten en drinken, en me daarmee bezighouden, want er is goed licht in deze kamer, en ik heb vanmorgen geen behoefte aan ander gezelschap dan het uwe. U kunt doorgaan met uw werk alsof ik er niet was. Later, misschien na het avondmaal, zouden we over andere dingen kunnen praten.'
Hij staarde me enkele ogenblikken zwijgend aan. Toen zei hij: 'Er was hier gisteren een vent die naar je vroeg. Een onbehouwen type. Hij kwam zomaar aanrijden en wilde je spreken, en wilde ei-

genlijk niet accepteren dat dat niet ging.' Hij keek me met gefronst voorhoofd aan. Ik deed mijn uiterste best om mijn gezicht strak te houden en bewaarde de kalmte in mijn stem.

'Zo?'

'Hij had een prachtige pony bij zich, een veel te mooi paardje voor zulk gajes. Zuiver wit. De kerel zei dat hij jou kende, uit Kerry.'

'Dat is vast een van de reizende mensen geweest, denk ik. Zij hebben me naar het noorden gebracht, naar Zeven Wateren.'

'Een ongebruikelijke regeling,' zei Eamonn meesmuilend.

'Misschien. Maar wel veiliger voor een meisje dat alleen reist dan een duidelijker escorte. De mensen laten de reizigers ongehinderd passeren. Deze man is familie van een vrouw in het huishouden van mijn oom Sean. Dat is alles.'

'En wat betekent deze kerel voor jou, Fainne? Hij was erg hardnekkig. Op het dwaze af. Hij leek erg traag van begrip toen ik hem beval mijn gebied te verlaten. Wat betekent hij voor jou?'

En plotseling hoorde ik een klank in zijn stem, en zag ik een uitdrukking in zijn ogen die me een buitengewoon onprettig gevoel gaven. Ik herinnerde me weer dat dit de man was die achttien jaar of langer zijn jaloerse wrok had gekoesterd. Dit was de man die had gezegd: *Een man die iets neemt wat van mij is, wordt met gelijke munt terugbetaald.* Die blik beviel me niet, maar de stem van mijn grootmoeder zei: *Ja, o ja. Doe daar iets mee.*

Ik probeerde een lief, wegwimpelend lachje te laten horen. 'Hij? O, niets. Het zijn beste mensen, maar ze zijn erg simpel. Ze zijn gewend langs te komen, te vragen hoe het met een vriendin van ze gaat, en weer weg te rijden. Het heeft weinig te betekenen.'

'Vriendin? Zo'n vent, een ketellapperszoon, kan een dame toch niet als vriendin beschouwen?'

'Er steekt geen kwaad in,' zei ik achteloos. 'Bovendien ben ik niet zo'n echte dame. Dat ziet u zelf ook wel in, ontken het maar niet. Een man in uw positie zou immers niet kunnen overwegen zo'n meisje tot echtgenote te nemen. Een meisje wier afstamming op zijn minst ongebruikelijk is. Een meisje dat in afzondering is grootgebracht, en dat meer van boeken en geleerdheid afweet dan van hoe het in een deftig huishouden toegaat.'

'Fainne...'

'Ah. Nu heb ik inbreuk gemaakt op mijn eigen regels. Ik zal u zeggen wat we zullen doen. U gaat zitten en gaat verder met het ontcijferen van die piepkleine lettertjes. Ik eet op wat u zo vriendelijk voor me hebt laten brengen en ga verder met mijn naaiwerk. En we praten niet meer. Dat doen we later pas. Gaat u akkoord?'

Eamonn glimlachte wrang en nam weer plaats op zijn zetel bij de tafel.

'Ik krijg op de een of andere manier het gevoel dat ik hier niet zozeer geraadpleegd word, als wel dat ik iets krijg opgelegd.'

'U vindt dit niet plezierig?' vroeg ik, terwijl ik mijn wenkbrauwen optrok op de manier die mijn grootmoeder me had voorgedaan.

'Dat heb ik niet gezegd.'

Ik at mijn ontbijt verder op en wijdde me aan het naaiwerk. Het was maar goed dat mijn grootmoeder me naaien had geleerd. Misschien zou ze niet tevreden geweest zijn over de kwaliteit van mijn werk, maar ik was tenminste in staat een passend beeld van huisvlijt te creëren. En ik had goed licht. Deze man had over een blanke huid en rood haar gesproken alsof hij beide aantrekkelijk vond. Ik zat precies op een plek waar de winterzon mijn bleke wangen verlichtte; ik wist dat haar stralen op het vurige rood van mijn haar zouden vallen zodat het een oogverblindende stralenkrans zou vormen. Ik concentreerde me op mijn werk, en mijn vingers bewogen nijver. Ik wist zonder te kijken dat Eamonns ogen vaker op mij rustten dan op de documenten die hij voor zich had.

De tijd verstreek in volkomen stilte. De zon bewoog sneller dan me lief was aan de hemel, zodat het beste licht weg was. Het zou niet lang meer duren tot midwinter. Ik vergunde mezelf even aan Darragh te denken, en aan Aoife die hem terugbracht, mijlenver naar het westen, naar Ceann na Mara. Hij zou teruggaan naar O'Flaherty, zich daar vestigen en misschien met Orla trouwen en een hele rits donkerharige zoontjes en mooie, blauwogige dochters grootbrengen. Die zouden allemaal kunnen zwemmen als vissen en paardrijden alsof ze in het zadel geboren waren. Hij zou zijn zuster in zijn nabijheid hebben, wanneer ze met Aidan trouwde. Hun bestaan zou eenvoudig en gelukkig zijn en een doel hebben. Hij zou lang genoeg leven om zijn kinderen te zien opgroeien.

'Fainne?'

Ik dook in elkaar alsof ik een klap had gekregen, en rukte me los van mijn gevaarlijke gedachten. Dat moest ik niet meer doen. Ik moest me concentreren.

'Mmm?' vroeg ik, terwijl ik een keurig knoopje in mijn draad legde en het uiteinde afbeet.

'Ik... niets. Doe maar alsof ik niets heb gezegd.'

'U hebt de regels overtreden,' zei ik op luchtige toon, terwijl ik mijn werk opvouwde. 'Niet praten. Maar ik ben hiermee klaar. Misschien moet ik nu maar gaan.'
'Nee, blijf. Ik vind het prettig als je daar zo stil zit terwijl ik werk. Het lijkt vreemd, maar op een bepaalde manier toch ook gepast. Vroeger... vroeger droomde ik erover dat het zo zou zijn, met... ik stelde me voor hoe het zou zijn als ik getrouwd was. Hoe anders het misschien zou zijn. Er stond me een beeld voor ogen, van hoe ik te paard thuiskwam op Sídhe Dubh, en... nee, dit is niet juist. Ik zou niet zo tegen je moeten spreken.'
'Vertel het,' zei ik kalm.
Hij stond op en kwam naar me toe om naast me te gaan staan en uit het hoge, smalle raam naar het winterse landschap te staren: kale iepen, een goed omgespitte moestuin die wachtte op het inzaaien.
'Je zult me dom vinden,' zei hij. 'Weekhartig.'
'Nee, dat zal ik niet, Eamonn. Ik wil echt geen oordeel over u vellen.'
Hij keek op me neer, met een sombere uitdrukking op zijn gezicht. 'Ik dacht toen, begrijp je, dat ik zou huwen en zonen zou verwekken, net als elke man. In die tijd kwam ik voor het eerst in aanraking met de Beschilderde Man; het stuk addergebroed dat mijn hele leven zou verwoesten. Ik wist toen nog niet dat hij me zou beroven van alles wat me dierbaar was; dat hij mijn hoop voor de toekomst zou grijpen en zich toe-eigenen. Toen geloofde ik nog dat mijn leven zo zou zijn als dat van andere mannen. En terwijl ik voelde dat de duisternis van de invloed van die man mijn ziel begon binnen te dringen, zag ik een klein beeld, als het enige zuivere visioen dat waarachtig zou blijven: mijn vrouw die op Sídhe Dubh in de deuropening stond, met mijn kind in haar armen. Dat gaf me de zekerheid dat alles was zoals het behoorde te zijn.'
Ik zei niets.
'Dwaze gedachten, voor een oude man,' merkte Eamonn verbitterd op. 'Dat denk je zeker.'
'Dat was natuurlijk Liadan, die u zag.'
'Natuurlijk. Maar hij nam haar. Ze baarde zijn zonen. Haar zonen hadden van mij moeten zijn.'
Dit leek een buitengewoon vreemde opmerking, zo vreemd dat ik nauwelijks een antwoord kon bedenken.
'We hebben gezegd dat we pas later over deze dingen zouden spre-

ken,' wist ik te zeggen. 'Waarom vertelt u me dit eigenlijk?'
Eamonn vermeed het me aan te kijken. Hij staarde nog steeds uit het raam en keek naar een man die het pad afliep met een hooivork over zijn schouder en een paar honden die hem op de hielen volgden.
'Ik weet het niet,' zei hij na enige tijd. 'Ik denk dat ik, toen ik je daar zo rustig in de kamer zag zitten, het gevoel kreeg dat... dat het zo goed was, dat zo mijn leven had kunnen zijn als alles anders was.'
Ik zei niets.
'Ik wilde hier niet over praten; ik heb het je verteld ondanks mezelf. Het is dwaasheid, het is zwak. Iets dat nooit heeft bestaan is niet terug te halen.'
Ik stond op. 'Ik ga nu,' zei ik zacht. 'Ik moet naar de meisjes toe, en daarna moet ik eigenlijk weer rusten. Sinds de rit naar de waterval heb ik overal pijn, meer dan ik had gedacht.'
'Dat was erg onnadenkend van mij.' Eamonn fronste zijn voorhoofd en keek me strak aan. 'Erg onnadenkend.'
'Niets om u ongerust over te maken,' zei ik op luchtige toon. 'Na het avondeten zouden we misschien weer brandubh kunnen spelen, en verder praten over deze dingen.'
'Ik denk niet...'
'Dat zouden we misschien kunnen doen.' Mijn stem klonk beslist. 'En voor die tijd wil ik dat u ergens over nadenkt.'
Hij wachtte.
'Namelijk over de vraag,' zei ik voorzichtig, 'wat u moet doen voor u verder kunt gaan? Waarop wacht u voor u uw leven in eigen hand kunt nemen en ervoor kunt zorgen dat uw thuiskomst begroet zal worden met open armen, een warm haardvuur en het gelach van kinderen? Welk spook moet u verslaan voor u dat doet?'
'Je kunt niet...'
'Ah,' zei ik. 'Ik heb het al gedaan. Ik heb de vraag gesteld, en ik wil het antwoord horen.'
'Ik wens hier niet meer over te spreken. Deze dingen kunnen het beste onaangeroerd blijven.'
'Dat denk ik niet,' zei ik. 'U hebt maar een half leven geleefd. Als u de rest weggooit, heeft uw vijand het werkelijk van u gewonnen. Nu ga ik. Wilt u iets voor me doen?'
Hij boog zijn hoofd in een hoffelijk gebaar, maar zijn kaak was strak.

'Doe uw handen achter uw rug,' zei ik. 'En doe uw ogen dicht, tot ik zeg dat u ze open mag doen.'
Het overviel hem zo dat hij deed wat ik vroeg. Ik legde mijn handen aan weerskanten van zijn gezicht en voelde dat zijn lichaam zich spande.
'Ogen dicht,' zei ik streng. Toen dwong ik mezelf om hem te kussen, een kus die begon als de lieve aanraking van lippen die je zou kunnen verwachten van een onschuldig jong meisje zoals ik was. Maar grootmoeder had me veel geleerd. Ik wist hoe ik, door mijn lippen iets te openen en mijn tong even te voorschijn te laten komen, deze kus kon laten veranderen in meer, in iets wat het bloed van een man aan de kook kon brengen en zijn ademhaling sneller kon laten gaan, zoals Eamonns ademhaling nu. Ik wachtte op het moment waarop het hem niet meer lukte zijn handen op zijn rug te houden, en op dat moment maakte ik mijn lippen van hem los en deed een stap naar achteren.
'Fainne!' hijgde hij terwijl hij me aanstaarde. 'Wat probeer je met me te doen?'
'Niets,' antwoordde ik, en ik zette grote ogen van verbazing op. 'Ik wilde u alleen laten zien dat ook ik geloof dat er een compromis mogelijk is. Overigens, als u in de toekomst moeite hebt met lezen, zou ik u daarbij kunnen helpen. Ik heb er veel ervaring mee, en mijn ogen zijn jonger.'
Ik draaide hem mijn rug toe en ging de kamer uit, en Eamonn zei helemaal niets.
Het was niet gemakkelijk. Ik verachtte mezelf om wat ik deed. Ik huiverde als ik eraan dacht wat Darragh zou denken als hij me kon zien. Mijn vader had me altijd mijn eigen weg laten zoeken en me mijn eigen fouten laten maken, maar dit zou hem diep hebben geschokt. Toch vond ik de kracht om ermee door te gaan. Ten eerste het kleine beeld van mijn vader, die bloed uithoestte. Een tweede beeld van Darragh en Aoife op weg naar het westen, weg van het gevaar. En dan de meisjes nog, elk weer anders en elk op haar eigen manier dierbaar. Ze hadden me onvoorwaardelijk hun vertrouwen gegeven; ik mocht hen niet blootstellen aan de vernietigende woede van mijn grootmoeder. Ik hoefde alleen maar daaraan te denken, dan was het uiteindelijk niet zo heel moeilijk om door te gaan.
Ik bracht enige tijd door bij de meisjes. Ze waren ongewoon stil; Eilis liet me haar borduurwerkje zien, de tweeling lag languit op het

haardkleedje, en Sibeal zat bij het raam, roerloos en zwijgend, zodat het leek alsof ze uit een lichtgetinte steen was gehouwen.
'Heel goed, Eilis,' zei ik. 'Je moeder zou trots op je zijn. Het spijt me dat ik je hier gisteren niet mee kon helpen. Ik ben ziek geweest.'
'Ik heb haar geholpen,' zei Deirdre met iets zelfgenoegzaams in haar stem. 'Jij had de hele dag de deur op slot. Je kwam niet eens kijken toen we aanklopten. Wat heb je eigenlijk?'
'Vreselijke hoofdpijn. Nu voel ik me weer beter.'
'Je ziet er niet beter uit,' merkte Clodagh op. 'Je gezicht is bleek en je hebt wallen onder je ogen. We dachten dat je misschien ruzie had gemaakt met oom Eamonn.'
'Oom Eamonn is in een erg kwaaie bui,' zei Deirdre.
Ik antwoordde niet. In het vervolg moest ik maar liever minder tijd met hen doorbrengen. Ik moest me maar liever zo snel mogelijk van hen losmaken, ook als dat hun verdriet deed. Dichtbij blijven bracht hen in gevaar. Bovendien begonnen ze er een beetje al te handig in te worden dingen te doorgronden.
'Je hebt hem gemist,' zei Clodagh in de stilte. 'Darragh. Hij was hier en je hebt hem gemist.'
'Dat heb ik gehoord, ja,' zei ik gespannen.
'We dachten dat ze niet echt bestonden.' Deirdre lag op de vloer met haar hoofd gesteund op haar hand en keek op naar mij, terwijl ik naast Eilis op het bed zat. 'Hij en de witte pony. Dat ze niet echt waren. Alleen maar een jongen en een pony in een verhaal, die avonturen beleefden. Maar ze waren wel echt. We mochten Aoife aaien.'
'Hij zei dat hij op Zeven Wateren was geweest, en toen moest hij weer weg. Hij is ook bij Maeve geweest, wist je dat? Hij zei dat ze al beter begon te worden.' Clodagh hield een takje in het vuur tot het vlam vatte. 'Kunnen we dan naar huis gaan, Fainne?'
Opeens was het erg stil in de kamer. Ze keken me alle vier gespannen aan.
'Gauw,' zei ik. 'Heel gauw. Ik moet eerst nog eens met jullie oom Eamonn praten. Als jullie willen, zal ik hem vragen wat hij ervan vindt.'
Clodagh keek even naar Deirdre, en er ging een onuitgesproken boodschap tussen hen heen en weer.
'Hij zegt vast nee,' zei Clodagh. 'Hij wil vast dat jij op Glencarnagh blijft. En zonder ons kun je hier moeilijk blijven. Je had hem gisteren moeten zien, toen Darragh hier was. Hij was razend.'

'Darragh was aardig,' merkte Eilis op. 'Ik mocht een wortel aan de pony geven.'

'Vind je het niet erg?' vroeg Clodagh aan mij. 'Dat je hem hebt gemist?'

Ik ademde diep in. 'Het was erg jammer,' zei ik zo opgeruimd mogelijk. 'Maar ik voelde me niet goed genoeg om iemand te zien, zelfs een oude vriend niet. Jullie oom Eamonn heeft er goed aan gedaan.'

Ik kon voelen dat Sibeal naar me keek, hoewel ze achter me zat. Maar ze zei niets.

'Als jij het zegt,' zei Clodagh, met een stem waarin volstrekt ongeloof te horen was.

Toen ze weg waren gegaan, probeerde ik te rusten, maar dat ging niet. Het drong die dag tot me door dat de mooie visioenen die ik had gezien terwijl ik bij een klein vuur lag, met Darraghs arm om me heen en de warmte van zijn lichaam tegen me aan, de laatste fijne dromen waren die ik ooit zou krijgen. Nu werd mijn geest, zodra ik wegzakte in een half slapende toestand, bestormd door beelden: mijn moeder die van een richel afstapte en viel, viel met haar goudblonde haar wapperend in de wind, en de rotsen beneden die omhoog reikten om haar een laatste keer onzacht te omhelzen; mijn vader, krijtwit, die bloed opgaf; Darragh, die langs de weg lag met een mes in zijn rug, terwijl Aoife zacht met haar neus tegen hem aan duwde, met een verbijsterde uitdrukking in haar trouwe ogen omdat hij maar niet wakker werd. En later nog meer beelden, die me schenen te vertellen van dingen die zouden komen, of zouden kunnen komen. Een meisje dat snikte, snikte, met haar ogen stijf dichtgeknepen, tranen die over haar wangen stroomden, snot uit haar neus, haar mond krampachtig vertrokken van ellende, en met donkerrode krullen en een melkwitte huid, waaruit bleek dat ik dat was, als ik het al niet had geweten. Ik had dit eerder gezien. Er kwamen woorden bij het beeld: *Je zult pas weten hoeveel je te verliezen hebt wanneer het al verloren is.* En toen, een plotseling donker worden, alsof de hele wereld in de war was geraakt, en de dag in nacht veranderde door toedoen van dit verdriet. Mensen die mompelden en schreeuwden van angst. En een grote golf, een muur van water die uit het niets kwam, een vloedgolf zo hoog dat je ernaar opkeek en de dood herkende, terwijl je nog een laatste keer huiverend inademde. *Ik zal alles wegvagen... wegvagen... ik zal alles meenemen... alles...*

Bij het avondeten zag ik dat Eamonn zich had verkleed en dat zijn haar er, net als het mijne, uitzag alsof het zorgvuldig geborsteld was.

Ik lette op de ernstige, donkerbruine ogen, de vierkante, harde gelaatstrekken, de lok haar die telkens over zijn voorhoofd viel. Ik dacht dat hij ooit, lang geleden, een knappe jongeman moest zijn geweest, een man die een meisje heel geschikt had kunnen vinden als echtgenoot. Wanneer je zijn rijkdom in aanmerking nam, en de machtige positie die hij innam, was het moeilijk voorstelbaar dat mijn tante Liadan hem had afgewezen ten gunste van een andere man, vooral als die zo weinig aantrekkelijk was als haar vreemde echtgenoot zo te horen was. Het leek onlogisch. Ik dacht erover na wat voor vrouw ze was, om een trouwe aanbidder zo wreed te behandelen dat zijn hele leven erdoor was bedorven. Toen hield ik mezelf weer voor dat ik moest onthouden dat mannen en vrouwen niet meer waren dan stukken in een spel, die naar believen konden worden gehanteerd om winst te behalen. Het paste mij niet om bekommernis te voelen voor de plechtstatige, bleke man van middelbare leeftijd die tegenover me aan tafel zat, die weinig at en stevig doordronk. Het paste mij niet om wat dan ook te voelen. *Goed zo, kind*, zei de stem van mijn grootmoeder.

We beëindigden onze maaltijd. De schotels werden afgeruimd en er werd wijn gebracht. Eamonn gaf de bediende te verstaan dat we onder geen voorwaarde gestoord mochten worden. Er stonden twee gebeeldhouwde stoelen bij het haardvuur, met een tafeltje ertussen. De doos met de brandubhstukken en het fraai bewerkte bord stonden daar al klaar.

'Wil je spelen?' vroeg Eamonn terwijl hij tegenover me ging zitten. *Dit spel niet*, dacht ik. 'Vanavond misschien niet. Ik denk niet dat ik me erg goed zou kunnen concentreren. Gaan uw bedienden er niets van denken als de deur dicht is en ze te horen krijgen dat ze niet binnen mogen komen? Als ik al een goede reputatie had, is die nu voorgoed weg.'

Eamonn keek me onbewogen aan. 'Zoals je ziet heb ik de deur niet vergrendeld, en dat ga ik ook niet doen. Je loopt bij mij geen gevaar, Fainne. Ik ben geen verleider, ongeacht welke mening je je over mij hebt gevormd.'

'Mijn herinnering aan uw gedrag eergisteren ondersteunt die opmerking niet helemaal.'

'Daar heb ik mijn excuses voor aangeboden en dat doe ik nogmaals. Ik weet niet wat me bezielde.'

Ik trok mijn wenkbrauwen op. 'Ik zou er een gooi naar kunnen doen.'

'Je hebt het me ook niet bepaald gemakkelijk gemaakt. Vanmorgen was je... ik begrijp echt niet wat je van me wilt.' Hij schonk wijn in mijn bokaal en vulde zijn eigen bokaal bij. De wijn was heel sterk, met een volle smaak die sprak van zonovergoten hellingen en weidebloemen. Ik dronk voorzichtig, met kleine teugjes, want ik besefte dat ik mijn verstand erbij moest houden.
'Laten we bij het begin beginnen,' zei ik. 'Hebt u een antwoord op mijn vraag? Want ik denk dat als wij beiden hoe dan ook verder willen, het verleden moet worden afgehandeld. En daarmee kan ik u helpen. Geloof me.'
'Ik zie werkelijk niet hoe, Fainne.' Eamonn staarde in zijn bokaal alsof die misschien het antwoord op een raadsel bevatte. 'Met de beste wil van de wereld, maar je bent nog heel jong en volstrekt onervaren. Je zou onmogelijk kunnen begrijpen wat er tussen mij en...'
'En Liadan?'
'Haar, en anderen. Je hebt het zelf gezegd. Dat je in afzondering was grootgebracht, ver van de zalen van mannen. Je hebt geen idee van de slechte dingen die hebben plaatsgevonden. Je bent onschuldig. Hoe zou jij me kunnen helpen?'
'Juist.' Ik stond op. 'Dan heeft dit ook verder geen zin, wel? Dan kan ik net zo goed teruggaan naar Zeven Wateren. De meisjes vroegen al wanneer we naar huis kunnen gaan. Ik zal tegen ze zeggen dat we morgenochtend kunnen vertrekken.'
'Nee.' Eamonn stond snel op, en ik voelde dat zijn hand zich om mijn arm sloot. 'Nee. Dat bedoelde ik niet. Alsjeblieft, ga zitten, Fainne.'
'Moeilijk is het, hè?' vroeg ik zacht toen ik weer zat, en hij mijn arm had losgelaten en was teruggegaan naar zijn plaats. 'U begrijpt niet wat ik wil en ik heb geen idee van wat u wilt. Ik betwijfel of u dat zelf wel weet. Waarom begint u niet met de vraag te beantwoorden die ik u heb gesteld?'
Eamonn antwoordde niet. Zijn kaak was gespannen, alsof hij zijn kiezen op elkaar zette om woorden tegen te houden.
'Wijst u mijn vraag af?' vroeg ik. 'Is hij volgens u – welk woord gebruikt u daar altijd voor – ongepast?'
Zijn lippen verbreedden zich tot een volstrekt vreugdeloze glimlach. 'Hij was zeker gepast. Ik vermoed dat je me zelf het antwoord erop zou kunnen geven.'
'Misschien. Maar ik wil dat u het antwoord geeft.'

Weer bleef het stil.
'Ik heb nooit over deze dingen gesproken,' zei hij na enige tijd. Zijn stem klonk zacht, bijna verontschuldigend. 'In al die jaren niet. Waarom zou ik dat nu dan wel doen? Bovendien ben ik gebonden door een belofte. Ik mag je de volledige waarheid niet vertellen, en dat zal ik dan ook niet doen.'
Ik zei niets, maar wachtte.
'Wat je zei, of iets wat je hebt gezegd, heeft me de hele dag door het hoofd gespeeld. Dat als ik nu niets deed om mijn levensweg te veranderen, hij het echt van me gewonnen zou hebben. Als je wilt dat ik een naam geef aan het spook dat ik moet verslaan, is het die man, de Beschilderde Man. Hij heeft mijn mannen gedood, hij heeft mijn vrouw gestolen, hij heeft me van mijn zonen beroofd. Hij heeft zich mijn toekomst toegeëigend. Ik kan niet aan een ander leven gaan denken voor ik mijn handen om de nek van die man leg en de laatste adem uit hem knijp. Ik wil hem zien lijden en sterven. Is dat wat je wilde horen? Is dat het?'
'Zeg me dit.' Mijn stem was niet echt vast, maar ik had hem onder controle. 'Stoort het u niet dat de vrouw van wie u eens hebt gehouden dan haar man zou verliezen, en een toekomst van verdriet en eenzaamheid tegemoet zou gaan? Want u hebt haar nog steeds lief, dat kunt u niet ontkennen.'
'Ik heb haar lief? Je gebruikt dat begrip weer. Het is betekenisloos, Fainne. Je zult dat later wel gaan beseffen. Liadan heeft mij veroordeeld tot een leven van leegte. Verdient ze zelf beter? Bovendien wemelt het op Inis Eala van de mannen. Stuk voor stuk woeste schepsels net als hij. Ze zou kunnen kiezen. Haar bed zal niet lang koud blijven wanneer hij weg is.'
'Dat is wel hardvochtig.'
'Vind je? Na wat zij gedaan heeft?'
'Zeg eens. Leeft er bij u niet een klein beetje hoop, ergens begraven onder uw wraakzucht, dat Liadan, als deze man eenmaal weg is, van gedachten zal veranderen en bij u terug zal komen?' Ik hield hem nauwlettend in het oog en probeerde mijn woorden af te stemmen op zijn stemming. 'Is dat de reden waarom u zo lang ongehuwd bent gebleven? U zei toch een keer dat het in deze zalen licht en fris moet blijven voor haar?'
'Huh!' Het was een uitbarsting van verachting. 'Zo'n dwaas ben ik nou ook weer niet. En ik ben ook niet helemaal gespeend van trots. Ze heeft zichzelf verlaagd en bezoedeld door zich door die man te

laten nemen. Dat was haar keus. Ik zou haar geen tweede kans gunnen, al smeekte ze erom.'
'Bovendien heeft ze niet langer de leeftijd om veilig uw zonen te kunnen baren.'
Eamonn keek me aan, en ik dwong mezelf om hem rustig aan te blijven kijken.
'Het is dus zo,' zei ik. 'U moet die kerel, de Beschilderde Man, doden. Dan kunt u vergeten en uw leven terugkrijgen. Als dit alles is, waarom hebt u dan niet al jaren geleden actie ondernomen? Waarom hebt u zoveel tijd verdaan? U hebt toch de middelen, neem ik aan? Ik begrijp dat die man een soort uitgestotene is, iemand die door alle fatsoenlijke mensen wordt geschuwd, ook al heeft hij een landgoed aan de overkant van het water. En hij is een Brit. Een vijand. Het zou toch eenvoudig moeten zijn. Waarom zo lang gewacht?'
'Denk je dat ik dat niet geprobeerd heb?' Eamonns stem werd harder, en hij stond op en begon door de kamer te ijsberen, heen en weer, heen en weer. 'De kerel is zo glad als een aal, hij laat zich niet in het nauw drijven; hij is listig en kent geen scrupules. Met dit huwelijk heeft hij zich een dun laagje fatsoen aangemeten. Na verloop van tijd kreeg hij naast zijn bizarre bezitting in het noorden ook Harrowfield onder zich. Dus nu heeft hij zowel machtige bondgenoten als vijanden. Je zegt dat ik middelen heb. Die zijn niets in vergelijking met de zijne. Hij is vindingrijk en geslepen, een boef die alles en iedereen in zijn eigen voordeel zal gebruiken. Hij is in staat door de mazen van het fijnste net te glippen, hij kan de snelste jachthond voor blijven. Ik heb hem in de loop van de jaren onophoudelijk achtervolgd, Fainne. Maar ik ben nooit ook maar in zijn buurt gekomen. Zo'n man is hij.'
'Een slimme man.'
'Slim? Een rat is hij, listig, meer niet. Uitvaagsel uit het riool.'
'Deze man is de bondgenoot van Sean, en de vader van Seans erfgenaam. Dat lijkt me toch een probleem. Zou de strijd tegen de Britten niet in gevaar komen als de Beschilderde Man gedood werd? Muirrin heeft me verteld dat elk van de deelnemers aan het bondgenootschap een essentiële rol moet vervullen, wil Seans grote onderneming slagen.'
'Best mogelijk,' zei hij meesmuilend. 'Sean heeft niets te maken met mijn streven om deze man te vernietigen.'
'Maar in de strijd om de Eilanden zullen de krijgers van Inis Eala

zij aan zij vechten met uw eigen manschappen. Dan zal de Beschilderde Man toch een bondgenoot van u zijn?'
'Die man is slecht,' zei hij op koele toon. 'Hij kan niet als een bondgenoot worden beschouwd, onder welke omstandigheden ook. Hij is lang geleden voorbestemd om door mijn hand de dood te vinden.'
'Wat vertelt u me nu?' vroeg ik. 'Is uw zucht naar wraak sterker dan uw verlangen de Eilanden voor Ulster behouden te zien? Hoe is dat mogelijk?'
Eamonn mompelde iets, al ijsberend.
'Wat?'
'Ik kan hier verder niet over praten. Ik zei toch dat ik gebonden ben aan een belofte.'
'Een belofte aan wie?'
'Aan haar. Vraag er niet naar, Fainne. Dit is iets dat niet gezegd kan worden.'
'Heel goed. Ik begrijp wat er moet gebeuren. Het lijkt mij dat u inlichtingen moet hebben van binnenuit. Een spion, misschien.'
'Op Harrowfield valt niet te spioneren. Niemand komt erin of eruit zonder dat die man het goedvindt. En hij weet het altijd. Ik heb het geprobeerd. Wat Inis Eala betreft, dat is ontoegankelijk. Niet een van mijn mannen heeft de nederzetting aan de landzijde kunnen bereiken, laat staan die aan de overkant van het water. De Beschilderde Man heeft een netwerk van verspieders dat dat van Northwoods zelf evenaart. Vroeger zeiden de mensen dat hij en zijn mannen een soort wezens uit de Andere Wereld waren, voor wie de menselijke wetten niet golden. En soms merk ik dat ik dat nog bijna geloof ook, dwaas die ik ben.'
'Goed,' zei ik. 'Geen spionnen. In elk geval geen menselijke spionnen.'
'Wat voor andere spionnen kunnen er zijn?'
'Ah. Daar kom ik later op terug. Maar geloof gerust dat ik u kan helpen. Nog wijn?'
Ik schonk zijn bokaal weer vol en goot een paar druppels bij de mijne. Eamonn zat me ongelovig aan te staren.
'Jij, helpen? Vergeef me, Fainne, maar ik zie echt niet hoe.'
'Nee, natuurlijk niet. Ik zal het later uitleggen. Eerst heb ik nog een vraag.'
'Ik hoop dat hij niet zo moeilijk is als de vorige. Ik vind dit heel wat zwaarder dan een partij brandubh.'

'Ik wil dat u me eerlijk zegt waarom u me ongeschikt vindt als echtgenote. U hoeft geen blad voor de mond te nemen.'
Hij opende zijn mond en deed hem weer dicht.
'U vindt deze vraag ongepast,' zei ik koeltjes. 'Dat is in elk geval duidelijk.'
'Je opvoeding is duidelijk in bepaalde opzichten tekortgeschoten,' zei hij met een strakke mond. 'Dit is geen vraag die een jongedame aan een man stelt.'
'Ik heb hem gesteld, en ik wil een eerlijk antwoord van u. En als u het over ongepast hebt: het is misschien niet erg gepast als een man in uw positie alleen uit rijden gaat met de nicht van een familielid, en zijn tong in haar mond steekt en zijn vingers...'
'Hou op, Fainne! Wat je zegt is bijna... grof.'
'Ik wist niets van die dingen tot u ze me leerde,' zei ik zedig; ik vond het vreselijk de uitdrukking van walging in zijn ogen te zien.
'Ik heb een fout gemaakt. Ik heb al gezegd dat het me spijt. Je bent een mooie jonge vrouw, en je hebt iets in je optreden dat het oog aanspreekt, en de verbeelding, zodat een man ernaar hunkert je in zijn armen te nemen en die dingen te doen waaraan je me zo onomwonden herinnert. Het ligt in de aard van een man dat hij die gevoelens heeft, Fainne. Zelfs een onschuldig meisje uit het klooster moet dat begrijpen.'
Ik knikte, met neergeslagen ogen. 'En het ligt in de aard van een vrouw dat zij hetzelfde voelt. Dat is wat twee mensen bij elkaar brengt, een drang in het bloed, een verlangen om dichtbij te zijn. Ik begrijp het. Maar ik heb u gezegd dat ik me niet aan een man zal geven voor ik getrouwd ben. En u hebt genoegzaam duidelijk gemaakt dat het niet uw bedoeling is me te huwen. Toch hebt u me hierheen gehaald; en u schijnt me niet graag te zien vertrekken.'
Nu keek hij in het vuur; hij wilde me niet in de ogen kijken. 'Zeker niet. Zoals ik al zei vind ik je aangenaam gezelschap, snel van begrip, verstandig, kundig. Goed met kinderen, geduldig en lankmoedig. En vol verrassingen. Ik begin te beseffen dat ik niet zo'n hekel heb aan verrassingen als ik dacht. Ik kan niet ontkennen dat ik hoopte dat je misschien... dat je me de kans zou geven je de kunst van de slaapkamer te leren, Fainne. Dat is in mijn gedachten geweest, in verontrustende mate, sinds ik je voor het eerst met je nichtjes zag op Zeven Wateren, waar je helemaal niet op je plaats was, als een exotische bloem temidden van wilde bloemen. Maar een huwelijk? Daar kan ik echt niet aan denken.'

Mijn hart was koud van woede. Ik ademde langzaam en zorgvuldig in en uit. Gevoelens waren onbelangrijk. Gevoelens zaten je alleen in de weg en weerhielden je ervan te doen wat er gedaan moest worden.
'Dus u dacht dat ik hier wel zou kunnen blijven als een soort van... een bijzit, was dat het? Om uw bed te verwarmen en ingetogen bij u te zitten terwijl u werkte, en om snel weggemoffeld te worden wanneer er belangrijke mensen op bezoek kwamen?'
'Nee, Fainne.' Zijn stem klonk diep ongelukkig, maar dit keer kon ik geen greintje meegevoel opbrengen. 'Dat dacht ik helemaal niet. Ik heb me dom gedragen, uit eigenbelang en zonder verder na te denken. Een beoordelingsfout die ik niet meer zal maken. Het was alsof je een stralende vlam was, die ik bij mijn haard wilde hebben om me te warmen.'
'Heel poëtisch. Maar u wilde me niet tot vrouw nemen. Waarom niet?'
'Ik was helemaal niet van plan te trouwen. Het leek te laat. Bovendien, als een man in mijn positie een echtgenote neemt, moet zij een vrouw zijn van wie de hoge afkomst bewezen is. Je moet niet denken dat ik er niet aan heb gedacht, toen ik je had leren kennen. Ik heb het aan mijn zuster gevraagd, en aan Sean. Ik heb het aan de druïde gevraagd. Ze deden alle drie opmerkelijk ontwijkend over de identiteit van je vader. Dat was genoeg om bij mij het vermoeden te wekken dat er iets niet klopte. Een man brengt zijn kampioenshengst niet bij een wilde merrie, Fainne. Het nageslacht zou bevlekt zijn, onwaardig om te worden grootgebracht.'
Met grote moeite slikte ik mijn gevoelens van vernedering in. Ik had hem graag een klap gegeven. In plaats daarvan stond ik mezelf toe om licht te blozen, en nam ik een slokje wijn.
'Juist. U moet begrijpen dat een goed huwelijk voor mij veel verschil zou maken. Het ontbreekt me niet aan vaardigheden en talenten; er zijn er bij waarvan u geen vermoeden hebt, Eamonn. Maar in het huis van mijn oom Sean ben ik niet meer dan een arm familielid. Zonder een goed huwelijk, en een waardige man om me leiding te geven, wacht me een donkere toekomst. Een toekomst in dienstbaarheid haast.'
Eamonn fronste zijn voorhoofd. 'Ik zou je hier een plaats kunnen aanbieden. Je zou goed verzorgd zijn. Alles wat je maar wilde: mooie kleren, sieraden, de leiding over mijn huis en mijn landgoed, mijn gezelschap wanneer ik hier ben. Ik zou je een goed leven geven,

Fainne. Je hoeft niet terug te gaan om een sloofje te zijn in het huishouden van mijn zuster. En... en ik zou je voorzichtig inwijden in de genoegens waarover je zo-even sprak. Ik denk dat je daar niet afkerig van zou zijn.'

'Maar u zou niet uw ring aan mijn vinger schuiven, of me uw naam geven, of me uw zonen laten baren. Liever dan die schande te verdragen wilt u helemaal geen zonen hebben. En in alles zou ik een schamele vervangster zijn van haar, nietwaar?' Mijn stem beefde, hoe ik ook probeerde dat te verhinderen.

'O, Fainne. Ik heb dit slecht gedaan, en ik heb je van streek gemaakt. Een huwelijk is uitgesloten, lief kind. Iedereen zou het afkeuren. Zo'n verbintenis zou als dwaas en verkwistend worden beschouwd, als bewijs dat ik mijn verstand begon te verliezen. Ik zou door iedereen uitgelachen worden.'

'Als u niet huwt, zult u geen wettige zonen hebben. Wanneer u sterft, storten aasgieren zich op uw landerijen en scheuren ze uit elkaar. Is dat dan wat u wilt? Hebt u de wilskracht verloren om te vechten voor wat van u is, om een geboorterecht voor uw kinderen in stand te houden? U stelt me teleur. U hebt toch uw vijand laten winnen.'

Weer viel er een stilte.

'Vertel me dan,' zei Eamonn, en hij zette zijn bokaal met een klap op de tafel en nam mijn beide handen in de zijne. 'Vertel me wie je werkelijk bent, en waarom je hierheen bent gekomen. Want één ding staat vast: ik trouw niet met een vrouw die geen vader heeft.'

Mijn plan was riskant, en dit was het lastigste gedeelte. Een man voor wie het fatsoen zo belangrijk was, zou terugdeinzen voor de waarheid. Ik moest het hem vertellen, en tevens moest ik zijn belangstelling zo lang vasthouden dat hij zou horen wat erop volgde.

'Heel goed,' zei ik aarzelend; mijn aarzeling was niet gespeeld. 'Ik zal u de waarheid vertellen. Die zal u niet bevallen. Ik geloof dat ik u eerst moet vragen me iets te beloven. Dat u me zult laten uitspreken. Geef me uw woord.'

'Natuurlijk,' zei Eamonn, en zijn duim wreef zacht over mijn pols, alsof de genoegens van het vlees nog door zijn hoofd speelden, tegen beter weten in. Als dat werkelijk zo was, gaf het me een voordeel dat ik moest benutten, al maakte het me misselijk.

'Heel goed,' zei ik weer. 'Dit is heel moeilijk voor me, begrijpt u dat? Het is alsof ik toegeef dat ik... dat er iets aan me mankeert. Ik ben niet wie u dacht dat ik was, Eamonn. Ik heb u nooit gezegd dat ik in een klooster ben opgevoed, door christelijke zusters. Ik heb u laten geloven wat u wilde geloven, dat was alles. Ik ben in Kerry opgegroeid bij mijn vader, alleen met hem. Mijn vader heeft me alles geleerd wat ik weet. Hij is vroeger een druïde geweest, maar hij is dat niet meer sinds hij mijn moeder ontmoette en met haar is weggegaan. Zijn naam was... is... Ciarán, en hij is een halfbroer van Conor van Zeven Wateren.'

Er volgde een langdurige stilte. Eamonn bleef mijn handen vasthouden, maar nu hield hij de zijne stil, alsof ze verstard waren in de tijd.

'Wat?' zei hij zo zacht dat ik het nauwelijks kon horen. Ik zag ontzetting in zijn ogen.

'Mijn vader is het kind van Colum van Zeven Wateren bij zijn tweede echtgenote. Zij nam hem mee toen hij nog heel klein was; maar zijn vader haalde hem naar het woud waar zijn thuis was, en ze voedden hem op als een druïde. Hij is een goed mens, een verstandig en eerzaam man. Hij is mijn leven lang mijn enige familielid geweest, mijn leidsman en leraar.'

'Maar... maar dat betekent... begrijp je wat dat betekent, Fainne?' Nu liet hij mijn handen los.

'Zeker. Het betekent dat de verbintenis tussen mijn moeder en mijn vader verboden was. Ze waren te nauw aan elkaar verwant, want haar moeder was zijn halfzuster. Maar dat wisten ze niet toen ze verliefd op elkaar werden. Niemand vertelde mijn vader wiens zoon hij was, tot het te laat was.'

'Maar... maar je moeder, Niamh, zij is uitgehuwelijkt. Ze is uitgehuwelijkt aan een van de Uí Néill, en ze is ontvoerd uit mijn eigen fort op Sídhe Dubh. Ze is daar weggehaald door... door... de Dagda sta me bij! Je gaat me toch niet vertellen dat Liadan van deze incestueuze hartstocht wist, en haar zus heeft geholpen te ontkomen om zich in de armen van haar minnaar te storten? Dat Liadan hieraan heeft meegeholpen, met de hulp van... dit is te gruwelijk om waar te zijn! Dat zoiets in mijn eigen huis kon gebeuren, in aanwezigheid van mijn eigen zuster! Wist Sean hier ook van?'

'Hij wist van hun liefde voor elkaar. Dat was de reden waarom mijn moeder aan een andere man werd gegeven en werd weggestuurd naar Tirconnell. Ze was diep ongelukkig. Haar echtgenoot behandelde haar heel wreed.'

'Hij strafte Niamh misschien nadat hij had ontdekt dat ze een verachtelijke, ontaarde daad had gepleegd. Haar oordeel was blijkbaar even vertroebeld als dat van haar zuster.'

Ik hield mijn woede in.
'Nu weet u wie ik ben, Eamonn. Dit is de waarheid. Nu kunt u misschien begrijpen waarom mijn familie u ontwijkende antwoorden gaf.'
Hij scheen niets meer te zeggen te hebben, maar stond woest in het vuur te staren, met zijn armen over elkaar geslagen. Misschien dacht hij eraan dat hij gelukkig nog net op tijd ontkomen was; dankte hij de goden dat hij uiteindelijk niet met me naar bed was gegaan.
'Genoeg daarover,' zei ik met een luchtige stem die helemaal niet strookte met mijn zwaarmoedige hart. 'We moeten over andere dingen praten: uw vijand, uw wraak. Want ik heb de indruk dat dat bij u voorop staat; dat dat zo zwaar weegt dat uw loyaliteit jegens uw bondgenoten en uw familieleden erbij in het niet valt.'
'Het doet er niet toe,' zei Eamonn berustend. 'Het is voorbij tussen ons. Ga terug naar Zeven Wateren als je wilt, en neem de kinderen mee. Laat alles weer zijn zoals tevoren. Ik heb geen toekomst, Fainne. Wat maakt het jou uit als ik ervoor kies mijn leven te besteden aan het najagen van een spook?'
'Niets, misschien,' zei ik zacht. 'Maar ik vind het heel erg om aan te zien dat een goede man zijn leven verdoet. Bovendien heb ik gezegd dat ik je kon helpen. Ik sprak de waarheid, en ik zal je laten zien hoe. Het was nodig dat ik eerst uitlegde hoe het met mijn vader zat. Hij is opgevoed als druïde. Nadat hij bij de wijzen was weggegaan, heeft hij zich verder verdiept in het domein van de magie. Toen mijn moeder stierf, werd hij mijn enige gezelschap; en hij heeft me heel veel dingen geleerd, zoals een meester ze aan zijn leerling leert. Dit bedoelde ik toen ik het over vaardigheden had.'
'Dit is voor mij niet meer van belang.'
'U hebt beloofd me te laten uitspreken.'
Eamonn stond met een versteend gezicht voor me. Ik schonk een bokaal vol wijn en gaf hem die, en hij dronk hem tot de bodem leeg. Ik betwijfel of hij zich bewust was van wat hij deed.
'Stel u een weegschaal voor,' zei ik rustig. 'Een balans. Aan de ene kant hangt uw kans om eens en voor altijd af te rekenen met de Beschilderde Man. De zekerheid van wraak, de wetenschap dat zijn leven in uw hand ligt. Aan de andere kant is een jonge vrouw; een vrouw die, zoals u zelf hebt toegegeven, uw hart sneller doet slaan en uw lichaam opwindt. Een vrouw die zichzelf voor u bewaart; die fris en ongerept wil blijven voor uw huwelijksnacht. Misschien is zij niet de vrouw die u liefhebt; maar ze zal u geven wat Liadan u

nooit heeft gegeven. Ze zal u haar jeugd geven en u gezonde zonen en mooie dochters schenken, ze zal uw huis licht en uw haard warm houden en u met open armen welkom heten wanneer u terugkomt. Ze zal u nooit vervelen; ze zal u altijd weer verrassen. Er is maar één probleem. Haar stamboom vertoont een klein gebrek. U zegt tegen uzelf dat u haar niet wilt. U werpt haar weg. En daardoor verliest u beide kanten. De balans slaat door; u verliest uw toekomst, en tegelijkertijd gooit u de kans weg om uw oude vijand te vernietigen en het onrecht uit het verleden uit te wissen. Want om het een te krijgen, moet u beide nemen.'

'Je spreekt als een druïde. Ik begrijp je niet.' Zijn nieuwsgierigheid was gewekt, ondanks hemzelf. Ik had mijn woorden met zorg gekozen.

'Om deze vijand te verslaan, moet u beschikken over informatie van binnenuit. U moet weten wat zijn zwakke punt is; u moet informatie hebben over zijn bewegingen, zodat er misschien een tijdstip kan worden gevonden waarop hij alleen en onbewaakt is, en dus kwetsbaarder dan anders. U en hij zullen deze zomer zij aan zij strijden. Er zullen kansen voor u zijn.'

'Maar...'

'Ja, er is een probleem. Aan de ene kant een landgoed in het verre Northumbrië, in vijandelijk gebied, en goed bewaakt. Aan de andere kant een fort op een eiland, afgelegen en onbekend, met een beschermend netwerk dat zo volmaakt is dat het van opzet bijna Anderwerelds lijkt. Die man is daar van tijd tot tijd te vinden. Maar hoe kunt u door zulke verdedigingswerken heen dringen? Niet door er een tot spion opgeleide krijger heen te sturen. Uw vijand zal er altijd een tegenover stellen die beter is dan de uwe. Nee, u hebt iets meer nodig. U hebt een spion nodig die zich helemaal ongezien kan bewegen, die met de omgeving versmelt alsof ze er helemaal niet is. Een spion die ongezien naar het geheimste beraad, de meest besloten vergadering kan reizen. Een spion die zelfs de in de slaapkamer opgebiechte geheimen zou kunnen ontsluieren, als u die zou willen weten. Dat kan ik u verschaffen.'

Nu staarde hij me aan, geschokt maar ook geïntrigeerd. Zijn wangen waren rood aangelopen; misschien kwam het door de wijn, maar ik dacht dat ik daar een nieuw soort opwinding bespeurde.

'Mijn vader heeft me een aantal vaardigheden geleerd die een beetje... ongewoon zijn,' zei ik zacht. 'Ik zal u een demonstratie geven. Roep uw bediende binnen; vraag hem om iets te eten te brengen,

bijvoorbeeld, of houtblokken voor het vuur.'
Zonder nog iets te vragen deed Eamonn wat ik zei. De man kwam binnen en ging voor ons staan, een vierkant gebouwde, tamelijk jonge vent met een hard gezicht en kleine oogjes. Mijn hart bonsde heftig terwijl ik de kunst opwekte, want ik had weer het beeld voor ogen van die vrouw die haar mes gebruikte om een vis open te snijden die haar eigen dochter was. Ik mocht dit keer geen fouten maken. Terwijl Eamonn zijn bediende met zachte stem een opdracht gaf, sprak ik binnensmonds een toverformule uit, terwijl ik de verleiding weerstond om, nu ik toch bezig was, Eamonn zelf een andere gedaante te geven, misschien van een hermelijn. En terwijl ik de woorden uitsprak, begon de vorm van de man te veranderen; zijn neus werd langer, zijn huid werd een donkere vacht, zijn gestalte kromp voor Eamonns gefascineerde, ontzette ogen in elkaar, en voor ons stond een fraaie, zwarte jachthond die een beetje hijgde met zijn tong uit zijn bek, gespitste oren en een hoopvol kwispelende staart.
'Brave jongen,' zei ik. 'Zit.'
Eamonn zette zijn wijnbeker uiterst voorzichtig op de tafel neer.
'Kan ik geloven wat ik zie?' fluisterde hij. 'Is dit geen speling van het licht, die zal verdwijnen zodra we ons bewegen? Hoe heb je dit gedaan?'
'Hier,' zei ik. 'Hij is echt. Raak hem maar aan. Daarna kan ik hem beter terugveranderen, en hem laten gaan.'
Eamonn stak voorzichtig zijn hand uit en de hond likte aan zijn vingers.
'De Dagda bewaar me!' fluisterde Eamonn. 'Wat ben je, een meesteres in de zwarte kunsten?'
Ik raakte de kop van de hond aan en mompelde een woord, en een oogwenk later stond de bediende weer voor ons, in verwarring knipperend met zijn oogleden. Een golf van opluchting ging door me heen; het was gelukt, dit keer had ik het gedaan zonder brokken te maken.
'Haal nog wat wijn,' zei ik vriendelijk tegen de man. 'En wat tarwebrood, als dat er is. Heer Eamonn heeft honger.' Toen de man weg was, zei ik: 'Ik ben geen boosaardige heks. Mijn vader is een tovenaar. Hij heeft me dit geleerd. Maar wij doen niet aan zwarte magie. We gebruiken onze kunst verstandig en voorzichtig. Kunt u zien hoe dit kan worden toegepast om het doel te bereiken dat u tot nu toe is ontglipt?'

'Dat moet jij me maar vertellen, denk ik. Kom, we moeten maar gaan zitten, en misschien wachten tot hij komt en weer weggaat. Zal hij zich er niets van herinneren?'

'Dat hangt ervan af. Het hangt ervan af hoe de betovering is opgewekt. Deze man zal denken dat hij een duizeling heeft gehad en even in de war is geweest, meer niet. Als ik hem langer in zijn veranderde gedaante had gelaten, was het misschien anders geweest.'

'Was je van plan... was je van plan een man in de vorm van een dier uit te sturen om inlichtingen te verkrijgen? Zou hij dat kunnen doen, en ze bij je terugbrengen?' Hij ging er nu gretig op in en woog al mogelijkheden af in zijn geest.

'Nee, Eamonn. Ik zal het u uitleggen. En u zult zien waarom het beeld van de balans toepasselijk is. Ah, daar is uw bediende met onze wijn. Dank je.' Ik glimlachte toen de man een dienblad neerzette met een nieuwe kan wijn en een klein, zacht brood.

'Dat is het voor vanavond.' Eamonn zat de man nog steeds met grote ogen aan te kijken, alsof hij verwachtte dat hij elk ogenblik puntige oren of een kwispelende staart kon krijgen. 'Je kunt naar bed gaan. De anderen ook. Sluit de deur wanneer je de kamer uitgaat, en zeg tegen de rest dat niemand ons mag storen.'

'Ja, heer.'

De man trok zich terug, en Eamonn bukte zich om nog een houtblok op het vuur te leggen. Het was donker in de kamer, afgezien van de flakkerende gloed van de haard en de kaarsen die hier en daar stonden. Buiten huilde de wind door de winterse bomen. Hier voor het vuur hing een sfeer van samenzwering, van geheimen die onder dekking van de duisternis werden verteld. Ik nam een slok wijn en zette toen mijn beker neer. Niet te veel. Tot nu toe was het gegaan zoals ik wilde. Ik kon me niet permitteren roekeloos te worden.

'Ik zal het u uitleggen, Eamonn. Ik kan een man niet in een hond, of een vlieg, of een vogel veranderen en hem uitsturen om voor u te spioneren. In zijn dierlijke vorm zal hij zich niet herinneren wat u hem hebt opgedragen, en kan hij geen menselijke spraak verstaan. Ik zou u kunnen veranderen; ik zou een pad of een wezel van u kunnen maken. Maar net als uw bediende zou ook u uw menselijk bewustzijn kwijt zijn tot ik u terugveranderde. U begrijpt dus dat dat zinloos zou zijn.'

'Hoe kan het dan gedaan worden?'

'Een gewoon mens, man of vrouw, kan niet op die manier veran-

deren en toch de kennis van beide vormen, mens en dier, behouden. Dat is voorbehouden aan een ziener. Of een tovenaar.'
'Je bedoelt...?'
'Ik bedoel dat als u wilt dat dit gebeurt, u het aan mij moet toevertrouwen. Want ik kan veranderen, in een uil, een zalm of een hert, en ik kan het huis van mijn oom binnengaan, of de geheime zalen van Inis Eala, en luisteren. Ik kan terugkomen en u de sleutel tot de vernietiging van die man brengen. Ik ben daartoe in staat, en ik zal het doen.'
'Je meent dit serieus,' zei Eamonn langzaam. 'Het is werkelijk waar, en niet de op hol geslagen fantasie van een jong meisje.'
'Mijn grootmoeder heeft zes jongemannen in zwanen veranderd en het huis Zeven Wateren bijna te gronde gericht,' zei ik grimmig. 'Geloof niet dat ik tot zoiets niet in staat ben. De vraag is alleen of uw eigen besluit verstandig is. Want als dit gebeurt, is de campagne van mijn oom Sean tot mislukken gedoemd. Tante Aisling is toch uw zuster. Zou u willen dat de onderneming van Zeven Wateren faalt, en dat de Britten de Eilanden behouden?'
Eamonn lachte verbitterd. 'We hebben het kind van de profetie toch? Misschien zal het niet mislukken.'
'Uitgerekend de zoon van de man die u wilt vernietigen? Is hij niet net zo'n ellendeling als zijn vader, de man die u als nauwelijks menselijk beschouwt?'
'Vreemd genoeg is de jongen een uitstekend leider, die zeer bewonderd wordt binnen het bondgenootschap. Hij is sterk, kundig en zeldzaam verstandig voor zijn leeftijd. Ik vind het een vreemde gedachte dat de zoon van die man eens meester van Zeven Wateren zal zijn, dat geef ik toe. Maar een zoon kan zijn vader niet kiezen.'
'Juist.' Dit verraste me weer. Zijn haat was zo sterk dat ik had aangenomen dat die ook zou gelden voor iedereen die iets met de Beschilderde Man te maken had. Ik vroeg me weer af wat deze Johnny voor iemand was, dat ze allemaal zo in hem geloofden. 'U denkt dus dat als zijn vader sterft, hij de bondgenoten ten strijde zal voeren?'
Eamonn trok een nors gezicht. 'Hij zal in elk geval leiden. Dat zegt de profetie. Wat de rol van zijn vader betreft, daar hebben ze mij niets over verteld. We zijn dan wel bondgenoten, maar Sean laat niet meer los dan hem uitkomt, en dat steekt me. Ik kan niet beoordelen of het verlies van de Beschilderde Man de campagne zal benadelen of niet. En het kan me ook niets schelen, want ik moet

je bekennen dat het een voor mij veel belangrijker is dan het ander. Ik wil dat je het me laat zien, Fainne. Laat me zien dat je kunt doen wat je zegt.' Nu trilde zijn stem van gretigheid. 'Laat me zien dat je kunt veranderen.'
'O, nee. Dat doe ik niet.'
'Waarom niet?'
'Omdat het gevaarlijk kan zijn, Eamonn. Het neemt veel kracht weg; na afloop ben je leeg en uitgeput. Dit soort hogere vermogens mag niet lichtvaardig worden gebruikt, alleen om ze te demonstreren. Geloof me, ik kan het, en wanneer het zover is, zal ik het doen.'
'Ik kan het nauwelijks bevatten,' mompelde hij, en ik kon zien dat hij in gedachten de verlokkende mogelijkheden die ik hem had voorgehouden, van alle kanten bekeek. 'Hiermee kan ik hem te pakken hebben voor de zomer voorbij is. Ik kan weten wat hij denkt, en zijn donkerste geheimen kennen. Hiermee kan mijn streven vast niet mislukken, en zal ik de man eigenhandig kunnen doden. Weet je het zeker, Fainne? Weet je zeker dat je dit voor me kunt doen?'
'Ja, heel zeker,' zei ik kalm. 'Het lijdt geen twijfel dat ik het kan. Maar het heeft een prijs, Eamonn. U bent niet de enige met een visioen voor ogen, met een doel om na te streven.'
'Welke prijs?' Ik kon aan zijn stem horen hoe opgewonden hij was; op dat moment had ik bijna om alles kunnen vragen.
'Ik heb het al gezegd,' zei ik. 'De weegschaal, de balans. Neemt u de ene kant aan, dan neemt u ook de andere kant. Als we hierin samenwerken, zullen we in alles samenwerken. Ik doe wat u wilt, ik verzamel de inlichtingen die u nodig hebt. En ik deel uw haard en uw bed. U zult merken dat ik daar ook toveren kan. Ik baar uw kinderen en u geeft mij uw naam. Ik heb die zekerheid nodig. Ik heb achtenswaardigheid nodig, een thuis, een plek waar ik thuis kan horen. Zonder die dingen doe ik het niet. Want als u deze bondgenoot doodt en de campagne van mijn oom verloren wordt, heb ik alleen nog een toekomst bij u.'
Er volgde een dodelijke stilte, alleen onderbroken door het geknetter en de plofjes van het vuur, en het krassen van een uil buiten. Ik wachtte tot hij me zou vertellen dat hij, ondanks alles, geen vrouw met bezoedeld bloed zou huwen. Als hij dat zei, zou ik misschien niet in staat zijn me te beheersen, kalm te blijven. Magische vermogens wapenen je niet tegen dat soort kwetsingen.
'Fainne?' zei hij zacht. Hij keek in de vlammen en ik kon de uitdrukking op zijn gezicht niet zien.

'Ja?' Vervloekt, mijn stem klonk opeens wiebelig, alsof ik op het punt stond te gaan huilen. Het was dom van me geweest om zoveel wijn te drinken. Alles draaide om beheersing.

'Kom hier. Kom dichterbij.'

Ik stond op en liep naar hem toe om voor hem neer te knielen, zodat het licht van het vuur op mijn haar zou schijnen en mijn bleke huid een warme, rozige gloed zou geven. Ik keek in zijn ogen en gaf mijn gezicht een uitdrukking van onschuldige hoop, fris en argeloos.

'Zweer je dat je de waarheid hebt gezegd? Dat je dit met succes kunt volvoeren?'

'Ik zweer het, Eamonn.' Ik speelde met de gedachte nog een toverspreuk te hanteren; zo'n beetje het tegenovergestelde van de spreuk die ik op een moeilijk moment tegen hem had gebruikt, daar boven bij de waterval. Maar ik zag de uitdrukking in zijn ogen en wist dat ik zo'n hulpmiddel niet nodig had. Er was begeerte in zijn blik, maar het was nog iets meer. Het was de blik van een man die zo verteerd werd door haat dat hij nergens voor zou terugdeinzen om te krijgen wat hij wilde; een blik die me vertelde dat weliswaar van tijd tot tijd aan zijn lichamelijke behoeften moest worden voldaan, maar dat het enige dat hem werkelijk opwond de gedachte was aan de hals van zijn vijand onder zijn handen, en het geluid van diens laatste adem, die langzaam uit zijn lichaam werd geperst.

'Raak me aan, Fainne,' fluisterde hij, en ik hoorde diezelfde opwinding in zijn stem, scherp en gevaarlijk. 'Laat me je lippen proeven; laat me daar de smaak van de wraak proeven.'

Ik voelde een sterk verlangen om hem in het gezicht te spuwen, want ik had de indruk dat de man me helemaal niet als een echte vrouw zag, maar alleen als een soort werktuig dat hij voor zijn eigen duistere doeleinden kon gebruiken. Ik voelde boosheid opwellen, en verachting voor mezelf; ik onderdrukte beide gevoelens. *Beheers je*, zei de stem van grootmoeder. *Verlies nu niet je zelfbeheersing, niet nu je er bijna bent. Doe wat hij je zegt te doen. Je hebt toch gezegd dat je een goede echtgenote zou zijn? Laat hem zien hoe goed. Zorg dat hij je begeert.*

'U zei toch...' mompelde ik.

'Eén zoen maar, één kus,' zei Eamonn zacht, en hij nam me in zijn armen en drukte zijn lippen tegen mijn hals en mijn wang, en omdat ik geen keus had, liet ik toe dat hij me op de mond kuste. Dat was nog het moeilijkste moment; net te doen alsof ik het graag wilde, mijn armen om zijn nek te doen, mijn mond te openen zodat hij dieper met zijn tong kon tasten, zijn handen op mijn lichaam te voelen en voortdurend te beseffen dat het allemaal bedrog was. Ik werd vervuld van kille afkeer, terwijl ik hijgde van voorgewend genot en mijn lichaam tegen het zijne aandrukte. Wat Eamonn betreft, hij begeerde me, dat kon ik voelen, maar ik maakte mezelf niet wijs dat mijn bekoorlijkheden er iets mee te maken hadden. Hij had deze avond bewezen dat hij vooral opleefde bij de gedachte aan wraak. Het is interessant, dacht ik terwijl zijn hand over mijn been begon te gaan, te denken aan wat er later zou kunnen gebeuren. Ik kon me mezelf niet voorstellen als echtgenote van deze man. Als het ooit zover kwam, had ik de middelen om hem te straffen voor zijn hooghartigheid. Maar het zou nooit gebeuren. Wat er ook gebeurde, na deze zomer was er geen toekomst voor mij. Ik had alleen om een huwelijk gevraagd om mijn aanbod van magische hulp overtuigender te maken, want het was niet erg aannemelijk dat ik zo'n gebaar alleen uit goedertierenheid zou maken. Misschien had ik het ook gedaan om toch nog iets van mijn trots te redden. Zijn handen gingen nu toch iets verder dan de bedoeling was. Misschien had hij het niet goed begrepen.

'Eamonn...' hijgde ik. 'U hebt het beloofd...'

'Eén keertje maar,' mompelde hij. 'Alleen deze ene keer, Fainne. Je zult het fijn vinden, daar zal ik voor zorgen. Alleen vanavond. Daarna zal ik wachten... zeg niet nee tegen me.'

Hij was heel sterk; zo sterk dat ik geen schijn van kans had om te ontkomen zonder gebruik te maken van de kunst, en ik kon moeilijk dezelfde betovering gebruiken. Ik wilde hem niet ergeren, want hij had nog geen ja gezegd, niet met zoveel woorden. Bovendien kon ik de woorden van een toverformule niet uitspreken terwijl hij zijn tong in mijn mond had, en hij scheen geen haast te hebben hem eruit te halen.

Ik hoorde het geluidje eerder dan hij. Het was niet meer dan een licht kraken, geritsel, terwijl de deur openging en iemand stokstijf op de drempel bleef staan. Eamonn nam zijn mond van de mijne af en trok zijn handen van mijn lichaam terug. Hij ademde in, om een berisping uit te delen aan de bediende die het had gewaagd binnen te komen terwijl hij hier niets te zoeken had. Hij keek naar de deur. Er viel een verbijsterde stilte.

'Ik kom mijn dochters halen om ze mee naar huis te nemen.' De stem was die van mijn oom Sean, en hij klonk zo koud als de och-

tendrijp met Samhain. 'En geen ogenblik te vroeg, lijkt het.'
Ik draaide me langzaam om en voelde een hete blos naar mijn wangen stijgen, ook al probeerde ik uit alle macht me te beheersen. Mijn oom was in rijkleding, en de uitdrukking in zijn ogen was even winters als zijn stem.
Achter me hoorde ik Eamonn nogmaals voorzichtig inademen, en ik voelde zijn handen die op mijn schouders werden gelegd in een gebaar dat bezitterig aandeed, vond ik.
'Sean. Wat een verrassing,' zei hij met prijzenswaardig gemak. 'Fainne heeft me een grote eer bewezen. Ze heeft erin toegestemd mijn vrouw te worden.'
Had ik zo-even al ontzetting en afkeer van Seans gezicht kunnen aflezen, dat was nog niets vergeleken bij de uitdrukking die er nu op stond. Hij deed twee ferme stappen de kamer in, zonder een woord te zeggen, en met een buitengewoon grimmige trek om zijn mond. En toen vertrok ik opeens mijn gezicht van pijn, want Eamonns greep op mijn schouders werd krampachtig strak en zijn lichaam verstarde.
Mijn oom was niet alleen gekomen. Achter hem in de deuropening stond een vrouw die zo-even niet zichtbaar was geweest, want ze was een klein, tenger wezentje dat amper tot Seans schouder reikte. Even dacht ik dat het Muirrin was, maar toen keek ik beter. Deze vrouw had hetzelfde donkere, krullende haar als mijn nicht, dat keurig in een opgerolde vlecht vastzat, maar rondom haar fijne gezichtje waren eigenwijze sliertjes losgeraakt. Ze had dezelfde heldere, groene ogen en ook hetzelfde kleine, slanke figuur. Maar Muirrin had niet zo'n zoet gebogen mond, een mond die een man zou kunnen zien als geschapen voor kussen. En Muirrin had ook niet zo'n gezaghebbende houding, want deze vrouw was aanmerkelijk ouder, en toen ze de kamer binnenkwam en haar mantel losmaakte leek ze even indrukwekkend als mijn oom zelf, een vrouw die bij iedereen onmiddellijke gehoorzaamheid afdwong, zonder ook maar iets te hoeven vragen. Als vijand zou ze angstaanjagend zijn. Ik twijfelde er niet aan of dit was de enige zuster van mijn moeder, mijn tante Liadan.
'Ik... ik...' Eamonn, die op de onverwachte verschijning van mijn oom verrassend koelbloedig had gereageerd, leek nu met zijn mond vol tanden te staan.
'Een koude avond voor een rit te paard,' merkte ik op, en ik legde even mijn hand op die van Eamonn, en maakte me toen van hem

los, want zijn greep verslapte. 'U wilt vermoedelijk wel een bokaal wijn?'
'Dank je.' Liadan leek wel te kunnen spreken, in tegenstelling tot de twee mannen. Ze kwam naar voren en wierp haar mantel op een bank, zodat een jurk en overtuniek van buitengewoon eenvoudige snit zichtbaar werden, de eerste donkergrijs, de tweede een lichtere tint grijs met een spoor paars erin. Haar verschijning had iets strengs, maar haar stem was warm, en haar grote, groene ogen namen me rustig op. Ik schonk de wijn in en gaf haar een bokaal aan, terwijl ik ervoor zorgde dat mijn handen niet beefden.
'We verwachtten u niet,' zei ik.
Liadan wierp een blik op Eamonn, en keek toen weer naar mij. 'Nee? Ik ga me niet verontschuldigen, want ik heb de indruk dat onze komst precies op tijd kwam. We hebben het voornemen jou en de meisjes morgenochtend mee te nemen naar huis. Het gaat iets beter met Maeve, en ze verlangt erg naar haar zusjes.'
'Ik... ik ben blij dat het beter met haar gaat,' zei ik. Ik dwong mezelf om door te gaan. 'En hoe is het met de man die brandwonden had, de jonge druïde?'
'Ik heb zijn pijn wat kunnen verzachten. Maar zelfs een jonge, sterke man kan niet herstellen van zulke verwondingen. Dat heb ik hem uitgelegd. Conor heeft hem mee terug genomen naar het woud.'
'Dat vind ik erg naar.' Mijn stem brak, en haar blik werd scherper. De twee mannen hadden zich niet bewogen, noch iets gezegd. In de flauw verlichte kamer was de spanning voelbaar. Toen hoorden we snel naderende voetstappen, en Eamonns bediende verscheen in de deur, terwijl hij zijn hemd nog dichtmaakte en zijn verwarde haren gladstreek, en zich vele malen verontschuldigde. Eamonn gaf snel een aantal opdrachten. Er moest eten worden bereid, er moesten onmiddellijk slaapvertrekken in gereedheid worden gebracht, de paarden moesten op stal gezet en verzorgd worden.
'Het schijnt dat we dingen te bespreken hebben.' Sean kwam eindelijk in beweging, maar alleen om zijn armen over elkaar te slaan en zijn voorhoofd te fronsen. 'Zaken die niet tot morgen kunnen wachten. Ik wil de meisjes hier weg hebben zodra ze hun spullen gepakt kunnen hebben en klaar kunnen zijn.'
'Zoveel haast is toch niet nodig?' Ik kende Eamonn inmiddels goed genoeg om aan zijn stem te kunnen horen dat hij helemaal niet op zijn gemak was. Hij vermeed zorgvuldig naar mijn tante te kijken terwijl zij met een kaarsrechte rug op een bank ging zitten, en er in

haar eenvoudige jurk toch op de een of andere manier als een prinses wist uit te zien.
'Ik ben niet van plan hier langer dan één nacht te blijven,' zei Liadan koeltjes. 'Het is tijd dat de meisjes naar huis gaan. En wat dat andere betreft, waarover je sprak, dat is beslist uitgesloten. Morgen, als je er een nacht over hebt geslapen, zal zelfs jij dat inzien, Eamonn.'
'Ik denk het niet. De verbintenis lijkt mij heel gepast, en ik heb alle vertrouwen dat Aisling het daarmee eens zal zijn. Mijn zuster dringt er al zoveel jaren op aan dat ik huw, dat ik er schoon genoeg van krijg. En het lijkt me zo dat het niet waarschijnlijk is dat je nichtje elders zo'n goede partij vindt.'
'Het is niet mogelijk,' zei Sean moeilijk. 'Vanwege redenen waarover we hier maar liever niet moeten praten.'
'Als je doelt op Fainnes afstamming, daarvan ben ik op de hoogte, ze heeft het me zelf verteld, heel dapper. Ik denk dat als we hier vannacht over willen spreken, we haar eerst moeten excuseren. Fainne is onwel geweest, en ze is erg moe. Deze zaken kunnen het beste door mannen onderling worden geregeld.'
Ik zag de mondhoek van mijn tante Liadan even omhoogtrekken, maar in haar ogen was alleen dodelijke ernst. Ze keek naar haar broer en haar broer keek naar haar, en ik dacht er weer aan dat Sean Liadans tweelingbroer was. Ik dacht ook aan wat Clodagh me had verteld; dat boodschappen zwijgend tussen hen heen en weer gingen, ongeacht de afstand. Vanuit het donkere, schaduwrijke bos van Zeven Wateren naar de ondoordringbare heimelijkheid van Inis Eala, of overzee naar Harrowfield; boodschappen van de geest, zo recht als een pijl en sneller dan het vluchtigste hert.
'Deze ene keer ben ik het met je eens, Eamonn.' Liadan stond op en geeuwde. 'We kunnen Fainne de bijzonderheden wel besparen; en zelf ben ik erg moe en heb ik niets anders nodig dan een warme plek om te slapen. Ik zal erop toezien dat ons escorte wordt ondergebracht, en daarna ga ik naar bed. Geloof me, ik wil hier echt geen ogenblik langer blijven dan noodzakelijk is. Kom, Fainne. Zullen we gaan?'
Terwijl we samen de kamer uitliepen, zodat de mannen in een geladen stilte achterbleven, keek ik nog even achterom naar Eamonn. De uitdrukking op zijn gezicht was een merkwaardig mengsel; de pijn van een hopeloze liefde streed met wraakzuchtige haat die in lange jaren vol frustratie was gekoesterd. Ik had het bij het rechte

eind gehad. Zijn ogen waren strak op haar gericht, en aan de donkerte erin was te zien hoe hij met zichzelf worstelde. Voor hem was alleen dit belangrijk.

HOOFDSTUK TIEN

Ze was klein, sierlijk en welgemanierd. Ze had alles volledig in de hand. Ze hoefde maar een kik te geven en Eamonns mensen draafden weg om te doen wat ze hun opdroeg. Ik voelde me een onhandige reuzin, verlegen en stuntelig, terwijl ik met haar meeliep. Toen alles naar haar tevredenheid was geregeld, kondigde ze zonder iets aan me te vragen aan dat ze die nacht bij mij in de kamer kwam slapen, want dat was voor iedereen het gemakkelijkste. Terwijl we er bij kaarslicht heen liepen, vroeg ik haar zonder omhaal: 'Vertrouwt u me niet, tante?'

Ze wierp me een zijdelingse blik toe, met een koel schattende uitdrukking in haar groene ogen.

'Ik vertrouw Eamonn niet,' zei ze op grimmige toon. 'Ik weet dat hij tot veel dingen in staat is. Het lijkt erop dat misbruik maken van jonge meisjes aan de lijst moet worden toegevoegd.'

Ik antwoordde niet tot we in de kamer waren en de deur achter ons gesloten was. Liadan had een kleine zak bij zich met een nachtpon en een kam erin. Het was duidelijk dat ze niet van plan was geweest om lang te blijven. Ik keek toe terwijl ze de spelden uit haar opgerolde vlechten begon te trekken.

'Bent u boos op mij?' vroeg ik.

Ze wachtte even en keek me recht in de ogen. 'Nee, lief kind,' zei ze. 'Ik ben niet boos. Alleen een beetje bedroefd. Ik heb me er heel erg op verheugd jou te ontmoeten. Ik zou je zelfs meteen hiervandaan hebben opgehaald, maar Maeve had me nodig op Zeven Wateren en Aisling vond dat ik moest wachten. Als ik er was geweest, zouden jullie hier nooit naartoe zijn gegaan. Nu is deze ontmoeting voor ons allebei bedorven, maar dat komt door Eamonn, niet door

jou. Ik weet dat je in onschuld hebt gehandeld; dat kan haast niet anders bij een meisje van jouw leeftijd.'
Haar woorden brachten me in verwarring. 'U had u erop verheugd?' vroeg ik, terwijl ik op het bed ging zitten om mijn schoenen uit te doen. 'Waarom?'
'Waarom?' Liadans stem klonk verbaasd. 'Hoe kun je zoiets vragen, Fainne? Kun je je niet voorstellen hoe het voor ons was om al die jaren van Niamh afgesneden te zijn? Ciarán heeft ons nooit in haar buurt willen laten komen. Toen hij je moeder had meegenomen naar Kerry, was daarmee alles afgelopen. Ik begreep wel waarom hij dat deed, maar ik heb nooit gevonden dat het goed was. Niamh was mijn zuster, en Seans zuster. We hielden van haar. Het was een vreselijke slag toen we hoorden dat ze gestorven was; en het was ook een slag dat het ons verhinderd werd jou op te zoeken. Het is een geschenk dat je hier bent, Fainne. Een geschenk dat we in onze achteloosheid blijkbaar alweer bijna kwijt zijn geraakt. We gaan morgenochtend vroeg weg. Ik wil niet dat je nog alleen bent met Eamonn.'
'Jullie hielden van haar,' zei ik somber. 'Waarom zegt iedereen dat toch steeds? Mijn oom Sean, en Conor, en de anderen hebben dat niet bepaald laten merken toen ze mijn moeder wegstuurden van Zeven Wateren. Het had niet veel met liefde te maken dat ze een jongeman opvoedden in de mening dat hij een druïde kon worden, om vervolgens te verklaren dat die lange jaren van discipline en toewijding voor niets waren geweest. Ik geloof niet dat liefde bestaat, en als het wel bestaat, levert het alleen verdriet en verlies op. Mijn moeder heeft zichzelf van het leven beroofd. Betekent dat niets voor u?' Het was niet mijn bedoeling geweest zo te spreken. Ik had beheersing willen tonen. Maar zij maakte me boos, zoals ze daar zat, zo keurig en mooi, en zo hartelijk deed. Zag ze dan niet, zagen ze allemaal niet dat mijn vader en ik hier nooit zouden thuishoren? Konden ze niet begrijpen wat ze zelf hadden aangericht?
'Je lijkt veel op haar,' zei Liadan zacht, terwijl ze me met die reusachtige, visionaire ogen aankeek. 'Veel meer dan je beseft, denk ik. Herinner je je nog wel iets van je moeder?'
Ik schudde mijn hoofd, woedend op mezelf omdat ik te veel had gezegd. Mijn discipline liet weer te wensen over, juist nu ik het me niet kon permitteren mijn dekking te laten zakken.
'Dat is jammer,' zei ze. 'Niamh kon soms... best moeilijk zijn. Uitgesproken, soms zelfs bot. Ze meende het nooit. Ze zat gewoon zo

barstensvol gevoelens dat die soms naar buiten kwamen. Je kunt niet ontkennen dat er liefde bestaat, Fainne. Als je dat doet, doe je het alleen omdat je nog niet hebt geleerd haar te herkennen. Niamh hield van je vader; ze hield meer van hem dan van wat ook op de wereld. Ze zou haar hele leven voor hem hebben veranderd; en dat heeft ze ook gedaan, toen het erop aankwam. En hij heeft hetzelfde voor haar gedaan. Daarom kan ik het zo moeilijk geloven.'
'Wat?' Ik trok mijn nachtpon zo snel mogelijk over mijn hoofd, want ik vond het vervelend me in gezelschap van anderen uit te kleden.
Liadan keek nadenkend. 'Dat ze er een eind aan zou willen maken. Dat ze de dood zou kiezen. Ik heb haar één keer horen dreigen dat ze zichzelf zou doden, toen ze nog met de Uí Néill getrouwd was. Toen twijfelde ik er niet aan dat ze het meende. Maar om het te doen nadat Ciarán haar is komen halen, en nadat ze jou had gekregen... dat heeft mij altijd onmogelijk geleken. Ik kon het niet begrijpen. Ze wilde niets anders dan bij hem zijn en zijn kind baren. Daar verlangde ze naar. En ze hield ontzettend veel van jou, Fainne. Dat weet ik.'
'Dat kunt u niet weten,' zei ik toonloos. 'U hebt zelf gezegd dat u haar nooit meer gezien hebt nadat ze was weggegaan. U kunt het niet weten.' Ik ging op mijn bed liggen en staarde naar het plafond.
'O, lieve help,' zei Liadan, en het klonk alsof ze niet wist of ze lachen moest of huilen. 'Dit is geen goed begin, dat is wel duidelijk. Vergeef me, maar ik moet steeds even in mijn arm knijpen om te beseffen dat jij daar ligt en niet mijn zus, want ze praatte precies op dezelfde manier tegen me wanneer ze boos op me was.'
'Ik dacht dat u zei dat u van haar hield.'
Liadan zuchtte. 'Iedereen hield van haar, Fainne. Ze was als een mooi zomerdier, beeldschoon, vrolijk en vol levenslust. Ze is vreselijk veranderd door wat er gebeurd is. Er is haar groot onrecht gedaan, haar en Ciarán. Dat erken ik; je vader en ik hebben daar lang geleden ook over gesproken. Maar Ciarán en ik zijn nooit vijanden geweest. En wat Niamh betreft, ze heeft een keer tegen me gezegd dat ze dolgraag een kind van hem wilde. Ik begreep wat ze bedoelde, want op dat moment droeg ik mijn eigen zoon in mij, hoewel zijn vader ver weg was en het niet waarschijnlijk leek dat we ooit samen zouden kunnen zijn. Ik begreep hoezeer ze ernaar verlangde. Ze behield die hoop, zelfs in haar donkerste ogenblikken.'

'Misschien,' zei ik met tegenzin. 'Maar ze hield niet van me. Dat kan toch niet? Als ze van me had gehouden, als er zoiets als liefde bestond, kon ze toch niet voor de dood kiezen terwijl ik nog te klein was om me te herinneren wie ze was?'
'Toch weet ik wat ze voor je voelde.' Liadans stem klonk zacht maar vast in het donker, nadat ze de kaars had uitgeblazen. 'Ik heb het gezien. Dit soort visioenen worden me soms gegund. Ik zag het lang geleden, voor jij geboren was. Een beeld van het Gezicht. Niamh zat op een vreemde plek, een plek met blauwig licht en zachte schaduwen; het leek wel een kleine grot, die half begraven onder de zee lag, waar de vloed zacht naar binnen golfde. Niamh en haar kind. Jullie waren samen aan het tekenen in het zand, heel zorgvuldig en stil. Ik zal nooit de uitdrukking op haar gezicht vergeten terwijl ze naar jou keek. Daarna kon ik moeilijk begrijpen dat ze...' Haar stem stierf weg.
Ik kon een tijdlang niets zeggen. Haar woorden hadden het teruggehaald: de kleine grot onder aan de Honingraat, de plek waar de elementen elkaar raakten, het toevluchtsoord waar ik vaak zwijgend had gezeten, alleen of met Darragh, en naar het spel van zacht licht op oud gesteente had gekeken terwijl ik het zuivere zand door mijn vingers liet lopen en de kleine golfjes aan en af hoorde kabbelen, aan en af. Die plek riep me terug naar Kerry. Ik probeerde me een beeld te vormen van mijn moeder die daar op het strandje zat toe te kijken terwijl een piepkleine Fainne in het zand speelde. Maar daar bleef het bij: een beeld. Ik wilde me haar graag herinneren, maar ik herinnerde me niets van haar. En dat was misschien ook maar beter. Ik liep het gevaar te veel te voelen, en gevoelens maakten alles alleen maar moeilijker.
'Tante Liadan?'
'Mmm?'
'Kan ik echt onmogelijk met Eamonn trouwen?'
Het bleef lang stil.
'Ja,' zei ze uiteindelijk.
'Maar waarom dan?' vroeg ik. 'U kent mijn achtergrond. Waar anders zou ik een echtgenoot vinden met zo'n hoge positie? Is het geen grote eer dat hij mij heeft gekozen? Ik begrijp het niet.'
'Ik wil er niet hier, in zijn huis, over praten, Fainne.' Haar stem maakte duidelijk dat er geen discussie mogelijk was. 'Dit kan wachten. En jij kunt ook wachten. In tegenstelling tot Eamonn ben je pas in je zestiende jaar en heb je alle tijd van de wereld. Nu kun je be-

ter gaan slapen, want we moeten morgen vroeg op.'
Ik zei niets, want ik had niets terug te zeggen. Ik dacht dat ze sliep, maar na een poos zei ze: 'Het is mogelijk, moet je weten, om uit liefde te trouwen. Onze familie staat er zelfs om bekend dat we dat vaak tegen alles in willen. Het zou treurig zijn als je zou trouwen zonder iets anders dan zekerheid of strategische belangen om je keuze van een levensgezel te ondersteunen. Misschien wel praktisch, maar toch treurig. Heb je een liefje, Fainne?'
'Nee,' zei ik bits, veel te snel.
'Nou dan,' zei tante Liadan in het donker.
Soms was de aanval de beste verdediging. 'Maar u bent toch zeker niet uit liefde getrouwd?' daagde ik haar uit.
'Waarom zeg je dat?' Liadan was zo te horen niet beledigd, maar alleen verbaasd.
'Vergeef me, maar op grond van wat ik heb gehoord, lijkt uw echtgenoot niet het soort man voor wie een meisje het vooruitzicht van een uitstekend huwelijk zou opgeven en voor wie ze voorgoed haar ouderlijk huis zou verlaten. Hoe hebt u hem ontmoet?'
Het bleef korte tijd stil.
'Als ik het me goed herinner,' zei Liadan, en ik hoorde aan haar stem dat ze glimlachte, 'gaven zijn mannen me een klap op mijn hoofd en ontvoerden ze me. Ik vond hem in die tijd behoorlijk angstaanjagend, en hij vond mij alleen maar lastig.'
'Dus,' zei ik, terwijl ik me afvroeg of ze maar iets verzon om mij voor de gek te houden, 'u bent niet uit liefde getrouwd?'
'De liefde heeft ons gevonden en overvallen,' zei ze zacht. 'Ik trouw nergens anders om. Wanneer je deze man ziet, zul je hem misschien vreemd vinden; woest; zeker geen waardig clanhoofd zoals Eamonn van Glencarnagh. Bran heeft weinig op met wetten en conventies, behalve met de wetten die hij zelf maakt. En niet alleen zijn reputatie, maar ook zijn uiterlijk maakt hem tot een eenling. Maar hij is vijftig keer zoveel waard als de man die Eamonn vroeger was. Wat er tussen ons is, gaat verder dan liefde, Fainne. Hij is mijn man, mijn minnaar en mijn zielsverwant, de enige aan wie ik mijn diepste zielsgeheimen kan toevertrouwen. Ik hoop dat jij op een dag de vreugde zult kennen zo'n levensgezel te vinden, want er is niets dat daaraan kan tippen.'
Mijn tante kon overtuigend zijn, dat moest ik wel toegeven. Ik viel in slaap met mijn vingers in mijn oren, uit angst dat ik zou gaan geloven dat het waar was wat ze zei.

De volgende morgen waren we kort na zonsopgang klaar voor vertrek. De meisjes waren opgewonden dat ze naar huis zouden gaan en kwetterden als een troep vogeltjes, tot Sean hen met een ferme, maar vriendelijke waarschuwing tot stilte maande. Eamonn maakte een teruggetrokken indruk. Wat er ook tussen hem en mijn oom was besproken, het had hem niet in een goed humeur gebracht. Er was maar een ogenblik dat we elkaar konden spreken, toen Sean met zijn rug naar ons toe stond en Liadan een uitvoerige vraag van Clodagh beantwoordde. Het paardje dat me zo dapper had gedragen en ons later was gevolgd in het voetspoor van Aoife was voor me gezadeld; Eamonn had gezegd dat ik op haar naar huis mocht rijden, omdat ze zo goed bij me leek te passen. Ik kon moeilijk aanvoeren dat ze misschien te moe was na haar nachtelijk avontuur. Nu stond ik naast het paard, en Eamonn deed alsof hij iets aan de teugel verstelde. Hij wierp me een blik toe; zijn ogen waren half toegeknepen, zijn kaak was strak.

'Beloof me iets,' fluisterde hij. 'Beloof me dat je zult doen wat je zei.'

Mijn hart bonsde heftig. Er was iets dodelijks in die blik, een vergezicht van schaduw over schaduw. 'Het was een overeenkomst, weet u nog?' zei ik, huiverend. 'Er zitten twee kanten aan. Hoe kunt u zich nu aan uw kant ervan houden?'

'Twijfel je aan me?' Eamonns hand klemde zich om de mijne, zijn vingers knepen zo hard dat het pijn deed. Ik dwong pijn en angst naar de achtergrond en staarde hem aan zonder met mijn ogen te knipperen.

'Ik zal me aan mijn kant houden, als ik ervan op aan kan dat u dat ook doet,' zei ik met vaste stem. 'Als mijn oom geen toestemming geeft voor dit huwelijk, waarom zou ik me dan voor u in gevaar begeven?'

'Hij zal zijn toestemming geven.' Er was geen ruimte voor vragen in Eamonns toon. 'Hij zal instemmen met mijn wensen. Ze zijn oerstom als ze niet inzien hoeveel macht ik over hen heb. Seans onderneming kan zonder mij niet doorgaan. Ik zal de Beschilderde Man te pakken krijgen; en ik zal jou krijgen. Twijfel daar niet aan.'

'Ik...'

'Beloof het, Fainne!'

Ik knikte, en voelde een koude rilling over mijn rug lopen.

'Zeg het!'

'Ik beloof het. Als het zomer wordt, zult u hebben wat u wilt.'

Zijn greep ontspande zich en hij nam mijn vingers op en streek ermee langs zijn lippen. 'Dan zul jij het ook hebben,' mompelde hij. 'En ook daarnaar zal ik gretig uitzien, lieve. Het wachten zal een zware beproeving zijn, vrees ik.'
Dat zou wel meevallen, dacht ik, zolang Mhairi beschikbaar was. Ik hield de opmerking die naar mijn lippen welde, binnen.
'Vaarwel, Eamonn,' zei ik, en toen kwam mijn tante Liadan met haar paard naast ons staan en was het ogenblik voorbij.
'Is dit je hele escorte?' Eamonn liet zijn ogen over de drie mannen gaan die de kleuren van Sean droegen, en die inmiddels op hun paarden zaten, met de vier meisjes tussen hen in. 'Dit is toch zeker ontoereikend. Het verbaast me dat jullie zo onbeschermd hierheen komen. Ik kan beter zorgen dat er een paar mannen van mij met jullie meegaan.' Hij fronste zijn voorhoofd in de richting van Liadan.
'Doe dat liever niet,' zei ze koeltjes. 'Ik heb mijn eigen mannen.'
'Werkelijk? Zijn dat soms wezens uit de Andere Wereld, dat ze zich zo onzichtbaar opstellen? Ik zie geen mannen.'
'Nee, natuurlijk niet. Daar zijn ze goed in. Ik ga nergens onbeschermd heen. Daar zorgt Bran wel voor.'
Hij staarde haar aan zonder iets te zeggen. Toen spuwde hij weloverwogen voor de voeten van haar paard op de grond. Het was een schokkend gebaar, dat helemaal niet overeenkwam met wat ik van de man wist, want zeker naar buiten toe bleef hij altijd binnen de grenzen van wat betamelijk was. Liadan zei niets, maar ze wendde haar paard en reed weg, zonder ook maar één keer achterom te kijken.
Het was vreemd. We reden oostwaarts door Eamonns parken en bossen, langs zijn velden en nederzettingen, en Sean en zijn drie mannen reden voor ons uit en achter ons aan om uit te kijken naar onraad, hoewel er toch zolang we binnen de grenzen van Glencarnagh bleven geen gevaar kon dreigen. Pas toen we het bosachtige terrein hadden verlaten en op een woester, opener terrein kwamen dat bezaaid was met rotsige uitsteeksels, werd ik me langzamerhand bewust van anderen die niet ver van ons af met ons meereden, een voortdurende, ongeziene aanwezigheid. Ik dacht aan Anderwereldse wezens, misschien boodschappers van de Túatha Dé Danann die gekomen waren om mij te volgen en achter mijn geheimen te komen. Na enige tijd werden ze zichtbaar, alsof ze zich nu pas veilig konden vertonen. Ze waren met zijn zessen of zevenen, en ze had-

den inderdaad het uiterlijk van sommige wezens uit een oud verhaal, want ze waren allemaal gekleed in bruingrijze kleren die versmolten met het winterse landschap, en over hun hoofd droegen ze nauwsluitende kappen die hun hele gezicht bedekten op de ogen, neus en mond na; deze krijgers waren niet van elkaar te onderscheiden. En het waren krijgers; ze waren allen gewapend met een dolkmes en een zwaard, en sommigen droegen een boog of een staaf, bijl of werpmes. Ik schrok ervan, maar de anderen reden rustig door, alsof de aanwezigheid van deze angstwekkende wezens heel gewoon was, en ik besefte wat laat dat dit de mannen van mijn tante Liadan moesten zijn. Nu vormden ze aan alle kanten om ons heen een zwijgend escorte, en mijn oom, wiens rol als lid van het escorte plotseling overtollig leek, hield zijn paard in om naast zijn zuster te komen rijden, die vlak voor me reed.

Eilis koos dit ogenblik uit om iets te zeggen.

'De volgende keer dat we naar oom Eamonn gaan, ga ik op dat grote zwarte paard rijden,' kondigde ze opgewekt aan.

'Fainne,' zei Deirdre, 'ga jij met oom Eamonn trouwen? Dat zei Clodagh.'

'Nietes!' riep Clodagh. 'Ik zei alleen: wie gaat er nou met oom Eamonn trouwen als ze zo iemand als Darragh zou kunnen krijgen? Je hebt niet goed geluisterd.'

'Welles!'

'Zo is het genoeg.' Sean hoefde zijn stem niet te verheffen om hun het zwijgen op te leggen. Deirdre trok een nors gezicht. Ze hield er niet van ongelijk te hebben.

'Wie is Darragh?' vroeg tante Liadan langs haar neus weg. Niemand gaf antwoord. De vraag was blijkbaar voor mij bedoeld.

'Niemand,' mompelde ik.

Liadan trok haar wenkbrauwen op alsof ze mijn antwoord ontoereikend vond. We reden over een smalle weg tussen rotswanden; het zwijgende escorte reed voor en achter ons. Hun optreden was een naadloze demonstratie van beheersing, die bereikt werd zonder ook maar een woord te spreken. Ik hoefde het antwoord niet te geven, want we moesten hier achter elkaar rijden. Toen we uit de kloof kwamen, beantwoordde Clodagh de vraag voor mij.

'Darragh is een jongen uit Fainnes verhalen over de reizende mensen. Hij rijdt op een witte pony.'

'En die heet Aoife,' viel Deirdre in. 'Ze zijn gekomen toen we op Glencarnagh waren. We hadden nooit gedacht dat ze echt bestonden, maar ze kwamen Fainne opzoeken. Oom Eamonn stuurde ze weg.'

'Hij was helemaal uit... uit...' Clodagh bleef steken.

'Uit Ceann na Mara gekomen,' zei ik bars.

'Ik heb de pony een wortel gegeven.' Eilis wilde beslist ook iets zeggen.

Ik kon dit niet langer laten voortduren. 'Hij is niemand,' zei ik wreed, en ik voelde zowel Sibeals blik als die van Liadan op me rusten. 'Hij is gewoon een jongen die ik ken van thuis, meer niet. Uit Kerry. Die oude vrouw, die bij jullie in de keuken zit, Janis heet ze geloof ik, die is familie van hem. Hij kwam haar opzoeken.'

Sean en Liadan keken elkaar even aan.

'Dat is de jongen die op Zeven Wateren kwam en naar jou vroeg?' vroeg Sean. 'Een van de mensen van Dan Walker?'

'Zijn zoon,' zei ik.

'Dan heeft bij de begrafenis van mijn moeder op de doedelzak gespeeld,' zei Liadan zacht. 'Dat was de mooiste muziek die ik ooit gehoord heb, en ook de treurigste. Die man is vast de beste doedelzakspeler van heel Erin.'

'Darragh speelt beter,' zei ik voor ik mezelf kon inhouden. Mijn vingers kwamen omhoog om de amulet aan te raken. Ik mocht niet over hem spreken. Hij was weg. Vergeten. Dat moest ik steeds in gedachten houden, zodat mijn grootmoeder geen enkele reden had om aan hem te denken.

'Zo?' zei Liadan glimlachend. 'Dan moet hij wel een heel goede muzikant zijn.'

Maar ik zei verder niets, en we reden zwijgend verder, met ons vreemde escorte dat als waakzame schaduwen bij ons bleef.

Op de tweede dag gebeurde het. We hadden overnacht in een van de buitenste nederzettingen van mijn oom Sean, en ik had mijn slaapvertrek gedeeld met de meisjes. Deze regeling beviel me wel. Hun onophoudelijk gekwebbel kon vermoeiend zijn, maar alles was beter dan weer zo'n vreemd gesprek met mijn tante te moeten doorstaan, waarin ze zoveel meer leek te begrijpen dan ik in woorden uitdrukte. Ik was me bewust van de noodzaak door te gaan zoals ik begonnen was, en van de consequenties van mijn belofte aan Eamonn. Daarom wilde ik niet dat Liadan me als een vriendin benaderde, en wilde ik geen geheimen aan haar prijsgeven. Het was nu zelfs tijd om alle vriendschappen opzij te zetten en me te concentreren op wat er gedaan moest worden. Daar moest ik aan blijven denken. Ik moest sterk zijn; ik zou sterk zijn. Mijn vader had me immers opgeleid in zelfdiscipline, en had zelf daarin het voorbeeld gegeven.

We reden over een smal pad vanwaar we uitzicht hadden op een beboste vallei. Het had de afgelopen nacht gesneeuwd, en de dicht met naalden bezette takken van de dennen waren nog wit bepoederd. Seans honden renden voor ons uit en lieten twee keurige rijen voetsporen achter. Het was een windstille dag, en de hemel was een massa zware, laaghangende wolken. Tussen die lucht en de opdringende bomen kon ik niet ontkomen aan het oude gevoel dat ik in een val zat, dat ik ingesloten was. Ik reed somber door en probeerde ergens in mijn denken een helder beeld te vinden van de grot, waar de wilde meeuwen in de open hemel zweefden, waar de lucht rook naar zilt schuim, en je het donderen van de oceaan op de rotsen van de Honingraat hoorde. Maar het enige dat ik kon zien was het gezicht van mijn vader, bleek en uitgeteerd, en ik hoorde alleen zijn gevecht om adem terwijl hij hoestte en kokhalsde in zijn geruïneerde werkkamer.

Onze paarden zochten voorzichtig hun weg over het pad. Het was heel smal, en er was een stukje waar de helling aan de rechterkant steil omhoogging en aan de linkerkant recht naar beneden dook; een plek waar neergevallen keien de plek van een aardverschuiving in het verleden markeerden. Drie gemaskerde mannen reden voorop, dan mijn oom, gevolgd door Clodagh en Sibeal. Dan kwam ik, met de anderen achter me. Het was maar goed, dacht ik, dat mijn paardje zo'n bijzonder dier was, want ik was nog allesbehalve een vaardig ruiter. Maar deze zachtaardige merrie wist hoe ze moest lopen, en ik kon erop vertrouwen dat ze me veilig droeg. Ik was haar veel verschuldigd; ik had haar afgebeuld en uitgeput, en toch droeg ze me bereidwillig op haar rug. Wanneer we thuiskwamen moest ik ervoor zorgen dat ze rust kreeg, en verzorging, en iets waar paarden van hielden, wortels misschien.

Het gebeurde plotseling. Het was onmogelijk te zeggen wat het was: een vogel, een vleermuis of iets onheilspellenders. Het kwam uit het niets, bewoog pijlsnel omlaag en weer omhoog zonder geluid te maken, en het was weg bijna voor ik tijd had om het te zien. Mijn hart bonsde van schrik. De merrie trilde en bleef staan. Maar voor ons, waar die schaduw was gepasseerd, begon Sibeals pony te steigeren, met de voorbenen hoog geheven, en het kind werd eraf gegooid. Er was geen tijd om te denken. Ik zag haar kleine, in een mantel gehulde figuurtje door de lucht vliegen en neervallen naar de rotshelling aan de linkerkant. Ik hoorde Deirdre achter me gillen. De kunst vloeide door me heen, hoewel ik me er nauwelijks bewust van was dat ik haar had opgeroepen. De lange jaren van oefening kwamen me nu van pas. *Stop*. Het kind bleef plotseling in de lucht hangen, nog geen drie handbreedten boven een puntige kei waar haar hoofdje hard tegenaan gekomen zou zijn. *Nu zacht naar beneden*. Ik paste de bewegingen waar nodig aan. Iets meer naar rechts, zodat ze neer zou komen op een smal randje naast de keiharde rotsen. Niet te snel; ze zou bang zijn en misschien alsnog kunnen vallen. Nu was het voorbij. Ik rilde van top tot teen en was niet in staat te spreken, alsof zelfs dit beperkte gebruik van de kunst mijn krachten had uitgeput.

De mannen van tante Liadan wisten van wanten. Bijna voordat Sibeal tijd had om te beseffen wat er gebeurd was, waren twee van hen de loodrechte helling al afgedaald naar de plek waar ze lag, en ondersteunden ze haar kleine gestalte om ervoor te zorgen dat ze niet verder omlaag rolde. Onder geruststellende woorden droegen ze haar voorzichtig terug naar het pad. Liadan, doodsbleek, onderzocht het kind snel om te zien of ze iets gebroken had; Sibeal zelf was opmerkelijk kalm; ze snoof een paar keer en haar lip trilde een beetje; dat waren de enige tekenen van schrik. Eilis daarentegen snikte van angst. Zodra Liadan had verklaard dat Sibeal ongedeerd was, werd het kind voor haar vader op zijn paard gezet, en leidde ons escorte ons rustig en vlot naar beneden, naar een veilige plek onder de dennen, waar we even konden pauzeren en ons konden herstellen. Er werd een vuurtje aangelegd en thee getrokken. Ik maakte me nuttig door de nu luid brullende Eilis te troosten, want het laatste wat ik wilde, was dat er vragen werden gesteld. Ik had instinctief gehandeld; ik had de enige handelwijze gevolgd die mogelijk was. Ik wist dat ik het niet anders zou doen als het weer gebeurde. Toch had ik nog steeds de amulet van mijn grootmoeder om; ik ging nog steeds de weg die zij voor me had uitgestippeld. Ik voelde een verandering, in mezelf of in de talisman die ik droeg. Sinds de nacht dat ze bij me was gekomen, de nacht waarin ze had gedreigd alles wat me dierbaar was te vernietigen, leek het of ik niet langer blindelings haar wil kon doen zonder vragen te stellen. Werd de kracht van de amulet op de een of andere manier gedempt door het koord waar hij nu aan hing? De kou sloeg me om het hart. Misschien was het incident van vandaag slechts toeval geweest. Maar misschien had grootmoeder er de hand in en was het een soort proef. Als dat het geval was, leed het geen twijfel dat ik jammerlijk had gefaald. Ik had precies het tegenovergestelde gedaan van wat ze gewild zou hebben. Misschien zou ik het nooit weten. Misschien zou ik vanaf nu op elke val, op elk klein ongeluk moeten letten, omdat ik het niet wist.

'Je bent echt een goede ruiter, Eilis,' zei ik zacht, terwijl ik over de krullen van het kind aaide. 'Wanneer we thuis zijn, zal ik je moeder vertellen hoe goed je je paard in je macht hield, zelfs toen dat ongeluk gebeurde, en hoe dapper je was.' Langzamerhand kalmeerde ze wat, en na een poos kwam Deirdre ons beiden thee brengen, en ik keek van een afstand toe terwijl Liadan Sibeal nogmaals onderzocht, ditmaal grondiger; ze keek in haar ogen en stelde haar vragen. De pony van het kind leek nergens last van te hebben; hij stond nu bij de andere en knabbelde aan het schamele wintergras.

'Grappig,' merkte Deirdre op. 'Als mensen van hun paard vallen, dan vallen ze meestal gewoon naar beneden. Maar Sibeal, die bleef zo'n beetje zweven op het laatst. Zoiets heb ik nog nooit gezien.'

'Toverij,' hikte Eilis. 'Net als in een verhaal.'

'Ze had wel dood kunnen gaan.' Deirdre dacht diep na. Maar voor ze een conclusie kon trekken, stond Liadan naast ons, en de meisjes gingen om Sibeal heen staan om haar meer thee te brengen en haar met vragen te bestoken.

Mijn tante kwam naast me zitten op een afgevallen tak. Ze glimlachte niet; de uitdrukking op haar gezicht was bijna streng.

'Mijn broer heeft niet gezien wat hier gebeurd is, maar ik wel, Fainne,' zei ze zacht. 'Eerst dacht ik dat ik het me verbeeldde. Maar Sibeal zei: Fainne heeft me gered.'

Ik antwoordde niet.

'Je weet misschien niet dat je vader mij een keer heeft gered door gebruik te maken van druïdische kunsten. Je hebt vandaag een goede daad verricht, Fainne. Ciarán zou trots op je zijn. Zo snel en zo subtiel.'

Ik voelde me opeens diep ongelukkig; ik had wel willen huilen, als ik het had gekund.

'Je lijkt bedroefd,' zei Liadan. 'Mis je hem heel erg?'

Ondanks mezelf knikte ik.

'Mmm,' zei ze. 'Het is heel ver van Kerry naar hier. Ik heb me afgevraagd waarom Ciarán niet met je mee is gekomen, want je bent wel erg jong om alleen zo'n reis te maken. Conor zou blij zijn geweest met zijn komst. Ik ben ervan overtuigd dat hij ook blij was met jouw komst. Zo'n talent zou voor mijn oom ongetwijfeld aanleiding zijn om te proberen jou te winnen voor de broederschap. Hij heeft nooit meer iemand gevonden met zoveel aanleg als je vader.'

'Wat een onzin!' snauwde ik, woedend op mezelf omdat ik mijn gevoelens weer de overhand liet krijgen. 'Ons geslacht kan de hogere wegen van het druïdendom toch niet bereiken. Wij zijn vervloekt en kunnen nooit de wegen van het licht volgen.'

Liadan trok haar wenkbrauwen op. Haar ogen waren zo groen als winters blad in koel zonlicht; haar gezicht was blank als sneeuw. 'Ik heb de indruk,' zei ze zacht, 'dat je zojuist hebt bewezen dat je theorie niet klopt.'

Ze had het natuurlijk mis. Ze wist niets van de andere dingen die ik gedaan had, de verschrikkelijke dingen. Ze begreep niet wat ik nog moest doen.

'Je beeft, Fainne. Je hebt een zware schok gehad, lief kind. Kom, geef me je hand, laat mij je helpen.'

'Nee!' Mijn stem klonk schel. Ik wilde haar niet in mijn ogen laten kijken, zodat ze kon lezen wat er in mijn hoofd omging. Misschien dacht ze dat ik niet wist dat ze een zieneres was. 'Ik voel me best goed, tante Liadan,' voegde ik er beleefder aan toe. 'Wat ik deed, was... het was gewoon iets wat je doet, een kleine kunstgreep, meer niet. Ik ben blij dat ik heb kunnen helpen. Het was niets.'

Ze zei verder niets, maar ik voelde dat ze naar me keek en me aandachtig opnam. Ze reed naar huis naast haar broer, en ze praatten niet hardop, maar zagen er allebei heel ernstig uit. Ik vroeg me af of ze van geest tot geest over mij praatten, op de vreemde manier van de Fomhóire, van wie ze, als je mijn grootmoeder moest geloven, dit vermogen hadden geërfd.

Op Zeven Wateren was iets veranderd sinds we weg waren geweest. Ik kon er niet echt de vinger op leggen; het was net alsof de sfeer lichter was geworden, of de schaduw was overgetrokken en er weer orde en zin waren teruggekomen in het huis. Het was alsof de familie op de een of andere manier haar hart had teruggekregen. Aisling omhelsde haar dochters, glimlachend; Muirrin stond iets naar achteren, en naast haar stond Maeve, met een groot verband om haar hoofd. Haar zusjes holden op haar af om haar te begroeten en praatten allemaal tegelijk.

'Voorzichtig, hoor,' waarschuwde Muirrin. 'Het is maar voor even, dan moet ze meteen weer terug in haar bed.'
Het was een en al lachen en tranen. Ik hield me wat achteraf, want ik had hier geen rol in. Ik wachtte tot ze klaar zouden zijn, zodat ik naar mijn kamer kon gaan om de deur dicht te doen en alleen te zijn. In feite waren de breedste lachjes, de meest uitbundige begroetingen niet voor Aisling of voor Maeve bestemd, maar voor iemand anders. Dicht bij de familie stonden nog twee mannen van Liadans huis in hun eenvoudige, donkere kleding, maar deze twee waren niet gemaskerd. Ik had gedacht dat het wachten waren. Ze waren allebei jong; de een viel onmiddellijk op, want zijn huid was donker van kleur als oud eikenhout, en hij had kleine vlechtjes in zijn haar als een druïde, die echter aan de uiteinden versierd waren met kleurige kralen en stukjes veer. Hij stond naast Maeve en ondersteunde het kind met zijn arm. Ik zag dat Muirrin iets in zijn oor fluisterde, en hij lachte, zodat zijn witte tanden blonken.
Maar de aandacht van mijn nichtjes ging uit naar de tweede jongeman, al zou ik met de beste wil van de wereld niet kunnen begrijpen waarom. Hij was een tamelijk gewoon uitziende jongen, met vriendelijke trekken, vrij klein maar krachtig gebouwd, en zijn bruine, krullende haar was heel kort geknipt. Hij draaide zich wat verder naar mijn kant, en ik zag met verbazing de tekening op zijn gezicht, een dun ingekerfd, verfijnd en tamelijk ingewikkeld patroon dat zich om zijn ene oog slingerde en verder golfde over voorhoofd en wang. Het was heel gevoelig gedaan; er was een vage aanduiding van een snavel en van veren, meer niet. Om ons heen waren de mannen die ons escorte hadden gevormd, afgestegen en zij namen eveneens hun maskerachtige kappen af, en ik zag dat elk van hen een soortgelijke tekening op zijn gezicht droeg. Meestal was die tekening heel klein, een paar waren wat uitgebreider, en geen twee waren hetzelfde. Elke tekening duidde vaag een dier aan – een das, een zeehond, een wolf, een hert. Ik was de enige die er verbaasd naar keek. Voor de anderen was deze groep beschilderde krijgers kennelijk een bekend schouwspel.
'Fainne.' Dat was Clodagh, die naast me was opgedoken en aan mijn mouw trok. 'Dit is Johnny.'
De gewoon uitziende jongeman stond achter haar met een vriendelijke grijns op zijn getekende gezicht. Mijn mond viel open van verbazing. Was dit Johnny, het legendarische kind van de profetie? Deze weinig aantrekkelijke jonge vent die in niets leek te verschillen

van een man uit zijn eigen escorte? Dat kon toch niet kloppen? Ik had verwacht... nou ja, ik had op zijn minst een krijger van fors postuur verwacht, of misschien een geleerde die geschoold was in kunst en letteren. Niet... niet iemand die evengoed een stalknecht of een keukenhulp had kunnen zijn.
'Zoveel familie,' zei Johnny, 'en allemaal nichtjes. Ik ben blij jou te leren kennen, Fainne. Maeve heeft veel over je gepraat, en ze heeft ons al je verhalen verteld.' Hij stak zijn hand uit en pakte de mijne. Zijn handdruk was warm en krachtig. Ik keek in zijn ogen en besefte onmiddellijk dat ik het helemaal verkeerd had gezien. Zijn ogen waren grijs en diep. Ze namen me snel op, registreerden wat ze zagen en sloegen het op voor later. De man was schrander. Hij was een strateeg. En zijn glimlach was moeilijk te weerstaan. Ik merkte dat ik ook glimlachte.
'Zo is het beter,' zei hij. 'En hier is mijn vriend, Evan. Evan is bij moeder in de leer. Zij zal je vertellen dat hij belooft een eersteklas genezer te worden. Muirrin en hij hebben wonderen verricht bij de jonge Maeve. Samen vormen ze een uitstekend team.'
Hij grijnsde naar de donkere man, en ook naar Muirrin. Muirrin bloosde; Evan keek naar de grond. Toen zei Liadan dat Maeve nu weer naar bed moest, en in de hieropvolgende drukte, toen iedereen naar binnen ging en de bagage werd uitgezocht, zag ik kans naar boven te vluchten, naar mijn eigen kamer, waar ik de deur achter me vergrendelde, hoewel ik eigenlijk niet wist waarvoor ik me af wilde sluiten.
Ik wil hem niet aardig gaan vinden, leek ik tegen mezelf te zeggen. *Ik mag hem niet aardig gaan vinden. Dan wordt het te moeilijk*. Ik ging naast de haard op de vloer zitten, maar ik maakte het vuur niet aan, ook al was het ijskoud op deze winterdag. Ik was bang voor de visioenen die ik misschien in de kern van het vuur te zien zou krijgen; de boosaardige dingen die in de toekomst lagen, dingen die ik misschien zelf zou doen, en dingen die ik niet zou kunnen tegenhouden. *Het zou toch heel gemakkelijk moeten zijn*, hield ik mezelf voor. *Het is een strategisch spel. Net als brandubh. Je weet wat er gedaan moet worden. Doe het gewoon.*
Dat was makkelijk gezegd. Hier op Zeven Wateren was alles werkelijk veranderd, en dat kwam niet alleen doordat Liadan gekomen was, of doordat Maeve nu sneller vooruitging dan iemand had durven hopen. Het kwam door hem, door Johnny. Je kon het zien aan de manier waarop de mannen naar hem toe kwamen met hun vra-

gen, en aan de manier waarop hij tegen hen praatte, vriendelijk, met respect, maar zelfbewust, alsof hij een veel oudere man was, ervaren en wijs. Je kon het zien aan zijn glimlach en aan zijn houding; aan de trotse manier waarop hij zijn eenvoudige kleren droeg, alsof het hem meer voldoening gaf deel uit te maken van een team dan een zichtbaar teken van leiderschap te dragen. En toch was hij een leider. Oudere mannen zwegen om hem te horen spreken. Vrouwen snelden toe om zijn eten op te dienen of zijn bokaal bij te vullen, en bloosden wanneer hij een vriendelijk woord tegen hen zei. Hij was overal; hij trainde Seans mannen op het erf, hij hield toezicht op de bouw van een nieuwe schuur, hij babbelde met Janis in de keukens. Vaak was hij naast Maeves bed te vinden; hij vertelde haar een verhaal of luisterde naar de geheimen die ze hem influisterde. Het was zijn lieve glimlach die deze zalen had verwarmd; zijn hartelijk aangeboden hulp die de kleur had teruggebracht op Aislings vermoeide gezicht; zijn raadgevingen die Sean 's avonds wilde horen, wanneer de mannen langdurig in gesprek waren, en er kaarten en schema's werden geraadpleegd. Dankzij hem had het huishouden de sfeer van kracht en zin teruggekregen die met Samhain, in de nacht van de brand, verdwenen was. Johnny had het licht teruggebracht.

Het liep tegen Meán Geimhridh. Bij de baai was het weer in dit seizoen vaak zo onstuimig dat je de dag niet van de stenen kon aflezen; alles lag in de schaduw, want de midwinterzon ging schuil achter wolken. Toch wist ik wanneer het Meán Geimhridh was; dan ging ik in regen of storm de heuvel op en ging onder de dolmen zitten om uit te kijken naar het westen, met de gedachte dat als ik maar ver genoeg kon kijken, ik een glimp op zou kunnen vangen van Tir Na n'Og, het eiland der dromen. Maar dat gebeurde nooit. Dan zat ik daar alleen maar met mijn mantel over mijn hoofd geslagen tegen de wind; ik voelde de sterke steen tegen mijn rug als een grote, ondersteunende hand, en ik droomde mijn eigen dromen over de zomer. De zomer zou altijd komen. Het was gewoon een kwestie van wachten en sterk zijn. Dat was nu natuurlijk allemaal afgelopen. Ik had afscheid genomen van de baai, en van mijn vader. Ik had Darragh weggestuurd, naar een ver oord waar hij veilig kon zijn – voor mij konden er geen zomers meer zijn.

Het was nodig dat ik me oefende. Om te doen wat ik moest doen, was het nodig de kunst uit te oefenen op een manier die veel verder ging dan ik van mijn vader had mogen gaan. Hij had het zelfs uitdrukkelijk verboden, en met reden. Ik moest dus mijn vaardigheden weer bijvijlen, mijn geest disciplineren en mezelf sterk maken. Pas dan zou ik kunnen proberen mezelf te transformeren van mensenmeisje tot wild dier, en, nog moeilijker, weer terug te komen in mijn eigen gedaante. Het vooruitzicht was beangstigend. Stel dat ik mijn eigen vermogens had overschat? Stel dat ik mezelf veroordeelde tot een leven als eend of als pad, of, nog erger, zou blijven steken tussen de ene en de andere gedaante in? Dan zou ik al helemaal niet bij machte zijn degenen die ik voor haar wilde afschermen, te beschermen. Dit was een krachtige betovering, een van de moeilijkste vormen van de kunst; hij putte je krachten uit en vormde een zware belasting voor de geest. Mijn vader had gevonden dat ik er nog niet aan toe was hem te proberen. En als dat nu nog zo was? De tijd ging snel; nu al, in de koude tijd van de winterzonnewende, leek het alsof er mannen bijeenkwamen voor een naderend vertrek, en tante Liadan sprak over een terugkeer naar huis. Zelfs in het donker van de winter hadden deze mensen hun blik al gevestigd op de overwinning in de zomer. Dat duurde niet erg lang meer. Ik moest me voorbereiden.

Maar hoe kon ik deze techniek hier op Zeven Wateren oefenen? Er was geen afzondering, geen eenzaamheid, behalve binnen de begrenzing van mijn eigen kamer, en zelfs daar werd ik voortdurend gestoord. Het huis was vol, de familie had het druk, en mijn hulp werd vaak gevraagd bij allerlei werkjes die ik niet allemaal kende. Ik leerde dingen, maar het waren de verkeerde dingen: hoe je baleinen in een lijfje naaide, hoe je appels in honing inmaakte en hoe je varkenstongetjes in gelei maakte, hoe je een gans plukte en de beste manier om een verstuikte pols te behandelen.

's Avonds was het altijd moeilijk om ongemerkt te ontsnappen. Met de komst van Johnny en zijn bende beschilderde krijgers was het avondmaal een meer feestelijke aangelegenheid geworden, die meestal gevolgd werd door het vertellen van verhalen en het zingen van liederen. Een van de jongemannen had een mooie stem, en een ander kon aardig fluit spelen. Er was een kleine, met mooi beeldhouwwerk versierde harp in huis, en zowel Deirdre als Clodagh kon redelijk zoete klanken aan de dunne snaren ervan ontlokken. In het kamp van Dan Walker had een soortgelijke prettige sfeer geheerst; dezelfde vreugdevolle gemeenschappelijkheid. Toch was het vreemd. Deze mensen waren familie van me, maar toch voelde ik me hier minder deel uitmaken van het geheel dan bij die eenvoudige, kleurrijke reizigersfamilie. Ik dacht met meer genegenheid aan Peg, die me een halsdoek en haar lach had gegeven, dan aan tante Liadan met haar onderzoekende ogen en haar zwijgzame buien. Ik hoorde hun feestmuziek en verlangde naar de eenzame klaagzang van de doedelzak.

Ik dacht aan het bos. Daar buiten waren natuurlijk tal van plekken open en vrij: open plekken tussen de winterse bomen, verlaten strandjes langs het meer, grote, met korstmossen begroeide stenen. Die plaatsen waren heel geschikt voor de onbespiede beoefening van de kunst. Maar ik had geen druïde om samen met me naar buiten te gaan, en er waren veel wachten. Bovendien, wie wist hoeveel vreemde wezens naar je keken in die donkere wildernis, wezens die graag mijn geheimen te weten kwamen en van tevoren wilden weten wat ik ging doen? Daar kon ik niet heen gaan.

Ik was aan twijfels ten prooi en het feit dat ik maar niet verder kwam, was zorgwekkend. Ik wist dat als ik er te lang mee wachtte, als ik te diep nadacht over wat ik van plan was en wat dat betekende, ik gevaar liep helemaal niets meer te willen doen. En wanneer ik het koord om mijn nek nu aanraakte, leek het mijn geest helemaal niet te richten op de taak die voor me lag, maar fluisterde het iets anders: *Je bent een kind van Zeven Wateren*, zei het tegen me. *Je bent een van ons*. Maar ik was de waarschuwing van mijn grootmoeder niet vergeten. Zij wilde vorderingen zien. Als er geen vorderingen waren, zou ze terugkomen en zou ze anderen laten boeten voor mijn ongehoorzaamheid. Toch leek het me, als ik erover nadacht, dat ongeacht wat ik uiteindelijk zou doen, de mensen van Zeven Wateren gedoemd waren. Ik kon misschien onschuldige mensen tegen de woede van mijn grootmoeder beschermen door haar bevelen te gehoorzamen. Als ik dat deed, zouden er geen branden meer komen, niemand zou onverwacht komen te vallen, en geen van die andere dingen die ze had opgesomd, zoals vergiftigingen of verdwijningen, zou gebeuren. De mensen die ik beslist wilde beschermen, zouden veilig zijn, hier op Zeven Wateren, in Kerry en ver in het westen in Ceann na Mara. Dat zou ik misschien kunnen bereiken. Maar op de langen duur zou, als ik haar streven uitvoerde, de slag verloren worden en zouden de Eilanden verloren gaan, en deze familie zou ten onder gaan in chaos en wanhoop. Was die catastrofe niet veel groter dan de persoonlijke verliezen die ik wilde voorkomen? Als ik goed begreep wat de stemmen van de wezens die zich de Ouden noemden, hadden gezegd,

zou het feit dat de Eilanden nu niet veroverd werden niets minder betekenen dan de ondergang van de grote rassen van Erin: het Feeënvolk, het oudere volk en de vele, vreemde bewoners van de Andere Wereld onder de oppervlakte van het stoffelijke. En het mensengeslacht zou voorgoed de mysteriën van de ziel verliezen. Kon je jezelf nog wel een mens noemen zonder die mysteriën? De mensen zouden niet langer de hoeders van aarde en oceaan zijn, en niet meer zijn dan parasieten die ten koste daarvan leefden, zonder aandacht voor wat ze betekenden, zonder eerbied voor de heilige opdracht die hun was toevertrouwd. Kon het waar zijn dat mijn grootmoeder dit wilde? De keus die voor me lag, was geen echte keus; beide wegen eindigden in duisternis. Wat kon ik ook anders verwachten, met het vervloekte bloed dat door mijn aderen en door die van mijn vader stroomde; bezoedeld bloed dat betekende dat we nooit de wegen van het licht konden bewandelen. Ik was geen kind van Zeven Wateren. Welke weg ik ook koos, ik kon niets anders doen dan mijn familieleden te gronde richten en datgene vernietigen wat zij met zoveel inzet probeerden te behouden.
Ik oefende zo goed en zo kwaad als het ging binnen de beslotenheid van mijn kamer, diep in de nacht. De volgende ochtend kwam ik met een bleek gezicht, geeuwend en slechtgehumeurd naar buiten. Tante Liadan lette op me, maar op haar kleine, lieve gezicht stond niets te lezen. Tante Aisling lette ook op me; ze fronste haar voorhoofd en droeg me op 's middags te gaan rusten, en beval haar dochters me wat rust te gunnen. Ik durfde geen volledige gedaanteverandering te proberen, nog niet, maar ik kwam er steeds dichterbij. Om erin te komen, begon ik met andere dingen: het laten bewegen van voorwerpen, wat ik intussen gemakkelijk vond, het laten vallen en opvangen, het subtiel doen bewegen, de listige aanpassingen van vorm en afmeting. Ik maakte mezelf een keer vreselijk aan het schrikken met een reusachtige kakkerlak; gelukkig kon ik de betovering met een vingerknip ongedaan maken. Ik raakte een spin kwijt, omdat ik die zo klein had gemaakt dat ik hem niet meer kon zien om hem terug te veranderen. Ik was nog niet handig genoeg om deze truc blind te kunnen uitvoeren. Ik oefende gedaanteveranderingen voor de spiegel, eerst gemakkelijke, omdat ik altijd gebrek aan tijd had: het mooiere, elegantere meisje van de paardenmarkt; een erg lelijke versie, scheelziend en met dun, kroezig haar; een moederlijk type met een kind in haar buik en rimpels in haar voorhoofd; een oud besje dat griezelig veel op mijn groot-

moeder leek. Die gedaante hield ik niet lang aan, want ik kreeg het koud bij de gedachte dat er een toekomst zou kunnen komen waarin ik net zo was als zij. Dan, wat moeilijker, een Fainne die ongeveer acht jaar oud was en even groot als mijn nichtje Sibeal. Dit kind staarde me aan vanuit de gepolijste, koperen oppervlakte van de spiegel, met een onschuldig, nog ongevormd gezichtje; haar haar golfde om haar schoudertjes als een mantel van vuur. Aan haar vinger droeg ze een ringetje van wilde grashalmen. En achter haar zag ik in plaats van de donkere, stenen muren van mijn kamer, de kliffen van de Honingraat, de golven van de zuidelijke oceaan en de woelige wolkenlucht van Kerry. Ik dacht dat ik mijn vader hoorde zeggen: *Goed zo, dochter. Je hebt hier aanleg voor.* Ik veranderde haar weer snel in mezelf, te snel, want ik viel bijna flauw door het plotselinge verlies van energie dat met zulke gedaanteveranderingen gepaard gaat, en toen ik weer in de spiegel keek, zag ik mezelf bleek en afgemat, als een schim. Dag in dag uit, nacht in nacht uit schaafde ik aan deze vaardigheden. Spoedig, heel spoedig zou ik de laatste stap moeten doen, van meisje naar wild dier, en van wild dier naar meisje.
Er kwam een brief van Eamonn. Hij was niet aan mij gericht, dat zou ongepast zijn geweest, en het was Eamonns overtuiging dat hij zich waar mogelijk aan de regels moest houden. De brief was gericht aan mijn oom Sean en bevatte een formeel verzoek om mijn hand. Zo'n brief kon niet genegeerd worden, en kon ook niet worden afgedaan met een rechtstreekse weigering, vooral niet als de schrijver een familielid en een bondgenoot was. Het scheen niets uit te maken dat Eamonn al te horen had gekregen dat een dergelijke verbintenis uitgesloten was. De man scheen de betekenis van het woord 'nee' helemaal niet te begrijpen. Hij kleedde zijn verzoek hoffelijk in, gaf te kennen dat hij geen bruidsschat verwachtte, gezien mijn omstandigheden; hij voegde eraan toe dat het, met het oog op de gevaren die de komende zomer zou meebrengen, zijn voorkeur had dat het huwelijk in het voorjaar zou plaatsvinden, misschien met Imbolc. Tussen de regels was een andere boodschap te lezen. Ik zou nog voor de zomer op Glencarnagh komen te wonen, en geaccepteerd zijn als zijn echtgenote. De kans was groot dat hij een kind bij me zou verwekken voordat hij vertrok voor de grote campagne. Als hij dan sneuvelde, zou hij tenminste een erfgenaam achterlaten. Deze ongeschreven boodschap zou voor Sean duidelijk genoeg zijn. Zelf kon ik Eamonns ware bedoeling doorzien. Hij wilde

me brandmerken als zijn bezit. Nu hij wist wat ik kon doen, wilde hij er zeker van zijn dat ik zijn wil uitvoerde, en niet die van een ander. Informatie; geheimen; inlichtingen. Met mij aan zijn zijde zou alles voor hem openstaan. Dat kon hij beter vastleggen voor de campagne begon. Misschien was de gedachte bij hem opgekomen dat onze vereniging mogelijkheden opende die nog veel verder gingen dan de uitschakeling van één bepaalde vijand.
Sean liet me de brief lezen zonder dat er iemand anders bij was. Ik waardeerde dat, want ik wilde niet dat tante Liadan toekeek terwijl ik hem onder ogen kreeg. Ik las het epistel snel door en gaf het aan hem terug.
'Erg formeel,' zei ik.
Mijn oom trok zijn wenkbrauwen op. 'Je kunt goed lezen, zie ik,' zei hij.
'Dat heeft mijn vader me geleerd. Hij heeft het zelf van Conor geleerd. Ik denk wel dat ik geletterd genoemd kan worden. Als u geen toestemming geeft voor dit huwelijk, zou ik hier misschien kunnen worden aangesteld als huisschrijver.'
Sean wierp me een vorsende blik toe. 'Dat lijkt me niet. Conor zag een druïde in je. Zou je iets voor zo'n roeping voelen?'
'Dat kan niet. Ons geslacht is daarvan uitgesloten.' Mijn stem klonk koel. 'Dat moet u toch weten, oom. Ik ben tenslotte de dochter van mijn vader.'
'En van je moeder, Fainne. Zij was mijn eigen zuster. Ik ben aan haar verplicht de juiste keuzes voor jou te maken.'
'U hebt voor haar een slechte keus gemaakt,' zei ik verbitterd.
'Misschien; misschien ook niet. Het is waar dat haar een ongelukkig lot heeft getroffen. Maar toch deed de familie destijds wat haar goed leek. Niemand had kunnen weten hoe het zich zou ontvouwen. Je moet niet denken dat ik harteloos ben, Fainne, maar Niamh heeft zich in zekere zin haar ongeluk zelf op de hals gehaald. Ze koos een man die ze niet kon krijgen.'
Ik keek hem woedend aan. 'Als ze dat niet had gedaan, zou ik niet bestaan, oom. Ik ben het kind van een verboden verbintenis. Denkt u niet dat dit huwelijk mijn beste kans is om iets van mezelf te maken?'
Sean zuchtte en ging bij de kleine tafel zitten. 'Je moet hier met Liadan over praten,' zei hij. 'Sommige kanten van deze zaak kunnen beter door vrouwen onder elkaar worden besproken.'
'Nee,' zei ik vlug. 'Dat is vast niet nodig. Geeft u me alleen één goe-

de reden waarom Eamonn en ik niet met elkaar zouden moeten trouwen; één reden anders dan het leeftijdsverschil tussen ons, want dat zou onbelangrijk moeten zijn, als ik het geen bezwaar vind.'

Ik dacht dat ik hem in een hoek had gedreven, zodat hij me de waarheid zou moeten onthullen over wat er tussen Eamonn en Liadan was, een geheim dat ze allebei nauwlettend bewaakten en dat veel verbittering had gegeven. Maar daarvoor was hij een te goed strateeg.

'Heel goed,' zei hij. 'We hebben de toestemming van je vader nodig. Liadan zegt dat ze ervan overtuigd is dat hij die niet zal geven. Maar als je deze verbintenis beslist wilt doorzetten, moeten we de proef op de som nemen. Zeg me waar Ciarán te vinden is, dan stuur ik een boodschapper met dit nieuws en vraag hem om zijn zegen voor het huwelijk.'

'Nee!' Ik kon mijn angst niet verbloemen. 'Nee, dat mag u niet doen!' Zodra de woorden gesproken waren, konden ze niet worden teruggenomen.

Sean keek me heel schrander aan. 'Ik begrijp het,' zei hij. 'Toch moeten we op de een of andere manier op deze brief reageren, anders staat Eamonn hier binnenkort voor de deur om een antwoord te eisen. Je hebt me in een bijzonder lastige positie gebracht, nicht.'

'Dat spijt me,' mompelde ik.

'Het geeft niet. Morgenochtend komt Conor hier aan om het zonnewenderitueel uit te voeren; we zullen het met hem en Liadan bespreken voor we een beslissing nemen over de formulering van ons antwoord. Brighid bewaar ons, soms denk ik dat ik ben teruggegleden naar de tijd dat er een soortgelijk aanzoek kwam voor je moeder, en dat ze niet eens wilde luisteren. Toen al had de tovenares die de oude vijandin van onze familie was, zich weer in ons leven gemengd, en bewoog ze ons als stukken in een spel dat ze zelf had bedacht. Misschien had die arme Niamh, als je het zo bekijkt, geen schijn van kans.'

Ik voelde me koud worden. Ik dacht aan mijn moeder, die van een rotsrichel af was gestapt naar het niets, en aan Liadans woorden. *Dat heeft me altijd onmogelijk geleken.* Een vreselijke gedachte hechtte zich in mijn geest en wilde niet meer weggaan.

'Je hoeft niet bang te zijn voor Liadan,' zei Sean met een glimlach. 'Ze hield veel van haar zuster en heeft het niet slecht met je voor.'

'Bang? Natuurlijk ben ik niet bang.' Het klonk niet overtuigend, zelfs niet in mijn eigen oren. Ik keek weer naar mijn oom. Hij zat

er ontspannen bij, zijn vingers streelden de kop van de grote hond die naast hem zat. De hond had zijn ogen half gesloten van genot. Aan Seans voeten lag de andere hond te slapen. 'Het is alleen...'
'Zeg het maar, Fainne.' Zijn stem klonk vriendelijk. 'Ik wil graag dat je je hier thuis voelt, dat weet je. Ik wil dat je jezelf niet als anders beschouwt dan mijn eigen dochters, zolang je bij ons bent.'
'Alleen dat... dat ze zonder woorden kan spreken, dat ze de gedachten van mensen kan zien... dat vermogen heeft ze, dat weet ik. En daarvoor ben ik bang, oom. Ik ben bang dat tante Liadan in mijn geest zal kijken en dingen zal zien die... die ik voor mezelf wil houden.' Waarom had ik dit nu weer gezegd? Het zou alleen maar argwaan wekken. 'Een meisje van mijn leeftijd heeft heus geheimen,' voegde ik er haastig aan toe. 'Dingen die ze misschien aan haar beste vriendin zou vertellen, maar aan niemand anders.'
'Je moet toch maar met haar gaan praten,' zei Sean weer. 'Het is waar, sommigen in onze familie hebben dat vermogen. In meerdere of mindere mate; Liadan heeft de gave in sterke mate, en voor zover ik weet is er maar één ander die het ook heeft. Maar Liadan gebruikt die gave nooit om te spioneren of ergens binnen te dringen waar ze niet gewenst is, Fainne. Een dergelijke gave brengt grote verantwoordelijkheid mee. Ze mag niet lichtzinnig worden gebruikt. Alleen als ze denkt dat mensen die ze liefheeft in levensgevaar verkeren, kan ze in de verleiding komen haar zo te gebruiken.'
Zijn woorden stelden me allesbehalve gerust. 'Juist. Misschien ga ik wel met haar praten. Moet dit besproken worden in een soort... familieraad, openlijk in het bijzijn van iedereen, Conor en de anderen?'
Mijn oom knikte ernstig. 'Dat denk ik wel, Fainne. We moeten onze woorden met zorg kiezen wanneer we een antwoord aan Eamonn formuleren. Hij is een man met veel invloed; we kunnen het ons niet permitteren hem boos te maken.'

Ik had Conor niet meer gezien sinds de brand. Hij had mij niet gezien sinds hij de oude druïde mee naar huis had genomen, om hem in de stilte van het woud onder de grote eiken te rusten te leggen. Ik wist niet wat ik tegen Conor zou zeggen. Ik had het gevoel dat mijn schuld duidelijk op mijn gezicht geschreven stond, voor iemand die zulke dingen kon lezen. Ik had het gevoel dat de boosaardige ziel die ik van mijn grootmoeder had geërfd voor iemand met zoveel ervaring als de aartsdruïde uit mijn ogen straalde.

Ik zat bij Maeve en vertelde haar een verhaaltje. Ondanks mijn pogingen nee te zeggen, merkte ik dat ik haar herhaalde verzoeken om haar te bezoeken niet kon weigeren, en als ik eenmaal naast haar zat, kon ik niet weigeren haar een verhaal te vertellen. Dit keer was ik begonnen aan een verhaal over twee kinderen die bijna door de vloed werden overvallen. Maeve en ik waren niet alleen; Muirrin was bezig met vijzel en stamper, en de donkergetinte jongeman, Evan, was in de kamer ernaast bezig een man te verzorgen die een lelijke wond op zijn bil had. Er zwierven wilde zwijnen rond door het bos, en bij zijn pogingen een mooi exemplaar te vinden voor het midwinterfeestmaal, had deze man een beetje te veel van het goede gekregen. De slagtand was zonder meer in het vlees gedrongen en er weer uitgetrokken; Evan praatte geruststellend terwijl hij de wond dichtnaaide. Voor het kleine vuur stond Johnny. Hij was binnengekomen toen ik al begonnen was, en ik had eigenlijk willen ophouden met vertellen, omdat ik me niet zo bloot wilde geven waar hij bij was. Maar Maeve zei: 'Ga alsjeblieft door, Fainne,' met haar beleefde stemmetje, en Johnny lachte zijn brede, ontwapenende lach, en ik ging door.

'Wat moesten ze nou doen? De golven werden al hoger en het werd donkerder, en van het strand was alleen nog een piepklein reepje zand over dat bijna te smal was voor Fainnes voeten. Ze was bang, maar dat wilde ze Darragh niet laten merken, dus zei ze niets en drukte alleen Riona stevig tegen zich aan. Ze keek naar het water dat dichterbij kwam en ze voelde de steile rotswand achter haar, die te steil was om tegenop te klimmen.'

Maeve lag ernstig naar me te kijken. Haar hoofd zat nog in verband; haar oog was gelukkig genezen, de zwelling was weg en het gezichtsvermogen was nog intact. Haar handen waren ingezwachteld. Ik wist dat Muirrin de repen linnen twee keer per dag afnam en Maeve haar vingers liet bewegen en buigen. Ik had het kind horen huilen van pijn terwijl ze de geschonden huid rekte. Muirrin zelf kwam vaak met rode ogen naar buiten na zo'n behandeling.

'Toen zei Darragh: "We moeten zwemmen. Het is niet erg ver – naar die rotsen daar, en dan kunnen we op de pier klauteren. Geef Riona maar aan mij, dan draag ik haar." En Fainne zei met een dun stemmetje: "Ik kan niet zwemmen." Darragh keek haar verbaasd aan; het water kwam al tot zijn enkels, en toen zei hij: "Ik kan je toch niet zomaar laten verdrinken, hè? Denk je dat je op je rug kan drijven, zonder heel erg bang te worden? Ik zal voor ons allebei

zwemmen. We moeten hier weg; de golven komen snel hoger." Terwijl hij dat zei, maakte hij Riona vast onder zijn riem en waadde de zee in. De golven spatten nu al tegen de onderkant van het klif; Fainne voelde dat ze tot haar knieën in het water stond; het trok aan haar rok. Ze trilde helemaal bij de gedachte dat ze er nog dieper in moest gaan. Maar ze wilde niet dat Darragh zag dat ze bang was. Daarom deed ze wat hij zei: ze liep verder de schuimende zee in tot ze helemaal in het ijskoude water stond. Ze voelde Darraghs armen die onder de hare door kwamen en haar borstkas stevig omvatten, en toen bewogen ze door het water, en lieten zich drijven. Fainne was nog nooit zo bang geweest. Soms golfde het water over haar heen en kwam het in haar mond en in haar neus, en een keer verslapte Darraghs greep en ging ze bijna kopje-onder. Het was ijzig koud, en ze voelde de kracht van de oceaan die hen op en neer, op en neer liet gaan. Eén keer durfde ze haar ogen open te doen en terug te kijken, maar ze deed ze gauw weer dicht, want ze waren al heel ver van de kust af, zo ver dat het onmogelijk leek dat Darragh ooit nog terug zou kunnen zwemmen, terwijl hij haar ook nog moest meeslepen. Ze kneep haar ogen stijf dicht.
"Kijk, Fainne," zei Darragh. "We hebben gezelschap. Dat zie je ook niet vaak." Zijn stem klonk heel gewoon; helemaal niet als de stem van een jongen die gevaar liep te verdrinken. Hij was niet eens buiten adem. Voorzichtig deed ze haar ene oog een beetje open. En daar naast hen, rechts en links, zwommen twee grote, gladde beesten van de zee, die gelijk op met hen bleven zwemmen als een sierlijk escorte. Het waren zeehonden, kinderen van Manannán mac Lir, die gekomen waren om hen veilig naar het land te brengen. De hele weg door de baai speelden ze; ze doken en zwommen rondjes en dansten in het water, en Fainne keek als betoverd toe en vergat helemaal dat ze bang was. En uiteindelijk waren ze bij de gladde stenen aan het einde van de baai, en Darragh en Fainne klauterden uit het water, rillend van de kou en met een lach van oor tot oor. De twee zeehonden zwommen weg zonder één keer achterom te kijken, maar ze konden zien dat ze nog krijgertje speelden voorbij de golven.
"Ze zeggen," zei Darragh terwijl hij naar de dieren keek, "dat zeehonden half menselijk zijn. Wist je dat? Ze komen soms aan land, en dan doen ze hun vacht uit en worden tijdelijk weer mannen en vrouwen. Maar ze moeten terug. De zee roept hen. Ze zijn betoverd. Dat zeggen ze."

Fainne knikte en ze liepen samen naar huis, koud, nat en moe, maar niet ongelukkig. En wat Riona betreft, die had een bad gekregen zonder dat ze het wilde, maar ze droogde algauw weer op bij het haardvuur, en wat zij ervan vond, wist niemand, want ze zei niets.'
Maeve slaakte een voldane zucht, en ik keek op, en daar in de deuropening naar de volgende kamer stond Conor.
'Dat verhaal is vast waar gebeurd,' merkte hij ernstig op, terwijl hij naar voren kwam om Muirrin en Johnny te begroeten en zacht zijn hand op het hoofd van het kind te leggen.
'O, ja,' zei Maeve met zekerheid. 'Fainnes verhalen zijn allemaal waar gebeurd. Nou ja, het verhaal over de kabouter misschien niet. Maar Darragh bestaat echt.'
'Werkelijk?' Johnny keek me breed lachend en met opgetrokken wenkbrauwen aan. 'En hij kan bovendien geweldig goed zwemmen. Ik zou die jongen zelf weleens willen ontmoeten. Zo te horen een nuttig iemand om in de buurt te hebben.'
'Dat zal anders niet gauw gebeuren,' zei ik terughoudend. 'Hij woont ver weg, in het westen. En de verhalen zijn niet helemaal waar gebeurd, maar ook niet helemaal verzonnen.'
'Zo is het met alle goede verhalen,' zei Conor. 'Je hebt deze kunst van je vader geleerd, denk ik,' voegde hij er zacht aan toe. 'Hij had ook het vermogen ons allemaal in zijn ban te houden met zijn woorden.'
'Neem me niet kwalijk.' Ik sprong op en vluchtte weg, terwijl ik mompelde dat ik iets te doen had. Toen ik veilig in mijn kamer was, dwong ik mezelf kalm te worden, ging voor de spiegel staan en riep de kunst op. Maar in mijn hoofd heerste verwarring en droefheid, en ik kon niet ontkomen aan mijn eigen gekwelde gezicht dat me grimmig vanuit de spiegel aanstaarde. Ten slotte gaf ik het op. Ik maakte mijn houten kist open en grabbelde erin tot ik de zijden sjaal vond die ik ooit, lang geleden in een ander leven, naar de paardenmarkt had omgehad. Ik ging op de vloer zitten met die werveling van zomerse kleuren om mijn schouders, en ik deed mijn ogen stijf dicht en wiegde naar voren en naar achteren, en ik fluisterde: *Het spijt me zo, het spijt me zo*. Maar het was niet duidelijk tegen wie ik dit zei, tegen mijn vader, tegen Darragh of alleen tegen mezelf.
Toegeven aan zo'n zwakheid was gevaarlijk. Het gaf blijk van een jammerlijk gebrek aan zelfbeheersing. Mijn vader had zich nooit op die manier door zijn gevoelens laten overmeesteren. Wat zou het een teleurstelling voor hem zijn als hij me kon zien. En toch... toch

waren er die keren dat hij zich urenlang opsloot in de werkkamer en me niet in zijn buurt wilde hebben. Worstelde hij dan met de ingewikkelde beoefening van de kunst, of vocht hij tegen iets anders? Ik had hem op het eind van de dag naar buiten zien komen met precies zo'n uitdrukking van verwarring en zelfverachting als ik nu op mijn eigen gezicht zag. Dat had ik toen toegeschreven aan de grote uitdagingen die hij zichzelf als meester-tovenaar oplegde. Nu wist ik dat niet meer zo zeker. Als kind had ik alles willen doen om zijn droefheid weg te nemen, om een van die zeldzame glimlachjes op zijn lippen te brengen, maar wanneer hij in zo'n stemming was, weerde hij iedere aanraking korzelig af en reageerde kortaf op mijn bezorgde vragen. Later deed hij dan weer zijn best om het goed te maken door me een verhaal te vertellen bij het vuur en geduldig te luisteren terwijl ik over de kleine gebeurtenissen van mijn dag vertelde. Ik verlangde er altijd naar zijn wereld goed te maken, maar ik wist dat ik dat niet kon. Toen had mijn liefde voor hem mijn leven gekleurd, en dat was nu nog zo. Die liefde was het sterkste wapen waarover mijn grootmoeder beschikte, en ze bond me aan een toekomst van duisternis en verraad.

Ik kon niet aan Conor ontsnappen. Hij vond me voor het avondeten, terwijl ik iets voor tante Aisling deed. Ik was in de keukens, waar nog een paar ogen was dat ik liever had vermeden. De oude vrouw, Janis, had niet veel tegen me gezegd sinds ik terug was van Glencarnagh, maar wat ze zei had me een erg onprettig gevoel gegeven.

'Ik heb altijd geweten,' merkte ze op, terwijl ze haar donkere, indringende blik op me richtte, 'dat je moeder moeilijkheden zou veroorzaken. En dat heeft ze gedaan ook. Ik heb de indruk dat jij net zo'n type bent.'

'Wat bedoelt u?' snauwde ik, verontwaardigd over zo'n belachelijke beschuldiging.

'Heeft hij je nog gevonden?' was het volgende wat ze probeerde.

'Wie?' Ik keek haar woest aan.

'Wie dacht je?'

Het bleef even stil. Ik merkte dat ik mijn handen tot vuisten had gebald en dwong mezelf ze te ontspannen.

'Ik heb hem niet gesproken,' zei ik koeltjes tegen haar.

'Wilde je niet?'

'Wat hebt u daarmee te maken?' Hoe durfde ze me zo te ondervragen?

'Meisje, ik ben oud genoeg om niet bang te zijn om de waarheid te zeggen. Misschien wil je niet naar me luisteren. Niamh wilde ook nooit luisteren, als het haar niet zinde wat ik te zeggen had. Als je die jongen zijn hart breekt, zul je er eeuwig spijt van hebben.'
'Dat is onzin,' zei ik, huiverend, maar mijn stem klonk niet zo zeker meer. 'Dit heeft niets met harten, en het breken ervan, te maken. Darragh is – was – mijn vriend, meer niet. Hij is nu weggegaan. Hij heeft een liefje in Ceann na Mara, een heel mooi meisje dat alles van paarden weet en een rijke vader heeft. Dat is... dat is heel geschikt. Harten komen er niet aan te pas, bij hem en mij niet.'
Janis zuchtte en er verscheen een lachje op haar gezicht dat helemaal niet vrolijk was. 'Ik heb toch gezien hoe hij uit zijn ogen keek. Ik heb de indruk dat je de waarde niet kent van wat je weggooit. Ik heb de indruk dat je helemaal niet ziet welke weg je moet gaan.'
'Dat zie ik wel,' fluisterde ik, terwijl ik me afvroeg waarom ik naar haar bleef luisteren, terwijl haar woorden me zoveel pijn deden. 'Juist hierom, juist omdat ik deze dingen wel weet, moet ik doen wat ik doe. Het is beter zo. Beter voor Darragh. Beter voor iedereen.'
Janis nam me aandachtig op. 'Maar zo werkt het niet, kind,' zei ze kalm. 'Je kunt de levens van andere mensen, en hun gevoelens, niet aanpassen aan wat volgens jou het beste is. Je bent toch samen met Darragh opgegroeid?'
Ik knikte met strakke lippen.
'Mm. Dat heeft hij me verteld. En heeft hij je ooit, ook maar één keer, zijn keus laten bepalen?'
Ik schudde mijn hoofd.
'Nou dan.'
'Ik weet wat het beste is,' zei ik fel.
Janis stak haar knobbelige, oude vingers uit en pakte mijn hand. Haar greep was verrassend zacht.
'Er zal veel worden gehuild, kind,' zei ze.
Ik kon alleen maar knikken, want haar woorden brachten het kleine beeld terug dat ik nacht na nacht in mijn dromen had gezien sinds de dag dat ik een meisje in een vis veranderd had en had toegelaten dat haar eigen moeder met een keukenmes een eind aan haar leven maakte. Ik zag mezelf geteisterd door zo'n groot verdriet dat het dreigde me te verscheuren.
'Daar kan ik niets aan doen,' zei ik gesmoord, en toen vluchtte ik. Daarna deed ik mijn best om bij Janis uit de buurt te blijven. Toch

moest ik soms iets in de keuken doen, en het was ondenkbaar dat ik het niet deed, want in dit huishouden was tante Aislings woord wet. Daarom was ik in de keuken om aan de kokkin te vragen of ze een paar mannen naar de een of andere schuur wilde sturen om kippen te halen, en Janis zat zwijgend naast het vuur en keek naar me. En aan de andere kant van de haard stond Conor, die ook naar me keek.

'Ah,' zei hij glimlachend, 'juist het meisje dat ik moet spreken. Kom, Fainne, laten we samen een kleine wandeling maken. Ik wil je een voorstel doen.'

Weigeren was uitgesloten. Ik pakte een mantel die bij het vuur hing; Conor sloeg zijn kap op. Het had weer gesneeuwd en de afdrukken van onze laarzen bleven achter in het maagdelijke wit toen we het pad naar het bos afliepen. In de lucht hing de vreemde warmte die voorspelt dat het voor de nacht weer zal gaan sneeuwen. Ik wachtte tot de druïde het woord zou nemen. Ik probeerde te bedenken wat hij zou gaan vragen en alvast overtuigende antwoorden te formuleren. Hij zou misschien iets vragen over de brand en mijn rol daarin. Hij zou kunnen beginnen over dode en gewonde mensen. Hij zou me opnieuw kunnen vragen waarom ik hierheen was gekomen. Misschien wilde hij over mijn huwelijk spreken, en me zeggen dat het niet mogelijk was.

'Morgen vieren we Meán Geimhridh,' zei Conor. 'Je bent de vorige keer een goede assistent geweest. Wil je dat nu weer voor me doen?'

Ik zocht moeizaam naar een antwoord. 'Ik... ik heb geen idee waarom u wilt dat ik dat doe. Het zou helemaal niet gepast zijn.'

'O nee?' zei Conor met een lachje. 'Waarom niet?'

Ik kon hem niet de waarheid zeggen: dat het een aanfluiting zou zijn als ik zoiets deed. Op de avond van Samhain had ik mezelf toegestaan net te doen alsof ik tot de familie behoorde. Op de avond van Samhain was mijn grootmoeder gekomen, en daarna had ik de brand aangestoken.

'Ik kan het niet,' zei ik onomwonden. 'U weet dat ik nooit tot de orde der wijzen kan behoren. U wist ook dat mijn vader dat niet kon, maar u loog tegen hem en liet hem denken dat het mogelijk was, jarenlang. Dat was net zoiets als... als iemand een prachtige prijs beloven, als hij er maar hard genoeg voor werkte, en dan, wanneer hij hem verdiend had, de prijs wegpakken. Geen wonder dat mijn vader nog altijd verbitterd over u praat. Ik kan geen druïde

worden, oom. Ik kan dit niet doen. Ik ben er niet geschikt voor.'
Het duurde lang voor Conor antwoordde. Als ik hem van streek had gemaakt, kon dat me niets schelen, zei ik bij mezelf; het was tijd dat hij eens geconfronteerd werd met de waarheid van wat hij gedaan had. Hij ging zitten op het stenen muurtje, dicht bij de plaats waar het pad onder de bladerloze bomen in de schaduwen van het bos verdween. Ik stond naast hem en keek uit over het meer.
'Ik herinner me dat je grootvader deze muur steen voor steen opnieuw heeft opgebouwd,' zei hij ten slotte. 'Hij was een verstandig en geduldig leraar, Hugh van Harrowfield. Hij leerde de mannen hier hoe het moest, maar hij speelde daarbij zijn eigen rol; hij liet het altijd zien door het voorbeeld te geven. Het is een bepaalde vaardigheid, je moet weten hoe het werkt. Je moet de stenen in de lengte dwars op de lijn van de muur leggen, en het dunste gedeelte moet horizontaal liggen; zo ondersteunen de stenen elkaar en breken ze niet onder druk. Deze stenen zijn net een grote familie; de sterken steunen de zwakken, maar elke steen speelt zijn eigen rol in het geheel.'
Ik zei niets. Het leek erop dat dit een leerverhaal zou worden.
'Wat je zo-even zei, is niet juist, Fainne,' zei Conor ernstig. 'Ik begrijp wel waarom je denkt dat het zo is, want dat was wat je vader geloofde: dat hij, omdat hij de zoon van een tovenares was, geen toegang mocht krijgen tot de krachten van het licht, de hogere vormen van de kunst. Toen die gedachte zich eenmaal in zijn geest had vastgezet, was hij er door geen enkel argument meer van af te brengen. Ik heb geprobeerd het hem te vertellen, die nacht toen hij naar dit huis kwam en wij hem de waarheid over zijn afstamming meedeelden. Maar hij wilde niet luisteren.'
'Hoe kan het onjuist zijn? Het kwaad zit ons in het bloed. Hoe we ook ons best doen, al onze keuzes leiden naar de duisternis. Daar valt niets tegen te doen. Ik weet het.'
Conor zuchtte. 'Je bent nog erg jong, Fainne. Hoe kun je dit met zoveel zekerheid zeggen?'
'Omdat... omdat het bij mij zo gaat,' fluisterde ik. 'Het heeft geen zin om te doen alsof het anders is.'
'Dat kan ik niet geloven, kind.'
'Toch is het waar, oom. Het is niet alleen wat mijn vader wilde geloven. Het is heel, heel oud. Het verhaal van wat wij zijn. Wij stammen af van een van de Túatha Dé, het Feeënvolk; van een van hen, die uitgestoten werd omdat ze een duistere vorm van de kunst be-

oefende. Zij heeft iets boosaardigs opgeroepen en heeft dat losgelaten in de wereld. Daarom heeft het Feeënvolk haar verbannen en haar de hogere magie verboden. En dat geldt ook voor al haar nakomelingen.'
Nu zat Conor me heel aandachtig aan te kijken. 'Een interessant verhaal,' zei hij. 'Maar uiteindelijk toch maar een verhaal. Waar heb je dit gehoord, Fainne?'
'Mijn... mijn vader zei dat het zo is gegaan.'
'En waar heeft hij het gehoord, vraag ik me af? Je kunt ervoor kiezen zulke verhalen te geloven, of ze niet te geloven. Maar ik zal je een tegenargument geven dat je wel moet geloven, want het berust op bewezen feiten.'
Ik wachtte.
'Vertel eens. Heb je ooit gezien dat je vader de kunst gebruikte om iets slechts te doen?'
'Nee,' antwoordde ik met tegenzin. 'Maar dat is iets anders. Mijn vader heeft een keuze gemaakt. Dat heeft hij me verteld. Hij zei: ons soort wordt aangetrokken door het kwaad. Maar je kan er altijd voor kiezen de kunst niet te gebruiken.'
Conor knikte ernstig. 'Dus hij maakt helemaal geen gebruik van zijn vaardigheden?'
Ik fronste mijn voorhoofd. 'Hij oefent ze wel uit; waarvoor weet ik niet. Misschien alleen om zichzelf uit te dagen, om de lege dagen te vullen. Vroeger gaf hij wel demonstraties, waar ik van kon leren. Maar... hij heeft de kunst één keer echt gebruikt.' Ik keek even naar de druïde. 'Hij heeft de mensen van de baai gered toen de Noormannen kwamen. Ze praten er nog steeds over.'
'Dus,' zei Conor, 'de enige keer dat hij haar gebruikte, was het om iets heel goeds te doen.'
'Er zijn mensen bij omgekomen,' zei ik. 'Er was een krijger, met vlasblond haar, die tussen de wrakstukken van de vikingschepen op het strand was aangespoeld.'
'Het is een gecompliceerd iets. Soms is het moeilijk om goed van kwaad te scheiden, Fainne. En jij bent nog jong, en nog maar net begonnen met je opleiding.'
'Wat betekent dat?' snauwde ik, lichtelijk gepikeerd omdat hij me als een beginneling beschouwde.
'We hebben het over je vader gehad. Maar hoe zit het met jouzelf? Je zegt dat je alleen een weg naar het duister kunt bewandelen, door wat je bent. Ik zeg je dat dat een misvatting is. Je hebt wel degelijk

de keus. Ja, je bent de kleindochter van een tovenares. Maar je andere grootmoeder was mijn zuster Sorcha, die ook wel de dochter van het woud werd genoemd. Zij was een buitengewoon sterke vrouw; groot van hart, zuiver van ziel, geliefd in dit huishouden en in de hele gemeenschap. Je grootvader, Hugh van Harrowfield, was een dappere, bewonderenswaardige man, ook al was hij een Brit. Die erfenis draag je ook in je, Fainne. Je bent een van ons, of je het wilt of niet. En je hebt het mis wat de kunst betreft. Liadan heeft me verteld wat er met Sibeal is gebeurd, op weg van Glencarnagh naar hier. Toen heb je je vaardigheden ten goede gebruikt. Ik weet zeker dat dat wel vaker is gebeurd.'

Ik had het gevoel dat ik bijna moest huilen. 'Ik heb heel slechte dingen gedaan, oom.' Het was alsof de woorden uit me werden geperst. Ondanks mezelf. 'Verschrikkelijke dingen die ik u niet kan vertellen. Als de familie van die dingen zou weten, zou ik uitgestoten worden, net als mijn vader.'

'Ciarán is nooit uitgestoten.' Conors stem klonk kalm, maar er was nog een spoor van een oud verdriet te horen. 'Hij koos ervoor om weg te gaan. Hij heeft een gevaarlijke weg gekozen. Ik geloof dat hij haar is gaan zoeken. Vrouwe Oonagh.'

'Vrouwe Oonagh?'

Hij trok zijn wenkbrauwen op. 'Zijn moeder, de tovenares.'

'Heet ze zo? Ik heb haar altijd gewoon grootmoeder genoemd.'

Soms zeg je iets en weet je zodra de woorden eruit zijn, dat ze nooit uitgesproken hadden mogen worden. Maar het is te laat om ze ongezegd te maken. Ik zag de uitdrukking op Conors gezicht veranderen; ik zag het kalme zelfvertrouwen verdwijnen om vervangen te worden door een bleke strakheid die bijna aan angst deed denken. Ik wendde met moeite mijn blik af en keek weer naar de lege watervlakte van het meer beneden, dat vandaag grijs en somber onder de zware winterlucht lag.

'Je...' begon hij, en hij schraapte zijn keel. 'Zeg eens, Fainne,' zei hij met iets meer beheersing, 'was... was je grootmoeder erbij toen je als kind opgroeide in Kerry?' Ik geloofde dat hij zijn woorden zorgvuldig koos. Wat mij betreft, ik had het gesprek een heel gevaarlijke wending laten nemen. Ik had het niet meer in de hand, en mezelf ook niet. Dat had je met druïden. Met mijn achtergrond had ik beter moeten weten.

'Nee, oom. Ze is daar korte tijd geweest. Ik ben alleen met mijn vader opgegroeid, zoals ik u heb verteld.'

'Als hij geloofde dat de kunst je naar het kwaad zou leiden, waarom heeft hij je haar dan geleerd?'
Hier had ik geen antwoord op.
'Kom,' zei hij. 'Het wordt koud. Laten we teruglopen.'
'Ja, oom.'
We liepen zwijgend het pad naar het fort op. Ik werd verscheurd door tegenstrijdige gevoelens, voornamelijk angst voor de woede van mijn grootmoeder als ze dit gesprek had gezien. Maar onder die angst zat een nog veel sterkere angst, dat Conor misschien gelijk had. Was het mogelijk dat ik toch niet door en door slecht was, maar naar iets anders zou kunnen streven? Dat was een wrede gedachte. Het was waarschijnlijk niet meer dan de ijdele hoop die vroeger mijn vader was voorgehouden, en vervolgens ruw was weggegrist. En toch... en toch had ik Sibeal gered. Ik had het goede gedaan zonder er ook maar over na te denken. Terwijl we omhooggliepen naar de hoofdpoort, waar jongens bezig waren de sneeuw van de paden te vegen en in sjaals en doeken gehulde meisjes bezig waren de ingang te versieren met slingers van groen, herinnerde ik me die keer op de paardenmarkt. Ik had geen reden gehad om die kerel te verhinderen zijn gemene trucs uit te voeren; er was geen noodzaak geweest om zijn behaarde en bevederde gevangenen te bevrijden, behalve het gevoel dat dat goed was. Maar ik had het gedaan. Ik droeg de amulet en toch had ik het gedaan.
De gedachte die Conor me had ingegeven, was zo beangstigend dat ik van ganser harte wenste dat hij hem nooit had uitgesproken. Maar nu hij eenmaal in mijn hoofd zat, bleef hij hangen en ik kon me er niet meer van ontdoen. Sterker nog, ik besefte dat de waarheid al een hele tijd bij me begon door te dringen. Vanaf het ogenblik dat ik grootmoeders tovermiddel aan dat vreemde, uit vele vezels gevormde koord had geregen, was deze nieuwe mogelijkheid in mijn geest gaan groeien. Iets in die halsketting leek het kwaad van de talisman tegen te werken, iets helders en schoons. Misschien was het liefde, of familie; misschien beide. Ik was blij dat mijn grootmoeder de kunst van het gedachtelezen nooit had kunnen leren; het vermogen dat mijn tante Liadan naar men zei zo overvloedig bezat. Want dit was een gedachte die mijn grootmoeder beslist niet mocht zien.
Die nacht doofde ik het haardvuur in mijn kamer en zat huiverend bij het licht van een enkel kaarsje, terwijl schaduwen over de muren dansten, op de maat van mijn bonzend hart. Het sneeuwde bui-

ten; er heerste een diepe stilte. Ik had geloofd dat ik geen andere keus had dan te doen wat mijn grootmoeder wilde: te proberen een angstwekkende taak van reusachtige proporties uit te voeren. En ook al leek dat onmogelijk, ik had me voorgenomen om het te doen, want ik was gebonden door vrees, en door mijn overtuiging dat ik vroeg of laat toch niets anders kon doen dan haar wil uitvoeren en de slechte weg volgen die door mijn vervloekte bloed voor me was bepaald. Dat was verschrikkelijk, maar op een bepaalde manier ook gemakkelijk, omdat het onvermijdelijk was en omdat ik er zelf niets aan kon doen.
Maar ik had me vergist. De kracht van de amulet had mijn denken misvormd en mijn redeneervermogen afgestompt. Hij had me blind gemaakt voor alles, behalve wat zij wilde dat ik zag. Door middel hiervan had zij haar boze daden gepleegd, terwijl ze mij had doen geloven dat ik ze had gedaan. Ze was beslist een machtige tovenares. Maar misschien toch niet zo heel machtig. Ze had nooit uitgelegd waarom ze het kind van de profetie niet gewoon zelf kon doden, zodat er voorgoed een einde kwam aan dit alles. Ze had alleen gezegd dat de gebeurtenissen zich moesten ontvouwen volgens de oude voorspelling. En die nacht, toen ik de amulet had afgedaan, was ze onmiddellijk naar me toe gekomen om uit te zoeken wat ik aan het doen was. Ze was toen echt bang voor me geweest; bang voor wat ik zou kunnen doen als ik aan haar macht ontsnapte. *Een gewichtig ontvouwen van gebeurtenissen*, had mijn vader gezegd, en nog iets over het vinden van het juiste doel voor mijn gaven. Heel goed, het leek erop dat ik dat doel nu had gevonden, hoewel ik er met angst en beven aan dacht. Ik kon hem aantonen dat ons geslacht toch naar het licht kon streven. Ik kon ervoor zorgen dat deze mensen niet beroofd werden van hun kans om hun strijd te winnen en hun Eilanden te redden. Ik kon de vreselijke daden die ik had begaan niet goedmaken. Het verleden kon niet opnieuw worden gemaakt. Maar ik kon, als ik durfde, een andere weg bewandelen, van nu af aan. Het zou een weg van angst en opoffering zijn; en later misschien een weg van verlossing. Vrouwe Oonagh was sterk. Ik moest nog sterker zijn.

HOOFDSTUK ELF

Mijn geest begon razendsnel te werken. Ze zou komen als ze dacht dat ik te langzaam was, daaraan twijfelde ik geen moment. Ik moest zelf eerst handelen. Ik moest haar komst voor zijn. Ik moest haar zelf oproepen, hoewel het vooruitzicht dat ze ook maar bij Zeven Wateren in de buurt zou komen, bloedstollend was. Ik zou de leiding nemen; ik zou mijn vorderingen laten zien. Ik wilde dat ze er absoluut niet aan zou twijfelen dat ik nog steeds haar marionet was, toegewijd aan het uitvoeren van haar wil. Het was een gevaarlijke methode die ik op het oog had; niemand mocht de waarheid weten. De godin zij dank dat Darragh veilig was, ver weg in Ceann na Mara; dat was zo ver dat mijn grootmoeder hem zeker zou vergeten. Wat mijn vader betrof, hij vertrouwde erop dat ik mijn eigen beslissingen nam, en hoewel dit de belangrijkste beslissing van mijn leven was, gold er toch dezelfde regel voor. Hij had me opgevoed om de dingen alleen te doen, en ik zou zijn lessen trouw blijven.

Ik zou een reden nodig hebben om grootmoeder op te roepen; als ik melding kon maken van vorderingen zou ze waarschijnlijk tevreden zijn. Het plan dat ik haar had geschetst, behelsde dat ik voor Eamonn zou spioneren, de informatie zou vergaren die hij nodig had om zijn oude vijand te vernietigen, de man die ze de Baas noemden. Dat moest ik doen, en ik moest nieuws verzamelen om haar te tonen dat ik niet had geluierd. Hoe heette die man? Bran? En spioneren kon ik alleen als ik van gedaante kon veranderen. Het was tijd om de kunst te gaan oefenen.

'Goed zo,' zei een vreemd stemmetje achter me. Ik verstijfde ter plekke van schrik, in het halfduister voor de koude haard op de grond gezeten. Even had ik gedacht... ik had echt gedacht... maar nee, dit zachte, krassende geluid leek helemaal niet op de stem van mijn grootmoeder.

'Vind je dat?' vroeg ik voorzichtig terwijl mijn hart terugging naar zijn normale plek, en ik draaide me om zodat ik het uilachtige wezen kon bekijken, dat met zijn ronde ogen, in zijn verenmantel en op kleine, rode laarsjes bij mijn raam stond. Ik was wel erg in gedachten verdiept geweest als ik er niets van had gemerkt dat het naar binnen was gevlogen en van gedaante was veranderd.

'Ik weet het, vuurkind. Ik zie het in je gezicht. Een heel andere uitdrukking. Maar goed, wat zal het worden? Een rode kat misschien, zo'n gevaarlijk, blazend beest? Of een vlo? Daarmee zou je een heel intiem inzicht verwerven. Je zult vanavond al iets te weten komen, want ze zitten allemaal bij het licht van lantaarns achter gesloten deuren te praten. Maar je moet wel snel zijn.'

Ik fronste mijn voorhoofd. 'Lees je nu al mijn gedachten?' vroeg ik, en ik vroeg me af of ik het erop zou kunnen wagen dit kleine personage te vertrouwen, dat zoveel scheen te begrijpen zonder dat het hem gezegd werd.

Gorgelend gelach. 'Wij niet. We wachtten alleen tot je er zelf achter zou komen. En wij zijn overal, al zien de mensen ons niet. We lezen het in je ogen. Het heeft anders lang genoeg geduurd voor je je weg door deze puzzel hebt gevonden, terwijl je nog wel de enige dochter van een druïde bent.'

Hierop leek geen enkel antwoord te passen, behalve misschien een vraag. 'Denk je... denk je dat mijn vader de bedoeling had...?'

'Dat zou je hem zelf moeten vragen. Kom nu, de tijd schiet op. Wat wordt het?'

Ik huiverde. 'Ik moet ongezien bij de kamer komen waar ze vergaderen, in het donker door een gesloten deur naar binnen gaan, daar blijven zonder te worden opgemerkt en hier weer veilig terugkomen. Geen kat, dat is duidelijk. Een nachtdier, en klein ook. Een dier dat door de spleet tussen de deur en de deurpost kan komen.'

'Een kakkerlak?' stelde het wezen behulpzaam voor.

'Ik dacht aan een nachtvlinder,' zei ik; mijn stem beefde bij het idee alleen al.

'Goed idee. Doe maar.'

Ik herinnerde me te laat dat een uil ook een nachtdier was, en ik herinnerde me het kamp van de reizende mensen, en een bepaald

miniatuurroofdier dat met naaldscherpe klauwen en een happende snavel op zijn prooi afdook.
'Ik hoop dat je hier niet bent om aan een gemakkelijk maaltje te komen,' zei ik fronsend.
'Ik heb al gegeten, dank je,' antwoordde het wezen beleefd. 'Toe nou, schiet nou eens op. Kun je het of niet?'
'Ik heb dit nog nooit geprobeerd.'
'Dat weten we toch. Daarom ben ik hier. Om toe te kijken. Je moet er iemand bij hebben, de eerste keer. Dit soort dingen is een tweede natuur voor ons soort. Wees gewaarschuwd. Je zult het naderhand voelen. Het vergt veel van je. Zorg ook dat je weer in deze kamer bent voor je de betovering ongedaan maakt.'
De eerste stap. Het was noodzakelijk om je een geestelijk beeld te vormen, een soort kaart van wat er moest gebeuren, die zo simpel was dat zelfs het kleinste en eenvoudigste diertje het kon onthouden. Ik sloot mijn ogen en begon de weg die ik moest volgen te visualiseren: mijn kamer uit, onder de deur door, op de plaats waar een spleet een koude vlaag tocht doorliet, dan door de donkere gang naar de kamer waar ze vergaderden, een tamelijk kleine, afgezonderde kamer boven aan de trap. Ik liet in mijn geest de vage omtrek van die deur verschijnen, waarlangs van binnenuit licht kierde. Ik moest een weg zoeken door de spleet boven aan de deur en me dan gewoon aan de muur of het plafond vastklampen, en luisteren tot ik iets hoorde, het deed er niet toe wat, dat ik kon gebruiken om mijn grootmoeder ervan te overtuigen dat ik vorderingen maakte met mijn plan. Vervolgens nam ik de terugtocht door, hoe het voelde en hoe het eruitzag, terug door dat kiertje, op snelle vleugels door de gang, neerstrijken bij mijn eigen deur, eronderdoor kruipen, en weer veilig terug. Dit patroon moest heel duidelijk in mijn geest worden geprent voor ik begon, en ook de spreuk om terug te veranderen. Deze twee dingen, en mijn kennis van mezelf, moest ik vasthouden, anders zou ik voorgoed verloren zijn in die andere gedaante. Mijn hart bonsde van spanning. Ik moest dit doen, en ik zou het doen.
'Nu,' zei het uilwezen.
De tweede stap. Ik dacht *nachtvlinder*. Ik voelde de vorm, de lichtheid, het veranderende gevoel van evenwicht, zodat er in plaats van onder en boven, vloer en plafond, gewoon verschillende vlakken waren, en verschillende manieren van aanraken. Ik voelde de kracht van de vleugels en de vreemde aantrekkingskracht van het licht. Ik

voelde mijn bewustzijn ineenschrompelen en veranderen, tot het gericht was op iets veel eenvoudigers en directers. Toen sprak ik in mijn hoofd de woorden, en veranderde.

Heel even voelde ik alleen blinde paniek. Ik kon poten en vleugels niet uit elkaar houden, mijn ogen leken niet goed te werken, ik duikelde en waggelde en fladderde in hulpeloze cirkels over de vloer.

'Deur,' zei een stem, en ik schrok ervan, maar ergens was een patroon en ik begreep dat ik dat moest volgen. Ik vloog onhandig naar de flauwe streep licht en ik kroop onder de deur door. Licht. Warmte. Daar wilde ik naartoe. Ik wilde naar het licht, en het was daar, niet ver boven me. Ik vloog nu beter, aangetrokken tot de gloed van dat licht, wetend dat ik erheen moest, ik moest er dichterbij komen...

'Nee, vuurkind. Niet daarheen. Onthoud wie je bent. Onthoud het patroon.'

De stem. Ik moest doen wat de stem zei. Maar daar was het licht. Het licht riep zo krachtig...

'Als je de lantaarn invliegt, zul je verbranden. Volg het patroon. Raak jezelf niet kwijt.'

Ergens was het gevoel wie ik was, diep binnen in me, de lessen van mijn vader. Ik was Fainne, dochter van Ciarán. Deze vlindergestalte was maar een omhulsel, en ik moest geen aandacht schenken aan de manier waarop ze me naar die heerlijke warme gloed trok. Mijn tere vleugels droegen me hoog door de gang, veilig boven de lokkende vlam van de lantaarn. Ik zag mijn vreemde kameraad nergens; misschien was het wezen achter de gesloten deur van mijn slaapkamer gebleven. Maar zijn stem gaf me nog steeds leiding.

'Goed zo, vuurkind. Blijf jezelf. Geef niet toe aan die andere geest, anders ben je werkelijk niets meer dan de volgende maaltijd voor een uil, of eerder een hapje. Ga nu naar binnen.'

Ik was bij de ingang van de kleine raadkamer gekomen. Er was maar net genoeg ruimte om tussen de eiken deur en de deurpost door te kruipen. Binnen waren weer lichtbronnen; twee lantaarns en kaarsen. Ze riepen tot me zoals een heldere beek roept naar een dorstige man na een lange dag reizen. Ik had al mijn wilskracht nodig om me aan de muur naast de deur vast te houden. Mijn gezichtsvermogen was vreemd: ik zag geen kleuren, alleen licht en donker, en ik kon aan alle kanten om me heen zien, niet alleen voor me. Ik kon bij lange na niet duiden wat mijn nieuwe ogen me lieten zien; daarvoor zou ik helemaal opnieuw moeten leren zien. Ik

concentreerde me op mijn gehoor, en het lukte me met enige moeite de stemmen van Conor, Sean en Liadan te onderscheiden, en tot mijn verrassing ook die van Johnny. De gedachte kwam bij me op dat ik het aan Johnny te danken had dat er hardop werd gesproken. Als hij er niet bij was geweest, hadden ze de stem van de geest kunnen gebruiken, en het hele gesprek zwijgend kunnen voeren. Dan had alleen een zieneres de vergadering kunnen bespioneren.
Het was moeilijk om te luisteren, en nog moeilijker om iets te begrijpen. Een deel van me hoorde alleen geluiden, geluiden die gevaar betekenden, en een deel van me zag alleen donker en licht: het donker van ongeziene rovers die in de schaduwen op de loer lagen, en het lokkende, heerlijke flakkerende licht daar op de tafel dat me riep, me zo dringend riep. Concentreren. Op woorden, het patroon. Ik mocht mezelf niet verliezen in dat andere wezen. Het patroon was: luisteren, deur, vliegen, deur, veiligheid. Dan de spreuk om terug te veranderen. Eerst luisteren.
'Wat het betekent, daarvan heb ik geen idee,' hoorde ik Conor ernstig zeggen, alsof hij zojuist een verhaal had beëindigd. 'Welke invloeden een rol hebben gespeeld, durf ik nauwelijks te bevroeden. De vraag is, wat doen we nu?'
Het bleef even stil.
'Wil je ons vertellen,' Seans stem klonk voorzichtig, 'dat je denkt dat de jonge Fainne hier is als afgezant van vrouwe Oonagh? Dat lijkt me vergezocht, en ik kan het echt niet geloven. Ik heb jouw twijfels over dat meisje nooit gedeeld. Het is een braaf kind. Aisling is vol lof over haar. Ze heeft een vreemde opvoeding gehad, en ze is een beetje verlegen en onhandig, maar dat is volgens mij alles.'
'Je vergeet dat ze een toverkunst heeft toegepast.' Liadans stem klonk koel. 'Dat hebben we gezien. Ze is sterk; sterk en begaafd, net als haar vader. En het zou echt iets voor vrouwe Oonagh zijn, denkt u ook niet, oom, om ons te willen schaden door als wapen een kind te gebruiken dat we graag in ons midden willen opnemen, om lief te hebben en te verwelkomen? Uitgerekend Niamhs dochter. Dat is heel wreed, en draagt onmiskenbaar het stempel van de tovenares. Zei je niet dat Fainne vuur kan oproepen met haar vingers? Zegt dat je niets?'
'Je wilt toch niet beweren... maar dat is toch krankzinnig, Liadan!' Sean zei dit fluisterend van ontzetting. Ik kroop wat dichterbij om het te kunnen horen en liep van de muur naar het plafond, zodat ik ondersteboven in het donker hing. Onder me bewoog een van

Seans grote honden met zijn oren en begon diep en onheilspellend te grommen. Ik voelde dat andere kleine beestjes in mijn buurt haastig wegrenden; ik voelde een plotselinge schrik zonder de reden ervan te begrijpen.

'Dat kan niet waar zijn, moeder.' Johnny zei het met grote zekerheid. 'Ik heb Fainne met de kinderen gezien. Ze is dol op hen. U zou haar eens moeten horen terwijl ze verhaaltjes vertelt, of haar naast Maeves bed moeten zien zitten. Daar zit geen kwaad bij; integendeel, ze heeft een eenvoud over zich die het al helemaal ondenkbaar maakt.'

Liadan zuchtte. 'Jij kunt dat niet weten. Maar Conor zou het je wel kunnen vertellen, denk ik. Was het ook niet zo met vrouwe Oonagh?'

'Niet precies,' zei Conor moeilijk. 'We hebben de tovenares nooit vertrouwd, vanaf het eerste moment dat mijn vader haar thuisbracht als zijn aanstaande bruid. Maar ze had een soort bekoring; als het Mom van een fee, waarin ze zich hulde om mensen ervan te overtuigen dat ze lief en goedaardig was; om hen erin te laten lopen. Op die manier is mijn vader in de val gelokt, evenals mijn broer Diarmid. Een tovenares is daartoe in staat. Het zal niet lukken met iemand zoals ik of Liadan. Maar met jou, zoon, of met Sean hier zou het kunnen lukken.'

'Onmogelijk,' zei Johnny kortweg. 'Ik mag dan geen ziener zijn, maar ik kan het karakter van een man, of van een vrouw, goed beoordelen. Fainne is verward en bang; dat is een feit. Maar daaronder is ze een kind, en onschuldig. Waar ben je bang voor?'

'Dat zal ik je zeggen,' zei zijn moeder met een vreemd verkrampte stem. 'Ooit, lang geleden, werd ik voor een keus gesteld. Het Feeënvolk kwam en beval me hier in het woud te blijven, zodat mijn kind beschermd kon blijven tegen de invloed van de tovenares. Dat kan Conor bevestigen; hij gaf me dezelfde raad. Het kwam er bijna op neer dat ze zeiden dat de profetie niet in vervulling kon gaan als ik niet deed wat ze me opdroegen.'

'Maar je gehoorzaamde niet,' zei Johnny. 'Waarom niet?'

'Ik denk dat ik het gevoel had dat er geen keus was. Ik kon jou beschermen, of ik kon jouw toekomst, en de toekomst van Zeven Wateren, het woud en de Eilanden op het spel zetten. De meeste mensen zouden moeilijk kunnen begrijpen wat ik deed. Maar het ging om Bran. Hij kon niet bij me blijven, hier in het woud. Om mijn zoon te beschermen had ik afstand moeten doen van de man die mijn wederhelft is; had ik hem zijn eigen kind moeten ontnemen. Dat wilde ik niet doen. Ik ging tegen hun bevelen in en keerde Zeven Wateren de rug toe. Ik ging tegen Conors goede raad in. En door mijn tussenkomst kon Niamh ontsnappen aan haar echtgenoot en kon ze vluchten naar Ciarán. Als ik dat niet had gedaan, zou Fainne er niet zijn. Ze hebben me gewaarschuwd. De Feeën waarschuwden me dat... dat... nee, ik kan dit niet verwoorden. Ik hoopte dat ik je dit nooit zou hoeven te vertellen, Johnny. Ik heb het je vader nooit verteld.'

'Zeg je nu dat Fainnes aanwezigheid op de een of andere manier een bedreiging is voor mij? Voor mijn veiligheid?' Johnny was verbijsterd. 'Hoe kan dat nou, moeder?'

'Vrouwe Oonagh heeft ooit getracht de macht over Zeven Wateren te krijgen,' zei Sean langzaam. 'Ze werd toen verslagen door de kracht van mijn moeder; door menselijke kracht. Het is mogelijk dat de tovenares het weer heeft geprobeerd, door middel van Ciarán, en dat ze het nu nog eens probeert door middel van zijn dochter. Dat dacht mijn moeder. Toen Niamh en Ciarán elkaar voor het eerst zagen, waarmee een schaduw over dit huis viel, zag zij daarin de hand van vrouwe Oonagh die zich weer naar ons uitstrekte. Zij geloofde dat dat oude kwaad zich telkens weer zou voordoen, generatie op generatie, tot de profetie in vervulling was gegaan en alles weer goed was geworden. Dat zou waar kunnen zijn. Als vrouwe Oonagh nog in leven is, moet ze snel handelen om ons nu te dwarsbomen, want het is waarschijnlijk dat onze onderneming deze zomer met succes wordt bekroond. Maar als we het kind van de profetie niet hebben, zullen we ten onder gaan.'

'Het meisje is in de war,' zei Conor. 'Ze heeft veel van haar vader in zich, met zijn intelligentie en zijn gevoeligheid. Als deze toestand met Eamonn er niet was, met de druk die dat geeft, zou ik liever de tijd nemen om haar vertrouwen te winnen en haar ervan te overtuigen dat zij een kracht ten goede zou kunnen zijn, ondanks wat haar misschien is geleerd. Ik heb niet de indruk dat Fainne haar zinnen heeft gezet op een kwaadaardige koers.'

'Vergeef me, oom, maar volgens mij maken uw eigen gevoelens u blind voor de waarheid,' zei Liadan met een strakke mond. 'Het verlies van Ciarán heeft u diep getroffen; u hebt nooit een ander kunnen vinden met zoveel talenten, en de broederschap wordt steeds kleiner. U moet oppassen dat u niet te veel vertrouwen hebt en in Fainne alleen ziet wat u wilt zien.'

Conors antwoord kwam onmiddellijk. 'Ze heeft Sibeal gered. Ze is de dochter van jouw zuster, en ze is nog geen zestien. Wat wil je dan dat ik doe?'
'Mijn gezond verstand zegt me: stuur haar regelrecht terug naar huis,' zei Liadan op vlakke toon. 'Laat Ciarán de verantwoordelijkheid voor haar dragen, aangezien hij ervoor heeft gekozen het kind de kennis van de tovenaarskunsten bij te brengen, en haar heeft blootgesteld aan de invloed van zijn moeder.'
'Ik vind dat we dat niet kunnen doen.' Sean sprak met gezag. 'Mijn nicht is bang; dat zag ik toen ik tegen haar zei dat we Ciaráns toestemming moesten verkrijgen als ze met Eamonn zou trouwen.'
'Wát heb je gezegd?' De stem van zijn zuster klonk ontsteld.
'Het idee is onverteerbaar, zeker; maar ik heb iets van mijn ervaringen geleerd. Ik kon haar verzoek moeilijk afwijzen zonder het uit te leggen. Ze weigerde het idee dat we een boodschap aan haar vader zouden sturen onder ogen te zien. Om de een of andere reden is het meisje doodsbang; doodsbang hem te benaderen.'
'Maar ze is niet bang vóór hem,' merkte Conor zacht op. 'Ze spreekt over hem met veel loyaliteit en respect.'
'Ik ga haar niet terugsturen naar Kerry,' zei Sean op een toon die aangaf dat hij een beslissing had genomen. 'Niet tegen haar wil. Wij kunnen niet weten welke krachten hier spelen. Ik kan moeilijk geloven dat Fainne ons zou kunnen schaden, maar ik heb vertrouwen in jouw oordeel, zuster. Ik zou onze onderneming niet in gevaar willen brengen, of mijn familie.'
Liadan zei niets.
'Dan is er maar één oplossing.' Johnny sprak met opgewekt zelfvertrouwen. 'We nemen haar met ons mee naar het noorden. Wimpel Eamonn beleefd af; zeg dat zijn aanstaande bruid de goedkeuring van haar vader wil afwachten en dat Ciarán op dit moment niet te bereiken is. Intussen wordt Fainne vlug weggevoerd, zodat ze veilig is, en alles komt goed. Op Inis Eala zal het haar niet ontbreken aan enthousiaste jonge aanbidders, stuk voor stuk jonger en meer geschikt dan Eamonn van Glencarnagh, al zijn ze dan wat minder rijkelijk voorzien van wereldlijke goederen. Ze zal hem gauw genoeg vergeten.'
'Je hebt niet geluisterd; niets van wat ik heb gezegd is tot je doorgedrongen,' zei Liadan vermoeid.
'Ik luister altijd,' zei Johnny met een stem waarin een lach klonk. 'Ik wil er wel om wedden, hoor. Ik wed dat ik groot en sterk ge-

noeg ben om te zorgen dat me niets overkomt, tovenares of geen tovenares. Wat zegt u daarvan? Bovendien, als u denkt dat Fainne in de war is, of bang, waar kan ze dan beter leiding zoeken dan op Inis Eala? Als ze antwoorden wil hebben, zal ze die daar beslist vinden.'

'Vrouwe Oonagh heeft al een keer geprobeerd jou te doden.'

'En ik ben er toch nog?' zei Johnny monter.

Ik had met alle concentratie die ik kon opbrengen geluisterd, en was zodoende even vergeten dat ik zowel een nachtvlinder als een meisje was. Ik verplaatste mijn pootjes om dichterbij te komen, maar één pootje bleef ergens in steken, en ik probeerde het los te trekken, en plotseling zaten al mijn pootjes vast. Ik sloeg met mijn vleugels en probeerde uit alle macht los te komen, en de kleverige draad kwam strak om fladderende vleugels en broze pootjes te zitten en ik kreeg hem niet kapot. In het donker achter me voelde ik de aanwezigheid van iets, dat hongerig zat te wachten. Het deel van me dat nog Fainne was zei me: *Web, spin. Bevrijd jezelf nu, snel.* Het deel van me dat nachtvlinder was, werd gegrepen door een blinde doodsangst die me vasthield terwijl ik als een razende, maar vergeefs met mijn vleugels sloeg. De aanwezigheid kwam naderbij, als een handige danseres bewegend over haar tere brug van spinrag.

'Vlug!' zei de stem van mijn bevederde gids terwijl ik de dood in mijn rug voelde. 'Eén korte, harde ruk. Vlug nu.'

Ik trok naar opzij, gebruikte het gewicht van mijn hele lijf, hoe weinig dat ook was, en bewoog mijn vleugels zo snel als ik kon, terwijl de spin opeens snel op me af schoot. Eindelijk kwam ik los en dwarrelde onhandig naar beneden, want er kleefden nog stukjes van de kleverige draad aan mijn poten. In mijn ongerichte vlucht botste ik tegen de zijkant van de lantaarn aan; heet. Ik viel op de tafel, landde op mijn rug; weer voelde ik de dood vlakbij. De honden blaften. Ik werd opgepakt in een grote hand; er kwam een tweede hand boven me, zodat ik ertussen gevangen zat. Ik worstelde en fladderde, tot ik weer op mijn pootjes stond. Ik wachtte op de laatste, verpletterende klap.

'Arm beest,' zei Johnny. 'Hij weet niet goed welke kant hij op moet.'

Er was een beweging, en de handen openden zich en ik kroop van de warmte van een menselijke huid op de stenen naast de deur, in het donker. Nadat hij me de vrijheid had gegeven, ging mijn neef terug naar de tafel, en met mijn vreemde insectengezichtsvermogen meende ik te zien dat hij een geruststellende hand op de schouder

van zijn moeder legde. 'Dat is dus geregeld,' zei hij, terwijl ik naar buiten kroop via de spleet boven de deur en wegvloog door de gang, hoog boven de lokkende lantaarn langs, helemaal tot ik bij mijn eigen deur was. Snel naar beneden en er onderdoor. Veilig. Rust.
'Nu de spreuk.' Mijn Anderwereldse kameraad stond bij het raam; ik voelde dat de rode laarsjes niet ver van me af waren, ik voelde de dreiging van hun harde hakken. Ik wilde nog niet bewegen. Het was hier donker; ik kon stil blijven zitten.
'De toverspreuk. Het is nog niet klaar. Spreek de woorden uit, vuurkind.'
Vaag drong het tot me door: de toverspreuk, het patroon. Deur, vliegen, deur. Luisteren. Deur, vliegen, deur, veilig. De toverspreuk. De woorden van de tegenbetovering zaten nog ergens in me, en ik zocht ze op in de stilte van mijn nachtvlindergeest, woorden die geen betekenis leken te hebben, alleen kracht. Rondom me kantelde en veranderde de kamer; er verschenen vage kleuren, het gouden kaarslicht, het roodbruin van een jurk die op het bed lag, het groen en karmijnrood van een hulstkrans die Clodagh boven mijn raam had opgehangen om de geesten van buiten welkom te heten met Meán Geimhridh. De kamer werd vager en lichter, vager en lichter; het figuurtje van het uilwezen danste voor mijn ogen. Ik keek omlaag en zag dat ik weer mezelf was. Ik keek op, en rondom me begonnen kaars, raam en uilwezen te verschuiven en te vervloeien tot een wervelende warboel. Toen viel ik en werd alles zwart.

'Ik ben nooit met je vader in discussie gegaan over een strategisch onderwerp, en dat ga ik met jou ook niet doen. De mannen vertrouwen erop dat jij de juiste beslissingen neemt, en dat zal ik ook doen.'
De stem drong tot mijn bewustzijn door terwijl ik langzaam wakker werd. Ik hield mijn ogen dicht. Ik lag in bed, warm ingestopt, en ik hoorde het zachte geknetter van een haardvuur. Een heerlijke geur; een drank met gember en kruidnagel. Ik was moe; ik was vreselijk vermoeid, en het bed voelde zacht en goed. Mijn lichaam deed overal pijn; ik dacht dat ik misschien maar weer ging slapen...
'Bovendien,' ditmaal was het Johnny's stem, 'in je hart wil je zelf ook dat ze meegaat. Ik kijk door die strenge buitenkant heen. Je moet toegeven dat Fainne een mooi meisje is, of ze nu de dochter van een tovenaar is of niet. Zie je haar niet voor je, stralend als een kleine, heldere lamp in ons sombere huis vol mannen?'

'Haar moeder trok inderdaad mannen aan zoals een vlam nachtvlinders aantrekt,' zei Liadan droog. 'En ik denk soms inderdaad dat ze wel een tweede Niamh lijkt, zo koppig, zo snel aangebrand, terwijl ze toch een lief meisje is, van wie je gemakkelijk kunt houden. Je begrijpt me goed, zoon. Ik heb mijn vier zonen lief, maar ik heb altijd naar een dochter verlangd. Misschien is het waar. Misschien heeft Fainne vooral bescherming nodig. Maar het kan ook een vreselijk gevaar inhouden, dat weet ik beter dan wie ook, behalve Ciarán zelf.'
'Vertrouw me maar, moeder. Dit is goed.'
'Ik neem aan dat het geen zin heeft tegen jou te zeggen dat iets gevaarlijk is, evenmin als dat zin had bij Bran. Het begrip zelfbescherming is jullie allebei onbekend. Ik hoopte dat hij wat voorzichtiger zou worden, als man van bijna veertig met volwassen zonen. Maar hij wil nog steeds per se in de voorhoede optreden en zichzelf in gevaar brengen, alsof hij evenveel levens heeft als een kat.'
'Heeft hij dat dan niet?' Johnny grinnikte.
'Hij hoeft dit niet zelf te doen. Er zijn anderen, jongere mannen, die de kans graag zouden aangrijpen. Het klinkt... het klinkt gevaarlijk, Johnny. Ik ben bang dat ik jullie allebei zou kunnen verliezen.'
'U kent de Baas. Hij berekent het gevaar dat hij loopt. Dit is tot in de puntjes uitgedacht, en ook al is hij wat ouder, hij is een van de sterkste zwemmers die we hebben, en hij kent het terrein en de ligging van hun landingsplaatsen beter dan wie ook. De andere mannen zoeken we zorgvuldig uit. Het is waar, het is gevaarlijk, maar wind en getijden zijn altijd gevaarlijk. En kijk ook eens naar de inzet. Je kunt de vloot van je vijand niet ongemerkt tot zinken brengen zonder je bloot te stellen aan gevaar.'
'Jullie zullen maar met heel weinigen zijn, en hulp is ver te zoeken. Als dit bekend zou worden, zouden jullie zo kwetsbaar zijn als jonge vogeltjes in een nest.'
'Dacht u dat we daar geen rekening mee hebben gehouden? En wat spionage betreft, wie zou ooit denken dat zelfs de Beschilderde Man dwaas genoeg zou zijn om zo'n tocht te proberen? Niemand kan aan de oostkant om de Naald heen varen. En dat stuk zwemmen, dat is nog nooit eerder geprobeerd, gezien de stromingen. Geruchten daarover zouden onmiddellijk worden afgedaan als verzinsels.'
'Je woorden kunnen me niet bepaald geruststellen,' zei Liadan. 'Ik moet eraan denken dat het mijn eigen keus is geweest je naar het

voorbeeld van je vader te laten grootbrengen; als krijger en strateeg, zonder begrip van angst. Het had allemaal heel anders kunnen gaan als je als geleerde en als mysticus in de nemetons was opgevoed.'

'Hebt u spijt van uw keuze, moeder?'

'Tot het moment waarop Conor ons vertelde dat vrouwe Oonagh nog leeft en ons bedreigt, niet. Ik heb jaren van groot geluk gehad; ik weet niet hoe Bran en ik zonder elkaar hadden kunnen leven. Ik vind vreugde in mijn jongens, en in de mooie gemeenschap van Harrowfield en de broederschap van Inis Eala. Ik ben er trots op dat wij niet alleen het landgoed van je vader, maar ook Zeven Wateren erfgenamen hebben kunnen geven. Er zijn dingen die ik betreur; het verdriet en het lijden van Niamh blijft in mijn hart gegrift, evenals het feit dat Ciarán vervreemd is van zijn familie en van zijn roeping. Dat is de reden waarom ik ernaar verlangde hun dochter als mijn eigen kind te verwelkomen. Maar nu... ooit, lang geleden, is tegen me gezegd: *Je wilt meer dan je kunt krijgen.* Ik kreeg te horen dat mijn keus bloed en verdriet meebracht. Misschien is de tijd gekomen dat ik de prijs moet betalen voor die jaren van vreugde. Vraag me na deze zomer nog maar eens of ik er spijt van heb.'

'U mist hem,' zei Johnny zacht.

'Meer dan ik kan zeggen. Mijn huis is hier; maar mijn hart is daar, waar hij ook is.'

'We vertrekken zodra Fainne kan reizen,' zei Johnny.

Toen hoorde ik kloppen, daarna het kraken van een deur en toen Clodaghs stem. Er volgde een gesprek over of ik weleens eerder was flauwgevallen, en dat ik bij oom Eamonn in huis een hele dag ziek was geweest, en dat ik de witte pony miste. Na enige tijd leek het veilig genoeg om mijn ogen open te doen en hun te laten zien dat ik weer wakker was.

Ik was een heel etmaal buiten bewustzijn geweest, vertelden ze, vanaf het moment dat Sibeal me vroeg in de morgen had gevonden, liggend op de vloer van mijn slaapkamer, tot de volgende dag. Misschien nog wel langer, want ik was ijskoud toen mijn nichtje me vond en alarm sloeg, hoewel er een deken over me heen lag en een kussen onder mijn hoofd, wat vreemd was. Ik had door het hele midwinterritueel heen geslapen, zodat Conor het alleen had moeten doen. Ik had het verbranden van de grote boomstam gemist, hoorde ik van Eilis, en de cider en de koeken. Ik was ook nu nog zo zwak dat ik nauwelijks uit bed kon komen. Ik kreeg veel kleine bezoekers en hoorde allerlei verhalen. Johnny kwam bij me om me te vertellen dat ik met hem en zijn moeder mee zou rijden naar het noorden, waar ik de rest van mijn familie zou ontmoeten. Sibeal kwam alleen binnensluipen om me Riona te brengen. Mijn protest werd van tafel geveegd.

'Ik heb het aan Maeve uitgelegd,' zei het kind, ernstig als een oud vrouwtje, 'en ze vindt het ook. We gaan met zijn allen een eigen pop voor Maeve maken. Maar jij moet Riona nu terug hebben. Je moet haar meenemen als je weggaat.'

De vermoeidheid bleef. Ik was verbaasd over de mate waarin de gedaanteverandering mijn krachten had uitgeput, ook al was ik ervoor gewaarschuwd. Mijn lichaam trilde en wilde niets moeilijks doen; in mijn geest leefde nog de doodsangst van het hulpeloze insect, ergens weggestopt binnen mijn menselijke bewustzijn. De volgende keer, dacht ik, zou ik een groter en sterker dier kiezen, dat beter op zichzelf kon passen. Er gingen drie hele dagen voorbij eer ik voldoende hersteld was om verder te gaan met mijn plan.

Ik ging die derde avond voor mijn haardvuur zitten. Ik had alles weggeborgen dat gevaarlijk zou kunnen zijn. Riona lag diep in de houten kist, samen met Darraghs sjaal en het ringetje van gevlochten grasprieten. Als ik de kracht had gehad, had ik deze kostbare dingen misschien weggegooid; had ik ze vernietigd, uit angst dat mijn grootmoeder ze zou kunnen zien en erdoor op ideeën zou worden gebracht. Maar al was ik een tovenaarsdochter, zo sterk was ik niet.

Toen alles veilig was weggestopt en de grendel op de deur was geschoven, nam ik de bronzen amulet in mijn hand en concentreerde ik me op de vlammen. Een tovermiddel dat het denken vervormt heeft twee doelen. Het verbindt de drager met de gever; het bindt de eerste aan de wil van de tweede. En het is ook een soort kanaal, een oog dat tussen die twee opengaat wanneer het wil. Op die manier, dacht ik, had mijn grootmoeder me van tijd tot tijd kunnen zien, en kunnen weten wat ik deed, hoewel ze ver weg was. Ze had gezegd dat ze me niet de hele tijd kon zien, alleen af en toe bij vlagen. Zulke tovermiddelen hebben hun eigen grillen, hun eigen vreemde werkingen. De verbinding had altijd sterker geleken wanneer ik de amulet aanraakte of vasthield. Als ik dat nu deed en een oproepspreuk uitsprak, zou ze waarschijnlijk komen, dacht ik. Ik ademde diep in en opende het oog van de ziel. Ik sprak de oude woorden uit, en ik riep haar.

Ze was er in een oogwenk; niet lijfelijk aanwezig, zoals bij onze vo-

rige gedenkwaardige ontmoeting, maar daar, in de kern van het vuur, als een paar kraalogen en een krachtige, dwingende stem.
'Ah! Dat had ik niet verwacht, dat je me zo naar je toe zou halen. Ik ben erg benieuwd naar je nieuws, kind. Vertel!'
'Ik ben goed opgeschoten, grootmoeder.' Ik kon niet verhelpen dat mijn stem trilde.
'Ik ben een en al oor. Ga door.'
'Mijn plan werkt, zoals ik gezegd heb. De man Eamonn heeft formeel om mijn hand gevraagd, in ruil voor informatie die ik hem kan geven. Hij wil een ander doden, iemand die tot het bondgenootschap behoort. Ik heb een gedaanteverandering uitgevoerd om te verkrijgen wat hij wilde. Als hij op grond van deze informatie handelt, zal de campagne zeker tot mislukken gedoemd zijn. Ze kunnen nooit winnen zonder die man, die ze de Baas noemen.'
'Je hebt een volledige gedaanteverwisseling uitgevoerd? Met succes?'
'Ja, grootmoeder.'
'Zonder enige hulp?'
'Ja, grootmoeder.' Ik keek recht in het vuur en trok een onschuldig gezicht.
'Juist. En waaruit bestond de informatie?'
Op de een of andere manier had ik geweten dat ze me op de proef zou stellen. Het zou niet genoeg geweest zijn om gewoon een verhaal te verzinnen. Toch wilde ik het haar liever niet vertellen; in haar handen kon de informatie heel gevaarlijk zijn. 'O, dat zou u vast weinig zeggen, grootmoeder; het is gewoon iets wat Eamonn de kans zou kunnen geven te doen wat hij wil doen. Wanneer ik het hem verteld heb, kan hij zelf bepalen hoe.'
Grootmoeders ogen werden verontrustende spleten. 'Fainne,' zei ze heel zacht, 'je maakt me ongerust, kind. Ik dacht dat je begreep wat het gevolg zou zijn als je probeerde ongehoorzaam te zijn. Blijkbaar heb je het niet begrepen. Moet ik het je weer laten zien?' Het vuur leek feller te gloeien rondom haar gelaatstrekken, een woeste vlam van goudgeel en rood, behalve de donkere kolen van haar ogen. Ze had de waarheid toch hopelijk niet al geraden? Ze kon toch zeker niet weten dat ik van plan was tegen haar in te gaan?
'Ik... ik wilde niet...' stamelde ik.
'Zeg het, Fainne! Waaruit bestaat dit belangrijke stukje informatie dat je hebt ontdekt? Je probeert toch geen spelletje met me te spelen, hè? Spelletjes doen me denken aan kinderen. Kinderen zijn im-

mers dol op spelletjes? Klimmen, wippen, hoog schommelen. Gevaarlijke bezigheden, vooral voor de kleinsten. Maar och, je oom heeft veel dochters; te veel eigenlijk.'

Ik beefde helemaal. Het maakte me woedend dat ze nog steeds bij machte was me zo te manipuleren; de achteloze manier waarop ze over de meisjes sprak was beangstigend. Ik scheen geen andere keus te hebben dan het haar te vertellen. De amulet voelde heet aan op mijn borst, alsof die iets van haar woede bevatte.

'Het gaat over zwemmen,' zei ik, in een poging zo weinig mogelijk bijzonderheden te geven. 'Een kleine groep. Het is gevaarlijk.'

'Meer,' beval grootmoeder.

'Ze gaan van het ene eiland naar een ander eiland zwemmen om de schepen van de vijand tot zinken te brengen. Ik ben van plan dit aan Eamonn te vertellen; dan kan hij de gelegenheid aangrijpen zoals hij wil.'

'Mmm. Veel is het niet. En als dit niet werkt?'

'Het zal werken, grootmoeder. En er is nog iets. Ik ga naar het noorden met mijn tante Liadan, naar Inis Eala. Daar zal ik me dicht bij het middelpunt van de campagne bevinden, dicht bij de geheimen. Ik zal op een ideale plaats zijn om uw werk uit te voeren.'

'Juist.'

'Bent u niet tevreden over wat ik gedaan heb, grootmoeder?'

'Er zijn daar slechte invloeden. Het is een oude plek, vol aanwezigheden. Je vader zou zich er vast heel goed thuis voelen. Als je maar zorgt dat dat voor jou niet geldt. Onthoud dat alleen mijn raad deugt. En laat je niet verleiden de amulet af te doen. Je hebt hem nodig, want dit wordt nog het allergevaarlijkste voor jou. Als je hem afdoet, kan het heel gauw met je gedaan zijn.'

'Ik begrijp het, grootmoeder,' zei ik met een passend gedweeë stem. Ja, ik begreep het maar al te goed, want het was al eens gebeurd, op de dag dat Darragh naar Glencarnagh was gekomen. Als ik hem afdeed, zou ze het onmiddellijk weten en me met elk wapen waarover ze beschikte kwellen tot ik deed wat ze wilde. Ze had mij nodig. Ze kon dit niet af zonder mij, dat werd me steeds duidelijker. Hoewel ik er misschien naar zou verlangen deze duistere talisman af te nemen, moest ik hem tot het laatst om houden; tot het moment van het laatste treffen. Ik moest haar tovermiddel dragen tot het moment dat ze erachter kwam dat ik niet haar werktuig, maar haar tegenstander was. Wat er dan zou gebeuren, kon ik niet zeggen, maar ik wist diep in mijn hart dat dit zich moest ontrollen tot het einde, zoals de Ouden hadden gezegd; zoals ze zelf had gezegd. *Gewichtige gebeurtenissen zouden zich voltrekken...*

'Hoe moet dat dan met die kerel, Eamonn?' vroeg grootmoeder plotseling. 'Hoe lever je hem de informatie die hij wil hebben als jij je heel ergens anders bevindt dan hij?'

Het had niet lang geduurd voor ze deze zwakke plek in mijn strategie had gevonden. Ik probeerde niet te laten merken dat ik dit ook nog niet wist. 'Ik zal een manier vinden om dat te doen,' zei ik. Ik hoopte dat het zelfverzekerd klonk. 'Hij neemt ongetwijfeld deel aan de uiteindelijke campagne; er zal zeker een moment komen dat ze allemaal bij elkaar zijn. Inis Eala is de sleutel, grootmoeder. Daar moet ik dus zijn.'

'Je lijkt zo anders, kind. Er is iets veranderd. Vergeet het niet, hoor. Vergeet niet wat ik je heb laten zien.'

Ik huiverde bij de dreigende liefheid van haar stem. 'Ik ben het niet vergeten, grootmoeder. En ik ben inderdaad veranderd. Nu ik weet... nu ik de voldoening heb gevoeld die het geeft als ik een man laat smeken of ik hem wil aanraken, nu ik de macht van een gedaanteverandering ervaren heb, nu begin ik het te begrijpen. Ik begin te weten waarom u handelt zoals u doet; ik begin te beseffen dat het als zodanig beloningen oplevert, tovenares te zijn.'

'Kan zijn,' snoof ze, maar ik hoorde aan haar stem dat mijn opmerking haar plezier deed. Tot nu toe had ze dus geloofd wat ik zei. Het was maar goed dat ze niet helemaal aanwezig was, want dan zou ze mijn angst misschien kunnen ruiken. Het was een gevaarlijk spel dat ik met haar speelde.

'Maar als het niet werkt?' wilde ze weten. 'Weet je wat je dan moet doen?'

'Het zal werken. Zo niet, dan zoek ik wel een andere manier.'

'Je hoeft niet te zoeken, Fainne. Ik zal het je zeggen. Het lijkt me nogal voor de hand liggend. Geef me nu antwoord op één vraag. Is hij daar, de zoon, de man die ze het kind van de profetie noemen? Heb je hem gezien?'

'Ja, grootmoeder,' zei ik voorzichtig, want de klank van haar stem beviel me niets.

'Onthoud,' zei ze, 'dat hij uiteindelijk de enige is die ertoe doet. Hij is in dit spel het enige stuk van werkelijke waarde. De rest, de druïde, de krijger, het clanhoofd, de vrouwe, zij zullen hem steunen en alles voor hem overhebben, en zo nodig voor hem sterven, om het uiteindelijke doel te bereiken. Over hem wordt gesproken in de profetie, en daar vertrouwen ze allemaal op. Ze ontlenen hun zelfvertrouwen aan hem. Uiteindelijk hoef je niets anders te doen dan het kind van de profetie wegnemen, en alles stort in elkaar. Wacht tot het laatste ogenblik, en zorg er dan voor dat hij faalt. Als je er de moed niet voor hebt om weer te doden, zijn er andere methoden. Die ken je al. Het is gemakkelijk genoeg om iemand anders te vinden die het vuile werk voor je doet. Hoe is die jongen? Je laat je toch niet door hem innemen, hoop ik?'

'Nee, grootmoeder. Zo dom ben ik niet.'

'Hmm. Ik weet niet of dat wel waar is. Je was weekhartig met die kinderen. Ik verwacht dat dit een charmante jongeman is; en je bent tenslotte de dochter van je moeder.'

'Gelooft u me,' zei ik met moeizaam verkregen vastheid in mijn stem, 'ik zou niet tegen u durven liegen.'

'Heel verstandig, Fainne. Maar toch geloof ik dat ik wel prijs zou stellen op een kleine demonstratie van trouw. We zullen het volgende doen. We gaan deze jonge krijger op de proef stellen, en jou ook. We zullen zien hoe sterk hij is; hoeveel pijn hij kan verdragen. Het zal voor later nuttig zijn dat te weten. Deze reis naar het noorden is een ideale gelegenheid. Je hoeft er geen toverkunst voor te gebruiken, kleindochter; bewaar je kracht maar voor het einde, dan moet je op je best zijn. Ik zal doen wat nodig is. Ik zal de man niet doden, dat is jouw taak en dat komt veel later pas. Ik ga alleen een beetje met hem spelen.'

Er ging een prikkend gevoel langs mijn ruggengraat; het was moeilijk om in haar met vuur omringde ogen te kijken en toch een kalm gezicht te houden. 'Ik begrijp het niet,' zei ik. 'Wat heeft dit voor nut?'

'Dat zei ik toch, Fainne. Het is een proef. Voor jou is hij gemakkelijk, want jij hoeft helemaal niets te doen. Dat is juist jouw rol erin: helemaal niets. Je zult alleen naar hem kijken, zonder iets te doen. Dat is niet veel gevraagd.'

Ik bleef zwijgend staan terwijl de betekenis van haar woorden me duidelijk werd. 'Ik begrijp het,' fluisterde ik. 'Wat voor betovering wilt u op hem gaan gebruiken?'

Grootmoeder kakelde van plezier. 'Moet jij me dat nog vragen? Jij die kinderen verminkt? Kom nou, waar is je fantasie? Wat zou jij gebruiken?'

Dit was echt een proef. Ik hield mijn gezicht onbewogen, terwijl mijn maag zich omdraaide van walging. 'U zou het heel bedekt moe-

ten doen,' zei ik tegen haar. 'Mijn tante Liadan ziet veel. Als u van plan bent de betovering later ongedaan te maken, zou het iets onzichtbaars moeten zijn.'
'Nachtelijke angsten, misschien,' zei grootmoeder bemoedigend. 'Ik zou de jongen krankzinnig kunnen maken door hem te bezoeken met beelden van dood en rampspoed.'
Ik herinnerde me de vaste blik in Johnny's grijze ogen. 'Ik denk niet dat dat veel zou uithalen,' zei ik.
'Nou, wat dan?' Ze verloor snel haar geduld. 'Wat moet het zijn?'
Ik wist het antwoord, al wilde ik het niet tegen haar zeggen. Wat ik in mijn hoofd had, zou tenminste gemakkelijk terug te draaien zijn. En om haar vertrouwen te behouden, moest ik doorgaan met dit spel. 'Buikpijn,' zei ik, 'dat zou een natuurlijke oorzaak kunnen hebben, iets wat begint als een lichte stoornis en dan erger wordt. Wat wilt u van Johnny? Kruiperige dienstbaarheid? Erkenning van zijn eigen kwetsbaarheid? Wat wilt u bewijzen?'
Haar lippen krulden om, zodat de rijtjes keurig gepunte tanden zichtbaar werden. 'Hoelang hij het vol kan houden,' zei ze. 'En wat nog belangrijker is, hoelang jij het kunt aanzien zonder hem te helpen. Als jullie allebei sterk zijn, zal de einduitkomst van onze onderneming veel meer voldoening geven, Fainne. Veel meer. Ik kan haast niet wachten tot ik dat zie. Heel goed, dan wordt het buikpijn; daar weet jij alles van, want in het verleden heb ik het je zelf laten ervaren. Rijen tandjes die zich een weg knagen door levend vlees, een pijn die de zenuwen aantast en de pezen laat trillen, een martelende pijn die een man laat verlangen naar de dood als zegenrijke verlossing. En onthoud goed dat er van jou helemaal niets wordt verwacht, behalve dat je toekijkt en niets doet. Dat alleen.'
Ik knikte, terwijl ik probeerde niet te rillen.
'Je zult mij niet zien,' zei grootmoeder. 'Maar ik zie jou wel, Fainne. Zorg dat je doet wat ik heb gezegd.'
'Ja, grootmoeder,' zei ik.
'Maak je niet ongerust,' vervolgde ze. 'Ik zal de jongen tijdig laten herstellen. Ik wil tenslotte dat hij gezond genoeg is om zijn plaats in de uiteindelijke strijd in te nemen. Ik wil dat deze mensen tot op het allerlaatst de smaak van het succes proeven. En dan grissen we hun overwinning weg, dan pas. Mensen en Feeën zullen samen ten onder gaan, voor onze ogen. Wat zal dat mooi zijn om te zien! Ik zal er waarschijnlijk zelf nog een paar accenten aan toevoegen, denk ik. Ik zal de verleiding niet kunnen weerstaan.'

'Ik zal doen wat u me opdraagt,' zei ik. 'En mijn plan zal bij Eamonn werken, dat garandeer ik u. Maar ik zal ver weg zijn. U zult misschien niets van me horen tot op het laatst.'
'Ik zal weten waar je bent en wat je doet,' zei vrouwe Oonagh. 'Dat weet ik altijd.'
Niet helemaal altijd, dacht ik. 'Vaarwel dan,' zei ik.
'Vaarwel, kind. Ik heb hoge verwachtingen van jou. Stel me niet teleur. Vergeet je vader niet, en die ander die nooit ver uit je gedachten is.'
'Nee, grootmoeder.' Ik sprak de woorden krachtig en zelfverzekerd uit terwijl de vlammen uitdoofden, waarna de gloeiende ogen helemaal wegstierven en de boosaardige stem zweeg.
Ik wachtte lange tijd, en toen ik vond dat het veilig was, ging ik naar de kist en haalde Riona eruit, en ik ging op het bed liggen en drukte haar tegen me aan als een kind. Ik kon niet ophouden met rillen, zelfs niet met een deken over me heen, en na enige tijd stond ik op en ging bij het raam staan. Ik keek naar de sneeuw die zacht neerdaalde door de donkere lucht van de winternacht. Ik dacht aan mijn vader, helemaal alleen in de donkere zalen van de Honingraat, en ik sprak zacht, gebruikmakend van het gereedschap dat hij me had gegeven om moed te houden; om me te concentreren op wat was, en is, en moet zijn.
Waar kom je vandaan?
Van de Kookpot van Onwetendheid.
Wat zoek je?
Wijsheid. Inzicht. Ik zoek de weg naar het Licht.

Het was een vreemde tijd van het jaar om te reizen; het weer was ongunstig, de dagen op hun kortst. Daar stelde ik geen vragen over. Er was een boodschap naar Eamonn gestuurd, met de strekking die Johnny had aangegeven. Er werd rekening mee gehouden dat de ontvanger allesbehalve blij zou zijn met dit bericht, en dat hij er niet lang mee zou wachten hier op bezoek te komen en vragen te stellen. Ons vertrek vond daarom plaats op de dag dat deze brief werd verzonden. Tegen de tijd dat Eamonn op Zeven Wateren kon zijn, zou ik al een eind op weg zijn. Dit werd niet met zoveel woorden gezegd, maar ik begreep het. Misschien had ik demonstratief moeten protesteren. Maar mijn gedachten waren bezig met andere dingen, en ik liet het passeren.
Tot mijn verbazing waren de meisjes diep ongelukkig omdat ik weg-

ging. Eilis huilde. Ik had nooit gedacht dat het kind veel met me ophad; ik was tenslotte een waardeloze ruiter. Misschien stortte ze haar tranen meer uit gewoonte. Maar Clodagh omhelsde me, en Deirdre ook, en hun gezichtjes stonden precies even treurig.
'Kom veilig weer thuis,' zei Clodagh.
'We zullen je vreselijk missen,' snoof Deirdre. 'Het zal hier ontzettend saai zijn wanneer je weg bent.'
'Dag, Fainne,' zei Sibeal ernstig. 'Je moet oppassen voor katten.' Ik keek haar verbaasd aan, maar besefte dat ze iets in de toekomst had gezien, misschien een keer dat ik in een andere gedaante was. Ik kon haar niet vragen wat ze bedoelde, omdat de anderen erbij stonden, maar ik knikte dat ik het begreep. Muirrin kuste me op beide wangen en gaf me een jurk van zachte, grijze wol, die lekker warm zou zijn, zei ze, want er waren daar ijzige winden. Muirrin huilde niet. De leerling-genezer van mijn tante, Evan, zou gedurende de tijd voor de veldtocht op Zeven Wateren blijven, omdat hij de kracht had om botten te zetten, en ook als chirurgijn kon werken, wat mijn nicht niet kon. Ik had gezien hoe die twee elkaars hand aanraakten en schuchtere blikken wisselden wanneer ze dachten dat er niemand keek, en ik begreep de gloed die Muirrins bleke gezicht opfleurde. Wat Maeve betreft, van haar had ik in afzondering afscheid genomen, en het laatste verhaaltje dat ik haar vertelde, was alleen voor ons beiden bestemd. Het beeld van de verwondingen van het kind, en haar moed, had zich diep in me genesteld; nu zou ik het gebruiken om me kracht te geven.
Voor we vertrokken, vond ik het mijn plicht om naar de keuken te gaan en Dan Walkers oude tante, Janis, op te zoeken. Ze zat zoals altijd in haar stoel bij de haard, als een oude bewaakster van dit domein, een soort huisgeest die met goedaardig plichtsbesef over allen waakte. Dat was maar een fantasie; dit was geen wezen van de Andere Wereld, maar een hoogbejaarde, sterfelijke vrouw. Dat was te zien aan haar gerimpelde huid en de ingevallen wangen; de knobbelige hand die zich om een stok klemde, bevestigde het. Maar haar donkere ogen waren nog helder en schrander.
'Zo, kind. Je gaat weg, hoor ik? Wat moet ik dan tegen onze jongen zeggen wanneer hij je komt opzoeken?'
'Hij zal niet komen,' zei ik beslist. Misschien maakte hoge ouderdom iemand vrijpostig. Ze had er in elk geval een handje van te zeggen wat ze te zeggen had, hoe onverteerbaar dat ook mocht zijn. 'Dat weet hij. Hij mag niet meer komen, nooit meer. Hij heeft zich

trouwens in het westen gevestigd. Dat heb ik u verteld.'
'Een reizende man vestigt zich nooit ergens. Wat zal ik tegen hem zeggen? Geen boodschap? Of zal ik het zelf bedenken. Zal ik hem misschien vertellen wat ik in je ogen zie?'
'Hij zal niet komen. Maar als... als hij toch zou komen, zou ik tegen hem zeggen...' De woorden die ik nodig had, ontglipten me. De enige boodschap die in mijn hart leefde, was helemaal verkeerd; het was een boodschap die niet uitgesproken mocht worden. Darragh mocht het niet weten; hij mocht geen reden krijgen om achter me aan te komen, zolang mijn grootmoeder haar boosaardige magie tegen hem zou kunnen gebruiken. 'Als hij toch zou komen,' dwong ik mezelf te zeggen, 'dan zou ik tegen hem zeggen, of liever, ik zou hem bevelen weer naar huis te gaan en nooit terug te komen. Ik zou zeggen dat hij en ik niet goed zijn voor elkaar, en dat we dat nooit zullen zijn. Als hij me volgt, kan dat alleen tot pijn en verdriet leiden. Zeg tegen hem dat ik wel op mezelf zal passen. Het is beter zo.'
'Had je nog meer?' Janis had haar gerimpelde lippen getuit en haar zwarte wenkbrauwen opgetrokken. Ze was kennelijk niet onder de indruk.
'En... en zeg tegen hem,' fluisterde ik, 'zeg tegen hem dat ik het niet vergeten ben. Zeg tegen hem dat ik probeer te doen wat goed is.'
Er viel een stilte tussen ons, temidden van het knarsend draaien van het spit waaraan een half schaap werd geroosterd, het gekletter van schalen, het gelach en de grappenmakerij van krijgers die even van warmte en gezelschap kwamen genieten voor ze teruggingen naar de eindeloze oefeningen en exercities waarmee de campagne werd voorbereid.
'Je hebt een eenzame weg gekozen,' merkte Janis zacht op. 'En je bent nog geen zestien jaar oud, je bent nog een kind. Een lange, eenzame weg.'
'Daar ben ik aan gewend,' zei ik fel. Misschien kwam het door de uitdrukking in haar ogen, misschien door de vriendelijke klank van haar stem, ik weet het niet. Maar er kwamen opeens beelden terug van lang geleden, en als ik toen had kunnen huilen, had ik het gedaan. 'Ik heb mijn herinneringen,' zei ik tegen haar. 'Die zullen er altijd zijn.'
'Dat is niet veel, om je leven op te bouwen,' zei Janis.

We reden naar het noorden. Vanaf het moment dat we uit het fort van Zeven Wateren vertrokken, werd Johnny een lid van het escorte, en door de identieke donkere kap was hij niet te onderscheiden van zijn collega's. Alles leek goed te gaan. Het stemmetje van mijn grootmoeder had gezwegen sinds de nacht dat ik haar had opgeroepen en haar plannen voor Johnny had aangehoord. Iedereen reed snel door; niemand vertoonde tekenen van ziekte of pijn. Ik kon niet weten wanneer ze hem zou treffen, al voelde de amulet nu voortdurend warm aan, wat ik opvatte als een teken dat ze naar me keek. Ons escorte bleef zwijgend en waakzaam aanwezig rondom mijn tante Liadan en mij terwijl we beboste hellingen en brede boswegen doorkruisten, langs bevroren poelen en ijzige beken. Ze leidden ons over smalle paden door een moerassige wildernis; over hoge passen waar grote roofvogels boven ons zweefden en de grond keihard bevroren was. Ze kampeerden bij ons op een plaats met staande stenen, terwijl wij sliepen in de beschutting van een oude grafheuvel die gemerkt was met geheime symbolen. Steeds hielden ze hun maskers op, behalve wanneer ze aten. Ze waren niet van elkaar te onderscheiden.

'Een beschermende maatregel,' legde Liadan uit. 'Noodzakelijk, met het oog op de kenmerkende tekeningen op hun gezicht.'

'Als die versieringen zo gevaarlijk zijn, waarom brengen ze die dan aan?' vroeg ik.

Liadan glimlachte. 'Als symbool van trots; als teken dat ze ergens bij horen. Onze krijgers beschouwen het als een grote eer om de tekening te mogen dragen. Niet iedereen wordt tot deze groep toegelaten.'

'Aan welke... eisen moeten ze voldoen? Adellijk bloed? Dappere daden?'

'Elke man is uniek. Ieder brengt zijn eigen hoedanigheden mee. Als hij iets kan bijdragen, iets wat we nodig hebben, zal hij worden toegelaten, mits hij de proef doorstaat.'

'De proef? Wat voor proef?'

'Een proef in vaardigheden en loyaliteit. Het kan verschillen. Je zult op Inis Eala mensen van allerlei slag aantreffen. Mannen van allerlei aard; allerlei kleuren en overtuigingen.'

'En vrouwen?'

'Ah, ja, ook een paar vrouwen. Je moet uit een speciaal soort hout gesneden zijn om daar te wonen, Fainne. Je moet een speciaal soort kracht hebben.'

'Tante Liadan?' zei ik, terwijl we ons neerlegden om te gaan slapen

in de vreemde, gewelfde ruimte van de grafheuvel. 'Deze ruimte hier. Hebt u de tekens gelezen? De inscripties?'
Het bleef even stil.
'Nee, Fainne,' zei ze met een vreemde klank in haar stem. 'Dit is een taal die veel ouder is dan alle talen die ik heb leren ontcijferen. Ik kan ze niet lezen.' Er school een vraag achter haar woorden.
'U begrijpt,' zei ik, 'dat dit zo oud is dat geen levend mens de taal kent. Maar ik ben opgegroeid op een plaats met staande stenen; de merktekens van de weg van de zon waren in mijn jeugd mijn dagelijks gezelschap. Ik herken een aantal van deze tekens.'
'Ik weet dat het een plaats van de Ouden is,' zei mijn tante zacht. 'Een plaats van grote kracht en wonderbaarlijke vermogens.' Ze aarzelde en vervolgde: 'Ze hebben hier tegen me gesproken. De Fomhóire.'
Ik keek haar verbaasd aan. 'U bedoelt... u bedoelt de wezens die gedeeltelijk van steen, gedeeltelijk van water en gedeeltelijk een harig of bevederd dier lijken te zijn? De kleine wezens die zich onze voorouders noemen?' Misschien was het onvoorzichtig dit te zeggen. Maar hier, in de buik van de aarde, leek het veilig.
'Ik heb hen nooit gezien,' zei Liadan verwonderd. 'Ik heb alleen stemmen gehoord. Lage, donkere stemmen uit aarde en poel, die me leiding gaven. Op de een of andere manier heb ik nooit aan hen gedacht als klein. Ze leken reusachtig groot en onnoemelijk machtig. En ze zeiden dat ik mijn hart moest volgen, mijn instincten moest volgen. Hier, in deze ruimte heb ik... zijn beslissingen genomen van groot gewicht, beslissingen die de loop van dingen hebben veranderd. Heb jij die wezens gezien, Fainne, dat je over ze spreekt alsof je ze goed kent?'
Ik knikte. 'De tekens spreken van een oud verbond. Ze spreken van bloed en duisternis. En ze spreken van hoop. Zoveel begrijp ik er wel van.'
Mijn tante staarde me zwijgend aan. Onze lantaarn gloeide zacht in de duisternis van deze onderaardse ruimte. Verderop in deze reusachtige, lege kamer hadden een paar van Johnny's mannen zich te slapen gelegd, en we praatten met gedempte stem. Na een tijdje zei Liadan voorzichtig: 'Word jij ook door deze wezens geleid, kind? Geloof je dat ze... goedaardig zijn?'
Dit was gevaarlijk terrein. Ik kon nooit weten of mijn grootmoeder meeluisterde of niet. Het leek hier veilig, maar ik was nergens veilig zolang ik de amulet droeg, en als ik hem afnam, betekende dat

dat ze onmiddellijk zou komen. 'Ze hebben hun eigen theorieën over hoe alles zou moeten zijn. Maar ze hebben de gewoonte nooit iets uit te leggen, het aan mij over te laten erachter te komen wat het allemaal betekent. Wat gebeurde er bij u? Hebt u hun aanwijzingen opgevolgd, of hebt u uw eigen keuzes gemaakt?'

Liadan zuchtte. 'Allebei, denk ik. Ik ben ongehoorzaam geweest aan de bevelen van anderen. En jij, Fainne? Wiens weg volg jij?'

Een gevaarlijke vraag. 'Een eenzame weg,' zei ik. 'Dat zeggen ze tenminste.'

'Een weg zoals die van Ciarán?'

'Ik wil liever niet over mijn vader praten.' Ik ging liggen met de deken over mijn gezicht. Het gewicht van de amulet drukte zwaar op me; de kleine, kwaadaardige vorm leek nu meestal brandend heet, alsof ik niet aan de vorsende blik van mijn grootmoeder kon ontsnappen, al speelde ik dit nieuwe spel nog zo goed. Ik vroeg me af of ze het ding soms op de een of andere manier meer macht had gegeven, nu we het einde begonnen te naderen. Misschien was mijn vermoeden juist. Misschien was ze bang voor me. Ik besteedde geen aandacht aan het brandende gevoel. Pijn was niets. Die les had mijn vader me al jong geleerd.

Ik kwam er gauw genoeg achter dat Johnny niet gewoon een aardige jongeman was die verdwaalde insecten redde en de handen van zieke kinderen vasthield. Ons zwijgende escorte had de gewoonte met twee man voorop te rijden en met twee man achter ons, terwijl er aan weerskanten verscheidene mannen reden, die ons niet altijd konden zien, maar die toch zo dichtbij waren dat ze snel bij ons konden zijn als het nodig was. Liadan en ik waren gekleed in een simpele, donkere mantel, een degelijke tuniek en rok, en stevige winterlaarzen. Zij reed op een bruine merrie en ik op de kleine grijze merrie die Eamonn me had geleend. Liadan vond dat geen bezwaar. 'Dat paardje is van mij,' zei mijn tante eenvoudig. 'Ik heb haar gekregen, en niet van Eamonn. En het was zeker niet mijn schuld dat ze ooit is achtergelaten. Dat dier heeft heel wat gezien, Fainne. Droevige dingen; verschrikkelijke dingen. Ik vind dat het tijd is om haar thuis te brengen.'

We reden over een open plek in het bos. Het was een bitter koude ochtend; de grond kraakte van de rijp en er bewoog nauwelijks een vogel tussen de kale takken van de sleedoorns voor en achter ons. Dit was een terrein waar de hellingen bezaaid waren met vreemde stapels stenen; deze hopen lagen her en der, en het was niet te zien of dit het werk van mensen was of van iets ouders. De winterschaduwen veranderden steen in kabouters of kobolds, in reuzen of ineengedoken draken. Zelfs het onderhout leek hier kwaadaardig, gedrongen, donkere struiken die met hun lange, doornige uitlopers naar je reikten om aan je rok of kous te trekken. We reden in een vlot tempo; zelfs de krijgers met hun kappen leken weinig zin te hebben om hier langer te vertoeven dan noodzakelijk was.

De weg werd smaller, tot we nog maar één man van ons escorte konden zien, de man die voor ons uit reed. Iemand riep en hij hield onmiddellijk stil. Wij beiden hielden onze paarden in achter hem, en Liadan stak geruststellend haar hand naar me uit.

Voor ons op het pad stond een groep woest uitziende mannen, gewapend met messen, knotsen en kleine bijlen. De man die kennelijk hun aanvoerder was, een reusachtige kerel met een ooglap over zijn ene oog en met gelige, rotte tanden, kwam naar voren en wees met zijn wapen naar ons escorte.

'Afstijgen jij,' beval hij. 'En geen grappen. Wij zijn met ons zessen, en jij bent alleen, als ik het damesgezelschap niet meereken. Langzaam aan. Geef mij dat zwaard. En dat mes. Draai je om. Nu...'

Tot mijn verbazing deed onze man precies wat hem gezegd werd, zonder er iets tegenin te brengen. De aanvallers ontdeden hem van zijn wapens en pakten zijn paard bij de teugel alsof ze het wilden meevoeren. Ik keek met groeiende ontzetting toe terwijl de man met de ooglap grijnzend op ons af stapte. Mijn tante zat zwijgend op haar paard; haar blik was volkomen rustig. Nu stroopten ze de kap van onze man af. Van de rest van ons escorte was niets te bekennen.

'Zo, zo,' grinnikte de aanvoerder van de groep toen hij naast mijn paardje was gekomen. 'Wat hebben we hier?'

Ik hief mijn hand op en wilde de woorden van een toverspreuk oproepen.

'Nee, Fainne,' zei Liadan zacht. 'Dat is niet nodig.'

Achter de aanvoerder hadden zijn trawanten het masker van onze krijger afgetrokken, zodat de kenmerkende tekening op zijn gezicht te zien was. Iemand vloekte, en ik hoorde iemand verschrikt de woorden 'beschilderde man' mompelen. De kerel naast me verstarde en deinsde achteruit; zijn gezicht was plotseling krijtwit tegen het zwart van de ooglap. Daarop hoorde ik verscheidene zachte geluiden: suizen, gezoem, het plofgeluid van een pijl die doel trof. De man die ze hadden ontwapend draaide zich bliksemsnel om en velde een van zijn aanvallers met een strategisch geplaatste trap. Zonder dat er ook maar even gevochten was, zag ik plotseling zes mannen op de harde grond liggen; ze kreunden, hijgden of, onheilspellender, gaven helemaal geen geluid. Achter en voor ons, van links en van rechts kwamen Johnny's mannen te voorschijn uit de dekking van rots of boom, terwijl ze kleine voorwerpen terugstopten tussen hun riem of in hun zak. Er werd een pijl teruggehaald, wat nogal een knoeiboel gaf. Een kort mes werd gebruikt, doeltreffend. Ik sloot mijn ogen.

'Fainne? Het spijt me. Was je bang?' Deze gemaskerde krijger sprak met de stem van Johnny. De man die de aanvallers hadden ontwapend, was bezig zijn wapens terug te pakken, en deed zijn kap weer over zijn hoofd alsof dergelijke ontmoetingen niet ongewoner waren dan bijvoorbeeld het bijeendrijven van schapen of het in plakken snijden van een brood.

'Ik kan wel voor mezelf zorgen,' zei ik bits, terwijl ik probeerde mijn hartslag te laten bedaren. 'Dit lijkt me alleen een vreemde manier om een hinderlaag tegemoet te treden. Je had ons wel kunnen waarschuwen.'

'Wij hebben zo onze eigen methoden. En dit kon je moeilijk een hinderlaag noemen, veel te knullig.'

'Je had ze niet hoeven te doden.'

'Het was stom van ze om zoiets te proberen, dus verdienen ze niet beter. Trouwens, ze zijn niet allemaal dood. Sommigen zullen met een verhaal thuiskomen; een verhaal over de Beschilderde Man. Deze pas zal een tijdlang veilig zijn, tot ze het vergeten en het weer proberen. Ze hebben hun slachtoffer dit keer onhandig uitgekozen. Niemand komt aan mijn moeder. Als je met haar reist, ben je verzekerd van de beste bescherming die er bestaat.' Zijn stem klonk vast, zijn gedrag was zelfverzekerd als altijd. Had grootmoeder haar betovering nog niet uitgevoerd? Mocht ik de hoop koesteren dat ze, om redenen die ze alleen zelf kende, ervan afzag dit staaltje van wreedheid uit te voeren?

We reden verder, en ik dacht erover na hoe vreemd het was dat juist de man die ik van mijn grootmoeder moest vernietigen, degene was die me nu verzekerde dat zijn kundige legertje me tegen alle kwaad beschermde. Hij bracht zijn eigen dood mee, en bewaakte die even nauwgezet als de kostbaarste schat. Het was goed dat hij sterk was, want als ze haar plannetje toch doorzette, zou hem een zware beproeving wachten. Het meesterschap van mijn grootmoeder in de toepassing van dit soort betoveringen werd alleen geëvenaard door haar volstrekte gebrek aan gewetensbezwaren. Ze had tal van kleine beestjes spartelend en fladderend dood laten gaan om de een of andere toverkunst te demonstreren; ze had mij onbewogen zien lijden wanneer ze me strafte met glazen messen in het hoofd, met vreemde gezwellen aan tong of keel, met wrede veranderingen in zien of horen. En ze keek immers ook rustig toe terwijl haar eigen zoon langzaam wegkwijnde? Grootmoeder zou de kunst koel en doeltreffend tegen mijn neef gebruiken. Ik hoopte alleen dat ze er niet te lang mee zou doorgaan.

Ik had inmiddels geleerd Johnny te herkennen tussen onze identiek gemaskerde helpers in hun eenvoudige kleding. Hij was de kleinste van het stel, niet veel langer dan ikzelf, en zijn rug was even recht als die van een klein kind, zijn hoofd was trots geheven en zijn schouders stonden fier naar achteren. Ze verwisselden af en toe van paard, maar ik kende hem. Terwijl we steeds verder noordwaarts reden, naar de verste kust van Ulster, lette ik op hem, en dacht dat hij wel gauw, heel gauw stil zou moeten houden om af te stijgen, of verkrampt van pijn van zijn paard zou vallen. Ik kende deze betovering; ze had hem ook een keer op mij gebruikt. Zelfs de sterkste man kon hem niet lang verdragen.

De heuvels en dalen, de verborgen beken en nevelige bossen gleden gestaag voorbij. Voor me reed mijn neef door, even rechtop zittend als altijd, met de teugels ontspannen in zijn hand. Ik keek vergeefs uit naar een teken van ziekte, maar ik zag niets. Toen het ging schemeren begon ik me zelfs af te vragen of het kind van de profetie soms op de een of andere manier beschermd werd tegen deze betovering, misschien door de machten van het woud die mijn grootmoeder zo haatte. Ik voelde de hitte van de amulet op mijn huid en wist dat ze in de buurt was; de kleine driehoek leek steeds beter afgestemd op haar aanwezigheid. Het brandende gevoel was een duidelijke boodschap dat ze naar me keek, en dat ze naar Johnny keek, en ons zeker allebei op de proef zou stellen.

We kampeerden die nacht in de ruïne van een oud gebouw, waar afbrokkelende stenen muren en de restanten van gebint en dak een schamele beschutting boden tegen de winterkou. De mannen deden hun kap af en aten een karige maaltijd. Johnny leek bleker dan anders en ik zag hem niets van het eten nemen, maar zijn stem was vast; hij glimlachte om de grappen van de mannen en wenste ons hoffelijk goedenacht voor hij naar buiten ging om zijn beurt van de

wacht te nemen. Er leek hem niet veel te mankeren.
Als alles goed ging, zouden we over anderhalve dag de kust bereiken, vertelde Liadan me toen we de volgende morgen wegreden. Daar zou een boot ons overbrengen naar het eiland. Aan haar stem was te horen dat ze zich erop verheugde; ze kon haar verlangen om onze bestemming te bereiken niet verhullen. Ze vroeg niet aan haar zoon of hij zich goed voelde, en ik vroeg ook niets.
Ik keek naar mijn neef terwijl het pad steil en verraderlijk werd. Ik hield hem in het oog terwijl hij voorop reed, of ons volgde of leidde, en zijn rug was nog steeds recht en trots, en zijn paard stapte regelmatig door. Johnny hield zijn hoofd geheven alsof hij een held uit een oud verhaal was. De amulet brandde. Ze keek naar me, keek naar hem. Plotseling drong het tot me door dat ik me vergist had. Niet alleen had ze haar betovering al ingezet, misschien al dagen geleden, maar ze verhevigde hem voortdurend, stekend, snijdend, malend. Het kwam niet doordat de betovering achterwege was gebleven dat deze kwaadaardige beproeving onzichtbaar was, maar enkel en alleen door de kracht van de man die haar doorstond. Ik reed door met mijn kiezen op elkaar geklemd, terwijl het zweet op mijn voorhoofd parelde; mijn handen hielden bevend de teugels vast. *Geef er dan aan toe*, probeerde ik hem te zeggen. *Wees niet zo sterk. Hoe eerder je het opgeeft, hoe eerder het op zal houden.* Om ons heen reden de anderen door, volstrekt onbewust van de strijd die in hun midden gaande was. Er waren maar drie mensen die wisten dat er iets aan de hand was: mijn neef en ik, en de tovenares die niemand kon zien.
We sloegen weer ons kamp op voor de nacht. Johnny trok zich vroeg terug. Hij at niet. Ik ving een glimp op van de grauwe, bleke kleur van zijn gezicht, en merkte dat hij ervoor zorgde zijn moeders waakzame blik te vermijden. In de nacht werd ik wakker en hoorde braakgeluiden achter de rotsen, in het donker, en ik hoorde Liadan bewegen, maar ze werd niet wakker. Kort na zonsopgang reden we weer verder, en de mannen reden zwijgend met ons mee. De geur in de lucht deed me denken aan thuis, scherp en zilt. Boven ons vlogen krijsende meeuwen. Ik kon in de verte de zee horen bulderen. Maar deze lieve, bekende dingen gaven me geen vreugde, hier in dit verre oord, waar de hele lengte van Erin tussen mij en mijn vader lag. Hier zou ik nooit langs de kliffen wandelen met een vriend aan mijn zijde, of in de beschutting van de stenen zitten in de zwijgende kameraadschap van volledig vertrouwen. Die dingen zou ik nooit

meer hebben. Ik verdiende ze niet; ik had ze nooit verdiend. De amulet deed me pijn; ik zou het brandmerk ervan op de huid van mijn borst dragen. Dat was niets in vergelijking met wat mijn neef vermoedelijk doorstond. Ze keek naar ons; ze was vlakbij. Ik kon hem niet helpen, ook al kende ik de manier om de betovering terug te draaien, ook al had ik die onder handbereik. Ik mocht haar niet gebruiken.

Het terrein werd opener. De hemel leek lichter en wijder te worden terwijl we nog steeds verder reden naar het noorden. Er waren hier maar weinig bomen; de paar bomen die stand hielden in deze door wind gegeselde uithoek van het land hadden zich in kloven genesteld of dromden samen in beschutte hoekjes tussen kleine heuvels. Twee mannen galoppeerden weg; ze reden waarschijnlijk vooruit om onze komst aan te kondigen. De anderen reden met grote tussenruimten over het pad, nog steeds zwijgend. Er zou spoedig een eind komen aan onze reis. We reden een heuvel op en kregen voor het eerst in de verte een vaag zicht op de oceaan, achter een bleke lijn van kliffen; nu hoorde ik haar fluisteren in mijn hoofd: *Verleidelijk, niet?* spoorde ze me aan. *Je weet hoe het hem verteert; je herkent het. De jongen is sterk; hij is een van die schepsels die teruggrijpen op de Fomhóire, en bovendien is hij een krijger, geoefend in uithoudingsvermogen. Dat komt door zijn vader. Ik heb hem onderschat; die fout zullen we een volgende keer niet meer maken. En jullie zijn er bijna; dan is er geen gelegenheid meer. Ik ga hier nog maar een stapje verder mee, denk ik. Dicht bij het punt waar het lichaam zich gewonnen geeft, dicht bij het moment dat het hart hapert en faalt... heel, heel dichtbij... je weet hoe het is, Fainne...*

Dat wist ik zeker. Stel je voor dat een wild dier zich te goed doet aan je levende lichaam terwijl je bij volle bewustzijn hulpeloos overgeleverd bent aan zijn razende vraatzucht. Stel je de pijn voor die in elke uithoek van je lichaam, elke vezel van je wezen doordringt. Ik wist dat het zo was voor hem. Ik wachtte en keek naar hem, bevend. Mijn vingers trilden van inspanning om niet de tegenbetovering in te zetten; ik dwong mezelf de woorden die hem zouden verlossen, in te slikken. En eindelijk kwam er een reactie. Zijn paard bleef trillend stilstaan en Johnny gleed uit het zadel op de harde grond van het pad. Ik kon hem horen ademen; scherp, snel. Hij bleef nog op zijn benen staan, terwijl elke andere man kronkelend op de grond zou liggen en krijsend naar zijn buik zou grijpen. Achter hem was mijn eigen paard stil blijven staan, licht huiverend.

Ik kon niet spreken. Was dit genoeg voor grootmoeder? Waarom viel Johnny nou toch niet op de grond, waarom schreeuwde hij niet, waarom gaf hij niet toe dat hij verslagen was, zodat ze ermee zou ophouden? Ik wist dat ze dit niet verder kon doorvoeren zonder gevaar te lopen de man ter plekke te doden. Was hij soms een opnieuw geboren Cú Chulainn, dat hij die verschrikkelijke pijn kon weerstaan? Een van de mannen kwam terugrijden, en er werd een zacht gesprek gevoerd. Liadan reed een eind achter ons, buiten ons gezicht.

Nu steeg de andere man af en bleef naast het pad staan met de teugels van beide paarden in zijn hand. Vanachter zijn masker keek Johnny me aan. Hij gaf met een kleine hoofdbeweging aan dat ik hem moest volgen, en liep een zijpad in naar het oosten, waar een groep van drie oude stenen boven op een lage heuvel was geplaatst. Ze waren begroeid met een laag grijs korstmos, en ik moest denken aan dat vreemde, rotsachtige wezen dat een tijd geleden tegen me had gesproken over eeuwenoude verbonden en toekomstige wegen. Ik steeg van mijn paard af en liet het bij de anderen achter. Johnny liep en ik volgde hem, en als mijn gang al onvast was, tengevolge van mijn manke voet en het oneffen terrein, was de zijne dat nog meer. Toch liep hij door, zonder een woord te zeggen, maar ik kon aan zijn ademhaling horen dat hij zichzelf dwong om stil te zijn terwijl alles in hem schreeuwde van pijn. Ik vroeg me op dat moment af waarom mijn grootmoeder deze betovering niet domweg tot de hoogste kracht opvoerde en het kind van de profetie eens en voor altijd doodde. Dat zou toch zeker gemakkelijker zijn dan dit wrede spel van beproevingen. Ze had mij helemaal niet nodig om de hoop van Zeven Wateren op een overwinning de bodem in te slaan. Johnny zweefde nu al op het randje van de dood, en zonder Johnny kon de strijd niet gewonnen worden. We stonden stil in de schaduw van de oude stenen, aan de oostkant, uit het zicht van de anderen die op het pad wachtten. Mijn neef stroopte zijn masker af. Ik keek naar hem en hij keek naar mij; zijn gezicht was asgrauw, zijn ogen schitterden van pijn maar straalden ook felle vastbeslotenheid uit. *Hier is iets wat ze er niet onder kan krijgen*, dacht ik. *Misschien is het pure moed, misschien is het meer dan dat; een magie, ouder en dieper dan de hare, een macht die zijn stappen bewaakt, die hem leidt naar de bestemming die voor hem is voorspeld.* Johnny ademde sidderend in, en op dat moment nam de kloppende hitte van de amulet af en verdween, tot het alleen nog een me-

talen driehoekje aan een koord om mijn hals was. Ze was weg, en toch was hij nog steeds in de greep van de betovering.
'Ik denk niet,' zei Johnny met een stem die ijl was van pijn, 'dat je helemaal begrijpt waarmee je hier te maken hebt.' De knokkels van zijn hand, die op de verweerde steen rustte om steun te zoeken, waren wit.
Ik ademde diep in. 'Wat bedoel je?' vroeg ik.
'Vertel me,' bracht hij hijgend uit, vechtend om zelfbeheersing, 'hoelang moet dit nog doorgaan? Niet om mezelf; wij zijn geoefend in uithoudingsvermogen. Maar ik wil niet dat mijn moeder zich zorgen maakt.'
Ik staarde naar zijn bleke, bezwete gezicht met het dappere ravenpatroon; een gezicht waarop de uitdrukking van pure moed geen ogenblik gewankeld scheen te hebben. Hij dacht dat ik dit had gedaan. Hij dacht dat ik verantwoordelijk was voor deze wrede marteling. Geen wonder dat hij niets had gezegd. En nu was grootmoeder weg, en ze had hem niet bevrijd. Met een gemompeld woord en een kleine handbeweging maakte ik de betovering ongedaan. Pas op dat moment was hij even zijn zelfbeheersing kwijt. Hij ademde plotseling uit en zakte in elkaar op de grond, met zijn rug tegen de steen en zijn ogen dicht. Wat mezelf betreft, al mijn energie was opeens uitgeput en ik ging naast hem zitten. De hemel was helder, de wind fris en schoon; vogels zwenkten en riepen hoog boven ons. Dat leek op de een of andere manier niet te kloppen; alsof we helemaal op de verkeerde plaats waren. Die dingen hoorden thuis in een lang verleden tijd, een tijd van onschuld, niet hier, waar gevaar en moeilijkheden dreigden, waar pijn en angst heersten.
'Je moet begrijpen,' zei Johnny na enige tijd, zonder zijn ogen te openen, 'dat ik een weg moet gaan, een opdracht moet vervullen, en dat niets me zal tegenhouden. Niets.' Zijn stem was een woeste fluistering, beklemmend van zekerheid. Als ik er al aan had getwijfeld dat dit de held was waarover de profetie sprak, dan twijfelde ik nu niet meer.
'Ik was hier niet verantwoordelijk voor,' zei ik met een bevende stem. 'Maar ik verwacht niet dat je me gelooft.' Meer dan dat mocht ik hem niet vertellen. Ik had al gefaald, ik had de proef van mijn grootmoeder niet doorstaan; ze had me geen andere keus gelaten dan in te grijpen. Ik wilde niets riskeren door hem de waarheid te vertellen.
'Juist, ja,' zei mijn neef op een toon die alles had kunnen betekenen.

'Waarom heb je me meegenomen?' vroeg ik hem onomwonden.
Hij opende zijn ogen en grijnsde even. 'Ik ben tegen mijn moeder in gegaan,' zei hij met bevende stem. 'Zij wilde niet dat je op Inis Eala kwam. Waarom ik dat deed, kan ik niet zeggen, behalve dat het erop lijkt dat je in moeilijkheden bent en dat je bescherming nodig hebt, en dat is iets wat we goed kunnen.'
'En heb je nu spijt van je beslissing?'
'Nee, nicht, ik heb geen spijt. Mijn oordeel is er zelden naast.'
'Sommige mensen zouden dat heel dom vinden,' zei ik voorzichtig.
'Vind jij het dom, Fainne?'
Ik wilde niet hardop antwoorden, want dat kon gevaarlijk zijn. Maar ik schudde mijn hoofd en stak hem mijn hand toe toen hij langzaam opstond.
'Je hebt een enorme wilskracht,' zei ik, terwijl we terug begonnen te lopen. Hij liep heel voorzichtig, alsof hij elk deel van zijn lichaam uitprobeerde om er zeker van te zijn dat de pijn echt weg was.
'Ik ben de zoon van mijn vader,' zei Johnny.
En ik ben de dochter van mijn vader, zei mijn hart tegen me. En zo keerden we terug naar het pad en bestegen onze paarden alsof we alleen een wandelingetje hadden gemaakt om de benen te strekken, en we reden door naar de noordkust van Ulster en naar Inis Eala: het Eiland van de Zwaan.

HOOFDSTUK TWAALF

Als mijn gedachten niet met andere dingen bezig waren geweest, zou ik wel beseft hebben dat je om op een eiland te komen, een boot moest nemen, en dat een boot over de zee moest varen, en dat ik, hoewel ik aan de kust van Kerry was opgegroeid, bang was voor de zee. Pas toen we bij een kleine, zwaar versterkte nederzetting boven op een hoog, diep ingesneden klif kwamen en uitkeken naar een laag gelegen eiland in het noorden, en ik het enorme vlak ruw uitziend water tussen ons en die onherbergzame plek zag, maakte een gevoel van angst zich van me meester. Maar in geen geval wilde ik mijn neef, mijn tante of ook maar een van deze strenge jonge krijgers iets van mijn zwakheid laten merken. Er was een ankerplaats in een baai. Ook deze werd goed bewaakt, door mannen die wat ouder waren dan Johnny's groep en die er stuk voor stuk buitengewoon vreemd uitzagen. Deze lieden droegen geen kappen of maskers, en ze waren niet eender gekleed, maar droegen zeer individuele kledingstukken, met stukken vossenbont of konijnenvacht erin, of iets wat op slangenhuid leek, en waarin zowel leer, zilver als brons verwerkt was. De mannen zelf waren al even verschillend van elkaar; ze hadden dezelfde patronen op hun huid als de jongere krijgers, maar elk had daar weer een bijzonder eigen accent aan gegeven, bijvoorbeeld haar tot aan het middel, netjes in een staart gebonden, of een half geschoren hoofd; een ring door wenkbrauw of neus; een kraag van donkere veren. Al zagen ze er opvallend uit, ze gedroegen zich als vaklui en deden hun werk snel, geruisloos en zonder omhaal. Ze behandelden Liadan als een koningin. Mij betoonden ze groot respect, zonder knipoogjes, gefluit of onbehoorlijk commentaar, ook al had Johnny over mogelijke aanbidders gesproken. Ik werd evenwel aandachtig bekeken, vooral door een kerel die Slang scheen te heten, een geducht uitziende man van middelbare leeftijd, wiens ogen zich vernauwden in zijn harde gezicht toen hij me hielp instappen in een nogal kleine en angstig schommelende boot. Hij zorgde ervoor dat ik precies in het midden kwam te zitten, zodat me niets kon gebeuren. De mannen roeiden. De boot ging op en neer. Ik dwong mezelf om mijn ogen open te houden en een kalm gezicht te trekken terwijl mijn maag zich omdraaide en het zweet op mijn gezicht parelde. Ik kneep mijn handen stijf in elkaar en keek naar het eiland dat dichterbij kwam. Ik keek niet achterom. Ik dacht dat ik overtuigend speelde dat ik hier geen moeite mee had, tot de man die Slang heette met een blik in mijn richting opmerkte: 'Je moet wel uitkijken voor de zeeslangen. Vandaag is het echt weer voor ze.'

Ik staarde hem met afgrijzen aan, met bonzend hart, en zag de hoge toppen van de golven achter hem en de donkere, geheimzinnige dalen ertussen, waar van alles op de loer kon liggen. Maar toen keek Liadan naar mij en naar hem, en ze zei vlug: 'Schaam je, Slang, het arme meisje zo te plagen! Je bent oud genoeg om beter te weten.'

Slang grijnsde naar haar. 'We zijn er bijna,' zei hij met een andere stem.

Liadan knikte. Haar ogen waren nu op het eiland gericht, en op haar gezicht lag een uitdrukking van blijde verwachting, waardoor ze er opeens veel jonger uitzag.

Ik weet eigenlijk niet wat ik verwachtte. Op zijn minst toch dat haar echtgenoot er zou zijn om haar te begroeten bij de pier waar we van boord gingen, al was hij niet meegekomen naar de overkant. Maar hoewel er veel mannen waren om ons van boord te helpen en onze bundels bagage een steile trap op te sjouwen die boven de ankerplaats in een laag klif was uitgehouwen, zag ik geen figuur die aan mijn verwachtingen leek te voldoen. Er was een jongeman die veel op Johnny leek, met dezelfde innemende glimlach en dezelfde vastberaden uitdrukking op zijn gezicht. Hij begroette Liadan met een kus op beide wangen; hij was dus haar zoon, degene van wie de meisjes hadden gezegd dat hij graag een krijger wilde zijn. Hij zag er helemaal als een krijger uit, met zijn krachtige kaak en zijn doortastende optreden, om maar te zwijgen van het grote mes en de werpbijl aan zijn gordel. En er was een jongen, hoewel deze meer op mijn oom Sean leek, met een lichte huid en donker, krullend haar dat in zijn ogen hing. Dat was waarschijnlijk de jongste, Coll. Er moesten bij elkaar vier zonen zijn, maar een van hen was op Harrowfield. Waar was hun vader? Liadan scheen zich er niet druk over te maken. Mannen verdrongen zich om haar te begroeten; overal zag ik lachende gezichten, maar ook een soort eerbied waardoor ze altijd een kleine afstand bewaarden, alsof ze zich onwaardig vonden om al te dichtbij te komen. We beklommen de trap; er waren drie keer negen treden. Mijn benen deden pijn. Boven was een steenvlakte, grotendeels zonder bomen, en een groep lage gebouwen, omringd door een dikke, stenen muur. In de verte zag je de rijzende en dalende contouren van het land, en rotspunten, nat van het opspattende water, leken verborgen holten, geheime stranden en misschien grotten te bewaken.

'Het is een woest landschap,' zei een zachte stem rechts van me. 'Maar het is hier goed toeven, wanneer je het leert kennen.'

Ik keek om. De man die dit zei, had een koolzwarte huid en heel witte tanden, waarvan er enkele ontbraken. Hij droeg een veer in zijn gevlochten haar.

'Welkom op het eiland,' zei hij. 'Je hebt misschien mijn zoon ontmoet.'

Ik keek hem even verbaasd aan, herstelde me en raadde ernaar. 'Evan? Ja, die heb ik ontmoet.'

Hij stak me zijn hand toe ter begroeting en ik nam hem aan, en voelde onmiddellijk dat hij mismaakt was; zijn greep was heel stevig, maar aan deze hand zaten niet meer dan drie vingers.

'Kom maar mee,' zei hij, 'we nemen je mee naar binnen, halen wat te eten voor je en zoeken een plek waar je kunt slapen. Een zeldzame gebeurtenis hier op het eiland, dat er een jongedame op bezoek komt. Ik heet Meeuw; mettertijd zul je ons allemaal leren kennen.'

Liadan was verdwenen; Johnny en zijn broers waren opgegaan in de groep mannen die nu op weg ging naar het langste van de stenen gebouwen. Verder weg zag ik wat schapen grazen; rook uit een schoorsteen; doeken, wapperend in de wind. Een gezellig, huiselijk tafereel, al lag het ver van de bewoonde wereld.

'Wat is dit voor een nederzetting?' vroeg ik terwijl ik de man, Meeuw, naar binnen volgde. 'Wat doen ze hier?'

Hij bleef staan en staarde me aan met zijn donkere wenkbrauwen opgetrokken. 'Ben je helemaal hierheen gekomen zonder dat te vragen? Het is een soort school, meisje. Een school zoals je nergens anders zult vinden, van Wessex tot Orkney, van Munster tot de verre kusten van Gallië. Een school in de krijgskunsten, zou je het kunnen noemen. En meer. Veel meer. Maar nu wil je vast iets drinken, en ergens uitrusten. Biddy!'

Het gebouw bestond voornamelijk uit één lange, open ruimte, gemeubileerd met grote tafels en houten banken. Aan de ene kant was een kookgedeelte, en daar was een forse, flink uitziende vrouw bezig soep in kommen te scheppen voor de mannen, elk op zijn beurt.

'Hier is de jongedame,' zei Meeuw tegen haar. 'Liadans nichtje Fainne.'

Ze hadden dus al geweten dat ik zou komen, en ze wisten zelfs mijn naam. Johnny's boodschappers verstonden hun vak.

'Mijn vrouw, Biddy,' zei Meeuw ter verklaring. 'Zij zal voor je zorgen. Hier, ga zitten en rust lekker uit.'

Maar ik keek met grote ogen naar buiten door de keukendeur, waar een kleine moestuin was met een muur erom, een beschutte plek waar kruiden of groenten gekoesterd konden worden, zodat ze ondanks de zoute zeelucht toch wilden groeien. Door de deur zag ik mijn tante Liadan, en een man die waarschijnlijk de Baas was, want ze stonden volkomen stil met hun armen om elkaar heen en hun ogen dicht, als twee jonge mensen die voor het eerst de liefde hebben ontdekt. Zijn handen waren begraven in de donkere, zijden golven van haar haar, dat uit het keurige net waarin het opgesloten had gezeten, was ontsnapt en los neerviel over haar rug. Haar voorhoofd rustte in de holte van zijn hals. Ik was ervan overtuigd dat geen van beiden zich van iets anders bewust was dan de nabijheid van de ander, van het kloppen van hart tegen hart. Ik kon mijn ogen er niet van afhouden, en het was niet alleen het ingewikkelde, fijn gegraveerde patroon dat het hele lichaam van deze man aan één kant leek te bedekken dat mijn aandacht vasthield, ook al was dat opzienbarend. Maar ik had nooit gedacht dat mannen en vrouwen van vijfendertig, of zelfs ouder, nog zulke gevoelens voor elkaar konden hebben dat ze aan niets anders meer konden denken. Ik had gedacht dat liefde iets denkbeeldigs was, een waanidee van de jeugd, zoals de hartstocht die mijn vader en moeder had vernietigd, of het blozen en de neergeslagen ogen van Muirrin en haar jongeman, iets dat zeker niet lang zou standhouden na het huwelijk en het verlies van jeugdige bekoorlijkheden door de zorgen voor beroep en familie. Daarom bleef ik gefascineerd kijken, en ik wist diep vanbinnen dat wat ik zag, even mooi en duurzaam was als onverwacht. Het vervulde me met een vreemde, doordringende droefheid.

'Hij wil haar nooit begroeten waar andere mensen bij zijn,' zei Biddy zacht. 'Hij niet.' En ze stak haar arm uit en trok de deur dicht, zodat niemand anders het tweetal zou kunnen storen met nieuwsgierige blikken. Ik bloosde van schaamte. 'Geeft niet hoor, kind,' voegde ze er vriendelijk aan toe. 'En, wil je een drupje bier? Een beetje soep? We zullen ook een bed voor je zoeken. Wat kun je zoal? Verstellen? Koken? Er is hier voor iedereen wel iets te doen.'
'Ik... eh, ze zeggen wel dat ik goed op kinderen kan passen,' zei ik, me vastgrijpend aan een strohalm. Deze mensen leken zich geweldig goed te kunnen weren, met Liadan en haar zonen als voorbeeld. Ik pijnigde mijn geheugen af op zoek naar iets nuttigs dat ik zou kunnen doen. Ik kon haar moeilijk vertellen dat ik de kunst zou kunnen gebruiken om haar keukenvuur aan te steken, of misschien stenen kon bewegen om een mooie, nieuwe voorraadschuur te vormen. 'Ik kan een beetje lezen en schrijven. En ik kan vis vangen met een handlijntje.'
'Zo?' Biddy lachte breed. 'Dan zal het niet lang duren voor je een man vindt, met zulke talenten. Ik heb zelf naast Evan nog twee grote zonen. Dat zijn allebei smeden, goede, sterke kerels. Maar ik wed dat er wel meer gegadigden zullen zijn, als hier zo'n mooi meisje tussen de schapen en de kippen rondloopt. Ach, je bloost. Drink je bier op, kind. Je bent hier veilig. We hebben regels, en iedereen houdt zich eraan. De jongens aanbidden de grond onder Johnny's voeten. Geen van hen zou zijn plaats hier op het eiland in gevaar willen brengen, zelfs niet voor het liefste meisje van de wereld.'
Het was een heel ander leven. De mensen dachten misschien dat ik me niet op mijn gemak zou voelen, dat ik het moeilijk zou vinden om mijn draai te vinden in dit rauwe oord met zijn snijdende winden, zijn gevaarlijke kliffen en zijn afgelegen ligging, om maar te zwijgen van de geheimzinnige activiteiten van de mannen hier. Maar ze wisten ook niet veel van mijn achtergrond. Het mocht dan aan de andere kant van het land liggen, maar in veel opzichten leek Inis Eala op de plek waar ik vandaan kwam. Hier werd het licht niet weggenomen door een deken van bos. Ik werd wakker bij het geluid van de zee, in het hutje dat ik deelde met drie andere ongehuwde meisjes. Ik had er mijn eigen hoek. Ze kwamen er algauw achter dat ik het liefst alleen was. Bovendien was er altijd werk te doen. Een van de meisjes hielp Biddy bij het koken; een ander scheen alles aan te pakken, of dat nu het doden en schoonmaken van kippen was, of met een groot mes schelpdieren van de rotsen wrikken.

Het derde meisje, Brenna, was pijlenmaker. Ik heb waarschijnlijk verbaasd mijn wenkbrauwen opgetrokken; ze vertelde uit zichzelf met bescheiden trots dat dat het beroep van haar vader was geweest, en toen hij stierf, had zij het overgenomen, om zo te zeggen. Nu was ze een van de beste pijlenmakers van Ulster. Als ze dat niet geweest was, zou ze niet hier zijn. Alleen wapens van de hoogste kwaliteit werden hier op het eiland gebruikt.
Een deel van de werkzaamheden op Inis Eala werd openlijk uitgevoerd. Zo waren daar de bakkerij en de smidse; er was de plek beneden aan de baai waar ze blijkbaar grote curraghs bouwden, en ook handige kleintjes; er was een schuur waar vis werd gedroogd en gerookt. Er was een ziekenboeg, die onder leiding stond van de man die Meeuw heette, de man met de veer in zijn haar, die bij elkaar maar vijf vingers aan zijn beide handen had. Er was een christelijke priester, en ook een druïde. Die twee waren meestal samen vriendschappelijk aan het debatteren. Beiden voerden rituelen uit: de mensen woonden het ene of het andere bij, of geen van beide, al naar het hun uitkwam. Er was een kleine ververij, en een ruimte waar gesponnen en geweven werd, en een zeilmakerij.
En dan waren er de andere bezigheden, die de reden vormden waarom ze hier waren. Je kreeg er een glimp van te zien in de smidse, waar twee stoere figuren, Sam en Clem geheten, niet alleen hooivorken, spaden en werktuigen om de steenachtige grond te bewerken smeedden, maar ook allerlei wapentuig: zwaarden, speerpunten, messen, werpbijlen en tal van andere voorwerpen naar het gebruik waarvan je alleen kon raden. Sam en Clem waren zonen van Biddy, maar niet van Meeuw. Zij waren allebei blank als melkmeisjes, met roze wangen en haar zo geel als boterbloemen, en ledematen als boomstammen. 's Avonds na het eten speelde Sam vaak op de bodhrán en blies Clem op de fluit, en ik verbaasde me erover dat zulke reuzen toch zo gevoelig konden spelen. Er was een vrouw die de knieharp bespeelde, maar er was geen doedelzakspeler. Terwijl de winterwind buiten gierde en de zee hongerig brulde naar de ijzige lucht, werd er gezongen en in de handen geklapt, en soms zelfs gedanst, in de beschutting van dat knusse gebouw en de warmte van het haardvuur dat er brandde. Ik danste niet. Ik keek alleen toe. Ik nam waar, en dacht eraan hoe anders dingen konden zijn dan je je van tevoren had voorgesteld. Neem nou die man, de Baas. Bran heette hij, maar de enige die hem bij die naam noemde, was Liadan. Voorheen had ik gedacht dat hij een stuk was dat in dit spel

gemakkelijk kon worden opgeofferd; ik had gedacht dat ik hem door Eamonn kon laten doden, zodat het bondgenootschap verbroken was en de slag verloren zou worden. Ik had zelfs tegen mijn grootmoeder gezegd dat ik dat zou doen. Want wat had ik tot dan toe over die man gehoord? Mij was verteld dat hij een bandiet was, het schuim der aarde; dat hij Eamonns liefje had gestolen en zijn leven had verwoest. Hij werd op zijn minst beschouwd als vreemd. Hij had in de loop van de tijd zoveel vijanden gemaakt dat hij nooit op Zeven Wateren kon komen. En nog vreemder was het dat hij tegelijkertijd heer was van een groot landgoed in Brittannië. Dat was toch een positie die zo'n boef onmogelijk blijvend kon bekleden. Ik verwachtte een raadsel. Maar niemand had me verteld dat de echtgenote van deze man meer van hem hield dan van het leven zelf. Ik had niet geweten dat zijn zonen hem bewonderden en respecteerden; dat zijn mannen en vrouwen hem beschouwden als iemand die ver boven gewone mensen verheven was. Hoe langer ik op Inis Eala was, hoe meer het me duidelijk werd dat, hoewel Johnny hier de leiding had, de zwijgzame, somber uitziende Baas de hoeksteen van de hele gemeenschap was, de kracht die de hele onderneming bij elkaar hield. En het was een onderneming; ondanks het gure weer kwamen er met schepen mannen aan, en vertrokken weer, en achter de hoge muren van het oefenveld werden vaardigheden eindeloos geperfectioneerd, en in afgesloten kamers werden andere dingen onderwezen: het lezen van landkaarten, spionage, vergiften en tegengiffen, trucs en vermommingen. Je kon daar niet verblijven zonder er iets van te merken. Maar er waren regels, en een belangrijke regel was geheimhouding. Het was maar goed dat ik geen informatie voor Eamonn meer behoefde te verzamelen, want ik had dat alleen kunnen doen in een totaal andere gedaante. En dat kon ik niet proberen zonder argwaan te wekken bij Liadan. Zij hield me steeds in de gaten; als ik weer een tijdlang een geheimzinnige ziekte kreeg, zou ik me zeker verraden hebben. Ik was Johnny enorm dankbaar dat hij me had meegenomen naar Inis Eala, waar ik helemaal niet meer aan Eamonn hoefde te denken.
Om te zien was de Baas niets bijzonders. Natuurlijk, hij had die opvallende tekening op zijn lichaam; dat was een waar kunstwerk, dat zijn hele rechterzijde bedekte, van de bovenkant van zijn geschoren hoofd tot zijn vingertoppen en zijn tenen. Maar afgezien daarvan leek hij veel op Johnny, een tamelijk kleine, krachtig gebouwde man met schrandere, grijze ogen. Zijn mond was hard; hij had niet de

ontwapenende glimlach van zijn zoon. De enige keer dat ik ooit iets zachters in zijn gezicht zag, was wanneer hij naar Liadan keek, en zelfs dan dacht ik dat hij niet wilde dat anderen het zagen; het strenge beeld dat ze van hem hadden zou erdoor aangetast worden. Maar hij gaf zich bloot in kleine aanrakingen en korte blikken. Het was duidelijk dat ze het niet konden verdragen elkaar lang niet te zien. Hij vroeg altijd ernstig naar haar mening; en hij behandelde haar altijd als zijn gelijke, die geraadpleegd en gerespecteerd diende te worden. Ik mocht hem niet erg, maar dat beviel me van hem.

Er bestond hier een kring van ingewijden, een groep oudere mannen die de hoofdrol leken te spelen bij beraadslagingen en besluitvorming, en die verschillende kanten van de onderneming beheerden. De Baas kwam hier maar zelden op bezoek; hij moest aanwezig zijn op zijn landgoed Harrowfield, en Liadan en hij brachten de meeste tijd thuis in Northumbrië door. Deze anderen waren degenen die, onder leiding van Johnny, het werk van Inis Eala regelden. Iets wat deze groep gemeen had, was dat ze vreemde namen droegen; het waren geen mannennamen, maar namen van wilde dieren. Naast Meeuw, de genezer, en Slang, die toezag op zaken betreffende de strijdmacht, waren er krijgers die Spin, Rat of Wolf heetten. De jongere mannen deden daar niet aan mee, maar hun namen spraken wel van veel verschillende landen van herkomst: Corentin, Sigurd en Waerfrith; Mikka, Gareth en Godric. Na enige tijd was Biddy zo vriendelijk me uit te leggen dat toen de Baas lang geleden met zijn legertje begon, de mannen hun oude namen hadden afgezworen toen ze zich bij hem voegden en een nieuwe identiteit hadden aangenomen. Hun dierennamen zeiden niets over hun herkomst of voorgeschiedenis; ze zeiden alleen iets over de hoedanigheden die elke man bezat, bijvoorbeeld de trouw van een hond, of het vermogen van een meeuw om ver te reizen en helder te zien. Tegelijk met hun naam kregen ze hun merkteken: het in de huid aangebrachte patroon, dat zowel een teken was dat ze erbij hoorden als van individualiteit. Nu ze zich hier min of meer gevestigd hadden, waren die namen niet nodig; maar zelfs de jongeren droegen nog steeds die tekening. Je wist wie er vanaf het begin bij de Baas was geweest, aan zijn naam. Je wist wie zijn waarde had bewezen, aan zijn huid. Allen legden verantwoording af aan Johnny; zijn jeugd stond zijn gezag niet in de weg.

Er was werk voor mij. Schrijven bijvoorbeeld. Ik liet op verzoek zien wat ik kon, en kreeg taken toebedeeld. Natuurlijk niets dat betrekking had op strategieën en oorlogshandelingen; niets dat over de zomercampagne of over andere geheime zaken ging. Die dingen werden door de priester en de druïde gedaan. Ik kreeg ook geen landkaarten om te bewerken, hoewel er veel land- en zeekaarten werden gebruikt in de kring van ingewijden. Maar daarnaast waren er boeken om te kopiëren, en er waren brieven te schrijven van huishoudelijke aard, en er moesten boeken worden bijgehouden over het vee. Er moesten huishoudelijke berekeningen worden gemaakt, een vervelend werkje dat voor mij zo gemakkelijk was dat ik het kon doen zonder erbij na te denken, terwijl ik toch geprezen werd om mijn accuratesse. Er werd gevraagd wie me dit zo goed had geleerd, en ik zei: een druïde, en probeerde niet aan mijn vader te denken.

En omdat ik zo dom was geweest iets over kinderen te zeggen, werd ik belast met het toezicht op mijn neef Coll. Dat was Johnny's idee geweest, niet dat van zijn moeder. Misschien, dacht ik somber, was het bedoeld als een soort proef. Ik kwam er algauw achter dat jongetjes een beetje anders zijn dan meisjes. Van hen kon je niet verwachten dat ze in vervoering naar de verhaaltjes luisterden die ik in mijn repertoire had, of dat ze met hun tong uit hun mond van concentratie zaten te naaien, of dat ze zich met poppen vermaakten. Ik had trouwens zelf als kind geen van deze dingen gedaan. Riona had altijd niet zozeer een stuk speelgoed geleken, maar eerder een deelgenoot in mijn avonturen. Het was winter, en Coll was onrustig. Hij was te jong om de krijgskunsten te leren; hij kon zich niet lang concentreren op het met een stift letters op een wastafeltje schrijven; hij vond ringstenen saai; hij vond fluit spelen vervelend. In plaats daarvan liep hij telkens naar het raam, waarvoor de luiken gesloten waren, en tuurde door de spleten naar de natte sneeuwstorm buiten, en dan zuchtte hij diep. Ik zag het verlangen naar de zomer in zijn ogen, en voelde de echo ervan in mijn eigen hart, zoals ik al vele keren had gevoeld.

Ik probeerde een boek over kruidenleer te kopiëren. Het was in het Latijn geschreven, en ik vertaalde het al schrijvend, waarvoor ik me toch enigermate moest concentreren. Coll kwam me telkens storen. Ik kon me voorstellen dat hij heel goed met Eilis zou kunnen opschieten. Uiteindelijk legde ik mijn ganzenveer neer en kwam bij hem voor het raam staan.

'Wanneer het wat beter weer wordt,' zei ik optimistisch, terwijl ik naar buiten keek in het laaghangende grijs van de storm, 'kun je me

misschien de rest van het eiland laten zien. Ik wil wedden dat er grotten zijn, en strandjes waar zeehonden komen. Ga je weleens naar die kaap in de verte?' In het halfduister buiten lag het hele landschap onder een sluier van schuin neervallende regen.
'Soms,' zei hij op zijn hoede.
'Soms maar? Is het te gevaarlijk?' De kliffen waren daar hoger, dat was wel zeker. De golven spatten wit uit elkaar wanneer ze op de rotsen aan de onderkant sloegen. Maar het was niet steiler dan de Honingraat.
'Natuurlijk niet,' zei Coll meesmuilend. Hij leek echt veel op oom Sean; een lang, smal gezicht, donkere wenkbrauwen, zwart krulhaar. Ik nam hem ernstig op. Nog zo een als Sibeal? Vast niet. Dit kind was... was... nou ja, eerlijk gezegd was hij te veel een jóngen. Ik herinnerde me iets wat mijn grootmoeder een keer had gezegd, over de kinderen die geboren hadden kunnen zijn als mijn vader Liadan had gekozen in plaats van haar zus. Als Liadan een dochter had gekregen, dan had ik haar misschien wel heel aardig gevonden, dacht ik voorzichtig.
'Waar ga je dan naartoe?'
'Er zijn kleine baaien aan de westkant. Daar is een klif met papegaaiduikers. Grotten, tunnels. Er komen soms ook zeehonden. Het is daar fijn.' Hij fronste zijn voorhoofd. 'Maar ik denk niet dat jij er zou kunnen komen. Je moet een heel eind naar beneden klimmen.'
'Dat zou je nog verbazen,' zei ik droog. 'Waar ik ben opgegroeid, moest je zulke kliffen op en af klimmen, elke keer dat je vers water moest hebben. Ik kan klimmen als een geit, hoor.'
Coll keek niet overtuigd. 'Maar je bent toch een meisje.'
'Mmm. Nou ja, mijn beste vriend thuis was een jongen, en alles wat hij kon, kon ik ook.' Dit was zo duidelijk niet waar dat ik me gedwongen voelde mezelf te corrigeren. 'Behalve zwemmen. En muziek maken. En paardrijden.'
'En kon hij ook alles wat jij kon?'
Ik probeerde te glimlachen. 'Niet helemaal alles,' zei ik.
Hierna werden Coll en ik vrienden, en samen telden we de dagen af tot de winterstormen zouden afnemen en de hemel weer open zou zijn voor de paarlemoeren tinten van Imbolc. We kwamen tot een soort overeenkomst. Hij zou een tijdlang aan zijn letters werken, terwijl ik bezig was met ganzenveer en inkt. Dan zou ik zijn werk nakijken. Vervolgens zouden we om beurten een verhaal ver-

tellen dat we hadden bedacht, over een kleine jongen die in een bootje naar vreemde landen voer en allerlei avonturen beleefde. Coll wist absoluut zeker, met de onschuldige zelfverzekerdheid van een zevenjarige, dat dit precies was wat hij zelf over een paar jaar ging doen; niet alleen de reis maken, maar ook de specerijeneilanden ontdekken, en de zeemonsters verslaan, en waarschijnlijk zelfs met een prinses trouwen, maar dat pas als hij echt oud was, minstens eenentwintig, want voor die tijd had hij veel te veel pret.
De tijd verstreek. De amulet bleef koud aanvoelen, en ik raakte de voortdurende angst kwijt dat grootmoeder onverwacht zou verschijnen, misschien om me een uitbrander te geven omdat ik Johnny van haar betovering had bevrijd. Ik begon me voorzichtig af te vragen of het hier soms veilig was. Misschien was dat de reden waarom ze niet had gewild dat ik hierheen ging. Ze had iets gezegd over *invloeden*. Maar ik had niets gemerkt van wezens uit de Andere Wereld; noch de grote, noch de kleinere hadden iets van zich laten merken sinds ik van Zeven Wateren was vertrokken. Er waren hier alleen een sterke groep buitengewoon kundige mensen, een grote hoeveelheid gevaarlijk uitziende wapens, en de wind en de zee. Er waren geen paarden op het eiland; die werden in de nederzetting aan de landzijde achtergelaten. En er waren geen honden, zelfs niet om te helpen de schapen en geiten te hoeden. Er was wel een kat, die zich in de keuken ophield en Biddy voor de voeten liep. Het was het raarste beest dat ik ooit had gezien; het had een kuiltje op zijn achterwerk waar de staart had moeten zitten, en het bewoog zich springend voort, ongeveer zoals een konijn. Coll zei dat de kat afkomstig was van Manannáns eiland, waar alle katten geen staart hadden. Toen ik ongelovig mijn wenkbrauwen optrok, zei hij dat iedereen het verhaal kende. Het was gekomen door de Finn-ghaill, met hun hang naar rijkversierde hoofdbedekkingen. Ze hadden de mode ontwikkeld een kattenstaart aan hun helm te hangen bij wijze van pluim, van een gestreepte kat, een lapjeskat of een witte kat. En op de kusten van Man wemelde het nu van de vikingnederzettingen. Daarom beten de moederkatten zelf dadelijk na de geboorte de staartjes van hun jongen af, om te voorkomen dat ze later wreed werden afgehakt. Het was een interessant verhaal, en niet minder plausibel dan sommige van mijn eigen verhalen.
Behalve Coll bleef de familie op afstand. De Baas was geen man met wie je gemakkelijk vriendschap sloot, en ik was blij dat hij zijn omgang met mij beperkte tot af en toe een groet of een stijf knikje

wanneer we elkaar passeerden. Toch was ik genoeg over hem te weten gekomen om te beseffen dat er zolang hij op Inis Eala was, niets kon gebeuren zonder dat hij ervan op de hoogte was. Johnny was het aardigst. Hij had altijd een glimlach en een vriendelijk woord voor me, en plaagde zijn kleine broertje ermee dat hij het mooiste meisje op het eiland voor zichzelf had ingepikt, wat eigenlijk alleen aantoonde hoe weinig meisjes er waren. Johnny had nooit meer gesproken over wat er tussen ons gebeurd was op de reis naar het noorden, en ik ook niet. Ik wist niet of hij nog steeds geloofde dat die betovering mijn werk was geweest. De andere broer, Cormack, was zo druk bezig met het werk op het oefenveld en in het wapenmagazijn dat hij helemaal geen tijd had voor gesprekken. Ze zeiden dat hij even goed was in gevechten van man tot man als zijn vader, terwijl hij toch pas veertien jaar oud was.

En dan was er Liadan. Ze had een keer gezegd dat ze een dochter had willen hebben, en ik voelde wel dat ze met me had willen praten, misschien over mijn moeder en de tijd dat ze meisjes waren. Maar Liadan was bezorgd. Ik dacht dat ze de dagen tot de zomer op dezelfde manier aftelde als ik, maar haar bleke gezicht was kalm en haar groene ogen stonden diep ernstig. Haar manvolk keek vooruit en zag alleen uitdaging, strijd en overwinning. Liadan, dacht ik, voelde een zomer komen die ook bloed en verlies zou brengen, wat haar ooit gezegd was. Haar vrees betrof elk van hen, maar vooral Johnny. Ze keek naar hem met overschaduwde ogen. Mijn tante stelde mij geen pijnlijke vragen, misschien omdat ze wist dat ze geen antwoorden zou krijgen. Toch liet ze toe dat ik vriendschap sloot met haar zoontje. Zijn gezelschap, levendig, nieuwsgierig, ongecompliceerd, maakte het mij mogelijk de winter in een redelijke gemoedstoestand door te komen. Dat, en de stilte van grootmoeder.

Het seizoen verstreek, met regen, storm en nachtenlang rillen, en hoe meer de lente naderde, hoe duidelijker de taak zich aan me voordeed; duidelijker en eenvoudiger. Om mijn grootmoeder tevreden te stellen, moest ik tot het laatste moment daar zijn, het moment dat de bondgenoten op het punt stonden hun vijand te verslaan. Wanneer het zover was, was het de bedoeling dat ik deed wat noodzakelijk was om ervoor te zorgen dat de overwinning niet plaatsvond. Je zou een leger in padden kunnen veranderen, dacht ik, hoewel ik waarschijnlijk niet bij machte was die betovering op zo'n grote schaal toe te passen. Of je kon het op de eenvoudige manier doen, zoals ze had aangegeven. Je zou het kind van de profetie kunnen doden. Het stond buiten kijf dat de onderneming zonder hem niet kon slagen, zelfs als hij pas op het moment van de overwinning zou sneuvelen. Een profetie was tenslotte een profetie, en iedereen was ervan afhankelijk. Waarom zou anders Johnny deze onderneming leiden, en niet Sean van Zeven Wateren, of een clanhoofd van de Uí Néill, of zelfs Bran van Harrowfield, die het soort man leek dat nog nooit in zijn leven een gevecht had verloren? Waarom niet die rijke en invloedrijke leider, Eamonn van Glencarnagh? Maar dit zou geen gewone veldtocht worden, geen simpel conflict over een grondgebied. Het was een oude strijd, gedrenkt in mysteriën, zwaar van symboliek. Ze hadden het in het verleden tegen de Britten afgelegd omdat ze toen Johnny niet hadden. Ze konden alleen de overwinning behalen wanneer het kind er was om hen te leiden. Iedereen wist dat. Verloren ze het kind, dan zouden ze de moed en de hoop verliezen.

Goed dus. Ik moest tot het laatste ogenblik de indruk wekken dat ik het plan van mijn grootmoeder uitvoerde. Ik zou de amulet tot het eind toe dragen; zo zou ze geloven dat ik nog steeds aan haar onderworpen was. Vervolgens moest ik, op het beslissende moment, in plaats van haar wil te doen, tegen haar in gaan; ik moest tussen haar en Johnny in gaan staan, zodat hij zijn overwinning kon behalen en de Eilanden redden. Ik nam aan dat ze me zou straffen. Als ze me doodde, was dat misschien mijn verdiende loon, voor de slechte dingen die ik gedaan had.

Ik nam het in gedachten door; mijn ganzenveer zweefde bewegingloos boven het perkament terwijl ik me concentreerde op hoe het zou gaan. De strijd zou plaatsvinden op de Eilanden; de Eilanden lagen dicht bij datzelfde land waar Noormannen en staartloze katten leefden. Een lange reis. Een heel eind weg van Kerry en van O'Flaherty's boerderij in Ceann na Mara. Gelukkig maar. Er moesten schepen heen varen. Er zou vast ergens onderweg een haven zijn waar werd aangelegd, een veilige haven waar de manschappen van de Baas zich bij de legers van Sean, Eamonn en de Uí Néill konden voegen, en zich gereed konden maken voor de uiteindelijke aanval. Dan zou er een stuk gezwommen worden; een gevaarlijk eind zwemmen vanaf een plaats die ze de Naald noemden, om de vloot van de Britten tot zinken te brengen. Een meesterzet, als het lukte. Daar hing alles van af. Daarna, dacht ik, zouden ze gewoon oversteken in hun curraghs, aan land gaan en de tegenstanders afslachten. Het was zeker geen onderneming waarop mannen hun jonge nichtje zou-

den meenemen. Om erbij te kunnen zijn, zou er weer een gedaanteverandering nodig zijn. Geen nachtvlinder deze keer. En er zou ook geen hulp zijn; het leek erop dat mijn Fomhóire-vrienden me verlaten hadden. Maar ik kon het ook zelf af. Ik zou een andere gedaante voor mezelf kiezen, en ik zou met de Baas meereizen, en dan... dan zou ik weer terug moeten veranderen en zou ik een tijdlang te zwak zijn om de kunst te gebruiken. Dat was het grote zwakke punt in mijn plan. Ik had werkelijk geen idee hoelang zo'n strijd zou kunnen duren; hoe goed bewapend de Britten waren, hoe moeilijk het terrein was, welke uitwerking het teloorgaan van hun vloot op de standvastigheid van de vijand zou hebben. Ik wist niet hoelang mijn grootmoeder bereid zou zijn alleen toe te kijken en te wachten tot ik iets deed. Ik zou terug moeten veranderen en me vervolgens verborgen moeten houden tot ik mijn kracht terug had. Johnny kon de strijd zelfstandig winnen, dat kon ik in zijn ogen zien. Maar uiteindelijk zou mijn grootmoeder komen, en dan zou hij mij nodig hebben; en zonder de kunst was ik niets waard.
Ze begonnen intussen hun krijgskunsten op zee uit te proberen, of het nu stormde of niet. Er lagen geen halfvoltooide schepen meer onder dekzeilen; op de smalle reep strand waren allerlei soorten vaartuigen getrokken of ze lagen voor anker in de baai. We zagen steeds minder van de mannen; ik hoorde dat er vanaf nu tot de zomer geen mannen meer op Inis Eala zouden komen om de krijgskunsten te leren. Alles stond in dienst van de campagne. Alle mannen werkten voor dat doel en elk van hen had zijn rol erin te spelen. Elke dag dat het weer het toestond, waren er overtochten naar het vasteland, en er waren veel bewegingen van mannen en bevoorrading.
Soms, wanneer het niet regende, gingen Coll en ik boven op het klif boven de baai zitten om naar hen te kijken. Voor hem betekende dat een welkome afwisseling van de schrijflessen, waarmee hij moeite had, ondanks zijn snelle inzicht. Voor mij was het goed om buiten te zijn en de wind in mijn haar te voelen. Meeuw had de verantwoordelijkheid voor de ziekenboeg aan Liadan overgelaten en werkte nu de hele dag op de schepen. Je zag zijn donkere figuur lenig over de dekken bewegen, en zijn stem die korte bevelen gaf, kwam op de wind naar ons toe. Ze schenen een bepaalde manoeuvre te repeteren, op zee achter de meest noordelijke uitloper van de kaap, waar de vloed snel stroomde tussen rotsachtige eilandjes. De kleine curragh, die door zes mannen geroeid werd, werd juist bui-

ten bereik van de kolkende stroom gehouden, waarbij de riemen buitengewoon handig gebruikt werden om de boot stil te laten liggen, tot er een bevel werd gegeven en ze hem door de stroom door de opening naar open water lieten meevoeren. Ze oefenden dat telkens weer, in beide richtingen, en een keer zag ik ook mannen zwemmen in het ijskoude water, en anderen die hen in de boot trokken. Zelfs op deze afstand kon ik Johnny herkennen.

'Je broer is een sterke zwemmer,' merkte ik op, terwijl ik mijn omslagdoek om me heen trok tegen de wind.

'Ik ook,' antwoordde Coll onmiddellijk. 'Als ik groter ben, word ik nog beter dan hij. Dan ga ik het hele eind naar het vasteland zwemmen. Dat heeft nog nooit iemand gedaan.'

Dit deed me opeens sterk aan Eilis denken. Misschien was dit soort bekentenissen erfelijk.

'Kun jij zwemmen?' vroeg Coll.

Ik schudde mijn hoofd. 'Ik hou niet zo van het water.'

'Ik zal het je leren, als je wilt. In de zomer. Als je het wilt leren.' Ik hoorde aan zijn stem dat dit een buitengewoon edelmoedig gebaar was.

'Dank je,' zei ik ernstig. 'Misschien. Ik weet niet of ik het wel kan leren.'

'Iedereen kan het leren,' zei Coll. 'Het is gemakkelijk.'

Net als paardrijden, dacht ik.

'Je moet wel kunnen zwemmen als je hier blijft wonen,' zei hij.

'Ik denk niet dat ik hier blijf. Niet na de zomer.'

'Johnny zei van wel. Hij zei dat je met een van de grote jongens zou trouwen, vermoedelijk met Corentin, omdat hij knap is en drie talen spreekt, maar anders misschien met Gareth omdat hij een aardige, geduldige jongen is, en dat je dan hier op het eiland zou blijven. Dat zei hij. Maar je hoeft niet met ze te trouwen als je dat niet wilt,' voegde hij er haastig aan toe, waarschijnlijk omdat hij de twijfelachtige uitdrukking op mijn gezicht zag.

Ik hoefde gelukkig geen antwoord te geven, want onverwacht kwam de Baas naar ons toe uit de richting van het oefenveld.

'Coll! Ik heb een boodschap voor je, jongen. Ga naar beneden naar de pier en wacht tot Meeuw binnenkomt. Zeg tegen hem dat zijn voorraden bij de nederzetting zijn aangekomen. Hij zal waarschijnlijk iemand naar de overkant sturen met een grotere boot.'

'Ja, Baas.' Er kwam een trotse uitdrukking op Colls gezicht terwijl hij het pad afdraafde, snelvoetig als een geitje. Ik wilde opstaan om weg te gaan, maar de Baas hield me tegen en verraste me door naast me op de stenen te komen zitten en uit te kijken over de baai. Het bleef een tijdje stil, en in die stilte besefte ik dat hij Coll had weggestuurd om met mij alleen te zijn.

'Uw mannen zullen goed voorbereid zijn op de campagne,' merkte ik na verloop van tijd op. 'Meeuw leert ze alle kneepjes van het zeemanschap.'

'Het zijn Johnny's mannen, niet de mijne,' zei de Baas vriendelijk. 'Harrowfield doet hier niet aan mee; het heeft altijd buiten de vete gestaan. Maar het klopt wat je over Meeuw zei. Wat hij met kleine bootjes kan doen, is weergaloos.' Zijn grijze ogen waren gericht op de curragh die stil lag op de stroom tussen de kleine eilandjes. 'Stuk voor stuk zijn deze mannen de beste op hun gebied.'

'Toch lijkt het verbluffend dat een man met zulke verminkte handen zoveel kan doen. Daar is een enorme wilskracht voor nodig.'

'Klopt.'

Zijn stem klonk niet onvriendelijk. Ik dacht dat ik nog wel een vraag kon stellen.

'Hoe is hij... hoe is Meeuw aan zo'n verwonding gekomen, dat hij aan beide handen vingers kwijt is?'

De strakke mond van de Baas verbreedde zich in een akelig soort glimlach. 'Een man die Eamonn heette, heeft ze met een scherp mes afgesneden.'

Ik verstijfde. 'Wat?' fluisterde ik.

'Dat deed hij om te proberen inlichtingen van mij los te krijgen; niet van Meeuw. Eamonn wilde ons allebei om genade horen smeken voor hij ons afmaakte. Liadan kon dit niet aan jou vertellen, en Meeuw zelf zou het ook niet doen. Mijn vrouw heeft Eamonn beloofd dat ze erover zou zwijgen, en Meeuw heeft dit allemaal achter zich gelaten. Maar sommige beloften zijn volgens mij bedoeld om gebroken te worden. Het is beter dat je dit weet. De man met wie je dacht te trouwen, is een slager, Fainne. Zijn handen stinken naar bloed en verraad. Het hele verhaal zal wel nooit verteld worden; er zijn maar weinig mensen die het weten. Het is goed dat je bij hem weg bent, en je kunt maar beter weg blijven.'

'Maar...' Ik stond op het punt te zeggen: hij lijkt toch een goede man, een eerzaam man. Ik stond op het punt te zeggen: hij is een gerespecteerd clanhoofd en hij is een bondgenoot van uw zoon. Maar ik herinnerde me wat Eamonn over de Beschilderde Man had gezegd, en ik herinnerde me het licht in zijn ogen toen hij besefte

dat ik hem zijn wraak kon bezorgen, en ik hield mijn mond.
'Als je vader wil dat je een goed huwelijk doet,' vervolgde de Baas, die nog steeds naar beneden keek naar het punt waar mannen zich over de kant van de curragh in het ijzige water lieten zakken, terwijl anderen hun best deden om de boot stil te houden, 'hoeft hij niet verder te kijken dan Inis Eala. Het zou me verbazen als Ciarán veel waarde zou hechten aan zaken zoals rijkdom, respectabiliteit of grootgrondbezit. Hij zou een goede man voor je willen, een degelijk soort man, en die heb je hier voor het uitzoeken. Er zullen je aanzoeken worden gedaan. Nu nog niet, natuurlijk; ze hebben allemaal te horen gekregen dat er tot na de zomer geen tijd is voor dat soort gebeuzel, en ze gehoorzamen de regels. Maar later krijgen ze de gelegenheid. En er is hier werk voor je. De gemeenschap heeft gebrek aan geleerden.'
'U spreekt over mijn vader alsof u hem hebt gekend,' zei ik verbaasd.
'Ik heb hem één keer ontmoet. En je moeder ook. Lang geleden, lang voor jouw geboorte.'
'W-wilt u me daar iets over vertellen?'
'Niet alles kan worden verteld. Ik was onder de indruk van Ciarán. Hij was een sterke jongeman; naar zijn diepzinnigheid kon ik alleen raden. Een man die gedreven werd door sterke hartstochten, denk ik; liefde, boosheid, vastbeslotenheid. We kwamen elkaar tegen onder moeilijke omstandigheden.'
'En mijn moeder?'
Hij dacht even na voor hij antwoordde. Zijn hand rustte nog op de steen naast hem; het wervelende, ingewikkelde patroon vloeide over zijn huid als een eeuwenoude, cryptische taal. 'Ook bij haar waren de omstandigheden... ongewoon. Ze leek helemaal niet op haar zuster.'
'U bedoelt,' zei ik verbitterd, 'dat ze zwak, dom en egoïstisch was? Dat schoonheid haar enige goede eigenschap was?'
De Baas draaide zijn hoofd naar me toe. Zijn ogen waren heel ernstig; ze leken me te doorzien zonder een oordeel te vellen. 'Iedereen heeft iets unieks te bieden,' zei hij. 'Bij sommige mensen is die eigenschap misschien moeilijker te vinden. Ik zou nooit een man of vrouw op die manier afdoen, Fainne. Je moeder was er heel slecht aan toe toen we het op ons namen haar in veiligheid te brengen. Ze was inderdaad mooi, een schoonheid zoals die in verhalen voorkomt. Ze was ook in de war, gekwetst en bang, en de verschijning

van Meeuw en mij was allerminst geruststellend voor haar. Niamh was niet lang onder onze hoede. Daar zorgde Ciarán wel voor. Maar ik kan je drie dingen zeggen die beslist waar zijn. Je moeder was een heel moedige vrouw. Iemand die koppig doorgaat terwijl ze bijna gek wordt van angst, toont meer dapperheid dan de krijger die erop los stormt in de slag zonder aan de gevaren te denken. Ze hield ontzettend veel van Ciarán. Er was een band tussen hen die standhield, ondanks alles. Een band die even sterk was als...' hij ging niet verder.

'Even sterk als die tussen Liadan en uzelf?' zei ik zacht.

Hij knikte.

'En wat is het derde?' vroeg ik.

'Dit zal je misschien verontrusten. Wij hebben gehoord dat ze zich van het leven heeft beroofd. Ik heb veel mensenkennis, Fainne. Ik zag de blik in de ogen van je moeder toen ze begon te beseffen dat ze eindelijk veilig was en dat Ciarán haar zou komen halen. Het was niet de blik van iemand die het onverwachte geschenk van een tweede kans weg zou gooien. Wie je verteld heeft dat ze zelf een eind aan haar leven heeft gemaakt, heeft tegen je gelogen.'

'Mijn vader geloofde dat het zo was,' zei ik, en mijn stem beefde. 'Hoe kon hij zich daarin vergissen?'

'Dit maakt je van streek. Dat spijt me. Maar je zou aan de mogelijkheden moeten denken. Als zo'n sterfgeval in mijn eigen huis was gebeurd, zou ik een grondig onderzoek hebben ingesteld. Een val van een klif, zonder getuigen, zou van alles kunnen zijn. Zelfmoord. Een ongeluk. Of moord.'

'Moord! Hoe zou dat kunnen? Er was niemand anders dan wij drieën, en ik was nog maar een peuter. U wilt toch niet beweren...'

'Zeker niet. Je moeder was Ciaráns kostbaarste schat. Maar toch moet je weten dat ik mijn twijfels heb. Ik geloof niet dat ze ooit vrijwillig van hem weg zou zijn gegaan; of dat ze jou in de steek zou hebben willen laten.'

Ik zei niets en staarde naar de zee, terwijl mijn hoofd vol leek te lopen met de tranen van een oud verdriet.

'Er is een tijd geweest,' zei de Baas zacht, 'dat ik zwoer dat ik nooit deze weg zou nemen, de weg van gezin en gemeenschap, want die brengt zijn eigen gevaren mee. De banden van de liefde zijn heel sterk. Ze brengen een pijn die dieper gaat dan het lijden van het lichaam; dilemma's die onoplosbaar zijn, behalve door middel van leed en verlies.'

'Maar u hebt hem toch genomen. Die weg.'
Hij knikte. 'En daar heb ik geen spijt van. Maar het is nu noodzakelijk te zorgen dat ik me niet door angsten laat verlammen. Mijn zonen spreken waarderend over jou, Fainne. Ze hebben respect voor je.'
Ik antwoordde niet.
'Ik vertrouw op Johnny's mening. Hij gelooft dat jij hier bij ons zou moeten zijn.'
'Maar?'
'Ik kan niet voorbijgaan aan Liadans angstige voorgevoelens. Haar visioenen maken haar ongerust; ze wil niet zeggen wat ze ziet. Ik begrijp dat, want het Gezicht laat niet altijd de waarheid zien, en als je op elke boodschap die je krijgt in gaat, zou je op drift raken in een zee van angsten. Maar ze heeft er slapeloze nachten van. Ik vind het moeilijk te geloven dat ze bang is voor jou; maar het lijkt er wel op. En daarom moet ik, ondanks mijn eigen mening, één ding duidelijk maken. Wie mijn vrouw of mijn zonen kwaad probeert te doen, zal zich tegenover mij moeten verantwoorden.'
'Haar angsten zijn ongegrond.' Terwijl ik dit zei, voelde ik het gewicht van de amulet zwaar om mijn nek.
'Waarom zeg je dat niet tegen haar?'
'Ik denk niet dat ze me zou geloven,' zei ik met een klein stemmetje.

Het was al bijna Imbolc, het feest dat de eerste nadering van de lente aankondigt, en ik was lang genoeg op Inis Eala geweest om de namen van de mensen te leren en enigszins hun vertrouwen te winnen. Ik had ook ontdekt dat Johnny geen loze dreigementen uitte. Een van de jongemannen, die nog niet gewend was aan de levenswijze op het eiland, had de fout begaan 's nachts onuitgenodigd bij een meisje op bezoek te gaan. Ik was er geen getuige van wat er tussen hem en zijn aanvoerder plaatsvond, maar ik zag hem de volgende dag het eiland onder bewaking verlaten, met een asgrauw gezicht, en in zijn ogen was zijn spijt te lezen dat zo'n domme fout hem de kans had gekost om hieraan deel te nemen. Dit was de enige manier, vertelde Johnny me. En er was geen gevaar dat zo'n man zou vertellen wat hij hier had gezien. Het was een onderdeel van de opleiding, te leren welk lot je wachtte als je zo stom was om geheimen te onthullen. De arm van de Beschilderde Man reikte ver. Daarna waren de jongere mannen een paar dagen erg stil. De donkere, knappe Corentin, die me weleens bier was komen brengen en had verteld over het leven in zijn geboorteland Armorica, liep met een boog om me heen. Wat de vrolijke Gareth betreft, die een van Johnny's beste vrienden was, hij hield zich altijd aan de regels. Hij wierp me hoogstens van tijd tot tijd een verlegen blik toe. Maar nu was zelfs Gareth somber. Ze wisten allemaal dat dit soort dingen moest wachten. Sam en Clem hadden plannen voor de herfst; de een wilde met Brenna, de pijlenmaakster, trouwen en de ander met Annie, de jonge kokkin. Voor mensen als zij kon het leven soms hard zijn, maar het stond hun tenminste duidelijk voor ogen.

Johnny was zich bewust van de onrust in het kamp, en hij stelde voor een reis naar het vasteland te maken om voorraden te halen. We konden goed leven van vis, schapenvlees en de kool, wortelen en prei uit de ommuurde moestuin, maar we konden geen graan verbouwen op het eiland, en we hadden ook geen rundvee. Daarom was het nodig om van tijd tot tijd haver of gerst, kaas of boter te halen. Ook was er behoefte aan meer bijzondere dingen. Dit keer ging Brenna mee naar de overkant om wat keukengerei dat ze had besteld te bekijken en op te halen, en daarom mocht ik ook mee, omdat het betamelijker was dat wij beiden samen zouden reizen. Het was opmerkelijk dat Johnny het niet nodig vond een chaperonne mee te nemen, zoals Biddy of een van de oudere vrouwen. Dat was weloverwogen, dacht ik; op die manier laat hij deze jongemannen zien dat hij ze vertrouwt, ondanks wat er gebeurd is.

Het was helder weer, de zee was ruw. Brenna zat vrolijk te kwebbelen terwijl de boot op- en neerging, en ik klemde mijn kiezen op elkaar en hield mijn ogen op de verre kust gevestigd. Na verloop van tijd was de reis voorbij, tot het tijd zou zijn om weer terug te gaan. Dat Johnny Gareth en Corentin had aangewezen om ons te bewaken was misschien niet erg aardig. Beiden waren zwaarbewapend. Brenna maakte de bundel los die in de opslaghut op haar wachtte en begon de inhoud nauwkeurig te onderzoeken, mompelend in zichzelf. Ik keek naar Johnny, Godric en de anderen terwijl ze verscheidene pakketten en pakken op hun schouders tilden en ermee op weg gingen naar de boot. Het was vandaag druk in de nederzetting, want de wagens met goederen waren pas aangekomen, en overal liepen gewapende mannen op wacht. Slang nam geen risico's en had ook aan deze kant van het water een flinke legermacht paraat. Niemand mocht zomaar naar de overkant varen, en niemand kwam onaangekondigd deze versterkte nederzetting binnen.

Brenna nam de tijd. Ik ging buiten op de houten bank zitten; ik genoot van het heldere weer en vroeg me af of de lucht misschien al iets warmer was. Mijn gedachten gingen terug naar het eiland. Binnenkort moest ik erop uitgaan om een verborgen plek te zoeken waar ik het uitvoeren van een gedaanteverandering kon perfectioneren, waar ik mijn vaardigheden kon bijvijlen voor de taak die me wachtte. Morgen misschien, of overmorgen.

'Fainne?' Ik schrok van het geluid van Johnny's stem.

'Is het al tijd om te gaan?' vroeg ik, terwijl ik opstond.

'Nog niet helemaal. De jongens willen eerst nog een slok bier. Er is daar een kerel die zegt dat hij jou kent.'

'Een kerel? Wat voor kerel? Dat moet een vergissing zijn. Ik ken niemand.'

Johnny grijnsde. 'Ik heb zo'n gevoel dat je deze vent wel zult kennen. Hij was erg hardnekkig.'

Een stroompje koude angst droop langs mijn ruggengraat naar beneden. Ik volgde mijn neef zonder iets te zeggen naar een plaats waar een stel oude knollen losjes was vastgebonden, en een rij lege wagens stond. En daar stond een slungelige kerel met zwart haar tot op zijn schouders, een baardje en een gouden ringetje in zijn ene oor op de neus van een lelijk uitziende, bruine merrie te kloppen.

'Hallo, Krullenbol,' zei Darragh.

Mijn hart bonsde, voornamelijk van schrik en maar voor een heel klein stukje van blijdschap. Als ik mijn verstand had kunnen gebruiken, zou ik misschien tegen Johnny gezegd hebben dat de man een volkomen vreemde voor me was en dat hij hem weg moest sturen. Maar ik kon geen woord uitbrengen; ik stond met open mond te kijken. En opeens was Johnny weg, en Corentin, die er ook bij had gestaan, was met hem meegegaan. Ik vervloekte de fijngevoeligheid van mijn neef.

'Je ziet er goed uit,' zei Darragh.

Eindelijk lukte het me iets te zeggen. 'Wat doe je hier? Je had hier niet mogen zijn! Waar is Aoife?'

Het bleef even stil.

'Ik heb haar verkocht, wat dacht je?'

Ik had het zeker niet goed gehoord. Haar verkocht, de mooie Aoife, die zozeer een deel van hem was dat ze zelf half menselijk leek? Aoife, die hem geluk bracht?

'Haar verkocht?' herhaalde ik. 'Dat kan niet.'

Darragh keek naar de grond. 'Een man kan aangenomen werk niet zomaar in de steek laten en vervolgens dwars door half Erin reizen zonder iets van middelen, Fainne. Dat was de overeenkomst. Ik kreeg mijn vrijheid; O'Flaherty kreeg de merrie. Ze wordt goed verzorgd.'

'Maar waarom?'

Toen bleef het stil. Hij keek naar me en wendde zijn ogen weer af. Ik dacht dat ik een nieuw verdriet in zijn ogen zag, alsof zelfs hij eraan twijfelde of dit een verstandige keus was geweest.

'Er is hier niets voor jou,' zei ik met een felle fluisterstem; ik was woedend op hem omdat hij gekomen was, en op mezelf om de gevoelens die in me opwelden, gevoelens die een tovenaarsdochter niet diende te hebben, vooral niet wanneer er belangrijke dingen te doen waren. 'Je had hier niet moeten komen. Het is gevaarlijk. Je moet naar huis gaan, Darragh. Nu meteen.'

'Ah,' zei hij, achteloos, maar ik kon zien dat zijn hand beefde, terwijl hij met zachte vingers over de neus van het paard streek. 'Ik denk niet dat ik dat ga doen.'

'Je moet!' siste ik. 'Je mag niet hier zijn! Het zal alles bederven! Je moet onmiddellijk vertrekken! Ik kan het niet doen als jij hier bent...'

'Wat kun je niet doen, Krullenbol?'

'Wat ik moet doen. Toe, Darragh, alsjeblieft, als je ook maar een beetje om me geeft, ga je nu weg, snel, voordat... voordat...' *Voordat mijn grootmoeder je ziet.* Ik kon het niet zeggen.

'Tja, kijk. Het is niet zo eenvoudig.'

'Waarom niet?' Ik keek hem woest aan. Darragh keek op en over mijn schouder, en plotseling waren ze daar, met zijn vieren, Johnny en Gareth, Godric en Corentin. Ze waren tot de tanden gewapend en zagen er afschrikwekkend uit. Alle vier hadden ze het teken op hun gezicht; alle vier waren ze zo te zien tot moord in staat. Tegen deze achtergrond leek Darragh... leek hij een veldleeuwerik temidden van roofvogels, dacht ik. Helemaal op de verkeerde plaats. Dat moest hij zelf toch inzien.

'Een vriend van je?' vroeg Johnny met een glimlach die niet tot zijn ogen doordrong.

'Ik ken deze jongeman wel,' zei ik stijfjes. 'Van lang geleden.'

'Je naam?' Johnny's blik was scherp taxerend. Ik vond zijn gedrag een beetje vreemd. Hij had toch al met Darragh gesproken?

'Darragh, zoon van Dan Walker, uit Kerry.'

'En welke reden heb je om hierheen te reizen? Het verbaast me dat je het gehaald hebt.'

Darragh keek even naar mij. 'Ik was op zoek naar een oude vriendin, zou je kunnen zeggen. Ik heb een man geholpen met zijn paard, op de weg; toen mocht ik meerijden.'
Johnny zei niets. Hij wachtte gewoon af. Achter hem stond Gareth onrustig te schuifelen, en ik hoorde metaal schrapen.
'Ik heb gehoord,' zei Darragh, 'dat jullie hier misschien mannen nodig hadden. Voor een campagne. Ik kom mijn diensten aanbieden, als jullie me willen hebben.'
'Wat!' riep ik geschrokken uit voor ik mezelf kon inhouden. Johnny's kameraden deden geen moeite om hun vrolijkheid te verbergen.
'Juist,' zei Johnny beleefd. 'En wat heb je voor vaardigheden die wij volgens jou zouden kunnen gebruiken?'
'Niets!' snauwde ik voor Darragh zijn mond open kon doen om te antwoorden. Mijn stem was allesbehalve vast. 'Helemaal niets! Deze man kan niet vechten, hij weet niet hoe je een wapen moet gebruiken, hij heeft nog nooit in zijn leven iemand gedood. Hij zou voor jullie volkomen nutteloos zijn. Ik ken hem; geloof me maar.'
Johnny keek me kalm aan; toen keek hij weer naar Darragh. 'Je hebt gehoord wat de vrouwe zei,' zei hij. 'We hebben hier krijgers nodig. Ik denk dat we jou niet kunnen aannemen, tenzij je nog andere vaardigheden hebt.'
'Ik kan doedelzak spelen,' probeerde Darragh. 'En ik kan goed met paarden omgaan. Krijgers hebben paarden nodig.'
'Deze keer niet,' zei Johnny. 'Deze onderneming gaat over zee. Je zou misschien werk kunnen vinden in de stallen aan de landkant, als je liet zien wat je kunt.'
'Nee.' Darraghs stem klonk rauw van emotie. Ik keek hem verbaasd aan. Zag hij dan niet in hoe onmogelijk dit was; hoe dom hij deed? Had hij zijn verstand verloren? 'Dat is niet goed genoeg. Ik wil aan de overkant zijn, op het eiland. Ik kan leren vechten. Ik zou hard werken. U lijkt me een redelijke kerel. Geef me tenminste een kans.'
Johnny bekeek hem van top tot teen. 'Ik denk het niet,' zei hij.
'U bent zeker een te deftige heer om een ketellappersjongen zoals ik in uw groep te hebben? Ik schaam me er niet voor dat ik de zoon van een reizende man ben. Ik zal mijn waarde bewijzen.'
'Op Inis Eala,' zei Johnny, die nu heel aandachtig naar Darragh keek, 'maakt het ons niets uit wat een man voor vader heeft. Wat hij zelf te bieden heeft, daar gaat het om. Van hoe ver ben je gekomen?'

'Uit het westen, van Ceann na Mara.'
'Juist ja. Je bent een doorzetter. Maar, zoals mijn nicht hier zegt, je bent geen vechter; en een bron van muziek is weliswaar wenselijk, maar het heeft geen prioriteit. Weet je zeker dat er verder niets is wat je kunt?'
Zeg het niet, Darragh, probeerde ik hem te beïnvloeden.
'Ik kan zwemmen,' zei Darragh. 'Een beetje.'
'Dat heb ik gehoord,' zei Johnny. 'Goed, ik zal er eens over nadenken. Misschien kom ik hier nog een keer terug voor het eind van het voorjaar. Als je hier dan nog bent, zouden we er weer over kunnen praten.' En hij draaide zich om en ging op weg naar de curragh, waar Brenna toezicht hield op het inladen van haar kostbare bundel. Ik volgde mijn neef blindelings; ik dwong mezelf langzaam te ademen, en niet om te kijken. Het was misschien wreed geweest maar het was de juiste beslissing. Darragh kon niet met ons mee komen. Dat mocht niet.

De mannen moesten harder aan de riemen trekken op de terugweg, tegen de opkomende vloed in, en we schoten niet erg goed op. Mijn geest was verward, mijn hart was zwaar. Het was dwaas, maar wat me het meest dwars leek te zitten, was dat ik mijn vriend niet gedag had gezegd. Ik had toch wel een vriendelijk woordje kunnen zeggen; hem een hand of een kusje op zijn wang kunnen geven. Het zou beter zijn geweest dat ik hem nooit terug had gezien, dan dat we elkaar zo hadden ontmoet en weer zo snel uit elkaar waren gegaan zonder afscheid te nemen.
De mannen roeiden hard, met hun rug naar het eiland. Het lukte nog wel om een soort gesprek te voeren.
'Wat een koppige kerel,' vond Corentin.
'Je moet wel gek zijn om zoiets te proberen,' grijnsde Godric. 'Tegen de vloed in ook nog.'
Johnny zei niet veel. Hij zat alleen naar achteren te kijken over de zee, de kant op waar we vandaan kwamen, met dezelfde zorgvuldig berekenende uitdrukking op zijn gezicht die ik ook vaak op het gezicht van zijn vader had gezien. Ik herinnerde me dat hij een keer had gezegd dat hij veel mensenkennis had. Ik keek naar hem, en voelde me opeens koud worden van ontzetting toen de betekenis van wat de mannen hadden gezegd, tot me doordrong. Ik draaide me om en keek achter ons.
Ergens tussen ons bootje en de steeds verder terugwijkende kust was

een donker hoofd dat in het woelige water telkens zichtbaar en onzichtbaar werd. Glad als de kop van een zeehond kwam het boven om lucht te happen en verdween dan weer in het donkere golfdal, om weer aan de oppervlakte te komen na een oneindige tijd wachten, waarin mijn hart stilstond.

'Je hebt gezegd dat hij goed kon zwemmen, herinner ik me,' merkte Johnny op. 'Hoe goed zullen we nu merken.'

Ik greep ontzet Brenna's arm beet. En de zeeslangen dan? En de bijtende kou? En had Coll niet gezegd dat niemand dit ooit had gedaan?

'Johnny,' zei ik met een klein stemmetje. 'Het is een heel eind. Zou je niet...?'

'Alle mannen moeten een proef doorstaan. Maar goed, we mogen je liefje natuurlijk niet laten verdrinken, hè? Bovendien hebben we hem nodig. Tot halverwege, misschien, of nog iets verder. Hij is al verder gekomen dan een van ons zou kunnen komen, en hij gaat nog steeds door. We kunnen de riemen wel strijken bij die rotsen daar en hem de kans geven ons in te halen.'

'De kerel kan geen zwaard hanteren; hij heeft niet de fut om een man te doden,' gromde Gareth. 'Hij kan misschien zwemmen, maar wat moet hij daarna?'

'Hij zal ons alleen tot last zijn,' mopperde Corentin, terwijl hij aan zijn riem trok.

'Hij kan het een en ander leren.' Johnny's stem klonk neutraal. 'Dat zei hij toch? En we hebben de beste leermeesters op Inis Eala.'

Het leek een eeuwigheid. Het kleine, koppig doorzwemmende figuurtje werd kleiner, de golven werden hoger en de lucht werd kouder naarmate we verder uit de kust kwamen. Elke golftop leek te eindigen in lange, grijpende vingers; in elk golfdal leken dreigende zeemonsters te schuilen, met lange tanden, glad en wurgend. Ik weet niet wat er op mijn gezicht te zien was. Johnny keek naar me en zijn mond trok een beetje bij de mondhoeken, maar er was bezorgdheid in zijn ogen en ook iets als verbazing.

Brenna hield mijn hand vast en zei: 'Het komt wel goed, Fainne. We zijn bijna bij de rotsen. Daar zullen ze op hem wachten.' Gareth keek kwaad. Corentin had een strakke mond. Godric en Mikka sloten een weddenschap af op de vraag of ze een brutale ketellapper of een lijk uit het water zouden vissen. Ik had pijn in mijn hele hoofd, zo hard klemde ik mijn kiezen op elkaar. Ik kneep in Brenna's hand en bleef dat verre stipje zwart in het oog houden, dat telkens verscheen, verdween en weer verscheen. Misschien deed zij dit, dacht ik. Misschien had grootmoeder hem hierheen gehaald, en wilde ze dat ik hem zag verdrinken, zodat ze me kon laten zien wat ongehoorzaamheid kost. Ze wilde me vast laten zien hoe dom het van me was te denken dat ik sterk genoeg was.

'Je jongeman is erg dapper, Fainne,' zei Brenna toen we op gelijke hoogte kwamen met de rotsen, en Johnny de jongens opdroeg de boot stil te houden tegen de vloed in.

'Eerder erg stom,' mompelde ik, maar ze had natuurlijk gelijk. Hij kwam gestaag naderbij, alsof hij niet wist wat angst betekende, alsof hij de beperkingen van een sterfelijk mens niet kende. Ondanks mijn angst en mijn woede was ik zo trots op hem dat ik dacht dat het mijn hart zou breken. 'En hij is niet mijn jongeman.'

'Nee?' vroeg Johnny. 'Maar één ding staat vast. Hij wordt hier niet toe gedreven door het vooruitzicht lessen in zwaardvechten te krijgen.'

We wachtten; de mannen gebruikten dezelfde techniek die ze bij de kaap hadden geperfectioneerd, het balanceren van de riemen aan weerskanten, waardoor de curragh redelijk stil bleef liggen ondanks de zuiging van de opkomende vloed. Ze hielden afstand van de rotsen. Het wachten leek eindeloos, maar duurde misschien niet zo lang; het donkere hoofd werd minder dat van een zeedier en meer herkenbaar als een mannenhoofd. De krachtige, ritmische beweging van magere, bruine armen werd zichtbaar tussen de golven door, en ik zag het bleke gezicht, en de donkere ogen vol grimmige vastberadenheid. Toen was hij eindelijk bij de boot; hij werd erin gehesen en zonder plichtplegingen aan mijn voeten neergesmakt, bleek, rillend en niet tot spreken in staat. De mannen grepen de riemen weer op een andere manier vast en roeiden naar huis.

Er waren ergens tranen, maar ik kon ze niet laten komen. Tranen van vreugde, tranen van een vreselijk verdriet, tranen van angst en van ergernis. Ik maakte mijn dikke omslagdoek los en deed hem om zijn trillende schouders.

'Hoe durf je me zo te laten schrikken?' siste ik zacht zodat de anderen het niet zouden horen. 'Je moest je schamen!'

Toen boog hij zich naar voren, een klein stukje, legde zijn hoofd tegen mijn knie en ik hoorde hem klappertandend fluisteren: 'D-d-dwing me niet nog eens om a-a-afscheid van je te nemen.'

De sterkste tovenares ter wereld had op dat moment niet kunnen verhinderen dat mijn vingers zijn koude wang aanraakten en daar gedurende een hartenklop bleven rusten. Ik zag zijn lippen omkrullen in een scheef lachje; toen nam ik mijn hand weg en deed mijn ogen stijf dicht. Ik wilde niet naar hem kijken; en toch verlangde ik ernaar, ik hunkerde ernaar te kijken, te kijken en het allemaal op te slaan, als een schat die ik bewaarde voor sombere tijden later. Ik wilde zijn koude handen met de mijne warmen, hem met mijn armen omringen tot het rillen ophield. Ik wilde de kleur zien terugkomen in zijn bevroren gezicht, en ik wilde de lieve lach en de vrolijke ogen zien. Ik wilde iets wat ik niet kon krijgen. Dit was mijn grote zwakheid, en als ik die niet nu de kop indrukte, zou hij tot mijn eigen ondergang leiden, en tot die van Darragh, en tot het mislukken van de grote campagne van Zeven Wateren. Dat zou de overwinning van vrouwe Oonagh zijn over alles wat rechtvaardig en goed was. Dit verlangen van mij verschafte grootmoeder een prachtig werktuig om me dingen te laten doen. Dat mocht ik niet laten gebeuren. Op de een of andere manier moest ik dat Darragh aan zijn verstand brengen. Daarom hield ik mijn ogen dicht en wist ik met elk deel van mijn lichaam precies waar hij zat, hoe hij eruitzag, en voelde ik de behoefte om hem te laten blijven en de noodzaak hem te laten gaan, die me verscheurden.

Vanaf het moment dat Darragh een voet op de pier zette op Inis Eala, huiverend en verfomfaaid, was hij een man met een reputatie. Je ontkomt niet aan de uitwerking van zo'n vertoon van kracht en moed. Deze mensen stelden dat op prijs. Het was iets wat ze begrepen. En ze vonden hem aardig; wie zou hem niet aardig kunnen vinden? Of het nu kwam doordat hij helemaal geen pretenties had, of door zijn scheve grijns, of door zijn bereidheid te leren, binnen een paar dagen was hij met iedereen goede maatjes. Zelfs Gareth en Corentin gaven met tegenzin toe dat de kerel hard werkte. Dat moest ook wel; hij moest veel dingen leren en er was weinig tijd. Johnny verwachtte misschien wonderen.

Voor mij was het maar goed dat Slang zich persoonlijk belastte met het onderrichten van een reizende man in de gevechtskunsten, want dat betekende dat Darragh het grootste deel van de dag achter hoge muren uit het gezicht was, en dat ik alleen 's avonds in de gesprekken aan tafel hoorde van zijn vorderingen. Ik zorgde dat ik dan ver van hem af zat. Ik hield mijn ogen gericht op mijn bord of voerde een gesprek met Brenna of Annie, waar geen anderen aan deelnamen. Hoewel ik ernaar verlangde naar hem te kijken, deed ik dat niet. Hoewel ik ernaar verlangde met hem te pra-

ten, zorgde ik ervoor dat er geen gelegenheid voor was.
Het weer begon op te klaren en het seizoen begon te veranderen. Imbolc was voorbij; het was bijna lente, en ik moest snel iets doen. Ik trof Johnny op een morgen alleen aan in de hut die we voor geleerde bezigheden gebruikten, waar hij landkaarten bekeek. Het was vroeg; Coll was nog niet buiten.
'Johnny?'
'Mmm?'
'Ik moet je iets zeggen. Iets vragen. Het is belangrijk.'
Hij keek op, met half toegeknepen ogen. 'Wat is er, nicht?'
'D-Darragh. Hij zou hier niet moeten zijn.' Ik sprak steels, terwijl ik schichtig om me heen keek; dat was dom. Als mijn grootmoeder zin had om te kijken, kon ze me zien, daar twijfelde ik niet aan. 'Ik wil dat je hem wegstuurt.'
Johnny trok zijn wenkbrauwen op. 'Ik heb een taak voor hem. Zeker, je vriend is niet zo sterk in de fijnere kneepjes van het gevecht; of eerlijk gezegd, in alle kneepjes. Maar hij leert het al een beetje. Hij is bereidwillig en slim. Hij is snel en lichtvoetig. Ik heb hem nodig, Fainne.'
'Alsjeblieft,' zei ik, en hoorde tot mijn woede hoe mijn stem brak. 'Stuur hem alsjeblieft naar huis. Darragh is geen krijger. Hij heeft het niet in zich om te doden. Alsjeblieft, Johnny. Je kunt een andere zwemmer zoeken. Dit is... het is echt belangrijk.' Ik dempte mijn stem. 'Het belang overstijgt het... het zichtbare.'
Hij keek me een ogenblik aan.
'Het is een gewichtige opdracht, en hoe die zich zal ontvouwen, onttrekt zich misschien aan ons bevattingsvermogen,' zei hij ernstig. 'Mijn eigen aandeel erin kan zowel meer als minder zijn dan wat men hoopt.' Er was iets treurigs in zijn ogen dat ik niet begreep.
'Wat bedoel je?' vroeg ik. Zijn woorden schokten me, zodat mijn eigen dilemma erdoor werd overstemd.
'Een man zou misschien denken dat het gemakkelijk is, als er vanaf zijn geboorte een bestemming voor hem ligt; een grootse en roemrijke weg, niets minder dan de vervulling van een oude profetie; de bevrijding van de heilige grond van zijn volk. De mensen zien het duidelijk voor zich: de strijd gewonnen, de Eilanden teruggeveroverd en de erfgenaam teruggekeerd naar Zeven Wateren om zijn mensen te leiden en te beschermen wanneer zijn tijd gekomen is. Dat heb ik van jongsaf geweten.'
'Maar zo duidelijk is het niet?' vroeg ik voorzichtig, denkend aan

wat de Ouden me hadden verteld, in flarden, en wat ik nooit echt had begrepen. 'Een slag winnen is nog niet alles.'
Johnny knikte. 'Dat geloof ik ook. Een gedeelte van dit verhaal is nooit verteld, een gedeelte dat niet overeenkomt met de verwachtingen van deze brave mensen; helemaal niet. De weg is niet alleen roemrijk. Mijn moeder ziet mijn dood, al zal ze dat niet zeggen. Ik zie iets dat als een dood is, maar dat niet is; iets dat ver afwijkt van de rechte weg van een krijger. Wie kan zeggen hoe dit zich zal ontvouwen? Het maakt me bang.'
'Jij, bang?' Ik vond dit moeilijk te geloven. 'Maar ze hebben allemaal zo'n groot vertrouwen in je. Geen spoor van twijfel.'
'Ik heb nooit de vrijheid gehad om zelf mijn toekomst te kiezen,' zei Johnny. 'Dat is een verlies waarover ik zou kunnen treuren. Maar ik zal doen wat ik moet doen. Ik zal de strijd winnen, en datgene wat erop volgt met open ogen tegemoet treden. Maar jouw Darragh is een man die zijn eigen weg gaat. En de weg die hij wil gaan, is deze, Fainne. Wil je hem die ontzeggen?'
Ik beet op mijn lip. 'Hij weet het niet. Hij begrijpt niet wat het betekent. Hij wil mij helpen, of mij beschermen, en hij blijft me maar volgen, zonder te beseffen dat dat het ergste is wat hij kan doen. Hij moet naar huis gaan, Johnny. Stuur hem alsjeblieft weg.'
Johnny keek me verbaasd aan. 'Je bent veranderd sinds hij er is,' zei hij zacht. 'Ik zou haast denken dat je wel zou kunnen huilen, terwijl je voor deze man pleit. Maar het is zijn keus, nicht, en niet de jouwe. Ik respecteer de keuze van een man. Bovendien hebben we hem nodig. Er moeten vijf zwemmers zijn; we hebben er maar vier die genoeg kracht en uithoudingsvermogen hebben om te doen wat vereist is. Ik, mijn vader, Sigurd en Gareth. Het is eigenlijk een wonder dat deze ketellappersjongen bij ons heeft gebracht. Ik kan niet doen wat je vraagt.'
Ik voelde me weer diep terneergeslagen. Wie zou me helpen, als hij het niet wilde doen?
'Fainne.' Johnny's stem was zacht. 'Het komt zelden voor dat ik mannen verlies; mijn manschappen zijn onovertroffen in wat ze doen. En ik ga een man met amper één seizoen opleiding heus niet in de voorste linie plaatsen.'
'Dat is het niet, hoewel dat er ook bij komt. Het is… het is…' Ik kon het hem niet vertellen. Ik kon niet zeggen: als je hem dit laat doen, zal zij ervoor zorgen dat hij in een gevaarlijke situatie belandt en dan… en dan… weet ik niet of ik de kracht zal hebben om door

te gaan. Ik weet niet of ik dat kan verdragen. Misschien is dat toch het bewijs dat ik niet meer kan zijn dan een werktuig van mijn grootmoeder.
'Heb je visioenen?' vroeg hij. 'Voorafschaduwingen van wat gaat komen, zoals mijn moeder ze ziet?'
Ik schudde mijn hoofd. 'Nee. Maar ik heb waarschuwingen gehoord, en... nee, ik kan het je niet vertellen. Ik had hier niet over moeten spreken. Ik begrijp dat je me niet wilt helpen.'
'Mijn gevoel en mijn opleiding zeggen me dat mijn beslissing goed gefundeerd is,' zei Johnny. 'Ik zou een goede man niet in gevaar brengen als het niet nodig was. Maar daar komt Coll aan, en ik ga maar liever weg voor ik word opgezadeld met werkjes met stift en was, waar ik nooit veel plezier in heb gehad. Vaarwel, nicht.'
Ik sprak met de Baas, maar dat baatte niet veel, want het enige argument dat ik bij hem kon aanvoeren was Darraghs gebrek aan ervaring als krijger, en dat hij weliswaar goed was in het water, maar dat ze op het land weinig aan hem zouden hebben. En dat ik liever had dat hij nu nog niet zou sneuvelen. De Baas luisterde ernstig toe en vertelde me toen dat Slang erg tevreden was over de vorderingen van de jongen; voor zo'n magere kerel had hij aardig wat kracht in zijn armen, en hij kon goed uit de voeten met de staaf, en was ook lang niet slecht in het ongewapend gevecht. Misschien was dat iets dat je langs de weg leerde. Wat het zwaard en het mes betrof, daar moest nog aan gewerkt worden, maar er was nog tijd. Toen ik probeerde er iets tegenin te brengen, zei de Baas dat dit Johnny's beslissing was, en dat hij vertrouwen had in het oordeel van zijn zoon. Bovendien was dit toch juist wat de jongen zelf wilde?
Er was nog één laatste mogelijkheid. Liadan was in de ziekenboeg, waar ze bezig was in de vijzel iets fijn te stampen dat een scherpe geur verspreidde. Er was niemand anders in de ruimte. Lege draagbaren wachtten op slachtoffers van krijgsgeweld, een huiselijk ongeval of een seizoenskwaal. Strengen knoflook hingen aan de balken boven haar; potten met kruiden stonden netjes op planken.
'Fainne!' riep ze verbaasd uit toen ik binnenkwam. 'Ik verwachtte je niet.' Ze droeg zoals altijd een donkere jurk en een simpele tuniek erover, ingetogen als de kleding van een non; haar haar werd bijeengehouden met een linnen band, maar er hingen een paar ontsnapte krullen over haar bleke voorhoofd. Ze fronste haar wenkbrauwen.
'Je bent zeker gekomen om aan mij te vragen of ik die jongeman

naar huis wil sturen?' vroeg ze terwijl ze doorging het roodachtige poeder in de vijzel fijn te wrijven.
Ik zette grote ogen op. 'Is hier niets vertrouwelijk?' vroeg ik.
Mijn tante glimlachte. 'We praten weleens met elkaar, Fainne. Dat is gebruikelijk in gezinnen. Bovendien is Darragh bij me geweest.'
'Wat? Waarom?'
'Hij is erg bezorgd over jou. En ik weet dat jij je zorgen maakt over zijn veiligheid. Darragh stelde een oplossing voor die ik wel zou willen ondersteunen, als jij er ook mee instemt.'
Ik wist niet zeker of ik het wel wilde weten, maar ik vroeg het toch. 'Wat voor oplossing?'
'Dat jullie hier samen weggaan en rustig terugreizen naar Kerry. Op die manier zul jij weten dat hij veilig is, en hij heeft datgene waarvoor hij gekomen is. Jullie zullen allang weg zijn voor deze campagne gaat beginnen. Veilig.'
'Veilig?' herhaalde ik; het klonk verbitterd. Ze sloeg me nauwlettend gade, met aandacht in haar groene ogen. Ik hoopte maar dat ze niet kon zien wat er in mijn hoofd omging. 'Dat zou helemaal niet veilig zijn, tante. Het zal niet gaan. Ik moet hier zijn; ik kan niet teruggaan naar Kerry. Maar Darragh moet wel gaan. Hij hoort niet hier op Inis Eala. Het was nooit de bedoeling dat hij hieraan deelnam. Hij is... hij heeft zich er alleen ongevraagd in gemengd. Zulke dingen doet hij altijd.'
'Het leek mij een verstandig voorstel,' zei ze vriendelijk. 'Darragh had er goede argumenten voor. Hij houdt van je, Fainne. Begrijp je dat niet?'
'Dat is geen liefde,' snauwde ik. 'Het is alleen... alleen koppigheid. Die jongen denkt dat ik niet voor mezelf kan zorgen. Hij begrijpt niet wat goed voor hem is en wat niet goed voor hem is. Dat heeft hij nooit begrepen.'
'En jij dan?' vroeg Liadan. Haar handen hadden hun werk gestaakt en lagen nu op de tafel voor haar. 'Is het liefde, waardoor je zo graag wilt dat hij weggaat, terwijl hij juist zijn leven heeft gewaagd om bij je te zijn?'
'Ons geslacht voelt geen liefde,' mompelde ik, maar terwijl ik het zei, wist ik dat het een leugen was. 'Liefde maakt het leven te gecompliceerd. Ze... ze houdt je ervan af te doen wat er gedaan moet worden. Dat zag je aan mijn vader. De liefde heeft zijn leven verwoest.'
'Hij heeft een dochter,' zei ze zacht. 'Ik kan me voorstellen dat hij

erg trots op je is, kind. Je bent schrander, begaafd en... fijngevoelig, net als hij. En je bent op jouw manier even mooi als Niamh was. En even koppig. Vraag aan Ciarán of hij er spijt van heeft dat hij mijn zuster ooit heeft ontmoet, voor je de liefde zo lichtvaardig afwimpelt. Als je de liefde uitsluit, zul je geen leven leven, maar alleen de schaduw van een leven.'

'Hoe dan ook,' zei ik, want ik wilde hier niet verder op doorgaan, 'Johnny wil Darragh niet laten gaan. Hij zegt dat hij hem nodig heeft.'

Liadan zuchtte. 'Als jij bereid was om ook weg te gaan, zou ik er met Johnny over praten.'

Ik schudde mijn hoofd. 'Ik moet hier blijven. Ik kan niet naar huis gaan.'

'Ja,' zei ze vermoeid, en ze ging op de bank zitten. 'Ik geloof dat ik dat wel wist; maar ik wilde het toch proberen. Darragh is een goede jongen, Fainne. Hij verdient dit niet.'

'Het is zijn eigen schuld,' fluisterde ik.

Ze knikte. 'Misschien heb je gelijk. Mannen hebben dat, ze hebben de gewoonte in het verhaal binnen te dringen, terwijl ze daar niets te maken hebben, en er dan deel van te gaan uitmaken. Het is misschien zinloos dat ik ga proberen de loop van de dingen te veranderen, maar ik heb nooit... werkeloos kunnen toezien hoe de dingen zich ontvouwen, zoals mijn oom Conor meestal adviseert. Ik heb het gevoel dat je ze moet vastpakken en vooruit moet gaan, en het verhaal stralend en waar maken als je kunt. Darragh doet dat; hij heeft een krachtige wil.'

'Maar hij begrijpt dit helemaal niet,' zei ik toonloos.

'En jij begrijpt het wel?' Haar stem was heel zacht. Het klonk haast alsof ze medelijden met me had.

'Ik weet tenminste,' fluisterde ik, 'wat ik moet doen.'

'En je zult erbij zijn, uiteindelijk,' zei Liadan met een klank in haar stem waar ik bang van werd; een klank die een of andere onontkoombare waarheid aanduidde. 'Hoe weet ik niet, maar Johnny zal er zijn, en jij zult er zijn. Ik heb het gezien.'

Ik werd koud over mijn hele lichaam. 'Wat hebt u gezien? Hebt u Darragh ook gezien?'

'Ik praat niet over deze dingen. Ze kunnen gemakkelijk verkeerd verstaan worden.'

'Kunt u me niet iets vertellen? Wat dan ook?'

'Mijn zoon had de dood voor ogen. Jij huilde. Je huilde zoals ie-

mand huilt die haar enige schat heeft weggeworpen. Nooit heb ik zo'n groot verdriet gezien.'
Ik slikte. 'Dat heb ik ook gezien. Als het moet komen, zal het komen, denk ik.'
Liadan knikte. 'Je moet maar eens aan Coll vragen of hij je een keer mee wil nemen naar de noordkaap,' zei ze op een heel andere toon. Ons gesprek was afgelopen, en mijn laatste kans om Darragh veilig weg te sturen was verkeken. 'Het seizoen verandert; er zullen mooie, heldere dagen komen. Je hebt behoefte aan vrije tijd, aan frisse lucht en lichaamsbeweging. Dat zal je goed doen.' Nu klonk haar stem heel gewoon, net als die van iemands moeder. Ergens onder de warreling van angsten die zich verdrongen in mijn hoofd, dacht ik dat het heel fijn zou zijn om een moeder te hebben die zich er druk over maakte of je wel genoeg frisse lucht en lichaamsbeweging kreeg. Als mijn moeder niet gestorven was, zou ze misschien zo zijn geweest. Misschien, als de Baas gelijk had, was het nooit haar bedoeling geweest om van ons weg te gaan; misschien had ze van ons gehouden en had ze uitgezien naar de toekomst. Ik zou dat in gedachten houden, en ik zou ook Liadans woorden onthouden. *Ik kan me voorstellen dat hij erg trots op je is, kind.* Ik zou deze dingen in mijn hart bewaren, en ik zou het verhaal zo stralend en waar maken als ik kon; en me niets aantrekken van de tranen. Er zat domweg niets anders op.

HOOFDSTUK DERTIEN

Telkens weer oefenden ze met de boot in de stroming en de zwemmers. En nu was Darragh er ook bij wanneer ze zich over de zijkant van de boot in de ijskoude greep van het water lieten glijden. Ze deden het overdag. Ze deden het 's nachts, met lantaarns op de achtersteven. Vervolgens deden ze het met de maskers op, en in donkere, nauwsluitende kleding die hun lichaam van de hals tot polsen en enkels bedekte, zodat ze werkelijk op zeedieren leken, op een soort vreemde kinderen van Manannán zelf. Ze deden het bij maanlicht en lieten de lantaarns thuis; ik hoorde hen toen ze na afloop de trap vanaf het strand opkwamen, lachend. Ik had de indruk dat ze geen angst kenden, een groep van kameraden die onderling verbonden waren door hun onwankelbare geloof in zichzelf en elkaar. Ik was er niet gelukkig mee dat Darragh zich zo snel een plaats bij hen had verworven. En dat kwam niet alleen door mijn angst voor zijn veiligheid, die me slapeloze nachten bezorgde. Het kwam ook door iets waarvoor ik me zo schaamde dat ik het zelfs aan mezelf niet wilde toegeven. Hij was van mij, en ik wilde hem niet delen. Ik wilde niet dat hij veranderde, dat hij een hard gezicht kreeg en meedogenloos werd net als de andere krijgers. Soms was het alleen dat kleine beeld van Darragh geweest, die rustig op zijn mooie witte pony over een zonnig pad tussen de lijsterbessen reed, met een scheve glimlach op zijn gezicht, dat me op de been had gehouden. Wanneer dat weg was, wat had ik dan nog over?

Toen werd Coll ziek. Op een dag had hij een beetje hoofdpijn, niet zo erg, net genoeg om hem wat meer dan anders te laten mopperen op zijn werk. De volgende dag had hij koorts en moest hij in bed blijven. Ik ging niet naar hem toe. Ik bleef aan mijn tafel zitten werken met ganzenveer en inkt; ik noteerde de medicinale mogelijkheden van een kruid dat scrophularia heette, en beter bekend was als helmkruid. Ik sprak met niemand.

Liadan was niet aanwezig bij het avondeten, en Meeuw ook niet. De Baas was erg zwijgzaam, maar dat was niet ongewoon. Ook Johnny zei niet veel, en ik dacht dat hij op me lette.

'De jongen heeft het zwaar te pakken,' zei Biddy zacht tegen me. 'Brandende koorts, en hij slaat wartaal uit.'

Ik trok me vroeg terug in mijn slaaphut met de gedachte: als ik er niet geweest was, zou dit kind gezond zijn. Dit is mijn schuld. Hoe heb ik het kunnen vergeten? Hoe heb ik kunnen toelaten dat ik weer een vriendje kreeg? Hoe kon ik zo dom zijn om te denken dat grootmoeder me met rust zou laten, hoe kort ook? Ik had nog maar net de lamp aangestoken toen ze me lieten halen. In de ziekenboeg wachtten ze op me. Liadan zat naast het bed van haar zoontje, dat lag te zweten en te mompelen en rusteloos met zijn hoofd heen en weer draaide, en zowel de Baas als Johnny stond met een grimmig gezicht zwijgend achter haar.

Ik ben een tovenaarsdochter, hield ik mezelf voor terwijl ik naar hen toe liep. Het leek niet veel te helpen.

'Ik vind het heel naar dat Coll ziek is,' zei ik zo kalm mogelijk. 'Ik hoop dat het maar een voorjaarsverkoudheid is en dat hij gauw beter zal zijn.' Ik hield mijn handen op mijn rug in elkaar geklemd, om ze te laten ophouden met beven.

'Ga zitten, Fainne.' De stem van Liadan had niet meer de warmte van onze laatste ontmoeting. Toen ik aan de andere kant van het bed van de jongen was gaan zitten, zag ik dat haar ogen rood en gezwollen waren, en haar mond was strak. De uitdrukking op het gezicht van de Baas was beangstigend fel, en die op Johnny's gezicht was voorzichtig, alsof hij een dilemma afwoog.

'Ik neem aan dat je weet waarom we je hier hebben laten komen,' zei Liadan, terwijl ze een doekje uitwrong en het gebruikte om Colls brandende voorhoofd te betten.

'Misschien kunt u het me beter zeggen.' Het lukte me mijn stem te beheersen, ondanks mijn bonzende hart.

Nu nam de Baas het woord. Hij sprak met een zachte stem, een stem die bedoeld was om mannen angst in te boezemen. 'Mijn vrouw zegt dat een dergelijke koorts, die in zo'n korte tijd zo brandend heet wordt, waarschijnlijk niet is opgekomen zonder een of andere... ingreep.' De klank van zijn stem hield een vraag in, maar ik

antwoordde niet. 'Als mijn zoon sterft, zullen zij die ervoor verantwoordelijk zijn, hun straf niet ontgaan.'
'Coll was gisteren nog gezond,' zei Liadan, en haar stem beefde. 'Hij rende rond, liep iedereen voor de voeten en was kerngezond. Er is geen reden waarom hij opeens zo ziek zou zijn. Deze koorts reageert niet op kruidendranken zoals hij zou moeten doen; de jongen is brandend heet alsof hij in de kaken van een vuurdraak zit. Als hier niet snel een eind aan komt, weet ik niet of hij het kan doorstaan. Fainne, heb jij dit gedaan?'
Ik kromp ineen. Hoewel ik had verwacht dat ik de schuld zou krijgen, had ik niet gedacht dat ze het me zo rechtstreeks voor de voeten zou werpen.
'Nee, tante Liadan.' Verbeeldde ik het me, of klonk mijn stem wat onzeker? Maar ik had het echt niet gedaan; ik had geen toverformule uitgesproken over het kind, en ik zou er niet over gepiekerd hebben, zelfs als grootmoeder het me had opgedragen; zelfs als ze me met de vreselijkste straffen had bedreigd. Coll was nog maar een kleine jongen. Ik zou Coll nooit kwaad willen doen. Maar toch was ik schuldig. Als ik er niet geweest was, zou mijn grootmoeder de jongen nooit hebben opgemerkt. Ze zou nooit op het idee zijn gekomen hem kwaad te doen. Dit was net zo goed door mijn toedoen gebeurd als wanneer ik zelf de kunst had gebruikt.
'Ik heb geen magie gebruikt sinds ik op Inis Eala ben,' zei ik zo rustig als ik kon. 'Dat is de waarheid. Ik zou Coll nooit kwaad doen. Hij is mijn vriend.'
'Zou dat niet de beste manier zijn om je wilskracht te beproeven?' vroeg Johnny behoedzaam. 'Om te bewijzen hoe sterk je bent? Door een vriend kwaad te doen, in plaats van een vijand?'
Ik keek hem met grote ogen aan. 'Er mankeert niets aan mijn wilskracht,' fluisterde ik, ontzet over het feit dat hij zo dicht bij de waarheid kwam. 'Ik hoef dat niet te bewijzen door kinderen kwaad te doen.' Maar toen voelde ik een koude ontzetting over me komen, want ik dacht aan Maeve en aan de brand. Kinderen kwaad doen was iets wat een tovenares zonder een ogenblik te aarzelen kon doen; en ik was een tovenares. Ik borg mijn hoofd in mijn handen, zodat ze mijn gezicht niet konden zien.
'Kijk ons aan, Fainne.'
De Baas moest worden gehoorzaamd. Ik keek op. Het was alsof ik tegenover een brithem zat die al besloten heeft dat je schuldig bent, zonder getuigen te horen. En dat deed pijn. Ik wilde niet op die ma-

nier veroordeeld worden door deze goede mensen; mijn eigen mensen.

'Ik heb dit niet gedaan,' zei ik met een klein stemmetje, terwijl ik opstond. 'Dat is de waarheid. Misschien... misschien is het gewoon een voorjaarskoorts. Misschien zal Coll gauw weer beter zijn. Ik wil graag helpen hem te verplegen, als u dat wilt. Ik wil...'

'Ik wil je absoluut niet bij mijn zoon in de buurt hebben.' Liadans stem was scherp van emotie. 'Ik heb gezien wat er op Zeven Wateren gebeurd is; ik wilde niet geloven dat jij daarvoor verantwoordelijk was, maar ik weet dat je vuur kunt maken wanneer je dat wilt. Ik weet dat Ciarán zijn moeder heeft toegestaan jou te... te beïnvloeden. Geen wonder dat Eamonn als was in je handen was. Geen wonder dat je jongeman je zo graag hier weg wil hebben. Hij weet wat je voor kwaad kunt doen.'

Haar woorden gaven me een koud gevoel van ellende. Nog niet lang geleden had ze met genegenheid tegen me gesproken, zoals een moeder zou doen. In een ommezien had mijn grootmoeder dat in bittere vijandschap veranderd.

'Ik heb het niet gedaan,' zei ik weer, en ik voelde mijn hoofd duizelen en mijn ogen prikken van tranen die niet vergoten konden worden. 'Dat is de waarheid! Ik zweer het!'

'Je kunt beter naar je slaapverblijf gaan, tot we bepalen wat er moet gebeuren.' De Baas sprak kalm, maar ik had de uitdrukking in zijn ogen gezien toen hij naar zijn zoontje keek. 'Misschien moeten we toch maar toestaan dat Darragh je mee naar huis neemt. Je kunt niet bij ons blijven nu dit gebeurd is.'

'Maar u hebt geen bewijs! Het is niet eerlijk! U mag me niet wegsturen, het mag niet! Johnny? Jij gelooft toch niet dat ik zoiets zou doen?'

Johnny keek me aan met een vreemd lachje, maar hij zei helemaal niets. De godin helpe me, alles stortte om me heen in elkaar, alles. Een volslagen mislukking; de woede van mijn grootmoeder zou nu wel snel volgen. 'O, alstublieft,' fluisterde ik. 'O, alstublieft. Ik zweer dat ik hier niets mee te maken heb gehad. Deze keer heb ik het niet gedaan.'

Even bleef het verschrikkelijk stil. Toen zei Liadan: 'Hoe bedoel je, deze keer?'

Ik maakte een soort geluid, tussen een snik en een schreeuw in, en rende naar de deur. Toen was ik buiten in de nacht, in het donker, en ik rende, rende zo snel als mijn manke voet me wilde dragen, weg van het koortsige kind en de veroordelende ogen van mijn familieleden, weg van de nederzetting van brave mensen met één stralend doel en één rechte weg voor zich, weg van mijn vriend die zich ergens in gemengd had waar hij nooit deel aan kon hebben, weg over de schapenweitjes en over de muur, en verder. Ik rende tot mijn hoofd bonsde en mijn hart hamerde en ik heftig, pijnlijk hijgend ademde. De maan verlichtte mijn pad; mijn laarzen knerpten op kiezelsteentjes en glibberden over grote, natte stenen en zakten weg in stukken met zacht zand. Ik rende kleine heuvels op en rende nog harder kleine dalen in, ik botste tegen struiken op en kwam er angstwekkend dichtbij mezelf van een klif af te storten in het witschuimende water ver beneden. Een ongeluk; terwijl ik wankelend op de rand stond, bedacht ik dat dat een uitweg zou zijn. Maar ik vocht om mijn evenwicht terug te vinden en dat lukte. Dat was de oplossing van een zwakkeling, en hoe bang, gekwetst en verward ik ook was, die wilde ik niet kiezen. Er bleef me nog maar één ding over dat ik kon doen, en wat me ook in de weg stond, dat zou ik doen. Ik zou ervoor zorgen dat mijn vader trots op me kon zijn, ondanks alles.

Ik rende verder. Onder de lentemaan nam het landschap een zilverige glans aan, glinsterende rotsen, parelend zand, glimmende struiken, alsof ik door een rijk vluchtte dat boven de sterfelijke wereld uitsteeg. En ik hoorde vreemde geluiden: boven het bulderen van de zee uit kwamen er lage, treurige kreten, als van een groot dier uit de diepte, dat droevig zong over iets dat verloren was, een schat die nooit kon worden teruggevonden. Er klonk lijden in, een ontroostbaar verdriet.

Ik rende tot ik niet verder kon, tot bij de rotsachtige landpunt aan de noordzijde van het eiland. Ik keek niet één keer achterom of er soms mensen met lantaarns of toortsen achter me aan kwamen. Wat kon het hun schelen of ik van een klif viel en mijn nek brak? Waarom zouden ze zich er druk over maken als ik de zee in stapte en me door de inktzwarte wateren liet verzwelgen? Ze zouden blij zijn dat ze van me af waren. Darragh had het mis wat familie betrof, en Liadan had het mis wat de liefde betrof. Beide brachten alleen maar nodeloze complicaties mee. Ik was beter af zonder.

Nu was ik bij de rotswand, en daar was een ingang, een kleine tunnel met een zandige bodem die misschien naar een beschutte plek leidde; het leek precies op thuis. Nog steeds hevig hijgend, met mijn haar voor mijn ogen gevallen en beide handen voor me uit gestoken om de weg te zoeken, stapte ik naar binnen. Ik was van plan er net ver genoeg in te gaan om uit de wind te zijn, en dan zou ik mezelf tot een bal oprollen, mijn ogen stijf dichtdoen en tot de volgende morgen doen alsof er niemand anders op de wereld was. Geen Coll, geen Liadan, geen Johnny, geen Darragh. En vooral geen grootmoeder. Ik zou op het zand gaan liggen en hen allemaal uit mijn geest bannen tot de zon opkwam. Dan zou ik opstaan en teruggaan, en weer sterk zijn.

Ik liep voorzichtig voorwaarts in het donker, met mijn vingers tastend over de rotswanden aan weerskanten, voetje voor voetje. Toen ik een eindje binnen was, leek de tunnel breder te worden; ik kon weinig zien, maar er was een luchtstroom en een gevoel van ruimte, en er kabbelde water, dat niet de zee was. Ik zag even iets wits voor me in de schaduwen, als een plooi van een doek of een massa veren. Ik stak mijn hand naar voren uit, en in plaats van steen of lege ruimte raakten mijn vingers iets aan dat zacht en warm was en onmiskenbaar leefde. Ik gaf een gil van schrik, deed een stap achteruit, trapte daarbij op mijn jurk en kwam pijnlijk op de grond terecht. Als antwoord op mijn gil kwam er een uitroep van schrik uit het donker, en ik hoorde zachte voetstappen die wegliepen. Ik bleef daar zitten en concentreerde me op mijn ademhaling. In, uit. Kalmte. Discipline. Een eind verderop vlamde licht op, en toen zag ik de vaste gloed van een lantaarn die naderbij kwam. Ik krabbelde langzaam overeind, starend naar de man die de lantaarn droeg, en knipperde ongelovig met mijn oogleden. Hij keek ook naar mij. De geschrokken uitdrukking op zijn bleke gezicht weerspiegelde ongetwijfeld die op het mijne. Maar nu bonsde mijn hart niet van angst over de plotselinge ontmoeting. En ook niet om de gelijkenis van deze man met mijn oom Sean, en met Liadan, met zijn langwerpige, bleke gezicht en de massa donker haar, met zijn slanke, rechte gestalte en regelmatige, schrandere gelaatstrekken. Het waren ook niet zijn rafelige gewaad of zijn voddige mantel waar ik van schrok. Het was de vleugel die hij op de plaats van zijn linkerarm droeg; een grote, glanzende vleugel, een blinkende massa goud, roze en geelwit in het licht van de lantaarn. Mijn grootmoeder had gezegd: *Je moet oppassen voor de man met de zwanenvleugel.*

'Je bent weggelopen,' sprak de man terwijl hij daar naar me stond te kijken.

'Wie bent u?' bracht ik uit, nog steeds lichtelijk buiten adem. Zijn stem klonk heel vreemd; hij had geen accent, maar sprak op de aarzelende manier van iemand die een andere taal spreekt dan zijn eigen taal.

'Het lijkt erop dat mijn verhaal nog niet is doorgedrongen tot in Kerry,' merkte hij droog op. 'Kom. Je hebt een heel eind gerend. Je wilt vast uitrusten, en misschien wat drinken. Ik heb hier geen vuur, maar ik kan zorgen voor zoet water en een plek waar je prettig kunt zitten. Ik hoop dat je je niet bezeerd hebt.'

'Dat soort kwetsuren zijn het probleem niet,' zei ik somber, en ik volgde hem toen hij de grot verder inliep. Ik leek eigenlijk geen keus te hebben. Ik kon moeilijk gaan zitten en weigeren van mijn plaats te komen.

We bereikten een plek waar steenplaten tegen de wanden van de grot lagen, en voor ons glansde een poel met stilstaand water. Daarboven was een opening naar de hemel; in het donkere water schitterden sterren, ver en geheimzinnig. De man zette zijn lantaarn neer en ging een kleine beker van donker metaal halen. Hij bukte zich en vulde de beker in de poel, en ik hoorde hem woorden mompelen, woorden die bekend klonken. Hij gaf me de beker aan met zijn rechterhand. Ik deed mijn best om niet naar de veren te staren, die maar gedeeltelijk schuilgingen onder de oude, voddige mantel.

'Dank u,' zei ik, en ik dronk en voelde de kou en zuiverheid van zijn gift in mijn wezen vloeien. Mijn ademhaling werd trager; ik werd kalm. 'U eert de aarde terwijl u uit haar put,' zei ik.

'Ik ben geen druïde, kind. Mijn moeder heeft ons jong geleerd datgene wat ons leven geeft, te respecteren. Het is een les die je niet vergeet.'

'Ons?' Ik zocht mijn geheugen af. Ik kende het verhaal, natuurlijk; maar ook al was het zo dichtbij gebeurd, ik had het misschien nooit helemaal geloofd. Dat had ik wel moeten doen. Dit wezen, gedeeltelijk mens, gedeeltelijk zwaan, was door mijn grootmoeder zo geworden. 'U, Conor en uw andere broers, bedoelt u?'

Hij boog zijn hoofd. 'En mijn zuster. Waarom ben je hier gekomen?'

'Per ongeluk. Ik wist niet dat hier iemand was. Dat hebben ze me nooit verteld. Ik moest... ik moest gewoon een plek hebben waar ik me kon verstoppen. Voor korte tijd.'

'Die heb je dan gevonden. Zullen ze niet naar je komen zoeken?'

'Het maakt hun niets uit,' zei ik treurig, zo verward in mijn eigen verdriet dat ik er helemaal niet aan dacht dat het wel vreemd was

om zo tegen een vreemde te praten. 'Ze zeiden dat ik iets slechts had gedaan, en ik had het niet gedaan, maar ze wilden me niet geloven. Het maakt niemand iets uit waar ik ben.'
'Maar toch,' zei de in vodden gehulde man, 'moeten we het hun misschien maar liever laten weten. Dan kun je hier ongestoord blijven tot je je weer hersteld hebt.'
'Het hun laten weten?' Ik staarde hem suf aan. 'Hoe dan?' En toen zag ik zijn ogen; diepe, kleurloze ogen als licht op stilstaand water, ogen die het evenbeeld waren van de ogen van mijn nichtje Sibeal. Hij hoefde niet te antwoorden.
Ik bleef daar een tijdlang op de steenplaten zitten, dronk van het water en keek naar de schaduwen die rondom de poel dansten en wiegden in het licht van de lantaarn. De poel lag er volkomen stil bij; het vage gekabbel dat ik daarstraks had gehoord, was helemaal opgehouden. Het leek op de kleine grot onder de Honingraat; een plek van grenzen. Ik ademde nog langzamer; het bonzen in mijn hoofd zakte weg.
'Hier zijn geheimen veilig,' zei de man met een zachte stem. 'Deze plek wordt beschermd door krachten die ouder en sterker zijn dan de tijd. Het verbaast me dat ze je niet eerder naar me toe hebben gestuurd, want ik zie dat je ernstig in de war bent.'
'Wat biedt u me aan? Goede raad? Een hartig woordje? Ik heb een vriend die bereid is me dat allebei te geven, en die maar niet kan begrijpen dat ik daar geen behoefte aan heb. Ik ga mijn eigen weg. Waarom zou ik u iets vertellen?'
Hij wachtte even voor hij antwoordde.
'Ik bied je geen advies aan. Soms zie ik dingen en soms spreek ik erover. Soms krijg ik bezoekers, en die praten tegen me. Liadans zonen komen hier. Zelf hoeft ze niet te komen.'
'Omdat u van geest tot geest met haar praat?'
'Heb jij die gave niet? Dat verbaast me.'
Ik fronste mijn voorhoofd. 'Waarom verbaast dat u? U schijnt te weten wie ik ben. Het Gezicht is immers afkomstig van uw Fomhóire-voorouders? Mijn moeder had dergelijke gaven niet, en zelfs mijn vader heeft dat vermogen niet. Onze vermogens zijn beperkt; zo is het lang geleden door de Túatha Dé bepaald.'
Hij trok zijn wenkbrauwen op. 'Wie heeft je dat verteld?'
Ik gaf geen antwoord.
'Geheimen zijn hier veilig. Alle geheimen. Jou was niets verteld over mij. Daarom schrokken we van elkaar. Ik heet Finbar.'

'Ik heet Fainne,' zei ik stijfjes. 'Hoe kan het veilig zijn? Nergens is het veilig. Tenminste, niet zolang...'
'Zolang je dat ding om je hals draagt?'
Terwijl ik halsoverkop was gevlucht, was de amulet aan zijn vreemde koord uit zijn schuilplaats vrijgekomen en hing nu duidelijk zichtbaar op het lijfje van mijn jurk. Ik bracht mijn hand omhoog in een zinloze poging hem te verbergen. Het metaal was koud.
'Een krachtig tovermiddel,' merkte Finbar op. 'Als je de invloed ervan tot nu toe hebt kunnen weerstaan, ben je een echte dochter van je vader. Ik herken dat koord, waaraan het hangt.'
'Herkent u het?' De man zat vol verrassingen.
'Jazeker. Het was van je moeder; het is door Liadan voor Niamh gemaakt toen ze werd weggestuurd. Zij die jou deze amulet gaf, heeft je dat koord beslist niet gegeven.'
'Nee. Ik heb de amulet er zelf aan geregen. En ik had het gevoel...'
'Ah, ja.' Finbar knikte. 'Het een werkt het ander tegen, voor zover het dat kan. Je mag de sterke vrouwen van onze familie wel bedanken voor dit symbool van verwantschap, want het heeft een sterk beschermende werking, Fainne. Geen magische werking, maar iets wat eenvoudiger en zuiverder is. Liadan heeft er vezels in verwerkt van iedereen die op Zeven Wateren woonde. Ze probeerde Niamh zo goed mogelijk te beveiligen. Je moeder was erg geliefd, al twijfel jij daar misschien aan.'
Ik staarde hem aan; ik kon geen woorden vinden.
'Dat is een amulet met een krachtige kwaadaardige invloed,' zei hij ernstig. 'Maar hier, waar we nu zijn, kan hij de werking waarvoor hij ontworpen is, niet uitoefenen. Waarom doe je hem niet af?'
Ik werd koud van angst. 'Nee!' fluisterde ik. 'Nee! Dat kan ik niet doen! We mogen hier niet eens over praten, anders...'
'Anders zal ze ons horen? Kijk om je heen, Fainne. Liadan vertelt me dat je vader je de kennis van de druïdische leer heeft bijgebracht, dat je bent opgevoed in begrip van het patroon van elk bestaan. Kijk om je heen met het oog van de ziel. Het is hier veilig. Alle geheimen worden hier bewaakt.'
Ik durfde er nauwelijks aan te denken dat dit waar zou kunnen zijn. Hij had me doodsbang gemaakt door voor te stellen dat ik de amulet af zou doen, hier, nu Darragh zo dichtbij was. Wist hij dan niet dat grootmoeder achter me aan zou komen zodra ik het koord over mijn hoofd schoof? Ik staarde zwijgend in de donkere poel.
'Je durft niets te zeggen. Er ligt dan ook een zware last op je schou-

ders, een last die veel te zwaar is; en toch draag je hem gelaten, Fainne. De kracht daarvoor heb je volgens mij te danken aan de lessen van je vader. Je hoeft niets te zeggen; als je wilt, kun je hier gewoon blijven zonder te spreken, en uitrusten tot morgenochtend. Je hebt geen reden om mij te vertrouwen, dat begrijp ik. Misschien zal het helpen als ik je vertel dat ik weet wat het is om alleen te zijn; van alle andere mensen op de wereld afgesloten te zijn, zodat er geen mens is die je dilemma begrijpt; zodat er niet één vriend is die je kan helpen. Wanneer je zo geïsoleerd bent, is er veel kracht nodig om door te gaan. Er waren momenten dat ik het wel wilde opgeven. Ik verwachtte zo veel van het leven, ik had zulke grootse en opwindende dromen, voor vrouwe Oonagh kwam en ik voorgoed veranderd werd. Ik wilde de wereld verbeteren. Ik wilde tirannen rechtvaardig maken, en misdadigers eerlijk. Ik wilde een eind maken aan wreedheid en onderdrukking. Dat waren de dromen van een jongen van jouw leeftijd, Fainne. Maar voor mijn twintigste was het vuur van die dromen veranderd in koude as, en werd ik wat je voor je ziet: een wezen dat mens noch dier is, een grensgeval, dat geen plaats heeft in de wereld waar alles gebeurt. Maar toch ben ik er nog. Ik koos niet de weg van het kleine, scherpe mes, of van het hoge klif en de vlucht naar de vergetelheid.'
'Waarom? Waarom deed u dat niet? Bent u hier gebleven omdat u zich wilt wreken voor wat ze u heeft aangedaan?' Zijn woorden waren schokkend en fascinerend, en ik verloor de voorzichtigheid uit het oog.
'Me wreken?' Hij sprak de woorden uit alsof hij was vergeten wat ze betekenden. 'Daar had ik niet aan gedacht. Als we toen niet de kracht hadden om tegen haar in te gaan, Conor en ik en alle anderen samen, dan hebben we die nu natuurlijk ook niet. Het is lang geleden. De tovenares heeft ongetwijfeld de vermogens die mijn zuster heeft afgewend, herwonnen en versterkt. Ik zou niet tegenover haar durven te staan. Ik zou dat niet nog een keer onder ogen kunnen zien, en mezelf weer verliezen.'
Zijn bleke gezicht was kalm, maar er school onder de woorden een diepe angst die ik herkende, want ik had hem zelf gevoeld, toen ik in de moerbeikleurige ogen van mijn grootmoeder keek.
Ik knikte. 'Maar waarom bent u dan toch doorgegaan?' vroeg ik. 'Waarom hebt u er geen eind aan gemaakt, zoals u zei?'
'Ik wilde die weg niet nemen zolang mijn zuster leefde. Het leven dat ze voor ons terugwon weggooien, zou betekenen dat ik haar

offer en haar liefde afwees. En daarna was Johnny er.'
'Johnny?' Ik was van mijn stuk gebracht. 'Wat heeft hij hiermee te maken?'
Finbar glimlachte. Ik had de indruk dat dat iets was wat hij zo zelden deed dat hij bijna was vergeten hoe het moest; net als hardop spreken. 'Hij is immers het kind van de profetie? Zo iemand kan niet zonder leiding opgroeien. Hij moet niet alleen de krachten van het lichaam ontwikkelen. Ik heb hem geholpen zoveel ik kon; al vrees ik dat het niet genoeg is. Conor had misschien meer kunnen doen. Liadan heeft hier een veilige plek voor me verzorgd. Ik kan niet leven zoals mensen leven. Ik... ik ben niet meer helemaal zoals ik vroeger was. Je weet misschien, als dochter van Ciarán, dat de geest van een wild dier anders werkt dan de geest van een mens. Ik weet niet hoe ver de lessen van je vader je hebben gevoerd...?'
'Ik heb ervaren wat u zegt,' zei ik gespannen. 'Ik weet wat u bedoelt. Er zijn... instincten die sterk roepen. Het kan moeilijk zijn om je daaraan te onttrekken, en jezelf te blijven.'
'Je weet het dus. Dan kun je misschien ook een beetje begrijpen hoe het voor mij is. Sinds die tijd, sinds de tovenares ons omtoverde, heb ik van allebei een gedeelte behouden, van mens en van zwaan. Ik ben nooit helemaal vrij van die angsten: voor de vorst, voor de jager, voor de happende kaken van de jachthond. Daarom woon ik hier en kom ik niet in de nederzetting. Liadan heeft dat verstandig opgelost en ze heeft mij goed behandeld. Je lijkt dat te betwijfelen, kind. Je tante zal er nog wel achter komen uit welk hout jij gesneden bent.'
'Hoe kunt u dat weten?' vroeg ik. 'Hebt u dat gezien?'
'Nee. Maar ik ben ervan overtuigd. Ik zie dat je het tovermiddel van de heks dat je om je hals draagt, niet zult afdoen. Zeg me waar het volgens jou toe dient.'
Ik keek om me heen en dempte mijn stem. Ik legde mijn hand op de amulet en voelde weer de koude hardheid van het metaal. 'Weet u zeker dat het veilig is?' fluisterde ik.
'Heel zeker.'
'Het dient... het dient ertoe dat ze me kan zien,' zei ik met een ijl stemmetje. 'Zodat ze mijn gangen kan nagaan en zich ervan kan overtuigen dat ik doe wat ze me opdraagt te doen. Ze houdt me niet voortdurend in de gaten; maar als ze me wil zien en horen, kan ze dat, zolang ik dit ding draag. Het ding lijkt warmer te worden wanneer ze in de buurt is, en wanneer ze kijkt. En...' Ik aarzelde.

'En... ik geloof dat het nog op een andere manier op me inwerkt. De enige keer dat ik het heb afgedaan, werd ik weer mezelf, zoals ik vroeger was. Ik kon helder zien; ik wist weer dat ik goed en verstandig kon zijn, en een goed inzicht had. Maar zolang ik het draag, is het maar al te gemakkelijk om de donkere kant van mezelf te zien. Zonder dit koord, zonder het tovermiddel van een familie, had ik niet geweten hoe ik het vol moest houden.'

'Waarom gooi je dat ding niet gewoon weg, als het alleen maar kwaad doet?'

'Omdat,' zei ik met bevende stem, 'zij de enige keer dat ik dat deed, heel boos was, en achter me aan kwam en me strafte.'

In het flakkerende licht leek het me alsof Finbars bleke gezicht nog bleker werd. Ik twijfelde er niet aan of hij had dezelfde angst als ik, en hij begreep hem. 'Ze strafte je, hoe?'

'Eerst door me pijn te doen. Maar toen ze zag dat dat niet werkte door... door de mensen van wie ik hield te bedreigen. Ze... ze heeft me heel slechte dingen laten doen. Dingen die nooit meer kunnen worden goedgemaakt. Er is maar één mens die dat weet, behalve zij en ik. Ik heb zo'n verschrikkelijke slechtheid in me; ik zou nooit geloofd hebben dat ik onschuldige mensen kwaad kon doen, maar dat heb ik wel gedaan. Drie goede mensen zijn door mij doodgegaan. En nu, vandaag, is mijn neefje Coll ziek, en dat heb ik niet gedaan, maar Liadan wil me niet geloven, en nu gaan ze me wegsturen.'

'Ik zou het tegen haar kunnen zeggen...'

'Nee! Nee, dat moet u niet doen. Ze mogen de waarheid niet weten. U zei dat het hier veilig was...'

'Maak je niet ongerust. Ik zal niets onthullen waarvan jij wilt dat het geheim blijft. Waarom zou de tovenares je neefje kwaad willen doen? De jongen is nog maar een kind.'

'Om mij te straffen,' zei ik hortend.

'Jou te straffen waarvoor?'

'Voor... voor mijn ongehoorzaamheid. Voor mijn traagheid. Ik heb niet echt iets gedaan dat tegen haar wil in ging, nog niet. Maar als zij een reden ziet om te twijfelen aan mijn loyaliteit, laat ze haar macht blijken door... door de mensen te bedreigen met wie ik vriendschap heb gesloten. Zo beheerst ze alles wat ik doe. Ik ben erg dom geweest. Ik heb mezelf toegestaan dicht bij Coll te komen, en bij anderen. Dat verschaft haar alleen maar nieuwe wapenen. Dat was oerstom. Ik had mijn les intussen geleerd moeten hebben.'

'Wel een erg moeilijke les,' zei hij ernstig. 'Maar ik wil je een theorie voorleggen. Ik heb er geen bewijs voor, maar volgens mij is het wel een sterke theorie. Ik ben ervan overtuigd dat deze amulet nog een ander doel dient. Ik zal niet aan je vragen welke opdracht de tovenares je wil laten uitvoeren; ik heb wel een idee waar die uit zou kunnen bestaan, en ik begrijp Liadans wantrouwen. Als ik jou was, zou ik me eens bezighouden met de vraag waarom vrouwe Oonagh het zo nodig vindt zeker te weten dat ze jou in haar macht heeft. En ik wil het vermoeden uitspreken dat dit tovermiddel niet alleen een venster verschaft waardoor ze kan zien waar je bent, maar dat het ook je vermogens in toom houdt. Alleen op deze manier kan ze je kracht inperken: een kracht die gebaseerd is op Ciaráns kracht, en op de hare, en op een heel geslacht van wezens, van zowel mensen, Feeën als Fomhóire. Ze gebruikt dit tovermiddel om je te verzwakken, omdat ze weet dat jij het vermogen hebt haar te verslaan.'

'Wát?'

'Het is maar een theorie. Toch moet je er maar eens over nadenken. Je doet de amulet af, en meteen zie je duidelijk de weg die voor je ligt; je bent weer jezelf, Ciaráns dochter, een kind van Zeven Wateren, sterk en waarachtig. En ze komt haastig aansnellen, voor je voorgoed aan haar macht ontsnapt. Dat doet ze, omdat ze doodsbang is voor wat je zou kunnen doen. Ze heeft mij ooit haar oude vijand genoemd, en toen vroeg ik me af wat ze bedoelde. Ik denk nu dat ze, terwijl ze me veranderde, in mijn ogen de vonk zag van mijn jeugdige idealen: rechtvaardigheid, moed, integriteit. Misschien ziet ze in jou haar oude vijand die herboren is. Heel zeker ziet ze jouw kracht, en wil ze die voor haar eigen gewin gebruiken. Maar ze is een gevaarlijke weg ingeslagen, want jij bezit verscheidene dingen die ik nooit heb gehad: de wijsheid van een druïde, de kunst van de tovenaar, en het bloed van vier geslachten. Uit haar gedrag blijkt duidelijk dat ze dit weet, en dat ze er banger voor is dan voor wat ook.'

Ik voelde verbaasd aan de amulet en voelde mijn lippen omkrullen tot een aarzelende glimlach.

'Gelooft u dat echt? U zegt het niet alleen om me op te beuren?'

Zijn lach klonk luid op in het stille gewelf van de grot; ik schrok ervan. Hij werd meteen weer ernstig. 'Nee, kind. Dit zijn grote en gewichtige zaken; wanhopige zaken. Ik vind het wreed dat zo'n last op zulke smalle schouders moet rusten; maar je beschikt over een innerlijke kracht. Johnny is op zijn manier ook sterk.' Hij zuchtte. 'Liadan is bezorgd voor de jongen, en terecht. Maar haar vrees zou

niet jou moeten gelden; eerder het feit dat hij niet gereed is voor de taak die hem wacht.'
'Hij lijkt me een geweldige man,' zei ik aarzelend, want ik begreep het niet goed. 'Een leider, verstandiger dan bij zijn leeftijd past, dapper en evenwichtig. Hij ziet ook wel in dat hij meer moet doen dan alleen zijn leger naar de overwinning voeren. Maar... maar tegelijkertijd stemt dat hem treurig.'
Finbar knikte.
'Weet u wat hij eigenlijk moet doen? Begrijpt u wat het Feeënvolk wil?' vroeg ik. 'Ik hoorde... ik kreeg te horen... dat er sprake was van een soort schildwacht, een wachter. De Wachter in de Naald. Dat klonk toen vreemd. Maar er is een eiland dat de Naald wordt genoemd. En... en ze zeiden dat de oude gewoonten zouden sterven. Dat de wijsheid van de aarde en de zee, en de wegen van zon en maan voorgoed verloren zouden gaan, tenzij de wacht in stand bleef. Is dat op de een of andere manier wat Johnny moet doen?'
Finbar zat me verbaasd aan te kijken. 'Ik begrijp,' zei hij langzaam, 'dat anderen dan vrouwe Oonagh je schreden hebben geleid. Wie heeft je deze dingen onthuld? De Feeën zelf?'
'Nee,' zei ik zacht. 'Kleinere, oudere wezens; wezens van aarde en water; het waren Fomhóire. Zij hebben over me gewaakt sinds ik reden had om een van de hunnen te helpen, door middel van de kunst. Maar ze zijn niet meegekomen hierheen.'
'Ze zijn overal, volgens mij,' zei Finbar. 'Maar ze laten zich niet zomaar zien. Dit is werkelijk wonderbaarlijk.'
'U hebt het Gezicht. Zeg me dit. Liadan zegt dat ze Johnny zag, en dat ze mij zag, bij het einde. Wat hebt u gezien? Wat zal er met ons gebeuren?'
Maar de man met de zwanenvleugel schudde alleen zijn hoofd. 'Dat kan ik je niet zeggen,' zei hij. 'Ik denk dat het aan jou is de weg ervan te bepalen; dat jij het visioen moet vormen.'
'Stralend en waarachtig,' zei ik zacht.
'Je moet rusten,' zei Finbar. 'Het is laat en het is koud. Ik heb ergens een deken. Morgenochtend zal je vriend je komen halen.'
Ik aarzelde. 'Het is mogelijk dat ik niet meer hierheen kan komen. Ze willen me wegsturen. De Baas en Liadan. Zelfs Johnny gelooft dat ik zijn broertje betoverd heb, om hem ziek te maken. Ik... als ik niet meer met u kan komen praten, zou ik liever geen tijd verdoen met slapen. Ik vroeg me af of...?'
'Vraag maar, kind. Als ik je kan helpen, zal ik het doen.'

‘Ik moet op krachten komen. Om te doen wat er gedaan moet worden, moet ik... moet ik een tak van de kunst gebruiken die niet zonder gevaar is voor degene die hem toepast. Ik heb dit nog maar één keer eerder gedaan, en toen ben ik erbij geholpen. Begrijpt u wat ik bedoel?’

Finbar knikte. ‘Het leek me al onwaarschijnlijk dat Johnny overreed zou kunnen worden om jou mee te nemen als lid van zijn speciale leger. Om erbij te zijn, zul je moeten veranderen. En ook weer terugveranderen, denk ik. Liadan zag een meisje in haar visioen, geen vis of sprinkhaan.’

‘Mijn nichtje Sibeal zei dat ik moest oppassen voor katten. Het zal nodig zijn om zowel de zee als het land over te steken, en om dicht bij mensen te zijn, maar ook in staat te zijn me snel terug te trekken. Ik denk dat het deze keer een vogel moet zijn.’

‘Dat is zeker niet zonder gevaar. En het put je krachten uit. Ik heb op Zeven Wateren geassisteerd bij iets soortgelijks. De jonge druïden moeten ervaring opdoen met gedaanteveranderingen, als onderdeel van de opleiding. Maar die betreffen niet zozeer het lichaam als wel de geest, en het gebeurt nooit zonder toezicht. Dit is van een geheel andere orde. Ciarán had hier talent voor.’

‘Dat weet ik. Hij heeft het me geleerd. En hij heeft gezegd dat ik het niet mocht gebruiken. Maar ik heb geen andere keus. Er is alleen een probleem. Hoe krijg ik, nadat ik weer mezelf ben geworden, snel genoeg mijn kracht en mijn kunst terug om te kunnen handelen? De laatste keer was ik drie hele dagen zo slap als een zuigeling, en kon ik helemaal niet meer toveren. Als dat weer gebeurt, kan ik niet doen wat er gedaan moet worden.’

‘Ik heb zo’n idee dat de dingen die Ciarán je heeft geleerd, veel verder gaan dan wat ik zelf kan doen. Maar er zijn technieken die je zullen helpen. Die kun je leren. Maar niet in één nacht, Fainne.’

‘Mag ik hier dan bij u terugkomen?’

‘Je zult meer dan welkom zijn, kind. Maar er is weinig tijd.’

Ik dacht aan de grimmige trek om de mond van de Baas en aan Liadans rode ogen. ‘Misschien alleen deze nacht,’ zei ik, ‘als ze me wegsturen.’

‘Dat bedoelde ik niet. Maar we kunnen natuurlijk een begin maken. Wat is volgens jou de kern van je opleiding? Het wezen ervan?’

‘Het oude verhaal.’

‘Dan zullen we, omdat we maar één nacht hebben, dat gebruiken om ons op te concentreren. Ik ben geen druïde; ik ken deze dingen niet uit mijn hoofd. Maar ik kan luisteren, en je helpen je geest te ontdoen van alles wat hem overwoekert en in de war brengt. Morgenochtend zul je sterker zijn. Daarna zien we wel.'

We gingen in kleermakerszit naast de onderaardse poel zitten en hij doofde de lantaarn. Naarmate onze ogen gewend raakten aan de diepe duisternis van de voorjaarsnacht leken de sterretjes in de poel helderder en feller te worden, als juweelachtige echo's van hun hemelse tegenhangers. Het oog van het lichaam richtte zich op die fijne lichtpuntjes. Het oog van de geest bewoog omhoog en buitenwaarts, om op te stijgen in het gewelfde rijk hoog boven ons. Met fluisterende stem in de diepe stilte van de grot begon ik aan de litanie van vraag en antwoord.

Wie waren de eerste mensen in het land van Erin?

De Ouden, de Fomhóire. Mensen van de diepe oceaan, de bronnen en de meren. Mensen van de zee en van de donkere krochten van de aarde.

En wie kwamen daarna?

De Fir Bolg. De zakmensen.

En daarna?

Toen kwamen de Túatha Dé Danann, uit het westen...

Je kunt het oude verhaal niet in één nacht vertellen. Het duurt negentien jaren in het woud voor een man of vrouw een druïde kan worden; en er zijn vele seizoenen nodig om de oude wijsheid uit je hoofd te leren. Ik maakte er nauwelijks een begin mee, hoewel ik doorging met vertellen tot vlak voor zonsopgang, de tijd dat de hemel lichter begint te worden en het eerste aarzelende getjilp door de stille lucht zweeft, wanneer vogels beginnen de zon aan te roepen. Finbar zat stil te luisteren, en ik voelde een diepe kalmte die vanuit zijn geest in de mijne leek over te vloeien, alsof we een tijdlang één wezen waren. Hoewel mijn lippen de rituele woorden uitspraken, werden mijn gedachten bezocht door beelden uit het verleden, prettige dingen die ik bijna was vergeten. Mijn vader, met zijn witte gezicht en zijn zwarte mantel, en zijn haar dat de kleur had van een midwintervuur, die een klein meisje liet zien hoe ze door met haar vinger te wijzen steentjes een helling op kon laten rollen. Reizende mensen op de weg, met kleurige sjaals, lachend, en een kind dat zich tussen de struiken had verstopt om te kijken en te wachten. Maeve, met een matte glimlach op haar gezicht terwijl ik Riona naast haar in bed stopte en ging zitten om een verhaal te vertellen. Het geluid van de doedelzak. Ergens zag ik ook een mooie, witte pony en een sjaal met regenboogkleuren. En... en heel vaag een klein beeld van een vrouw, een tengere jonge vrouw met grote blauwe ogen en honingkleurig haar tot op haar middel. Ze zat op het zand, en ik tekende letters met mijn vinger en keek op, en ze zei: *Goed zo, Fainne*, en lachte naar me. Deze beelden kwamen en gingen terwijl ik doorging met vertellen. Ik voelde de warmte ervan in mijn hart, en gedurende korte tijd was ik niet bang.

Buiten brak de dag aan. Ik zweeg. Finbar stond op, vulde de beker en gaf hem mij. Het viel me weer op hoe koud het water was; het gaf een vreemde helderheid in mijn hoofd.

'Drinkt u niets?' vroeg ik aan hem.

Hij schudde zijn hoofd. 'Ik schijn dat soort dingen niet meer nodig te hebben. Eten, drinken, een zacht bed voor de nacht. Vreemd, misschien. Ik ben eraan gewend geraakt.'

Ik keek hem verbaasd aan. 'Wat zegt u nou? Dat u ontstegen bent aan de noodzaak het lichaam in stand te houden en alleen van de geest leeft?'

'Zo indrukwekkend is het niet, vrees ik. Ik kan niet zeggen wat het is; alleen dat ik blijkbaar niet kan leven als het een of het ander, als mens of als vogel. En toch leef ik. Haar straf was in mijn geval zeer doeltreffend, en levenslang.'

'Kunt u me iets zeggen?'

Hij wachtte beleefd.

'U was even bang als ik toen we tegen elkaar opbotsten. Dat hoorde ik wel. Maar u besloot me te vertrouwen, van meet af aan. Dat begrijp ik niet.'

'Een deel van mij wordt bestookt door angsten, Fainne. Ik ben bang voor het huilen van wilde dieren; ik ben bang voor het ijs op het meer; ik ben bang voor de aanraking van een mens. Jouw hand, in het donker, zou al genoeg zijn geweest. Maar je gezicht...'

'Mijn gezicht? Zie ik er zo monsterlijk uit?'

'Ik keek in je ogen en zag de ogen van de tovenares,' zei hij haast zonder stem. 'Zonder licht nodig te hebben, zag ik ze voor me. Daarmee kwam een moment van doodsangst terug dat me eigenlijk nooit heeft verlaten; het moment van de onherroepelijke verandering. Het verlies van het menselijk bewustzijn; de roof van jonge levens, en de vernietiging van de onschuld van mijn zuster.'

'Ik... het spijt me,' zei ik zwakjes. 'Misschien lijk ik echt op haar. Het spijt me dat ik u heb laten schrikken. Maar...'

'Ik heb geleerd dieper te kijken. Liadan koesterde terecht argwaan

tegen je. Jij hebt het vermogen ons te maken of te breken, denk ik; en pas op het laatste moment zul je kiezen welke weg je neemt.'
Ik was geschokt door zijn woorden, en ik sprak zonder op mijn woorden te letten. 'Ik heb al gekozen. Ik zal sterk genoeg zijn. Dat moet ik zijn. Maar ú kunt me toch moeilijk veroordelen. Uw leven lijkt dat van een wezen dat zich verbergt; misschien verstandig, maar een treurig einde voor een jongeman die ooit brandde van verlangen de wereld te verbeteren. Wat is er van dat vuur geworden, dat u het hier wegsluit onder de aarde?'
Ik overviel hem hiermee, dat was duidelijk. Waarschijnlijk had niemand ooit eerder zo tegen hem gesproken. Zelf had ik er onmiddellijk spijt van. Hij was aardig voor me geweest.
Finbar duwde de versleten mantel naar achteren om de massa wit langs zijn zij te tonen. Hij keek omlaag naar de vleugel alsof die zowel een last was als in zeker opzicht een vertrouwde vriend.
'Ik kan me niet in de wereld van de mensen begeven,' zei hij zacht. 'Zo'n misvorming trekt niet alleen ongewenste aandacht, maar is aanleiding tot bespotting en hoon; misschien zou ik ergens aan de rand van een kermis een plaats kunnen vinden, om me door mensen te laten aangapen en me door hun kinderen met rot fruit te laten bekogelen. Ik zou een molensteen om de nek van mijn familie zijn; een bron van schaamte, meer niet. Hier kan ik anderen laten delen in de kennis die ik heb, en hier kom ik geen mensen tegen. Het is beter zo.'
'Onzin!' zei ik scherp. 'Wat u een misvorming noemt, is een ereteken. Het is een teken van uw kracht en uithoudingsvermogen, en het wijst erop dat u uitverkoren bent voor een groots doel. Als u die jongensdromen laat uitdoven, als u vergeet wat u ooit was, dan heeft mijn grootmoeder werkelijk getriomfeerd over haar oude vijand. Hier houdt u zich afzijdig van het leven. En toch zegt u mij dat ik erop uit moet gaan om het visioen vorm te geven. En uw visioen dan? We zijn familie van elkaar. We hebben vast allemaal een rol hierin.'
Het bleef lang stil. Finbar keek naar me, en ik zag hoe mager hij was, als een geestverschijning; de beenderen van zijn gezicht staken naar buiten onder het witte vel. Er stonden donkere kringen onder zijn vreemde, lichte ogen, en zijn donkere haar was samengeklit en verward, alsof hij er nooit zorg aan had willen besteden.
'Ik ben een oude man,' zei hij ten slotte.
'In leeftijd misschien. U maakt geen oude indruk. U lijkt eigenlijk

niet ouder dan mijn oom Sean. U bent van plan hier in de kracht van uw leven weg te kwijnen en te sterven. Wat een verspilling.'

Hij gaf geen antwoord. Ik had hem natuurlijk beledigd. Mijn woorden waren een schrale beloning voor zijn geduld en begrip. Ik wilde me gaan verontschuldigen toen ik buiten een bekende stem hoorde roepen.

'Fainne! Fainne, waar ben je?'

Ik trok een gezicht. 'Waarom moesten ze hém zo nodig sturen?' snauwde ik. Ik had hem zo zorgvuldig vermeden, ik had zo goed opgepast, en nu zou ik het hele eind met hem terug moeten lopen. 'Ik had best alleen kunnen gaan,' bromde ik.

'Kom maar,' zei Finbar zacht. 'Ik breng je terug naar de ingang. Wie is híj?'

'Een vriend,' snoof ik terwijl ik hem naar buiten volgde door de donkere tunnel waarin het flauwe licht van de dageraad nauwelijks doordrong. 'Hij is me gevolgd naar Inis Eala, en nu wil hij niet teruggaan. En hij moet teruggaan, u weet waarom.'

Finbar gaf geen commentaar, maar na een tijdje zei hij: 'Ik denk dat hij hier is met een doel. In elk geval is het misschien al te laat.'

'Te laat?'

'Te laat om hem terug te sturen.'

We kwamen de opening van de tunnel uit in een lichte, heldere morgen. Lange, rafelige strepen roze getinte wolken spreidden zich uit over de hemel, en de vogels waren wakker geworden en zongen als een energiek koor de nieuwe dag toe. En daar stond Darragh op me te wachten, gekleed in het handige, onopvallende grijs dat Johnny's mannen het liefst droegen. Hij heeft tenminste geen tekening op zijn gezicht, dacht ik somber. Hij heeft nog zijn eigen eerlijke ogen en lieve glimlach.

'Fainne! Je bent dus ongedeerd.' De opluchting in zijn stem was duidelijk hoorbaar.

'Natuurlijk ben ik ongedeerd. Het was helemaal niet nodig om hiernaartoe te komen.'

'Dank je voor je komst, jongeman.' Finbar sprak een beetje moeizaam, alsof hij niet gewend was aan vreemden. 'Ik ben Liadans oom, en ik kan je verzekeren dat je vriendin hier goed verzorgd is. Gaan jullie beiden nu maar naar huis, en zeg tegen de kleine jongen dat ik aan hem denk, en dat ik verwacht dat hij me komt opzoeken zodra hij beter is.'

Toen kwam Darragh naar voren en stak hem zijn hand toe om hem

te begroeten, en Finbar nam hem aan, duidelijk onthutst.
'Dank u, heer,' zei Darragh met een glimlach. Hij keek niet één keer naar de zwanenvleugel; het was alsof hij geen verschil zag met andere lichaamsdelen. 'Ik dank u omdat u haar een veilig onderdak hebt gegeven. Ze heeft nooit geleerd goed voor zichzelf te zorgen.'
Er verscheen een haast onzichtbaar lachje op Finbars strenge trekken. 'En dat wil jij voor haar gaan doen, zie ik,' merkte hij droogjes op.
Darragh trok zijn hand terug. 'Het lijkt misschien bespottelijk dat een reizende man omgaat met krijgers, heren en zieners. Maar ik doe wat ik moet doen. Als de weg me hierheen brengt, moet ik hier blijkbaar zijn.'
Finbar knikte. Hij glimlachte nu niet. 'Zolang je je eigen keuze maar begrijpt. Een weg die buitengewoon moeilijk is; die vreemde gevaren inhoudt, en weinig beloningen.'
'Dat zal me niet tegenhouden,' zei Darragh.
Finbar wendde zich naar mij. 'Vaarwel dan, Fainne.'
'Vaarwel en... dank u.'
'Misschien moet ik jou eerder bedanken. Een klaroenstoot, totaal onverwacht.' Met die woorden liep Finbar de tunnel weer in en verdween uit het gezicht.
'We kunnen beter gaan,' zei Darragh, plotseling onrustig. 'Heb je je mantel? Het is koud op het pad, in de wind.'
'Hou op me te betuttelen, wil je?' zei ik, terwijl de kalmte en de zekerheid van het oude verhaal begonnen te verdwijnen, en de oude, vertrouwde angsten en voorgevoelens weer begonnen op te dringen. Een lange wandeling, open en bloot, en ik had de amulet nog steeds om. Mijn vingers kwamen omhoog om eraan te voelen; hij leek niet warmer. Maar toch moesten we zo snel mogelijk lopen.
'We doen een wedstrijd wie het eerst bij die struiken is,' zei Darragh onverwacht. 'Dat is een goede manier om warm te worden. Klaar? Een, twee, drie, rennen!'
Oude gewoonten zijn hardnekkig. Ik rende hinkend over het smalle, stenige pad, terwijl ik wist dat ik hem nooit voor zou kunnen blijven. Ik probeerde zo hard mogelijk te lopen, wat niet gemakkelijk was na een slapeloze nacht. En ik had niet ontbeten. Ik hoorde zijn zachte voetstappen vlak achter me.
We bereikten de rotsen tegelijk, onze vingers strekten zich tegelijk uit om het oppervlak aan te raken. Zo waren ook alle wedstrijden in onze jeugd geëindigd. Ik was totaal buiten adem; hij had nergens

last van. Hij wachtte terwijl ik me herstelde. De wind woei zijn donkere haar uit zijn gezicht; het gouden licht van de vroege morgen legde een warme gloed over de gladde huid van zijn wangen en voorhoofd.
'Ik was ongerust over je,' zei hij. 'Je was weggelopen.'
'Wat had ik dan moeten doen? Daar blijven terwijl ze me beschuldigden van iets wat ik niet gedaan had? Ze zeiden dat ik Coll kwaad had gedaan. Dat was niet waar. En nu gaat de Baas me wegsturen.'
'Ben je weer op adem gekomen? Mooi. Dan moeten we maar weer gaan lopen.'
'Darragh?' fluisterde ik.
'Wat?'
'Coll. Is hij...?'
Zijn gezicht stond ernstig. 'Ze zeiden niet veel. Hij leeft nog, dat weet ik wel. We zullen wel meer horen wanneer we terug zijn.'
Ik zweeg, met een donkere wolk over mijn gedachten.
'Ik heb het tegen hen gezegd,' zei Darragh. 'Ik heb gezegd dat jij het niet gedaan had.'
'Wat heb je?'
'Ze maakten zich ongerust toen je was weggelopen. Johnny kwam aan mij vragen waar je heen zou kunnen zijn. Ik wilde een verklaring; hij gaf er een. Daarna ben ik naar de Baas en je tante toegegaan en ik heb tegen hen gezegd dat jij nooit zoiets zou doen.'
Ik keek even van opzij naar hem. 'Waarom ga jij nou zoiets zeggen? Jij weet beter dat wie ook waartoe ik in staat ben. Jij bent de enige aan wie ik het ooit heb verteld. Er zijn mensen doodgegaan. Waarom kom jij dan voor mij op? Je kon het niet weten.'
'Toch wist ik het,' zei Darragh heel zacht, terwijl hij me zijn hand toestak om me over een laag stenen muurtje te helpen. 'Je hebt het toch niet gedaan?'
'Natuurlijk niet.'
'Nou dan.'
'Maar waarom ga jij dat tegen hen zeggen, zelfs als het waar is? Jij wilt toch juist dat ik naar huis word teruggestuurd?'
Het bleef even stil.
'Hou ermee op, Krullenbol,' zei hij een beetje onzeker. 'Hou ermee op tegen me te vechten. Je denkt misschien dat het geen pijn doet, maar het doet wel pijn, en ik denk niet dat ik het nog veel langer uithoud. Ik weet dat je niet wilt dat ik hier ben. Ik weet dat je boos op me bent omdat ik gekomen ben. Maar we zijn toch nog vrien-

den? Je zou het niet nodig moeten vinden om me zulke dingen te vragen. Ongeacht wat ik wil, ik ben niet van plan werkeloos toe te zien terwijl ze jou straffen voor iets waaraan je part noch deel hebt gehad. Iedereen kan zien dat je dol bent op dat jongetje. Ik heb gewoon de waarheid gezegd, meer niet, en daar heb ik geen spijt van. Het is het beste om de waarheid te zeggen, ook al heeft dat tot gevolg dat je niet krijgt wat je wilt.'

Ik zei niets. Hij was zo door en door goed dat ik me schaamde. We liepen verder, de lage heuvels op, de ondiepe dalen in, langs schapen die graasden van de schaarse plukjes begroeiing en geiten die zich bewogen over steile paadjes hoog boven de zee. Het was belangrijk om voort te maken, maar ergens wilde ik juist langzaam lopen, want er kwamen herinneringen bij me op, herinneringen van lang geleden, aan een tijd in Kerry toen de wereld eenvoudiger was, en twee vrienden de hele dag samen buiten konden zijn zonder ooit bang te hoeven zijn dat er een pijnlijke stilte zou vallen. De eerste gebouwen van de nederzetting kwamen in de verte in zicht. We hadden een hele tijd gezwegen. Nu begonnen we allebei langzamer te lopen.

'Fainne?' Darraghs stem klonk heel ernstig.

'Wat?'

'Je weet dat ik binnenkort weg moet. Daarvoor ben ik tenslotte hier. Als krijger. Er is een opdracht, en een slag. Ik wil dat je me belooft dat je op zult passen terwijl ik weg ben. Zorg goed voor jezelf, en denk na voor je dingen zegt, en... en zorg dat je niets overkomt. Ik wil dat je hier op het eiland op me wacht.'

Ik staarde hem aan, want ik begreep er niets van. 'Op je wacht? Ik denk niet dat ik zoiets kan beloven. Waarop moet ik wachten?'

Zijn wangen werden rood. 'Ik hoopte dat... dat wanneer het voorbij is, de slag en zo, je met me mee naar huis zou willen gaan. Terug naar Kerry. Dat zou ik heel fijn vinden. Je weer veilig bij je vader te zien. Ik weet dat ik niet alles kan krijgen wat ik wil; dat zei hij toch, die ziener? Maar ik zou het heel fijn vinden als ik wist dat jou niets kon overkomen, en dat je terug bent waar je thuishoort. Zou je na deze zomer met me mee willen gaan?'

Hij had dit al een keer aangeboden, en ik had nee gezegd; toen dacht ik dat mijn hart zou breken van het verlangen weer thuis te zijn. Nu had ik alleen een koud, hopeloos gevoel van onontkoombaarheid.

'Dat kan ik niet beloven. Ik weet niet wat er gaat gebeuren, maar

ik denk niet dat ik ooit terug zal gaan naar de baai, Darragh. Je hebt er verkeerd aan gedaan hier te komen. Ik denk dat het een teleurstelling voor je zal worden.'
'O nee. Ik ben hier en jij bent hier. Dat is al beter dan niets. En vandaag praat je zelfs tegen me. Dat is een verbetering. Als ik er hard genoeg tegenaan ga, heb ik je misschien met Lugnasad zo ver dat je tegen me lacht. Dat zou geweldig zijn.'
'Ik... het spijt me. Er is niet veel geweest waar ik om kon lachen.'
'Er is altijd iets waar je om kunt lachen, Krullenbol. Malle dingen; fijne dingen. De klank van een fluit in de avond; het licht van een kaars op het haar van een meisje. Een grap onder vrienden. Je bent het alleen maar vergeten. Ach, wat is er nu? Ik heb je van streek gemaakt. Dat was helemaal mijn bedoeling niet.'
Het was idioot hoe zijn woorden dat kleine stukje van me wisten te bereiken waar niets anders kon doordringen, en gevoelens op wisten te roepen die ik wilde laten rusten, om gewoon verder te kunnen gaan met wat ik moest doen. De pijn was zo erg dat ik mijn handen voor mijn gezicht moest slaan, uit angst dat ik echt tranen zou vergieten. Ze zaten er, niet ver onder de oppervlakte. Maar een tovenaarsdochter huilt niet.
'Wat is er, Krullenbol? Wat is er aan de hand?' Zijn magere vingers sloten zich zacht om mijn handen en namen ze weg. 'Zeg het maar, liefje. Zeg me wat er is.'
'Ik... ik kan het niet,' mompelde ik, maar ik kon niet vermijden dat ik in zijn ogen keek, die vol zorg waren en waarin ik nog iets zag dat ik niet wilde benoemen. 'Ik kan het niet zeggen.'
'Jawel, je kunt het wel zeggen. Vooruit. We zijn toch vrienden?' Zijn hand kwam omhoog om het haar van mijn slaap weg te strijken, en bleef daar, zacht strelend.
'Ik... ik wil niet dat je iets overkomt.' De gefluisterde woorden ontsnapten, ondanks mijn pogingen ze binnen te houden. 'Als er iets met je gebeurt, zal het mijn schuld zijn, en ik denk niet dat ik dat kan verdragen.' Ik perste mijn lippen op elkaar om tegen te gaan dat er nog meer domme woorden naar buiten glipten. De aanraking van zijn hand was heerlijk, zo heerlijk dat ik dacht dat ik ervan zou kunnen smelten, dacht ik, en iets nog veel dommers zou doen zoals mijn armen om hem heen slaan en hem stevig vasthouden, om hem bij me te houden. Wat bezielde me toch, dat ik plotseling zo zwak was? Ik knipperde met mijn ogen en deed een stap naar achteren.
'We moeten echt verder,' zei ik in een jammerlijke poging me te be-

heersen. Mijn stem trilde als een berk in de herfst. 'Ik had dat niet moeten zeggen. Vergeet alsjeblieft dat ik het heb gezegd.' Ik liep verder, met de mantel strak om me heen getrokken. En Darragh liep naast me, zwijgend, en hield gelijke pas met me.

'Misschien wil jij het niet beloven,' zei hij na een poos, 'maar ik beloof het wel. Ik beloof dat ik je nooit aan jezelf over zal laten. Als je me in de buurt wilt hebben. Alleen deze ene keer, voor deze ene veldtocht, omdat ik Johnny mijn woord heb gegeven. Hierna zal alles anders zijn. Ik zweer het, Fainne. Je moet niet bang zijn om mij. Ik zal er altijd zijn wanneer je me nodig hebt. Altijd.'

Was het toeval dat er een wolk voor de ochtendzon schoof toen hij dat woord uitsprak? Was het toeval dat een grote, zwarte vogel hoog boven ons voorbijvloog, schril krassend terwijl we omhoogliepen naar de nederzetting en allebei zwegen?

Het was heel vroeg; toch waren er al mensen buiten. Er steeg rook op van het kookvuur en er hing een geur van gebakken vis en versgebakken gerstbrood. Mannen droegen dingen naar de baai, doelbewust en zwijgend. Bij de buitenste muur zat Johnny op de stenen een mes te slijpen, en naast hem zat een grote raaf. Het beest draaide zijn kop opzij en richtte zijn kleine, felle oog op mij.

'Fiacha!' riep ik uit. Mijn hart bonsde luid. 'Is mijn vader hier?' vroeg ik, verscheurd tussen angst en onmogelijke hoop.

'Alleen de vogel,' zei Johnny, terwijl hij het mes wegstak in de schede. 'Moeder zei dat jij hem vermoedelijk wel zou kennen; ik moet hem ook gekend hebben. Dat is zo lang geleden dat ik het niet meer weet; ik was nog maar een zuigeling. Het beest is hier kennelijk met een doel; hij volgt me overal. Misschien heeft hij jou een boodschap gebracht.'

'Dat lijkt me niet. Ik heb nooit een methode gevonden om met een raaf te communiceren, en eigenlijk wil ik dat ook niet. Fiacha heeft een scherpe snavel. Ik kan het weten.' Mijn vingers gingen instinctief naar de plek op mijn schouder, onder mijn jurk, waar de vogel me lang geleden had gepikt. Dat had pijn gedaan, en sindsdien had ik een hekel aan hem gehad. 'Hoe gaat het met Coll?' dwong ik mezelf te vragen.

'Beter,' zei Johnny luchtig. 'Hij eet pap en moppert wanneer moeder zegt dat hij in bed moet blijven.'

Ik had van alles kunnen zeggen, terwijl een grote golf van opluchting door me heen spoelde, maar ik hield het voor me. Wat had het voor zin?

Darragh was minder terughoudend. 'Dan mag je je weleens verontschuldigen tegenover Fainne, vind ik.' Hij keek Johnny recht in de ogen, met een grimmige mond en half toegeknepen ogen; ik had nog nooit zo'n uitdrukking op zijn gezicht gezien.
'Het is wel goed, Darragh,' zei ik, en legde een hand op zijn arm. 'Een redelijke vergissing, gezien de omstandigheden.'
'Het is helemaal niet goed.' Zijn stem klonk heel beslist. 'Je was erg van streek, en bang. Het is allesbehalve goed. Je tante zou je haar excuses moeten aanbieden, als Johnny het niet wil doen.'
'Het is jammer,' zei Johnny zacht, 'maar dit bewijst niets. Fainne is er even bedreven in dit soort betoveringen ongedaan te maken als ze erin is ze te laten ontstaan. Dat heb ik zelf mogen ervaren, vriend. Maar nu we het er toch over hebben, kun je me misschien vertellen waarom je haar alleen bent gaan halen, in plaats van Godric mee te nemen? Begrijp je niet wat een bevel is?'
Darragh kreeg een kleur. Ik vond het niet prettig hem boos te zien. Vroeger werd hij nooit boos.
'Johnny,' zei ik, terwijl ik tussen hen in ging staan. 'Ik heb niet geslapen, en ik heb sinds het ontbijt gisteren niets gegeten. Het maakt mij niet uit wat je denkt; ik weet wat de waarheid is, en Darragh weet dat ook, en daar moeten we het maar mee doen. Ik wil Coll zien en ik wil rusten. En Darragh heeft vast wel iets te doen. Kunnen we hier alsjeblieft mee ophouden?'
Johnny grijnsde en keek Darragh even aan. 'Was ze altijd al zo?' vroeg hij.
Maar Darragh had zijn voorhoofd gefronst en antwoordde niet. In plaats daarvan draaide hij zich om en zei heel zacht tegen mij: 'Zal het wel gaan met je?'
Ik knikte, want ik wist niet of mijn stem het wel zou houden als ik antwoordde. En hij vertrok zonder een woord te zeggen, en na een ogenblik ging Johnny ook. De vogel spreidde zijn grote, glanzende vleugels en vloog achter hem aan, in cirkels, nu eens voor hem, dan weer achter hem. Ik hoopte maar dat de band met mijn vader hem eerder tot een vriend maakte dan tot een vijand.
Coll was echt een stuk beter. Hij zat rechtop in bed, nog wel met koortsige blosjes op zijn gezicht, terwijl Liadan de kussens schikte. 'Fainne!' riep hij toen ik binnenkwam. Meeuw was er ook, bezig een tas in te pakken met artikelen van de planken, tincturen en zalven, smeersels en balsems. Hij grijnsde me toe, zodat zijn witte tanden blonken tegen de nachtzwarte huid. Zijn gehavende handen be-

wogen handig om kleine flesjes of tere kommen op te pakken. 'Waar ben je geweest?' ging Coll verder. Zijn ogen schitterden te sterk; maar toch was de verandering in zijn toestand opmerkelijk.
'Naar de noordelijke punt,' zei ik, terwijl ik naar het bed toe kwam. Coll ging weer liggen; zijn moeder streek de deken glad over zijn borst. Ik keek haar aan, en ze keek kalm terug. Ik kon nergens uit opmaken wat ze dacht, maar ik zag geen verontschuldiging in haar ogen. 'Mag ik hier even komen zitten?' vroeg ik.
Liadan neeg haar hoofd. 'Heel goed, Fainne. Niet te lang.' Ze stond op en ging Meeuw helpen met inpakken. Ze begonnen een gesprek over messteken, en over de vraag of ijzerhard of brunel de beste bescherming bood tegen kwade dampen.
'Ben je echt helemaal naar de noordelijke punt geweest?' vroeg Coll. 'Helemaal alleen? In het donker?'
'Ja.'
'Was je niet bang?'
'Waarom zou ik bang zijn?'
'Je had van een klif kunnen vallen of je been kunnen breken. En heb je oom Finbar gezien?'
'Je moet niet zo veel praten,' zei ik streng tegen hem. 'Je bent erg ziek geweest. Je moet rusten en beter worden, zodat we weer met onze lessen kunnen beginnen, voor je alles vergeten bent wat ik je heb geleerd.'
Coll zuchtte diep. 'Lessen! Dan blijf ik misschien toch maar in bed. Fainne?'
'Mm?'
'Ze zeiden dat je misschien weg zou gaan. Ga je weg?'
Ik keek even naar Liadan. 'Ik weet het niet, Coll,' zei ik.
'Misschien nu nog niet.' De stem van mijn tante klonk ernstig. 'Als je goed vooruitgaat met je letters, houden we haar misschien nog een tijdje hier. Bovendien zal ik hier hulp nodig hebben.'
'Gelukkig,' zei Coll slaperig. 'Ik ben blij dat je niet weggaat. Het zal hier zo stil zijn als een graf, wanneer iedereen weg is. Zelfs Cormack gaat weg.' Hij deed zijn ogen dicht.
Eindelijk drong een vreselijk besef tot me door. Mannen die bundels omlaag sjouwden naar de baai. Meeuw die medicijnen inpakte. Finbar die zei dat er geen tijd was.
'Tante Liadan?' vroeg ik met bevende stem.
'Wat is er, Fainne?'
'De... de campagne. Die zou toch in de zomer zijn?'

Er viel een ietwat pijnlijke stilte. Toen nam Meeuw het woord.
'De Baas hecht altijd veel waarde aan valse inlichtingen,' zei hij, terwijl hij het deksel van een aardewerk potje stevig aandrukte, het in een doek wikkelde en diep in de tas wegstopte. 'De zomer is het officiële tijdstip. Maar we kunnen elk moment weg, en het ziet ernaar uit dat dat moment nu is.'
'N-nu? Je bedoelt... nu meteen? Vandaag?' De moed zonk me in de schoenen. Dat betekende dat ik het zonder voorbereiding moest doen, en zonder enige hulp. Het betekende ook dat ik voor de avondschemer zou moeten aanzien dat Darragh in een van die schepen stapte en wegvoer naar de strijd.
'Morgen,' zei Liadan. 'Vanavond wordt er feestelijk gegeten en wordt er afscheid genomen. Bran wilde niet gaan zolang Coll in gevaar was. Maar...'
'Het is zo vroeg,' zei ik huiverend. 'Zo snel al. Ik had niet gedacht dat het zo snel zou zijn.'
Liadan verraste me door naar me toe te komen en naast me te gaan zitten, en haar arm om mijn schouders te leggen.
'Het wordt nooit gemakkelijker om afscheid van ze te nemen,' zei ze. 'Elke keer is het weer alsof je een beetje doodgaat; elke keer smeek je de goden om nog één kans, één kans maar. Mannen begrijpen niet hoe het is om te wachten. Vrouwen verdragen het omdat ze wel moeten. Het is de prijs van de liefde. Ik denk dat het voor jou de eerste keer is dat je op deze manier afscheid moet nemen.'
'Het is niet zo tussen hem en mij,' zei ik fel, want het was om de een of andere reden moeilijker te verdragen dat ze lief tegen me deed dan dat ze me afkeurend bejegende. 'Hij zou alleen niet moeten gaan. Hij weet niet wat hij doet. Deze mannen, Johnny, Slang en de Baas, dat zijn tenminste krijgers. Het is hun werk. Darragh is... hij is een onschuldig kind.'
'Ah, ja.' Liadan hief haar hand om mijn haar aan te raken en het een beetje uit mijn gezicht te strijken. Ik zag er waarschijnlijk verschrikkelijk uit, met wallen onder mijn ogen en mijn krullen helemaal verward door de wind. 'Dat zie jij ook. Maar soms lopen de onschuldigen ongedeerd door een slagveld, Fainne. Juist hun onschuld beschermt hen. We moeten hopen dat ze allemaal behouden en als overwinnaars terugkomen. Maar nu moet Coll toch echt rusten. Jij bent vast moe en je zult wel honger hebben. Biddy en Annie zijn vroeg opgestaan, en er staat een goed ontbijt te wachten. Waarom ga je niet naar de keuken, om lekker te eten en gezellig-

heid te vinden, om daarna een tijdje te slapen?'
Meeuw was klaar met inpakken en hij bond de tas netjes dicht.
'Bent u ooit met hen meegegaan?' vroeg ik aan mijn tante. 'Ze zullen tijdens zo'n slag wel een wanhopige behoefte aan genezers hebben.'
'Een slagveld is geen plaats voor een vrouw. Ik zou graag gaan, geloof me; het is alsof er een mes in mijn hart steekt als ik hen zo lang niet zie, terwijl ze in gevaar zijn. Maar Bran zou het niet toestaan. Dit is te gevaarlijk. Meeuw reist met hen mee; hij zal hun verwondingen verzorgen. Intussen hou ik de dingen hier in het oog.'
'Liadan?'
Ze keek me aan, maar ik kon de woorden niet vinden voor wat ik wilde vragen. Ze lachte even, als teken dat ze het begreep.
'Finbar zegt tegen me dat we geen andere keus hebben dan je te vertrouwen,' zei ze. 'Als hij dat kan, moet ik het ook kunnen. Hij heeft meer reden om bang te zijn dan ik. Ga nu maar. En niet zo somber kijken. We moeten deze mannen lachend en vol vertrouwen op weg sturen, niet met behuilde gezichten. Onze tranen bewaren we voor later, wanneer we alleen zijn.'
Ik at, maar niet veel. Ik had een misselijk gevoel in mijn maag. Ik sliep, en werd gekweld door dromen, zo boosaardig dat ik ze hier niet zal vertellen. Ik werd wakker, waste mijn gezicht en trok andere kleren aan. Ik vlocht mijn haar in een nette vlecht op mijn rug. Toen liep ik naar buiten en ging boven op het klif zitten boven de baai, en ik dacht aan vogels. Het was rustig weer. De curraghs lagen voor anker, klaar voor vertrek. Er waren drie grote schepen en vele kleinere, sommige volgeladen met tassen en bundels, sommige leeg. Er zouden nog wapens komen, dacht ik. Voorraden. Ze zouden onderweg wel ergens een kamp hebben. Ik had geen idee waar, en ze hadden me de kaarten niet laten zien. Ik zou moeten vliegen, en ik zou meteen achter hen aan moeten gaan, anders zou ik hen misschien niet vinden en in plaats daarvan steeds door vliegen over dat uitgestrekte watervlak tot mijn vleugels het begaven en ik omlaag duikelde in de kaken van een of ander zeebeest met lange slagtanden. Als ik tenminste al niet van de kou was omgekomen. Ik dacht aan mannen die 's nachts gingen zwemmen, en huiverde. De zomer zou toch veel beter zijn. Waarom hadden ze niet tenminste tot Beltaine gewacht? De lucht was bitter koud; de zee zou helemaal meedogenloos zijn.
Vogels. Zeevogels: meeuw, stern, albatros. Geschikt voor de lange

afstand over de oceaan, toegerust met uithoudingsvermogen en kracht. Misschien niet zo geschikt op het land. Te veel lawaai; te wild. Het zou nodig kunnen zijn dichtbij te komen; het zou van belang kunnen zijn onopvallend te zijn. Een winterkoning, een mus. Nee. Te kwetsbaar, te zwak. Niet meer dan een smakelijk hapje voor een gevleugelde rover. Ik zou zelf een jagend dier kunnen zijn, een havik of een arend. Dat leek ook niet goed. Wat was er nou een beetje klein, een beetje gewoontjes, en niet te bang voor mensen, terwijl het toch grote afstanden kon vliegen? Er waren kleine grijze vogels in Kerry; die kwamen soms op de grond wanneer ik onder de staande stenen zat, en stapten rond terwijl ze me hoopvol in het oog hielden, voor het geval dat ik een handvol graan of een stuk roggebrood had meegebracht. Bolle beesten met een kleine kop en een keurig, klein snaveltje. Rotsduiven, werden ze genoemd. Sommige mensen gebruikten toch duiven om boodschappen te versturen? Maar je had ook duivenpastei. Nou ja, waar wij heen gingen zouden ze vast niet zulke ingewikkelde gerechten koken. Een duif was klein, maar niet te klein. Hij had een zachte, vriendelijke stem en een eenvoudig, onopvallend verenpak. En voor zover ik wist, kon hij een aardig eind vliegen. Dat was het dus. Zodra ze vertrokken, moest ik het doen, zonder enige hulp. En aan de andere kant moest ik maar hopen dat ik sterk genoeg zou zijn.

Deze mensen hadden hiervoor al vele malen afscheid genomen, maar zelfs voor hen was dit ongewoon. Al die andere keren werd er gewoon een groepje mannen weggeroepen voor een opdracht, die na enige tijd weer terugkwamen; dan ontbraken er een paar, en enkelen waren gewond, misten een oog of hadden misschien een kapotte arm of schouder. Daar waren ze aan gewend, vertelde Biddy terwijl ik in een hoek van haar kookplek zat en mezelf dwong een kom soep naar binnen te werken. Ik kon me niet veroorloven de volgende ochtend zwak te zijn, terwijl ik zo'n eind moest vliegen. In die tijd, vervolgde Biddy, voordat de Baas naar Inis Eala was gekomen, waren ze altijd op de vlucht geweest. Ze waren nooit veilig, moesten altijd in het verborgene leven, of hun leven wagen in een onmogelijke onderneming. Ze hadden de naam gekregen dat ze dingen konden die anderen niet konden. Zij had al een beste man verloren en ze moest nu maar hopen dat ze niet nog een man zou verliezen. Dankzij de Baas oefenden haar jongens een ambacht uit, en omdat ze dus geen krijgers waren, zouden zij op het eiland blijven. Maar Meeuw moest gaan; ze kon hem niet tegenhouden. Hij was in de eerste plaats loyaal aan Johnny, zei ze wrang, terwijl ze takjes rozemarijn uitstrooide over het halve schaap dat Annie aan het spit ronddraaide. Johnny was de zoon van de Baas, en de Baas had Meeuw een leven gegeven. Dat begreep ze wel. Dat deed niets af aan het feit dat Meeuw een stomme idioot was, en dat zou ze hem zeggen ook. Een man die over de veertig was, was te oud om zich met dat soort onzin af te geven, en verdiende het niet dat een brave vrouw zijn bed warm hield tot hij terugkwam.

Maar deze keer was het toch anders. Sinds ze op het eiland waren gekomen en er hun school en hun gemeenschap hadden gebouwd, waren er nog nooit zoveel tegelijk vertrokken voor een opdracht. Hun werk bestond er nu uit dat ze lesgaven in de krijgskunsten, en niet dat ze zelf gingen vechten. Er werd gezegd dat de Baas niet had gewild dat ze deelnamen aan deze onderneming. Hij bezat nu een landgoed, wat andere verantwoordelijkheden meebracht, en had zich op Harrowfield gevestigd. Hij had zijn belangstelling voor Inis Eala behouden omdat hij dat niet kon helpen; het zat in zijn bloed. Toch had hij hierbuiten willen blijven. Maar Sean van Zeven Wateren was familie, en ze waren hem iets verschuldigd. Sean was degene geweest die hen had geholpen zich hier te vestigen; hij had het bericht verspreid dat als je wilde dat je manschappen goed geoefend waren, je op Inis Eala moest zijn. En Sean was Liadans broer. Bovendien was er Johnny, de erfgenaam van Zeven Wateren. Een profetie kon je niet naast je neerleggen. En daarom gingen ze allemaal, behalve de alleroudsten en de allerjongsten en degenen wier ambacht inhield dat ze geen wapenen droegen. Alle sterke jongemannen die ons zo onhoorbaar en slim hadden bewaakt; de hele vreemde, kundige bende met hun vreemde namen en bonte uitdossing. Zelfs de jonge Cormack ging mee; hij was al een echte krijger.

Er was een feestmaal, met het geroosterde schaap, met knoflook gevulde kippen en een pudding met specerijen en vruchten erin. Er was bier, maar niet overmatig veel; om bij zonsopgang te kunnen vertrekken was een helder hoofd nodig. Na de maaltijd was er muziek. Sam en Clem speelden de sterren van de hemel; de vrouw met de harp overtrof zichzelf, eerst met jigs en reels, en daarna met een trage melodie die lieflijk als een elfenwijsje van de snaren vloeide. Toen ze daarmee klaar was, riep iemand om dansmuziek, en begonnen de muzikanten weer te spelen.

Deze avond was het blijkbaar toegestaan elkaar aan te raken, elkaar blikken toe te werpen en woorden te fluisteren. Brenna en Annie dansten giechelend met elkaar, omdat hun mannen het te druk hadden met fluit en bodhrán. De jongemannen stonden op, en even later was er nauwelijks een vrouw in de zaal die niet op de vloer ronddraaide en in haar handen klapte op de klanken van een energiek wijsje en een donderend getrommel. En het was niet alleen de jeugd die zo bezig was. De dikke Biddy danste met de lange, slungelige Spin; het meisje dat kippen fokte, draaide in het rond met Slang, die woeste, in de strijd getekende kerel, die er schitterend uitzag in zijn tuniek van slangenhuid. Meeuw nam Liadan mee naar de vloer, en ze lachten samen als oude vrienden. De Baas danste niet. Hij zat roerloos aan de kant, en zijn grijze ogen bleven voortdurend gericht op het slanke, eenvoudig geklede figuurtje van zijn vrouw terwijl ze onder Meeuws arm doorglipte, of sierlijk om hem heen draaide, of samen met hem tussen de rijen dansers door slingerde. Ik begreep die blik van de Baas, intens, hunkerend. Hij sloeg herinneringen op die hem bij moesten blijven tot hij terug zou komen en haar weer in zijn armen zou mogen nemen.

Johnny kwam met een grijns naar me toe en vroeg of ik met hem wilde dansen, en ik zei beleefd nee. Toen kwam Gareth het proberen, blozend en struikelend over zijn woorden, en ik zei dat ik te moe was. Corentin keek naar me, met zijn donkere wenkbrauwen gefronst, en daarna keek hij naar Darragh, maar hij kwam niet naar me toe. Darragh danste niet. Hij zat in mijn buurt, maar niet te dichtbij, en aan de manier waarop hij met zijn voet tikte en met zijn vingers knipte, zag ik wel dat hij popelde om mee te doen. Hij was een en al muziek, die jongen. Maar hij stond niet op, en ik ook niet.

De reel was afgelopen en Liadan kwam terug, blozend en glimlachend, om weer bij de Baas te gaan zitten. Ze keken elkaar niet aan; alleen zijn hand greep de hare stevig vast toen ze naast hem ging zitten, en hun vingers strengelden zich in elkaar. Ze waren vanavond minder voorzichtig; het deerde hun niet wat de mensen zagen, want er was weinig tijd meer.

'Speel er nog een!' vroeg de vlasblonde Godric, die Brenna als partner had gekozen. Daar was moed voor nodig, want haar geliefde Sam zou elke beweging in het oog houden, terwijl zijn smidsarm een kloppend ritme aan de bodhrán ontlokte. Maar de harpiste was moe, ze wilde rusten en wat bier drinken, en Clem zei dat het tijd was om met zijn Annie te dansen.

'Zeg, Darragh!' riep Godric, die zich niet wilde laten dwarsbomen. 'Je zei toch dat je doedelzak kon spelen. Laat dan eens wat horen!'

Darragh glimlachte. 'Hij is ingepakt,' zei hij.
'Nou, ga hem dan halen! Er gaat niets boven een doedelzak als je wilt dansen.'
Dat was zeker waar. Ik zag aan hun gezichten dat ze eigenlijk niet veel meer verwachtten dan grof, ongeschoold spel, de probeersels van een jongen die te hooi en te gras wat heeft geleerd, door iets na te spelen dat hij toevallig heeft gehoord, of door zomaar wat te doen. Ik had hun anders kunnen vertellen, maar dat was niet nodig. Korte tijd later had Darragh de zak volgeblazen en onder zijn arm gestopt, en zijn lange, slanke vingers bewogen over de gaten van de melodiepijp. Er stroomde een vloeiende melodie door de lucht en alle stemmen in de lange zaal zwegen. Iedereen stond stil te luisteren, tot Sam het ritme van een jig oppakte en de oudere mensen op de maat begonnen te klappen, waarna het dansen weer begon.
Herinneringen opslaan. De Baas was niet de enige die dat kon doen. Hij zou de zijne nodig hebben tot de campagne afgelopen was. Ik dacht dat de mijne voor altijd zouden moeten zijn. Maar ik hoefde niet naar Darragh te kijken om te zien wat ik niet kon krijgen. Ik kon mijn ogen sluiten en het beeld voor me laten tekenen door het geluid van de doedelzak: de donkerharige jongen op de mooie witte pony, met boven hen de lichte, wijde hemel van Kerry, en de zachte lucht, en het geluid van de zee.
'Alles goed, meisje?'
Ik knipperde met mijn oogleden en keek op. Biddy stond voor me, hijgend van de inspanning; haar brede, vriendelijke gezicht was rood aangelopen, sliertjes blond haar stonden als een stralenkrans om haar hoofd.
'Je ziet erg bleek; ik hoop dat je geen koorts onder de leden hebt.'
'Ik voel me goed.' Dat was tenminste zo tot Darragh de woeste jig afsloot en met een steelse blik in mijn richting aan een langzaam klaaglied begon. Het dansen hield op; gelach en gepraat stierven weg. De mensen stonden hand in hand, of bleven stil zitten, en hun ogen werden zacht, en hier en daar drupte een traan terwijl de melodie sierlijk als een zwaluw omhoog- en omlaagging en ingewikkelde versieringen haar kleedden in een fraai kantwerk van licht en schaduw. Een goede melodie spreekt net als een goed verhaal alle luisteraars aan, maar vertelt aan geen twee van hen dezelfde geschiedenis. Ze haalt naar voren wat diep in de ziel leeft; ze maakt dingen wakker waarvan we nauwelijks wisten dat ze er waren, zo-

zeer waren ze begraven onder alledaagse drukte, onze mantels van zelfbescherming. Darragh speelde vanuit zijn hart, zoals altijd, en tegen het eind voelde ik dat ik het domweg niet meer kon verdragen. Nog meer en ik zou gaan huilen, of gillen, of ik zou de amulet afrukken en schreeuwen dat ik het niet kon, en dat niemand me kon dwingen. Maar ik was goed gedrild. Ik stond stilletjes op en ging naar buiten, niet ver. Ik ging op het muurtje bij de moestuin zitten, onder de bleke maan. Binnen ging de klaagzang verder; een lied van liefde en verlies, een lied van afscheid. Het sprak van wat had kunnen zijn. Ik klemde mijn kaken op elkaar, sloeg mijn armen om mezelf heen en herinnerde mezelf aan het feit dat ik een tovenaarsdochter was en dat ik een taak te vervullen had. Ik moest vergeten dat ik een vrouw was, en dat Darragh een man was, en eraan denken dat ik morgen een wezen van de lucht moest worden, dat hoog boven verraderlijke zeeën zou vliegen. Ik moest denken aan mijn grootmoeder en aan het kwaad dat ze had aangericht: een familie bijna kapotgemaakt, een huishouden ontwricht. Ze had Finbar, een fijne jongeman, veranderd in een soort wandelende geestverschijning. Het einde van de hoop van mijn moeder, van de dromen van mijn vader – alles was bij haar begonnen. Ik moest eraan blijven denken wat ze mij had laten doen, en wat ze zou willen dat ik werd. Als dat me niet de benodigde kracht zou geven, waren we werkelijk verloren.
De muziek hield op. De meeste lichten werden gedoofd; de mensen stroomden uit het lange huis op weg naar hun bed. Ik zou wachten, dacht ik, tot Brenna en de anderen in bed lagen en dan stil naar binnen glippen. Ik had geen zin om te praten. Deze nacht moest ik sterk zijn, vol hoop en vertrouwen. In plaats daarvan voelde ik me alleen, hulpeloos en bang. Hoe kon ik van gedaante veranderen als ik niet in mezelf geloofde? Nu de muziek afgelopen was, moest ik de diepe ademhaling toepassen die vader me had geleerd: langzaam en volledig inademen vanuit de buik; uitademen in drie etappes, als de trappen van een grote waterval. En weer. Beheersing, daar hing alles van af. Zonder beheersing was ik overgeleverd aan gevoelens, en gevoelens waren alleen maar hinderlijk.
'Fainne?'
Ik schrok ervan. Hij stond voor mijn neus, en ik had hem niet gehoord of gezien.
'Je hoeft me niet zo te besluipen! Bovendien hoor je hier niet alleen met mij te zijn, midden in de nacht. Het is tegen de regels.'

'Welke regels?' zei Darragh, terwijl hij zich naast me op de muur hees. 'Nu kunnen we beter praten. Morgen is er geen tijd voor. Ik heb je van streek gemaakt, hè?'
'Natuurlijk niet.'
'Je ging naar buiten. Ik dacht dat je me graag hoorde spelen.'
'Ik werd er treurig van. Darragh, je moet weggaan, of anders ik. Er is nog licht aan, er zijn mensen buiten. Iemand zou ons kunnen zien.'
'We zijn gewoon twee vrienden die zitten te praten. Daar steekt toch geen kwaad in?'
'Je weet dat dat niet alles is. Ga nu weg, alsjeblieft. Maak dit niet nog moeilijker dan het al is.' Mijn stem beefde. Ik had al mijn geestkracht nodig om stil te blijven zitten en niet naar hem te kijken. Darragh zei een tijdlang niets. Toen liet hij zich van de muur afglijden en draaide zich zo dat hij me tegenover zich had, met zijn ogen op gelijke hoogte als de mijne, zodat ik zijn blik niet kon ontwijken.
'Wat bedoel je, dat dat niet alles is?' Zijn stem was heel zacht in het donker. Achter hem kon ik, door de halfopen deur, de gloed van lamplicht zien en de stemmen van Biddy en Meeuw horen, die rondliepen om op te ruimen.
'Niets. Vergeet dat ik het heb gezegd. Alsjeblieft.'
'Wat bedoelde je, Krullenbol?' Hij stak een lange hand uit en legde die om mijn wang, en de uitdrukking in zijn ogen gaf me een heel vreemd gevoel. Ik wilde er dingen door doen die ik niet mocht doen.
'Dat kan ik niet tegen je zeggen.' Ik keek naar hem en hield mijn handen stil in mijn schoot. Ik ademde bewust volgens een patroon: in, twee, drie; uit, twee, drie. Beheersing. Het lukte me mijn handen niet omhoog te laten komen om hem aan te raken. Het lukte me mijn armen niet om zijn hals te slaan, niet mijn wang tegen de zijne te leggen, niet toe te geven aan de grote golf van warm verlangen die door me heen stroomde. Het was wreed. In een oogwenk had ik kunnen bereiken wat ik zo graag had gewild. Ik zou geglimlacht kunnen hebben zoals ik naar Eamonn had geglimlacht, hem kunnen vragen zijn ogen dicht te doen en hem kunnen kussen op de manier die grootmoeder me had geleerd, een manier van kussen waardoor een man een vrouw zo heftig ging begeren dat hij alles zou doen om haar te krijgen. Ik had een geluidje kunnen maken, waardoor Meeuw of Biddy naar buiten zou zijn gekomen om ons te betrappen. Dan zouden ze Darragh hebben weggestuurd en

zou ik zijn leven hebben gered. Maar ik kon het niet doen, zelfs niet om dat te bereiken. Dit was mijn vriend. Hij was de enige mens op de wereld die ik kon vertrouwen, behalve mijn vader. Ik kon het niet over mijn hart verkrijgen om dat wat er tussen ons was, goedkoop te maken. Maar toch verlangde ik er met mijn hele wezen naar hem tegen me aan te drukken en afscheid van hem te nemen zoals een meisje afscheid neemt van haar liefje, met lieve woordjes en de warmte van haar lichaam. Ik hield me roerloos. Ik zei niets. Alleen mijn ogen had ik niet in bedwang.

'Krullenbol?' zei Darragh heel behoedzaam, alsof hij iets had gezien wat hij niet helemaal kon geloven.

Raak me nog eens aan, zei iets binnen in me, ondanks al mijn pogingen me te beheersen. *Doe je armen om me heen en druk me tegen je aan. Eén keertje maar. Alleen deze ene keer.*

Maar Darragh draaide me zijn rug toe en stak zijn handen onder zijn armen, en toen ik zijn stem hoorde, beefde die van een gevoel dat ik onmogelijk kon begrijpen.

'Je kunt beter gaan,' zei hij. 'Ga maar, Fainne. Het is al laat. Ga nu maar liever weg.'

Ik gleed van de muur af; ik had het opeens koud. Wat had ik verkeerd gedaan? Hij leek boos te zijn; toch had ik gedacht...

'Toe dan, Fainne.' Hij stond nog steeds met zijn rug naar me toe, met zijn armen stijf over elkaar, alsof alleen al de gedachte naar me te kijken of me aan te raken hem opeens tegenstond. Het was niet te geloven hoeveel pijn dit me deed; het was alsof het laatste, lieve restant van mijn jeugd plotseling in rook was opgegaan. Ik stak mijn hand uit en liet die heel even op zijn mouw rusten.

'Beter van niet,' zei hij met een verstikte stem, en hij ging opzij als een schichtig paard.

'Welterusten dan.' Ik perste de woorden eruit en vocht om weer regelmatig te ademen. Ik moest sterk zijn voor de volgende morgen, sterk voor de reis. Ik kon me dit niet veroorloven. Het verscheurde me.

'Vaarwel, Krullenbol. En doe geen domme dingen tot ik terugkom.' Hij wilde me nog steeds niet aankijken. Maar zijn stem klonk net zo als ik me herinnerde van lang geleden, sterk en eerlijk. Ik rende weg, voor ik iets zou zeggen waarvan ik eeuwig spijt zou hebben. Ik rende door het lange huis, waar Meeuw en Biddy nu voor het nagloeiende vuur zacht zaten te praten. Iedereen moest afscheid nemen, maar ik dacht dat niemand zo'n vreselijk of definitief afscheid moest nemen als ik. Ik bereikte mijn kleine slaaphut en ging geruisloos naar binnen, en ik ging met open ogen op mijn strozak liggen. Twee meisjes lagen al zacht te snurken. Ik hoorde Brenna's stem iets fluisteren.

'Gaat het wel goed met je, Fainne?'

'Mm,' zei ik, en trok de deken omhoog over mijn gezicht. Het ging niet goed met me, en het leek alsof het nooit meer goed zou gaan. Ik had zoveel dingen verkeerd gedaan. Ik had zoveel goede mensen bezeerd, zoals het uilwezen had gezegd. *Wij hebben de indruk dat het je niets kan schelen of er slachtoffers vallen.* Maar het kon me wel iets schelen, dat was het nou juist. Dat hield me tegen. Gevoelens. Vriendschap. Loyaliteit. Liefde. Het was voor een tovenares veel gemakkelijker om net zo te zijn als mijn grootmoeder, en je niet te bekommeren over wat je onderweg kwijtraakte. *Het enige dat ertoe doet is macht*, zou zij zeggen. Ik kon het haar nu haast horen zeggen, diep binnen in me: een kleine, donkere stem die lang had gezwegen, maar nu weer wakker was. *Als je dat maar begrijpt, Fainne.* Ik viel in slaap met mijn kaken op elkaar geklemd, mijn ogen stijf dicht en mijn lichaam tot een balletje opgerold onder de dekens. Ik droomde van vuur.

Darragh had gelijk gehad. Er was de volgende morgen geen tijd. Ik stond voor zonsopgang op, en terwijl ik naar de schrijfhut sloop, kon ik beneden in de baai lichtjes zien, en hoorde ik ordelijke, doelgerichte bewegingen van mannen op de trap. Zeilen klapperden; er stond al een bries uit het noorden. Bij het licht van een kaars zocht ik een stuk papier, trok de stop uit de inktpot en pakte een ganzenveer. Wat kon je schrijven? Hoe konden zulke dingen worden verwoord? Uiteindelijk werd het heel kort. *Ik moet een tijdje weg. Het spijt me.* Ik ondertekende het met mijn naam en strooide er zand over om de inkt te laten drogen. Ik vouwde en verzegelde het briefje en schreef Liadans naam op de buitenkant; daarna zette ik het ergens neer waar de priester of de druïde het spoedig zou vinden. Vervolgens ging ik naar buiten en begaf me naar de plek die ik had gekozen, een smalle richel onder de bovenrand van het klif, vanwaar je uitkeek over de baai. Een paar struikjes zouden me in het schemerlicht aan het gezicht onttrekken, en ik kon toch de vloot in het oog houden terwijl die zich gereedmaakte voor vertrek. Misschien had ik kleren uit moeten kiezen met het oog op mijn bestemming. Misschien had ik iets van Cormacks kleding moeten stelen; als krijger gekleed gaan zou me een kans geven om wanneer ik weer mijn eigen gedaante terugkreeg, een tijdlang onopvallend te blijven. Maar ik had me juist gekleed om moed te krijgen. Ik droeg een eenvoudige blauw en groen gestreepte jurk, het soort jurk dat een reizend meisje aantrekt voor een bijzondere gelegenheid, zoals een paardenmarkt. Daarover had ik de mooiste sjaal van heel Erin geknoopt, met zijden plooien die prachtig versierd waren met leuke beestjes in alle kleuren van de regenboog. Mijn haar was los; de eerste stralen van de ochtendzon kleurden het vuurrood. Ik had me gekleed om te laten zien dat ik mezelf was, en niemands speelbal. Toch had ik de amulet nog om, want ik vertrok nu van deze beschermde plaats en ging op weg naar het onbekende. Als ik hem afdeed, zou ze komen, dat wist ik. Ze mocht nog niet komen. Ze moest toekijken en tot het laatste moment denken dat ik loyaal was, zonder iets te weten van de kracht die het koord van mijn moeder bezat, zonder te beseffen dat ik eindelijk de kracht begon te herkennen die ik in me had, de kracht die zowel van mijn vader als van mijn moeder afkomstig was. Ik was immers zowel een tovenares als een dochter van Zeven Wateren, wat naar alle maatstaven een krachtig mengsel was. Zoals mijn grootmoeder had gezegd, moest dit zich ontvouwen volgens de profetie, tot op het allerlaatste moment. Dan zou ze pas begrijpen hoe slecht ze het werktuig voor haar wraak had gekozen.

Riona zat vast onder mijn gordel; ik kon haar niet achterlaten. Ik wachtte terwijl de mannen naar beneden kwamen en aan boord gingen van de curraghs; ik wachtte terwijl de vrouwen wuifden en hun dapper vaarwel toeriepen. Ik wachtte terwijl de riemen door het donkere water flitsten, tot de wind de zeilen deed bollen en de schepen zich in oostelijke richting uit de beschutte baai en naar de open zee bewogen. Toen sloot ik mijn ogen en riep de betovering op. Met elk deel van me, mijn geest, lichaam en ziel, dacht ik: *duif*. De woorden van de toverspreuk trilden door me heen. Ik voelde de kracht in mijn vingertoppen, in mijn voetzolen, in het haar op mijn hoofd; hij ging over mijn rug op en neer als een grote stroom die me voorwaarts voerde. Ik opende mijn ogen, spreidde mijn vleugels, en vloog.

HOOFDSTUK VEERTIEN

Het lijkt heel eenvoudig. Een vogel beweegt zijn vleugels op en neer en gaat naar het zuiden of naar het noorden, of waar hij ook maar heen wil gaan. Hij volgt de troep tot hij een bestemming bereikt, en daalt met gemak om in een boom neer te strijken, bijvoorbeeld een iep met veel geschikte zitplaatsen om uit te kiezen. Maar het was helemaal niet eenvoudig.

Gedeeltelijk ging het instinctief; ik sloeg met mijn vleugels, liet me dragen door de wind, voelde licht en schaduw, ver en dichtbij, warm en koud, en richtte me daarnaar terwijl ik vloog. Maar er was iets niet in orde. Het was gevaarlijk deze kant op te gaan. Dit voerde me weg van eten, schuilplaatsen en het land waar ik thuishoorde. Die dingen trokken aan me; ze riepen me een waarschuwing toe. 'Terug! Kom terug! Niet die kant op!' En dit keer was er geen klein wezen van de Andere Wereld om me te leiden. Ik was alleen, een miniem vlekje van veren en botjes, drijvend op de adem van de lucht, hoog boven de ijzige grijsheid van deze noordelijke zee, waar de kleine boten met hun dappere zeilen nu de deining van het open water doorkliefden. De boten. De opdracht. Ergens daar beneden was mijn neef, het kind van de profetie, op weg naar de grote slag van zijn leven. Ergens daar beneden was een reizende man, die nauwelijks het gevest van de punt van een zwaard kon onderscheiden. En nu trok hij, vanwege mij, ten strijde. Ik mocht niet vergeten wie ik was; wat ik was. Duif was alleen een vermomming. Duif zou me erheen brengen. Ik mocht mezelf niet verliezen in dit beest, anders zou alles verloren zijn. Blijf bewegen, blijf werken, want de curraghs bewogen snel over de zee, voortgestuwd door dezelfde noordenwind die mij voortzwiepte door de bleke hemel. De zee was diep onder

me; verder dan de val van een hoge toren; dieper dan de duik vanaf de bovenkant van een klif; een duikeling die de dood zou veroorzaken voordat de ijzige greep van het water zijn werking kon uitoefenen, of de tanden van een zeedier een klein slachtoffer konden verscheuren. Eigenlijk zou een val nog genadig zijn.
Mijn ogen zagen een andere wereld: wijder, lichter, helderder. Het was verwarrend, want ik zag eerder patronen van licht en donker dan voorwerpen; schaduwen boven me die gevaarlijk konden zijn; lichtplekken onder me die rustplaatsen konden zijn. Ik voelde mijn lichaam gesteund door de lucht, gedragen door de luchtstroming. Half als mens, half als dier zag ik alles als een vogel en moest ik mezelf er voortdurend aan herinneren wat dingen waren en wat ik moest doen. Boten. Zeilen. Volg ze, zei het menselijke deel van me. Naar huis, zei de vogel. Keer om en ga naar huis. Te ver. Maar ik vloog door, want het enige dat me nooit losliet, was de angst dat ik te langzaam of te zwak zou zijn. Ik was bang dat ik hen uit het oog zou verliezen, en dan zelf verloren zou zijn.
Het was heel ver. Ik had er niet aan gedacht hoe ver het zou zijn; ik had het niet uitgerekend met behulp van een kaart of plattegrond. Daaruit bleek weer een jammerlijk gebrek aan zelfdiscipline. Mijn vader zou nooit zo slecht voorbereid aan een reis zijn begonnen. Ik moest doorgaan; ik mocht niet toestaan dat mijn grootmoeder deze slag won. De profetie voorspelde een grote overwinning; mijn neef zou het leger van Zeven Wateren aanvoeren en de Eilanden terugveroveren. Nu was Johnny op weg gegaan en ik moest hem volgen, want op het laatst zou hij me nodig hebben. Ik voelde iets warms tegen mijn borstveren; de amulet was ook in mijn vogelgedaante nog bij me, en zij dus ook. Haar ogen waren weer open, haar aanwezigheid volgde me als een schaduw. Het moest maar zo zijn; ik zou haar achter me aan laten komen tot het ogenblik dat ik me zou omdraaien en me tegen haar zou keren. Want bij het einde zou ze er zijn; daar twijfelde ik niet aan. Ze zou er zijn om toe te kijken en zich te verkneukelen over haar grote overwinning. Ik moest doorgaan. Maar ik was moe, en de wind werd sterker, en de lucht leek kouder. Waren de curraghs soms al verder weg, niet meer onder me en iets voor me, maar meer naar rechts, terwijl ik veel verder uit de kust vloog en steeds meer naar het oosten werd meegetrokken? Ik bewoog mijn vleugels en probeerde een hoogte te vinden waar de luchtstromingen me zouden helpen, en elke keer dat ik keek, leken de boten kleiner, en leek het land daarachter verder

weg. Zou deze gemene wind me helemaal naar de kusten van Alba meevoeren?
Een schaduw bewoog boven me. Groot, snel, een echo van die donkere vorm waarvan Sibeals paard geschrokken was, waardoor het kind bijna dodelijk was verongelukt. Angst, gevaar. Met uitgestrekte vleugels maakte ik een bocht en liet ik me vallen, fladderde toen weer verder in horizontale richting, buiten zijn bereik. De schaduw bewoog; hij hing in de lucht, boven me en achter me, wachtend. Angst, dood. Ik vloog lager, nu minder beheerst; de paniek dreigde mijn hachelijke controle over deze door de wind voortgejaagde vlucht te verstoren. De grijze deining van de zee kwam dichterbij; onder het woelige oppervlak stelde ik me monsters met messcherpe tanden voor. De dreigende aanwezigheid boven me dreef me terug naar het westen; hij bleef steeds vlak buiten mijn gezichtsveld, maar was dichtbij, zo dichtbij dat ik de uitgestoken klauwen, de verscheurende snavel van een hongerig roofdier kon voelen. Ik fladderde in doodsangst verder, terwijl de wind vlaagde en de leizwarte zee zich naar me uitstrekte, nu nog dichterbij. Draai om en ga naar huis, vlieg terug voor het te laat is, zeiden mijn instincten. Wacht nog, waarschuwde het deel van me dat nog kon denken. Beheersing, dat is de sleutel.
Maar het is niet gemakkelijk om je te blijven beheersen wanneer de dood zo dichtbij is als een happende snavel. De doodsangst gaf mijn vleugels kracht; mijn dom gefladder maakte plaats voor een gestage wiekslag, op en neer, op en neer. Ik zette koers naar het zuidwesten, laag vliegend boven de golven van de zee, en de ongeziene aanwezigheid achter me hield me bij alsof het mijn eigen schaduw was. Elk ogenblik verwachtte ik een dodelijke klap, een laatste duikvlucht om me te grijpen en te doden. Ik vloog door, en nu waren de curraghs weer dichterbij, en nog dichterbij, zodat ik duidelijk de vlekjes zwart, bruin en roomwit kon zien die hun zeilen waren, en het ondergaan en omhoogflitsen van vele riemen. En ten slotte zag ik de figuren van mannen die ik herkende: de Baas met de ingewikkelde patronen op zijn lichaam; de donkere trekken van Meeuw; Johnny, die in de achtersteven van een klein bootje stond en uitkeek naar het zuiden terwijl hij zijn ogen afschermde tegen de zon. Achter en boven me verzamelde iets zijn krachten, misschien om zich voor te bereiden op de aanval. Vlug. Ik moest landen, ik moest een plek zoeken, daar op de boten tussen de mannen, voordat die klauwen zich aan me vasthechtten en er niets van me over zou blij-

ven dan een slap hoopje levenloos vlees en veren. Vlug. Maar waar? Waar was het veilig? Zou ik niet landen en meteen gepakt en gewurgd worden, en weggelegd om straks als avondeten te dienen? Ik had geen keus. Het gedierte dook omlaag, een donkere vernietiger, snel en doelgericht. Ik zwenkte naar opzij, een haarbreedte buiten zijn bereik, en kwam onhandig neer, niet op de rand van de kleine curragh, niet op een strakgespannen touw of op een geschikte houten doft, maar op de schouder van een man. Mijn kleine vogelvoetjes grepen zich instinctief vast aan het zachte weefsel van zijn versleten mantel. Het beest achter me vloog voorbij en streek keurig neer op de achtersteven van de boot, precies naast mijn neef, die daar roerloos en zwijgend stond met zijn grijze ogen gericht op de zee voor hem. En het was Fiacha: Fiacha met zijn donkere verenpak, zijn glimmende ogen, zijn scherpe snavel, die me zo had achtervolgd tot ik een veilige plek had gevonden. Nu ik ook een vogel was, had ik nog minder waardering voor zijn manier om dingen te doen.

'Ah,' zei de man op wiens schouder ik geland was, en zijn rechterhand kwam omhoog in mijn richting. Duif voelde gevaar. Ik deinsde terug, mijn nagels haakten in de stof van de mantel van de man. En nu kon ik zijn gezicht zien; zelfs met de ogen van een vogel kende ik die ingevallen, bleke wangen, die overschaduwde, kleurloze ogen. Zelfs zonder de blinkend witte veren onder de voddige kleding wist ik wie het was.

'Een hele reis,' zei Finbar zacht. Het kon op mij slaan, op hemzelf, of op ons allebei.

Hij was dus meegekomen. Geheel tegen mijn verwachting in had hij zich mijn klaroenstoot aangetrokken.

Gareth zat aan een riem te sleuren, met zijn voorhoofd gefronst van inspanning. 'Zeker weggedreven door de storm,' zei hij. 'Zo'n beest hoort toch zeker in een beschut bos thuis, niet midden op zee.'

'Mijn moeder maakte altijd lekkere duivenpastei, met prei en knoflook,' merkte Godric op.

'Dat doen we nu niet.' Finbar bewoog voorzichtig met zijn arm; ik stapte weer naar boven, ging op zijn schouder zitten en schudde mijn veren op. Het had er alle schijn van dat Fiacha me precies naar de veiligste plek had opgedreven die ik temidden van deze grimmige krijgers had kunnen vinden. 'Het is een lief diertje; we kunnen het wel een schuilplaats geven.'

'Vreemd,' merkte Gareth op.

'Wat?' vroeg Godric, terwijl hij meegaf met de beweging van de grote roeiriem.
'Hij bedoelt de veertjes.' Finbars stem klonk kalm. 'Een rotsduif heeft heel eenvoudige kleuren, grijstinten, met subtiele schakeringen daarvan, meer niet. Ik heb er nog nooit een gezien met zo'n felrode kuif als dit vogeltje heeft. Dat is misschien een gunstig teken. De godin is onze onderneming goed gezind.'
'Hm,' zei Godric, en hij bekeek me met een zekere teleurstelling. De inspanning die het kostte om de curragh door deze woelige zee vooruit te krijgen, zorgde ongetwijfeld voor een flinke eetlust.

Het avondeten kwam pas veel later, en er was geen duivenpastei. Het schemerde al, en zelfs de sterkste van deze krijgers zag grauw van uitputting. We reisden een tijdlang met land in zicht, een lang, groen eiland in het oosten. Ik vroeg me af of dit de kust van Brittannië was, dicht bij Harrowfield, de thuisbasis van Bran en Liadan, die de vreemde keus hadden gemaakt zich hier te vestigen, als buren van de aartsvijand van de familie.
'Dat is niet Northumbrië,' merkte Finbar zacht op, 'maar Manannáns Eiland. Hier zetten we ons kamp op, rusten we wat en treffen we onze bondgenoten. We blijven er niet lang.'
Als de mannen hem een tikje bevreemd aankeken, omdat ze het raar vonden dat hij iets wilde zeggen wat iedereen al wist, leek hem dat niet te deren. Integendeel, hij had gedurende de hele reis rustig en stil op zijn plaats gezeten, alsof zijn angsten, nu hij had besloten ze onder ogen te zien, hem niet meer kwelden. Wat mij betreft, ik bleef op zijn schouder zitten, waar Fiacha niet bij me kon komen. Ik keek toe terwijl de curraghs voor anker gingen, of op het strand werden getrokken, en de mannen rekten zich uit en mopperden over hun pijnlijke lichaam. Daarna laadden ze de boten uit en sloegen snel en zwijgend in het donker het kamp op.
De hele dag hadden zich wolken samengepakt, en het begon haast meteen te regenen toen de mannen aan hun karige maal waren begonnen, dat op een klein vuur was bereid. Iedereen zocht snel een schuilplaats op. Johnny had rondom het kamp een goed bewapende wacht geplaatst, maar de regen werd een ware zondvloed, en ik dacht dat alleen kikkers in deze nacht buiten zouden willen zijn. Finbar trok de kap van zijn mantel over zijn hoofd, en ik ging tegen zijn nek aan zitten, lekker droog in deze kleine schuilplaats. We liepen naar een plek waar een opening in de rotsen toegang gaf tot

een ondiepe, grotachtige ruimte. Hier kon je op de grond gaan zitten en redelijk droog blijven, al kwam het water buiten met bakken naar beneden.
Anderen hadden dit toevluchtsoord al eerder gevonden. Er zaten drie jonge krijgers op de grond, haast onzichtbaar in het donker door de mantels die ze om zich heen hadden getrokken tegen de kou: Waerfrith, Godric en Darragh. Ze schoven op om ruimte te maken voor Finbar, en toen hij zat, deed hij de kap af en stak zijn hand omhoog om me voorzichtig aan te raken, alsof hij wilde nagaan of ik er nog zat. Als ik mezelf was geweest, zou ik een vuurtje hebben gemaakt om ons te drogen en ons warm te houden. Het was ijskoud; de lente was nog maar een gedachte in het hart van de aarde, en het onweer leek vlak boven ons te zijn. Het duifgedeelte van me was bang; bang voor het donker, omdat het verkeerd voelde om wakker buiten in het donker te zijn, en zo dicht bij mensen. Door die angst zat ik te trillen en bewoog ik mijn pootjes rusteloos over Finbars schouder, verlangend naar een veilige slaapplek, verborgen in de dikke, vertakte kroon van een grote boom, of in de holten en spleten van een rotswand. Een duif hoorde in Kerry te zijn in de zon, onder de staande stenen, waar ze kruimeltjes kon oppikken die daar door kinderen waren gemorst terwijl ze samen hun brood opaten. Daar hoorde ze te zijn, niet hier.
De regen hield even op, en een zwak schijnsel van de maan viel onze nauwe schuilplaats binnen.
'Rustig maar,' fluisterde Finbar. 'Rustig. Je hoeft niet bang te zijn. Je bent nu veilig, en bij vrienden.'
'Het beest schijnt zich aan u te hebben gehecht, heer,' zei Godric grijnzend. 'Gek, ik dacht dat u een wolf of een arend als beschermgeest zou hebben, een sterk en indrukwekkend dier; niet zo'n miezerig, bibberend vogeltje.'
'Druïden hebben geen beschermgeesten, sufferd,' zei Waerfrith, en hij gaf zijn vriend een por tussen zijn ribben. 'Dat zijn tovenaars. Mijn heer hier is toch geen tovenaar.'
Darragh zei niets; hij zat alleen aandachtig te kijken, met een licht gefronst voorhoofd.
'Ik ben geen druïde,' zei Finbar kalm. 'Mijn broer vergezelt Sean van Zeven Wateren op deze tocht; hij is de grootste wijze van dat oude geslacht, en hij zal de voortekenen duiden en de rituelen voorbereiden die zo'n grote onderneming vereist. Ik ben hier... ik ben hier omdat...'

'Omdat u ertoe geroepen was,' zei Darragh zacht. Hij zat nog steeds naar mij te kijken, en nu strekte hij zijn arm uit, heel langzaam om me niet bang te maken, tot zijn lange bruine vingers vlak bij mijn borst waren en me bijna aanraakten, maar nog net niet. 'Kom dan, kleintje,' vleide hij. 'Kom eens hier, kom dan. Ik zal je geen kwaad doen. Je weet dat ik dat nooit zou doen.'

Er was iets in zijn stem dat me geruststelde en me tegelijkertijd naar hem toe riep. Misschien was dit hetzelfde dat de witte pony had weggelokt van haar kudde; hetzelfde dat hem tot de enige vriend van een eenzaam meisje bij de baai had gemaakt. In die tijd was ik bang om gezien te worden; toch popelde ik altijd om hem te zien, op die betoverende dag van het jaar dat de reizende mensen terugkeerden naar Kerry. Tegenover Dan, Peg, Molly en de visserslui was ik onhandig en verlegen geweest; maar aan Darragh had ik mijn diepste geheimen toevertrouwd. Ik was bang geweest om aangeraakt te worden, maar niet door hem.

'Kom dan, Krullenbol,' zei hij zacht. 'Kom dan.'

Ik deed een stapje met mijn keurige vogelvoetjes, en nog een, en zette me voorzichtig op de vingers die hij me voorhield. Toen voelde ik de warmte van zijn hand onder me, die me veilig vasthield terwijl hij met één vinger over mijn kop streelde, en ik hoorde zijn stem, die me fluisterend toesprak. 'Goed zo. Goed zo, kleintje.'

'Krullenbol?' vroeg Waerfrith. 'Wat is dat nou voor naam?'

'Hij past bij haar,' zei Darragh. 'Kijk maar, ze heeft een klein plukje rode veertjes op haar kop, die mooi omkrullen.'

'Ze?' Godric trok zijn wenkbrauwen op.

'Beslist ze,' zei Finbar. 'Nu kunnen we beter proberen wat te rusten, want ik begrijp dat we maar één dag hebben om ons te groeperen. Het is hier misschien niet gerieflijk, maar het is tenminste droog.'

Eén keer eerder had ik in Darraghs armen geslapen; toen had ik gewenst dat ik nooit wakker zou worden. Maar nu, warm tussen zijn handen en zo dicht bij zijn wang dat ik kon voelen dat zijn adem mijn veertjes deed bewegen, nu wenste ik iets anders. Deze vreemde nacht was een onverwacht geschenk, want ik had gedacht dat we voor het laatst uit elkaar waren gegaan toen hij zich in het donker op Inis Eala van me afkeerde. Het was dus een geschenk om zo dicht bij hem te zijn, zijn voorzichtige aanraking te voelen en zijn onschuldige slaap te kunnen delen. Er was een verlangen in me dat mijn kleine hartje bijna brak: ik had mijn armen willen uitstrekken

om hem te omvatten; ik had hem dezelfde zachtaardigheid willen betonen die hij zo gul tentoonspreidde zonder ooit aan zichzelf te denken. Ik wilde dat ik niet de stem van een vogel had, maar de stem van een vrouw, zodat ik in zijn oor kon fluisteren. Ik zou tegen hem zeggen... ik zou tegen hem zeggen dat...
We sliepen; en toen brak de dag weer aan. Een vogel begint bij zonsopgang te zingen en gaat de dag in, op zoek naar licht en warmte, voedsel en water. Maar ik was geen vogel, al zag ik eruit als een vogel. Wanneer een tovenaar van gedaante verandert, wordt hij niet dat andere wezen; hij vormt zichzelf alleen naar het beeld ervan, om de ogen van de mensen te misleiden. Hoe geslaagder de gedaanteverwisseling, hoe meer je het wezen van de gekozen gedaante zult voelen: de instincten, de verschuivingen in evenwichtsgevoel, gezicht en gehoor. Maar toch behoudt de betere tovenaar tegelijkertijd volledig zijn eigen bewustzijn. Een wankel evenwicht. Terwijl je in je veranderde gedaante bent, kun je de kunst niet gebruiken. Toen ik mezelf in een boerenvrouw had veranderd, en de bedrieger op de paardenmarkt aan de kaak had gesteld, had ik slechts de lagere vorm van het Mom gebruikt, en dat maar met mate, zodat ik in staat was geweest betoveringen uit te voeren om een vogel in een slang te veranderen, sloten los te maken en een man half te wurgen. Maar dat kon ik vandaag niet doen. Ik kon alleen maar kijken en luisteren. Ik kon alleen maar bij Fiacha uit de buurt blijven, deze mannen gadeslaan en proberen mezelf gereed te maken voor wat morgen zou komen.
Ik verliet de schuilplaats van Darraghs handen, de lieve warmte van zijn lichaam. Finbar was wakker en stond bewegingloos buiten de beschutting van de rotsen naar de lichter wordende hemel te kijken. De storm was voorbij; er stond een fluisterend westenwindje. Finbars gezicht had een vreemde uitdrukking; zijn ogen straalden fel. Toen ik op zijn schouder neerstreek, voelde ik hoe hij zijn ademhaling reguleerde, langzaam en weloverwogen: in een patroon. Zo bracht hij zijn snel kloppende hart, zijn hoofd vol visioenen tot rust, dacht ik. Ik kon niet tegen hem spreken, maar als ik een stem had gehad, zou ik invoelende woorden hebben uitgesproken. *Ik weet hoe moeilijk dit voor u is geweest, om hier te komen; om de angst die wij gemeen hebben, onder ogen te zien. En ik huldig u voor uw moed.*
'Zo, Fainne,' zei Finbar zacht. 'Een nieuwe morgen. De laatste voor onze grote onderneming gaat beginnen, als mijn broer de tekenen

schouwt en ze gunstig acht. Je houdt deze gedaante bekwaam in stand; ik vertrouw erop dat ze je goed van dienst is. Deze dag zal bestemd zijn voor observatie, denk ik; voor kijken en leren. In deze gedaante ben je kwetsbaar, voor de elementen, voor wilde roofdieren, voor de zorgeloosheid van de mensen. Van ons allen hier zijn er maar twee die beseffen wat je bent. Je jongeman is ongelukkig je in deze vermomming te zien, want hij weet dat hij je niet kan beschermen. Er is geen plaats voor zo'n klein dier midden in een grote slag, en ook niet in de heimelijke activiteiten over zee. Ik voor mij zal naar mijn beste kunnen over je waken. Jij en ik hebben dezelfde vijand en dezelfde angst. Maar ik weet niet precies met welk doel je hier bent. Je zult ongetwijfeld wegvliegen, en terugkomen wanneer je dat wilt. Weet dat ik nabij ben en je alle bescherming zal bieden die in mijn macht ligt.'

Ik kon niet antwoorden, en terwijl de hemel lichter werd en een troep meeuwen boven ons voorbijkwam, met hun veren glanzend in het vroege licht van de dageraad, spreidde ik mijn vleugels en vloog weg, al wist ik nauwelijks waar ik heen ging en met welk doel.

Al was het nog vroeg, er waren al mannen op; ze kwamen uit hun verschillende schuilplaatsen te voorschijn, verzamelden zich in kleine groepen, legden een vuur aan en bereidden met geoefende hand een soort maaltijd. Ik vond een zitplaats tussen de kale takken van een oude appelboom. Ik zat hier misschien niet goed verborgen, maar voorlopig wel veilig, en het was een goede plek om te kijken en te luisteren. Ik voelde geen behoefte aan voedsel en water; misschien zou ik niet eten of drinken tot ik weer mezelf was.

Voor ons lag een baai, niet breed en open zoals de baai van mijn jeugd, maar een veilige, beschut gelegen plaats, met diep water en hoge, afschermende landtongen aan weerskanten. Hier lagen de curraghs voor anker en waren de kleinere boten op het kiezelstrand getrokken. Behalve Johnny's vloot waren er nog tal van andere boten; sommige bestonden uit een over een geraamte getrokken dierenvel, andere waren helemaal van hout, kleine, gedrongen bootjes, stoer en sterk. Daartussenin lagen, als statige zwanen temidden van een troep gewone, bruine eenden, drie veel grotere schepen, met schitterende lange, gebogen lijnen; gebogen planken sloten in volmaakt evenwicht op elkaar aan, en de voorstevens waren hoog en sierlijk, en versierd met de gebeeldhouwde figuur van een zeemeermin, een prinses of een gehoornde oorlogsgod, waardoor ze op een mystiek vaartuig uit een oud verhaal leken. Ze hadden het schip kunnen zijn waarin een grote reiziger uitvoer om het eind van de wereld te zoeken, of het schip waarin een legendarische krijger uitvoer om zijn vrouwe en zijn koninkrijk te veroveren. Ik had nog nooit zulke schepen gezien. Ze waren stuk voor stuk groot genoeg, dacht ik, om een aanzienlijk aantal mannen te vervoeren. Voorzien van een volledige bemanning aan de riemen zou zo'n schip bij gunstige wind gebruikt kunnen worden voor een bliksemaanval op kleinere schepen, of op een onvoorbereide kust, waar ze snel konden binnenvaren om hun lading van gewapende mannen uit te braken terwijl de hulpeloze bewoners nog bezig waren de slaap uit hun ogen te wrijven. Ik twijfelde er niet aan of dit waren schepen van de Finn-ghaill; vaartuigen van de Noormannen, zoals mijn vader er ooit, lang geleden, in Kerry een aantal had vernietigd.

Toch heerste er geen paniek. Onder mijn boom zaten de jonge krijgers van Johnny's bende hun ontbijt op te eten en hun wapens in gereedheid te brengen, alsof dit gewoon een dag was als alle andere. Daar zag ik ook de oudere mannen, Slang en Meeuw en de Baas zelf, die rustig met elkaar zaten te praten, zonder het vreeswekkende tafereel daarbuiten in het kalme water van de rede een blik waardig te keuren. Het leek wel of niemand de dreiging had gezien behalve ik.

Nu waren er ook andere mannen, en Johnny begroette ze, en ik zag dat sommigen het embleem van de twee verstrengelde torques droegen: het embleem van Zeven Wateren. Anderen hadden een ander symbool; hun tunieken droegen een blazoen van een afbeelding in rood, een slang die zich kromde om zijn eigen staart te verslinden. En er waren mannen in groene kledij: Eamonns mannen. Het begon lichter te worden; na de storm leek de lucht schoongewassen, en het was alsof het land diep inademde, alsof het voorjaar niet ver meer was. Onder de tak waarop ik zat, beëindigde een reizende man zijn schamele ontbijt, een maaltijd die hij afwezig tot zich had genomen, terwijl hij telkens het kampterrein afspeurde, alsof hij iets zocht dat hij kwijt was. Ik ging even verzitten op mijn tak; hij keek op en fronste zijn voorhoofd. Even later was Finbar bij hem en praatte zacht tegen hem.

'Er vindt een vergadering plaats, heb ik begrepen; een bijeenkomst van deze aanvoerders, waar een uiteindelijke beslissing zal worden genomen. Je moet Fainne laten doen wat ze wil doen; je kunt de loop van de gebeurtenissen hier niet veranderen. Je kunt haar van nu af aan niet meer beschermen. We moeten er domweg op vertrouwen dat ze de kracht heeft om te doen wat er gedaan moet worden.'

'Het is niet goed.' Darraghs stem was strak van emotie. Ik vond het niet prettig te horen dat hij zo van streek was.

'Niettemin,' zei Finbar vriendelijk, 'kun je er niets aan veranderen. Je moet haar laten begaan; ze zal haar eigen weg gaan.'

'Daar ben ik juist zo bang voor,' zei Darragh.

De vergadering vond in afzondering en onder bewaking plaats. Ik moest uiteindelijk toch Finbars hulp inroepen, want ik kon moeilijk het lange, lage gebouw waar ze bijeenkwamen binnenvliegen en quasi toevallig op de dakbalken gaan zitten om hun geheime bespreking af te luisteren. Ik kwam de vergaderkamer binnen op de schouder van de ziener, half verborgen in de plooien van zijn mantel, en half bedekt door zijn verwarde haardos. En meteen zag ik waarom er geen alarm was geslagen, waarom er niet haastig bogen waren gespannen bij de aanblik van die elegante schepen die in de baai voor anker lagen. Want hier aan de vergadertafel zaten, naast Sean van Zeven Wateren en zijn oom Conor, naast de clanhoofden van de Uí Néill en het kind van de profetie zelf, verscheidene fors uitziende mannen met brede, blanke gezichten en lang, keurig gevlochten vlasblond haar. Ze droegen goud om hun hals en hun mantels waren vastgemaakt met gouden gespen; het goud was kunstig gesmeed in de vorm van een strijdhamer, een hondenkop of een rijzende zon. Dit waren aanvoerders van de Finn-ghaill; dezelfde vikingkrijgsheren die jarenlang de kusten van Erin en van Brittannië hadden geplunderd. Was dit dan geen goddeloos bondgenootschap? Zou een man zoals mijn oom Sean het brood breken met deze wilden, zelfs al was het om de overwinning te behalen over zijn oudste vijand? Maar aan de andere kant, had mijn oom niet gezegd dat er een twist was bijgelegd door een huwelijk tussen een heer van Tirconnell en een vikingvrouw? Misschien was dit toch niet zo onmogelijk. Ik hield me stil en luisterde met grote verbazing.

Het was een vergadering waaraan slechts enkele uitverkorenen deelnamen. Van onze eigen groep waren alleen Johnny, zijn vader en Slang aanwezig. Sean en Conor vertegenwoordigden Zeven Wateren. Het gezicht van mijn oom stond grimmig en vastberaden; Conor wierp één keer een blik in Finbars richting, en knikte hem toe als blijk van herkenning. De Uí Néill leken op hun hoede te zijn; de Noormannen praatten onderling, en uit het niets verscheen een van

Brans mannen, een grote kerel met een donkere baard die Wolf heette, om hun in hun eigen taal toe te spreken.
'Wolf zal vertalen wat wij zeggen,' zei de Baas kalm. 'Kunnen we nu beginnen? De ochtend verstrijkt; er valt in dit stadium niet veel meer te beslissen. Elk van ons kent zijn eigen aandeel hierin.'
Een van de vikingen bromde iets.
'Hakon vraagt wat die lege plaatsen aan de tafel betekenen,' vertaalde Wolf. 'Zijn we er nog niet allemaal? Over beslissingen die in deze vergadering worden genomen, moeten allen het eens zijn, anders kunnen we wellicht een mes in onze rug verwachten.'
Sean fronste zijn voorhoofd. 'Eamonn is al op dit eiland, en heeft zijn kamp niet ver van hier. Hij zal komen. We moeten nog maar even wachten; Hakon spreekt verstandige taal. Net als wij heeft Eamonn zijn manschappen geleidelijk hierheen overgebracht, via verschillende routes, om geen ongewenste aandacht te vestigen op de grootte van onze onderneming.'
Hierop klapte een van de Noorse opperhoofden in zijn handen, en een jongen bracht een grote drinkhoorn binnen die werd rondgegeven. Het begon eindelijk tot me door te dringen dat deze vikingen niet alleen een soort bondgenoot in de strijd waren, maar dat deze plaats van hen was, misschien een hele nederzetting, op de kust van Manannáns Eiland. Iemand had hier een bijzonder nuttig akkoord gesloten. Het was duidelijk dat ik nog veel moest leren over oorlogvoering.
Er was beweging bij de ingang en er kwamen drie mannen binnen; mannen in groene kleding. Ik keek toe terwijl Eamonn door de kamer beende om zijn plaats aan de vergadertafel in te nemen. Zijn mannen namen links en rechts van hem plaats, als om hem af te zonderen van de rest. Hij keek op en over de tafel, en ontmoette de vaste blik in de grijze ogen van Bran van Harrowfield.
'Wel, wel, wel,' zei Eamonn op beminnelijke toon en met een glimlach. 'Dat is lang geleden. Hoe gaat het met je charmante vrouw? Een meisje met unieke talenten, vond ik altijd.'
De Baas antwoordde niet. In plaats daarvan ging zijn blik over Eamonn heen alsof hij niet bestond. Hij wendde zich naar Sean en Conor. 'De tijd gaat snel voorbij,' zei hij. 'Laten we onze beslissing nemen en verder gaan.'
'We zijn nu allemaal bijeen,' zei Sean ernstig. 'Op deze bijeenkomst bevestigen we ons plan van handeling en hernieuwen we onze gelofte om elkaar te steunen in dit bondgenootschap. Mijn oom, de

aartsdruïde, zal de voortekenen duiden, en als de godin ons gunstig gezind is, zal morgen bij de dageraad begonnen worden met de uitvoering van onze strategie. Dan zal zeker een grote overwinning volgen.' Hij wierp een blik op Johnny. 'Mijn neef zal deze campagne aanvoeren. Johnny is erfgenaam van Zeven Wateren; hij is tevens een zoon van Harrowfield, het Britse landgoed van mijn vader. De profetie die ons naar dit laatste treffen heeft geleid, zegt dat iemand als hij de leider zal zijn die ons naar de overwinning zal voeren. Het kind van de profetie is geboren in Johnny; in hem zien wij de vervulling van de oude waarheid. Hij is het stralende licht dat ons voorwaarts leidt om over Northwoods te triomferen. De Eilanden zullen weer van ons zijn; onze vijand zal voorgoed naar zijn eigen kust verbannen worden, om nooit meer onze heilige grond met zijn oneerbiedige voeten te betreden.'

'Ik twijfel niet aan het vermogen van de jongen om leiding te geven,' zei een van de mannen die het slangembleem op zijn tuniek droeg. 'Maar hoe zit het met zijn vader? Is er geen plaats voor twijfel wanneer een van de onzen zelf een Brit is, een buur van het clanhoofd dat wij bestrijden? Het land van Bran van Harrowfield grenst aan dat van Edwin van Northwoods. Als ik het goed begrijp, is er zelfs een verwantschapsband. Welke zekerheid hebben we dat dit bondgenootschap stand zal houden wanneer we een Brit tegen een Brit inzetten?'

'Ik denk niet dat dat een probleem zal zijn,' merkte Eamonn soepel op voor Sean of de Baas iets kon zeggen. 'Deze man heeft er in het verleden nooit een been in gezien van partij te wisselen, of zich tegen zijn eigen mensen te keren. Je moet alleen zorgen dat je genoeg zilver hebt als drijfveer. Dat is de enige taal die hij begrijpt.'

Er viel een pijnlijke stilte. Slang kneep zijn ogen dicht tot gevaarlijke spleten, en zijn hand ging naar het gevest van zijn zwaard. Er klonk een metaalachtig geluid. Wolf deed geen poging om het te vertalen. Brans kaak spande zich, maar hij beheerste zich en zei niets. Het was Johnny die opstond.

'Mijne heren,' zei hij, 'er bestaat geen twijfel aan de kracht van dit bondgenootschap, of aan de loyaliteit van de afzonderlijke bondgenoten. De rol van mijn vader is niet die van aanvoerder. Hij heeft voor ons de steun verworven van deze grote opperhoofden, Hakon en Ulf, en hen bereid gevonden ons hun sterke schepen ter beschikking te stellen. Maar ik heb hier de leiding, niet Bran van Harrowfield. Deze mannen staan onder mijn bevel. Morgen gaat mijn vader terug naar Brittannië; hij wil geen gevecht aangaan met Northwoods, behalve wanneer zijn eigen grenzen bedreigd worden.' Het viel me op dat hij niets zei over zwemmen en over schepen lek steken. Het leek erop dat dat ook voor hun eigen bondgenoten geheim werd gehouden. 'Laat ik u nu,' vervolgde Johnny kalm, 'uiteenzetten hoe deze onderneming zal verlopen, want ieder dient goed te begrijpen wat zijn aandeel erin is. Elk onderdeel is van wezenlijk belang; elk onderdeel blijft op zichzelf staan tot het einde, en moet onafhankelijk en precies worden uitgevoerd. Ieder van u is verantwoordelijk voor zijn eigen manschappen. Zonder vertrouwen is deze grootse onderneming gedoemd te mislukken.'

Rondom de tafel werd gebromd en instemmend gemompeld. Eamonn had een scheef lachje op zijn gezicht; de Baas keek onbewogen voor zich.

'Als de godin het wil,' zei Johnny, 'zal deze onderneming vannacht nog beginnen. Bij zonsopgang moeten wij in de positie zijn om de aanval te kunnen inzetten...'

Ik keek naar hem terwijl hij heen en weer stapte en gebaren maakte om zijn woorden te illustreren, en zijn grijze ogen straalden van hoop en verlichtten de sombere ruimte met het vuur van zijn enthousiasme. En ik keek naar de aanwezige mannen, stuk voor stuk doorgewinterde aanvoerders, mannen die in jaren en ervaring veel ouder waren dan de man die tot hen sprak, mannen die gewend waren zelf het bevel te voeren, zelf beslissingen te nemen. Ze luisterden gefascineerd. Niemand verroerde een vin; niemand fluisterde ook maar een woord. Met het zelfvertrouwen dat uit zijn woordenstroom sprak en de vurige hoop op zijn gezicht hield Johnny hen allen in zijn ban terwijl hij het stoutmoedige plan uiteenzette waardoor ze eindelijk de overwinning zouden behalen op de oude vijand. Ik was zelfs zo geboeid door het gezag en de houding van mijn neef dat ik zijn woorden een tijdlang niet volgde, en niet alle details tot me doordrongen. Hij zei helemaal niets over de gevaarlijke onderneming die voor de komende nacht op het programma stond. Hij vertelde hun niet dat de kleine boot na donker naar de overkant zou varen, en dat een speciale groep van vijf mannen te water zou gaan in de ijzige greep van de zee, onder wie hijzelf en Bran van Harrowfield. Zijn vader zou dan wel niet voet aan wal zetten op de Eilanden, hij zou Edwin van Northwoods niet met een zwaard in de hand tegemoet treden, maar hij was beslist wel van plan vannacht te helpen de vijf schepen van Northwoods' vloot tot zinken te brengen. Ik wist dat, maar het werd duidelijk dat geen van deze mannen het te horen kreeg. Johnny zei alleen dat er één boot vooruit zou gaan, en als alles gunstig leek, zou er een sein worden gegeven: een rode vlag om aan te geven dat de andere ook konden komen. Vóór zonsopgang zouden de drie grote schepen van de Finnghaill ter plaatse zijn, niet bemand met vikingkrijgers maar met onze eigen manschappen, de mannen van Zeven Wateren en van Inis Eala, de krijgers van de Uí Néill en de manschappen van Sídhe Dubh en Glencarnagh, de mannen in het groen. De zon zou opkomen en de Britten zouden nietsvermoedend van hun bed opstaan. Dan zouden, uit de richting die het minst waarschijnlijk leek, uit het gevaarlijke kanaal tussen de messcherpe klippen rondom de grote draaikolk die de Wormsmond werd genoemd, de dodelijke vikingschepen verschijnen met hun lading gewapende krijgers. Hakon en Ulf zouden elk het commando over een schip voeren; Meeuw zou de leiding hebben over het derde schip. Hun zeemanskunst zou deze vaartuigen veilig door waterwegen loodsen die tot dan toe onbevaarbaar werden geacht. Ze zouden snel binnenlopen en de Britten fel aanvallen voordat ze een verdediging op de been konden brengen. Hoewel Johnny het niet zei, wist ik dat er voor de manschappen van Northwoods geen ontsnapping mogelijk was. Hun schepen zouden verdwenen zijn; ze zouden zich moeten overgeven of in de pan worden gehakt. De mannen van de Uí Néill zouden op het Kleine Eiland landen, zei Johnny, om het kleinere leger daar te onderwerpen. De rest zou naar het Grote Eiland gaan en het kamp van de vijand omsingelen. Morgenavond tegen de schemering zou alles voorbij zijn.

Johnny's uiteenzetting was geëindigd, en als één man stonden de mannen op, gingen van de tafel weg, en met handdrukken, schouderkloppen, woeste grijnzen en strijdlustige woorden bevestigden de vreemde bondgenoten in deze onderneming hun verbondenheid aan elkaar; viking en Ulsterman, Brit en Iers clanhoofd van koninklijken bloede. Conor ging hen voor naar buiten; er moesten nog voortekenen worden geduid en meer dan menselijke leiding worden gevraagd voordat definitief zou worden besloten of men vannacht zou gaan of nog zou wachten. Het was nog erg vroeg in het seizoen, zo vroeg dat de elementen alleen voorspelbaar waren in hun onvoorspelbaarheid. Aan de andere kant was de verrassingsfactor des te groter naarmate de bondgenoten eerder in actie kwamen.

Vanaf mijn uitzichtpost op Finbars schouder zag ik Eamonn naar

de Baas toe stappen, met uitgestoken hand, in vertoon van schijnbare vriendschap.
'Laten we deze overeenkomst dan maar bezegelen,' zei hij met een vreemd lachje, 'nu het erop lijkt dat je een eerzaam man bent geworden en niet meer ongezien in het donker opereert, maar aanzit aan vergadertafels.'
Maar Bran keek hem alleen even aan, met koele grijze ogen, zonder uitdrukking op zijn getekende trekken, en wendde zich toen af, alsof dat wat hij gezien had de moeite van het opmerken niet waard was, van geen enkel belang. Ik keek naar Eamonns gezicht, en de uitdrukking die ik daarop zag deed me beven. Ik had misschien boosheid, gekrenktheid, verbittering verwacht. Maar ik had niet gedacht dat ik in die donkere ogen kwaadaardige triomf zou zien.
Buiten dit huis voor bijeenkomsten lag een vlak, zandig terrein, keurig geharkt. Langs de randen hiervan waren vele mannen verzameld, allen krijgers, elk in de kleuren van hun aanvoerder. Sommigen hielden een banier vast: de opgerolde slang die het symbool van de Uí Néill scheen te zijn, de torques van Zeven Wateren, de donkere toren op een groen veld die het embleem was van Eamonn van Sídhe Dubh en Glencarnagh. Het huis Harrowfield was niet vertegenwoordigd; het was duidelijk dat de Baas officieel geen bondgenoot was in deze onderneming, en dat hij de actie van de komende nacht, en zijn eigen belangrijke aandeel daarin, verborgen wilde houden.
Nu trad Conor aan, met zijn berkenstaf in zijn hand, en hij begon met het langzame schrijden, de plechtige woorden van een waarzeggingsritueel. Een pluimpje scherp ruikende rook steeg op in de lucht: er werden waarzeggingskruiden verbrand. Ik ging van Finbars schouder af en vloog naar de nokbalk van het lage gebouw, van waaraf ik het beter kon zien. De druïde trok de cirkel; hij vroeg de zegen van de vier windstreken en sprak de eerbied van allen uit voor de macht van de elementen en voor de godheden die elk van die elementen beheersten. Sommigen van de aanwezigen hingen het oude geloof niet aan; ik had mannen gezien met een kruis om hun hals, en ik had bij de manschappen van de Uí Néill een man opgemerkt die, naar zijn tonsuur te oordelen, een pater leek. Toch was iedereen stil; allen keken aandachtig toe toen Conor in het midden van de door hem getrokken cirkel ging staan en een klein zakje van zacht geitenleer, met goudkleurig koord dichtgebonden, te voorschijn haalde. Hij nam er de coelbrens uit, de dunne staafjes licht berkenhout met ingekerfde Ogham-tekens, en strooide ze, terwijl

hij de godin aanriep, voor zich uit over de geharkte aarde. Alle ogen waren op hem gericht, behalve die van één man. Eamonn stond opzij, geflankeerd door zijn in het groen geklede wachten. Er speelde nog steeds een vreemd lachje over zijn gezicht; de zelfingenomen uitdrukking van voorpret van een kat die de muis levend maar machteloos in zijn klauwen houdt. De menigte keek naar Conor, die zich nu voorover boog om de wijze waarop de coelbrens gevallen waren te bestuderen. Maar Eamonn keek naar mij. Ik ging onrustig verzitten op mijn hoge zitplaats en vroeg me af hoe hij het kon weten, hoe hij het kon raden; dat was toch niet mogelijk? Ik ging met mijn snavel omlaag om zenuwachtig mijn veertjes glad te strijken; ik strekte mijn vleugel uit en vouwde hem weer terug, zoals ik het die verfomfaaide uil had zien doen. Ik probeerde eruit te zien zoals een willekeurige vogel eruit zou zien, die op een mooie morgen zijn gang ging. Eamonns lach werd breder alsof hij het grappig vond om dit te zien; hij gaf een knikje van verstandhouding, zonder zijn blik van me af te wenden. Ik herinnerde me hoe hij op Zeven Wateren was geweest, altijd waakzaam, zwijgend observerend, alsof hij de stukjes van een puzzel in elkaar zette om te ontdekken wat voor hem van nut zou kunnen zijn. Ik had gedacht dat hij dit geheim niet kon ontsluieren, maar ik had hem blijkbaar weer onderschat.

De stilte duurde voort terwijl Conor onbeweeglijk gehurkt zat bij de verspreide staafjes. De waarzegging had eenvoudig moeten zijn, want er hoefde maar één antwoord gegeven te worden: of ze nu moesten gaan of moesten wachten. Maar de aartsdruïde was erg bleek geworden, en een frons plooide zijn leeftijdloze voorhoofd. De mannen begonnen onder elkaar te mopperen. Waarom vertelde die kerel niet wat hij zag? Was er een ongunstige boodschap in de staafjes te zien, dat hij niet opstond en zijn mond opendeed?

Conor hief zijn hoofd op en keek naar zijn broer. Ik kon Finbars angst bijna lijfelijk voelen toen hij langzaam naar de druïde toeliep en naast hem ging staan, een rechte, magere gestalte in zijn versleten gewaad en voddige mantel, met de massa sneeuwwitte veren langs zijn zij, die in het heldere licht van deze lentemorgen voor iedereen zichtbaar was. Hier en daar hoorde je een zucht van verbazing, een zachte uitroep, die snel werd onderdrukt. Ik zag één man tersluiks een kruis slaan. Ergens blafte een hond, en de man met de zwanenvleugel verstijfde even. Ik voelde de trillende angst die hem doorvoer alsof het mijn eigen angst was; ook ik was gedeeltelijk een wild dier tot het weer tijd was om te veranderen. Maar Finbar kon niet veranderen. *Wees sterk*, dacht ik. *Wees net zo sterk als u vroeger geweest bent.*

Finbar bewoog weer en hurkte neer naast zijn broer. De twee mannen bestudeerden aandachtig het patroon van de coelbrens. Geen van beiden sprak. Misschien was dat niet nodig. De stilte duurde maar voort en de verzamelde krijgers begonnen rusteloos en ongemakkelijk te schuifelen.

'Vertel het ons.' Het was Sean van Zeven Wateren die de stilte verbrak, en kalm sprak vanaf de plaats waar hij temidden van zijn mannen stond te wachten. 'Wat zeggen de tekenen? Is de godin onze onderneming gunstig gezind?'

'Kom op, man, zeg het.' De aanvoerder van de Uí Néill mocht dan wel christen zijn, hij wist heel goed dat het hiervan afhing wanneer de strijd zou beginnen, want degenen die de campagne leidden, zouden dat niet doen voordat de tekenen gunstig waren.

Conor ging rechtop staan; zijn gelaat stond ernstig maar kalm. Ik had de indruk dat dit masker van kalmte door wilskracht op zijn plaats werd gehouden; daaronder school een ernstige ongerustheid. Zijn witte gewaad viel in plooien om hem heen, waartussen zelfs in de ochtendzon schaduwen waren.

'Ik zal de waarheid spreken,' zei hij met een stem die zacht leek, maar toch zo ver droeg dat hij tot in alle hoeken van die grote verzameling mannen te horen was. 'De tekenen zijn niet onverdeeld gunstig. Er is hier een duister element, een donkerte die als een wolk over de weg van onze onderneming valt, die het volledige patroon ervan aan het oog onttrekt. Het is alsof zelfs de grote machten van de Andere Wereld niet zeker weten hoe dit zich zal ontvouwen. Maar toch is de boodschap van de waarzegging in één opzicht heel duidelijk. We moeten nu handelen, zonder uitstel. Morgenochtend bij zonsopgang zal onze vloot de kusten van de Eilanden bereiken, en voor de zon ondergaat zal het land rood gekleurd zijn door het bloed van hen die het gewaagd hebben onze heilige grond te betreden. We zullen hen daarvandaan verdrijven, of hen zien sterven door pijl en zwaard; tot de laatste man zullen ze te gronde gaan. Dit zweren wij bij al wat waar is.'

Er ging een luid gebrul van instemming op in de menigte; Conors woorden waren zorgvuldig zo gekozen, dacht ik, dat ze die uitwerking zouden hebben. Het voorbehoud in zijn voorspelling zou spoedig vergeten zijn; de mannen roken de overwinning en rukten nu als jachthonden aan de lijn. Misschien zou er bloed worden vergoten, zouden er doden vallen, maar welke dappere jonge krijger van eenentwintig denkt dat het zijn bloed zal zijn, dat hij zelf zal sterven? Er blonk een licht in hun ogen, er was een veerkracht in hun tred terwijl ze terugliepen, elk naar hun eigen kamp, om de laatste handelingen te verrichten en schepen, zeilen en oorlogstuig in gereedheid te brengen. Ze zagen niet het bleke gelaat van Conor, of de schaduw in de vreemde, heldere ogen van zijn broer Finbar, terwijl die twee zacht stonden te praten met Sean van Zeven Wateren, Johnny en de Baas. Ze zagen niet de grimmige trek om Seans mond, en evenmin de woeste, gefronste vastberadenheid op de blanke, jonge trekken van het kind van de profetie. Maar ik zag dat allemaal wel, en ik hoorde de stem van mijn grootmoeder terwijl ik daar op het dak van het vergaderhuis zat, een stem die lang had gezwegen maar die nu weer in me wakker was geworden, terwijl de amulet warm tegen mijn borst gloeide. *Goed zo, Fainne. Goed zo, kind. Alles is gereed. Stel me nu niet teleur, zo dicht bij het einde.*

Mijn hart maakte een duikeling toen ik het hoorde. Ik had gelijk gehad; ze lette op me, ze achtervolgde me, zelfs in mijn vogelgedaante. Conor had een donkere plek gezien; ik wist wat die donkere plek was en waar hij vandaan kwam. Mijn grootmoeder maakte er deel van uit, en ik maakte er ook deel van uit, of ik het wilde of niet. Een vreselijke angst ging door me heen nu ik me herinnerde hoe ik vannacht had geslapen, beschut in de warmte van Darraghs handen. Ik mocht niet meer naar hem toe gaan; vanaf dit moment tot alles voorbij was, moest ik uit zijn buurt blijven. Ik zou haar ook niet bij Finbar in de buurt brengen; hij was al zo beschadigd door haar wreedheid. Ik moest deze dag, en de komende nacht, helemaal alleen doorbrengen.

Bomen waren er nauwelijks. Lage, borstelige struikjes, een paar bladerloze appelbomen. Er waren gebouwen, die half schuilgingen in de plooien van het land, of in de grond waren uitgegraven en bedekt waren met een flinke, met gras begroeide heuvel, die ze beschutte tegen wind en vorst. Deze boden geen schuilplaats waar een kleine vogel veilig was voor zwervende vossen, staartloze katten of de nieuwsgierige ogen van een clanhoofd met te veel belangstelling voor het oplossen van puzzels. En Fiacha was er ook nog. Ik begreep wel dat hij op de een of andere manier aan mijn kant stond, maar ik was toch bang voor zijn scherpe snavel, zijn grijpende klauwen en zijn snelle vlucht. In Fiacha's buurt had ik misschien veilig kunnen zijn voor andere rovers. Maar mijn vogel-ik verstijfde van angst bij het zien van zijn donkere vorm, die Johnny door het kamp volgde, nu eens voor hem uit, dan weer achter hem aan vliegend. Hij bleef steeds bij hem, en hield de wacht. Ik kon het niet opbrengen om naar hem toe te gaan.

Ik vond een plek in de struiken langs het pad dat naar beneden ging naar de ankerplaats. Ik kon me er niet echt verschuilen; ik bleef zo stil mogelijk zitten en hoopte onopgemerkt te blijven. Dat vervloekte rode kuifje. In de toverformule die ik had gebruikt om mezelf te veranderen, kwam niets daarover voor; een of andere kwaadaardige macht had dat gedaan, zodat het voor mensen die me kenden maar al te gemakkelijk was om me te herkennen. Zelfs Darragh had het geweten; Darragh die niets van toverij wist.

De dag ging voorbij; de mannen deden wat ze te doen hadden; hun gezicht stond grimmig van concentratie of straalde van doelgerichtheid. In hun ogen was geen angst voor de dood. Ze passeerden me op het pad en keken niet naar me. Alleen één keer, toen de in het groen geklede krijgers op weg waren naar de schepen beneden, die daar zo sierlijk op het kalme water lagen, bleef het clanhoofd van Sídhe Dubh en Glencarnagh op het pad stilstaan en gebaarde dat zijn mannen vast vooruit moesten gaan. Hij bleef staan en schermde zijn voorhoofd af met zijn hand, alsof hij de vloot inspecteerde, of de wolken, of de wijde zee buiten de baai.

'Zo, Fainne,' zei hij. 'Dit is wel een heel vreemde ontmoeting. Mijn mannen zouden me voor gek verslijten omdat ik met een dier sta te praten. Maar ik kan de gelegenheid niet voorbij laten gaan. Ik denk zo dat je hier juist met dit doel zat te wachten. Ik ben je veel dank verschuldigd, lieve. De informatie die je me hebt toegespeeld, is me van meer nut geweest dan je had kunnen denken. Vannacht heb ik hem dan eindelijk; morgen zal de wereld een betere plaats zijn omdat hij er niet meer is. O, Fainne, wat je voor me gedaan hebt is onbetaalbaar.'

Zijn vreemde woorden deden me beven. De uitdrukking op zijn gezicht was huiveringwekkend. Wat voor informatie? Ik had niet gespioneerd; ik had hem niets toegespeeld. Wat kon hij bedoelen?

'Het zal gemakkelijk verklaard kunnen worden,' ging hij verder. 'Niemand kan met een beschuldigende vinger naar mij wijzen. De man was gewoon te oud voor zo'n actie. Dat zullen de mensen morgenochtend zeggen. Het zal donker en koud zijn; het is ver en het is een zware opgave, zelfs voor een jongeman in de kracht van zijn leven. Hij had beter een ander kunnen sturen; maar ja, hij was altijd iemand die in de voorhoede wilde optreden. Maar dan zal het te laat zijn.' Hij glimlachte, en ik zag de vonk van waanzin in zijn donkere ogen. Ik verbeeldde me dat ik de stem van mijn grootmoeder hoorde. *O, ja. Ga daarmee aan de slag.*

'Het is wel vreemd je in deze gedaante te zien,' zei Eamonn, terwijl hij me even van opzij bekeek, en toen weer over het water staarde. 'En toch misschien niet zo vreemd. Onze samenwerking zal volgens mij ons beiden tot voordeel zijn. Deze gedaante die je hebt gekozen is wel kwetsbaar, lieve. Je moet voorzichtig zijn; ik zou niet willen dat je iets overkwam. Het vooruitzicht van het huwelijksbed is zelfs nu opwindend; ik voel het in mijn lichaam. Er is nog een hele wereld te ontdekken. Ja, er ligt een heel nieuw leven voor ons.'

Ik schoof zenuwachtig heen en weer op het takje waarop ik zat; ik wilde dat hij wegging, want ik wilde zelf liever niet wegvliegen, omdat ik nergens anders heen kon. Zijn eerdere woorden hadden me diep verontrust; ik deed mijn uiterste best om er iets van te begrijpen.

Er verschenen andere mannen achter Eamonn op het pad. Het had Finbar of Darragh waarschijnlijk niet kunnen schelen of anderen zagen dat ze ernstig met een vogeltje praatten alsof het hen kon verstaan. Maar voor Eamonn was het beneden zijn waardigheid om op zoiets onzinnigs te worden betrapt.

'Vaarwel, dan,' mompelde hij. 'Pas goed op, lieve. Ik wil dat jou niets overkomt.' En hij liep het pad af, met de anderen achter hem aan.

Hij wist het dus. Hij wist van de zwemtocht, en van het vreselijke risico dat vannacht door vijf mannen zou worden genomen om ervoor te zorgen dat de Britten al vleugellam waren gemaakt voor de vloot van de bondgenoten op de kust van de Eilanden landde. Hij wist het en was van plan toe te slaan wanneer de Baas op zijn kwetsbaarst was. Maar hoe was hij dit geheim te weten gekomen? Waarom had hij mij ervoor bedankt? Ik had hem niets verteld. Ik had niemand verteld wat ik wist; niemand behalve... behalve mijn grootmoeder. Ik herinnerde me opeens dat ik tegen haar iets over de zwemtocht had gezegd, omdat het nodig was geweest haar ervan te overtuigen dat ik nog altijd haar bevelen opvolgde en eraan werkte haar doel te bereiken. Op de een of andere manier had zij ervoor gezorgd dat Eamonn erachter kwam; en dat had ze op zo'n manier gedaan dat hij geloofde dat de informatie van mij afkomstig was. Dat was natuurlijk niet moeilijk; een niet ondertekend bericht; een

fluistering in het donker, als in een droom. Een garantie, had ze gezegd. Ik moet een garantie hebben. En toen ze er geen kreeg, had ze er zelf voor gezorgd, voor het geval dat ik op het laatste moment niet deed wat ik moest doen. Ze vertrouwde me niet; ze had me waarschijnlijk nooit vertrouwd.
Mijn hart klopte snel; mijn lichaam voelde koud aan. Ik moest hen waarschuwen. Er was weinig tijd; de dag vorderde snel, en ik wist niet wanneer de kleine curragh moest uitvaren, zodat de zwemmers de Britse rede konden bereiken en zich voor zonsopgang weer in veiligheid konden brengen. Ik moest hun vertellen dat er een verrader in hun midden was, die zijn eigen krankzinnige zucht naar wraak zwaarder liet wegen dan het welslagen van een grote campagne. Maar hoe? Hoe kon ik het tegen hen zeggen? Ik was een duif; ik beschikte niet over menselijke spraak, en ik kon mezelf nog niet terugveranderen in een meisje. In de slag van morgen zou beslist worden hoe alles zich uiteindelijk zou ontvouwen, en om daarbij te kunnen zijn, moest ik in deze gedaante blijven, zodat ik achter hen aan kon vliegen en sterk kon zijn. Veranderde ik terug, dan zou mijn oom Sean me, ongeacht wat ik tegen hem zou zeggen, onmiddellijk terugsturen naar Erin, waar ik veilig was. Als dat gebeurde, kon ik niet doen wat ik moest doen: vrouwe Oonagh ervan weerhouden haar gruwelijke vernietigingswerk te verrichten. Dat was mijn taak, die alleen ik kon uitvoeren. En op de lange termijn was dat het allerbelangrijkste.
Hoe kon ik hen waarschuwen? Ik wist niet wat Eamonn van plan was. Het was vast niet zijn bedoeling zelf met de groep mee te gaan. Ik kon me ongeveer voorstellen wat de Baas daarover zou zeggen. Wat had hij voor? Misschien kon ik hem volgen, en luisteren. Maar toch zou ik machteloos zijn, want ik kon noch woorden, noch de stem van de geest gebruiken. En er waren maar twee mannen die mijn identiteit kenden, behalve Eamonn zelf. Finbar en Darragh. Geen van de twee kon ik benaderen; ik wilde niet dat de aandacht van mijn grootmoeder op hen werd gericht, want dat zou hen in groot gevaar brengen, en haar krachtige wapens tegen mij verschaffen.
Ik vloog terug naar het hoofdkamp, kriebelig van frustratie omdat ik nog niet mezelf mocht worden. Ik ging in een boom zitten; op een touw dat een tent omhooghield; open en bloot op een paal. Mannen waren kalm aan het werk, of rustten ter voorbereiding op een lange periode van hard werken zonder slaap. Er werden gebe-

den gezegd, van verschillende overtuigingen. Sean zat met Eamonn en de aanvoerders van de Uí Néill kaarten te bekijken. Eamonns bleke gezicht stond kalm en ernstig; in zijn ogen blonk nu geen krankzinnig licht. Hij onderscheidde zich niet van een willekeurig ander clanhoofd dat een krijgsplan beraamt met zijn oude, vertrouwde bondgenoten: hij zag er, kortom, betrouwbaar uit.
Johnny was actiever bezig. Ik zag hem de beschutte plek verlaten met drie andere mannen, degenen die vannacht met hem zouden gaan zwemmen: Sigurd, Gareth en Darragh. Ze slopen stilletjes weg, misschien om de gevaarlijke manoeuvre van vannacht nog een laatste keer te repeteren. Wat later ontdekte ik de Baas, beneden bij de baai in gezelschap van Slang en Meeuw; ze keken de kleine curragh met de donkere zeilen na; in dit scheepje hadden ze op Inis Eala heen en weer gevaren tussen de eilandjes, waar ze de boot als een grote, handige zeevogel op de snelle stromingen van eb en vloed hadden laten balanceren. Ik vloog omlaag door de zoute nevel van opspattende golfjes om zo netjes mogelijk neer te strijken op de achtersteven van de curragh; maar toen ik daar eenmaal zat, kon ik geen manier bedenken om hun een boodschap over te brengen. Een duif kon geen tekeningen in het zand maken, of de coelbrens werpen om een ramp aan te duiden. Een duif kon niet meer doen dan angstig met haar vleugels fladderen en bezorgd koeren.
'Die vogel schijnt ergens mee te zitten,' merkte Slang met een glimlach op terwijl hij een touw strakker aantrok. 'Hij hipt rond als een kip die weet dat hij de pan in zal gaan.'
'Hij is uit Ulster meegekomen met de boten, heb ik gehoord,' zei Meeuw. 'Misschien is hij een voorteken.'
'Een gunstig voorteken, hoop ik,' zei Slang. 'Het beest doet wel erg druk, haast alsof het probeert ons iets te zeggen. Het zijn anders toch schuwe beestjes?'
'We hebben geen voorteken nodig, gunstig of niet.' Het getekende gezicht van de Baas stond plechtig; zijn ogen waren helder en doelbewust, de ogen van zijn zoon. De zon verlichtte de blanke, niet getekende kant van zijn gezicht, en even had het bijna Johnny kunnen zijn die daar stond. 'Kundig zeemanschap, planning en een goede voorbereiding zullen hier zorgen voor succes, net als bij al onze vorige ondernemingen. Let niet op die vogel; hij is misschien verdwaald, uit de koers geblazen door de westenwind. Onze eigen kracht zal voldoende zijn; wij hebben geen behoefte aan waarzeggingen en voorspellingen.'

‘Maar toch,’ zei Meeuw, en hij keek nog eens naar me. Maar hij ging er niet op door, en ik zag wel dat er voor mij geen manier was om hun te vertellen wat ik wist. Toen kwam plotseling Gareth het pad naar de ankerplaats af; zijn vriendelijke gezicht was bleek en gespannen. De Baas, die gebukt bezig was met de touwen, kwam langzaam overeind.

‘Ja?’ vroeg hij. ‘Wat is er?’

‘Sigurd is ziek geworden. Buikloop; en niet zo’n beetje. Het is plotseling begonnen. Zo kan hij niet zwemmen.’

De harde mond van de Baas werd nog strakker. ‘Meeuw? Is daar iets aan te doen? Heb je er een drankje voor?’

‘Hoe erg is het?’ Meeuw liet zijn werk al liggen en stond op het punt naar boven te snellen naar het kamp, met een frons op zijn donkere gezicht.

‘Erg. Hij braakt en kokhalst alsof hij vergif heeft binnengekregen. Je zou een wonder moeten doen om hem op tijd in orde te krijgen.’

Ik voelde mijn ingewanden verkrampen van angst. Vergif. Er waren maar vijf zwemmers, en een daarvan was Darragh.

‘Hoe zit het met onze reserve?’ vroeg de Baas kalm. Als oude rot in het vak raakte hij niet in paniek, maar nam snel en kalm de mogelijkheden door.

‘Mikka? Die kan niet mee, Baas. Heeft vanmorgen een jaap in zijn hand gekregen bij een oefengevecht; hij kan hem nog niet goed gebruiken. Morgen in de slag zal het wel gaan, maar hier kan hij niet aan meedoen. Johnny zegt dat hij hem niet wil riskeren.’

Slang vloekte binnensmonds.

‘Hebben we hier dan alleen wrakken?’ vroeg de Baas zacht. ‘Zijn we zo gemakkelijk te ontregelen? Ik kan dit niet geloven.’

‘Cormack zegt dat hij het kan, als u hem de kans wilt geven,’ zei Gareth met een lichte aarzeling. ‘Hij heeft nog nooit zo’n afstand gezwommen, maar hij is sterk en hij zegt dat hij het aankan.’

‘Ik denk het niet.’ In de stem van de Baas klonk iets definitiefs, dat elke gedachte om ertegenin te gaan uitsloot. ‘Ik mag dan één van mijn zonen wagen in deze onderneming, maar geen twee. Cormack is te jong en te onervaren. Hij zal morgen met trots zijn plaats innemen tussen de mannen, maar hieraan zal hij niet deelnemen. We moeten een ander zoeken, want er moeten vijf mannen zijn, een voor elk schip. Deze actie is toch al riskant; met minder dan vijf man wordt het onverantwoord. Geen man zou daar vlak bij de Britse schepen ontdekt willen worden, met een masker voor zijn gezicht

en een stevige ijzeren spies in zijn hand. Met vijf man slaan we gezamenlijk toe en trekken we ons gezamenlijk terug.'
Gareth knikte, met een ernstige uitdrukking op zijn grove gezicht. 'Johnny is al voorzichtig aan het peilen,' zei hij. 'Er is misschien iemand bij de Uí Néill, of bij de manschappen van heer Eamonn, die dit zou kunnen proberen.'
Bran spuwde precies naast het pad. 'Iemand van de Uí Néill, dat zou kunnen, of een van de Noormannen,' zei hij. 'Voor mij is geen van de mannen in het groen te vertrouwen.'

En zo kwam het dat vijf mannen in de schemering naar het zuiden voeren op hun geheime missie, en dat een van hen een moordenaar was. Zo kwam het dat ik hen zag gaan, en niets kon doen om het tegen te houden. Er bleek inderdaad een man van de Uí Néill te zijn die een goede zwemmer was; zijn medekrijgers steunden zijn beweringen, en gaven hoog op van zijn kracht en uithoudingsvermogen. Hij had blond haar in een vlecht op zijn rug en was onregelmatig van bouw, zodat zijn ene schouder hoger was dan de andere. In het water had hij daar geen hinder van, zeiden ze. Johnny liet hem proefzwemmen in de koude omhelzing van de zee, buiten de baai, en verklaarde dat hij tevreden was. De Baas was er allesbehalve gelukkig mee; maar hij had geen andere keus dan de kerel te accepteren. Ze konden niet wachten tot Sigurd hersteld zou zijn. Er was niet meer van hem over dan een rillend, zwetend wrak dat nog geen druppel water binnen kon houden. Hij zou morgen niet beter zijn en overmorgen of de dag daarna ook niet. En de druïde had gezegd dat het nu moest gebeuren.
Wat mij betreft, ik had deze zwemmer eerder gezien. Hij behoorde misschien tot de mannen van de Uí Néill. Hij droeg in elk geval het embleem van de opgerolde slang. Maar ik had hem op Glencarnagh gezien, door een deurspleet, tijdens een geheim beraad. Ik wist dat hij een handlanger van Eamonn was, een spion en een moordenaar. Dus toen ze wegvoeren, had ik geen andere keus dan hen te volgen. Het schemerde, het was koud. Het instinct van een rotsduif zegt dat je dan een schuilplaats op moet zoeken om je te verbergen voor nachtelijke rovers. Maar ik vloog uit in het wegstervende licht, met een van angst bonzend hart; ik was bang voor de golven, voor het donker, voor de kou; voor uilen en andere jagers; ik was bang te verdwalen, of door te vliegen over open zee tot ik er van uitputting bij neerviel. Ik moest mee, hoewel ik niets kon doen om hen te hel-

pen. Als dit verkeerd afliep, zou het mijn schuld zijn. Want wie had iets losgelaten over deze geheime actie, behalve ik?
De vijf mannen waren niet alleen. Hun tocht was afhankelijk van steun; de kleine boot had zes roeiers, en de zwemmers zaten zwijgend op de doften, geheel in het zwart gekleed, met de strakke, donkere kappen over hun gezicht. Onder de wollen kleding was hun lichaam bedekt met een dikke laag ganzenvet, om te helpen de kou weg te houden. In het zilveren licht van de maan kon je ze nauwelijks van elkaar onderscheiden. Ieder droeg op zijn rug een vreemd apparaat, gemaakt van hard hout, met aan het uiteinde een scherpe, ijzeren spies en een handbreedte daaronder een kleine haak. Ieder had aan zijn gordel een schede met een mes erin; voor een krijger is een onverwachte aanval altijd een mogelijkheid, zelfs op de meest nauwkeurig beraamde missie. Bovendien waren er ook nog zeemonsters.
Er stond een matige wind; ze hesen het kleine zeil en de curragh gleed even snel en onhoorbaar over het water als een zwijgende bewoner van het diepe. Ik volgde, en verwenste het gezichtsvermogen van de vogel, dat aan een dagdier toebehoorde, en het vogelinstinct, dat mijn kleine lijfje tot in elke uithoek deed trillen omdat het verkeerd was hier 's nachts alleen buiten te zijn, terwijl ik nog geen tien pas voor me uit kon zien. De maan scheen; ik volgde het krullende schuim bij de voorsteven van de curragh, waar hij de golven doorkliefde, en de bleke gezichten van de roeiers, die als één man over hun riemen gebogen zaten. Alleen de zwemmers droegen kappen; voor hun missie moesten ze zich binnen Brits gebied begeven. Als ze gezien werden, zouden ze gevangen worden genomen, want zo dicht onder die kust stonden ze tegenover een grote overmacht. Je had niet veel verbeeldingskracht nodig om te bedenken wat er dan zou volgen, wanneer Northwoods zou proberen erachter te komen met welk doel ze daar waren. Die ellendige Darragh. Waarom was hij hierheen gekomen? Was de jongen zo dom dat hij niet begreep hoe verkeerd het was te doen alsof hij ook zo'n woeste, meedogenloze krijger was, in plaats van de eenvoudige reizende man die hij was? Besefte hij niet dat ze de volgende morgen allemaal dood konden zijn?
Ik begon moe te worden. Het was een erg koude nacht; de kille greep van de zee leek niet zo heel ver onder me te liggen, terwijl ik hardnekkig doorvloog. Ik kon niet op de boot landen. Dan zou Darragh me zien. Hij had al meer dan genoeg om zich zorgen over te

maken. En misschien keek mijn grootmoeder ook nu nog naar me. Mijn lichaam deed pijn; ik kon mijn vleugels nauwelijks meer op en neer bewegen. Als ik achterop raakte, was alles verloren. Ik moest doorgaan. Ik was tenslotte geen duif, maar een tovenaarsdochter. Ik moest sterk zijn, zoals mijn vader het me had geleerd.

Na een zacht bevel van Johnny begonnen de mannen het zeil te strijken. De beweging van de riemen veranderde. Voor het schip was een brullend geluid te horen, als een uitdagende kreet van de oceaan zelf, een diepe, dreigende werveling van geluid. *Wie gaat daar? Kom nader als je durft.*

Niet ver voor ons in het maanlicht zag ik eindelijk land, een rotsig eiland, zo smal en hoog dat de top ervan de donkere hemel leek te doorboren. Het water kolkte en schuimde rondom de basis ervan, wit en verraderlijk. En er waren nog andere rotsen, waarvan de puntige vormen haast onzichtbaar waren, behalve waar hun gladde oppervlak glom in het kille licht, of waar de zee zich erop stortte in een woest schuimgordijn. De roeiers hielden de kleine boot precies op zijn plaats. Deze manoeuvre was een tweede natuur voor hen; zo vaak gerepeteerd dat ze haar waarschijnlijk bijna zonder nadenken konden uitvoeren.

'Klaar? Het is tijd.' Johnny's stem klonk kalm. 'Roei hard naar de Naald toe; denk aan wat jullie verteld is over deze stroming. Laat je door het zien van die riffen niet verleiden te veel afstand te nemen, want dan zal de stroom je grijpen en meezuigen naar de diepte. Dit is geen oefening meer, jongens; we hebben precies één kans. De Wormsmond is meedogenloos. Gebruik de kracht ervan om je erdoorheen te trekken. We kunnen het. Gebruik je kracht en doe je best. En moge de hand van de godin ons leiden.'

Niemand antwoordde, maar de roeiers grepen de riemen nog steviger beet en leken zich schrap te zetten, en toen lieten ze, zo plotseling dat ik ervan schrok, de bladen van hun riemen door het water gaan, in de richting van de messcherpe klippen die het hoge, steile eiland omringden. De curragh schoot voorwaarts, sneller dan hij door menselijke kracht kon worden aangedreven. Hij was gegrepen door een geweldige stroming en verdween nu in een donkere leegte waar het enige zichtbare het kolkende, schuimende wateroppervlak was; het enige hoorbare het eindeloze, hongerige bulderen. Gedurende lange ogenblikken fladderde ik, hulpeloos en panisch, boven het woedende water. De zee had hen vast verzwolgen en zou hen weer uitspugen als een warboel van versplinterd hout en verbrijzelde botten. Geen mens kon die ziedende kracht overleven. Ze waren weg. Ik was alleen in de nacht. Vroeger vond ik het al griezelig om te baden in het kalme water van een klein meer; ik was bang uit te glijden en onder te gaan. Onder me kolkte en gromde de zee. Achter me lagen lange, lege mijlen tussen mij en het kamp; hoe kon ik de weg terugvinden nu er niets meer was om te volgen? Voor me lag het onmogelijke kanaal, de geheime weg naar de rede van de Britten. Geen wonder dat niemand het tot nu toe in zijn hoofd had gehaald hier doorheen te varen. Dit kanaal was onbevaarbaar; de poging was een daad van volstrekte domheid. Maar Johnny was niet dom. De Baas was geen idioot. En ergens daar middenin was Darragh, die hier helemaal niet zou zijn als ik er niet geweest was. Ergens daar beneden was een man met een scherp mes aan zijn gordel en moord in zijn hoofd. Met een stilzwijgende bede naar Manannán raapte ik mijn krachten bij elkaar en vloog hen achterna, dwars over de woedende draaikolk heen en verder naar het open water daarachter.

De boot was daar; hij had het smalle kanaal achter zich gelaten, en mannen met donkere kappen lieten zich al over de boorden in het koude water van de zee glijden. Niet ver weg lagen grotere eilanden, die opdoemden als zeedieren met brede ruggen. Ergens vlakbij, in een beschutte baai, lag de vloot van de Britten voor anker. Ergens op die met gras begroeide hellingen herbergde het versterkte kamp van Northwoods een sterk contingent in de strijd geharde krijgers. Er zaten ongetwijfeld boogschutters in de torens; er stonden mannen op wacht bij de buitenrand van het kamp. Deze zwemmers waagden zich nu tot in het hart van een verboden gebied. Ik kon hen daar niet volgen; ik mocht niets doen waarmee ik de aandacht op hen zou vestigen. Bovendien was ik doodmoe en kon ik niet verder vliegen. Met tegenzin fladderde ik eindelijk naar beneden en ging op de achtersteven van de curragh zitten.

De roeiers zaten zwijgend op hun plaats. Ze hielden de kleine boot op zijn plaats op het water.

'Jij weer,' fluisterde Waerfrith, die de riem bemande die het dichtste bij me was.

'Wat?' siste Godric.

'Het kennisje van de druïde,' zei Waerfrith. 'Het vriendinnetje van de ketellapper. Ze is nog steeds bij ons. Een gunstig voorteken. Hoop ik maar.'

'Ze zullen alle gunstige voortekenen nodig hebben die ze kunnen

krijgen,' merkte een ander op. 'We zitten krap in de tijd. Erheen, de klus opknappen, wegwezen, en hier zijn om bij zonsopgang het sein te hijsen en de vloot te laten komen. Weinig ruimte voor fouten.'
'Johnny maakt geen fouten.' Er sprak vertrouwen uit Godrics stem, hoewel hij nog steeds fluisterde. 'Ze zullen op tijd terug zijn. Dit wordt een driedubbele klap voor Northwoods; eerst de vloot, dan de aanval vanuit zee, tegen alle waarschijnlijkheid in. Ten derde ons verbond met de Noormannen. Daar zullen ze niet op bedacht zijn.'
'We hebben de steun van Hakon aan de Baas te danken,' zei Waerfrith. 'Zo zie je maar, het kan soms handig zijn een beroep te doen op oude vriendschappen.'
'Sst,' zei een ander, en ze zwegen weer.
Er ging enige tijd voorbij. Het was erg koud onder de lentemaan; ik zette mijn veren op, maar de wind was nog steeds snijdend koud. De jonge krijgers wachtten zonder klagen. Zulke ontberingen hoorden bij hun lange opleiding, bij de discipline die hun hele leven beheerste. Dat begreep ik maar al te goed, als ik terugdacht aan de winter in de Honingraat. Het werd steeds kouder. Ik dacht aan die mannen in het water. Het leek me dat ze weinig kans maakten tegen de ijzige greep van de zee, Northwoods waakzame wachten en de verrader in hun midden. Als de moordenaar toesloeg, zou de Baas sterven en zou mijn tante Liadan de man verliezen die ze haar minnaar, haar man en haar zielsverwant noemde. Zij zou degene zijn die moest lijden onder Eamonns verschrikkelijke wraak. Misschien was dat van meet af aan zijn bedoeling geweest; haar te straffen omdat ze hem niet de voorkeur had gegeven. En ik had hem geholpen.
Ik wachtte, trillend, terwijl de nacht voortduurde. Er zou geen rust zijn voor deze mannen. Wanneer de dag aanbrak, zou de Ierse vloot komen, en ze zouden met de anderen de Eilanden bestormen, om daar met pijlen te treffen, met bijlen te hakken en met zwaarden te klieven, tot de Britten in overgave op hun knieën vielen of tot de laatste man werden gedood. Het was een heel lange nacht en het zou een nog langere dag worden.
Eindelijk doofde het maanlicht langzaam uit en begon de hemel lichter te worden en de doffe grijstint aan te nemen die de dageraad voorspelt. Deze mannen wilden geen twijfel uitspreken. Johnny was hun leider, en het kind van de profetie. En iedereen kende de reputatie van de Baas. Hij had nog nooit gefaald in een opdracht, hoe

moeilijk ook. Ze zouden terugkomen. Ze moesten terugkomen. Daarom zei niemand: waar zijn ze, of: het wordt al laat. Niemand zei ook maar iets, maar toen de oppervlakte van de zee veranderde van een inktzwarte deken tot een rimpelende vlakte van diepgroene tinten en er meeuwen boven de curragh begonnen rond te cirkelen, zag ik een grimmigheid in de ogen van de mannen en een verbeten trek om hun mond die me verontrustten. Wie wist beter dan ik wat de zwemmers had kunnen ophouden? Ik zat nog steeds op mijn plekje in de achtersteven van de boot, trillend van angst en kou, ik keek naar de vormen van de grotere eilanden die langzaam duidelijker werden naarmate de hemel lichter werd, en ik betwijfelde of ik de kracht zou hebben om te vliegen wanneer het moest. Misschien was het gezichtsvermogen van een vogel toch nuttig. Ik zag hen als eerste, niet meer dan stipjes in het water die naar ons toe kwamen in de op en neer gaande deining. Ik rekte mijn verkrampte vleugels, liep over de rand van de curragh en probeerde de aandacht van de mannen te trekken, maar de stem van een duif is niet gemaakt om luidkeels alarm te slaan, om tot actie op te roepen. Het duurde echter niet lang of ze kregen de groep zwemmers in het oog en grepen de riemen om de curragh voorzichtig dichterbij te brengen, want hun terugkomst was al bijna te laat. Ze moesten nog terugvaren naar het punt waar ze zichtbaar zouden zijn voor de wachtende vloot, en het sein hijsen dat de schepen konden komen; de rode banier die opriep tot actie. Als ze daar te lang mee wachtten, en Northwoods besefte wat er aan de hand was, zou dat hem de kans geven om zijn verdediging te organiseren, met of zonder schepen. Dat was niet de bedoeling.
'Het zijn er maar drie,' mompelde Godric toen de boot dichterbij was gekomen. 'Drie... nee, vier... maar...'
'Er is iets niet in de haak,' zei Waerfrith, en hij gaf het teken dat de riemen in evenwicht moesten worden gehouden zodat de boot stil in het water bleef liggen. De zwemmende mannen waren nu langszij gekomen; ik kon hun hijgende ademhaling horen en hun donkere ogen zien door de gaten in hun nauwsluitende kappen. Ik kon ook zien dat een van de vier mannen die daar in het koude water dreven er slap en hulpeloos bij lag, en alleen drijvend werd gehouden door de krachtige greep van een ander om zijn borst; en ik kon het rode lint van bloed zien dat uit hem stroomde, felrood als klaprozen in het donkere oppervlak van het water.
'Vlug,' zei een stem. 'Hij is gewond. Haal hem binnenboord.' Dat

was Gareth, die ernaast zwom en nu meehielp de gewonde man omhoog te duwen terwijl Godric en Waerfrith hem in de curragh hesen. De in het zwart geklede gestalte werd languit op de banken gelegd; Waerfrith trok met voorzichtige vingers het masker af, zodat het grauwbleke gezicht en het vlasblonde haar van Eamonns man zichtbaar werden. Het heldere licht van de dageraad speelde over zijn starende blauwe ogen en zijn bloedeloze lippen, en over het glimmende heft van het dolkmes dat diep in zijn borst was gestoken.

'Deze man is niet gewond, hij is dood,' zei Godric, en hij rolde de man van de bank af op de bodem van de curragh, uit de weg. 'Haal vlug de anderen binnenboord; de zon komt bijna op.'

Eerst kwam Gareth, die nu onheilspellend stil was. Daarna een lange, magere man. Ik zond onhoorbaar een dankgebed naar de godin, hoewel het ongetwijfeld niet omwille van mij was dat ze Darraghs leven tot nu toe had gespaard. Daarna de laatste man, tamelijk klein en goed gebouwd. Ze trokken hun kap af. Godric liet een metalen fles rondgaan, en alledrie dronken ze, hijgden en huiverden. De stilte was te snijden.

'Waar is Johnny?' zei iemand na verloop van tijd, waarmee hij de vraag stelde die niemand onder woorden had willen brengen.

'Dood,' zei Gareth moeilijk. Hij nam nog een slok van de drank en veegde met zijn hand over zijn lippen.

'Dood? Hoe bedoel je, dood? Dat kan niet.' Godric wilde het niet geloven.

Gareth wierp een blik op de Baas, die zwijgend naast hem op de bank zat. 'Verdronken,' zei hij. 'We weten niet wat er gebeurd is. De opdracht is uitgevoerd; we hebben elk een schip onklaar gemaakt, zoals we ons hadden voorgenomen. Maar toen we ons weer verzamelden om terug te zwemmen, waren we nog maar met ons drieën. We vonden Felin hier, drijvend op de deining, met een mes in zijn borst; maar Johnny was nergens te bekennen.'

Mijn hart werd koud; de strijd was voorbij. Zij had gewonnen. Mijn grootmoeder had gewonnen, haast per ongeluk, nog voor ik een kans had gehad om tegen haar in te gaan. Ze had de overwinning niet behaald door slim te zijn, of heimelijk te werk te gaan, of listig gebruik te maken van toverkunsten. Ze had domweg getriomfeerd omdat Eamonns moordenaar zich had vergist; de ene man voor de ander had gehouden, daarginds in het donker. Wie wist hoe lang die twee in het water met elkaar hadden gevochten voordat de een losliet met het mes in zijn borst, terwijl zijn levensbloed snel wegstroomde, en de ander wegdreef op de golven, misschien gewurgd, misschien verdronken, misschien zelf ook het slachtoffer van een ongerichte messteek?

'We moeten het zeil hijsen.' De Baas sprak nu; zijn stem klonk gespannen, alsof hij zich tot het uiterste beheerste. 'De vikingschepen wachten vermoedelijk al op ons. We mogen de aanval niet uitstellen, anders gaat het verrassingselement verloren.'

'Maar, Baas!' Godrics stem klonk diep verontwaardigd. 'We kunnen hem toch niet zomaar achterlaten!'

Bran keek hem vlak aan. 'Hij is dood,' zei hij, en ondanks zijn pogingen zich te beheersen, beefde zijn stem. 'Geloof me, we hebben gezocht; we hebben gespeurd tot we nauwelijks meer genoeg tijd hadden om voor zonsopgang bij jullie te zijn. Hij is verdronken en meegevoerd door de stroming. Er is verraad in het spel; maar het ziet ernaar uit dat de enige getuige zal zwijgen.' Hij wierp een blik op de dode man die languit aan zijn voeten lag.

'Hoe kunnen we het zonder Johnny doen?' vroeg een van de mannen uitdrukkingsloos. 'Hoe kan de slag gewonnen worden zonder het kind van de profetie?'

Het bleef even stil.

'Dat is Johnny's mes,' zei Waerfrith, terwijl hij naar de dode man keek. 'Dat zou ik overal herkennen. Ik kan wel ongeveer raden wat er is gebeurd. Kijk maar, de messchede van de man zelf is leeg.'

'De waarheid zal ontdekt worden; de schuldigen zullen worden gestraft.' De stem van de Baas was weer beheerst; de stem van een ervaren aanvoerder. 'Op dit moment moeten we snel een beslissing nemen. Hijs het zeil; hoe onze keus ook zal uitvallen, we moeten hier onverwijld weg. We kunnen niet op wonderen blijven wachten.'

Even dacht ik dat de mannen niet zouden gehoorzamen. Ze staarden achterom over het lege water, met bleke gezichten van de schrik. Ze waren niet alleen hun leider kwijt, het hele doel van hun leven was hun ontvallen. Maar ze waren en bleven krijgers. Het zeil werd gehesen, de riemen werden gepakt en de curragh begon snel van het land weg te varen.

'We hadden deze kerel nooit in de boot terug kunnen krijgen, als Darragh er niet was geweest,' zei Gareth. 'Hij heeft hem het hele eind meegevoerd. Hij dacht dat hij misschien nog een kans had.'

'Hij had zich de moeite kunnen besparen,' mompelde Waerfrith.

'De man is morsdood. De Uí Néill zullen straks een paar vragen moeten beantwoorden.'

Darragh zelf zat zwijgend in de boot. Misschien was hij uitgeput van de nachtelijke zwemtocht, misschien was hij geschokt door zijn kennismaking met verraad en verlies. Ik bleef achter hem zodat hij me niet zag. Ons kleine bootje gleed door de golven, snel als de vlucht van een meeuw, en het duurde niet lang of er werd bevel gegeven om bij te draaien en te wachten.

'Dit is de plek,' zei Waerfrith. 'Van hieruit kunnen we gezien worden door het leidende vikingschip; hier moeten we het sein geven. Rood dat ze moeten komen; wit als we willen dat ze daar blijven en een andere dag afwachten.'

Er viel een stilte.

'De vloot is tot zinken gebracht. De opdracht is uitgevoerd. We moeten de rode banier hijsen,' zei Gareth. Ik dacht dat ik tranen zag glinsteren op zijn brede wangen.

'Dat kan toch niet?' snauwde Godric. Zijn stem beefde van woede. 'Onze leider is weg. Het kind van de profetie is dood. Geen wonder dat de druïde ons niet wilde zeggen wat de waarzegging toonde. We kunnen deze slag niet winnen zonder Johnny.'

'Hij heeft gelijk,' zei Waerfrith moeilijk. 'Dat maakt de profetie duidelijk. Als we zonder hem gaan, worden we waarschijnlijk allemaal afgeslacht. De hele zaak hangt op Johnny. Zonder zijn leiderschap kan er geen overwinning zijn.'

'Volgens mij,' allen draaiden zich verbaasd om toen Darragh zacht en met een kalme stem begon te spreken, 'kunnen we er net zo goed mee doorgaan. We hebben goede schepen, goede manschappen en sterke bondgenoten die ons steunen. We hebben de vloot van de Brit tot zinken gebracht, dus om te beginnen is hij in het nadeel. En er is iets dat nog belangrijker is. Wat zou Johnny willen dat we deden? Zou hij willen dat zijn mannen zich terugtrekken uit angst voor mislukking, of dat ze hun moed tonen en de strijd aangaan over de dingen die hem zo dierbaar waren?' Hij wachtte even. 'Ik weet wel dat ik geen krijger ben, maar dat lijkt me gewoon logisch.'

O nee, dacht ik. *Niet logisch, maar dwaze moed. Je zult sterven; jullie zullen allemaal sterven. Ga naar huis. Red jezelf tenminste, want het lijkt erop dat er verder niets te redden valt.*

Maar Gareth keek Darragh verbaasd aan en knikte; Waerfrith krabde aan zijn kin. Godric deed nog vijandig; zijn boosheid kwam nu waarschijnlijk voort uit zijn verdriet.

'We hebben geen aanvoerder,' zei hij somber. 'Hoe kunnen we deze banier hijsen en de manschappen van de bondgenoten oproepen, terwijl ze hun centrale punt verloren hebben, hun reden om door te gaan? De hele campagne zou een leugen zijn.'
'Ik zal de slag leiden.' De Baas zei het heel zacht, maar er was een kern van ijzer in zijn stem.
'U, heer?' Godric trok zijn wenkbrauwen op. 'U bent dan wel een geweldig kampioen, maar u bent toch een Brit. U hebt immers gezworen dat u zich afzijdig zou houden van deze strijd, omdat u het bestand met Northwoods wilt handhaven? Hoe kunt u ons dan aanvoeren?'
Bran richtte zijn koele, grijze ogen op de jonge krijger. 'Mijn zoon is dood,' zei hij. 'Ik zal de strijd aanvoeren.'
Godric zweeg. Gareth ademde diep in en rechtte zijn schouders. 'Goed, mannen,' zei hij met vaste stem, hoewel de sporen van zijn tranen nog duidelijk te zien waren op zijn vriendelijke gezicht. 'We doen dit voor Johnny. Als hij vandaag het zwaard niet kan hanteren, gebruiken we onze eigen klingen om hem te eren. Als hij de profetie niet in vervulling kan doen gaan, kunnen wij er tenminste voor zorgen dat de mannen van Erin niet ten onder gaan zonder ervoor gevochten te hebben. Het is zelfs mogelijk dat we toch de overwinning zullen behalen.' Hij keek even naar de Baas.
'Goed gesproken, jongen.' Bran tuurde vooruit naar het derde eiland, de hoge, kale rotspunt met zijn verraderlijke basis, waarin het geheime kanaal verscholen lag, de plek waar de Wormsmond was. 'Hijs de rode banier,' beval hij. 'Dit is de ochtend van onze grote onderneming. In de komende nacht zullen we de zoete slaap van de overwinning slapen; of anders de lange, donkere slaap des doods.'

HOOFDSTUK VIJFTIEN

Het was een opwindend gezicht; een tafereel zoals het in de oude verhalen wordt beschreven. Ze hesen de reep rood doek in de mast en terwijl de eerste stralen van de zon zich over het water spreidden en de hoge, rotsige toren van de Naald goudglanzend verlichtten, kwam de vloot van Zeven Wateren uit het onbegaanbare kanaal te voorschijn: drie grote vikingschepen die buitengewoon kundig buiten de woeste zuiging van de draaikolk werden gehouden; hun voorstevens hoog en trots in het licht van de dageraad; en na hen de kleinere schepen, curraghs van tenen en geteerd dierenvel, brede vissersbootjes, lomp en praktisch, elk bemand met een aantal krijgers. Zodra ze buiten de gevaarlijke stromingen van de draaikolk waren gekomen, gingen de schepen uiteen. Een van de vikingschepen ging op weg naar het kleinste eiland, met twee kleinere boten in zijn kielzog, terwijl het grootste deel van de vloot rechtstreeks op de grotere landmassa afstevende, waar de schepen van de Britten nu onder water lagen; waar het lichaam van mijn neef nu ergens ronddreef, in de armen van Manannán mac Lir. Onze eigen curragh wendde de steven en volgde. Uit een bergplaats in de boeg haalden Godric en Waerfrith nu wapens te voorschijn; zwaarden en dolkmessen, bijlen en messen en lederen helmen; elke man moest zich erop voorbereiden zijn aandeel te leveren, ook degenen die de nacht in het water hadden doorgebracht. Voor hen was er droge kleding; een man kon niet vechten als hij verdoofd was van de kou. Ik zag Darragh een helm over zijn donkere haar zetten en een zwaardgordel omgespen, en toen spreidde ik mijn vleugels en vloog weg, want het heetst van de strijd is geen plek voor een vrouw, en al helemaal geen plek voor

een vogel die niet groter is dan een gebalde mannenvuist.
Ik riep de kracht van mijn werkelijke ik op en vloog naar het Grote Eiland, zonder me nog iets aan te trekken van zeearend, havik of menselijke rover, want ik had het gevoel dat hier geen plaats meer was voor angst of voor verdriet, nu de grote strijd toch doorging, nu de dappere banier van Zeven Wateren werd gehesen, en de hele onderneming tot mislukken gedoemd was nog voor ze begonnen was. Als het kind van de profetie gedood was, zou het uiteindelijke doel van het Feeënvolk nooit bereikt worden. De Eilanden zouden verloren zijn; de oude tradities zouden vergeten worden. Een profetie was een profetie. De mannen zouden de slag ingaan en sterven, en al die tijd zou vrouwe Oonagh lachen, honend lachen omdat het bloed van deze sterke, jonge krijgers volkomen doelloos werd vergoten. Ik kon nog steeds niet geloven dat ze zo gemakkelijk had gewonnen. Toch moest ik het wel geloven. Doordat ik zelf zo onvoorzichtig was geweest een geheim te vertellen, had ik ervoor gezorgd dat zij zou winnen. Het was verkeerd. Het moest verkeerd zijn. Het kon toch niet allemaal voor niets zijn geweest?
De oude verhalen vertellen van grote veldslagen; van de avonturen van helden zoals Cú Chulainn; van de krijgshaftige daden van Fionn mac Cumhaill en zijn bandietenbende. Ze vertellen van kracht en moed, van overwinning en beloning. Ze spreken van het uitroeien van vijanden. Maar ze vertellen niet van wat ik die dag te zien kreeg, terwijl ik over de lage, met gras begroeide heuvels van het Grote Eiland vloog. Ik zag het stralende licht van toewijding in de ogen van een jonge krijger in pure doodsangst veranderen, een ogenblik voordat de bijl van zijn tegenstander het hoofd van zijn schouders sloeg. Ik zag Slang, toch een geharde krijger, huilend bij de jonge Mikka staan, die op de roodgekleurde grond lag terwijl het bloed met golven tegelijk uit zijn afgehakte arm stroomde; ik hoorde de verminkte jongeman om zijn moeder roepen met de stem van een klein kind dat plotseling door een nachtmerrie is overvallen. Het gezicht van Slang was oud en vertrokken terwijl hij mompelde: ‘Rust nu, zoon; je hebt dapper gevochten,’ en zijn mes gebruikte om Mikka een droomloze slaap te schenken. Het gebeurde zo plotseling dat mijn hart stilstond. Geen verhaal kan de uitdrukking in de ogen van zo’n man beschrijven, wanneer hij dan opstaat en zich meteen weer in het strijdgewoel begeeft, met het bebloede mes in zijn hand. Wat Johnny’s mannen betreft, zij hanteerden hun wapens op dezelfde manier als Bran van Harrowfield: alsof het hun niet kon schelen of

ze er het leven bij inschoten of niet. Zo'n leger is waarlijk angstwekkend, en de Britten deinsden terug voor het onaardse licht in hun ogen.
Ik verloor Darragh uit het oog. Hij was daar ergens midden in het gewoel, maar de tunieken van de strijdende legers waren bevlekt met aarde en bloed, en het was een grote chaos. De manschappen van Zeven Wateren hadden de rede en de westelijke baai veilig gesteld; daar kon je Meeuw zien, die rondliep en scherpe bevelen gaf; daar werden de slappe lichamen van de doden en de gepijnigde lichamen van de gewonden neergelegd, onder beschutting van alles wat daarvoor kon dienen. Niet iedereen kon daarheen worden gebracht. Er waren talloze doden; tegen de middag leek het alsof elke plooi van het land bezaaid lag met de gehavende lichamen van zowel Britten als Ieren, en de wateren rondom het eiland waren rood gekleurd door het vermengde bloed van deze oude vijanden. Tussen de gewonden liepen de aartsdruïde en zijn broer, de man met de zwanenvleugel. Ze konden misschien niet veel doen, behalve zacht enkele woorden murmelen; misschien konden ze alleen de hand van een man vasthouden, die krijsend en kronkelend op de grond lag, te zwaar gewond om door chirurgijn of genezer geholpen te kunnen worden, en alleen wachtend tot de godin genadig zou zijn en hem de laatste verlossing zou gunnen. Het was eerder die dag een schok geweest te zien wat Slang deed. Nu begreep ik dat het een daad van diep medeleven was geweest.
De dag vorderde en het liep tegen de schemering. Er was gesproken over een overwinning voor de nacht inviel. Maar het was duidelijk dat er nog geen overwinning was behaald. De Britten waren goed bewapend, en ook al waren ze bij verrassing overvallen, het leek erop dat ze zich snel hersteld hadden en een ordelijke en gedisciplineerde verdediging hadden gevoerd. En ze hadden het voordeel dat zij het land in bezit hadden. Op het hoogste punt van het Grote Eiland was een fort, en toen de dag ten einde liep, trokken ze hun manschappen terug in deze veilige plaats. Achter het fort was een steil klif, dat recht omlaag liep in zee; aan de landzijde werd het beschermd door een diepe gracht, waarin een hoge, aarden wal hun woningen, hun wapenopslagplaats en hun barakken met voorraden afschermde. In het midden stond een stevige stenen toren, die rond en hoog was gebouwd. Vanuit een dergelijke plaats kon een sterke verdediging worden gevoerd. Toch konden ze het daar niet eeuwig volhouden. De Uí Néill zouden de vestiging op het Kleine Eiland

inmiddels wel hebben veroverd, want ze waren met veel meer mannen dan de Britten daar. Misschien hoefde Sean van Zeven Wateren niets anders te doen dan wachten.
Toen de schemering inviel, trokken beide legers zich terug op hun verzamelpunt. Er kwam een vreemd soort rust over het land naarmate het licht verflauwde; een soort verstandhouding, alsof beide kanten de verliezen van de ander erkenden. In holten van het terrein, waar de doden slap en verminkt lagen als weggegooid speelgoed, waren kleine groepjes mannen met lantaarns te zien, die zich bukten om hun gesneuvelden op te rapen, en als een grijsharige krijger van Northwoods soms toevallig opkeek en niet al te ver weg een bleke Ulsterman zag die bezig was met hetzelfde sombere werk, wendde hij alleen zijn blik af en ging door met wat hem te doen stond. Maar ondanks de bedrieglijke vrede van de avond wist iedereen dat beide kanten de volgende ochtend hun wapens weer op zouden nemen, het veld zouden betreden en weer zouden beginnen met moorden.
Die nacht vloog ik over beide kampen, en ik merkte dat een Brit en een Ier hetzelfde bloed stortten en hetzelfde verdriet voelden. De dag had me laten zien dat een dergelijke uitdaging, een dergelijke onmogelijke keuze het beste en het dapperste in een man naar voren haalt. Zijn moed krijgt de kans te stralen. In tijden van strijd kan een gewone man een held worden. Maar in elke strijd is er een verliezer, en ook de verliezer kan een man zijn die dapperheid paart aan uithoudingsvermogen, die standvastige moed paart aan grootheid van hart. De verhalen vertellen niet van het bloed en de offers, van de zielenpijn en de verspilling.
Beneden bij de kust waren kleine vuren, en om elk vuur zaten zwijgende mannen bijeen, die hoopten in deze weerspiegeling van de warmte van de haard iets te vinden dat hen deed denken aan hun geliefden thuis, die nu ver weg waren. Ze hadden het er vandaag goed afgebracht, maar hun verliezen waren gruwelijk, en het ergste was nog het verlies van de man die het symbool was geweest van hun zekere overwinning: het kind van de profetie. Niemand zei het, maar ik dacht dat ze het allemaal in hun hart wisten: zonder Johnny kon er geen werkelijke overwinning zijn. Toch zouden ze doorgaan: voor Sean, voor Zeven Wateren, voor hun eigen aanvoerder, of dat nu Bran van Harrowfield was, die tot hun verbazing in hun midden was en de wapenen had opgenomen tegen zijn eigen volk, of de hooggeboren clanhoofden van de Uí Néill. Ze zaten stil om

hun vuren en staarden in de vlammen. Niet ver daarvandaan lagen, in de beschutting van snel geïmproviseerde tenten, gewonde en stervende mannen. Sommigen waren al in een lijkwade gewikkeld om begraven te worden; als de slag snel voorbij zou zijn, konden ze misschien meegenomen worden naar huis en daar te rusten worden gelegd, beweend door een moeder, bejammerd door een liefje. Onder de gevallenen waren drie van Johnny's dappere jonge krijgers. Mikka lag er, die door Slangs barmhartige mes aan een snel einde was geholpen. Naast hem lagen de twee vrienden, Waerfrith en Godric. De mannen vertelden een hartverscheurend verhaal: dat Waerfrith gewond was geraakt, door een pijl getroffen in zijn buik, en dat Godric zijn kameraad op zijn rug had genomen en hem helemaal vanaf de noordelijke hoogte, dwars door het strijdgewoel, naar beneden had gedragen. Toen ze bijna bij de baai waren, en in veiligheid, was een Britse krijger uitdagend op hen toegestapt. Godric, die het bewusteloze lichaam van zijn vriend droeg, kon niet snel uitwijken, kon niet vluchten, en hij wilde de gewonde man niet laten vallen om zichzelf te redden. Het zwaard van de Brit trof hem in de borst, en terwijl hij bloedend op de grond lag, leefde hij nog lang genoeg om te zien hoe de vijand de kling met een achteloos doeltreffend gebaar over de hals haalde van de man die hij had gedragen. Zij waren dus samen gestorven; ze zouden voorgoed jong en lachend, vrolijk en onbevreesd zijn. Vandaag waren deze twee gesneuveld, en velen met hen. Morgen zou het Gareth of Corentin kunnen zijn. Het zou Darragh kunnen zijn. Er waren hele generaties mannen gesneuveld voor deze eilanden; de broers van Finbar en Conor, de broers van hun vader, die vreemd genoeg mijn eigen grootvader was geweest. Dit waren mijn mensen; maar de anderen waren dat ook, want mijn geslacht was zowel dat van Harrowfield als dat van Zeven Wateren, en Harrowfield was weer verwant aan Northwoods. Ik vloog door de nacht, zonder acht te slaan op gevaar, en streek neer op de muur van het Britse fort. En daar zat, niet ver van me af, een grote, donkere vogel die met zijn felle, blinkende ogen naar me keek.

Ik merkte dat ik niet meer bang was voor Fiacha. Angst leek plotseling verspilde moeite. Mijn grootmoeder had gewonnen; ik was nu machteloos. Er viel vermoedelijk niets anders meer te doen dan toekijken, rouwen, en me er alleen over te verbazen dat vrouwe Oonagh er nog niet was om zich te verkneukelen, nu ze de overwinning had behaald. Ik ging dus rustig naast de raaf op de muur zitten, vanwaar ik naar beneden kon kijken in Northwoods' kamp. Ik hoorde hen praten; ik zag hen rouwen. Er waren vele doden, en nog meer gewonden. En ze hadden nog een probleem. In deze buitenpost, die ze zo lang veilig hadden gewaand, hadden verscheidene mannen hun vrouw en kinderen bij zich, zodat het een echte kleine nederzetting was. Nu stonden hun leiders, met grauwe gezichten, rondom hun vuur te praten over een verschrikkelijk dilemma. Als de wilden van Erin het zouden winnen en een bres zouden slaan in de muren van hun fort, wat moest er dan met de vrouwen gebeuren? Er zou een moment komen, misschien morgen, waarop ze moesten beslissen of ze hun eigen vrouwen aan het zwaard zouden rijgen of hen aan de genade van de veroveraar overlaten. Het was misschien het beste om de vrouwen ook te bewapenen, en erop te vertrouwen dat elke vrouw de wilskracht bezat om zichzelf, of haar kind, een mes in de borst te steken, voor ze ten offer konden vallen aan de gruwel van verkrachting, of de verschrikkingen van marteling of slavernij. Ze spraken over de mannen van mijn oom alsof het monsters waren. Ik dacht aan die vrolijke jonge krijgers, aan Johnny en zijn kameraden. Ik dacht aan de vriendelijke, kundige Sean van Zeven Wateren, aan de hoffelijke, glimlachende Meeuw en aan de Baas, een man die misschien hardvochtig was, maar altijd rechtvaardig. Er klopte helemaal niets van; door deze langdurige vete was er een angst gegroeid die alleen op onwetendheid en onbegrip gebaseerd was. Begrepen deze Britten met hun sombere gezichten dan niet dat het enige dat Zeven Wateren wilde, was dat de Eilanden met rust werden gelaten? Begreep niemand van hen waar het allemaal om ging?

Ik zou weggevlogen zijn om ergens een beschut plekje te zoeken waar ik een slapeloze wake zou houden tot de bloedrode dageraad, ware het niet dat Fiacha me indringend aankeek. Iets in zijn manier van doen zorgde ervoor dat ik bleef zitten. Ik keek neer op Edwin van Northwoods, op een breedgeschouderde man die zijn zoon scheen te zijn, en de vier of vijf anderen die bij hen waren. Een daarvan was een christelijke priester, met een tonsuur, een lang gewaad en een kruis om zijn hals. Een ander was oud, met een grijze baard en een kromme rug; veel te oud voor zo'n gevaarlijke plek. Het scheen dat ze een beslissing hadden genomen. De vrouwen zouden in de toren blijven met broeder Jerome. Ze zouden elk een mes krijgen. Wanneer het zover was, zouden ze zelf hun keus kunnen maken.

'Laten we nu gaan rusten, voor zover we rust kunnen vinden,' zei Edwin van Northwoods ernstig. 'Morgen vechten we door. We vechten tot de laatste man gevallen is. Ik wens de geschiedenis niet in te gaan als de lafaard die zich de eilanden heeft laten afnemen. Laten we bidden, vrienden, dat de Heer met ons zal zijn. Laten we bidden om een wonder.'

Op dat moment verscheen er plotseling een helder licht aan de andere kant van de omheinde ruimte, dicht bij de ronde toren die hun laatste verdedigingswerk was, en er werd een kleine groep mannen zichtbaar. Een van hen droeg een vlammende toorts; twee anderen hielden een jonge krijger tussen zich in, die geheel in het zwart gekleed was; een man wiens huid krijtwit leek in het licht van de toorts, wiens gezicht blauwe plekken en zwellingen vertoonde en wiens ogen tartend gloeiden toen ze hem naar voren brachten tot hij voor Edwin van Northwoods stond. De Britse leider staarde de gevangene aan; hij staarde in de felle grijze ogen, waarvan de jeugdige felheid versterkt werd door het fijne patroon dat aan de linkerkant in de huid van voorhoofd en wang was geëtst; het teken van de raaf.

'Kijk eens wat de vloed heeft aangespoeld, heer,' zei iemand.

'Misschien,' zei Edwin zacht, 'hebben we hier ons wonder. Met zo'n gevangene kan er wie weet wat voor overeenkomst worden gesloten.' Hij wendde zich tot zijn hoofdmannen. 'Weten jullie wie hij is?'

Er werd bevestigend gemompeld. Ze hadden de man misschien nooit eerder gezien, maar het scheen dat hij bekend was op grond van beschrijvingen.

Johnny begon te praten. Zijn stem was heel zacht; ik kon de woorden nauwelijks horen. Zijn kleding was druipnat, zijn huid akelig wit. Ik vroeg me af hoelang hij in het water had gelegen, voor de zee hem in de handen van zijn vijanden had overgeleverd.

'Ze zullen niet onderhandelen,' zei hij. 'Mijn oom zal de opdracht niet verzaken in ruil voor mijn leven of mijn veiligheid. Dat zijn wij niet gewoon.'

'Jij denkt van niet,' zei Edwin zacht. 'Sean van Zeven Wateren zal het misschien niet doen, maar wat dacht je van je vader?'

Johnny zweeg; hij kon de schrik in zijn ogen niet helemaal verbergen.

'Jazeker,' zei Edwin. 'Hij vecht mee temidden van de anderen; hij heft het zwaard tegen zijn eigen landgenoten. Denk je dat hij zijn zoon voor zijn ogen zal laten omkomen omwille van een principe?'

'Hij zal niet met jou onderhandelen; over mij niet en over niemand.'

Edwin sloeg zijn armen over elkaar. 'Dat zullen we snel genoeg te weten komen. Ik denk dat het je nog weleens zou kunnen verbazen.' Hij wendde zich tot de mannen die Johnny vasthielden. 'Sluit hem deze nacht op. Laat hem streng bewaken. Geef de kerel een deken, hij is doornat.'
'Hij is gewond, heer,' zei iemand aarzelend. 'Hij heeft een bloedende vleeswond, en nog een paar gebroken ribben ook. En hij is half verdronken. Het is een wonder dat hij het zo lang heeft uitgehouden; hij is op de rotsen gesmakt, zo te zien, en is op de een of andere manier naar een veilige plek gekropen. We hebben hem bij toeval gevonden.'
'Zal hij voor de ochtend sterven?'
'Nee, heer.'
'Dan is het goed. Zoals ik zei, geef hem een deken en sluit hem op. Morgen is er weer een dag.'
Ik zag dat ze de gevangene wegsleepten en dat Edwin en zijn mannen zich terugtrokken om te gaan slapen; op hun gezichten gloorde nieuwe hoop. Ik keek naar Fiacha, en hij keek naar mij. Toen spreidde hij zijn vleugels en vloog weg van het eiland, snel en recht; hij vloog in zuidwestelijke richting. Zijn manier om dingen te doen had me altijd tegengestaan.
Ik raakte die nacht bijna in redeloze paniek. Johnny leefde; tegen alle waarschijnlijkheid in was het kind van de profetie nog in leven. Dat maakte mijn hart licht van blijdschap; er ontwaakte nieuwe hoop in mij. Maar die hoop bracht ook doodsangst mee. Het was dus toch nog niet afgelopen. Ik had een kans om te winnen, om alles weer goed te maken. Maar voor het afgelopen was, zou zij zeker komen, en ik moest haar tegemoet treden en maar hopen dat ik sterk genoeg was. De uiteindelijke strijd, de enige strijd die telde, lag nog voor me. Fiacha was weg; mijn vrienden van de Andere Wereld leken me in de steek te hebben gelaten. Ik wilde niet naar Finbar toegaan. Ik wilde me niet bekend maken aan Conor of aan mijn oom Sean. Er mochten niet meer slachtoffers vallen. Ik wilde niemand meer blootstellen aan de woede van mijn grootmoeder, behalve mezelf. Ik moest wachten tot het licht was; dan moest ik weer van gedaante veranderen en hopen dat ik snel mijn kracht terugkreeg. Want ik twijfelde er niet aan dat ik vrouwe Oonagh niet zou kunnen verslaan zonder gebruik te maken van alles wat ik van de kunst kende, van al mijn wilskracht, van alle beheersing die mijn vader me had geleerd.

Ik was dan wel een vuurkind, maar mijn opvoeding had ervoor gezorgd dat ik me thuis voelde tussen kliffen en rotsen, in grotten en geheime plekken, en daarom zocht ik zo'n woeste uithoek van het land op om een plek te vinden waar ik kon veranderen. Ik was nog niet vergeten hoe het de vorige keer was gegaan, hoe de transformatie gevolgd was door verlammende zwakte. Ik moest niet zichtbaar zijn, buiten het gevechtsterrein, en ik moest bidden dat ik mijn kracht terugkreeg voordat mijn grootmoeder besefte dat het einde nabij was, en toe kwam snellen om getuigc te zijn van haar uiteindelijke overwinning. Dan zou ik... zou ik... ik wist eigenlijk niet wat ik zou doen, maar ik wist dat ik mijn uiterste best moest doen om het tij te keren voor ze het merkte en naar me toe kwam om me haar wil op te leggen. Wanneer ze kwam, moest ik me tegen haar verzetten, en hopen dat ik op de een of andere manier hulp kreeg, hetzij uit de mensenwereld, hetzij uit de Andere Wereld. Maar omdat noch Feeënvolk noch Fomhóire iets van zich lieten zien, begon het er steeds meer op te lijken dat ik het helemaal alleen zou moeten doen. Ik moest erop vertrouwen dat, wanneer het zover was, het me duidelijk zou zijn welke weg ik moest nemen. Concentreer je. Dat zou mijn vader gezegd hebben. Maak je geest leeg en je ziel ontvankelijk. Dan zul je de antwoorden vinden.

Er was een plek aan de zuidkust van het Grote Eiland, niet ver van het Britse fort, waar het land in steile kliffen oprees uit de zee, ongenaakbaar en verraderlijk. Toen ik daar eerder op die dag overheen vloog, had ik een plek gezien waar ik me terug kon trekken. Een eindje onder de bovenrand was een richel die maar een klein stuk langs het klif liep, en die bevatte holten, als ondiepe grotten, waar de rotswanden verzacht werden door klimplanten die zich eraan hadden vastgehecht. De met kiezelsteentjes bedekte grond was net zo breed dat een man of vrouw er betrekkelijk veilig zou kunnen zitten, uitkijkend over het wijde watervlak onder en voor zich. Er waren op dit kale eiland weinig plekken waar je je kon verbergen, maar dit was er een, en daarom koos ik deze plek als de plaats waar ik mijn gedaanteverandering zou laten plaatsvinden. Hier kon ik zo nodig de tijd dat ik verzwakt was uitzitten; hier kon ik een beslissing nemen omtrent wat me te doen stond, en wanneer en hoe ik het zou doen. Eén ding was zeker: niemand mocht me in mijn ware gedaante zien tot het moment dat ik te voorschijn trad en mijn rol speelde in de afloop van alles. Als ik te vroeg in actie kwam, zou het gevolg alleen maar zijn dat mijn oom Sean me naar de boten terugstuurde en me beval daar te blijven, waar me niets kon overkomen. Wanneer ik eenmaal weer een meisje was, kon ik me niet meer vrijelijk verplaatsen. Ik had werkelijk maar één kans om alles ten goede te keren.

Alles draaide om Johnny. Hij was een gevangene en hij was van wezenlijk belang voor het resultaat. Northwoods zou hem gebruiken om te proberen een overeenkomst te bereiken, en dat zou hij waarschijnlijk zo vroeg mogelijk doen, voordat er nog meer mannen sneuvelden. Kort na zonsopgang, dacht ik. Waaruit zou de overeenkomst bestaan? Johnny's leven als de Ieren zich terugtrokken? In dat geval zou de strijdmacht van mijn oom voor een dilemma staan. Ze wisten dat ze de slag niet konden winnen zonder het kind van de profetie. Door hem op te offeren zouden ze toegeven dat ze verslagen waren en zouden ze doorvechten met alleen de dood voor zich. De profetie was daar heel duidelijk over. Maar ik dacht niet dat ze bereid zouden zijn de strijd te staken om hem te redden. Johnny had het zelf gezegd: dat waren ze niet gewoon. Ik had het licht in hun ogen gezien toen ze het gevecht tegemoet renden; de uitdrukking op hun grimmige gezicht toen ze de banier van Zeven Wateren in het strijdgewoel volgden en de naam van hun leider uitschreeuwden. Een terugtocht leek eigenlijk geen reële mogelijkheid. Ik moest dus vlug in actie komen, voor mijn grootmoeder zag en wist hoe gemakkelijk het voor haar kon zijn om te winnen. Het kind van de profetie was een gevangene; voor mij zou het doodeenvoudig zijn om met één snelle, spectaculaire toverkunst een eind aan zijn leven te maken. Het was ook doodeenvoudig om de gemakkelijkste weg te nemen en het door Northwoods te laten opknappen. Want ze had gelijk gehad: alles draaide om Johnny. Het was het beste als ik nu de toverformule toepaste, in het donker, hier in deze kleine holte in de rotsen, met diep onder me de schuimende branding. Ik kon het beste dichter bij de rotswand gaan zitten, voor het geval dat. Er zou vast wel genoeg tijd zijn; genoeg tijd om me te herstellen en tegen zonsopgang weer terug te zijn op de plaats waar alles gebeurde. Ik bewoog voorzichtig op mijn vogelpootjes langs de smalle richel, op zoek naar de plaats waar de holten het diepst waren en de meeste beschutting boden. Ik deed een stap, en nog een, en toen kwam uit het donker een hand die zich om me heen sloot. Mijn hart hamerde van angst en ik slaakte een gesmoord gekir.

'O, nee, dat is niet nodig.' De stem was zacht; dit was de klank die al zo vaak angstige dieren had gesust. 'Stil maar. Kijk, ik laat je weer los als je dat wilt. Ik wilde je niet bang maken. We hebben dezelfde schuilplaats gevonden, hè? Dit is een mooi plekje, geschikt om in je eentje te zitten, of met een vriend. Het lijkt precies op Kerry, met de zee en de lucht.' Darragh trok langzaam zijn hand terug en ging weer in kleermakerszit op het platte gedeelte van de richel zitten. Het was misschien niet zo vreemd dat we allebei deze uithoek van het eiland hadden uitgekozen, die zo sterk deed denken aan de zorgeloze zomers die we als kinderen hadden beleefd. In net zo'n schuilplaats hadden we elkaar ooit onze diepste geheimen toegefluisterd.

Ik wist dat ik weg moest gaan om ergens een andere plek te zoeken waar ik kon doen wat ik moest doen. Het laatste wat ik wilde was dat de aandacht van vrouwe Oonagh op Darragh werd gevestigd. Waarom had ik anders zo mijn best gedaan om hem weg te sturen, keer op keer? Maar ik kreeg het niet voor elkaar om mezelf in beweging te zetten. Hier in het donker, op dit plekje hoog boven de verraderlijke zee, met hem naast me, voelde ik me eindelijk veilig.

'Krullenbol?' zei Darragh zacht. Ik kon niet antwoorden, maar ik ging op de rotsen zitten, vlak bij de plaats waar hij zat. 'Ik wil je iets zeggen,' ging hij verder, en ik kon in het donker zien dat hij zijn handen wrong en zijn voorhoofd fronste. 'Ik heb daarginds verschrikkelijke dingen gezien. Ik denk dat jij ze ook hebt gezien. Dingen die ik me in mijn ergste nachtmerrie niet had kunnen voorstellen. En ik heb ook dingen gedaan waar ik niet trots op ben. Misschien heb ik bewezen dat ik een krijger kon zijn; maar het voelt verkeerd dat je iemands bloed vergiet, alleen omdat hij bij een ander volk hoort.' Hij keek neer op zijn handen. 'Ik dacht altijd dat we naar huis zouden gaan, weet je, terug naar Kerry, wanneer dit allemaal achter de rug was. Ik dacht dat ik alleen maar hoefde te wachten, bij je in de buurt blijven en volhouden. Maar... maar dit is anders; het is helemaal niet wat ik verwachtte. Straks, in de ochtend, gaat het moorden weer door, en ik ga mee en doe mee omdat ik daarvoor hier ben. En ik heb zo'n gevoel dat er ditmaal misschien geen morgen meer is, Krullenbol. Ik vind het niet prettig je dit te vragen, maar ik vraag het je toch, omdat ik het gevoel heb dat er niets meer te verliezen is. Als ik moet sterven, als het zo zal gaan, zou ik... zou ik je heel graag nog een laatste keer willen zien. Ik bedoel, je zien als jezelf, als een meisje. Om goed afscheid te kunnen nemen. Er zijn dingen die ik je zou willen zeggen; dingen die ik alleen kan zeggen als... maar dat mag ik je niet vragen. Het zou voor jou niet veilig zijn, dat begrijp ik wel. Ik wil niet dat je jezelf in gevaar brengt.'

Dit was altijd mijn zwakheid geweest, en mijn dwaasheid. Ik had geprobeerd ertegen te vechten, maar nu kon ik net zo min weerstand bieden aan het zachte, aarzelende vleien van zijn stem als de wilde, witte pony die hij uit de heuvels had meegenomen dat gekund had. In mij was een verlangen om zijn aanraking te voelen, om hem te troosten door hem aan te raken, om nog een keer bij hem te zijn in stilzwijgende kameraadschap, net als jaren geleden. Ik zette mijn veren op, ik sprak in gedachten de formule voor gedaanteverandering uit en ik veranderde.

Ik hoorde Darraghs kreet van schrik en voelde dat hij zijn handen naar me uitstrekte terwijl hij snel opstond. Ik hijgde: 'Zeg het tegen niemand... vertel hun niet waar ik ben... beloof het...' en toen werd zijn gezicht wazig, en de sterren boven ons begonnen in vreemde cirkels rond te draaien. Ik zakte door mijn knieën en verloor het bewustzijn.

Het was een bewusteloosheid die dieper was dan een afgrond; een duisternis zonder dromen. Ik kwam pas bij toen de dageraad de hemel al aanraakte met haar eerste gouden toets. Dat zag ik toen ik mijn ogen opende; ik voelde de allesdoordringende vermoeidheid die mijn hele lichaam vulde, alsof ik zelf ook een langdurige veldslag had gevochten, en ik wist zonder te kijken dat ik daar lag met mijn hoofd zacht op Darraghs schoot, en dat zijn hand mijn haar streelde. Ik wachtte nog even voor ik bewoog, en toen dwong ik mezelf om te gaan zitten, en daarna op te staan; ik stak mijn handen uit om me vast te grijpen aan de slierten van de klimplant, want alles werd weer wazig voor mijn ogen en mijn hoofd tolde van duizeligheid. Darragh stond dadelijk overeind en zijn beide handen pakten mijn armen stevig vast om me te ondersteunen. De godin helpe me, ik kon nauwelijks rechtop blijven staan, er wilde amper een verstandige gedachte in mijn hoofd komen, laat staan dat ik in staat was om een grote magische prestatie te verrichten. Als het zo bleef, zou ik voor niemand van nut kunnen zijn. En de dag was al begonnen.

'Hola... rustig... langzaam aan,' zei Darragh, terwijl hij me met een krachtige greep ondersteunde. Zijn mond vertrok en zijn donkere ogen waren diep ernstig terwijl hij mijn gezicht aandachtig opnam. 'Ik ben een idioot,' zei hij toonloos. 'Ik had dat niet moeten belo-

ven. Je bent ziek, Fainne, je hebt hulp nodig. Laat me iemand gaan halen... laat me tegen hen zeggen...'
'Nee!' Ik raapte net genoeg kracht bijeen om het hem toe te snauwen; de angst gaf mijn stem een scherpe klank. 'Nee, dat mag niet! Ik moet alleen zijn om dit te doen...' Mijn woorden stierven weg terwijl een golf van misselijkheid door me heen sloeg, gevolgd door de sterke behoefte om te huilen. Zo ging het niet, zo kwam er niets van terecht. Beheersing. Kracht. Ik was een tovenaarsdochter, met een opdracht.
'Fainne...' begon Darragh.
'Nee,' zei ik, terwijl ik mijn stem met veel moeite koel liet klinken. 'Zeg het niet. Zeg helemaal niets. Ga gewoon weg en laat me alleen. Straks voel ik me wel weer goed. Ik kan voor mezelf zorgen. Ga nu maar, Darragh. Ik hoor mannen buiten. Er moet een veldslag worden uitgevochten.'
Darragh keek me verbijsterd aan. 'Dat wil je dus? Dat ik daar kerels ga doorsteken met een zwaard en jou alleen achterlaat, boven op een klif, terwijl je nauwelijks op je benen kunt staan, mijlenver van huis met niemand om voor je te zorgen? Wil je dat? Dat zei je eerst niet.'
Maar hij had zijn handen weggenomen. Ik hield mezelf staande door me met twee vuisten vast te klampen aan de ranken van de klimplant, en achterover tegen de rotsen te leunen. Waar waren de Fomhóire nu ik ze nodig had?
'Ga alsjeblieft weg,' zei ik met een geknepen stem. 'Er is niet veel tijd meer. Doe dit alsjeblieft voor me.' *O, laat hij toch gaan, laat hij gauw gaan, voor dit echt te moeilijk wordt.*
Het bleef weer even stil.
'Goed,' zei hij. 'Goed. Dan neem ik nu afscheid van je.' Maar hij ging niet weg. In plaats daarvan deed hij zijn armen om me heen, zonder het ook maar te vragen, en drukte me tegen zich aan, en ik voelde zijn vingers in mijn haar en zijn warmte tegen me aan, en opeens veranderde alles; want er was een verlangen in me, een hunkering naar hem die ik overal in mijn lichaam voelde. Ik kon het niet helpen, ik drukte me tegen hem aan, en hij kuste me, en gedurende korte tijd vergat ik grootmoeder, vergat ik alles, zo heerlijk was het.
'O, Krullenbol,' mompelde Darragh, en zijn hand streelde mijn nek onder de zware massa haar. 'Het spijt me. Het spijt me.'
'Het spijt je?' hijgde ik. 'Wat spijt je dan?'
'Ik wilde je zo graag beschermen. Ik heb mijn best gedaan. Het spijt

me dat het allemaal niet anders is afgelopen voor ons beiden. Ik wou dat ik goed genoeg was geweest voor jou.'
Heel even sloten zijn armen zich strak om me heen en ik voelde zijn hart snel kloppen tegen mijn borst. Ik opende mijn mond om tegen hem te zeggen dat hij het mis had; dat ik degene was die niet goed genoeg was, en nooit goed genoeg zou kunnen zijn. Maar voor ik een woord kon zeggen, liet hij me los en deed een stap achteruit, en ik zag wat hij in zijn hand hield.
Eerst kon ik het niet geloven. Toen het tot me doordrong, was het alsof er een koud mes in mijn hart werd gestoken. Ik staarde ernaar, knipperde met mijn ogen. Ik bracht mijn vingers naar mijn nek, en terwijl ik kippenvel kreeg van angst, voelde ik onder mijn jurk en wist ik dat ik door mijn liefste vriend bedrogen was.
'Geef terug!' siste ik, en ik zag dat zijn gezicht wit wegtrok en dat zijn kaak zich spande. 'Darragh! Geef dat aan mij!'
Darragh zei niets, maar hij deed nog een stapje achteruit, en in zijn lange, bruine vingers hield hij de bronzen amulet met het sterke, onbreekbare koord waaraan hij om mijn hals had gehangen.
'Geef hier! Hoe kon je! Hoe kon je me zo aanraken en die dingen zeggen, terwijl je het alleen maar deed om... Darragh, je moet hem teruggeven! Je weet niet wat je doet!'
Ik ging naar hem toe en probeerde de amulet van hem af te pakken, maar hij was te snel; bovendien was hij veel sterker dan ik. Dat was hij altijd geweest.
'Het is beter zo,' zei hij.
'Hoe kun je dat zeggen? Je weet niets! Hoe zou je het kunnen begrijpen? O, vlug, vlug, geef het terug. Je zult een vloek over ons allemaal brengen!'
Maar Darragh bleef koppig staan met zijn handen op zijn rug, en hij keek me aan met ogen die vol verdriet leken te zijn.
'Je vergist je, Krullenbol. Dat zeggen ze allemaal. Heer Sean. Vrouwe Liadan. Johnny, en de Baas. Dit ding is boosaardig. Het maakt jou krankzinnig; het zorgt ervoor dat je de weg kwijtraakt. Daarom...'
'Daarom wat?' snauwde ik; het zinde me niet dat ze in hun domheid blijkbaar hadden samengespannen en me zo de kans hadden ontnomen om iedereen te redden. 'Jullie zijn een stelletje idioten, en er is bijna geen tijd meer. Begrijp je het dan niet; zodra ik dat ding afdoe, weet ze het en komt ze me zoeken, en ik heb mijn kracht nog niet terug... o, alsjeblieft...'

Boven ons kwam een wolk aandrijven, als een vreemde, kronkelende massa, leigrijs, dik als een wollen mantel, en hij bracht een koude wind mee. Boven ons krijsten meeuwen een waarschuwing. Ik dacht dat ik een stem kon horen, een bekende stem, al was hij nog ver, een stem die mijn hart in ijs veranderde. *Fainne. Fainne, waar ben je?*
Ze kwam eraan. Ze was al onderweg en dreef wind en wolken voor zich uit. Ze kwam eraan, en ze zou doden en verminken, tot ze me kon dwingen haar wil te doen. Ik bedacht een toverspreuk om Darragh te dwingen los te laten; om zijn hand te dwingen de erin verborgen schat terug te geven. Ik mompelde de woorden en vocht om de wil te vinden. Maar er was niets. Mijn geest was leeg, uitgemolken; mijn ziel was hopeloos uitgeput door de gedaanteverandering. Er was geen greintje magische kracht meer over.
Darragh liep voorzichtig achteruit over de richel; hij gehoorzaamde mijn bevel en ging weg. Niet ver bij ons vandaan hoorde ik mannenstemmen en metaalgekletter.
'Alsjeblieft, Darragh,' fluisterde ik, gebruikmakend van het enige wapen dat ik nog over had, en ik liep naar hem toe en bracht mijn hand omhoog om zijn wang aan te raken.
'Niet doen,' zei hij afgemeten. 'Bewaar die kunsten maar voor je dure clanhoofden. Je hoeft ze bij mij niet te proberen. Als je me niet op een eerlijke manier aan kunt raken en zeggen wat je voelt, kun je maar beter niets doen.' Zijn stem klonk fel, bijna boos; nu voelde ik zijn tranen op mijn vingers vallen, die tegen zijn wang drukten. Ik was verstijfd; ik kon niet bewegen, hoewel ik de stem van de tovenares al kon horen, van ergens boven de oceaan. *Waag je het ongehoorzaam te zijn, meisje? Waag je het me nu, op het laatste moment, tegen te werken?*
Ik opende mijn mond om iets te zeggen, wat dan ook, en toen keek ik in zijn ogen en mijn woorden bleven in mijn keel steken. In dat ogenblik zag ik hoe hij veranderd was; hoe de zorgeloze jongen met de scheve grijns voor wie de hele wereld vol mogelijkheden open lag, bleek en vermoeid was geworden, met beschaduwde, sombere ogen alsof hij een zware last aan zorgen op zijn magere schouders droeg. Ik zag wat ik hem had aangedaan.
'Krullenbol?' zei hij heel zacht.
Ik staarde hem aan, tegen beter weten in hopend dat hij verstandig zou zijn en de amulet terug zou geven, nu, snel; hem terug zou geven en zo zichzelf zou redden.

'Misschien heb ik dit gedaan omdat ze het me hebben opgedragen,' zei hij. 'Maar dat was het niet alleen. Ik heb het voor jou gedaan. Het is mijn plicht.'

'Je plicht?' fluisterde ik, terwijl de wind opstak en over de zee joeg, en de lucht plotseling een zoute nevel en de hortende kreten van vogels meebracht. 'Hoezo je plicht?'

Hij keek in mijn ogen en schudde langzaam zijn hoofd, alsof hij het niet kon geloven. 'Het is mijn plicht jou te beschermen. Je te beschermen tegen wie je kwaad willen doen, en tegen jezelf. Een plicht uit liefde, Krullenbol.'

En voor ik iets kon doen, voor ik hem kon tegenhouden, hief hij zijn arm op en gooide de amulet weg, gooide hem hoog in de roerige lucht, en ik zag hem glinsteren in het lage zonlicht terwijl hij wentelend van de rotswand af bewoog en naar beneden viel, ver, ver naar beneden, naar de hongerige zee die daar golfde. Mijn hart stond stil van schrik. Ik hoorde een stem zeggen: 'Nee, o nee, o nee,' telkens weer. Ik begroef mijn gezicht in mijn handen en besefte vaag dat het mijn eigen stem was.

'Krullenbol?' Darraghs stem klonk nu vriendelijker; de boosheid was weg. Ik kon het niet opbrengen om te reageren. Als dit liefde was, dan had ik toch gelijk gehad; liefde betekende alleen verwarring en pijn.

'Ik moet nu gaan,' zei hij. 'Je hebt gelijk; er moet een slag worden uitgevochten. Ik mag niet werkeloos toezien zonder hen te helpen; ik draag tenslotte Johnny's kleuren.'

'Niet...' begon ik, met mijn handen voor me uitgestrekt als een blinde.

'Sst,' zei Darragh, en hij stak zijn hand uit om mijn haar aan te raken, om een losse krul weg te stoppen. 'Niet meer.' Toen boog hij zich naar me toe om me een kus te geven, een kusje op de wang zoals een jongen aan een meisje zou kunnen geven wanneer ze allebei te jong en te verlegen zijn om in woorden uit te drukken wat ze voelen. Ik deed mijn ogen dicht, maar ik kon het geluid van grootmoeders stem niet buitensluiten.

'Vaarwel, Krullenbol,' zei Darragh. 'En doe geen domme dingen, hè.'

Ik wachtte op de rest, maar het bleef stil, en toen ik mijn ogen weer opendeed, was hij weg.

Alsof ik een kind was dat een spel speelde, dwong ik mezelf langzaam tot honderd te tellen. Ik wachtte tot hij niet meer te zien zou zijn, voor ik struikelend en wankel over de richel en over de rotsen

omhoog klauterde naar open terrein. Ginds op het slagveld kon hij met de anderen zijn leven wagen. Daar zou hij tot de gelukkigen kunnen behoren die het er levend afbrachten. Met mij naast zich was hij zeker ten dode opgeschreven.
De hemel was vol woelige, boze wolken, en de lucht met de zoute nevel werd hoog opgezweept. De paar lage struikjes die zich aan het door de wind geteisterde landschap vastklampten, bogen zich in overgave; er was een storm op komst, een storm die in zijn woestheid voortkwam uit de woede van een tovenares. Er was geen tijd, geen tijd voor wat dan ook. Wat kon ik doen? Ze kwam eraan, en ik had geen wapens voor de strijd, geen wapens behalve mijn eigen vermoeide lichaam en mijn ongelukkige, verwarde geest; geen wapens behalve mijn gewonde ziel en mijn verraderlijke hart, dat nu verscheurd leek te worden. Ik stond wankelend op de rand van het klif, terwijl de wind mijn haar naar voren joeg als een banier. Denk, Fainne. Concentreer je. De rode banier van de overwinning. Ik droeg mijn eigen banier. Ik droeg niet het embleem van Zeven Wateren, maar ik droeg mijn eigen kleuren, in de vorm van een sjaal, even vol van leven en verwondering als de rijke gaven van de aarde zelf. Misschien was mijn eigen ziel beschadigd, was mijn hart in stukken gebroken, zodat ik nooit moedig en goed kon zijn; zodat ik nooit kon zeggen wat ik voelde, hoe graag ik het ook wilde. Maar Darraghs ziel straalde fel; zijn hart was het meest waarachtige, het beste hart van heel Erin. Zolang ik zijn geschenk droeg, een liefdesgave, kon ik voorwaarts gaan. En ik had Riona, die nog steeds tussen mijn gordel zat; haar roze rokken waren gekreukt, haar donkere ogen keken nadenkend. Riona was familie; ze herinnerde me eraan wiens dochter ik in werkelijkheid was. Goed dan. Vergeet je pijnlijke ledematen, je wazige hoofd, je ogen vol onvergoten tranen. Vergeet je mankheid en je vermoeidheid, en doe gewoon wat je moet doen. Ik begon te lopen, afgaand op het geluid van stemmen achter de kleine heuvel voor me. Het had geen zin te proberen dekking te zoeken. Het landschap was vrijwel kaal. Zodra ik de top van die heuvel bereikte, zouden ze me zien.
'Niet die kant op, sufferd.'
Ik hoorde vleugelgefladder en alles veranderde haast onmerkbaar. Ik hoorde een geluid alsof de aarde barstte, en een kort gerommel. Er lag een middelgrote kei voor me die er eerst niet had gelegen, en daarnaast stond een uilachtig wezen met een stompe neus en felrode laarsjes.

'Je moet niet zomaar die kant oplopen,' zei het uilwezen vermanend. 'Pure moed is prima, maar je moet er slim mee omgaan.'
'Wat kan ik anders doen?' vroeg ik zwakjes; ergernis streed met diepe opluchting omdat er eindelijk hulp was gekomen. 'De tovenares komt eraan; ik kan het voelen. Ik moet nu iets doen. En er zijn hier geen schuilplaatsen. Wat kan ik anders doen dan erheen lopen en tegen hen zeggen... tegen hen zeggen...'
Het rotswezen kuchte met een grindachtig geluid, maar zei niets. Het uilwezen trok zijn borstelige wenkbrauwen op.
'Wat wilde je tegen hen zeggen? Dat ze volgens jou hun spullen moeten pakken en naar huis moeten gaan? Kom nou, gebruik je hersens. Denk aan wat je geleerd hebt. Wij kunnen je helpen. Wij kunnen je dekking verschaffen; daar hebben we slag van, om bij wijze van spreken op te gaan in de omgeving. Maar je hebt zelf de oplossing in handen, vuurkind; wij niet. Het laatste stukje van de puzzel, dat moet je zelf zien te vinden, en dan is het van jou. Heeft je vader je niet geleerd antwoorden te zoeken? Dit antwoord ligt vlakbij; maar je moet het ontdekken voor vrouwe Oonagh het vindt, anders zijn we er allemaal geweest.'
Ik keek hem woest aan. 'Het is toch geen stom spelletje! Hier hangt alles toch van af? De toekomst van de Eilanden, de toekomst van het Feeënvolk, van de Fomhóire en van de mensen? Hoe kan dat nou allemaal draaien om een soort... een soort raadsel? Waarom vertellen jullie me het antwoord niet gewoon, ellendige wezens?'
Het bleef even stil.
'Een profetie is een profetie,' merkte het rotswezen na een tijdje op. 'Dat is het nu juist. Helaas hangt alles van jou af. We zullen je zoveel mogelijk helpen. Maar we mogen het je niet vertellen. Dit moet het mensenvolk opknappen. Daarom houdt het Feeënvolk zich afzijdig, zelfs nu. Ze popelen van verlangen om in te grijpen en iets te doen, allemaal. Maar dat mogen ze niet. Zoals ik al zei, een profetie is een profetie.'
Ik had de indruk dat er in de lucht om ons heen een geschreeuw, een gekrijs te horen was, en dat waren niet de stemmen van de meeuwen, maar een verschrikkelijk geluid van woede, een zoekend, spookachtig geluid dat door merg en been ging. *Waar ben je? Haal het niet in je hoofd mij tegen te werken. Als je tegen me in gaat, zal ik je vernietigen.* De vorige keer had het van de ochtend tot de avond geduurd, voor ze kwam. Vandaag zou het sneller gaan; ze kon me niet zien zonder de amulet, maar ze wist dat het einde snel zou ko-

men. Het zou niet lang meer duren.
Ik begon door te lopen, en toen ik de top van de heuvel naderde, zag ik een rij veerachtige struiken die er zo-even niet geweest was; en een ronde kei die in een oogwenk uit de kale grashelling gegroeid leek te zijn.
'Zorg dat je je hoofd laag houdt,' fluisterde het uilwezen. 'Zorg dat je niet gezien wordt tot je weet dat het tijd is. Je zult één kans krijgen, en niet meer dan één.' Het wezen ging naast me zitten onder dekking van de struikjes; de met korstmos begroeide kei aan mijn linkerkant, met zijn mondachtige spleet, schoof nog wat dichterbij, zodat ik goed verborgen was.
'Hoe zit het met Fiacha?' siste ik terwijl ik mijn nek rekte om naar het Britse fort te kunnen kijken. 'Heeft hij hier een rol in te spelen? Hij is daarnet weggevlogen en heeft me alleen gelaten.'
'Jazeker. Dat beest heeft al een rol gespeeld, en zal dat ongetwijfeld nog eens doen. Hij heeft machtige kennissen. Je praat over hem alsof je niet veel met hem op hebt.'
Ik huiverde. 'Ik mag hem niet. Ik geloof dat hij mijn leven heeft gered tijdens de vlucht vanuit Ulster hierheen. Maar ik heb hem nooit aardig gevonden.'
'Waarom niet?' De stem van het rotswezen was nu laag en zacht.
'Omdat...'
En plotseling wist ik niet meer wat ik moest zeggen. Plotseling viel het laatste stukje van de puzzel op zijn plaats, en mijn hart gaf een luide bons, alsof er een oeroude klok luidde. Mijn hoofd werd helder, zodat er een ongelooflijke waarheid tot me doordrong; een oplossing die zo eenvoudig was dat het onbegrijpelijk was dat ik er niet eerder aan had gedacht. Mijn vingers gingen omhoog om over een plekje op mijn schouder te wrijven, onder mijn jurk; en ik dacht dat, als ik de moed had gehad om de amulet eerder af te doen, ik dit misschien eerder had bedacht, en dat er dan geen mensen hadden hoeven lijden en sterven. Misschien.
'Zij weet het niet,' zei ik aarzelend. 'Mijn grootmoeder. Ik ben ervan overtuigd dat ze het niet weet, anders had ze me hier nooit heen gestuurd.'
'Ze vermoedt het,' zei het uilwezen. 'Niet precies dit, maar ze voelt je macht en probeert ervoor te zorgen dat je die alleen voor haar doeleinden gebruikt.'
'Geen wonder dat ze bang voor me is,' zei ik fluisterend. 'Maar... maar ik kan nu niet toveren. Ik kan de kunst niet gebruiken. Het

duurt een hele tijd voor die terugkomt na een gedaanteverandering. Het kan wel dagen duren. Hoe kan ik iets doen zonder de kunst?'
'Je zult moeten doen alsof,' zei het rotswezen luchtig. 'Dit zijn maar mensen, die zijn gemakkelijk beet te nemen. We zullen helpen waar we kunnen. Doe alsof. Breng ze van de wijs met verrassingen. Tot je je vermogens terug hebt.'
'Gebruik wat je kunt gebruiken,' raadde het uilwezen me aan. 'Gebruik datgene wat bestaat, net als een druïde. De natuurlijke magie van zon en maan, wind en water, steen en vuur. Zoek verbinding met die krachten en leid ze in banen die jouw doel dienen.'
'Maar...' Ik haalde geërgerd mijn schouders op, terwijl mijn hart nog steeds bonsde over het licht dat me was opgegaan; de waarheid die alles had veranderd. Die vervulde me met ontzetting en angst, maar ook met trots en hoop. Ik moest de vreselijke dingen die ik had gedaan van me afzetten. Ik moest niet meer denken aan de boosaardige weg die de tovenares voor me had uitgezet. Ik moest me niet meer bekommeren om mijn zwakheid. Vandaag zou ik de dochter van mijn vader zijn.
De bondgenoten hadden hun tijd goed gebruikt. In de korte spanne tijd sinds zonsopgang waren ze opgetrokken over het eiland tot aan de grenzen van Northwoods' fort, zodat hun manschappen nu langs de hele buitenrand van de aarden wal waren gelegerd. Tot nu toe waren ze er nog niet binnengedrongen, want Edwin had een sterk contingent boogschutters boven op het verdedigingswerk geplaatst, onder dekking, en iedereen wist dat de Britten erg goed met de handboog konden omgaan. In plaats daarvan leken ze ergens op te wachten. Onder een centraal punt in de wal, waar versterkingen van steen een soort wachtpost markeerden, stonden de leiders van de Ieren aan de andere kant van de gracht te wachten. Daar waren ze allemaal bijeengekomen. In het midden stond Sean van Zeven Wateren, plechtig en bleek; op zijn tuniek was het embleem van de verstrengelde torques te zien, wereld en Andere Wereld, het embleem dat de mensen van het woud en hun geheimzinnige tegenhangers verbeeldde, wier toekomst vandaag afhing van wat de mensen deden. Daar was Eamonn van Glencarnagh, schitterend uitgedost in het groen; hij veegde een losse haarlok weg van zijn voorhoofd, terwijl hij met half toegeknepen ogen naar de verdedigingswerken tuurde om te zien of hij ergens beweging zag. Zijn gezicht was donker; misschien was hij in zijn slaap bezocht door boze dromen, dromen waarin een miniem foutje verhindert dat een

man de prijs krijgt waarnaar hij zijn hele leven heeft gestreefd. Een kleinigheid, zoals een vader en een zoon die te veel op elkaar lijken wanneer ze geheel in het zwart zijn gekleed en zich onder water bevinden. Daar waren de clanhoofden van de Uí Néill, rijk gekleed en royaal bewapend; en daar was Bran van Harrowfield, met een krijtwit gezicht, en naast hem Slang en Meeuw en diegenen van Johnny's groep die de eerste dag hadden overleefd. De forse, blozende Gareth; de felle, knappe Corentin; en Darragh. En tot mijn verrassing stond bij deze krijgers ook de aartsdruïde Conor te wachten, kaarsrecht en ernstig in zijn witte gewaad, met de gouden torque om zijn hals; en naast hem zijn broer Finbar, de man met de zwanenvleugel. Niemand stond al te dicht bij hem; ze respecteerden hem, maar zo'n afwijking is meestal ook aanleiding tot vrees, zelfs bij de meest geharde mannen. En toch had Darragh hem niet gevreesd, geen ogenblik. Darragh begreep wilde dieren; hij kende ze zo goed dat het geen wonder was dat de mensen zeiden dat hij zelf half een dier was. Hij was in staat angst in liefde te veranderen, met geduld. Het feit dat ze hier allemaal verzameld waren, was waarschijnlijk de inleiding tot een belangrijke ontwikkeling. Ze hadden de Britten vermoedelijk uitgedaagd: geef jullie over of we bestormen het fort; geef het op of er komt een beleg, waarmee we jullie uithongeren. Nu wachtten ze op een reactie. Of misschien was het Northwoods die hen had uitgedaagd, want nu verscheen boven op de aarden wal een kleine groep Britten, van wie er één een witte vlag droeg, om aan te geven dat ze een gesprek wilden hebben zonder te hoeven vrezen dat hun iets werd aangedaan. Er kwam beweging in de mannen van Erin; er klonken metaalgeluiden, laarzen schuifelden.

'Mijn heer, de heer van Northwoods wil over voorwaarden spreken,' riep een van de Britse krijgers over de gracht heen, met verheffing van stem om boven het toenemende gebulder van de wind uit te komen. Hij sprak in de taal van Erin, met een zwaar accent. De witte banier rukte aan de banden waarmee hij vastzat en dreigde elk ogenblik weg te vliegen. De jongen die hem droeg, hield de vlaggenstok stevig vast. 'Hij heeft een voorstel voor u. Als Sean van Zeven Wateren en zijn clanhoofden naar voren willen komen naar het punt onder de wachttoren, zal hij het hun voorleggen. Dit is met dien verstande dat er van beide kanten niet meer zal worden aangevallen, tot alle partijen het erover eens zijn dat de onderhandelingen afgelopen zijn. Mijn heer doet dit aanbod te goeder trouw.'

Ik zag Sean met opgetrokken wenkbrauwen naar Conor kijken, en ik zag dat Conor een knikje gaf. Misschien hadden ze dit verwacht. Northwoods was teruggedreven tot binnen zijn laatste verdedigingslijn, en hij kon niet van het eiland af. Wat kon hij anders doen dan zich overgeven? Maar ik zag twijfel op het harde gezicht van de Baas en in Slangs half toegeknepen ogen, en ook op het ernstige gezicht van mijn oom toen hij een man opdroeg te roepen dat hij akkoord ging. Dit was al te gemakkelijk. De overwinning was te simpel, ook al hadden ze verliezen geleden; en het kwam niet overeen met de profetie.

Nu verscheen er temidden van het gezelschap Britten dat in de wachttoren bijeen was gekomen, een man die ik al kende als Edwin van Northwoods. De vorige avond had hij, bij het licht van het vuur, dodelijk vermoeid geleken onder de druk van verschrikkelijke dilemma's. Nu was hij gekleed in zijn veldwapenrusting, met daarover een roodbruine tuniek; zijn grijze baard was netjes gekamd, zijn haar uit zijn gezicht gebonden. De uitdrukking op zijn gezicht was kalm, zijn stem klonk vast.

'Heer Sean. U kent mij, denk ik. Verstaan uw clanhoofden deze taal?'

'Mijn druïde zal het vertalen voor de manschappen.' Mijn oom sprak in de taal van de Britten. Dat was tenslotte de moedertaal van zijn vader. 'Wat wil je, Northwoods? We staan hier voor je poorten; je lot ligt in onze handen. Ben je eindelijk tot inzicht gekomen en kom je onderhandelen over de veiligheid van je mannen?' Er klonk een zeker ongeduld in Seans stem. Conor keek even naar hem en vertaalde vervolgens zijn woorden in het Iers; zijn stem klonk effen.

'Zeker.' De wind loeide nu; Northwoods verhief zijn stem om aan de overkant van de gracht hoorbaar te zijn. 'Ik kom een overeenkomst met je sluiten, Zeven Wateren, maar niet de overeenkomst die je verwacht. Ik wil veiligheid voor mijn mannen en voor allen hier in ons huishouden. Ik wil een schip, en ik denk dat je me dat zult geven, en nog meer.'

Seans wenkbrauwen gingen omhoog. 'Ik kan me niet voorstellen onder welke voorwaarden zo'n overeenkomst bereikt zou kunnen worden, tenzij je erin toestemt de Eilanden onmiddellijk te verlaten en met je mannen terug te keren naar Brittannië. Ik zou een garantie moeten hebben, ondertekend en met een zegel bekrachtigd, dat Northwoods nooit meer aanspraak zal maken op deze kusten. Ik kan grootmoedig zijn, als ik dat wil. Op ditzelfde ogenblik komt er een schip aan vanuit Harrowfield, onder leiding van mijn jonge neef Fintan. Op dit schip kunnen je mannen tenminste met enige waardigheid naar huis worden gebracht. Maar niemand van jullie zal naar Brittannië terugkeren voor je er een eed op hebt gezworen dat je hier nooit meer voet aan wal zult zetten. Dat zijn mijn voorwaarden.'

'Harrowfield!' Edwin draaide zich opzij en spuwde op de grond. 'Harrowfield, waarvan de heer op ditzelfde moment tussen jouw mannen staat, als verrader van zijn eigen volk? Ik zou geen voet op een dergelijk schip zetten, al hing mijn leven ervan af.'

'Je hebt de keus,' zei Sean onbewogen. 'Je kunt mijn voorstel aannemen en veilig vertrekken. Je kunt weigeren en overmeesterd worden. Dan zullen jullie tot de laatste man sterven, en de Eilanden zullen weer van ons zijn. Het maakt mij niet veel uit welke weg je kiest.'

Het bleef een tijdlang stil.

'Ik denk dat je zult merken,' zei Northwoods afgemeten, 'dat ik hier degene ben die de voorwaarden stelt, en dat de keus aan jou is.' Hij wendde zich tot zijn wachten. 'Breng hem hier,' beval hij, en hij keek weer naar Sean. 'Ik heb hier iets van jullie, iets waarvan jullie wellicht dachten dat het verloren was. Wat zul je betalen om het terug te krijgen, vraag ik me af?'

Toen beklom zijn man de trap naar de hoge wachtpost, en voor zich uit duwde hij een gevangene wiens handen op zijn rug waren gebonden; in wiens uitgeputte ogen niettemin hoop en trots straalde; wiens blanke huid onmiskenbaar het teken van de raaf droeg.

'Christenzielen!' riep Slang uit. 'Hij leeft nog!'

Ik kon de grote golf van opwinding voelen die door het Ierse leger ging: *Hij leeft, hij leeft, het kind van de profetie leeft nog*, zonder enig voorbehoud. Hij was terug; Johnny was terug. Ze hadden hem toch niet verloren. Dat betekende dat ze zouden winnen; ze konden niet anders dan winnen. Dat zei de profetie immers.

De grijze ogen van de Baas schitterden. Hij was nog bleker dan Johnny, en hij kwam nu naast Seans schouder staan en staarde omhoog naar de gebonden figuur van zijn zoon. Hij had zich tenminste niet laten verblinden door de opgetogen stemming; hij zag het dreigende gevaar. Johnny staarde terug; hij keek Bran in de ogen en gaf een heel licht knikje. Ik dacht dat het betekende: *Ik ben de leider. Laat dit aan mij over.*

'Je wilt ons deze gevangene aanbieden, in ruil voor een boot en vrije doorgang?' vroeg Sean. Ik zag dat zijn hand het gevest van zijn zwaard greep, maar zijn stem klonk vast. 'We zullen je geen van beide geven zonder garantie dat je dit gebied afstaat, gevangene of geen gevangene. Zo doen wij geen zaken, Northwoods. Ik dacht dat je ons beter kende.'

Edwin sloeg zijn armen over elkaar. 'Je bluft, heer Sean. Ik weet wie deze jongeman is. Ik weet van de profetie die jullie geslacht drijft, de voorspelling dat Zeven Wateren deze gronden nooit terug kan winnen zonder het kind dat genoemd wordt in oude verhalen, de krijger die het teken van de raaf draagt, nakomeling van zowel Erin als Brittannië. Dit is jullie uitverkorene. Vraag je mannen wat het zal betekenen als ik mijn mes over zijn keel haal. Vraag hun wat het voor hun wil om te winnen zal betekenen als zijn levensbloed hier wordt vergoten. Zonder deze jongen zullen jullie nooit triomferen. Zijn dood zou de dood van jullie hoop, het einde van jullie dromen betekenen.'

'Zijn dood zal jouw dood betekenen, Northwoods!' schreeuwde Bran van Harrowfield, die niet langer kon zwijgen. Hij sprak in de Britse taal, zijn eigen taal. 'Je velt je oordeel overhaast. Als je mijn zoon kwaad doet, is je lot bezegeld. Het zal uit zijn met ons langdurige bestand tot ik je van het aangezicht van de aarde heb weggevaagd, en je eigen zonen met jou!'

De mannen stonden onrustig te schuifelen. Het was verontrustend dat Conor bleef zwijgen.

'Wat zegt hij?' durfde iemand te vragen. 'Wat zegt de Brit?'

Conor schraapte zijn keel.

'Zeg ons wat je wilt, Northwoods.' Seans stem klonk zwaar. 'Welke prijs beding je voor Johnny's vrijheid?'

'Dezelfde prijs die je van mij wilde vragen, Zeven Wateren.' De stem van de Britse leider was nu zachter; misschien voelde hij aan dat de ander zich zwakker voelde; misschien rook hij de overwinning. 'De volledige terugtrekking van je troepen van de Eilanden en een ondertekende garantie dat je nooit meer een dergelijke inval zult wagen. Het afzien van elke aanspraak op dit gebied. Je zult één schip achterlaten; de overige mag je behouden om je troepen en die van je twijfelachtige bondgenoten van onze kusten weg te voeren. Ik kan ook gul zijn. Wat mijn buurman van Harrowfield betreft, ik zal zijn verraderlijke handelwijze bekendmaken in heel Northumbrië en daarbuiten. Voortaan zal hij merken dat zijn eigen gebied minder veilig voor hem is dan hij dacht.'

'Met een dergelijke eis kunnen wij niet instemmen.' Seans gezicht

stond dodelijk grimmig, zijn mond was een harde streep. 'De Eilanden zijn van ons. Wij hebben gezworen ze te heroveren. Als we met dit voorstel zouden instemmen, zouden we daarmee onze vaderen bespotten, en hun vaderen voor hen, die hiervoor hun leven hebben gegeven. Ik zal dat niet doen.'
'Nee?' Northwoods stem had plotseling een woeste klank. Hij trok een mes uit zijn gordel en hield het tegen Johnny's keel. Er steeg een verontwaardigd gebrul op van de krijgers die langs de rand van de gracht stonden, en overal werden zwaarden getrokken en blikkerden messen. Hier en daar drongen groepjes mannen naar voren op. Van achter de wal kwamen vele kleine klikgeluiden, van pijlen die op de boog werden geplaatst en van pezen die werden gespannen. Ik stond half op, want ik wist dat ik iets moest doen, maar wist nog niet goed wat.
'Nu?' vroeg ik, en ik keek naar opzij, waar het uilwezen zwijgend naar het gebeuren had gekeken. Maar in plaats van de ronde, spottende ogen van dat wezen, ontmoette ik een paar ogen zo donker als moerbeien, in een gezicht even melkblank als het mijne, maar doorgroefd en oud, en bekroond met een bos woest, wit haar.
'Nee, Fainne,' zei grootmoeder met een zacht stemmetje dat mijn ruggengraat vloeibaar maakte. 'Niet nu. Dit is veel te interessant om ertussen te komen. Het is toch kostelijk als mannen ruzie maken? Ik zal zeggen wanneer je moet ingrijpen. Pas op het allerlaatste moment, meisje.'
Ik kon niet ophouden met rillen; ze hield me gevangen met haar blik zoals een roofdier zijn prooi gevangenhoudt, wanneer de doodsangst het onmogelijk maakt te vluchten. Na al dat rumoer, die wind, die wolken en akelige stemmen had ze me uiteindelijk geruisloos als een schaduw beslopen.
'Waar is de amulet?' siste ze plotseling. 'Wat heb je ermee gedaan? Je had het beloofd. Je hebt beloofd dat je hem nooit af zou doen. Je hebt tegen me gelogen, Fainne. Hoe kan ik weten dat je me nu, bij het einde, niet zult bedriegen?' En ik had de indruk dat ze groter en donkerder werd, zodat ze niet langer een geschifte oude vrouw was, maar een grote koningin, geheimzinnig en machtig. Geen wonder dat de Fomhóire ondergronds waren gegaan, bij wijze van spreken.
'Ik zal u niet bedriegen, grootmoeder.' Ik was dan wel niet meer in staat de kunst te beoefenen, maar ik was nog altijd mijn vaders dochter, die beheersing had geleerd. Ik liet mijn stem vast klinken,

mijn ogen kalm kijken. 'Ik ben bang dat de amulet weg is. Ik had me verstopt op het klif, en hij is in zee gevallen. Maar ik heb hem niet meer nodig. U bent hier immers naast me. Zult u me helpen wanneer het zover is?' Het lukte me zelfs een lachje te produceren, hoewel ik daaronder misselijk was van angst.

'Waarom zou je hulp nodig hebben? Maar stil nu. Ze komen in beweging.'

Beneden bij de gracht gebeurde iets. Sean en zijn aanvoerders stonden dicht bij elkaar te overleggen. Wat de krijgers betreft, die maakten veel kabaal; de betekenis van de woorden van de Britse leider was tot hen doorgedrongen, en ze waren boos. Langs de rand van de gracht was Slang bezig snel de krijgers van Inis Eala te posteren, om te voorkomen dat mannen zich voortijdig naar de overkant waagden om een heldhaftige zelfmoordactie te ondernemen. Alleen in een massale aanval hadden ze kans door deze verdediging heen te dringen, want op de bovenkant van de wal stonden de boogschutters dicht opeen. Gareth was daar om hen tegen te houden, evenals Corentin en de oudere mannen, Wolf en Rat en nog vele anderen. Verderop aan de zuidkant, waar de aarden wal overging in steile kliffen, die een onneembare verdedigingsmuur vormden, meende ik Darragh te zien, met zijn mes in zijn hand, die zijn plaats innam tussen de anderen. Ik wendde me vlug weer naar grootmoeder.

'Een lastig dilemma,' zei ze met een lachje. 'Zeven Wateren kan niet winnen, welke keus hij ook maakt. Als hij toelaat dat ze de jongen doden, zullen ze verliezen; dat zegt de profetie. Als hij akkoord gaat om zijn leven te sparen, moeten ze zich terugtrekken. Dan is hij gebonden door zijn erewoord.'

'Ik heb de indruk,' zei ik tegen haar terwijl ik naar hun overleg keek en Finbar zag opkijken naar Johnny, die doodsbleek en zwaaiend op zijn benen op de toren stond, 'dat ze, hoe de beslissing ook uitvalt, moeite zullen hebben hun mannen tegen te houden. De mannen zijn Johnny onvoorwaardelijk trouw, en ze zullen alles voor hem doen.'

En haast alsof hij dit ook had bedacht, ging Finbar nu naar mijn oom Sean toe en begon zacht tegen hem te praten. Er viel een vreemde stilte over de menigte; tegen de tijd dat Finbar uitgesproken was, zweeg iedereen. Zelfs de wind was gaan liggen.

Sean van Zeven Wateren rechtte zijn schouders en keek weer omhoog naar zijn oude vijand.

'We hebben een tegenvoorstel,' riep hij.
'Je hebt mijn voorwaarden gehoord,' gromde Edwin van Northwoods. 'Ik heb niets gezegd over een compromis.'
'Luister tenminste naar wat ik te zeggen heb,' zei Sean. 'Je hebt gezegd dat alles draait om de profetie. Dat is zeker waar, want deze plaats vormt het hart van ons geloof; het is voor ons niet zomaar een ankerplaats, maar een symbool van onze band met de aarde zelf. Ik kan niet van jou verwachten dat je dat begrijpt; maar ik heb het gevoel dat je weet wat dit voor deze mannen betekent. Strategisch is je positie uiterst zwak, zo zwak dat jullie zonder deze handige gijzelaar voor de avond onder de voet gelopen zouden zijn. Ik denk dat je dat wel weet, heer Edwin. Maar je bent niet dom. Je weet dat als deze man sterft, mijn troepen hier geen overwinning kunnen behalen. Vandaag kunnen ze misschien je fort bestormen en elke Brit erin afslachten, maar het zou geen overwinning zijn. Zonder het kind van de profetie, zonder zijn tussenkomst, kan deze vete niet beëindigd worden.'
'Dus?' Edwins blik was scherp; misschien vermoedde hij wat er zou komen.
'Dus, vraag het aan hem. Vraag aan Johnny, die erfgenaam is van Zeven Wateren, en die tegelijkertijd familie van jou is, hoe de beslissing hier moet zijn. Laat hem dit bepalen. Hij is onze werkelijke leider. De mannen zullen zijn keuze accepteren.'
En ditmaal, toen Conor het vertaalde, ging er een instemmend gejuich op onder de Ieren, dat de grond deed beven, zo krachtig was het.
'Stelletje idioten,' mompelde mijn grootmoeder. 'Alles daarop in te zetten. De jongen is zo te zien halfdood. Hij kan niet eens rechtop staan. En wat is dat voor een keus? Hij zal er heus niet voor kiezen zich te laten doden. Het is maar goed dat jij hier bent, Fainne, om dit voor me te doen, anders zou het me nogmaals door de vingers kunnen glippen. En dat moeten we niet hebben, hè?'
'Nee, grootmoeder.'
Nu zag ik dat Edwin iets tegen zijn gevangene zei, en Johnny zei iets terug. De Brit had weinig keus, en ik dacht dat hij dat wel wist. Hij had maar één onderpand, en hij kon op zijn best hopen op een vrije doortocht hiervandaan, en misschien een kans om later terug te komen. Edwin was een ervaren veldheer. Misschien wist hij diep vanbinnen dat, zodra hij Johnny de keel afsneed, ze allemaal ten dode waren opgeschreven.

Nu deed Johnny een moeizame stap naar voren en keek neer op de verzamelde mannen. Het werd doodstil.

'Dit mag niet op deze manier worden beslist.' Zijn stem was vast, maar zwak; het kostte waarschijnlijk veel wilskracht om hem te beheersen. 'Mannen van Zeven Wateren, van Glencarnagh en Sídhe Dubh, mannen van Inis Eala en Tirconnell. Ik stel voor dat we dit beslissen door middel van een tweegevecht. De winnaar krijgt de Eilanden; de verliezer krijgt een vrijgeleide naar zijn eigen kust, waarbij hij belooft hier nooit terug te komen. Het is tijd dat er een einde komt aan het doden, dat de verliezen ophouden. Beide kanten beloven het resultaat te accepteren en zich eraan te houden. Als ik in dit gevecht word gedood, zullen de muren hier niet worden afgebroken, zal er geen slachtpartij plaatsvinden. Een schoon gevecht; een schoon einde. Als ik sterf, zullen jullie naar Erin terugkeren en geen aanspraak meer maken op de Eilanden.' Hij wendde zich tot Edwin van Northwoods. 'Ik zal vechten met de kampioen die je uit je krijgers kiest. Als hij verslagen wordt, zul je het aanbod van mijn oom aanvaarden en je mannen over zee naar huis vervoeren in het schip dat mijn broer van Harrowfield hierheen brengt. Mijn vader zal met je meegaan; hij is je buur en je verwant, en ik ben ervan overtuigd dat hij hier alleen heeft gestreden omdat hij dacht dat ik dood was. Je zult je geschillen met hem bijleggen. Stem je in met dit voorstel?'

Edwin keek hem verbaasd aan. 'Jij? Vechten tegen een van mijn krijgers? Je hebt een hele dag in de zee gelegen, je bent gewond, en...' Hij zweeg.

Johnny lachte even. 'Dan heb jij een extra voordeel,' zei hij kalm.

En zo gebeurde het dat het lot van de Eilanden, de uitkomst van de profetie zelf neerkwam op iets heel eenvoudigs: het resultaat van een gevecht tussen twee mannen. De troepen van Zeven Wateren waren opgewonden, opgetogen. Ze wisten hoe goed Johnny het zwaard hanteerde; en beter nog, ze kenden zijn bijna mythische plaats in het grote patroon, en volgens hun redenering kon hij met geen mogelijkheid verliezen. Ze hadden Edwins laatste woorden niet verstaan; ze hadden niet, zoals ik, gezien dat het kind van de profetie half verdronken, uitgeput, met gebroken ribben en een gebeukt lichaam een nacht alleen had moeten doorbrengen in een kale cel. Ze dachten dat hij bovenmenselijke kwaliteiten had; maar hoewel de moed en goedheid van hem afstraalden, was hij toch maar een sterfelijk mens, en hij was moe en gewond. Ik hoorde Bran fel met de anderen redetwisten: *Hij kan niet vechten! Laat mij vechten! Laat mij dit doen!* en ik hoorde Conor, Sean en Finbar op hun beurt tegen hem zeggen dat de profetie zijn loop moest hebben; dat Johnny's vreemde beslissing op de een of andere manier de juiste moest zijn. Het leek erop dat ook zij geloofden dat hij zou winnen, hoe onwaarschijnlijk dat ook leek, omdat het zo voorzegd was. Toch handhaafde Slang de wacht langs de rand van de gracht; hij kon er misschien op vertrouwen dat zijn eigen manschappen de gelederen niet zouden verbreken, maar hij lette scherp op de anderen, met name op de mannen in het groen.

Mijn grootmoeder zat intussen binnensmonds te grinniken en grijnsde van oor tot oor. 'O, dit wordt gemakkelijk, Fainne, heel gemakkelijk. Bijna jammer eigenlijk, van zo'n mooie jongeman, al zal er nooit een tweede Colum van Zeven Wateren zijn. Toch is dit beslist een fraai exemplaar: goede schouders, sterke benen. Fainne? Luister je wel? Waar kijk je naar, daar in de menigte? Let eens op, meisje! Je moet klaar zijn wanneer ik het sein geef. Je weet toch wat je moet doen?'

'Ja, grootmoeder,' fluisterde ik, met mijn vuisten zo stijf gebald dat mijn nagels in mijn handpalmen drongen.

'Heb je de moed om het te doen?'

'Ja, grootmoeder.' O ja, ik had de moed. Alleen de kunst, daar ontbrak het aan. Ik voelde niets van de magische kracht in me, nog niet; ik was nog steeds zo zwak dat ik nauwelijks rechtop kon staan. En ik kon het niet even uitproberen; wij beiden zaten nauwelijks verborgen achter lage struikjes en oude keien, en ik mocht haar niet laten merken hoe hulpeloos ik was. Zo dadelijk moest ik daarheen lopen en dan maar hopen dat er iets zou gebeuren wanneer ik de woorden van een toverformule uitsprak.

'Weet je het zeker?' Grootmoeder had nu haar voorhoofd gefronst en bekeek me aandachtig met haar doordringende, donkere kraalogen.

'Heel zeker,' zei ik tegen haar en mijn stem klonk rotsvast terwijl ik haar blik beantwoordde met ogen die precies op de hare leken, wist ik.

Ik had het ongelooflijk dom gevonden dat Johnny hier alles op inzette, terwijl hij zo verzwakt was. Maar de mannen vertrouwden op Johnny's oordeel, en het leek er een tijdlang op dat ze gelijk hadden. Dat had me misschien niet moeten verbazen, want hij was een zoon van Inis Eala, geboren en getogen bij het lied van zwaard en speer. Hij was goed; zo goed zelfs dat het alras duidelijk werd dat hij zonder de handicaps van vermoeidheid, kneuzingen en een paar gebroken ribben, zijn tegenstander snel zou hebben verslagen. De Britse kampioen zelf was ook niet gespeend van talenten of kracht. Het leek erop dat Northwoods zelf ook risico's durfde te nemen, want de breedgeschouderde jonge kerel die daar onder me in cirkels bewoog, op zijn hoede, en het zwaard in zijn handen verschillende posities liet innemen, was niemand anders dan Edwins eigen zoon, die de vorige avond naast hem had gestaan toen ze over messen hadden gesproken. Dit evenwicht, deze symboliek gaf dit tweegevecht de weergalm van een oud verhaal.

De mannen stonden nu in een grote kring. Aan de ene kant, het verst verwijderd van gracht en wal, stonden de mannen van Erin, en aan de andere kant hadden Northwoods' krijgers zich verzameld, want zij moesten aanwezig zijn om hun kampioen te beschermen en erop toe te zien dat het eerlijk toeging. De mannen van Inis Eala stonden nog op wacht, oplettend en argwanend, om ervoor te zorgen dat alles niet uit de hand zou lopen. Ook al hadden de leiders een overeenkomst gesloten, de situatie balanceerde nog steeds op het scherp van de snede, en de minste inbreuk op de discipline kon gemakkelijk uitlopen op een bloedbad. Nog pas gisteren hadden deze mannen ingehakt op elkaars lichaam, elkaar de schedel ingeslagen, en de rauwe taal van de oorlog uitgeslagen. Het was een wonder dat ze nu zo dicht bij elkaar stonden en hun wapens in de schede hielden. Daarom liepen Johnny's mannen om de menigte heen met hun handen op het gevest van hun dolk en hun ogen tot spleten toegeknepen. En in het midden van de open ruimte waar de menigte rijen dik omheen stond, vochten de twee jonge krijgers door. Ze gebruikten hun zware zwaard dat ze met twee handen vasthielden, ronddraaiend en duikend, en de wapens floten door de lucht, een dodelijke muziek waarbij hun eigen grommen en hijgen een tegenmelodie vormde. Ze hadden geen schild; dit was een rechtstreeks en hard treffen, en het zou vast niet lang meer duren. Johnny begon moe te worden. Ik kon zien hoe hij zijn voeten verzette en zijn evenwicht probeerde te bewaren. Ik kon de uitdrukking in zijn vaste grijze ogen zien veranderen, alsof hij voelde dat de dood nabij was. Als hij dit verloor, zou hij werkelijk alles verliezen.

Edwins zoon bloedde uit een diepe wond aan zijn schouder en een houw in zijn dijbeen. Zijn gezicht was rood van inspanning en bedekt met een laagje zweet. Johnny was doodsbleek; ik voelde dat er een schaduw over hem hing, en zette me schrap. Er zou snel een moment komen dat hij op de grond lag, met het wapen van de andere man op zijn keel, en dan zou ik naar voren moeten rennen en... en...

Edwins zoon deed een uitval met zijn zwaard, en ditmaal verloor Johnny zijn evenwicht. Zijn voet gleed uit; hij wankelde een ogenblik, en het wapen van zijn tegenstander sloeg langs zijn zij, kleding en vlees openrijtend. Johnny's ogen werden groot; zijn mond ging open en dicht. Edwins zoon deed een stap naar achteren; hij pakte zijn zwaard opnieuw stevig beet en maakte zich gereed voor een laatste slag. Johnny deed één handige stap voorwaarts, draaide zich om, en zijn voet kwam omhoog en trapte de ander het wapen uit de hand. Het zware zwaard vloog door de lucht en de menigte zuchtte als één man. Even later lag de Brit languit op de grond en Johnny stond over hem heen, met de punt van zijn zwaard een vingerbreedte van de keel van de ander. Johnny was in het zwart, maar ik zag dat het bloed uit de gapende wond stroomde die Edwins zoon had gemaakt, en dat het gezicht van mijn neef steeds bleker werd terwijl de zon boven de wolken uitkwam om het tafereel beneden met een griezelig licht te overgieten.

Even bleef Johnny zo bewegingloos staan, en de menigte stond in ademloze stilte te wachten. De leiders stonden in een groepje bij elkaar, Sean, Conor en Eamonn, met Bran van Harrowfield niet ver bij hen vandaan; mijn ogen zochten Finbar en vonden hem, vreemd alleen aan de andere kant van de kring. Hoewel ik niet zichtbaar was, leek hij me toch recht aan te kijken, en nog vreemder was het dat ik dacht dat ik kon horen wat er in hem omging.

Dit zou een goed moment zijn. Wij zullen je helpen.

'Dit zou een goed moment zijn,' mompelde ik. 'Denkt u ook niet?'

'Sst,' siste grootmoeder; haar humeur was plotseling verslechterd. 'Wat zegt hij nu?'

Johnny's ogen waren donkere poelen; zijn mond was een grimmige streep. Hij keek naar zijn vader en naar Sean. Hij keek naar de andere kant, naar Edwin van Northwoods, wiens gezicht asgrauw was.

'Is het de bedoeling dat dit gevecht door de dood beslist wordt?' vroeg hij beleefd met de stem van een man die bijna het bewustzijn verliest.

Er steeg een luid gebrul uit de menigte op; toen werd het stil. Ik had het gevoel dat we, hoe het antwoord ook uitviel, op het randje van een ramp stonden. En als er iemand was voor wiens oordeel ik respect had, was dat wel Finbar. Ik stond op en kwam langzaam vanuit de verborgenheid van struiken en rotsen te voorschijn, met mijn armen langs mijn zijden; mijn haar werd door de weer aanwakkerende wind gegrepen en wapperde rondom mijn hoofd. De rode banier, het sein om op te trekken. Mijn hart bonsde van angst.

Achter me hoorde ik mijn grootmoeder verrukt kakelen. 'Goed zo, Fainne, heel goed! Geef me reden om trots op je te zijn, kind!'

Ik had geen greintje magie tot mijn beschikking. Mijn helpers uit de Andere Wereld waren weg. Mijn grootmoeder zat vlak achter me naar me te kijken. En nu hinkte ik naar voren, volstrekt ongewapend, een meisje in een gestreepte jurk met een zijden sjaal om, met een stuk kinderspeelgoed onder haar gordel gestoken, en een groot leger van gewapende krijgers week mompelend uiteen om me door te laten. Waarom kan ik niet zeggen. Misschien deden ze het gewoon uit verbazing over het feit dat hier, op dit afgelegen eiland, midden in zo'n ernstige en gevaarlijke situatie, zo'n onwaarschijnlijke figuur verscheen. Sommigen dachten misschien dat ik zelf een wezen uit de Andere Wereld was. Het werd nog stiller toen ik de open plek bereikte waar de twee krijgers nog steeds verstard in dezelfde houding stonden. Er lag intussen een plas bloed op de grond naast hen, het gemengde bloed van twee volken.

Ga verder, leek de stem van mijn grootmoeder te fluisteren. Ik keek achterom; ze volgde me, nu in een donkere mantel met een donkere kap. Ze bleef staan bij de rand van de menigte, en keek naar alles wat ik deed. *Maak het af. Maak hem af. Hij is al halfdood. Het is heel eenvoudig. Vlug nu, voor hij met zijn laatste krachten dat zwaard in de hals van de Brit steekt. Vlug nu. Ze kijken naar je. Ze kijken allemaal naar je. Ik wil de uitdrukking op hun gezicht zien wanneer het kind van de profetie in zijn eigen bloed wordt gesmoord. Doe het, Fainne. Doe het voor mij, en voor ons hele geslacht.*

Het was niet ver meer naar de plek waar Johnny stond te wachten. Tien passen misschien. Er kan veel gebeuren in tien passen. Ik keek op, ik keek de kring rond; ik zag het geschrokken gezicht van mijn oom Sean, de ontzetting op het gezicht van Eamonn, het glorende begrip op Conors ernstige gelaat. Ik zag Finbars knikje van herkenning en goedkeuring. Ik zag de verwarring en de twijfel, zowel op de gezichten van de Britten als op die van de Ieren. En buiten de kring zag ik anderen staan, die zwijgend wachtten, met een felle, doordringende blik in hun vreemde ogen: een vrouw, langer dan een sterfelijk mens, bleek als lentesneeuw, met lang, donker, zijdeachtig haar; een man met een krans van vlammen om zijn hoofd, wiens kleren om zijn statige gestalte vloeiden als een gordijn van levend vuur. En er waren anderen, vele anderen, wezens met golvende lokken als wier in rivierwater en een huid zo doorschijnend als glas; mooie wezens, gekleed in veren en bessen, in grassen en bladeren, in korstmos en boomschors en zachte mossen. Elk van hen was onvoorstelbaar groot, en ze keken allemaal naar mij. *Het is tijd*, schenen ze te zeggen, hoewel ik misschien de enige was die hen kon zien, die hen kon horen. *Eindelijk is het tijd*. De Feeën waren gekomen, nu, bij het einde. Maar ze zouden me niet helpen. Ik moest dit zelf doen.

Ga door, Fainne, zei de stem van mijn grootmoeder dringend. *Vlug nu. Dit kan maar op één manier eindigen. Dood het kind. Snel, meisje!*

Ik deed nog een stap naar voren, en nog een. Ik was halverwege de open ruimte. Toen hoorde ik roepen, in de taal van de Britten: 'Het is een list! Houd het meisje tegen!' Ik hoorde een fluitend geluid in de lucht achter me, en een zucht van de menigte; ik hoorde iemand naar me toe rennen, en ik werd met geweld opzij gesmeten, zodat ik languit op de grond terechtkwam, met iets zwaars boven op me. Ik hoorde stemmen brullen, ik hoorde het geluid van wapens die getrokken werden, en de stem van mijn oom Sean, die schreeuwde: 'Nee! Rustig blijven! Afstand houden!'

Ik krabbelde overeind, terwijl ik het gewicht dat op me drukte van me af duwde. Er zat bloed op mijn jurk, veel bloed; de roze rokken van Riona waren rood bevlekt. Aan mijn voeten lag een man, en het was zijn bloed dat me had doorweekt, want een dunne speer stak van achter naar voor door zijn borstkas; de punt met weerhaken stak nu uit zijn lichaam naar voren zodat mijn rok eraan bleef haken toen ik naast hem ging staan. De man stikte in zijn bloed; een rode stroom golfde uit zijn mond en uit zijn neus, en vloeide over zijn groene tuniek. Toen ik me bukte om zijn voorhoofd aan te raken en de lok bruin haar naar achteren te strijken die in zijn stervende ogen viel, bracht hij hijgend een woord uit dat misschien mijn naam was, en toen viel hij levenloos terug op de grond. Tegen alle waarschijnlijkheid in was Eamonn degene geweest die in een impuls had gehandeld en mijn leven had gered; tegen het hele patroon in was hij als held gestorven. Ik werd er koud van. Dit moest

ophouden. Geen bloed meer. Geen sterven meer. Het moest ophouden. Ik moest het doen ophouden.
'Blijf op je plaats!' gilde Slang. 'Jullie kunnen hier niets doen.'
'Het moet volgens de regels gebeuren!' Dit was de stem van Edwin. 'Blijf gedisciplineerd, mannen! We hebben een overeenkomst en daar houden we ons aan!'
'Luister naar heer Edwin! Blijf in het gelid! Blijf op je plaats!' Dit was Sean van Zeven Wateren, wiens eigen mannen nu het luidst om bloed schreeuwden; want het was een Britse speer die Eamonn van Glencarnagh had gedood, hoewel hij voor mij bedoeld was. Het leek nog maar een kwestie van ogenblikken voordat deze krijgers, belust op wraak, door de wacht van Slang en zijn mannen heen zouden breken en elkaar weer naar de strot zouden vliegen, en zouden vechten en moorden tot het hele eiland één poel van bloed zou zijn. Een cirkel. Een beschermende cirkel. Die had ik nodig. Het moest een cirkel van vuur zijn, want vuur was gemakkelijk te maken en zou de mensen voldoende afschrikken, zodat ze erbuiten bleven. Ik hief mijn armen op en sprak de woorden van een toverformule uit, en draaide rond op de plek waar ik stond. Ik wist, nog terwijl ik deze gebaren maakte, dat ik zelfs voor deze eenvoudige toverkunst niet genoeg kracht had; ik kwam niet verder dan een lichte tinteling in mijn vingertoppen, te zwak om ook maar één vonk af te geven. Toch laaiden er terwijl ik ronddraaide en wees, vlammen op langs de weg die mijn uitgestoken hand beschreef, zodat Johnny, de jonge Brit en ik omgeven werden door een ring van vuur, drie handbreedten hoog, en heet genoeg om de mannen snel te doen terugdeinzen. Voorlopig waren we veilig. Aan de andere kant van de cirkel zag ik Finbar staan; hij had zijn arm uitgestrekt en zijn grote witte vleugel gespreid. En tegenover hem deed Conor, de aartsdruïde, hetzelfde; zijn armen waren wijd gespreid en zijn handen uitgestrekt in een gebaar van kracht. De vlammende cirkel liep van hem naar zijn broer, en weer terug. Soms is het nuttig om druïden in de familie te hebben.
Bij de rand van de cirkel stond mijn grootmoeder nog steeds te wachten; een tengere gestalte in een donkere mantel; nu zweeg ze, terwijl ik naar Johnny toeliep. Zelfs toen, zelfs op het moment dat ik bij hem aankwam, wist ik nog niet wat ik zou zeggen, of hoe ik hier iets kon uitrichten zonder de kunst. Maar ze wachtten nu allemaal; de krijgers, de ziener en de druïde, de leiders van Brittannië en van Erin. Op de heuvel achter de mannen waren nu vele kleine wezens

bijeengekomen, een uilwezen, een bemoste steen met gaten als ogen, een kleine struik met vingerachtige bladeren; een haas, een winterkoninkje, iets waterachtigs in de vorm van een kind. En aan alle kanten daaromheen waren de Feeën zelf, de hoeders van de geheimen van de aarde, de bewaarders van de mysteriën van ons geloof; zelfs zij hielden nu hun adem in en wachtten op mijn woorden.
Maar ik kon niet toveren. Ik was alleen maar een meisje, en niet zo'n geweldig meisje bovendien. Ik was niet goed of edel. Ik kon geen mannen geestdriftig maken zoals Johnny dat kon. Ik kon geen wilde dieren in mijn ban lokken zoals Darragh dat kon. Ik wist niet hoe je een man met een diepe, bloedende wond moest genezen, ik kon niet zwemmen of dansen. Zonder de kunst was ik niets.
Maak gebruik van wat er is, hadden de Fomhóire tegen me gezegd: de natuurlijke magie van aarde en water, lucht en vuur. De druïdische magie. Gebruik die. En op het moment dat ik naar Johnny toeliep, begon de lucht donker te worden. Het was halverwege de morgen; de wolken waren even snel weggetrokken als ze zich hadden samengepakt, en de hemel was helder. Maar nu begon het licht van de zon te verflauwen, en er viel een spookachtige schemering over het landschap, alsof de dag veranderde in een vreemde, halve nacht. De mannen begonnen onrustig te mompelen; sommigen maakten tekens voor zich in de lucht.
Vlug, Fainne! Waar is je ruggengraat, meisje? Schiet nou eens op! Mijn grootmoeder begon ongeduldig te worden.
Ik zou zelf bang zijn geworden van deze vreemde duisternis, als ik al niet half gek van angst was geworden door andere dingen: Eamonns bloed, de stem van mijn grootmoeder, mijn eigen afschuwelijke zwakheid. Concentreer je. Beheers je. Ik dacht aan mijn vader en aan alles wat ik aan hem te danken had, en ik knielde neer bij de Brit die op de grond lag, zodat Johnny hem niet kon doden zonder de kans te lopen dat hij mij ook doodde.
'Fainne! Wat doe je?' siste mijn neef. Nu ik zo dichtbij was, zag ik hoe zijn handen beefden; nog even en hij zou het gewicht van zijn zwaard niet meer kunnen houden. Wat de Brit betreft, zijn gezicht had de kleur van wei en hij lag in een plas bloed. De hemel werd al donkerder, en de ring van vuur gloeide fel in de geheimzinnige schemering in de morgen. En eindelijk vond ik woorden.
'Ik ben Fainne van Kerry, dochter van de tovenaar Ciarán!' riep ik uit, en ik probeerde mijn stem zo plechtig en indrukwekkend mogelijk te laten klinken. Dit moest snel gebeuren, anders zouden de-

ze mannen allebei ter plekke doodbloeden, en dan zou het allemaal zinloos zijn. 'Ik stam uit een groot geslacht van magiërs. Ik ben gekomen om jullie te bevelen de wapens neer te leggen en dit eiland voorgoed te verlaten. Jullie zien hoe de hemel verduistert; dat is een waarschuwend teken voor jullie allen. Er is hier genoeg bloed vergoten; in de loop van de generaties zijn hier genoeg jonge levens opgeofferd. Het kind van de profetie leeft en is teruggekomen, en de grote queeste van het Feeënvolk is bijna ten einde. Jullie zonen staan hier, bijna dodelijk gewond. Hun bloed doorweekt de grond die jullie verdeeld houdt. Willen jullie beiden verliezen in jullie zucht naar macht? Trek je terug, red jezelf en vecht niet meer!' Ik keek omhoog. Het leek werkelijk alsof de schaduw van een Anderwerelds wezen het licht van de zon wegnam; het was genoeg om een klemmende band van angst om je hart te leggen. Van bij de rand van de vuurcirkel kon ik een stem horen, die van Corentin dacht ik, die mijn woorden in de Britse taal vertaalde, zodat elke man daar het kon verstaan. En nu begonnen de verzamelde krijgers zenuwachtig achter zich te kijken; ze wierpen steelse blikken op die lange, geheimzinnige figuren die zwijgend toekeken; hun blik leek oeroud en wijs onder die vreemd donkere hemel. 'De zon verbergt zijn gezicht,' vervolgde ik. Naast me had Johnny zijn zwaard van de keel van de Brit weggehaald; beiden keken me verbaasd aan. 'Jullie moeten dit eiland verlaten, want ik spreek woorden van waarheid wanneer ik zeg dat geen man hier na morgen kan leven; op deze kusten blijven zou betekenen dat je leven afgemeten kan worden in de ruimte van één reis van de zon van de oostelijke horizon naar de oceaan in het westen.' De woorden leken nu uit me te vloeien zonder dat ik ze had bedacht; ik begreep zelf nauwelijks wat ik zei. 'De Eilanden zijn de Laatste Plek. Ze zijn niet gemaakt voor de begerige hand van de mens; vanaf deze dag zal Brit noch Ulsterman, Noorman noch Pict ze bezitten, want ze zullen verdwijnen in de nevelen van het grensgebied, en zich alleen tonen aan de reiziger van de ziel. Kom, mannen van Erin, mannen van Northumbrië, hoor mij aan. Deze lange vete is voorbij.'

De hemel was nog donkerder geworden, haast alsof het nacht was. De zon was verduisterd tot niet meer dan een gouden rand, en zijn midden werd gedoofd door een of andere kwaadaardige schaduw. Het vreemde licht gaf mijn woorden een buitengewone kracht, en nu hoorde ik aan alle kanten om de vuurcirkel mannen mompelen en fluisteren, en sommigen schreeuwden van angst, of riepen de een

of andere god aan om hen te redden. Enkelen hadden zich al van de menigte afgezonderd en waren op weg naar de boten beneden.
'Het meisje spreekt de zuivere waarheid.' Mijn hart bonsde toen ik de stem van vrouwe Oonagh hoorde. Ze wierp haar donkere mantel naar achteren en deed een stap naar voren zodat ze op de rand van de vuurcirkel stond, waar de vlammen aan de zoom van haar jurk likten, zonder dat die vlam vatte. Het was alsof de hitte ervan haar niet raakte. Ze was nu niet gehuld in haar oudevrouwengedaante, maar in de vermomming van een lange, mooie dame, met een blanke huid en kastanjebruin haar, en haar stem klonk zoet en krachtig als vers gebrouwen mede. 'Terugtrekken is jullie enige mogelijkheid, arme, dwaze menselijke krijgers. Het is allemaal voor niets geweest, al die doden, al die verliezen; volkomen zinloos. De profetie zal nooit in vervulling gaan; ze was niet meer dan het geraaskal van een oude druïde van lang geleden, verward en kinds door ouderdom. Er zijn hier geen winnaars behalve mijn eigen geslacht: ik, vrouwe Oonagh, en mijn kleindochter Fainne, die zich nu in haar ware kleuren laat zien, als tovenares, even krachtig als ikzelf!'
Ze keerde zich naar mij toe, en terwijl ze dit zei, zag ik dat mijn oom Sean me ontzet aanstaarde; en ik zag dat Bran van Harrowfield met een grimmig gezicht de kring van vlammen in stapte, zonder zich te bekommeren om het gevaar, maar werd teruggetrokken door Meeuw en Slang, die hem elk aan een kant vasthielden. Niemand zou deze barrière overschrijden, behalve iemand die sterker was in de kunst dan degenen die de vuurkring hadden gemaakt.
'Nu, Fainne!' Mijn grootmoeder begon kakelend en triomfantelijk te lachen. 'Doe nu wat we ons hebben voorgenomen! Dood de jongen; maak een eind aan deze brutale familie en hun Anderwereldse meesters. Maak eens en voor altijd een einde aan die belachelijke profetie. Je ziet dat de kerel nu al wankelt van zwakheid; zijn vingers kunnen zijn wapen niet meer vasthouden. Doe wat je me hebt beloofd en maak hem af!'
Er klonken kreten van verontwaardiging in de menigte; ik hoorde Bran roepen: 'Nee!' en ik voelde de woede en frustratie van de mannen om ons heen, zowel Ulstermannen als Britten. Toch kon niemand over de barrière komen zolang die bleef bestaan; ik had zelf de beslissing in handen. Ik keek op en voelde een diepe pijn, omdat de mannen die me met respect en vriendschap hadden bejegend, me nu aanstaarden alsof ik een schepsel was dat te walgelijk was om

aan te zien. Gareth, Corentin, Meeuw en Slang, en zelfs mijn oom Sean keken me geschokt en met afkeer aan. Misschien verdiende ik ook niet beter.

Johnny was op zijn knieën gevallen; hij drukte zijn hand tegen zijn zij en zijn vingers waren rood van het bloed dat ertussendoor sijpelde. Edwins zoon lag languit op zijn rug; zijn ogen waren star, zijn ademhaling ging moeizaam.

'Vlug nu, meisje!' siste de tovenares. 'Gebruik de kunst! Of gebruik desnoods het zwaard. Doe het! Ik moet hem door jouw hand zien sterven.'

'Het spijt me, grootmoeder,' zei ik beleefd, met een stem die trilde als een herfstblad. 'Ik geloof niet dat ik dat kan doen.'

Ik zag hoe haar gezicht veranderde; de uitdrukking in haar ogen deed me huiveren. Met zo'n blik kon een tovenares een ongelukkige sterveling van pure angst in steen veranderen. Achter mijn grootmoeder zag ik Conor, die nog steeds met uitgestoken armen de beschermende cirkel in stand hield. Vrouwe Oonagh was dan misschien ongevoelig voor vuur, maar ze kon niet binnen deze betoverde ruimte treden, nog niet; ik zag haar worstelen om erdoorheen te breken, met woedend samengetrokken wenkbrauwen. Misschien werd ze tegengehouden door een kracht die sterker was dan wie ook van ons.

'Wát?' krijste ze. De hemel bleef donker; nu stak de wind weer op, een kermende, griezelige wind die haar rokken om haar heen zwiepte. Vreemde schaduwen spreidden zich rondom haar over de grond, en ze leek reusachtig groot en dreigend. Haar ogen waren spleten in een krijtwit gezicht, haar lippen waren bloedrood en haar tanden leken op kleine, scherpe mesjes. Links en rechts van haar begonnen de vlammen van de vuurkring te flakkeren en uit te doven.

'Hou vol, broer!' riep Conor. Zijn handen beefden; achter me hoorde ik Finbar hijgen van pijn en angst. Ze deed haar uiterste best om de kring te verbreken, en ze was sterk. De druïde en de ziener waren tenslotte maar stervelingen. Was ik nou maar niet zo zwak, had ik maar een fractie van mijn werkelijke kracht.

'Denk je dat je mij kunt dwarsbomen, meisje? Jij, een kind nog bijna, met een halfvoltooide opleiding en een leeghoofd als moeder, jij met je domme ideeën over liefde en trouw? Je bent óf erg kort van memorie, óf je denkt dat ik buitengewoon dom ben.'

En nu draaide ze zich om naar buiten en keek langs de lijn van gracht en aarden wal omhoog naar de plek waar de versterkingen overgingen in de steile, zuidelijke wand van het klif. Daar hadden kleine vogels hun nest, en waren plantjes vastgehecht. Daar waren geen beschutte richels die zo breed waren dat er een man of een vrouw op kon zitten; er waren geen veilige plekken op het steile oppervlak. In plaats daarvan ging het terrein eerst zacht omhoog; dan hield het op en was daar, ver, ver beneden, de zee. Slang had zijn mannen op die helling geposteerd om te verhinderen dat mannen zich voortijdig in de gracht en over de aarden wal waagden; hij had hen helemaal tot aan dat plotselinge einde geplaatst. En wie kon beter op de verste plaats staan, op de plaats die het gemakkelijkst bewaakt kon worden, waar hellend terrein overging in het niets, dan een reizende man die hier eigenlijk niets te zoeken had en die maar deed alsof hij een krijger was?

'Nu,' zei vrouwe Oonagh heel zacht. 'Nu, ja nu zul je doen wat ik zeg. Want dit zul je zeker niet kunnen verdragen!'

Darraghs aandacht was niet meer bij de taak die hem was opgedragen; hij keek omhoog naar een vlucht sterns die in keurige formatie boven zijn hoofd voorbijvloog, misschien op zoek naar de lente. Terwijl ik daar verbijsterd stond te kijken, verstijfd van schrik, stuurde de tovenares de wind voor zich uit langs de helling omhoog, en mannen vielen opzij, op hun knieën gesmeten door de kracht ervan. De windvlaag trof Darragh onverhoeds; de wind zweepte zijn donkere haar naar achteren en rukte zijn korte mantel af zodat die wervelend omhoogvloog in de lucht. Hij wankelde zijwaarts, graaide naar houvast, een rots, een struik of wat dan ook; maar er was niets waaraan hij zich kon vasthouden. De woeste stormwind dreef hem steeds verder naar achteren, naar achteren tegen de helling op, zodat zijn voeten struikelend steeds dichter bij het punt kwamen waar de grond ophield en de grote ruimte zich opende boven de zee. Nu zag ik mannen naar hem toe rennen, met de wind in de rug, maar toch te langzaam, te langzaam. De breedgeschouderde Gareth, de donkerharige Corentin, en ze riepen: 'Hou vol! We komen eraan!' Maar het was duidelijk dat ze niet op tijd bij hem konden komen.

'Nu!' krijste vrouwe Oonagh, met haar ogen, donker als bessen, op mij gericht, en haar snauwende mond roofdierachtig als de bek van een wezel. 'Doe het! Doe het! Dood het kind, of je ketellappertje gaat eraan! Doe wat ik zeg, vervloekt jij! Doe het of zie hem sterven!'

Johnny zat geknield naast me en keek met zijn rustige, grijze ogen

naar me op. Ik zag in zijn ogen dat hij besefte dat zijn dood nabij was, maar ik zag geen angst. Als er ooit iemand geboren was om het kind van de profetie te zijn, was het deze man, een toonbeeld van moed en waardigheid. Zonder hem zouden de mensen van Zeven Wateren wederom het spoor bijster zijn, hun lichtend doel zou hun ontnomen zijn, hun weg zou weer in duisternis gehuld zijn. Zonder hem zou het allemaal geen zin hebben; geen enkele zin.
'Ik kan het niet,' fluisterde ik; en nu kwam ik erachter hoe het voelt wanneer je hart breekt.

Ik kende een toverkunst. Ik kende een kleine toverkunst, die ik al onder de knie had toen ik nog een kind was en nog niet wist wat liefde is. *Stop. Val nu zacht naar beneden.* Sinds ik deze kunst kende, had ik de glazen bol niet één keer meer gebroken. Vandaag kon ik niet toveren.
Ik hoefde niet te kijken. Ook met mijn ogen dicht, met beide handen voor mijn gezicht, zag ik het allemaal. Ik zag de waanzinnige woede in de ogen van de tovenares, een duivels licht van puur kwaad. Ik zag dat de wind Darragh optilde alsof hij niet zwaarder was dan een herfstblad, ik zag de wrede manier waarop vrouwe Oonagh hem even stil liet hangen, precies op de rand, om mij te treiteren, om me uit te dagen, alsof ook nu een kreet, een woord, een enkele kik hem nog terug zou kunnen halen, als ik die kreet, dat woord of die kik maar liet horen. En ik zag hoe uiteindelijk de reizende man zijn lange, laatste afdaling naar de vergetelheid veranderde in iets wonderbaarlijk schoons, iets wat even mooi was als de wegstervende klanken van de klaagzang van een doedelzakspeler. Want hij viel niet, maar draaide zijn lichaam om in de lucht, legde zijn armen tegen zijn zijden en dook met zijn hoofd voorover, snel en recht als een zwaluw naar beneden in de meedogenloze greep van de koude zee, naar de messcherpe rotsen en de wit schuimende golven.

HOOFDSTUK ZESTIEN

Iemand gilde. Iemand jammerde, een verschrikkelijk geluid van smart dat door merg en been ging, een geluid dat de ziel verscheurde. Het was een kreet die zelfs de sterkste man zou doen beven. Mijn vuisten drukten stijf tegen mijn oogkassen; mijn kiezen waren op elkaar geklemd; mijn hoofd vibreerde van pijn. Eindelijk had ik geleerd iets te doen waarvan ik altijd had geloofd dat een tovenaarsdochter het niet kon. Ik had geleerd te huilen. Ik huilde zoals nog nooit een meisje had gehuild, een rivier van tranen, een onstuitbare stroom van verdriet. Ik stond daar en schreeuwde mijn verlies uit in de wind, en vrouwe Oonagh sloeg me met een glimlach op haar gezicht gade. Naast me strekte Johnny zijn hand uit naar de vijand die languit aan zijn voeten lag.

'Kom,' zei hij. 'Dit is afgelopen. We hebben allebei een chirurgijn nodig, en daarna moeten we praten. Laat me je helpen.' De Brit krabbelde moeizaam overeind; samen stonden ze naast me, elkaar ondersteunend.

'Niet zo snel.' Ze was nog niet klaar; zo gemakkelijk liet ze zich niet dwarsbomen. 'Je denkt misschien dat je hebt gewonnen; je denkt misschien dat ik dit niet zal kunnen zonder jouw hulp. Dom meisje. Je hebt de enige die ooit iets voor je heeft gevoeld, weggeworpen, en voor niets. Ik zal deze cirkel verbreken; ik zal deze menselijke lieden breken zoals ik al eens, lang geleden, heb gedaan. Een voor een zal ik hen pakken, deze zonen van Zeven Wateren, en dan zal ik jullie allebei doden: ik zal het kind van de profetie doden, en ook jou, mijn ongehoorzaam kleinkind.'

Ik hoorde mijn oom Sean roepen: 'Nee!' en zag hem naar voren komen, om tegengehouden te worden door dezelfde vlammen die ons

beschermden; ik zag mijn grootmoeder haar handen opheffen en een rimpeling van groen licht langs de lijn van de vuurcirkel sturen, een rimpeling die Finbar als eerste bereikte en hem op zijn knieën liet neerzakken, hijgend van pijn. Conor zag het aankomen en hield vol, maar zijn gezicht was grauw en zijn ogen waren allerminst kalm.
'Snel, Fainne!' zei hij. 'We kunnen dit niet veel langer volhouden. Help ons!'
Maar ik kon niets doen. De kunst kwam langzaam in me terug; mijn vingers tintelden, mijn bloed stroomde sneller, ik kon nu voelen dat ze in me vloeide als een diepe woede die steeds sterker werd, onafwendbaar, onstuitbaar. Maar ik stond nog steeds verstijfd van verdriet, verlamd door mijn verlies op dezelfde plaats, en naast me stonden de zoon van Zeven Wateren en die van Northwoods, die beiden waarschijnlijk dood zouden bloeden als ik hen niet snel kon helpen.
'Wie zal de eerste zijn?' siste vrouwe Oonagh, en ze ontblootte haar tanden als een jagende kat. Weer liet ze een golf door de cirkel gaan, dieprood, de kleur van hartenbloed. Finbar schreeuwde het uit, en ze lachte. Ik kon iets dat op rook leek zien opstijgen uit de zachte veren van zijn vleugel; alle kleur was uit zijn gezicht weggetrokken, zodat het asgrauw was, en doodsbang. De volgende keer zou hij het waarschijnlijk niet meer kunnen volhouden tegen haar. Ze hief haar armen hoog op, met een woeste glimlach op haar gezicht, en terwijl ze dat deed begon de hemel weer lichter te worden, en de zon kwam weer uit zijn vreemde duister te voorschijn, en een grote vogel vloog dwars over de cirkel en maakte een duikvlucht, zo dicht bij de ogen van de tovenares dat ze hem moest ontwijken; hij vloog verder en streek neer op de schouder van een gestalte in een donkere mantel die tussen de omstanders was verschenen, als bij toverslag. De tovenares hief weer haar handen, en het leek of ze vonken vanuit de lucht omlaag trok in haar vingers. Haar lichaam was gehuld in een glinsterend licht. Ze leek veel groter dan een sterfelijke vrouw zou kunnen zijn.
'Jij,' krijste ze, 'jij die me al een keer hebt getart, jij die hebt verdragen wat geen man zou mogen verdragen, deze keer zal ik je afmaken!'
Ze zwaaide haar armen omlaag en wees ermee naar Finbar, die daar geknield zat, hijgend van pijn, met ogen die nog helder en oprecht waren terwijl hij vocht om het beschermende vuur in stand te houden.
'Deze keer!' siste ze, en de vreemde vlam leek van haar vingertop-

pen over de cirkel heen te stromen. De gestalte in de donkere mantel duwde zijn kap naar achteren en hief zijn handen en spreidde ze zijwaarts, met de handpalmen omhoog, als herhaling van Conors houding. De lijn van vonken vanuit de vingers van de tovenares doofde sissend uit.

'Ik denk het niet, moeder,' zei Ciarán, die daar kalm stond met de raaf op zijn schouder. Zijn blik was onbewogen, zijn gezicht bleek maar kalm. Als hij al ziek was geweest, doodziek, leek hij nu gezond. Ze had tegen me gelogen. Ze had me gemanipuleerd, en ik had haar geloofd. Hoeveel van haar andere dreigementen waren niet meer dan dat, niet meer dan giftige onwaarheden die ze gebruikt had om me zo bang te maken dat ik zou doen wat ze wilde?

'Jij!' snauwde ze woedend. 'Hoe durf je je hiermee te bemoeien, jij verdwaasde zwakkeling met je hoofd vol druïdische ideeën! Geen wonder dat je dochter op het laatst de proef niet heeft doorstaan! Jij hebt haar bedorven, jij en dat nutteloze vrouwtje van je, je lieve Niamh met haar zachte maniertjes en haar lege hoofd. Het is maar goed dat ik háár uit de weg heb geruimd, anders had ik nooit iets van het meisje kunnen maken. Maar Fainne heeft niet aan mijn verwachtingen voldaan. Ze kon het niet, juist op het kritieke moment.'

Mijn vader deed een stap naar voren, heel langzaam. Het leek erop dat hij deze cirkel zonder enige moeite kon binnengaan.

'Wat zei u daar?' vroeg hij zacht.

'Het meisje is waardeloos. Net als haar moeder.' Er was iets veranderd in de stem van vrouwe Oonagh; hij had een scherpe klank, alsof ze verbaasd was, of bang. Boven ons kwam de zon nu snel te voorschijn; het werd steeds lichter.

'Dat niet. U zei dat u Niamh uit de weg had geruimd. Wat betekent dat, moeder?'

'O, een ongelukje, anders niet. Een misstap op een richel. Een zacht duwtje in de rug, en omlaag naar de vergetelheid. Ze was niets voor jou, Ciarán. Je had een groot man kunnen zijn; een man met macht en invloed. Ze bedierf jou en maakte het meisje zwak. Ze moest weg.'

Het gezicht van mijn vader straalde woede uit. Zijn blik was zo vol gevaar dat zelfs een tovenares ervoor zou kunnen terugschrikken. Wat mij betreft, haar woorden deden me trillen van afschuw. Ik kende haar goed, maar toch kon ik nauwelijks geloven dat ze zo ver was gegaan in haar boosaardigheid. Zij was degene die hun geluk uiteindelijk had weggenomen, niet Sean of Conor; niet een wre-

de echtgenoot of een onverschillige familie, maar de tovenares zelf; Ciaráns eigen moeder. De ogen van mijn vader leken op donker ijs. Zijn stem was dodelijk kalm.
'Hier komt het dus op neer,' zei hij, terwijl hij zijn moeder aan de andere kant van de cirkel aankeek. 'Een strijd van wil tegen wil; een strijd om uit te maken wie het sterkst is. Maar eerst...'
Hij keek naar Johnny, die naast me stond, met Edwins zoon tegen zijn schouder geleund. Ik hoorde de zwoegende ademhaling van de twee jongemannen; het was moeilijk uit te maken wie van de twee het bleekst was. 'Ga uit de cirkel vandaan,' zei Ciarán. 'Ga onder mijn bescherming.' Ik voelde de uitwerking van het tovermiddel dat hij gebruikte meer dan dat ik het zag; het was een beschermende mantel, onzichtbaar en onaantastbaar, die zich om beide jonge krijgers wikkelde. Hij zou deze betovering niet lang om hen heen laten zitten, maar zolang hij haar handhaafde, was dit een scherm waar geen wapen doorheen kon dringen; geen pijl, geen speer en geen vervloeking van een tovenares. Gekleed in deze betovering konden ze ongedeerd de vuurbarrière overschrijden. Johnny aarzelde; hij voelde ongetwijfeld de betovering, maar begreep in zijn door uitputting en verwondingen benevelde toestand nog niet meteen wat die inhield.
Ik keek op naar mijn neef. 'Je kunt beter gaan,' bracht ik met moeite uit; mijn stem klonk gebarsten en schor, want ik kon de tranenvloed nog niet stoppen. 'Ga, zoek hulp, sluit een bestand. Iedereen moet hier voor de nacht weg zijn. Er komt een vloedgolf aan, en een mist; niemand kan hier veilig blijven.' Het waren weer woorden die van buiten me schenen te komen, woorden die een wonderlijke betekenis hadden.
Johnny keek me verbaasd aan. 'Maar...' zei hij zwakjes.
'Sst,' zei ik. 'Alles komt goed. Ga, en vraag aan Meeuw om die wond te stelpen. Maak het in orde met deze mannen. Dat is jouw rol; mannen te leiden. Je bent hier niet meer nodig.'
'Fainne...'
'Toe maar, Johnny. Vertrouw op mij. Ik ben familie van je.' Ik zag dat het hoofd van de tovenares zich naar me toe keerde terwijl ik deze woorden sprak. Haar ogen werden half toegeknepen. Op het moment dat haar aandacht even was afgeleid, doofde de kring van vlammen een beetje uit. De twee krijgers wankelden erdoorheen, omgeven door de beschermende tovermantel van mijn vader, en zakten in elkaar in de armen van wachtende genezers. Bran van Har-

rowfield en Edwin van Northwoods gingen elk naar hun eigen zoon toe; ze zorgden ervoor dat de gewonde mannen werden weggedragen naar een veilige plek. De manschappen van Inis Eala hielden de menigte nog steeds nauwlettend in bedwang; de krijgers werden steeds onrustiger en angstiger. Ze waren hier gekomen in de verwachting een eerlijk tweegevecht te zien, geen griezelig vertoon van toverij waarmee de dag voor hun ogen in nacht werd veranderd. Mijn vader hief zijn armen weer op en het vuur laaide weer op. De tovenares lachte even; haar puntige tanden gloeiden rood in het licht van de vlammen. Ze deed een stap, twee stappen naar voren binnen de cirkel. Het had niet heel lang geduurd voor ze er een weg doorheen had gevonden.

Ciarán stond kalm en vast met de vlammen achter zich. Op zijn schouder zat Fiacha nog steeds als een gesneden beeld. Achter mijn vader brandde het vuur nog steeds fel. Conor stond zwijgend en roerloos met uitgestrekte armen, zodat de cirkel ononderbroken doorliep, en tegenover hem speelde Finbar zijn rol, ineengedoken op de aarde, met een spookachtig wit gezicht en donkere ogen van pijn. Moeder en zoon stonden tegenover elkaar, geen zes passen verwijderd van de plaats waar ik geknield zat. Het duizelde me nog te weten dat mijn moeder vermoord was, en dat er jarenlang een verschrikkelijke leugen was verteld, een leugen die de dagen van mijn vader had gevuld met schuldgevoel en schaamte. Al die tijd had hij geloofd dat zijn liefde voor Niamh niet genoeg was geweest; al die tijd had hij geloofd dat ze ervoor had gekozen hem te verlaten. Onder dit nieuwe verdriet deed mijn hart nog steeds pijn van de leegte, van het verlies dat nooit hersteld kon worden, al leefde ik drie keer zo lang als een sterfelijke vrouw. Misschien brulde mijn mond mijn verdriet niet meer uit, maar binnen in me jammerde het lied van mijn smart als het gekrijs van een boze geest, jankend, klagend, scherp en woest als een ijssplinter die diep in de ingewanden werd omgedraaid. En tegelijkertijd voelde ik de toverkracht in me terugkomen, sterker en sterker, krachtig en waarachtig, maar toch kon ik niet bewegen; ik zat in elkaar gedoken op de grond, verlamd door schok en droefenis.

Achter de vlammen was de grote menigte krijgers stil geworden; alleen af en toe hoorde ik gemompel en gefluister; misschien waren het gebeden. Dit was voor een gewoon mens niet te bevatten, ongeacht of hij een geharde krijger was, een christelijke priester of gewoon een visser of herder die in dienst van zijn clanhoofd onder de wapenen was geroepen. Hun gezichten waren bleek van angst; toch bleven ze geboeid kijken terwijl deze vreemde strijd zich voor hun ogen afspeelde.

'Zo,' zei vrouwe Oonagh, en ik had de indruk dat ze terwijl ze tegenover haar zoon stond, een duistere kracht uit haar binnenste putte; ze werd groter en indrukwekkender, en haar moerbeikleurige ogen gloeiden van boosaardigheid in de gave bleekheid van haar verschrikkelijke, mooie gezicht. 'Zo, jij wilt dus tegen mij strijden; jij, mijn zoon de zwakkeling, bedorven door druïden, besmet door familie, onthand door liefde. Ben je vergeten wie je gebaard heeft, jij misbaksel van een tovenaar, dat je je nu eindelijk kenbaar maakt in een zinloze poging deze idioten en hun zielige eilandje te redden? Of wil je alleen je dochter beschermen, die net als jij geen bruikbaar werktuig voor mijn doel is gebleken? Kijk nou hoe ze daar in elkaar gedoken zit, een bibberend, meelijwekkend wrak! En dat moet een tovenares voorstellen! Ze gaf meer om die ordinaire ketellapper van haar dan om de grote opdracht die ik haar gaf; op het laatst haalde ze alles door elkaar, liet het allemaal versloffen. Nu heeft ze niets meer, geen macht, geen invloed, geen minnaar, geen familie, want nu ze weten wat ze gedaan heeft, zullen ze haar uitstoten. Kinderen verminkt, druïden gedood, gespioneerd, gekeken, zich tussen hen in gedrongen met in haar hart de wil om te vernietigen. Er is geen terugkeer mogelijk voor jouw lieve leerlinge, Ciarán. Je had je schattige dochtertje eens moeten zien in Eamonns armen. Dat zou je de ogen wel geopend hebben. Jazeker, ze heeft toch een paar eigenschappen van haar moeder geërfd. Niamh was goed onder de dekens, nietwaar? Waarom zou je anders zo'n leeghoofdje willen hebben?'

Terwijl mijn grootmoeder dit zei, keek ze de hele tijd naar vader; haar ogen bleven strak op zijn gezicht gevestigd. Zijn mond was strak, zijn kaken waren op elkaar geklemd; zijn ogen brandden van woede. Maar hij bleef zich beheersen. Ik voelde dat ze beiden op het ogenblik wachtten dat de ander even niet op zijn hoede was; het ogenblik dat hun een kans bood. De lucht leek te knetteren van toverij; betovering en tegenbetovering, in hun geest maar nog niet uitgesproken, streden met elkaar in de lucht boven de vuurcirkel. Fiacha's donkere vorm was omlijnd met vonkjes. Mijn eigen lichaam tintelde van toverkracht; ik voelde haar in mijn handen, in mijn voeten, ze brandde in mijn hoofd.

'Het is afgelopen, moeder,' zei Ciarán zacht. 'Er zijn hier krachten tegen u in het geweer waarvan u nauwelijks een vermoeden kunt hebben. De jonge krijger leeft nog en zal zijn mannen voorwaarts leiden. Ik zie vrede in zijn ogen, een bestand in zijn sterke handen. Uw onderneming heeft geen zin. En als Fainne de daad die u haar opdroeg niet kon verrichten, zeg ons dan, *waarom hebt u het zelf niet gedaan?*'

Oonagh staarde hem aan. Haar gezicht was nu niet meer het gelaat van een schone, vorstelijke dame, maar was weer veranderd; ik zag de schedel onder de strakke huid, ik zag de uitdrukking in haar ogen en wist dat het angst was.

'Dat heeft niets te betekenen!' snauwde ze. 'De jongen was nutteloos! Kind van de profetie, het mocht wat! Hij is er niet geschikt voor, hij zal de opdracht die voor hem voorspeld is, nooit kunnen vervullen. Wat maakt het uit of hij leeft of sterft? Jullie hebben verloren, allemaal! Dit kan alleen stof en as opleveren, wat jullie ook doen. Stof en as, ellende en wanhoop!'

'Geef antwoord,' zei vader met een uiterst zachte stem, en ik zag dat Fiacha over zijn schouder en langs zijn uitgestoken arm begon te stappen, alsof hij zo dadelijk weg zou vliegen. 'Geef antwoord op mijn vraag. Nee? Laat ik dan zelf het antwoord geven, moeder. U hebt mijn dochter erop uitgestuurd om het kind van de profetie te doden omdat uw kracht afneemt, omdat u dag na dag, seizoen na seizoen zwakker wordt. Terwijl mijn dochter groeide, terwijl zij werkte en studeerde en sterk werd in de kunst, namen tegelijkertijd uw eigen krachten af. U hebt zich nooit hersteld van de nederlaag die u door mensen is toegebracht. U zult nooit meer zijn wat u eens was. U kunt de geheimen van de Eilanden niet vernietigen. Geef de waarheid maar toe. Op wat het moment van uw grote overwinning had moeten zijn, hebt u het al verloren.'

Vrouwe Oonagh knipperde met haar ogen. Heel even waren haar ogen nergens op gericht, en gedurende dat moment vloog Fiacha op, met breed gespreide, donkere vleugels, om zo snel als een speer recht op haar gezicht af te vliegen. Maar ze was snel; haar ogen werden weer scherp en met een kort knipgeluid bracht ze een bescherming aan. Haar ene hand ging omhoog, en nu werd de raaf achtervolgd door een bol groen licht, terwijl hij om haar hoofd cirkelde, en op en neer vloog en zwenkte om het griezelige vuur te ontwijken. De vogel kon niet wegvliegen; ze hield hem in haar buurt. Het tovermiddel zou hem doen verkolen zodra het hem aanraakte. Mijn vingers maakten een kleine beweging, en nu was Fiacha een piepklein raafje, niet groter dan een bij, een vlokje duisternis dat met evenveel gemak uit de betovering die hem vast moest houden wegdraaide als een klein visje uit het haringnet ontsnapt. Hij schoot weg naar de beschutting van een klein, veerachtig struikje dat er even tevoren misschien niet was. Mijn vader keek niet eens mijn kant op. Oonagh staarde haar zoon woest aan.

'Wat krijgen we nu?' snerpte ze. 'Een spelletje wie het beste kan toveren? Hond eet kat, kat eet rat, rat eet kever en zo verder? Zulke goochelaarstrucs zijn toch te min voor ons. En je vergist je. Ik heb een macht die de jouwe te boven gaat, en de hunne ook,' haar verachtelijke blik ging over de grote kring verbluft toekijkende krijgers, ging langs de grauwbleke Conor, de grimmig kijkende Sean, de ineengedoken, hijgende Finbar, en ging langs de grote, statige gestalten van de Anderwereldse wezens die achter hen stonden als zwijgende, ernstige toeschouwers. 'Je hebt nooit begrepen hoe je je vijand moet verslaan, Ciarán; je hebt het nooit te pakken gekregen en je zult het nooit te pakken krijgen.'

Toen veranderde ze. Met het Mom was ze een meester; ze kon er nog beter mee omgaan dan mijn vader, dat had ze me vaak genoeg laten zien wanneer ze thuis in de Honingraat voor de spiegel stond en me pruilende meisjes en schitterende koninginnen, kruipende slangen en lenig jagende katten liet zien. Maar dit had ze me nooit laten zien. In een oogwenk was de verandering voltrokken, en daar stond een meisje van achttien, met zachtroze blosjes op haar bleke wangen, met grote, onschuldige ogen zo blauw als de zomerhemel, en haar haar golfde over haar blote schouders, rood-goudkleurig als fijne klaverhoning. Ze droeg een jurk in de kleur van bosviooltjes en aan haar voeten had ze schoentjes van zacht geitenleer, dansschoentjes. Ik hoorde de geschrokken uitroep van mijn oom Sean, ik hoorde het mooie meisje dat niet mijn moeder was zeggen: 'Ciarán?' met een zachte, lieve stem die trilde van aarzelende vreugde. Ik zag de uitdrukking op het gezicht van mijn vader; zijn beveiliging was weggevallen en op dat moment was hij volkomen weerloos. Het meisje hield iets losjes in haar hand, dat half schuilging in de zijden plooien van haar jurk; iets glimmends, iets dodelijks. Ik deed mijn mond open om hem te waarschuwen, om een toverspreuk uit te spreken, of wat dan ook, maar ook ik aarzelde; het meisje keek me aan, met ogen vol liefde; het was mijn moeder...

Finbar kwam in actie. Snel als zonlicht kwam hij overeind uit zijn geknielde houding en rende de cirkel in, vloog, met zijn vleugel ge-

spreid om de dodelijke schicht tegen te houden toen het meisje haar arm ophief en hem naar mijn vaders borst slingerde. Hij zakte ineen, viel, lag kronkelend omwonden door het dodelijke, brandende tovermiddel dat voor zijn broer bedoeld was. Zo lag Finbar languit aan Oonaghs voeten met een bloedige, gapende wond in zijn borst waar zijn mantel, tuniek en levend vlees waren weggerukt door de kracht van de dodelijke schicht. Nu lag het ding onschadelijk naast hem, rokend; de kracht ervan was uitgewerkt. Ciarán stond er zwijgend bij; hij keek niet naar de man die stervend aan zijn voeten lag, maar naar de figuur tegenover hem, nu weer een oude vrouw; haar mond was een donkerrode spleet in haar gerimpelde gezicht, haar haar een woeste krans van warrig wit.
'U hebt mijn broer vermoord,' zei Ciarán met een stem als die van een klein kind. 'U hebt hem vermoord.'
Conor had één smartelijke kreet geslaakt toen hij Finbar zag vallen. Nu prevelde hij spreuken en zijn zachte woorden vielen als tranen in de bittere stilte. Ik zag dat Seans gezicht verwrongen was van verdriet; ik voelde een verscheurende pijn in mijn eigen hart, ik die gedacht had dat ik geen treurigheid meer kon bevatten. Terwijl het kakelende gelach van mijn grootmoeder door de lucht sneed, knielde mijn vader naast Finbar neer en pakte zijn hand, zonder acht te slaan op gevaar.
'Moge de aarde je ontvangen en beschutten,' zei Ciarán zacht. 'Mogen de wateren je zacht wegdragen naar je nieuwe leven. Moge de westenwind je snel en veilig dragen. Het vuur heb je al in je hoofd, broer, sterk en verfijnd, want je bent altijd een kind van de ziel geweest. Vandaag heb je je leven voor mij gegeven; ik zal dat geschenk niet verspillen. Je hebt mijn woord, het woord van een broer.'
Toen glimlachte Finbar, en stierf; en even werd de lucht donker, alsof er een schaduw over ons heen ging. En toen ik nog eens met mijn ogen knipperde, had ik de indruk dat de man die daar levenloos op de harde grond lag, een man was die niet aangeraakt was door het kwaad, een man aan wie helemaal niets mankeerde, want zijn beide armen lagen uitgestrekt langs zijn zijden en zijn heldere ogen staarden omhoog in de hemel alsof ze een antwoord zochten dat ver, ver buiten het domein lag waarin zijn familieleden naast hem stonden, met rouw in hun hart.
Toen kwam mijn vader weer overeind en wendde zich naar de tovenares, en haar gezicht veranderde toen ze de uitdrukking in zijn ogen zag. Ik mocht hem dit niet laten doen; het was niet goed dat

een zoon het werktuig was waarmee de moeder werd gestraft. Dit was mijn eigen taak; nu was het mijn tijd.
'Nee, vader,' zei ik zacht, terwijl ik opstond en naar voren liep. 'Dit moet op de juiste manier gebeuren. Uw rol is afgelopen.'
Het hoofd van vrouwe Oonagh draaide bliksemsnel mijn kant op; haar lippen gingen uiteen. Ze leek de overwinning te ruiken. 'Fainne,' kirde ze, 'kindlief, wat dapper van je. Je kunt hier beter buiten blijven, denk ik. Dit gaat jouw beperkte vermogens ver te boven. En ik zie dat je ernstig verzwakt bent. De gedaanteverandering heeft veel van je gevergd. Maak jezelf niet belachelijk, kindlief. Laat dit maar aan je vader over.' Toen werden haar ogen groot en ze slikte heftig, en haar handen klauwden en balden zich tot vuisten toen ze voelde dat ze in de greep van mijn betovering kwam; een betovering die haar vasthield op de plaats waar ze stond, zodat ze kon zien en kon spreken, maar zich niet kon bevrijden. In haar woeste blik zag ik het besef dat ze me volkomen had onderschat.
'Heel slim,' zei ze afgemeten. 'Ik heb het je goed geleerd. Het zij zo, je kunt me alles aandoen. Maar het heeft geen nut. Ik heb deze slag gewonnen, ongeacht jouw listige kunstgrepen. Misschien heeft Zeven Wateren de slag niet verloren, maar de Eilanden zijn zeker verloren, en het uiteindelijke doel van het Feeënvolk zal niet worden bereikt. Ja, ik weet het, ze staan daar te kijken; kijk maar achterom, dan zul je hen zien, de Vrouwe van het Woud en haar Vuurheer, de geweldenaars van beken en oceanen, van hoogten en galmende grotten. Zeven Wateren kan niet winnen. Het kind leeft, maar hij kan de profetie niet in vervulling doen gaan. Dat heeft hij domweg niet in zich.'
Mijn vader glimlachte geheimzinnig. Hij keek naar mij, en ik keek naar hem.
'Wat bedoelt u?' vroeg Conor. Zijn gezicht was nat van de tranen; hij zag er grijs en oud uit. 'Johnny heeft zijn mannen dapper aangevoerd, bijna ten koste van zijn leven. Hij heeft hier op het veld de overwinning behaald, en de Eilanden zijn dus herwonnen voor Zeven Wateren. Wat kan er dan nog meer zijn?'
Vrouwe Oonagh lachte, en haar lach klonk jeugdig en zorgeloos, alsof er kleine klokjes tinkelden. 'De veldslag was nog maar het eerste gedeelte, mijn beste kleine druïde. Het gaat om wat er daarna gebeurt. Het kind van de profetie moet de wacht houden; een heel eenzame wacht, niet minder dan het langdurig behoeden van de geheimen van de oude leer; het hart van de mysteriën die de Feeën zo

waakzaam koesteren. Hij moet daarginds naar boven klimmen, naar de top van die puntige rots in de zee, en daar alleen leven, zijn hele leven in eenzaamheid slijten, om die dingen te behoeden. Zonder de Wachter in de Naald zullen de oude dingen wegkwijnen en uitsterven, en het Feeënvolk met hen. Dit wordt misschien niet allemaal in de profetie gezegd, maar het is wel waar. Vraag het maar aan Ciarán. Hij heeft het uitgezocht. Vraag het aan de grote heren en dames van de Túatha Dé; zij zullen het je zeggen.'

'De Wachter in de Naald?' Seans stem klonk rauw van ontzetting, bitter van teleurstelling. 'Moet hij daar alleen wonen, in de cel onder de lijsterbessen? Johnny is de erfgenaam van Zeven Wateren; hij is een krijgsheer, de toekomstige hoeder van de túath; hij is van levensbelang voor de veiligheid en het welzijn van onze mensen. Wilt u ons vertellen dat na dit alles, de slachting, de verliezen, de eigenlijke strijd nog altijd niet gewonnen is? Dat de profetie niet in vervulling kan gaan, het evenwicht niet hersteld kan worden, tenzij Johnny dit offer brengt?'

Het bleef een tijd stil. Toen sloeg Conor zijn handen voor zijn gezicht en boog zijn hoofd.

'Alles is verloren,' zei hij. 'Want dit kan de jongen niet doen; dat weten we allemaal. Johnny is een krijger; zijn hart klopt op het ritme van het zwaard, en niet volgens het trage verloop van het oude verhaal. Zijn moeder heeft deze weg voor hem afgesneden, lange jaren geleden, toen ze ervoor koos hem mee te nemen uit het woud. Hij is geen geleerde, geen mysticus; op zo'n plek zou hij nog voor het jaar een wenteling had gemaakt van Samhain tot Samhain, gek worden. Johnny kan dit niet doen, en als dit werkelijk waar is, dan is alles voor niets geweest.'

'Wijze woorden, broer,' zei Ciarán ernstig. 'De jongen moet teruggaan naar Zeven Wateren en later de plaats innemen die hem in het grote patroon toekomt. Hij zal de hoeder van het woud en van de mensen zijn, en zal op zijn beurt deze taak op edele wijze vervullen, net als zijn oom nu.'

'Ah!' zei vrouwe Oonagh scherp; ze worstelde nog steeds om zich los te maken uit de betovering waarin ik haar gevangen had. 'Je bent het dus met me eens. Je ziet het, ik heb het bij het rechte eind gehad. Het is afgelopen met het Feeënvolk.'

'Ik kan het niet geloven, maar het moet wel,' zei Conor met een stem die zwaar klonk van verslagenheid.

'Toch niet,' zei mijn vader. 'Een profetie is nooit eenduidig. Ze heeft

evenveel bochten en wendingen als het oude verhaal zelf. Net als bij een puzzel kan er meer dan één oplossing zijn.'
Er was een kleine verstoring in de lucht naast me; geruis van veren. En aan mijn andere kant een knerpend geluid van rollende kiezelstenen. Opeens werd ik geflankeerd door de Fomhóire. Ik hoorde meer geritsel, gesnuif en gekwetter, waaruit ik opmaakte dat ze ook achter me waren.
'Ahum,' zei het uilwezen. Rondom de cirkel stonden de mannen in volkomen stilte, met grote ogen te kijken; zoiets grappigs hadden ze in jaren niet gezien, en het was zo vreemd dat ze hun angst bijna vergeten waren. 'Jullie hebben ons geloof ik over het hoofd gezien. Voor de zoveelste keer. Maar dat maakt niet uit. Kom, Fainne. Het is tijd om de waarheid te vertellen. Het is tijd om hun te vertellen dat het altijd een goed idee is om iets achter de hand te houden, bij wijze van spreken, voor het geval dat alles niet zo gaat als je had voorzien. Het Feeënvolk begrijpt dat niet, maar wij zijn hier al heel lang, o zo lang. Wij kennen de waarde van een reserve.'
'Oom,' zei ik, terwijl ik de tranen wegslikte die nog steeds over mijn wangen leken te stromen. Ik knipperde met mijn ogen zodat ik Conors vermoeide gezicht beter kon zien toen ik voor hem kwam staan. 'Alles is nog niet verloren. Johnny kan niet naar de Naald gaan om de profetie in vervulling te doen gaan; maar ik kan dat wel.'
'Jij?' Sean was degene die dit zei, en hij keek me met een woest gefronst voorhoofd aan. Hij was er kennelijk nog lang niet zeker van aan wiens kant ik stond.
'Het is waar,' zei mijn vader, die naast me kwam staan. Zijn stem had een diepe, volle klank. 'Er was een patroon, dat door het Feeënvolk was bepaald. Liadan heeft daar verandering in gebracht. Zij heeft ervoor gezorgd dat haar zoon de voor hem bedoelde rol niet kon spelen. Maar de profetie zegt niets over een man, en ook niets over krijgers en veldslagen. Fainne, jij moet dit maar aan je oom uitleggen.'
Ik keek hem met grote ogen aan. 'U wist het,' fluisterde ik, in tweestrijd tussen verbazing en woede. 'U wist het al die tijd al, en u hebt het niet tegen me gezegd?'
Ciarán schudde zijn hoofd; om zijn strenge mond speelde een lachje. 'Ik vermoedde het alleen; je weet deze dingen nooit. Als ik het zeker had geweten, had ik het je misschien verteld, dochter. Maar misschien ook niet. Als jij het geweten had, zou je reis anders zijn

verlopen, en misschien in mislukking zijn geëindigd. Op deze manier ben je gesterkt door je fouten en hebben je problemen je voorbereid op de lange wake die voor je ligt.'

'Wat!' sputterde vrouwe Oonagh, die nog steeds stevig vastgehouden werd door de betovering. 'Wat zeg je daar, stuk ongeluk? Dat kan niet waar zijn! Het meisje draagt geen teken – zij kan het niet zijn!'

Ik draaide me weer zo dat de tovenares me heel duidelijk kon zien. 'U noemde mijn opleiding daarstraks half voltooid,' zei ik tegen haar. 'Maar iets wat mijn vader me wel geleerd heeft, was hoe je puzzels oplost; op tekenen te letten. Ik zou dit eerder geweten hebben, als ik op het idee was gekomen de woorden van de profetie nauwkeuriger te bestuderen. Ze spreekt over een kind van Erin en van Brittannië, dat tegelijkertijd noch Iers noch Brits is. Mijn moeder, die u zo verachtte, was een dochter van Zeven Wateren, een kind van het woud. Maar haar vader was Hugh van Harrowfield, een Brit, die uit eigen keuze huwde met een vrouw van Erin, en zijn leven sleet in ballingschap, ver van zijn geboorteland. Mijn vader is een tovenaar, en ook hij is een kind van Zeven Wateren; namelijk een zoon van heer Colum, ooit een krachtig leider van de mensen van het woud, tot u hem in de val lokte; tot uw wraakzucht ervoor zorgde dat hij het spoor bijster raakte. De mensen van Zeven Wateren hebben u toen bevochten, en ze hebben het gewonnen, en dat doen ze vandaag weer. Ik ben werkelijk een kind van Erin en van Brittannië; en toch ben ik geen van beide, want ik ben nog meer. Ik draag in mijn bloed de kiemen van vier geslachten, de erfenis van mijn voorouders, de Fomhóire, en de lijn van het Feeënvolk zelf, via u, mijn grootmoeder. Zelf stamt u immers ook af van het volk dat u zo verfoeit, via een lijn van uitgestotenen?'

Mijn grootmoeder beefde over haar hele lichaam van woede en ongeloof.

'Dit betekent niets!' siste ze. 'Mooie woorden, listige redeneringen, druïdegewauwel! Jij kunt de profetie onmogelijk in vervulling doen gaan! Het Feeënvolk kan niet winnen! Heb je wel gedacht aan het teken van de raaf? Jij zielig, kreupel misbaksel van een meisje, hoe kun jij daar aanspraak op maken? Je bent geen held; je bent even zwak en nutteloos als je moeder was!'

Mijn vingers voelden aan Riona's botergele haren, aan haar met bloed bevlekte rokken. Aan mijn voeten lag Finbar languit op de grond, met zijn donkere haar verward om zijn hoofd, zijn gelaat

bleek en kalm. Een eind verder, binnen de cirkel, lag Eamonns lichaam nog waar hij was neergevallen. Als hij er niet geweest was, zou ik gestorven zijn en zou vrouwe Oonagh deze slag hebben gewonnen. Woorden leken me niet meer te deren. Het enige dat ik nog kon voelen was een soort leegte. Mijn hart was verdoofd. Maar ik wist dat ik door wilde gaan; ik moest doorgaan, anders zouden deze doden werkelijk voor niets gevallen zijn.
'U vergist zich, grootmoeder,' zei ik zacht. 'Profetieën zijn volgens mij net zoiets als het Gezicht. Ze tonen de dingen vervormd, of net even veranderd, zodat je goed moet zijn in het oplossen van puzzels om ze te begrijpen.' Ik trok de halsopening van mijn jurk opzij, en mijn vingers raakten het kleine litteken aan dat nog steeds zichtbaar was op de blanke huid van mijn schouder. 'Fiacha heeft me een keer gepikt, toen ik een kind was. Een raaf heeft een scherpe snavel; ik draag nog altijd dat litteken. Zo willekeurig kan de uitleg van een groot mysterie blijken te zijn. Ik draag werkelijk het teken van de raaf. Ik ben een kind van Erin en van Brittannië. Ik ben in elk opzicht het kind van de profetie, net zo goed als Johnny dat is. Bovendien...'
'Bovendien,' zei Conor, bij wie het besef begon te dagen, 'ben je opgevoed als een druïde, of je vader dat nu zo bedoelde of niet. Grootgebracht in discipline, in het verduren van ontberingen, in kennis van het oude verhaal. Opgevoed in liefde voor eenzaamheid, en opgeleid in de kunst van de magie.'
'Wat zeg je nou?' Sean keek me met grote ogen aan; hij werd kennelijk verscheurd tussen ontsteld begrijpen en ontluikende hoop.
Maar ik was plotseling moe, vreselijk moe, en kon nauwelijks meer bedenken hoe ik moest reageren; en voor mijn ogen begon mijn grootmoeder opnieuw te vechten tegen de betovering; ze rukte met benige handen aan de onzichtbare banden en had haar puntige tanden ontbloot van verschrikkelijke woede.
'Nee!' siste ze. 'Dit kan niet waar zijn!'
'Ik denk dat het waar is,' zei mijn vader kalm, en hij kwam achter me staan om zijn hand op mijn schouder te leggen. 'Ik denk dat u zult ontdekken, moeder, dat u een ernstige beoordelingsfout hebt gemaakt door uw kennis met mij te delen en me vervolgens af te danken omdat ik uw aandacht niet waard zou zijn. Als druïde heb ook ik geleerd puzzels op te lossen, en eerbied te hebben voor het bestaande. Als tovenaar heb ik geleerd spelletjes te spelen, en ik speel altijd om te winnen. U koos mijn dochter uit om uw wil uit

te voeren, en door dat te doen hebt u het wapen gesmeed dat u zal vernietigen. In de smeltoven van uw wreedheid, in uw streven haar wilskracht en uithoudingsvermogen op de proef te stellen, hebt u zelf het kind van de profetie geschapen, en daarmee het werktuig dat uw ondergang zal bewerkstelligen. Ik heb haar zo goed mogelijk voorbereid; u hebt haar tot perfectie bijgeschaafd.'

'Kom.'

Er viel een plotselinge stilte, want dit was een andere stem, en de mannen deinsden verbaasd terug. Vanuit elk kwartier van de cirkel trad een wonderbaarlijk wezen naar voren, elk langer dan een mens van sterfelijke afstamming, en zo oogverblindend schoon dat het was alsof de zon opnieuw was opgegaan, hier op deze kale helling. Het waren de Túatha Dé; zij hadden toegekeken en gewacht tot dit gevecht, deze discussie afgelopen was. Nu kwamen ze naar voren, met ernstige, bleke gezichten, en hun stemmen waren als het kabbelen van helder water over kiezelsteentjes, of het verre gerommel van een onweer in de herfst.

'Ik ben Deirdre van het Woud.' Een vrouw kwam naar me toe, en stak haar lange, witte hand uit. Haar haren golfden over haar rug als een gordijn van donkere zijde; haar ogen waren het diepe blauw van de avondhemel, een kleur die terugkwam in de vloeiende plooien van haar mantel. 'De tijd gaat snel. Wij zijn gereed.'

'Kom, vuurkind.' Dit werd gezegd door een man, als je zo'n wonderbaarlijk wezen een man kon noemen; zijn haar was felrood, een krans van vlammen die om zijn hoofd dansten en vonkten. Ook zijn ogen vonkten; ondeugend, gevaarlijk. 'Je lange taak wacht op je. Kom, nu.'

'Wij zullen je erheen brengen.' Dit wezen had een stem als de oceaan, zacht en krachtig, een geluid als de golven die de weergalmende ruimten van de Honingraat binnenspoelden. 'De zee zal je dragen.' Ik zou niet kunnen zeggen hoe zij eruitzag, behalve dat ze uit water bestond, doorschijnend en toch duidelijk, een bewegend, veranderend wezen met franjeachtig haar en wilde ogen, en handen en voeten die even vloeibaar waren als eb en vloed in poelen tussen de rotsen.

'Nog niet!' Het vierde wezen sprak, en allen draaiden zich zo dat ze naar hem konden kijken. Hij was niet veel meer dan een oneffenheid in de lucht; een vermoeden van een glinsterend gewaad, het gloeien, nu eens zichtbaar, dan weer niet, van een paar diepe, glanzende ogen, het schitteren van haar als sliertjes van edelsteen-

tjes die bewogen in de wind. 'Hier moet nu een eind aan komen. Ga naar voren!'
Het was een bevel dat niet kon worden geweigerd; een stem met macht. Maar deze woorden waren niet tegen mij gericht. De door mij opgewekte betovering brak opeens af, verpulverd door een hogere vorm van magie. Ik voelde de handen van mijn vader op mijn schouders; ze grepen me stevig vast toen vrouwe Oonagh naar me toe kwam, een tikje onvast ter been, en haar lange, roofdierachtige vingers naar me uitstrekte.
'Ik zal je vernietigen!' krijste ze, bevend van top tot teen, en de dreiging in haar donkere ogen was genoeg om de sterkste wil te verlammen. 'Ik zal je aan stukken scheuren, kleine zwakkeling die je bent!'
Rondom haar stonden de grote heren en vrouwen van de Túatha Dé zwijgend en roerloos opgesteld. De handen van mijn vader waren sterk en warm; door zijn aanraking voelde ik zijn liefde. Conor prevelde binnensmonds oude woorden. De barrière van vuur brandde nog steeds en hield iedereen tegen die zo onverstandig zou zijn met zwaard of speer tussenbeide te komen.
Ik voelde totaal geen angst toen ik haar zag naderen, hoewel de giftige uitdrukking in haar ogen ijzingwekkend reëel was. Ik voelde niets dan de leegte vanbinnen, en het besef van mijn eigen macht.
'Dit is jouw taak, Fainne,' zei de Vrouwe van het Woud zacht. 'Zo is het bedoeld. Maak een einde aan de lange duisternis. Gebruik datgene wat je geleerd hebt.'
En dus keek ik mijn grootmoeder recht in de ogen, die een weerspiegeling waren van mijn eigen ogen, en ik sprak de woorden uit van een kleine betovering die ik lang geleden onder haar toezicht perfect had leren uitvoeren. Hier was ik altijd goed in geweest, en nu vloeide de magie even sterk en zeker door me heen als destijds in Kerry, in de tijd voor ik van huis was weggereden en erachter was gekomen dat liefde nog het allerwreedste is. In het moment voor ze veranderde, zag ik het besef in haar ogen, de wetenschap dat ze verslagen was, en de doodsangst.
'Van al het kwaad dat u hebt gedaan,' fluisterde ik, 'is er één ding, één ding maar dat ik u nooit kan vergeven. Maar ik zal u niet doden. U kunt uw geluk beproeven, net als iedereen.' Toen knipte ik met mijn vingers, en de angstaanjagende tovenares werd een boerenkip, die hier en daar in de grond pikte aan mijn voeten en bang was van al die mensen. Ik knipte weer met mijn vingers, en daar

glibberde en kronkelde een kleine slang, glimmend, donker als rijpe moerbeien, die snel wegschoot om te ontsnappen, tot ik hem veranderde in een krabbelende kakkerlak, glanzend zwart. Ergens achter me hoorde ik geritsel van veren, een kleine verandering in de toestand van alles. Ik bewoog mijn hand en fluisterde iets; de kakkerlak werd een dikke veldmuis, goed doorvoed van het opgeslagen graan van afgelopen zomer. Hij rende weg, want nu lag er een grote, bemoste steen, een mooie schuilplaats voor een klein wild diertje. Maar toen de muis bij de steen aankwam, rolde die een eindje weg; en even later dook er een vogel omlaag, snel en dodelijk, en vloog weer op met het piepende, spartelende beestje stevig in zijn snavel. De uil met het rafelige verenpak streek keurig neer boven op de bemoste kei; hij slikte één keer, en van de muis was alleen nog een wild zwiepende staart te zien die uit de punt van de snavel stak. De uil maakte nog een slikbeweging, en de muis was weg. Niemand van ons sprak een woord.

'Kom, Fainne.' De Vrouwe van het Woud reikte me weer haar bleke, gladde hand, om me weg te leiden. 'Het is tijd.' Ze wendde zich tot de mannen die daar bijeen waren, tot Sean en Conor, tot de leiders van Brittannië en van Erin. 'Het meisje heeft de waarheid gesproken,' zei ze. 'Neem haar waarschuwing, en de mijne, ter harte. Na vanavond kan niemand hier veilig blijven. Na vanavond zal geen menselijke voet deze kusten betreden, behalve de voeten van deze jonge vrouw. Gebruik de schepen die je kunt gebruiken, voer je mannen onverwijld weg van hier en vaar naar een veilige haven. Want als jullie op de Eilanden blijven, zullen jullie tot de laatste man omkomen. De profetie is in vervulling gegaan. De queeste is voorbij. Ga naar huis en begin opnieuw met jullie leven.'

'Op ditzelfde moment onderhandelen jullie zonen over vrede.' Dit werd gezegd door de Heer met de vlammende haren, en zijn stem klonk plechtig en diep als de donder. 'En dit wordt alsnog met gemak geregeld, door iemand die zo verstandig en moedig is als het kind van de profetie. Want twijfel hier niet aan, ook de jongeman heeft hier zijn rol gespeeld; zonder hem zou de slag niet gewonnen zijn, want hij is degene die jullie mannen de moed geeft die hen staande houdt. Zonder hem zal er geen vrede worden gesloten tussen Northwoods en Zeven Wateren, tussen Harrowfield en zijn buurman. Johnny is het kind dat wij zelf in het leven hebben geroepen; zijn afstamming is door ons ontworpen.' Ik hoorde een kuchje achter me; de Ouden schenen een andere mening te hebben

over dit punt, maar ze gingen niet tegen de strekking van zijn woorden in. 'De jongen is een zeldzaam en lichtend voorbeeld voor jullie allemaal. Volg hem, dan kunnen jullie zowel je landerijen als het woud behouden, een tijdlang. Een tijdlang.' Achter zijn aangrijpende woorden school een diepe treurigheid.
'Kom, Fainne.'
Ik kon niet langer weigeren mee te gaan; het was inderdaad tijd. De krijgers verspreidden zich snel; sommigen begaven zich op bevel van Slang naar de ankerplaats om schepen in te laden en ze gereed te maken voor vertrek. Er moesten veel mannen van deze kust worden weggevoerd, wat een wonder aan organisatie zou vergen. Maar de mannen van Inis Eala waren daar goed in. Tegen de tijd dat de avond viel, zouden ze allemaal veilig vertrokken zijn. In het groen gestoken krijgers tilden Eamonns slappe lichaam op; ze trokken de speer eruit. Mannen van Zeven Wateren bedekten de haveloze, vredige vorm van Finbar met een witte doek waarop het symbool van de twee verstrengelde torques te zien was. Sean keek naar de wachtpost, want daar stond Edwin van Northwoods te wachten.
'Een ogenblik nog,' zei ik tegen mijn Anderwereldse gidsen; want ik vond dat ze me, omdat dit een scheiding voor altijd was, tenminste wat tijd konden gunnen. Ik wendde me tot mijn oom, de heer van Zeven Wateren.
'Zeg tegen de meisjes dat ik hen niet zal vergeten,' zei ik met een zo vast mogelijke stem. 'Zij hebben me geleerd wat familie is, en nog veel andere dingen. Ik zou er graag zeker van zijn dat Eamonn een mooi afscheid krijgt, een eervol afscheid met lichten en muziek, want hoewel hij veel fouten heeft gemaakt, is hij uiteindelijk dapper gestorven. En zeg tegen Maeve... zeg tegen haar dat het me spijt. Het spijt me heel erg.'
In Seans ogen zag ik verdriet, maar ook een zeker respect. Hij knikte en kuste me eerst op mijn ene wang en toen op de andere, maar hij sprak geen woord.
'Vaarwel, oom,' zei ik tegen Conor.
'Vaarwel, lief kind.' De uitdrukking op zijn gezicht was heel ernstig. 'Dit is een afscheid voor lange tijd. Ik wilde dat ik je kon helpen. Je bent nog zo jong, om zo'n taak toevertrouwd te krijgen. Zo jong, met je hele leven nog voor je.'
'Ik geloof dat dat niet belangrijk is,' fluisterde ik, en de tranen begonnen weer te stromen. 'Laat ik dit maar doen, want het is het enige waar ik voor deug.'

'Het enige?' herhaalde Conor. 'Volgens mij is het wel iets groots en geweldigs.'
Hij begreep het niet. Geen van hen begreep de holle leegte binnen in me. Ik wendde me tot mijn vader.
'Vader?'
Ciarán keek op me neer; zijn gezicht was erg bleek, zijn donkere ogen stonden ook nu nog behoedzaam. 'Ik heb veel vertrouwen in je, dochter,' zei hij. 'Dat heb ik altijd gehad. Veel vertrouwen, en ik ben heel trots op je. En ik hou van je. Vergeet dat nooit.'
'Vader, gaat u nu terug? Naar Zeven Wateren, uw eigen thuis? Ze hebben u nodig. Conor is oud en moe. Het is tijd dat de familiebanden worden hersteld, en dat de wijsheid van uw eigen geslacht in het woud hernieuwd wordt. En er is daar een klein meisje dat een groot mystica zou kunnen worden, als u haar les zou willen geven. Ik heb veel schade aangericht, vader, hoewel ik niets anders wilde dan de mensen die ik liefhad beschermen. Ik wilde ervoor zorgen dat u veilig was, en... en...'
Mijn woorden eindigden in stilte.
'Je bent heel sterk geweest; uiteindelijk was je sterk genoeg voor ons allemaal. Ik zal over je verzoek nadenken.' Hij wierp een blik op de in wit gehulde vorm die aan onze voeten op de grond lag. 'Misschien is het eindelijk tijd dat deze wonden geheeld worden. Vaarwel dan, dochter.' Hij boog zich voorover om me op mijn voorhoofd te kussen. 'Moge de hand van de godin zacht op je rusten; moge de zon je dagen verwarmen, en de maan je dromen verlichten.'
'Vaarwel, vader. Ik zal u altijd in mijn hart meedragen.'
Maar terwijl de Feeën me naar beneden leidden naar het strand, waar een lange, donkere boot op de kiezels lag te wachten, had ik het gevoel dat mijn hart leeg was; dat alles wat het ooit had bevat, eruit was weggespoeld en dat het nooit meer gevuld kon worden. Het scheen er niet toe te doen wat me in de toekomst wachtte, hoe eenzaam en gevaarlijk de taak zou zijn. Het scheen er niet toe te doen wat ik achterliet. Dat begrepen ze niet. Niemand van hen begreep het. De Ouden hadden gelijk gehad. Ik had mijn enige schat weggeworpen. Ik had niet geweten hoeveel ik te verliezen had, tot het al weg was. Nu had ik alles verloren, en het was mijn eigen keus geweest.
De boot gleed van de oever af zonder dat er een zeil of een riem aan te pas kwam, zonder bemanning om hem door het gevaarlijke tra-

ject naar de Naald te loodsen. Achter me op de oever stonden de Feeën toe te kijken, ernstig en zwijgend. Ik drukte Riona stijf tegen me aan alsof ik weer een klein kind was, terwijl de boot steeds sneller van het land wegvoer.

'Het is niet eerlijk,' fluisterde ik woest. 'Darragh was zo'n goed mens, hij heeft nooit iets verkeerds gedaan, en zij heeft hem gedood, alleen maar vanwege mij. En Finbar is ook gestorven om mij, omdat ik hem hierheen heb laten komen. Niemand begrijpt het. Niemand weet het. Ze verwachten dat ik me een soort heldin voel; alsof ik vervuld ben van een groots doel. Maar er is alleen maar leegte in me.'

En ik had de indruk dat ik het stilzwijgende stemmetje van de pop hoorde, terwijl ik in haar donkere, ondoorgrondelijke ogen keek. *Ik weet het*, zei ze. *Ik, die door Niamh eigenhandig is gemaakt, steekje voor steekje, draadje voor draadje. Ik weet wat liefde is.*

Ik keek naar de kust achter me, waar Conor en mijn vader nu naast elkaar stonden, en elk hun hand opstaken als groet en afscheid. Hun figuren werden steeds kleiner, en waren ten slotte niet meer te zien toen het bootje naar voren schoot, gegrepen door de stroming, en steeds sneller werd meegesleept naar de verraderlijke klippen van de Naald. Ik sloot mijn ogen en gaf me over aan wat zou komen.

Het Feeënvolk reist sneller dan de westenwind, en onmerkbaarder dan een schaduw. Ze wachtten me daar op toen de boot door de kolkende wateren de Naald bereikte, een grot onder de rotsen binnenschoot en plotseling tot stilstand kwam onder een ruw uitgehouwen plaat. Deze vormde een soort pier, hoewel ik geen idee had welk vaartuig zo'n vreemde ankerplaats zou kunnen bereiken, behalve een feeënboot. De Vrouwe van het Woud stak me weer haar hand toe; ze hielp me uit de boot te klauteren en leidde me een reeks onmogelijke treden op, die waren uitgehakt in de steile rotswand. Wie zou hier kunnen leven? Het minste zuchtje wind zou je wegblazen zodat je beneden op de klippen terechtkwam; en hoe moest je jezelf in leven houden? Ik zag mezelf wegteren en eenzaam sterven op een dieet van zeewier en af en toe een schaaldier dat ik met bloedende vingers van de rotsen zou kunnen lospeuteren. Een kluizenaarsleven. Het was natuurlijk mogelijk. In Kerry was zo'n oord, de Skellig-rotsen, en de christelijke monniken hadden het daar volgehouden, tijdens de invallen van de vikingen, tijdens plundering en moord, ondanks de stormen van Meán Fómhair en de strenge greep van de winter. Jaar in jaar uit hadden ze zich aan hun bergtop vastgeklampt, en het isolement versterkte hun geloof en scherpte hun geest, zodat ze nog beter over de mysteriën konden mediteren. Ik begreep het christelijke geloof niet goed. Tijdens mijn studies had ik de indruk gekregen dat er iets aan ontbrak: eerbied voor de dingen die *zijn*: voor de macht van de aarde en de zon, voor de kracht van water en de zuiverheid van de lucht. Dat zijn de hoekstenen van het oude geloof, want hoe zou je zonder deze elementen, zonder de kennis van maan en sterren, zonder het begrip voor alles wat bestaat, ergens een zin in kunnen onderkennen? Wij maken deel uit van die wonderbaarlijke dingen, zijn eraan gebonden zoals een pasgeboren kind aan zijn moeder is gebonden; als we hen niet kennen, kennen we onszelf ook niet. Er zijn zoveel verschijningsvormen van schoonheid: snelle herten en gladde zalmen, broze winterkoninkjes en geheimzinnige zeesterren, sterke eiken en slanke berken. En dan zijn er de dingen aan de andere kant van de grens, die zich maar zelden laten zien: de ondoorgrondelijke, veranderlijke wezens van de Andere Wereld, die naast ons meelopen gedurende ons korte leven, ongezien, behalve wanneer ze zich willen tonen, of wanneer we zelf die grens leren over te gaan. Met Samhain zien we hen misschien, of in dromen en visioenen; maar het is niet zoals het vroeger was, toen de Ouden over de aarde liepen en de grenzen tussen de grootse dingen die *zijn* en degenen die er de hoeders van zijn, nauwelijks zichtbaar waren. Wat nu het mensenras betreft, wij vormen een klein onderdeel in deze lange weg, heel klein; maar toch is ieder van ons kostbaar, een juweel van grote waarde, en we zijn allemaal verschillend. Het Feeënvolk zag het waarschijnlijk niet zo, dacht ik. Zij konden niet begrijpen dat het verlies van één mensenleven zo zwaar kon wegen, want hun gedachten hielden zich bezig met het grote patroon; mijn belang was alleen gelegen in de rol die ik voor hen zou spelen.

We bereikten de laatste treden. Ik was buiten adem en duizelig, want ik had niets gegeten sinds ik van Inis Eala was vertrokken. Hier ging de steile wand over in een klein plateau, omgeven door een natuurlijke rotswand. Er stonden lijsterbesstruiken, dichtbebladerd en vol met bessen, hoewel het nog nauwelijks lente was. Deze kleine, beschutte plaats werd niet gegeseld door de wind; integendeel, de plek ademde een vreemd kalme sfeer, alsof hij op de een of andere manier was afgezonderd van de rest van de wereld, van storm en vorst, van het verstrijken der seizoenen, misschien zelfs van de tijd als zodanig. In het midden van de open ruimte welde een bron op tussen platte stenen, en het water vormde een poel in een bekken van steen voor het via een smalle geul naar de rand stroomde en daar neerviel naar de zee ver beneden. Naast het bekken stond een kleine beker. Of er woonde hier iemand, of de plek was voor mij in gereedheid gebracht.

'Het is lang geleden,' zei de Vrouwe van het Woud, 'dat hier een mens heeft gewoond. Er is ooit een druïde geweest. Het is een moeilijke roeping; de Naald is nu al onbewoond sinds een tijd die verder teruggaat dan de herinnering van een levend mens, of van zijn vaderen, of hun vaders vaderen. We hadden bijna alles verloren. Zeven Wateren heeft zich de Eilanden laten ontnemen; de indringers hakten alle heilige bomen om en bezoedelden de heilige bron; ze liepen in de grotten der waarheid. Maar ze zagen niets. Ze begrepen niets. De mysteriën openbaren zich slechts aan enkelen, alleen aan degenen die het patroon begrijpen.'

'Als dat zo is,' zei ik, 'waarom laat u alles dan niet gewoon zoals het is? Waarom hebt u dan een zwak, menselijk werktuig zoals ik nodig om hier voor u te blijven en toezicht te houden als een soort... opzichter? Alles regelt zich toch vanzelf wel? U zou de mensen toch weg kunnen houden met toverij? Met mist, storm of zeemonsters? Waarom hebt u daar het kind van de profetie bij nodig?'

De vurige Heer verscheen naast haar. Ik had gemerkt dat zijn optreden een zekere overdadigheid had; hij leek geneigd zich te hullen in plotselinge vonkenregens en kleurige lichtflitsen.

'Ah,' zei hij met een grimmig lachje. 'De verklaring ligt in de woorden als zodanig. De profetie moet gerespecteerd worden. We kunnen haar een handje helpen, maar uiteindelijk bepaalt zij het verloop van alles. Wij hebben lange tijd geweten dat onze dagen geteld waren; we hebben geweten dat deze profetie in vervulling moest gaan, wilden we een kans hebben om te behouden wat ons allen zo dierbaar is. Onze tijd nadert zijn einde. De Ouden waren beter af, want hoewel zij een zwak, lamgelegd ras zijn, bezitten zij niettemin de wijsheid van de aarde zelf, het vermogen op te gaan in de omgeving en onzichtbaar te blijven, en hun bestaan voort te zetten. De Túatha Dé beschikken over andere kunsten. Ooit waren wij werkelijk groot, heersers over het rijk van Erin, oppermachtig en sterk. Toen schitterden wij; in ons waren mysterie en wonderen, magie en betovering belichaamd. Maar de wereld verandert. In dit tijdperk van het mensengeslacht zijn de plaatsen waar wij ons kunnen ophouden beperkt. Het woud van Zeven Wateren is een van de laatste van zulke plekken; en zolang heer Sean daar regeert, en na hem het kind, Johnny, kunnen wij nog veilig onder die eiken wandelen. De aartsdruïde is een van de waarachtige mensen van Zeven Wateren; hij zal de naleving van het oude geloof in stand houden en anderen daartoe inspireren. En ook Ciarán zal zijn tijd en zijn invloed hebben, ook al is hij háár zoon. De man is sterk van karakter en heeft veel te geven. Zij zullen voor het woud en zijn bewoners nog een seizoen, een jaar, een mensenleven kunnen winnen. Maar er zal toch binnenkort een tijd komen dat zelfs dat oeroude woud ten offer zal vallen aan de bijl, om plaats te maken voor de weiden, de nederzettingen, de torens en muren van de mens. Hij denkt in zijn onwetendheid dat hij de aarde zelf kan temmen, dat hij de oceaan naar zijn hand kan zetten. En op die manier zal hij het lichaam van de moeder die hem baarde, verwoesten, zonder te weten wat hij doet. De oude gewoonten zullen vergeten worden, Fainne, wat wij ook doen. Er begint een nieuwe tijd; een tijd van duisternis waarin degenen die op aarde wandelen afgesneden zijn van de dingen die hun het leven geven.'

'Zonder jou zal alles verloren zijn.' Dit werd gezegd door het wezen dat uitsluitend uit lucht en licht leek te bestaan; het enige dat ik van hem kon zien, waren zijn lichtende ogen en de gouden draden van zijn haar. 'Want zolang de mysteriën levend blijven in het hart van één menselijk wezen, zolang de kennis van ons geslacht daar veilig rust, zijn we niet voorgoed verdwenen, maar wachten we alleen, dromend, tot de tijd komt voor vernieuwing, voor de wedergeboorte van het heilige verbond, het begrijpen van de grote kringloop van het bestaan.'

'Jij moet deze dingen laten voortleven, Fainne,' zei het waterwezen, wier lange haren om haar schouders golfden als fijne draden wier. Ik meende daar zelfs kleine, glinsterende visjes te zien zwemmen, die tussen de slierten heen en weer schoten. 'Dit is de taak die jou wordt toevertrouwd.'

'Maar...' begon ik, want een voor de hand liggende vraag brandde me op de lippen.

'Kom, we zullen het je laten zien.'

De Vrouwe van het Woud nam me weer bij de hand en leidde me naar de rotswand, en nu zag ik dat er een opening was, niet meer dan een spleet die listig verborgen was, zodat je zou denken dat het alleen een lichte onregelmatigheid in het oppervlak was, misschien alleen een streep schaduw.

'Er is hier meer dan je op het eerste gezicht zou denken,' zei ze ernstig. 'Deze poorten zijn niet gemakkelijk te vinden; zo beschermen wij het weinige dat ons is overgebleven. Als je eenmaal binnen bent, zult je ontdekken dat dit een groter domein is dan je je voorstelde.'
'Zoals de ziel helder brandt, en soms te groot lijkt om binnen het kleine omhulsel van het lichaam te passen, zo is het ook met deze plek,' zei het waterwezen zacht. 'De innerlijke wereld is ruimer en complexer dan de buitenwereld, dieper en verfijnder. Hier zul je vele dingen zien; je zult zien wat was, wat is en wat misschien zal zijn. Je zult aanschouwen, en je zult onthouden.'
Het was werkelijk zoals ze zeiden. De spleet in de rotsen kwam uit in een gang, de gang maakte plaats voor een grot, veel groter en breder dan je op grond van het kleine plateau buiten voor mogelijk had gehouden. En er waren andere grotten, die aan alle kanten vanuit de centrale kamer te bereiken waren; door één opening zag ik het warme, goudkleurige licht van een lamp, en een slaapplek, met kussens en zacht linnen, en een deken die eruitzag als de harige vacht van een of ander groot wild dier. Ik keek met grote ogen rond.
'Kijk hier, Fainne.'
Het doel van deze centrale kamer was me onmiddellijk duidelijk; ik was immers opgevoed in de kennis van de mysteriën en het uitvoeren van rituelen. In het midden stond een brede, ondiepe bronzen kom, die nu leeg was; daarnaast stond op een granieten plaat een versierde bronzen kan. Boven deze ceremoniële zaken welfde zich hoog het plafond van de grot, en in het midden daarvan was een opening naar de hemel. Ik had de indruk dat het ronde gat in de rotsen precies geplaatst was, zoals ook de staande stenen in Kerry een bepaalde plaats en een bepaald doel hadden. Door deze opening was een klein stukje blauwe hemel te zien, volkomen onbewolkt. Het was misschien het middaguur, misschien iets later. Vannacht zou ik misschien naar boven kunnen kijken en één mooie ster kunnen zien; of een diepe, stille fluwelen duisternis. Op een bepaald tijdstip in het jaar zouden de stralen van de zon door de steen heen boren en het rituele water beneden met levend vuur aanraken. Dit was net zo'n grot als de plek ver weg op Inis Eala, waar Finbar alleen had gewoond. Een oude plek. Een veilige plek. De hand van de godin strekte zich erover uit; haar wiegende lichaam ondersteunde hem. Als de oude gewoonten behouden moesten blijven, ongerept moesten voortbestaan in het geheugen van één mensen-

geest, in het kloppen van één mensenhart, kon dat hier. Maar hoe lang? Ik opende mijn mond om die vraag te stellen, en het zeewezen wuifde met haar vreemde, wierachtige hand over de bronzen kom, en die raakte ogenblikkelijk gevuld met helder water. Ik deed mijn mond dicht zonder iets te zeggen. De Heer die meer uit luchtig licht dan uit materie bestond, boog zich naar voren en blies op het water, en het oppervlak vertoonde opeens een mengeling van kleine beelden, kleurig als zomerbloemen, bewegend en veranderend in een ingewikkeld, oogverblindend patroon.

'Kom, vuurkind,' zei de Heer met het vlammende haar. 'We zullen het je laten zien.'

De Vrouwe van het Woud pakte mijn linkerhand en hij pakte mijn rechterhand, en samen keken we in het water. Er was ongelooflijk veel te zien, te veel; het was verbrokkeld en door elkaar gegooid, en toch kon ik binnen de ingewikkelde bewegingen dingen zien die ik kende, die er soms waren, dan weer niet; een vis, spartelend op het droge; kooien die opengingen, dieren die snel wegvluchtten; een brandend vuur en een mannengezicht, verwrongen van pijn. Ik kneep mijn ogen stijf dicht.

'Ik kan niet waarzeggen op grond van beelden,' zei ik moeilijk. 'Ik bak er niets van. Als dit de taak is die ik voor u moet uitvoeren, hebt u de verkeerde gekozen.'

'Concentreer je,' zei de Vrouwe.

'Beheers je,' zei de vurige Heer. 'Je vindt dit moeilijk, niet omdat je te weinig kunt, maar omdat je zoveel kunt. Je moet je bereik inperken; je richten op een bepaald tijdstip, een bepaalde plek, een bepaalde reeks gebeurtenissen. Vind een patroon en sluit de rest buiten tot je er iets van nodig hebt. Hier vind je de werking van alle bestaansvormen, Fainne. Hier kun je vinden wat geweest is: de eindeloze beweging van de sterren, de stemmen van de oude rotsen, de mysteriën van de diepten van de oceaan. Je kunt de verhalen van ons geslacht lezen, en die van je eigen geslacht, en ook van andere geslachten. Je kunt zien wat is: op ditzelfde moment vertrekken je vader en de anderen van de kust van het Grote Eiland, op ditzelfde moment varen de Britten naar huis en laten een belofte van vrede achter. De meester van het schip dat hen vervoert, is een neef die je nooit hebt ontmoet: Fintan, erfgenaam van Harrowfield. Deze mensen wacht een goede tijd; een korte, goede tijd.'

'Je zult deze dingen zien,' zei de Vrouwe, 'en je zult te zien krijgen wat zal zijn, of wat misschien zal zijn. Daarin schuilt een gevaar, dat je natuurlijk beseft. Jij bent hiervoor gekozen, Fainne, vanwege je wezen. Er is voor jou geen begrenzing; er is niets dat je kan verhinderen de hoogste domeinen van de kunst te bereiken, als je dat wilt. De vrouw die je heeft gezegd dat dit niet zo was, heeft tegen je gelogen, evenals tegen je vader. Zelfs toen, toen je nog maar een kind was, voelde zij de kracht in jou; een kracht die uiteindelijk veel groter was dan de hare. Zij maakte de vergissing te geloven dat ze die kracht naar haar wil kon buigen. Ze onderschatte zowel Ciaráns sterkte als de jouwe. Het is paradoxaal, want zonder haar bloed, het bloed van de uitgestotene, zou je niet sterk genoeg zijn voor deze taak. Vrouwe Oonagh was een van de onzen. De leden van haar geslacht zijn onze schaduwen, onze tegenhangers die met ons meelopen, zodat er evenwicht is. De een kan niet bestaan zonder de ander; en toch zijn we eeuwig met elkaar in strijd. Daarom heeft zij je sterk gemaakt. Je hebt een diep inzicht voor een zo jong mens. De vaardigheden die je nog niet beheerst, zullen wij je leren. Jazeker,' ze trok haar wenkbrauwen op, met een glimlach om mijn verbaasde blik, 'wij zullen van tijd tot tijd bij je komen, in elk geval tot je je hier gevestigd hebt. Kijk nu nog maar eens; kies één enkel beeld en richt je geest daarop. Laat het voor je werken. Sluit de rest buiten.'

Ik tuurde in de poel en dacht aan de kleine Sibeal en haar volkomen, zwijgende concentratie. Zij was nog maar acht jaar oud. Ik had veel in te halen. Temidden van de chaotische werveling van beelden was er één beeld dat me aantrok. Drie kinderen die op grote stenen lagen, bij een meer. Het meer van Zeven Wateren, niet ver van het fort. Het was zomer; twee kinderen lieten hun vingers door het water gaan en keken naar de vissen. De derde, een jongen met een verwarde bos donker haar, lag op zijn rug, met zijn armen gespreid, en staarde omhoog naar de lucht. De jongen leek op Coll; hij leek ook op mijn oom Sean. Maar ik kende maar één man met zulke heldere, diepe ogen, ogen zonder kleur, behalve de kleur van wijsheid. Ik twijfelde er niet aan dat wat ik zag een beeld van lang geleden was, en dat dit kind Finbar was, die verder keek dan het domein waarin zijn broertje en zusje speelden, die in zijn eigen vreemde lot keek. Het kleine beeld veranderde, maar was toch hetzelfde. De stenen, het meer, bruine eenden die daar dobberden. De drie kinderen, zonen en dochters van Zeven Wateren. Het was nog steeds zomer, maar een andere zomer, en het waren ook andere kinderen. Een tweeling, een jongen en een meisje, visionair en donkerharig, die naar beneden reikten om de vissen te plagen die daar tussen het riet zwommen, en nog een meisje, mooi als een herfstgeest met haar grote blauwe ogen en haar lange, roodgouden haar. Het kleine zwartharige kind, dat mijn tante Liadan was, zei iets, en Sean gaf haar een por tussen haar ribben, en mijn moeder lachte, en haar lieve, zuivere gezichtje straalde van plezier. Ik boog me dichter naar het water toe, verlangend naar meer, verlangend dit kind te zien zoals ze vroeger geweest was, voordat haar blijdschap haar werd ontnomen. Maar het beeld vervaagde en veranderde weer, en ik zag mijn nichtje Sibeal. Ze zat in kleermakerszit op diezelfde steen bij het meer, met haar handen gevouwen in haar schoot. Haar ogen leken niets én alles te zien. Ze keek me aan en glimlachte; toen was het beeld weer weg.

'Je zult het snel leren,' zei de Vrouwe van het Woud, terwijl ik met mijn oogleden knipperde en in mijn ogen wreef. 'Je zult leren deze dingen in je geest en in je ziel vast te houden, en te bewaren wat kostbaar is. Je zult het oude verhaal reciteren; je zult de rituelen uitvoeren. De zon en de maan zullen je behoeden; de zee zal je fortmuur zijn, de levende steen je veilige toevluchtsoord. Bewaak de geheimzinnige band tussen de aarde en het leven dat haar bewoont, dan zal onze grote moeder jou in leven houden.'

Ik voelde me een beetje flauw, en meer dan een beetje verward. Misschien waren mijn vragen niet echt belangrijk. De opdracht die ze me gaven, was een ernstige zaak; ik moest me eigenlijk vereerd voelen. Maar ik voelde eigenlijk niet zoveel, behalve de leegte in mijn hart en de koude sporen van mijn tranen.

'Wil je ons nog iets vragen, voor we bij je weggaan?' De stem van de Vrouwe van het Woud klonk nu vriendelijker; toch kon je niet vergeten wat zij was. Deze wezens wisten niets van menselijke vriendelijkheid; voor hen waren onze leventjes natuurlijk van geen belang in het grote patroon.

'Ik vroeg me af...' begon ik.

'Wat, kind?'

'Ik heb twee vragen. Een menselijk meisje heeft voeding nodig; warmte, kleren om aan te trekken; de middelen om het in de winter warm te hebben. Ik ben erop voorbereid alleen te zijn; dat is niets nieuws. Maar hoe zal ik de tijd vinden om de plichten te vervullen die u me oplegt, als ik tevens moet proberen me in leven te houden met wat deze kale rotsen opleveren? Ik kan vis vangen met een handlijntje, maar...'

Het viertal lachte, hoog, diep; het geluid ervan weerklonk als een soort muziek door de kamer.
'Er zal voor je gezorgd worden,' zei de vurige Heer. 'Door middel van een daad van onverwachte vriendelijkheid heb je vreemde en trouwe vrienden verworven. De Ouden zullen ervoor zorgen dat alles wat je nodig hebt er voor je is. Die rare schepsels stonden er zelfs op dat deze taak aan hen voorbehouden zou zijn. Het zal niet nodig zijn om... uit vissen te gaan.' Hij barstte weer uit in gegrinnik.
'Heel goed,' zei ik, terwijl ik om me heen keek en me afvroeg hoeveel ogen ons gadesloegen. De Ouden wisten zich goed onzichtbaar te maken; je wist nooit welk zweempje schaduw, welke hoop steenbrokken zich zonder waarschuwing kon omvormen tot een levend, ademend wezen. Ik zou tenminste een soort gezelschap hebben.
'Er is nog iets waaraan u niet gedacht schijnt te hebben,' zei ik. 'Mijn grootmoeder heeft me verteld dat ons geslacht een lang leven heeft. Omdat wij uw bloed in ons dragen, is onze levensduur langer dan die van gewone mensen. Maar ik zal niet eeuwig leven. Misschien kan ik deze geheimen veilig bewaren tot ik een gerimpeld oud besje ben zoals vrouwe Oonagh. Maar uiteindelijk zal ik sterven en zullen de mysteriën met mij verloren gaan.'
De vloeibare ogen van het oceaanwezen werden groot en haar wierachtige wenkbrauwen gingen omhoog. 'Welnee,' zei ze verbaasd. 'De geheimen sterven niet als jij sterft; zo gaat het helemaal niet. Ons visioen strekt zich veel verder uit dan het leven van één wachter. Jij zult deze dingen te zijner tijd aan je dochter leren, zodat zij het geheim op haar beurt kan behoeden; later zal zij de wijsheid weer doorgeven aan haar eigen kind. Het zal lang, heel lang duren voor deze kennis weer aan de wereld kan worden bekendgemaakt. Dit is de reden waarom wij de Eilanden vannacht zullen verbergen en ze zullen onttrekken aan het domein van de mens. Er zal een grote golf overheen spoelen; er zal een nevel opstijgen die ze aan het gezicht onttrekt. Reizigers kunnen ernaar op zoek gaan, maar geen van hen zal deze plek meer vinden.'
'Mijn dochter,' zei ik toonloos. 'Juist. Wijs me terecht als ik me vergis, maar ik dacht dat er zowel een man als een vrouw voor nodig was om een kind te maken. Zal de vader van dit kind een krab zijn, of een meeuw misschien? Of waren jullie van plan om hier op mijn drempel een bruikbare zeeman schipbreuk te laten lijden, zodat ik hem voor dat doel kan gebruiken?'
Er viel een plotselinge stilte. Misschien had ik iets niet begrepen. De

vier grote wezens van de Túatha Dé keken me ernstig aan. Toen stak de Vuurheer plotseling zijn hand uit, en daar voor me in de lucht hing een breekbare glazen bol, mooi en glinsterend als een ster.
'Je kent deze toverkunst,' zei hij. 'Laat het ons zien.'
Ik staarde hen verbijsterd aan, met stomheid geslagen door zoveel wreedheid. Ik slikte gauw de woorden in die op het puntje van mijn tong lagen. *Val neer. Stop. Nu zacht naar beneden.* Hoe durfden ze? Hoe durfden ze me zo in de maling te nemen?
De bol kletterde niet op de grond. Hij viel, stopte, en hing nu zwevend in de lucht, een handbreedte boven de stenige ondergrond. Maar ik had geen toverformule gebruikt. De glanzende bol twinkelde in de gloed die het vlammende haar van de Vuurheer uitstraalde. Hij bukte en nam de bol in zijn hand.
'Zie je het?' zei hij zacht. 'Jij bent niet de enige die deze toverkunst kan uitvoeren.'
'Krabben, meeuwen, aangespoelde zeelieden; dat lijkt me niets,' zei de Vrouwe van het Woud. 'Ik denk dat we wel iets beters kunnen aanbieden.'
Mijn hart maakte een luchtsprong. Doodsbenauwd dat ik het verkeerd had begrepen, fluisterde ik: 'Wat bedoelt u?'
'Wat voor vader zou zo'n kind nodig hebben, als het hier op deze eenzame plek opgroeit?' zei ze peinzend. 'Zo'n kind zou vindingrijk, vrolijk en verstandig moeten zijn. Ze zou moeten kunnen klimmen, zonder haar evenwicht te verliezen; ze zou eerbied moeten hebben voor wilde dieren, want die zijn hier in dit door zee omgeven gebied aan alle kanten om ons heen. Het zou nuttig zijn als haar vader haar kon leren zwemmen, omdat haar moeder dat niet kan. Wat verder nog, dacht je?'
'Wat zegt u toch?' Mijn stem was schor van ellende, ik stond te trillen als een berk in de winter. Ik was bang dat ze me kwelden, want het kon toch niet waar zijn; hoe kon het waar zijn? De kliffen waren hoog, de rotsen waren scherp, de greep van de zee was ijzig. En toch... en toch steeg de hoop in me omhoog als de sappen van de lente, die zoet en sterk opwelden.
'Een beetje muziek om de tijd aangenaam te passeren,' zei de Heer van lucht en licht. 'Wat lachen af en toe, wat vriendelijkheid. Geduld, en een reden om door te gaan. Dat zou weleens liefde kunnen zijn.'
'Wij hadden de indruk dat er maar één mogelijkheid was,' zei het zeewezen.

'Bedoelt u... bedoelt u dat hij nog leeft?' Ik durfde de woorden nauwelijks te vormen, omdat ik bang was voor het antwoord. Ik dacht dat mijn hart uit mijn borst zou springen, want het bonkte als een grote trom. 'Hebt u hem gered? Maar hoe kan dat waar zijn? Hoe zou hij in die verraderlijke zee in leven kunnen blijven, na zo'n duik? En waar is hij nu? Liegt u niet tegen me, o, alstublieft...'

'Stil, kind. Wij moeten nu snel weg. Dit is geen eenvoudige zaak, want het was niet gemakkelijk om hem op die manier uit de muil van de dood weg te grissen en hem te behouden.' De Vrouwe van het Woud sprak in diepe ernst; er lag een soort schaduw over haar gezicht. 'Het was noodzakelijk om een kleine aanpassing aan te brengen aan de wijze van zijn, zodat dit mogelijk kon worden. En hij is niet hier, nog niet. Hij zal niet zo gemakkelijk naar je toe komen, want er valt nog een soort proef af te leggen; een proef die je jezelf hebt opgelegd.'

'Wat voor proef?' Ik had het weer koud en haar woorden waren volkomen onbegrijpelijk voor me. 'Wat moet ik doen?'

Ze zuchtte. 'Hij is jou gevolgd naar het einde van de wereld. Alles wat voor hem van waarde was, heeft hij voor jou opgegeven. Je beeft nu van vreugde omdat hij nog leeft; en toch heb je hem telkens weer weggestuurd. Misschien net één keer te vaak; misschien zal hij dit keer niet terugkomen, omdat hij weet dat hij het niet meer kan verdragen nog een keer te worden verbannen.'

Het viertal begon te vervagen, ze begonnen al weg te gaan. Hun vormen werden doorschijnend en ijl, tot ik niet veel meer van hen kon zien behalve de ogen, verdrietig, trots, niet geheel zonder medelijden.

'Zeg het! O, alstublieft, zeg toch alstublieft wat ik moet doen!'

De Vrouwe van het Woud was de laatste die verdween. Haar stem leek nu even breekbaar en onstoffelijk als de zucht van een briesje over de bladeren van een groot bos, een zacht ritselen ten afscheid. 'Je moet naar de zee beneden gaan en daar op hem wachten,' zei ze. 'Er zal maar één kans komen. Laat je die voorbijgaan, dan is hij voor jou voorgoed verloren. Je moet je hart openstellen en je lippen moeten de waarheid spreken. Nee, nu nog niet,' zei ze nog toen ik naar de ingang sprong. 'Niet voor de schemering. Je moet wachten tot het tijdstip voor verandering daar is. Pas dan kun je hem naar huis brengen.' Haar schimmige gestalte werd wazig en verbleekte tot niets.

Op het tijdstip dat het heldere blauw van de namiddag vager en donkerder begon te worden, alsof er een penseel over de wijde hemel was gehaald om hem te schilderen in de tint van gedroogde lavendel, van een duivenvleugel, van korstmos op een oude steen, ging ik blootsvoets naar buiten, de ruw uitgehouwen treden af, helemaal naar beneden, naar een plek aan de zuidkant van de Naald, waar grote platte rotsen met hun rug boven de zee uitstaken. Soms spoelde het water over het gespleten oppervlak van deze reusachtige stenen, en ook nu bevatten hun geheime gaten kleine poeltjes, elk met hun eigen levensgemeenschap: breekbare zeedieren, vastgehechte, franjeachtige anemonen en iriserende visjes, niet langer dan één wimper. Maar nu was het hoge oppervlak van de steen droog; hier ging ik in kleermakerszit zitten, met mijn rug recht, en vestigde mijn blik op het donkerder wordende water voor me. Ik voelde de warmte die hier in de oude steen werd vastgehouden, en de omarming van de aarde die het leven van de zon teruggaf aan mijn lichaam. Woorden kwamen zwijgend tot me, net als vroeger. *Deze steen is je moeder; ze houdt je in haar handpalm. Deze warmte is je vader; hij geeft je zijn leven, zijn ziel en zijn kracht.* Hoe stil en rustig dit tijdstip en deze plek ook waren, mijn hart klopte snel naarmate het licht verflauwde; de zee werd al donkerder, en ik zag geen zwemmers in zijn koude omhelzing, geen zonen en dochters van Manannán mac Lir die in de deining speelden, terwijl de zon wegzakte in het westen, ergens achter de groene heuvels van Kerry. Het water kabbelde fluisterend aan mijn voeten, het drenkte de oude stenen, likte ze, baadde ze, alsof het alles van het verleden weg wilde spoelen en alles nieuw en schoon wilde maken. Een grote vloedgolf; een grote tranenvloed. Maar er konden nooit genoeg tranen zijn om goed te maken wat ik gedaan had. Als er al iets kostbaars op deze woeste kust aan zou spoelen, wie verdiende minder dat te ontvangen dan deze tovenaarsdochter, die al blunderend zoveel brave mensen had gewond? Hoe kon dat ooit worden goedgemaakt? Weer kwamen er woorden, geheime woorden, gedragen op de fluistering van de westenwind, zuchtend in de diepe vloed van de zee. *Deze adem is een belofte, een geschenk van liefde en trouw. Het tij keert; alles verandert en wordt opnieuw geboren. De aarde lijdt en verdraagt; de oceaan trilt, wachtend op vernieuwing. Schone dingen vergaan en onschuld sterft. Maar de hoop blijft leven zolang de Wachter het geloof behoudt, hoog in de Naald. Dit is de weg van de waarheid.*

Ik beefde toen ik deze woorden hoorde, maar ik bleef toch stil op de rotsen zitten, want ik had het gevoel dat er niets anders te doen viel dan wachten en hopen. Als er geen hoop meer was, dan was er werkelijk niets meer over, helemaal niets.

Daarginds in het donkerder wordende water zag ik een plotselinge beweging, die beslist niet alleen een golf was, of een op de deining meegevoerde kluwen glimmend zeewier. Nee, dat waren toch... dat waren toch dieren, zeedieren met slanke lijven en ronde koppen die daar speelden, doken, dansten in de vloed; hun vorm was als het wezen van het verschuivende, vloeibare element waarin ze met zoveel plezier woonden. Ik kneep mijn ogen een beetje dicht om beter te kijken. Ja, het waren zeehonden, vijf of zes dieren die een eind uit de kust rondzwommen. Van tijd tot tijd hieven ze hun kop uit het water op, zodat de donkere huid glinsterend glom in het laatste licht, en richtten ze hun vochtige, droevige ogen op mij, die daar zat op de rotsen van de Naald. Ze zouden hopelijk dichterbij komen. Hier, waar de steen zacht afhelde naar het water, kon een zeehond aan land komen en... en... maar ze kwamen niet dichterbij, en nu zakte de zon weg achter de horizon, in het westen, en schemerde het al bijna. Dit zou misschien mijn straf zijn omdat ik had durven hopen dat mij toch nog zo'n heerlijk geschenk gegund zou worden, nog eens datgene in mijn armen te houden wat me het liefste was, en waarvan ik dacht dat ik het voorgoed verloren had. Dit was mijn noodlot omdat ik ook maar een moment had durven geloven dat de godin zou kunnen denken dat ik zo'n barmhartige behandeling verdiend had. Ik fluisterde zijn naam terwijl de zeehonden van het eiland weg leken te drijven, en nog verder weg, tot ik ze nauwelijks meer kon zien in het schemerlicht. *Darragh*, fluisterde ik als een onnozel, verliefd meisje. *O, alsjeblieft. O, alsjeblieft.*

'Dat is niet goed genoeg, je moet iets beters verzinnen,' zei een droog stemmetje links van me. Ik schrok en keek omlaag. Ditmaal had het wezen niet eens de tijd genomen om van gedaante te veranderen; ik zag het kleine, verfomfaaide uiltje, hoewel ik niets had zien vliegen of landen. 'Je zult iets moeten doen dat de moeite waard is, en snel ook. Het schemeruur duurt niet lang; dadelijk is het donker, en dan is het te laat.'

'Denk na, meisje, denk na,' zei een diepe gebarsten stem rechts van mij, een stem die uit de rotsen zelf leek te komen; was die spleet een soort mond, dat mooie, ronde gat waarin een lichte schelp prijkte, een soort oog? De Fomhóire waren overal. Op deze manier hadden

ze ontelbare eonen overleefd, terwijl anderen verslagen of verbannen waren. 'Denk na,' zei de stem weer. 'Gebruik je hoofd. Denk terug.'
'Ik kan het niet,' fluisterde ik. 'Ik kan hem niet zien. Het is vast al te laat.' Maar was daar, verderop in het water, niet één zeehond overgebleven, alleen in de schemering, die met zijn glanzende ogen naar het land staarde en geen zin leek te hebben om achter de andere aan te zwemmen, die oostwaarts op weg gingen naar de beschutte baaien van de grotere eilanden? Hij wachtte; maar hij zou niet eeuwig blijven wachten. Wat moest ik dan doen? Ik kon niet roepen; dit was een wild dier, mijn stem zou hem alleen maar wegjagen. *Denk na, Fainne. Herinner je iets.*
'Zingen,' mompelde ik, want opeens kwam het terug. Darragh die zo mooi op de doedelzak speelde en probeerde mij te bewegen mee te zingen. Wat had hij gezegd? Iets over zeehonden, dat was het. *Ik weet zeker dat je zo mooi zou kunnen zingen dat de zeehonden ervoor uit de oceaan zouden opduiken, als je het probeerde*, had hij gezegd. De godin sta me bij. Hoe kon ik dat fantastische beest met zingen naar de kust lokken, ik met mijn gebarsten, huilerige stem, die meer weg had van de roep van een klein, verdwaald moerasbeest dat eenzaam in het riet zit te kwaken? Ik keek in de donkere, vochtige ogen van de zeehond, en hij keek terug, en ik wist dat dit nu juist datgene was wat ik moest doen; dat mijn stem de enige stem was die hem naar huis kon zingen. Want hoe verstikt en gebroken hij ook was, het was immers de stem van de liefde?
'Vlug nou,' zei het uilwezen dringend. 'Wanneer het donker is, is het te laat.'
En zo was het, want daar in de zee draaide de zeehond zijn kop al om de andere na te kijken; toen draaide hij hem weer terug om naar mij te kijken. Ik ademde dus diep in en begon te zingen. Mijn stem was zwak en onwelluidend; een ijl draadje van geluid dat werd weggezwiept door de westenwind; een liedje dat vast te klein was om het dier te bereiken dat daar in de deining dobberde. Hij keek naar me.
'Mooi,' zei het uilwezen, wat kennelijk gelogen was.
'Meer,' zei het rotswezen bemoedigend. 'Meer. Luider. Hij hoort je. Vlug nu.'
Het leek erop dat hij me werkelijk hoorde, want hij kwam aanzwemmen en ik verbeeldde me dat ik iets als herkenning zag in die vreemde, donkere, droevige ogen met de wildheid van de oceaan er-

in. Ik begon opnieuw. De warmte van de grote stenen stroomde in me, de westenwind gaf me adem, de stem van de zee vormde een diepe tegenmelodie bij het hortende vloeien van mijn melodie. Ik zong door terwijl het licht verflauwde en het water inktzwart werd, terwijl de schaduwen hun lange handen over me uitstrekten en de lucht het diepe paars van de schemering aannam. Mijn stem was een zielig vodje slecht gevormd geluid in de enorme ruimte van deze afgelegen plek, mijn melodie had geen vorm, mijn woorden kwamen met horten en stoten. Maar het lied kwam voort uit de diepten van mijn hart, en ik goot er alle liefde en verlangen in die ik daar verborgen had gehouden. Alles wat ik nooit tegen hem had gezegd, omdat ik het niet kon, zong ik hem nu toe. Ik zong door tot in de schemering, wachtend op het tijdstip van de verandering.

Kom nu bij me, mijn liefste,
Zeehond met je gladde vacht, je wilde ogen,
Zoon van de zee, sterke zwemmer, kom.

De nacht wordt donker, de lucht wordt koud
Zwem naar de veilige kust, zoek je schuilplaats
Wild is de westenwind, koud de voorjaarsvloed.

Jongen van mijn hart, mijn liefste,
Kom naar huis, kom thuis bij mij
Lang heb ik erop gewacht je te omhelzen
Lang heb ik ernaar verlangd
Je veilig in mijn armen te houden.

Het laatste beetje licht doofde uit. Aan mijn voeten, vlak bij de grens tussen water en land, wachtte de zeehond; zijn gladde, donkere kop was nauwelijks meer zichtbaar boven het water, zijn ronde ogen waren op de mijne gericht. Mijn lied was uit. Ik stak mijn hand naar beneden uit toen de schemering veranderde in duisternis, en mijn vingers grepen de sterke hand van een man. Ik trok met al mijn kracht, terwijl mijn wangen weer nat begonnen te worden van tranen, en eindelijk lag daar op de rotsen naast me, huiverend en languit uitgestrekt in het eerste flauwe licht van de opkomende maan, mijn liefste, kletsnat, rillend van top tot teen en poedelnaakt. Ik deed mijn armen om hem heen terwijl ik daar naast hem op mijn knieën zat, en vroeg me af waarom ik er ooit aan had getwijfeld dat

hij naar me terug zou komen. Hij was toch altijd al de trouwste vriend geweest die je je kon denken?
'Het spijt me,' fluisterde ik. 'Het spijt me, Darragh, o, het spijt me zo dat ik je dit heb aangedaan.'
Hij knipperde met zijn ogen en draaide zijn hoofd heen en weer, alsof hij niet goed wist wat hij nu was, een zeehond of een mens. Als je de verhalen moest geloven, zou hij van nu af aan misschien nooit meer helemaal het een of het ander zijn. Hij rilde zo heftig dat ik het door mijn eigen lichaam voelde trekken waar ik hem vasthield. Ik maakte vlug mijn sjaal los en wilde die om hem heen doen.
'Het spijt me,' zei ik weer, door tranen van vreugde en verdriet heen.
Darragh stond voorzichtig op. Zijn lichaam was heel bleek in het maanlicht; bleek, naakt en heel, heel mooi. Ik slikte.
'Het is mogelijk om hier te leven,' ging ik verder; ik wilde dat hij iets zei, maar ik was er ook bang voor, want ik had mijn hart opengelegd en nu begon ik me af te vragen of dat erg dom was geweest. Hij had me tenslotte al een keer de rug toegedraaid, toen ik naar zijn aanraking verlangde. 'Er is eten en water en een schuilplaats. Maar het is niet veel. We kunnen hier niet weg. Het spijt me. Door mij heb je alles verloren wat je had kunnen hebben.'
Darragh keek naar me in het halfdonker. 'Je zei altijd dat je niet k-kon zingen,' merkte hij klappertandend op. 'Ik zou dat lied graag nog eens willen horen. Dat was de mooiste melodie die ik ooit heb gehoord. Zou je het nog een k-k-keer voor me willen zingen, als ik het beleefd vroeg?'
Ik voelde een blos naar mijn gezicht stijgen. 'Best wel,' zei ik. 'Maar we moeten eerst een manier vinden om je te verwarmen, voor je doodvriest.'
'Ik zou wel een paar manieren weten,' zei Darragh, zelf ook heftig blozend terwijl hij het zei. Hij stak zijn armen naar me uit, en ik deed mijn armen om hem heen; wat gaf het dat hij geen tuniek, geen broek, helemaal niets aanhad, en ik voelde het kloppen van zijn hart tegen mijn lichaam, wat zo helend werkte op mijn gewonde ziel dat ik dacht dat ik doodging van verrukking.
'Darragh,' zei ik. 'Er is hier niets voor jou. Helemaal niets, behalve ik en de zeevogels en het weer. Het is eigenlijk geen leven voor jou.' Intussen hield ik hem stevig vast; ik begreep nu dat sommige dingen te kostbaar zijn om ze los te laten.
'Ik heb nooit iets anders gewild dan jou aan mijn zijde, en de weg voor ons,' zei Darragh. 'Daar ben ik heel tevreden mee.'

Kind van de Profetie

Van Juliet Marillier zijn verschenen:

Dochter van het Woud*

Trilogie van de Zeven Wateren – Boek 1

Zoon van de Schaduwen*

Trilogie van de Zeven Wateren – Boek 2

Kind van de Profetie*

Trilogie van de Zeven Wateren – Boek 3

Drager van de Wolvenvacht

De Saga van de Eilanden van het Licht – Deel 1

Drager van het Vossenmasker

De Saga van de Eilanden van het Licht – Deel 2

Des magiërs leerling

De Kronieken van Bridei – Eerste boek

Het Zwaard van Fortriu

De Kronieken van Bridei – Tweede boek

De Schaduwbron

De Kronieken van Bridei – Derde boek

Wildewoud

Cybele's geheim

*In POEMA-POCKET verschenen